中国近现代中医药期刊续编

第二辑

医药卫生月刊

天津新国医月编

王咪咪◎主编

2020年度北京市优秀古籍整理出版扶持项目

北京科学技术出版社

图书在版编目（CIP）数据

医药卫生月刊；天津新国医月编 / 王咪咪主编. --
北京：北京科学技术出版社，2021.7
（中国近现代中医药期刊续编. 第二辑）
ISBN 978-7-5714-1485-6

Ⅰ. ①医… Ⅱ. ①王… Ⅲ. ①中国医药学—医学期刊—汇编—中国—民国 Ⅳ. ①R2-55

中国版本图书馆CIP数据核字(2021)第049339号

策划编辑：侍　伟　段　瑶
责任编辑：侍　伟　王治华
文字编辑：白世敬　刘　佳　陶　清　孙　硕　刘雪怡　吕　艳
责任校对：贾　荣
图文制作：北京艺海正印广告有限公司
责任印制：李　茗
出 版 人：曾庆宇
出版发行：北京科学技术出版社
社　　址：北京西直门南大街16号
邮政编码：100035
电　　话：0086-10-66135495（总编室）　0086-10-66113227（发行部）
网　　址：www.bkydw.cn
印　　刷：北京捷迅佳彩印刷有限公司
开　　本：787mm×1092mm　1/16
字　　数：362.97千字
印　　张：39.5
版　　次：2021年7月第1版
印　　次：2021年7月第1次印刷
ISBN 978－7－5714－1485－6

定　　价：890.00元

《中国近现代中医药期刊续编·第二辑》编委会名单

序

2012年上海段逸山先生的《中国近代中医药期刊汇编》（下文简称“《汇编》”）出版，这是中医界的一件大事，是研究、整理、继承、发展中医药的一项大工程，是研究近代中医药发展必不可少的历史资料。在这一工程的感召和激励下，时隔七年，我所的王咪咪研究员决定效仿段先生的体例、思路，尽可能地将《汇编》所未收载的新中国成立前的中医期刊进行搜集、整理，并将之命名为《中国近现代中医药期刊续编》（下文简称“《续编》”）进行影印出版。

《续编》所选期刊数量虽与《汇编》相似，均近50种，但总页数只及《汇编》的1/4，约25000页，其内容绝大部分为中医期刊，以及一些纪念刊、专题刊、会议刊；除此之外，还收录了《中华医学杂志》1915—1949年所发行的35卷近300期中与中医发展、学术讨论等相关的200余篇学术文章，其中包括6期《医史专刊》的全部内容。值得强调的是，《续编》将1951—1955年、1957年、1958年出版的《医史杂志》进行收载，这虽然与整理新中国成立前期刊的初衷不符，但是段先生已将1947年、1948年（1949年、1950年《医史杂志》停刊）的《医史杂志》收入《汇编》中，咪咪等编者认为把20世纪50年代这7年的《医史杂志》全部收入《续编》，将使《医史杂志》初期的各种学术成果得到更好的保存和利用。我以为这将是对段先生《汇编》的一次富有学术价值的补充与完善，对中医近现代的学术研究，对中医整理、继承、发展都是有益的。医学史的研究范围不只是中国医学史，还包括世界医学史，医学各个方面的发展史、疾病史，以及从史学角度谈医学与其关系等。《续编》中收载的文章虽有的出自西医学家，但提出来的问题，对中医发展有极大的推进作用。陈邦贤先生在

《中国医学史》的自序中有“世界医学昌明之国，莫不有医学史、疾病史、医学经验史……岂区区传记遽足以存掌故资考证乎哉！”陈先生将其所研究内容分为三大类：一为关于医学地位之历史，二为医学知识之历史，三为疾病之历史。医学史的开创性研究具有连续性，正如新中国成立初期的《医史杂志》所登载的文章，无论是陈邦贤先生对医学史料的连续性收集，还是李涛先生对医学史的断代研究，他们对医学研究的贡献都是开创性的和历史性的；范行准先生的《中国预防医学思想史》《中国古代军事医学史的初步研究》《中华医学史》等，也都是一直未曾被超越或再研究的。况且那个时期的学术研究距今已近百年，能保存下来的文献十分稀少。今天能有机会把这样一部分珍贵文献用影印的方式保存下来，将是对这一研究领域最大的贡献。同时，扩展收载1951—1958年期间的《医史杂志》，完整保留医学史学科在20世纪50年代的研究成果，可以很好地保持学术研究的连续性，故而主编的这一做法我是支持的。

以段逸山先生的《汇编》为范本，《续编》使新中国成立前的中医及相关期刊保存得更加完整，愿中医人利用这丰富的历史资料更深入地研究中医近现代的学术发展、临床进步、中西医汇通的实践、中医教育的改革等，以更好地继承、挖掘中医药伟大宝库。

李经纬 九十老人

2019年11月于中国中医科学院

前　言

《汇编》主编段逸山先生曾总结道，中医相关期刊文献凭藉时效性强、涉及内容广泛、对热门话题反映快且真实的特点，如实地记录了中医发展的每一步，记录了中医人每一次为中医生存而进行的艰难抗争，故而是中医近现代发展的真实资料，更是我们今天进行历史总结的最好见证。因此，中医药期刊不但具有历史资料的文献价值，还对当今中医药发展具有很强的借鉴意义。

本次出版的《续编》有五六十册之规模，所收集的中医药期刊范围，以段逸山先生主编的《汇编》未收载的新中国成立前50年中医相关期刊为主，以期为广大读者进一步研究和利用中医近现代期刊提供更多宝贵资料。

《续编》收载期刊的主要时间定位在1900—1949年，之所以不以1911年作为断代，是因为《绍兴医药学报》《中西医学报》等一批在社会上很有影响力的中医药期刊是1900年之后便陆续问世的，从这些期刊开始，中医的改革、发展等相关话题便已被触及并讨论。

在历史的长河中，50年时间很短，但20世纪上半叶的50年却是中医曲折发展并影响深远的50年。中国近代，随着西医东渐，中医在社会上逐步失去了主流医学的地位，并逐步在学术传承上出现了危机，以至于连中医是否能名正言顺地保存下来都变得不可预料。因此，能够反映这50年中医发展状况的期刊，就成为承载那段艰难岁月的重要载体。

据不完全统计，这批文献有1500万～2000万字，包括3万多篇涉及中医不同内容的学术文章。这50年间所发生的事件都已成为历史，但当时中医人所提出的问题、争论的焦点、未做完的课题一直在延续，也促使我们今天的中医人要不断地回头看，思考什么才是这些问题的答案！

中医到底科学不科学？中医应怎样改革才能适应社会需要并有益于中医的发展？120年前，这个问题就已经在社会上被广泛讨论，在现存的近现代中医药期刊中，这一类主题的文章有不下3000篇。

中医基础理论的学术争论还在继续，阴阳五行、五运六气、气化的理论要怎样传承？怎样体现中国古代的哲学精神？中医两千余年有文字记载的历史，应怎样继承？怎样整理？关于这些问题，这50年间涌现出不少相关文章，其中有些还是大师之作，对延续至今的这场争论具有重要的参考价值。

像章太炎这样知名的近代民主革命家，也曾对中医的发展有过重要论述，并发表了近百篇的学术文章，他又是怎样看待中医的？此类问题，在这些期刊中可以找到答案。

最初的中西医汇通、结合、引用，对今天的中西医结合有什么现实意义？中医在科学技术如此发达的现代社会中如何建立起自己完备的预防、诊断、治疗系统？这些文章可以给我们以启示。

适应社会发展的中医院校应该怎么办？教材应该是什么样的？根据我们在收集期刊时的初步统计，仅百余种的期刊中就有五十余位中医前辈所发表的二十余类、八十余种中医教材。以中医经典的教材为例，有秦伯未、时逸人、余无言等大家在不同时期从不同角度撰写的《黄帝内经》《伤寒论》《金匮要略》等教材二十余种，其学术性、实用性在今天也不失为典范。可由于当时的条件所限，只能在期刊上登载，无法正式出版，很难保存下来。看到秦伯未先生所著《内经生理学》《内经病理学》《内经解剖学》《内经诊断学》中深入浅出、引人入胜的精彩章节，联想到现在的中医学生在读了五年大学后，仍不能深知《黄帝内经》所言为何，一种使命感便油然而生，我们真心希望这批文献能尽可能地被保存下来，为当今的中医教育、中医发展尽一份力。

新中国成立前这50年也是针灸发展的一个重要阶段，在理论和实践上都有很多优秀论文值得被保存，除承淡安主办的《针灸杂志》专刊外，其他期刊上也有许多针灸方面的内容，同样是研究这一时期针灸发展状况的重要文献。

在中医的在研课题中，有些同志在做日本汉方医学与中医学的交流及互相影响的研究，这一时期的期刊中保存了不少当时中医对日本汉方医学的研究之作，而这些最原始、最有影响的重要信息载体却面临散失的危险，保护好这些文献就可以为相关研究提供强有力的学术支撑。

在这50年中，以期刊为载体，一门新的学科——中国医学史诞生了。中国医学史首次以独立的学科展现在世人面前，为研究中医、整理中医、总结中医、发展中医，把中医推向世界，再把世界的医学展现于中医人面前，做出了重大贡献。创建中国医学史学科的是一批忠实于中医的专家和一批虽出身西医却热爱中医的专家，他们潜心研究中医医史，并将其成果传播出去，对中医发展起到了举足轻重的作用。《古代中西医药之关系》《中国医学史》《中华医学史》《中国预防医学思想史》《传染病之源流》等学术成果均首载于期刊中，作为对中医学术和临床的提炼与总结，这种研究将中医推向了世界，也为中医的发展坚定了信心。史学类文章大都较长，在期刊上大多采用连载的形式发表，随着研究的深入也需旁引很多资料，为使大家对医学史初期的发展有一个更全面、连贯的认识，我们把《医史杂志》的收集延至1958年，为的是使人们可以全面了解这一学科的研究成果对中医发展的重要作用。《医史杂志》创刊于1947年，在此之前一些研究医学史的专家利用西医刊物《中华医学杂志》发表文章，从1936年起《中华医学杂志》不定期出版《医史专刊》。（《中华医学杂志》是西医刊物，我们已把相关的医学史文章及1936年后的《医史专刊》收录于《续编》之中。）这些医学史文章的学术性很强，但其中大部分只保存在期刊上，期刊一旦散失，这些宝贵的资料也将不复存在，如果我们不抢救性地加以保护，可能将永远看不到它们了。

上述的一些课题至今仍在被讨论和研究，这些文献不只是资料，更是前辈们一次次的发言。能保存到今天的期刊，不只是文物，更是一篇篇发言记录，我们应该尽最大的努力，把这批文献保存下来。这50年的中医期刊、纪念刊、专题刊、会议刊，每一本都给我们提供了一段回忆、一个见证、一种警示、一份宝贵的经验。这批1500万～2000万字的珍贵中医文献已到了迫在眉睫需要保护、研究和继承的关键时刻，它们大多距今已有百年，那时的纸张又是初期的化学纸，脆弱易老化，在百年的颠沛流离中能保留至今已属万分不易，若不做抢救性保护，就会散落于历史的尘埃中。

段逸山、王有朋等一批学术先行者们以高度的专业责任感，克服困难领衔影印出版了《汇编》，以最完整的方式保留了这批期刊的原貌，最大限度地保存了这段历史。段逸山老师所收载的48种医刊，其遴选标准为现存新中国成立前保留时间较长、发表时间较早、内容较完备的期刊，其体量是现存新中国成立前期刊的三分之二以上，但仍留有近三分之一的期刊未能收载出版。正如前面所述，每多保留一篇文献都是在保留一份历史痕迹，故对《汇编》未收载的期刊进行整理出版有着重要意义。北京科学技术出版社秉持传承、发展中医的责任感与使命感，积极组织协调本书的出版事宜。同时，在出版社的大力支持下，本书入选北京市古籍整理出版资助项目，为本书的出版提供了可靠的经费保障。这些都让我们十分感动。希望在大家的共同努力下，我们能尽最大可能保存好这批期刊文献。

近现代中医可以说是对旧中医的告别，也是更适应社会发展的新中医的开始，从形式上到实践上都发生了巨大的改变。这50年中医的起起伏伏，学术的争鸣，教育的改变，理论与临床的悄然变革，都值得现在的中医人反思回顾，而这50年的文献也因此变得更具现实研究意义。

《续编》即将付梓之际，恰逢全国、全球新冠肺炎疫情暴发，在此非常时期能如期出版实属难得；也借此机会向曾给予此课题大量帮助和指导的李经纬、余瀛鳌、郑金生等教授表示最诚挚的感谢。

王咪咪

2020年2月

目　录

中国近现代中医药期刊续编·第二辑

医药卫生月刊

内容提要

【期刊名称】医药卫生月刊。

【创　　刊】1932年。

【主　　编】王一仁。

【发　　行】中国医药学社。

【发 行 地】杭州上城彩霞岭11号。

【办刊宗旨】“旨在阐发中国医药学理经验，并破中西名词见解之争执，以扬真理而裨实用为归”。

【主要栏目】学说、笔记、方药、杂俎、杂录、卫生、记事。

【现有期刊】第1～24期（共36期，缺25～36期）。

【主要撰稿人】王一仁、时逸人、李建颐、张治河、俞慎初、沈仲圭、周岐隐、张泽霖、董志仁等。

该期刊虽设立的栏目不多，但学术氛围甚浓，每一栏目都有深入的学术讨论内容，值得阅读。以“学说”栏目为例，第7~24期的每期期刊连续刊载了王一仁先生撰写的《经脉与生理系统》，文章将《黄帝内经》的理论融入西医的生理学知识当中，中西医结合对中医理论发展起到了促进作用。因为该文章的内容符合当时的学术氛围，给中医学者理论上的启示（对于生理这一块，中医古籍中早有阐述，只是其相关名词与西医学的名词不同而已），也向西医学界表达了中医并非不科学，而是对方没读懂中医典籍中的内容。对于今天想了解近代中医是如何发展的读者，这段历史不可或缺。通过该文章中的一段文字我们即可了解当时中医人的认知情况："《灵枢·经脉》云：'三焦手少阳之脉，即起于小指次指之端，上出两指之间，循手表腕，出臂外两骨之间，上贯肘，循臑外……其支者，从耳后入耳中，出走耳前，过客主人前，交颊，至目锐眦。'三焦即淋巴管腺，……此则撮述淋巴管腺之主要途径，三焦手少阳经脉。所以外行于侧面，如手表腕、臂外、肘外、臑外等处。皆淋巴腺液蒸发最多之处……入缺盆，布膻中，络心胞，下膈，循属三焦，此则胸淋巴、腹淋巴之部位也。"现在的读者对此理论可能不赞同，但这反映了当时中医人探索中医理论的过程。在"学说"栏目中还有其他文章也值得一读，如当时的名医张蔚园先生（又名张植林，著有《植林医庐笔记》，该书记录多篇医案、随笔，有较大的影响），在《寒燥同治论》中有这样一段话："今世注《伤寒》者颇多，均未参透仲景心法，是以不切时用；惟柯韵伯能括伤寒杂病为一家，六经见症与诸病同治，非专为伤寒而设，其论某方治某证，亦非独治伤寒，议论高出千古。"该栏目还登载了当时的名医时逸人先生的几篇有独到见解的文章，如在《六经与营卫气血》一文中，他说："伤寒病在六经，营卫病在营卫气血，据此划然分界，判若鸿沟……考据古代医学家言，伤寒、温病在临床上之鉴别，惟恶寒与不恶寒，渴与不渴之不同耳，其余证候则大略相同。"该文章给中医临床工作提供了很好的指导性意见。《水肿病理之研究》以中西医之不同视角阐述了水肿的病因、病机等，充分体现了近代中西医汇通的特点。该栏目还有《顿咳浅说》《痢疾论》《论王叔和伤寒叙例》等文章，也大都具有中西医汇通的思想。

"笔记"栏目中的文章题材差别较大，其中李健颐先生撰写的《鼠疫疗法经验谈》，是一篇很经典的临床经验性文章，该文章对临床的指导意义很大，曾被多种期刊刊载。张治河先生撰写的《调养法之利弊谈》则是一篇一经发表便备受争议的养生类文章，因为当时多数人认为西医的言论才科学，对于中医的言论则表示怀疑。该文章劝告大家 "祸从口出，病从口入"乃千古之格言；"每病加入调摄之法，除起居运动采取新法外，对于饮食之宜忌，悉本古人之经验，依华人之习惯"。现在看来该文章依然具有实际意义，值得一读。该栏目还刊载了《针灸认穴概要》一文，将常见病分为脑神经病、消化器病、呼吸器病、血行器病、泌尿及生殖器病、运动器病、妇人病和杂病，在此分类下再分列常见病，配以常用穴位，既通俗易懂又非常实用。

"方药"栏目的内容较杂，有总论方药的文章，有单论一病方药的文章，如《预防鼠疫及急救方》《乳汁缺乏之原因及通乳验方》《锡类散于烂喉痧之治验》《瘋狗、毒蛇咬伤方药研究》《衄血验方》《外科要方》等，具有较高的实用价值。此外，该栏目还有如俞慎初先生撰写的《琥珀的研究》这种对单味药进行探讨的文章。

“杂俎”栏目刊载的文章不多，主要有沈仲圭先生撰写的《医药鳞爪》，该文章虽短小，但内容很丰富;另外还有《梦遗》《遗精病人之食单》《失眠》《喘咳》《霍乱》《金鸡纳霜之服法与截疟剂》等文章，于临床非常实用。

“杂录”栏目刊载的多为学术交流性文章。其中董志仁先生撰写的《本草经考》一文很有学术价值;《太素脉的研究》一文被连载多期，该文章阐述了“为什么称太素脉”和“太素脉和看象有什么区别”等，针对一个问题进行深入的学术探讨。该栏目还从基础、临床、课外读物三方面为初学中医的读者提供了参考书目（书目的编排依据读者学习的需要，由浅入深，循序渐进）。该栏目还刊载了《古本伤寒方之研究》一文，指出：“此方（小柴胡加黄连、丹皮汤）原书主治‘病春温，其气在上，头痛咽干，发热目眩，甚则谵语，脉弦而急’，吾尝借用以给治妇人倒经，极有效；而肝胆火盛，心烦不得卧者，亦辄用之。”另有“竹茹、栝楼根、茯苓、半夏汤”，作者谓“此方原书之治‘伤暑发热无汗，脉浮而滑’，吾每借用以清痰热止呕吐，无不应手，发热口渴、胁下咳呛引痛者，亦辄用之”。类似这种介绍活用伤寒方经验的文章在该栏目中还有很多。

该期刊的“卫生”栏目不像其他期刊那样以刊载个人卫生知识为主，而是连载了《卫生讲话》，阐述了防疫、种痘、吐痰、学校卫生等方面的内容，促进当时我国公共卫生领域的建设工作。以学校卫生内容为例，所刊载的文章不只讲到了群体保健方法和预防传染病的方法等知识，甚至还讲到了教室桌椅的高度、课时的长度、所用铅笔的颜色等问题，把保护眼睛以及影响学生成长的诸因素都考虑在内，确实做到了把最新的卫生知识普及于社会、造福社会。

在“记事”栏目中，连载了12期《〈本草经〉之研究》一文，并陆续介绍了200余味中药的功用，如说菖蒲有“主风寒湿痹、咳逆上气、开心孔、补五脏通九窍、明耳目出声音、治痈疽、温肠胃、止小便利、兴奋神志不清者、益心志”等功能。非常全面、实用。

王咪咪

中国中医科学院中国医史文献研究所

王一仁主編

醫藥衛生月刊

第一年彙訂本

張通謨署首

中國醫藥學社印行

杭州上城彩霞嶺十一號

凡例

總則 本刊主旨在闡發中國醫藥學理經驗並破中西名詞見解之爭執以揚眞理而裨實用爲歸

學說 關于專載論文長篇鉅著說理精粹宏體達用

筆記 長短篇章闡發醫藥學理各有取材歸于精當

方藥 或方劑之特效或一藥之專長述其理事以備取用

雜俎 于醫藥有關之事物可助臨床或研究之用者

雜錄 關于醫藥論文或挈領提綱或崇論宏議義有指歸理無偏倚

衛生 攝生之旨人皆知其重要此獨發其精要之事理以爲延年之助

記事 專載討論內容鉅細不遺所載本經研究尤能爲研究藥學者之指南

醫藥衛生月刊第一年彙訂要目

中國醫藥學社宣言

創刊詞

學說

醫藥衛生月刊第一年彙訂要目

筆記

雜俎

醫藥衛生月刊第一年彙訂要目

四

討論內容要目索引

醫藥衛生月刊第一年彙訂要目

文藝

醫藥衛生月刊

蜩隱

創刊號　王一仁主編

民國二十一年八月一日出版

中國醫藥學社印行

杭州上城彩霞嶺十一號

電話一〇九六號

中國醫藥學社宣言

一民族之立國其權操之自我則存操之自人則亡舉凡政治經濟教育無論矣即以醫藥而言因歷史之遞嬗又有風土習慣之異宜精粹所在不容以口舌爭也揆諸學術無國界之義吾人初無敵視外來醫藥之意所可慮者賓喧奪主民命有旦夕之厄耳以近事言自中日釁興因抵貨而及於藥品於是習日醫者改用他國之藥頗感形格勢禁之患易事而觀英美德法初非吾土一旦藥品斷絕苟遍國中而盡行西醫者不將束手待命乎即論醫學則以各國之創化日新隔年留學之所得今日已成芻狗吾方移植國內步趨不遑不於此日而速為改轍創造之圖則中國之民命不待政治經濟教育之淪亡而已去生日蹙矣夫中醫學術含哲學之精具科學之骨雖以機械解剖之缺乏未能為精細之闡發然其聽於無聲視於無形因象徵而顯實由顯實而具條理在經驗上存亡救亟自有其顛撲不破之精神謂中醫為非科學者非愚則誣也中國藥品因地大物博之故上至日月下至蟲魚無不備為療治之需徒以機製之未興每感精粗之不別揆厥醫藥進化之稽遲皆以學術振導之不力馴至社會視聽默化潛移將謂西醫有寄命之功能而國醫僅奪方之勦襲循是以往民性失民命危吾人生當此日而國學國產喪於斯時此吾人所引為莫大之憂戚者也爰欲竭其棉薄冀挽狂瀾創為醫藥學社欲合衆擎之力共圖砥柱之方求學術以立職業則職業之價值眞捨意氣而勵精神則精神之作用著凡我同志盍興乎來

發起人　范耀雯　施稷香　李天球　沈仲圭
　　　　陳鼎丞　蔡松巖　湯士彥　王一仁　同啓

創刊詞

天地、一大自然也。人身、一小自然也。日月寒暑之運行。生理病機之迭變。功莫宏於天地。寇莫大於陰陽。恩害之端。以漸而顯。夫醫藥之興。將以補苴隙漏。救弊濟偏。誠有所不得已也。雖然。衞生而專恃醫藥。則其衞生亦僅矣。醫藥而不究衞生。則其醫藥亦危矣。因疾病之萌。醫藥所以扶其亟。處尋常之日。衞生所以擠其平。舉凡天時、起居、性情、飲食、聲色、男女。順之得其宜則健康。反之逆其性則致病。菌邪為致病之因。尙非所以致病之本。人知藥物之能療病。而未知天時飲食性情聲色。皆能療病。衞生醫藥。義豈兩歧。尤有進者。今日之中國。既貧且病。內亂迭興。外侮薦至。若非安靜以導養民生。奮勵以振扶國脈。將何以自拔于危亡。而共趨于強盛。國族民命。固息息相關者也。中西醫學。以其創造歷史經濟環境之不同。原各有其精深之理。然而名詞有障。文字有障。意氣有障。或者執彼以攻斥國醫。或者執此以拒排西學。而不思同化吸收之。以自創中國之醫學。是誠不達之甚矣。吾國藥材之富。幾甲全球。加以扶植改進。前途正未可量。是以本刊之出世。固當闡宏醫藥衞生之旨。而于醫藥本身。亦當促其創化。以冀有所樹立。用集衆志。貢其愚誠。于國性民生。或有所裨補焉。海內賢達。幸鑒斯言。發刊日、是為詞、

學說

霍亂淺說

熊璋

(甲)原因　爲可買菌侵入小腸所致。其侵入之媒介物。爲水、魚類、蔬菜。而蒼蠅尤爲利器。可買菌入胃。胃液中之鹽酸。本能殺滅之。其所以爲病者。多因胃液分泌減少之故。胃液分泌何以減少。則以飲食過量。恣啖生冷。機能發生障礙耳。昔美國醫師爾立之司氏。於天氣清明之日。謂學生曰。「余今日身體甚健。可飲霍亂菌。以行實驗。乃飲培養液一小杯。翌日僅瀉三次。健旺如常。」觀此。可知身心健全。抵抗力充足時。雖有可買菌潛入胃腸。不能爲病也。

(乙)病狀　前驅症爲輕度泄瀉。腹鳴口渴。食慾不進。倦怠疲勞。一二日後。乃發霍亂症狀。每日數十回之上廁。並劇烈之嘔吐。腹痛。大便始呈胆汁色。繼如米泔汁。同時疲勞眩暈。心悸亢進。又因血液失去多量之水分。循環不良。致口渴尿少。眼凹脈微。四肢厥冷。皮膚乾燥。體溫下降。腓筋攣縮。

(丙)診斷　本病初起。與急性胃腸炎。無甚差別。此時欲辨眞僞。極爲困難。惟吐瀉稍久。則眞性霍亂之糞便。形如米泔。以顯微鏡視之。可見其中有無數之可買菌。及腸之上皮。又眞性霍亂至此程度。腹反不痛。亦足爲診察上有力之證據也。

(丁)治療　霍亂爲急性傳染病之一。死亡之速。(發病後約一晝夜卽死)傳染之廣。言之令人色變。惟治之中肯。則病來雖暴。病去亦速。爰將有効中方。介紹於次。

(一)聖濟附子丸—治霍亂初起。上吐下瀉。瀉如米泔。

生附子一錢(預防心藏衰弱)乾姜、黃連各錢半(二味止吐利)烏梅二錢(殺蟲)水煎服(按)或加吳萸八分至錢半、黃連視熱象輕重而增減，或用姜汁炒、

(二)仲景四逆湯—治霍亂危症。脈搏微細。四肢厥冷。汗出如漿。

生附塊三錢(強心)干姜三錢(止吐利)炙甘草二錢(調和藥)(水煎服)。

(三)仲景理中湯—治霍亂愈後。體疲胃呆。

西洋參三錢(健胃)白朮二錢(利尿)生姜三片(健胃)炙甘草一錢(調和藥)水煎服(按)苟無營液受傷情形、洋參不如用潞黨參、

(戊)攝生　霍亂病中。宜絕對斷食。雖稀飯粥湯。亦不許入腹。蓋腸胃消化吸收兩種機能。此時完全停止。所食之物。不但

無補於身體。反爲病菌良好之培養料也。惟恢復時期。輕軟流動之物。不妨稍稍與之。而苡米粥尤佳。以苡米爲禾本科中最滋養而易消化之穀類植物。並有利尿之効。可免霍亂後腎臟炎之發生耳。

(己)預防　霍亂流行時。宜(一)化驗飲料水。有無可買菌存在。(二)努力撲滅蒼蠅。以杜傳染之途徑。(三)清潔公廁。毋使蠅之幼蟲發生。(四)注射霍亂漿苗。增加人體抵抗力。然此屬國家衛生行政範圍。非一般人所能舉辦。至個人衛生可得言者。約有四端如下。

(一)五穀蔬菜。淸輕易化。在腸胃機能比較衰減之夏日。尤宜素食。

(二)凡未經煮沸之飲料食品。切勿入口。

(三)夜臥宜以絨毯加身。勿使胸腹受寒。(恐感冒風寒。引起腸炎也。)

(四)霍亂病人用過之食器。未經消毒。不得再用。

昔葛稚川曰。「凡所以得霍亂者。多起於飲食。多食生冷雜物。肥膿酒膾。或當風履濕。温凉不調。」是言簡明切要。吾人遵此以行。不使腸腑有醞釀之機。彼可買菌自無由發生。更無侵襲之機會矣。(可買在英譯卽?形意)

眼科實症談

曹蒂庭

白珠紅者肺熱也。紅而紫黑者熱毒也。若有浮翳。或結成點塊。或點如串珠。熱毒有痰也。流淚者。兼有風火也。血筋多者。心相火盛也。初紅一點日更加甚。久則眼眶俱黑者。必咳嗽傷肺也。此孩童多患之症，又有初紅一點。日更加甚。由漸昏矇者。憂鬱之氣上攻也，

眼上胞屬脾。下胞屬胃。胞瞼紅腫者。風火盛也。紅腫帶紫黑者。風火久而蘊毒也。淚多如傾者。及羞明怕日。隱澀難開。風火盛也。胞瞼皮肉。反出于外。臀肉由內生者。熱毒盛也。眉毛倒插。肝脾氣脈反常也。下唇紅黑。肺胃經之熱也。眼唇腐爛。非痘後作毒。卽風邪入骨也。眼眶及兩太陽穴痛者。風熱上攻也。

婦科治法總綱

劉佚凡

婦科一門。細核總綱。約分爲四。一肝鬱。二調經。三胎前。四產後。而四條之內。古書所載。惟缺肝鬱一門。所謂女子善懷者。不可不更加研究也。夫四時之病。男婦治法本同。然其所以異者。以婦人之有月經。稍挾肝氣。卽有短過。旣有短過。肝鬱之證。因之作矣。金匱云、婦人咽中如有炙臠。半夏厚樸湯主之。此非肝鬱之明徵乎。且肝鬱尤有不同者。有挾

寒者。有挾熱者。有挾痰濕者。治法宜舒肝調氣。再觀所挾何證。以加減治之。其有鬱久化熱。熱極生風者。則又當變其法而清涼平熄。如羚羊生牡蠣石決明等。又宜隨證加入。切不可泥守舒肝調氣以誤人也。至調經之法。古來方法最多。金匱帶下經水不利。小腹滿痛。經一月再見者。土瓜根散主之。婦人陷經。漏下黑不解。膠薑湯主之。婦人經水不利。下抵當湯主之。婦人經水閉不利。臟堅癖不止。中有乾血。下白物。礬石丸主之。婦人腹中諸疾痛。當歸芍藥散治之。婦人腹中痛。小建中湯主之。上列之法。無非爲調經計也。婦人以血爲主。月事時下。不愆其期。否則一有不調。或痛或脹。或短或過。屬熱屬寒。屬虛屬實。診脈之際。果能瞭然於胸中。斯處方自效如桴鼓。其有所謂倒經者。經不下行而上逆。所謂居經者。經必三月一行。所謂避年者。經一年一行。所謂暗經者。一身無經而受孕。所謂胎盛者。懷孕而月月行經。所謂胎漏者。妊娠血大下而胎不墮。以及室女經閉不通者。又宜察其寒、熱、虛、實。察之既確。寒者溫之。熱者清之。虛者補之。實者攻之。無不應手而效。至於胎前之法。金匱云、師曰、婦人得平脈。陰脈小弱。其人渴不能食。無寒熱。名曰妊娠。桂枝湯主之。法於六十日當有此證。設有醫治逆者。却一月加吐下者。則絕之。婦人宿有癥病。經斷未及三月。而得漏下不止。胎動在臍上者。此爲癥痼害。妊娠六月動者。前三月經水利時。胎也。下血者。後斷三月。衃也。所以血不止者。其癥不去故也。當下其癥。桂枝茯苓丸主之。婦人懷妊六七月。脈弦發熱。其胎愈脹。腹痛惡寒。少腹如扇。所以然者。子臟開故也。當以附子湯溫其臟。師曰、婦人有漏下者。有半產後。因續下血、都不絕者。有妊娠下血者。假令妊娠腹中痛。爲胞阻。膠艾湯主之。婦人懷孕。腹中㽲痛。當歸芍藥散主之。妊娠嘔吐不止乾薑人參半夏丸主之。妊娠小便難。飲食如故。當歸貝母苦參丸主之。妊娠有水氣。身重。小便不利。灑淅惡寒。起卽頭眩。葵子茯苓散主之。婦人妊娠。宜常服當歸散主之。妊娠養胎。白朮散主之。婦人傷胎懷身。腹滿不得小便。從腰以下重。如有水狀。懷身七月。太陰當養不養。此心氣實。當刺寫勞宮、及關圓。小便微利則愈。問曰、婦人病、飲食如故。煩熱不得臥。而反倚息者。何也。師曰此名轉胞。不得溺也。以胞系了戾。故致此病。但當利其小便則愈。腎氣丸主之。以上各法。胎前之證。可謂絲絲入扣矣。此外設有各證而至重險。所用之藥。有不及保胎者。自屬不妨。經云、有故無殞。亦無殞也。至於胎前傷寒。久延化熱。以及溫邪久延不解。用藥雖不傷胎而藥味却偏於辛溫。嘗見墮胎傷命。而醫者反以藥不礙胎。自爲解釋。殊可悲也。產後之法。金匱云、問曰、新產婦人有三病。一者病痙。二者病鬱冒。三者大便難。何謂也。師曰、新產血虛。多汗出。喜中風。故令病痙。亡血復汗、寒多。故令鬱冒。亡津液。胃燥。故大便難。產婦鬱冒。其脈微弱。嘔不能食。大便反堅。但頭汗出。所以然者。血虛而厥。厥而必冒。冒家欲解。必大汗出。以血虛下厥。孤陽上出。故頭汗出。所以產婦喜汗出者。亡陰血虛。陽氣獨盛。故當汗出。陰陽乃復。大便堅。嘔不能食。小柴胡湯主之。病解能食。七八日更發熱者。此爲胃實。宜大承氣湯主之。產後腹中㽲痛。當歸生姜羊肉湯主之。並治腹中寒疝。虛勞不足。產後腹痛。煩滿不得臥枳實芍藥散主之。師曰、產婦腹痛。法當以枳實芍藥散。假令不愈者。此爲腹中有瘀血着臍下。宜下瘀血湯主之。亦主經水不到。產後七八日。無太陽證。少腹堅痛。此爲惡露不盡。不大便。煩躁發熱。切脈微實。更倍發熱。日晡時煩躁者。不食。食則譫語。至夜卽愈。宜大承氣湯主之。熱在裏、結在膀胱也。產後風續續數十日不解。頭微疼惡寒。時時有熱。心下悶。乾嘔汗出。雖久。陽旦證續在者。可與陽旦湯。產後中風。發熱、面正赤。喘而頭痛。竹葉湯主之。婦人乳中虛熱。煩亂。安中益氣。竹皮大丸主之。產後下利虛極。白頭翁加甘草阿膠湯主之。問曰、婦人年五十。所病下利數十日不止。暮卽發熱。少腹裏急腹滿。手掌煩熱。脣口乾燥。何也。師曰、此病屬帶下。何以故曾經半產。瘀血在少腹不去。何以知之。其證脣口乾燥。故知之。當以溫經湯主之。寸口脈弦而大。弦則爲減。大則爲芤。減則爲寒。芤則爲虛。寒虛相搏。此名曰革。婦人半產漏下。旋覆花湯主之。婦人少腹滿如敦狀。小便微難。而不渴產後者。此爲水與血俱結在血室也。大黃甘遂湯主之。內經云、乳子病熱。脈懸小。手足溫則生。寒則死。又云、乳子中風喘鳴息肩者。實大而緩則生。急則死。此外仍有中氣、中寒、中暑、血暈、等證。又宜於法外求法。方外求方、果係大暑而中暑邪。雖多食西瓜。亦不爲害。其餘涼藥、更無論矣。否則稍涉甘涼。猶爲不可。嘗見庸醫每謂產婦及病家曰。產後服涼藥。絕無生育。以涼藥冷精故也。噫、自此言入於病家之耳。因畏涼藥如虎。而誤人性命者。指不勝屈矣。吾鄉鄰近各庄產後無論天時寒暑。皆吃艾湯三四碗。試問產後能受新寒幾許乎。縱受新寒。能勝艾湯幾碗乎。總之婦人一科。無論肝鬱調經、胎前產後。皆宜憑脈憑證。審定虛實寒熱。因證處方。庶無或誤。否則泥守胎前產後。用藥或訛。禍不旋踵。

痧疹論

戴橘園

痧疹者、一症也、南人謂之痧、北人謂之疹、又有謂之出瘄發瘄子者。痧有正痧、風痧、疫痧、喉痧、之分、疹有時疹、風疹、濕疹、癮疹、之別、正痧者、初次所發之痧也、風痧者、感風所發之痧也、疫痧者、疫癘流行、沿門傳染者、是也、喉痧者、身發痱痧、咽喉腫痛者、是也、時疹者、感受時邪之氣而成、風疹者、感冒風熱之邪而成、濕疹者、脾胃積濕、濕鬱不化、浸淫肌表而發也、癮疹者、內有鬱熱、外感風邪、風濕相搏、而發也、痧疹之名、雖有種種之不同、痧疹之病、皆屬於肺胃二經、肺主皮毛、胃主肌肉、邪由口鼻而入於肺胃、病由肺胃而發於皮膚、治法、總宜以清宣透達爲先、痧疹一透、各恙皆痊、切不可用偏寒偏熱之劑、過寒則腠理閉塞、表邪錮結不解、伏熱無由發泄、痧疹不出、反致內陷、斑悶瞀亂之症隨之矣、過溫、則邪隨藥湧、火勢猖狂、痧疹雖出、邪氣燎原、鼻颯牙疳等症蠭起矣、治之之法、初起及出、均宜辛涼解肌透表、出齊之後、方用甘寒瀉熱救陰、此統治之法也、若論分治、正痧宜治其感、風痧宜散其風、疫痧宜清其疫、喉痧兼利其咽、時疹則解其時邪、風疹則清其風熱、濕疹則化其濕鬱、癮疹則除其風熱、此分治之法也、總之、肺經胃經、爲受病之根本、先散後清、爲治法之宗旨、用之而當、效如桴鼓、差之毫厘、謬以千里矣、

肺癆與鈣質之關係

葉橘泉

肺癆病之病原爲結核菌、已無疑義、然同是病也、幼童及少年患之、較老年人爲更險、其故何耶、蓋人體鈣質之含量少不如老故也、因結核菌侵入肺部後、白血球挾鈣質包圍該菌於四圍、築起堤防、不使繁殖、則可停止肺癆之進行、我國舊法用牡蠣、石決明、蛤蜊粉、鼈甲、海藻海帶等、在古代藥物學上、雖不知鈣質可以療癆，而治癆之方如上藥、實暗合科學、蓋牡蠣、鱉甲等、均富含有機鹽類、此經驗上所得之藥效、誠有價值也、故鈣質對於肺結核之功效、有減低迷走神經系之興奮、而阻止結核部之發炎、減輕潰爛四周之分泌。使潰爛乾萎、同時更能促進白血球之圍包，而撲滅細菌、並使空洞四周之組織。迅速硬化。務將結核菌密閉空洞中。使其絕食自斃。即不餓斃。其繁殖力亦必減弱。卽稍有繁殖、亦不能穿越硬化之結核組織而蔓延、蓋結核菌之壽命、若在肺內、如堤防已成、絕其食路、倘有兩年半可活。故肺癆病非絕對靜養、則堤防難築、每易潰裂也、（人身鈣質含齒骨內，所謂石灰質也，）

藥物

國產藥物之研究

葉橘泉

淫羊藿（強壯藥）

學名　Barren wart

別名　剛前　三枝九葉草　黃連祖　乾雞肋　棄杖草　仙靈脾　放杖草　千兩金　棄藥尊便　日本名碇草

產地　陝西　山東　湖南　四川諸山中均產之

種類　小蘗科淫羊藿屬

形態　本品爲生於山野間之多年生宿根草。自舊根叢生數細莖。春日生葉。莖如粟稈。高達二尺許。葉二回掌狀複葉。自九小葉成。小葉心臟形。邊緣有細鋸齒。類杏葉。葉之中央。抽出一花梗。夏月開總狀花序。花瓣四。紫或黃白色。花瓣長而有距。倒垂似鐵錨狀。根紫色。有鬚似黃連。

藥用之部　葉及根

修治　夏季採其葉。剪去邊緣及花梗。以羊脂拌炒。或酒浸用之。

性味　味微苦

醫治功效　主治陰萎絕傷。莖中痛。利小便。益氣力。強志。（本草經）入肝腎。補命門。益精氣。堅筋骨。利小便。治絕陽不興。絕陰不產。冷風勞氣。四肢不仁。（本草從新）

驗方　牙痛不紅腫。而遇冷遇熱。或吸風飲食均痛者。謂之虛痛。本品煎湯頻漱。極驗。

禁忌　虛火易動。及夜熱盜汗者。勿用。

畏反　配互他藥無畏反。合山藥同用爲良。

用量　五錢至一兩

仲圭按　民廿秋。余承乏上海國醫學院教授。有國文助教曹君湘人。年逾不惑。因嗣育艱難。納村女爲小星。性交時。陰莖舉而不堅。服育亨賓及灸治。均乏効。商治於余。余勸食淫羊藿。曹重用一兩。雜於大隊補腎劑中。越日來告。服後同房。迥異平時。據此。可見本品確爲助陽藥。而克治陰萎也。

論柴胡

張壽頤

柴胡芳香疏邪。體質輕清。氣味俱薄。稟春升發之性。能提邪外達。味雖微苦。然與其他苦寒泄降者。性情功用。大相逕庭。其主治約有兩端。一爲邪實。外邪將陷入裏。引而出之。使還之表。而外邪自散。一爲正虛。清陽陷陰。舉而升之。使返其宅。而中氣自振。故仲師立小柴胡湯。以治傷寒少陽寒熱往來之症。東垣立補中益氣湯。以治勞倦傷脾。清陽下陷之症。蓋亦有取於是耳。此外則有肝絡不疏。在上爲脅肋搘痛。在下爲臍腹作脹。實皆陽氣遏鬱。木失條達所致。於應用藥中。少入柴胡。以爲佐使。奏效亦捷。此皆柴胡之實在功用。以外別無奥義。凡古今各家之議論。苟有不合此三層作用者。縱說之娓娓動聽。終是玉巵無當。不適病情。茲就管見所及。縷晰言之。

凡治外邪寒熱之病。則必寒熱往來。邪氣已漸入於裏。不在肌表。非僅散表諸藥。所能透達。則以柴胡之氣味輕清。芳香疏泄者。引而舉之以祛邪。仍自表而解。故柴胡亦爲解表之藥。據日本近今研究。亦謂柴胡爲傷風之特效藥。然與麻桂羌防專主肌表者不同。學者不可因其可以達表。遽認爲發表之品。一見發熱。信手拈來。流弊百出。誤人不少。

仲景小柴胡湯主治。以胸脅滿痛。心煩喜嘔等爲柴胡症。本爲外感之邪。遏抑正氣。肝胆鬱木。不得條達。故以柴胡疏散其邪。使肝胆之氣條暢。而諸症自安。乃淺者誤認柴胡能統治肝病。凡肝火凌厲。化風上揚之頭痛眩暈。耳鳴耳聾。胸脅作脹等症。亦復援用柴胡。則外無感邪之遏抑。內係木火之鴟張。法宜潛藏龍相。鎮攝陽氣爲亟。妄與升散。教猱升木。張其烈焰。不至痛徹頂巔。痞塞胸膈不止。是又藉寇兵而資盜糧。治病反以增病。皆粗心讀書知其一不知其二之弊。然潔古亦止謂柴胡治心下痞。胸脅滿。瀕湖綱目且謂平肝胆三焦包絡相火。及頭痛眩暈。目昏赤痛障翳。耳聾耳鳴。景岳亦謂治肝胆火炎。胸脅結痛。少陽頭痛。又皆渾圇吞棗。最易有抱薪救火之禍。俗醫之不知辨別。實卽諸先輩有以教之也。

仲景於少陽寒熱往來用小柴胡湯。後人目光淺短。錯讀本論。見瘧病之寒熱往來。概以柴胡通治之。夫瘧之爲病。虛實寒熱。始傳末傳。進退無常。源流各別。爲雜病中一大門類。見症既萬有不齊。用藥宜因之而異。安可拘執不化。浪用柴胡。所以古人論瘧。從未聞執定柴胡一物。而斷斷以爭者。有之皆出乾嘉以後之書。斯亦談醫之一則魔道矣。徐洄溪之評臨症指南。譏葉老治瘧不用柴胡爲可怪。且謂小柴胡湯治瘧。天經地義。不可移易者也。於是葉徐兩家。遂以柴胡一物。造成門戶之見。實則皆一偏之見。未能允當也。夫瘧病凡蘊暑積濕。

瘀熱膠固於裏。外邪乘之者。居其多數。治此症者。徒知柴胡達表。勢必并其瘀熱濕濁。一併升之於上。而橫決泛溢。變幻莫測。此葉老不用柴胡是也。若寒熱發作。而日至日晏。則邪入已深。正氣不足。淸陽下陷之候。所謂陽病漸入於陰。非柴胡升舉淸陽。提邪外達。不能奏功。又病瘧已久。暑濕痰濁。皆已泄化。邪勢已衰。正氣亦憊。所謂淸陽不振之候。亦必以柴胡升舉中氣。使其淸陽敷布。而後寒熱可止。須與補脾諸藥。並轡而行。東垣之補中益氣最爲合拍。是乃虛瘧之宜於柴胡者也。學者不可因噎廢食。徵羹吹齏矣。

仲景本論熱入血室證凡三條。而以小柴胡湯主治者。獨係於經水適斷之一條。此之適斷。蓋謂經事已淨。而自然停止。非以熱盛灼爍成瘀。而半途中止。是其血室空虛。而邪熱因以陷入。故宜以柴胡提其下陷之熱邪。而大棗參甘補虛諸品。恰合分寸。(本論此節。其血必結四字。必是經水適來兩條中之錯簡。不然豈有其血已結。而不爲攻破。反投以參棗補住其瘀之理。古今註家。望文生義。胡足爲訓。)觀其經水適來兩條。一則曰胸脅下滿。如結胸狀。譫語者。此爲熱入血室。當刺期門。隨其實而瀉之。一則曰晝日明了。暮則譫語。如見鬼狀者。此爲熱入血室。無犯胃氣。及上二焦。必自愈。豈非以發熱之時。適值經事。與夫既熱之後。經事本不及期。而熱逼經行者。皆爲血室熱盛之候。熱邪深入。其血爲瘀。故宜刺肝之募穴期門。以瀉肝經實熱。并宜破血攻瘀。直疎下焦。因以無犯胃氣及上二焦爲戒。尋繹此經水適來兩條。皆爲實症。則經水適斷一條。明是虛症。兩兩對勘。極爲曉暢。而適斷者之主以柴胡參甘大棗等藥。其旨尤顯然。則適來兩條之萬萬不能視同一例。而主以柴胡湯者。亦可於言外得之。今人治熱入血室。晝日明了。暮則譫語。如見鬼狀者。恆用犀角地黃及桃仁承氣等涼血逐瘀之品。奏效甚捷。皆是熱逼經行。經水適來之症治，而如仲聖所謂適斷之熱入血室。宜於小柴胡之證。殊不多見。即有熱盛而經水適斷者。亦是熱邪蒸灼。瘀而不行之適斷。亦宜逐瘀。必不可徒讀父書。謬引小柴胡。助桀爲虐。元和陸九芝陽明病釋第二卷。於經水適來暮則譫語如見鬼狀一條。釋之曰。此言譫語之來路有不同。熱入血室。亦能譫語。而病則不在胃家。即非承氣之證。故曰無犯胃氣。然則外台所引小品犀角地黃湯。正是對病之方矣。仲景於熱在血室。必曰無犯胃氣。則仲景於熱在胃氣。必曰無犯血室可知。此余所以有犀角地黃之辨也。云云可證九芝封翁意中。於經水適來兩條。亦知爲血瘀之實症。宜涼血逐瘀。而不宜於小柴胡湯。奈何王海藏竟謂經水適來適斷。易老俱用小柴胡湯加以四物湯。及秦艽丹皮等。爲調經之劑。（易老此法。非惟不辨虛實。且合用四物。尤其庸陋。更不可訓。）瀕湖綱目。亦謂柴胡治熱入血室。石頑逢原。倡而和之。而徐迴溪之傷寒類方。竟於如見鬼狀一條。補出治以小柴胡湯之說。尤爲可駭。夫以徐氏之高明。而猶有此不辨虛實之謬。宜乎今人讀書。大非易事。愚謂果以柴胡治經事適來之實熱症。勢必瘀熱在裏。陽氣上浮。不僅助其昏憒。可使發狂而踰垣上屋。亦可使其逆經倒行。變爲吐衄。是不可不深長思也。

雜俎

蔬果談片

沈仲圭

昔托爾斯泰嘗指其手植之菜圃。謂其友曰。「此我之藥籠也。其中各藥俱全。人病所需。無待外求。」美國某學者云。「專食蘋果。足以養身。」二氏之言。雖覺偏陂。然縱目植物界之形形色色。實不少養生療病之物。如山查之止腹瀉。飯灰之消食積。大蒜之治肺病。胡桃之治白喉。黃柿之於痔血。生姜之於嘔吐。或流傳於民間。或記載於方書。要皆用之有効。足匡藥物之不逮。爰本此旨。將有益蔬果。彙編成帙。庶乎輕淺小恙。可以食餌自療。病中飲食。不致妄食所忌。是則對於病家。或有些微之裨益也。

民二十一年七月仲圭誌於吳山寓廬

香蕉

香蕉一名甘蕉。爲多年生植物。產亞洲熱帶各地。吾國嶺南。有大規模之蕉園。專植此物。其果約分三種。一曰香芽蕉。形瘦若彎弓。皮黃肉白而細膩。入口香甘者爲上品。一曰香蕉。形瘦長而不彎。肉之細膩。味之香甘。略遜香芽蕉者爲中品。一曰大蕉。形肥身矮。皮黃肉粗。水分較多。味甘而氣微臭者爲下品。然在醫藥上之功能。香芽蕉與香蕉。不過潤燥生津。大蕉則能緩通大便。正如茶葉。飲用以嫩芽爲貴。而治病反須老葉大瓣也。包蘅村曰。「咸豐十十一年。及同治二年。先父行醫香港。是時港埠未闢。居民猶鮮。風俗強悍。不受法律。且好食禾虫。以故下流社會之人。每患疔毒。一患疔毒。又不肯忌葷。故走黃之症獨多。先父每以芭蕉根搗汁。令冷飲之。雖偏體走黃者。無不愈。且愈期輒在十二小時以內。（節錄南京醫學報第五期）觀此。香蕉之用。其果遠不及根。又如桃不入藥。而核仁能破瘀血。花瓣可通便祕也。

西瓜

西瓜爲夏日常食之水果。有「天生白虎湯」之號。白虎湯以石膏、知母爲主藥。治壯熱、煩、渴。西瓜亦有此功。故熱病榨汁飲之。收效良確。此物又爲腎臟病之食餌療法。以其能利小便也。眞西山衞生謌云。「瓜桃生冷宜少餐。免致秋來成瘧痢。」查瘧疾之病原微生物爲胞子虫。痢疾爲阿米巴原虫及志賀氏菌。一以瘧蚊爲媒介。一以不良之飲食物爲郵傳。故食不潔之瓜果。有釀成赤痢之可能。瘧則無關也。囘憶童年。每當炎夏。先君取預浸井水中之西瓜。剖給家人。瓜汁下咽。涼透心脾。余不嗜此。殊覺淡而乏味。黃履素云。「人皆指西瓜能辟暑。生冷中不甚忌之。殊不知暑中奔走後。覺胸中熱氣塡塞。浸冷食之。信可辟暑。若晏坐高堂。日以爲常供。則有損脾胃。」是言洞中肯綮。爲嗜瓜者之良箴。

蓮實

功能厚腸胃。固精氣。久痢用猪肚一枚。治淨。實以蓮肉。煮爛食之。遺精用白茯苓、蓮肉(不宜去心)等分爲末。白湯調服。遵生八牋有蓮子粥。用蓮肉一兩。去皮。(並宜去心)煮爛細搗。入糯米三合。煮粥食之。益精氣。強智力。聰耳目蓋老人虛體服食之上品也。鮮蓮煮羹。味尤甘香養津。

藕

此物內含單甯酸。有收斂毛細血管之力。主治吐、衄、淋、痢。淸醫王孟英謂「諸失血症。但日熬濃藕湯飲之。久久自愈。不服他藥可也。」聖濟總錄云。「藕汁一鍾。生姜汁半鍾和勻服。治霍亂煩渴。」蓋二物合用。能止吐利耳。藕粉有保護胃腸粘膜之功。尤爲霍亂差後之調理良品。時醫治欬血、吐血。多用藕節。其言本諸綱目。然節之止血。亦由單甯。用乾枯之節。不如用新鮮之汁。取精而用宏也。

桂元

桂元一名龍眼。性甘平。爲補血藥。本品三兩。西洋參三錢。冰糖三錢。熬成流膏。婦人新產。血液虧損。持續服之。力勝參耆。折肱漫錄云。「閩華亭陸平泉宗伯。年幾及百。平日常食龍眼不輟口。」觀此。益信時珍「食品以荔枝爲貴。資益則龍眼爲良」二語。爲不虛也。其核研末。敷刀傷流血。本品配當歸浸酒飲之。能養血調經。

南瓜

南瓜種類不一。優劣以分。夏月成熟者。形扁圓。杭人呼爲霉瓜。性助濕熱。晚秋成熟者。形長圓。杭人呼爲枕頭瓜。功能補中益氣。取生者搗汁。或切厚片嚼食。爲戒烟絕癮妙方。重慶堂隨筆云。「昔在閩中。聞有素火腿者。云食之能滋津益血。初以為卽處州之筍片耳。何補之有。蓋吾處筍片亦名素火腿者。言其味之美也。及索閱之。乃大南瓜一枚。蒸之。切開成片。儼與南腿無異。而味尤鮮美。疑其葷氣。不敢多食。然食後反覺易饑。少頃。又盡啖之。其開胃健脾如此。因卽叩其法。乃於九十月間。收極大南瓜。須極老經霜者。摘下。就蒂開一竅。去瓤及子。以極好醬油。灌入令滿。將原蒂蓋上。封好。以草繩懸避雨戶簷下。次年四五月取下蒸食。」圭按功德林素食館。亦有名素火腿者。色黑而質堅。似為千張所製。與此相較。一礙消化。一能補益。其營養之價值。不可同日而語矣。粉食中有所謂南瓜餅者。乃本品和糯米粉白糖製成之一種扁圓形之粉餌也。色作嫩黃。味甚可口。晨起代點。勝於他物。

冬瓜

冬瓜不但為夏日佳餚。并治諸病。香祖筆記載。一人患淋。百藥罔效。嗣得一方。用冬瓜淡煮。儘量飲之。數次遂愈。折肱漫錄云。經霜冬瓜皮同皮硝煎湯。洗痔極效。(圭按時珍方。僅用冬瓜一味煎洗。)如無冬瓜。以白萊菔代之。此余所親試而效者。聖濟總錄有冬瓜白瓤。水煮汁。淡飲之。治水腫煩渴尿少之方。蓋利小便。消熱毒。本品獨具特長也。他如切片摩身。可消汗疹。榨汁洗面。能美容顏。去皮切塊。和(南腿)煮食。其味鮮美無比。杭人以為夏月主饌。

茶葉之醫療作用

沈仲圭

茶葉之有効成分。為茶素與單甯酸。二者百分中之含量。為二與一二之比。茶葉中既含有此多量之單甯酸。則凡適應單甯酸(有收斂止血之效)之病症。似可酌量病情。代以茶葉。茲舉外治內服二方於次。亦家庭常識之一助焉。

火傷及鼻衄外治方

以消毒棉花。浸於久泡之濃茶中。取此棉敷於傷處。或塞入鼻腔。乾則易之。

久瀉久痢便血方

茶葉二三錢。沸水浸漬四十分鐘飲之。白痢用陳綠茶。赤痢用陳紅茶。屢効。藥用之茶。紅茶不及綠茶。綠茶不及原茶。又嫩葉不如老葉。中國所產。不敵印度、爪哇所產。若普通飲用。適與上述相反。此因供藥用者。宜含單甯酸多。供食用者。宜含單甯酸少之故也。粗茶名荈。久食損腦。

可憐的鄉下人

蕭熙

四月某日，時事新報鄉村城市，載有某鄉人，山行忽如中魔，大笑不止，旋將手中所持之刀，砍身而死，其同伴逃歸，以語諸人，咸謂爲山魅作祟；於是，好事者操刀往觀，比至，其一人狂噱喪生，一如前人之狀，莫不引爲奇談云云。（原文悉忘記姑撮述大意）竊謂事本非奇，言之者故奇其詞耳！夫山行忽大笑者，乃中一種氣體之毒，此氣體名曰笑氣，化學之名稱爲亞養化氣（Nitrous oxide）其化學式爲 N_2O，一七七二年，普利斯特利（Prisetleg）所發見，凡人嗅到此氣體時，神經即行痲醉，發生狂噱，甚至因毒傷生，如上述二鄉人者是已。唯此氣所以襲入。則因心腦血液不能暢遂而然，至鄉人之所以持刀自戕者，則因無新的知識，以爲噱然不自主而笑，必定係已中魔，駭極而致神經錯亂，引刀自截其軀，而在彼神經錯亂者，固未始非以爲殺鬼也。鄉曲無知，可憐亦復可笑！

筆記

慈孝竹治蠹嗽奇驗

淩詠年

清宣統紀元時。有楊樹浦路。程君錦芳之子年方六歲。陡患欬嗽痰稠。面黃肌瘦。病有十月之久。夜欬較甚。中西醫治無効。費資數千。不得已就診于余。斷爲欬頓嗽重證。令其覓取鮮慈孝竹一支。連根葉。將此竹斬碎。入鍋中煮一鍋竹湯。用此竹湯。代河水煎藥。服之或吐或瀉。必有効力也。擬方不外化痰肅肺之劑。去錢七十文購慈孝竹。煎湯代水。服藥湯後。聞腸中轆轆作鳴。胸泛欲嘔。吐出粘膩稠痰不少。又復便瀉三次。亦係稠粘似痰爲多。咳嗽大減。再作一服即愈。

食後吐水案研究

沈寶田

某女年二十歲身材中等、平素事逸、性怒、晨起口苦。常淡、不嗜飲、啖水果則胸痞、此氣滯、肝升、胃陽不足之體質也、食後胃酸、水湧、心煩、吐出清水、不苦、或微甜、仍如所食之味、勞則煩滿而甚、餘如平人、已經五六年、中西醫藥均不効、脈象右寸關洪滑、按之則虛、左細、有時右細、而左部微弦、舌紅如常、眼包黃中微靑、夫胃中覺酸而煩、似吞酸之肝有鬱火、胃有濁腐、惟無聲有物、不酸、又不苦、且不粘、而係清水、乃如所食之味、則大有研究之價値也、勞則煩滿而甚、氣虛故也、病經五六年、內有窠囊可知、脈象右寸關洪滑而虛、氣虛有痰也、左細、似乎肝鬱、有時微弦、亦痰也、夫流動變化莫如痰、故脈亦靡定、舌色常紅、雖投純陽之藥、眼色如烟煤、又爲痰飲之見證、缺乏水穀之精華、故面色黃白而無華潤之色、至於食粥後必吐清水、飯後或少或不吐、如內經所謂飲食入胃、游溢精氣、下輸於脾、(上字似爲下字)脾氣散精、上歸於肺、通調水道、下輸膀胱、水精四布、五經並行、云云、可知脾虛則能生溼、且失常度、不散精氣、肺不通調、水精不佈、是以津液化而爲痰飲、蓋胃陽不足、而又氣滯肝升、所以不能化津液、資灌溉、奉生身、而化水吐出也、稠厚者爲痰、清稀者爲飲、張仲景曰病痰飲者、當以溫藥和之、故金匱中苓桂朮甘湯、爲治痰飲之總劑、劑學南針曰、嘔與吐有別、吐之因、無不由於虛冷、故仲景曰、胃中虛冷故也、仲景又曰、渴欲飲水、水入則吐、名曰水逆、五苓散主之、水逆卽吐清水、內經云、太陰之復、嘔而密默、唾吐清液治以甘熱、古法以六君用赤苓、加伏龍肝、亦通調水道、而治虛冷之法、一方、生薑一塊、切開、中挖一孔、納入甘草五分、紙裹煨熟、取薑內甘草、入薑一嘔、煎湯服●亦甘熱之旨也、諸書皆稱半夏茯苓生薑、爲痰飲嘔吐之聖藥、吐清水、是士之卑濫、虛者必用人參此所以有二陳湯、大小半夏湯等法、顧苓桂朮甘湯主之、腎氣丸亦主之、尤爲標本兼顧、又有七情嘔吐、理中湯加烏藥沉香等味、痰積嘔吐、遇冷則發、俗名冷涎泛、用丁香白蔻砂仁薑汁等品、水飲停積、而生痰、曰痰飲、脅痛四肢不舉、每日嘔吐、治以小胃丹、飲食不消、日久生痰、或挾瘀血、遂成窠囊、多見痞滿不通、口出臭氣、或成瘧痢、宜瓜蔞丸、大病瘥後、口吐涎沫、清水、或素多痰飲、則或飲癖、其塊結在脅腹之間、噯酸嘈雜、脅痛食減、初服蒼朮丸、必覺微燥、山梔末煎湯解之，久則自不覺燥、攷許學士本事方云、蒼朮能破水飲之澼囊、蓋燥脾以去溼、崇土以補脾也、李士材先生曰、更有一種似痰非痰、似飲非飲、時吐白沫、不甚稠粘、此脾虛不能約束津液、故涎沫自出宜六君加益智、然而有未效者、有不合拍者、有無把握者、故僅可作爲曲證旁通之資料耳、華佗神醫祕傳、治嘔吐清水、用乾蘄艾煎湯啜之、云立愈、但未知確否、李士材又曰、嘔清水者、多氣虛、六君子加赤石脂、檢至驗方、有治痰飲吐水云、凡食冷物過度、或氣虛脾弱、不能消化飲食入胃、皆變成水、嘔吐無時、名曰痰飲、好赤石脂一觔、研末、每服二錢、酒送下、至多三錢、服至一觔、則終身不吐痰水、又不下痢、此藥能補五臟、令人肥健、有人痰飲、百藥不效、服此立刻而愈、因憶前次愈時、夏苓及薑萸劑中、亦石脂非包煎也、故特錄所服諸藥、逐一研究、初用斡旋鎮逆理氣、如旋、赭、香、砂、白蔻、烏藥、玫瑰花等、服後至晚餐時一次已安然不吐、再診、作脾虛而有寒飲治、去旋赭、重用薑半夏、雲茯苓、橘皮、藊荳花、及生薑汁、白帶除、翌午時亦不吐、加於朮、雞金、胸寬、腰不痠、惟早餐後吐清水、改方、用夏、陳、苓、砂、査、藊、旋覆、益智、赤石脂、薑、蜜、少加吳萸、一劑即愈、未幾、吃喜酒、因寒熱螺癘、醒後復作、想係七情鬱勃之故、喫飯作脹、食粥吐水、兼之帶下、腰脊痠、薄暮微有寒熱、所以然者、脾主化、胃主納、脾脈繞腰也、投枳實、常山、薑汁炒山梔、寒熱除、改方、去苓益、而萸多二分、薑改一片、此外又加朮一錢、雞金一兩、赭石四錢、以健脾降胃鎮衝、泛噫、及晨起口苦等兼症悉除、餔時喫粟則止、飯早則否、惟吐水較多、晨起齒中覺有血腥氣、不嚥則長、略有齒痛、咽痛、此陽明經之浮火也、投、萸、連、樸、夏、苓、旋覆、石英、益智、砂仁、蔻仁、麥芽、二劑、兼證悉除、惟食粥仍吐清水、經遲二日、加之少腹痛、蓋其效在連、其弊亦在連也、吳萸固非白芍監制、不可、余乃忽略忘之、凡醫家專用純陽藥、如用桂不用芍、用薑、附、桂、不用歸、芍、茯苓、牡蠣、則陽藥固能治寒、而純陽實能傷陰、此證舌紅、宜兼顧、且悟兩次枝節、須減雞金、而注意用薑之法、乃擬旋覆花四錢包、代赭石四錢杵、薑半夏六錢、雲茯苓八錢、淡吳萸三分、杭白芍錢半、薑竹茹一錢、焦山査三錢、赤石脂三錢、沖服、生薑汁三滴和服、金鈴子四錢酒炒、延胡索二錢醋炒、茺蔚子三錢包、一劑即愈、去楝、索、茺、加野台參一錢、芡實三錢、黑脂蔴三錢、用生麥芽一兩、煎湯代水、兼吞許學士神朮丸、約三十粒、以善其後、

衛生

夏令衛生之條件

蔚堂

一　飲食極宜清潔、稍有穢濁及隔夜腥羶者、則委棄而不食、

二　晨起宜在四時左右、立庭前呼吸片刻、多透空氣、藉此可以活潑精神、

三　古人所謂靜而得之爲陰暑、動而得之爲陽暑、陰暑較陽暑甚、不宜深居陰濕之處、使陽光不透、感受陰暑、而爲害也、

四　人身以脾胃爲主、消化飲食、尤賴之爲進退、少食油葷、冤傷脾胃、時疫等症不作、亦衛生之要道也、

五　霍亂痧疾等症、夏時之旅行病也、大半由蒼蠅所介紹、家中宜多置蒼蠅拍、隨時撲滅、或可不致於蔓延、

中国近现代中医药期刊续编·第二辑

六 納涼一節、祇宜坐於簷下、不可臥於風前、有風之處、切宜避之、

七 家庭中如有齷齪等不潔淨之物、宜棄之垃圾箱中、不宜放置於屋內、恐濁氣四佈、蠅蚊飛集而來、

八 腹中稍有着不適者、可服國產痧藥七粒、或十四粒亦可、藉此宜暢氣血、祛逐寒邪 雜品猛烈、宜審慎服之、

九 食瓜果之時、要精神爽快、汗出蒸蒸、值天時炎熱過度者、方可取瓜果食之、如精神委頓、汗少、天不甚熱、病後脾胃虛弱等、均不宜食、

十 夏令炎熱傷身、津液時虞缺乏、有力者、宜煎西洋參麥冬湯飲之、無力者、和六一散 益元散服之、亦清暑生津之法也、

十一 瓜能清熱解暑、人盡知之、唯宜擇其熟而佳者。然少食則生津滌暑、多食亦病胃傷中、有益與否、視食之節制何如耳、立秋後便不可食、

十二 消滅蚊蟲之法、宜將雨水缸內、放入小魚一二尾、魚即將孑孓食淨、蚊蟲不生、如陳雨水缸內、則不可放魚、宜用木蓋蓋好、夏時切勿起蓋、不透空氣、則孑孓不生焉、

十三 家中墻壁四隅、陰溝東廁、及有水濕氣之處者、宜多用石灰末滲之。日敷一次、可統滅一切蟲菌及毒蟲也、

十四 沐浴一節、宜量力行之、體質虛弱者、受害亦多、却不可輕於嘗試、感寒生疾、大半然也、

十五 赤膊本華人陋習、然亦易於發生病症、倘能提倡革除、不獨與衛生大有進步、亦無礙於觀瞻也、

十六 物中爲吐瀉時疫之媒介者、如冰淇淋、嗬囒水、涼粉、香瓜、玉蜀黍、及有脂肪汁之猪肉等、以余意度之、均宜屏棄爲宜、

十七 夏時飲料、最宜注意、凡與吾人有直接之關係者、莫過於水料、倘食不清潔及不滾之生水、則胃部機能頓弱、旋卽發生種種危險重症、疏忽於先、以致悔之於後、應預爲防範者也、

十八 發痧氣閉、世俗用括痧法、或用針刺法、比較之、括痧稍強於針、蓋括則氣散而病愈、刺則傷氣破血、施於氣壯者則可、體弱者、則不利焉、

十九 夏令宜戒除一切嗜好、勿嗔怒、勿憂慮、清心寡慾、百邪不侵、前人謂慾寡精神爽、思多血氣衰、斯誠養生之道也、

二十 烈日當空、避其射力、否則發生日射病、暴雨突來、宜

避其陰寒之氣、否則卽生水濕症、此不可以不愼也、

廿一　夏令常有患閉汗症者、則胸腹異常煩悶、因毛孔壅塞、氣機不利、亦一危險症也、倘一晝夜無汗、未有不悶厥而死、原因係由風寒外襲、熱邪內侵、近日發明之電氣風扇者、余頗畏之　以其能侵犯吾人體質、觸發百病、而易成閉汗症也、苟能不設此物、誠得衛生之眞義耳、

衛生格言

沈仲圭輯

病者所忌。自酒色勞役飮食及一切例禁外。所大忌者有二。認病爲眞。終朝佗際。一也。求速効而輕用醫藥。二也。（黃履素）

人能清心寡慾。無暴怒。無過思。自然血氣和平。却疾多壽。譬如火爐。置風中則易滅。置靜室則難燼。（史搢臣）

獨宿之妙。不但老年。少壯時亦當如此。日間紛擾。心神散亂。全藉夜間安眠。以復元氣。若日裏心猿意馬。控制不定。及至醉飽。又復恣情縱慾。不自愛惜。如泥水一盆。何時得清。（前人）

世間惟財與色。最是耗人精氣。速人死亡。而方士之言曰。金銀可點化以濟壽。少女可采補以延年。既快嗜欲。又得長生。何憚而不爲耶。試以情理度之。恐無此太便宜事。不敢信也。不可惑也。（前人）

酒後血氣皆亂。味薄神魂自安。夜漱却勝早漱。暮餐不若晨餐。耳鳴直須補腎。目暗必須治肝。節飮自然脾健。少思必定神安。汗出莫當風立。腸空莫放茶穿。（眞常子）

食欲少而數。不欲頓而多。食不欲急。急則損脾。法當熟嚼令細。（醫說）

尊年之人。不可頓飽。但頻頻與食。使脾胃易化。穀氣常存。（壽親養老書）

無過食。去肥醲。節酸鹹。減思慮。捐喜怒。謹房室。（封君達）

人有所怒。血氣未定。因以交合。令人發癰疽。（孫思邈）

少食肉。多食飯。勿食生菜生肉。一切肉。須煮爛停冷食之。食畢當漱口數過。令人牙齒不壞。（前人）

多言損氣。多記損心。多怒傷筋。多笑傷神。（醫說）

昔有一人。參一禪師。問修道之要。禪師曰。老僧只飢來吃飯。倦來睡覺而已。

夫精者。身之本也。故藏於精者。春不病溫（內經金匱眞言論）

勞力者恆享太平。逸惰者常多疾疢。（晉敬姜）

將睡叩齒則齒固。用溫鹽湯漱口。堅牙益腎。熱湯漱口及馬尾做牙刷。俱損牙。（調燮類編）

薄滋味。省思慮。節嗜慾。戒喜怒。惜元氣。簡言語。輕得失。破憂悒。除妄想。遠好惡。收視聽。勤內顧。（瑣碎錄）

衛生講話

董志仁

（一）頭髮和指甲

頭髮有保護頭腦的功用；有時因爲頭髮的枯燥，就用些化裝品去使牠滋潤，可是這樣一來，髮垢和油積合併，就會阻塞毛孔和汗腺的排泄，頭腦就會發脹，所以要時常整理和梳洗。

不過洗頭髮的這層，好像要發生問題；因爲我常聽見一般舊腦筋的杭州人，尤其是女太太們，她們說：『頭髮是不該用水洗的，即使頭髮已經生起頭蝨，或有臭氣，還得挨到七月初七（舊曆）用樺樹葉搗汁梳洗，否則過早過遲，不在這天梳洗，那末梳洗下來的水，陰間閻羅王會把牠積受起來，給梳洗人已過的父母去喝吃，如果梳洗人的父母尚未死，將來死去總要去吃的。』因此她們又有一個補救方法說：『假使在平日忘記或不知道的梳洗了，趕緊把梳洗後的水，自己去喝三口——至少須用指頭去蘸三口——這樣一來，就可免去罪過，洗髮人的父母，陰司裏不用去喝吃了。』

我們聽了上面一段神話，不免驚奇萬分。而她們說的，却是一板正經，像煞確有其事，我們如果和她們去解釋說：「這是迷信呢！」她們必定回復說：「古老人傳下來的經驗話，你們這班後生小子懂得什麼呢？」

讀者們！我們不願和她們去爭論；因爲她們的話，反正是虛無飄渺，無從捉摸的，我們還得請她們拿出事實證明來，好讓我們相信。否則我就要發生下面的疑問：

1. 洗頭髮是罪過的，不知根據什麼人的學理研究？
2. 本人洗髮水，爲什麼要父母去代受過？
3. 洗髮洗面，同樣用水在頭部面部洗的，洗髮是罪過，洗面有沒有罪過呢？
4. 男子們和現在的一般女人們，頭髮都已剪短了，時常要到理髮店去修理，修理一次，大都洗一次頭髮，這頭髮水在理髮店是不分出你我彼此的，老是把大家的洗髮水和洗面水，聚在一個污桶裏，或流進一條溝渠裏，那末閻羅王是否能夠把彼此的頭髮水分清收藏，拿給洗髮人的父母去喝吃呢？

諸位！陰間就是有，或者眞有閻王的話，我想他們也不會有空來管這些閒帳，況且陰間和閻羅又是難以稽攷的一樁事，所以我們結果歸到衛生上講，總應該時常洗的。小事思想尙有窒礙。還說什麼家國。

指甲是保護指頭的，過長過短，都不很相宜，應該時常去修剪，修剪得和指頭一樣齊，如果長出指頭，不去修剪，那末指甲裏容積泥垢和污物，一不仔細，從食物中帶進口裏，豈不危險！即使指甲長了，每天用心去挑剔潔白，也難保沒有微菌的存留，而且粗心打斷，就要發生痛楚！如若過短，觸着尖的物件，又很容易出血了。

有人說：『你這話不很對，指甲長的，是文質彬彬的表示，我們生長在文秀所鍾的地方，是應該如此的，

文要文得像躲在地下的老先生—已成精的僵屍—那末長出指甲，才可不防礙做事。

短要短得一點指甲都沒有，那末眞是合着人的生理衛生、否則指甲既不保護指頭，生存指甲，又有什麼用呢？

但是話要說回來，假使因拈針惹綫，不能不稍留指甲，祇須加意保全清潔，亦未嘗不是利用的方法，

(二)口齒和鼻腔

口齒是消化器的門戶，鼻腔是呼吸器的門戶；門戶損壞，就沒有關閉，不能夠盡保護的責任，自然內部容易發生危險。

口齒的衛生，照一般人講起來，簡便得很，祇須每天早晨起身，在洗面時做一番漱口刷齒的工作，就算口齒衛生之道，其實口齒衛生，決不是這樣的簡單。

我們知道漱口刷齒，不限定是早晨的。照理在飯前飯後，都應該如此。可是因爲時間關係或事實上發生困難情形的緣故，所以一般人就在早晨漱刷一次就算了，不過漱刷的用品在衛生上亦很有關係；如牙刷須用軟毛，牙粉須檢合衛生的，嗽口的水，須用煮熟的溫開水；因爲不煮熟的或有微生虫的存在，嗽在口裏，不但無益，而反有害！可是事實上又不然，普通人有幾個去用溫開水去漱口呢？那末最低限度，可以用自來水或澄清潔淨的水，熟溫代用。

我把口齒衛生常識，正寫到這裏時，進來一位髮鬚斑白的老者——是我世交長輩——這老者見我寫字，就背手灣腰，把稿紙從頭一看，搖着頭呼着氣對我說道：『志仁！像我這樣年已古稀的老朽，從小到今，沒有刷過一回齒，很奇怪！這齒牙老是牢牢的生長着，不過比較刷齒的稍微黃黑些。至於食物方面，現在還會嚼動炒荳和花生呢，我聽了并且看見這種正確的事實一時竟無可致答，後來從學理上思出二個問題，代表答復的

第一聲。

一、你老自幼不喜歡的糖食嗎？

二、你老由壯而老，不是以寡慾保身自守嗎？

他聽了這兩個問題，就用手指捻着鬚尖點頭答道：『果然，果然！我的寡慾和不食糖物是特性呢！不過我祇知寡慾能夠清心，不知道是固齒的。至於固齒一道，我從某書中見到幾句經驗話說「大小便時，用力咬緊牙齒，能使牙齒至老不衰」難道忌糖和寡慾亦能固齒嗎』？於是我也笑對他道，確實如此的，同時和他解釋說：『齒牙屬腎，寡慾保身，腎水不耗，齒牙自會堅固。如果腎水不足，就是用了大小便咬齒的經驗好方法，也是無效的。糖是最能損壞牙齒的。我們中國人，尤其是小孩子，最喜歡多吃糖，所以普通牙齒，往往未及壯年，就會發生齒痛或蛀牙疾患。況且現在一般日常的漱口刷牙，他們祇知是美觀，所以有少數人因齒牙的不整或不潔白，就要到鑲牙店去用銼器銼平，和用剝蝕水去剝去牙齒的表皮。要知道這樣一銼一剝，暫時固然潔白整齊，而齒牙的本質，卻是損壞了。至於寡慾和忌糖，確是固齒的根本方法咧。所以你老的齒牙，能至老不衰呢。他笑着說道：『哦！原來如此！那末口齒的衛生還有嗎？我說道：『還有咧！你老曾看見一般青年的戀愛情形嗎？他們染了些歐西習氣，認爲兩性間接吻是極普通而含有神祕性質的，所以在男女發生的初戀的地步，雙方就預備實行擁抱和接吻。擁抱是無甚大要，接吻就很有關係；因爲口唇會患生幾種傳染的細瘡有的嘴唇裂了，也或有毒菌的存在，當兩性間親熱的接吻時，一方面就是很明顯的患着有毒小瘡，對方面決不會知道。因爲他眼裏看見的，祇是兩片紅紅的唇，嘴裏所接觸的，也只有溫溫的一堆肉，那裏還會顧到這一層』？我又對他說：『你老如果爲了話太嚕嗦，我就把口齒衛生的總括，報告給你聽：

一、漱口刷齒是不可少的，既合衛生，又增美觀！

二、切不可往鑲牙店去銼洗！

三、對於小孩，宜限止糖食。

四、小孩的嘴唇，大人不可常去吻他，既免傳染疾病，又可避免小兒流涎的疾患。

五、兩性間宜禁止接吻。

六、減少房事，固精保腎，能保持齒牙永久作用。

七、大小便時，用力咬緊齒牙，腎氣不泄，能使齒牙堅固。

八、如有虫牙，須請專門醫師診察或去，或留，或用藥嗽治。切不可因痛得劇烈，自用麻綫吊去，以致發生危險。

這位老者聽完，就與我雜談些其他閒事去了，於是我就把這段談話紀錄，算作本篇內容之一部，再寫鼻腔衛生吧。

鼻腔在一般人，看起來，以爲鼻腔的兩孔，不過通通氣而已，決沒有什麼重要的，所以有許多小孩用汚指去挖鼻孔，大人看見，也不會去禁止他。還有一般人以爲鼻孔裏有毛，很不暢氣，所以在理髮時叫理髮匠把鼻毛修剪，要知道鼻毛的作用，能夠阻止微塵到肺部去的，假使把牠剪短，豈不失却功用？此外關於鼻腔衛生，尙有幾點，因爲篇幅關係，就一總簡單的說明如下：

一、鼻腔是肺的門戶，窒塞不通，就容易生病，所以我們不要鼻空窒塞，就應該不要貪涼受寒。

二、鼻毛能阻擋不潔微塵，不宜修剪。

三、指頭挖鼻應該絕對的禁止。

四、花朵有小虫，不宜進鼻直嗅，以避免小虫入鼻。

五、如黃豆般大的物件，不宜近鼻空戲弄，深恐入內夾住，取出爲難。

六、注意小孩的走路，如果一經跌仆，鼻孔就要出血，出血過多，就很有危險的。

七、要鼻的外部不發生小紅瘰，第一以不吃酒爲要，因爲這病大都是飲酒過多所發生的。

驗方

廣福軒驗方集

王一仁

㊀鼠疫神方

(一)(病情)鼠疫係最危險之熱症。傳染甚易。凡患此者。頭痛如破。昏憒如迷。甚至咽喉乾燥。眼白變赤。吐血數口。二十四分鐘卽可致命。茲錄救治之法如下。(二)(預防)生萊菔不拘多少。切成絲。用食鹽抖浸。兩小時。再用眞生麻油拌和。每日早晚餐食之。可解熱毒煤毒。化痰升氣。(三)(又方)金銀花三錢。野菊花四錢。甘草二錢。薄荷一錢。生白芍二錢。生熟葡子各一錢五分。右藥七味。如在疫氣傳染地方。或自覺略有不適。卽用清水煮服。(四)(臨時救治法)鼠疫初起時。急用生芋艿搗汁一盞。用冷開水半盞冲和。服之卽愈。(五)(又方)生石膏一兩。至八兩。玄參四錢至八錢。野菊花四錢至一兩。金銀花四錢至一兩。連翹四錢。甘草一錢。薄荷二錢。

丹皮四錢。射干二錢。川貝母二錢。右藥十味。如已傳染。即用淸水蒸服。不拘劑數。全愈爲止。再者南方水土淺薄。元參，野菊花生石膏三味。還宜少用。須視病人體氣如何。務宜詳細察之。以上數方、即前東三省瘵鼠疫極有神驗者也、

◉愈瘧單方

柴胡一錢、于瘧發前一句鐘煎服之、

◉婦女胃氣痛方

川朴五分　姜半夏一錢五分　靑皮一錢　陳皮一錢　沒藥一錢蒼朮五分　荳蔻三分　檳榔八分　胡索一錢　香附一錢五分木香八分　乳香二錢　水煎服

◉薰洗痔瘡方

石膏五錢　朴硝一錢　白礬二錢　蟬殼一錢　雲母五錢　硫黃二錢　胡麻五錢　柴胡二錢　荆芥三錢　白茅根三錢　一同煮湯先薰後洗

◉小兒急驚良方。

全蝎九只　殭蠶八條　麝香頂好者一分五厘　正眞硃砂三分

大梅冰片三分右藥五味。研成極細末。用糖蜜少許拌做成餅。再用鷄蛋一個(不用油)放在鏤內。煎成荷包蛋式。乘蛋溫熱。將藥餅放在小孩肚臍眼上。再將荷包蛋放在藥餅上面。用布條紮住。隔二小時解去。倘係小腹內有響聲。或有大便解下。即是效驗之證。倘貼此藥餅依時解下時。不見動靜。可再用鷄蛋一個。照舊煎成荷包蛋式。將原藥餅仍照前法貼紮臍上。隔兩小時解下。無不立獲奇效。(按)此方定驚泄熱。宜于發熱吊眼角弓反張之症。于慢驚虛寒者。似不盡宜。

◉探治各種鼓脹神效奇方

鼓症分氣鼓血鼓水鼓食鼓四種。此方專治實症鼓脹。未過六個月勢甚危險者。一經仔細試探。如法醫治。往往起死回生。屢試屢驗。探法。用食鹽四兩。於砂鍋內炒燥。候溫和。裝於或絹或薄綢袋內。摶於病人臍上一夜。次晨察看色味。即是症屬何種。如氣味臭者是氣鼓。如色紅者是血鼓。如徽濕者知水鼓。如帶黃色者是食鼓。此一定之理也。治法。氣鼓用廣木香六錢。廣鬱金三錢。生檳榔三錢。生熟黑丑各一錢五分血鼓用廣木香三錢。廣鬱金三錢。生檳榔六錢。生熟黑丑各一錢五分。水鼓用廣木香三錢。廣鬱金三錢。生檳榔三錢。生熟黑丑各一錢五分。食鼓用廣木香三錢。廣鬱金六錢。生檳榔三錢。生熟黑丑各一錢五分。上藥各研細末。每夜於臨睡時服五分。用好黃酒送下。各症服法皆同。病人菜宜淡。不宜鹹。能淡食更佳。忌魚腥油膩麥食。及不消化食物發物。并忌忿憂房事。

投稿簡則

一、本刊內容分學說筆記衛生藥物雜俎餘興等欄以稿件贏缺爲增删標準

二、投稿不拘文言白話論究中西醫藥衛生學說以有含義者爲歸繕寫務希清晰以免訛謬或删棄

三、投寄之稿本社有酌量增删之權

四、稿末請註明姓名住址以便通信地址如有更動亦請隨時通知揭載時之署名可聽投稿者自定

五、投寄之稿經本社揭載後當于每年統計投寄最踴躍及最精警者稍備文具奉酬以示敬意

六、投寄之稿請寄杭州上城彩霞嶺十一號本社

醫藥衛生月刊價目表

月刊定價表

一月	一期	一冊
全年	十二期	十二冊

另售每冊六分（郵費）國內日本一分　國外及香港澳門六分

預定全年十二冊七角二分郵費在內

國外預定全年一元五角郵費在內

郵票寄購以半分至五分爲限

廣告價目

地位	一期	六期	十二期
全頁	十五元	八十元	一百四十元
一面	八元	四十元	七十元
半面	四元	二十元	三十五元
四分之一	二元	十元	十八元

木刻銅板鋅板外加

中華民國二十一年八月一日出版

醫藥衛生月刊創刊第一期

主編者　王一仁　杭州上城彩霞嶺十一號

發行者　中國醫藥學社　杭州上城彩霞嶺十一號

代售處　本外埠各大書局

印刷者　新新印刷公司　杭州新民路四百〇六號　電話三三〇〇號

醫藥衛生月刊

浩慶題

第二期　王一仁主編

民國二十一年九月一日出版

中國醫藥學社印行

杭州上城彩霞嶺十一號

電話一〇九六號

學說

仁盦醫說

王一仁

◉陰陽與細胞

陰陽二字爲對待。爲比較。細胞爲單位。爲個性。驟視之，似不可合。細究之，本非二事也。謂陰陽爲細胞之原。細胞乃陰陽之體。因男女媾精而胚孕成。男女陰陽也。胚孕即細胞也。精蟲孕蛋合爲細胞。細胞之來源，原非單位也。於是全身之臟腑官能。血肉筋骨。又各有其細胞。以生以長。生理可以細胞言之。其病理亦可以細胞言之。可知其細已甚。當其未顯未形之時。有非目之所能見，手之所能揣者。而陰陽之意也亦然。且陰陽爲抽象之名詞。素問陰陽離合論云，「陰陽者，數之可十。推之可百。數之可千。推之可萬。萬之大不可勝數。然其要一也。」一者何。由本氣本質之遞化也。今爲細胞下一定義曰。細胞者，數之可十。推之可百。數之可千。推之可萬。萬之大不可勝數。然其要一也。一者何。亦由本氣本質之遞化也。夫陰陽以對待言。氣爲陽，血爲陰。天爲陽，地爲陰，日爲陽，月爲陰，去者爲陰，至者爲陽，靜者爲陰，動者爲陽，

遲者爲陰，駛者爲陽，內者爲陰，外者爲陽，虛者爲陰，實者爲陽，寒者爲陰，熱者爲陽，退行性者爲陰，進行性者爲陽。有形質者爲陰，無形質者爲陽。細胞之變化甚多。其義亦猶是也。若陰陽以體用言。則陰者爲體。陽者爲用。體猶物質。用猶勢力。世無無物質之勢力。亦無無勢力之物質。若此，則細胞謂爲陰爲物質。而其變化，則爲陽爲勢力也。素問靈蘭秘典論曰「恍惚之數。生於毫釐。毫釐之數。起於度量。千之萬之。可以益大。推之大之。其形乃制。」夫細胞之名，根於顯微鏡。入顯爲靈物。可見形而知之。亦未常不可以推意而知之也。中醫論陰陽，是重先天與來源。西醫論細胞，是重後天與現象。要必求之於實證。理求全而義求確。聊以稍稍慰藉云耳。老子云，「名可名，非常名。道可道，非常道。」論學術，初必循名定義。繼則併破名詞障而空之。是以貴乎心知其意也。

◉五行與化學原子

肝—木肺—金脾—土心—火腎—水。萬不能從字眼上泥定。今欲釋其定名之義。大約不外「會意」「象形」「轉注」之範圍。所謂會意者。如木曰曲直作酸。金曰從革。土曰稼穡作甘。火曰炎上。水曰潤下者是也。會意中固復寓有象形之意。曲直之肝木。乃狀其神經。又狀其所主之筋。從革之肺金。乃狀其有

彈性。並通氣於週身之皮毛。稼穡作甘之脾土。乃包括腸胃。謂其爲後天化生之源。炎上之心火。乃狀其血液循環，色赤有餘之象。潤下之腎水。乃狀其濾尿生髓。以營養於全骨骼也。至於轉注。則更含義甚多。如肝爲乙木，膽爲甲木，肺爲辛金，大腸爲庚金，脾爲己土，胃爲戊土，心爲丁火，小腸爲丙火，腎爲癸水，膀胱爲壬水，又如心包三焦，皆爲相火。如此，可知五行非僅指言五臟。卽六腑血肉筋骨皮膚等。亦包括於內。轉注之所以廣汎若是者。蓋欲各狀其生理。以明其病理。或從化。或變化。抽象引徵。定形而會意。類不能執迂拘之見以限之矣。夫五行爲最早原質之定名。固不能完全以今日化學名詞以解釋。其有可以伸述者。如水之原質。爲輕養二氣化合而成。氫質重一分，養質重八分。合而成水。然內經既言水生鹹。則於鹽基類，如鈉、鉀等原質。皆包括於內矣。尤足奇者。據今日化學上分斷鹽基類，係二種根所成。卽金類根（metallic ra ic ae及氫氧根 Hydrooc gd radicae）是也。氫氧化合爲水。而水生鹹之鹽基。又必有金類根同化。在五行生尅中不期而有金生水之說。如此可知鹽基類有氫氧根及金類根。與舊說並不甚相反。而腎爲水臟之水。亦不能僅以氫氧限之。且五行有相生相制之說。如金生水，水生木，木生火，火生土，土生金，金制木，木制土，土制水，水制火，火制金，因其生制循環。週而復始。是以每種原質歸於每臟每腑。爲事實所不可通。況中醫於五行。既備象形會意轉注之旨。則又非化學原質之說，所能盡其蘊奧。今者歸納人身之化學成分。大約爲養、炭、輕、淡、鈣、燐、硫、鉀、鈉、綠、鎂、鐵、碘、氟、矽、十五種。若以五行言之。則以輕養鈉鉀綠歸之於水。炭燐硫歸之於火。鈣淡歸之於土。碘歸於木。鐵鎂歸之於金。當然此類勉強歸類之法。不足以爲定論。然以數千年前之五行。與今日之化學原子併論。精粗自是不同也。然謂五行之說。完全鑿空。又豈確論乎。

痢疾淺說

王一仁

（甲）原因　痢疾古名腸澼。又名滯下。西醫名急性腸加答兒。（加答兒卽炎熱而流液之意，）或名腸炎。其病在腸而不在胃。尤以大腸爲受病之所。在夏秋炎熱之時。多食瓜果生冷。由胃傳腸。氣鬱不散。或由納涼飲水。氣從口鼻皮膚內入。以傳於腸。糟粕不能轉輸。亦能成痢。或起卽赤白痢下。或在泄瀉霍亂之後而成病。或瘧邪內陷而爲痢者，均有之。舊以赤痢屬血分。白痢屬氣分。王肯堂云「腸胃之腐熟水穀。轉輸糟粕者。皆營衞灑陳六腑之功。今腸胃有邪。則營衛運行至此。其機爲之阻。不能施化。故衛氣鬱而不舒。營血泣而不行。於是飲食結痰停於胃。糟粕留於腸。與鬱氣泣血之積。相挾而成滯下之病矣。」此最爲探源之論。然人體有殊異。受病有淺深。當於同中求異。則幾矣。

(乙)病狀　初起胃納減少。腹痛，或在便前。或在便後。痛於前者，腸中濕熱滯也。痛在後者，腸管血虛也。裏急後重。下利爲稀薄粥狀，液狀，淡黃色黏液、或鮮紅、或紫黯、或白液。如凍膠。如鼻涕。肛門灼痛。(直腸加答兒)尿量減少。或頭痛寒熱。或嘔吐腸鳴。或胸脘窒塞。甚至陷於虛脫。汗泄淋漓。或兼發痙攣。四肢逆冷。或灼熱昏喘皆有之。

(丙)診斷　痢疾異於泄瀉。泄瀉者直注而下。痢之初起卽裏急後重。欲便不爽。赤白兼雜。如凍如膠。或由寒熱泄瀉傳變而來。病至腎腸。無不裏急。有上述兼症者爲重。無兼症者爲輕。若外無寒熱。脈弦緩者爲順也。脈數大，或沉滯，沉細，如無者。神衰肉脫者。或喘昏酣睡者。皆難治。每重篤至死。於小兒之重症。尤宜留意。

(丁)治療　痢疾爲夏秋盛行之病。自病者多。傳染者少。病勢之傳變。雖不若霍亂之迅烈。然治不如法。亦足加重傷生。鴉片固濇、最不宜輕用。爰將可用之方。臚列於下。

(一)芍藥湯　治痢下赤白。便膿血，後重窘痛。兼有香連丸之長。而力效更勝。

芍藥三錢(和營)當歸身三錢(養血利腸)川黃連一錢(解腸中熱毒)淡黃芩錢半(清腸燥濕)檳榔三錢(利氣)木香一錢(行氣止痛)生甘草一錢(緩中調和)水煎服，若痢下屬寒。口不渴、舌不黃、腹痛甚者。宜去芩連，加肉桂八分研末兩次沖、(溫中散寒)吳萸一錢(散寒行氣)痢不爽，腹加熱痛，(盲腸炎)裏急甚者。宜加大黃一錢至三錢。赤痢多則重用赤芍。白痢多則重用白芍。

(二)銀花清痢飲　治輕痢症下赤白。腹痛。口乾、舌黃者。雖有所苦。而神色如常者用之。

炒銀花四錢(清暑解毒)炒赤白芍各二錢(和營止痛)青陳皮各八分(利氣)炒麥芽三錢(消穀食滯)焦查炭三錢(活血消肉滯)六神麴三錢(消食燥濕)赤豬苓各三錢、炒澤瀉三錢(利尿)飛滑石四錢(清暑利濕)水煎服。視症重輕。銀花可用至一兩。利尿藥則視其有無蓄濕而增減之。痢疾以清腸爲主。利水原非正治。特分消其勢耳。煨薑陳紅茶亦可加用。

(三)枳實導滯丸　治痢下腹痛拒按。痞悶不安。以此導腸中之滯。勝於湯飲。

生大黃一兩(導積)酒炒上川連五錢(解腸胃熱毒)酒炒黃芩五錢(清胃腸化濕熱)白茯苓三錢(和胃利水)麩炒枳實五錢(消滯)炒神麯五錢(消食燥濕)土炒白朮三錢(健脾)澤瀉二錢(利濕)右藥爲細末、麵糊爲丸、中藥肆多製成丸藥、用量每劑三錢至六錢、或包煎、或吞服、凡滯在大腸直腸(腹痛)裏急甚者。以吞服爲宜。分量宜較重。若病泛在胃腸。下脘痛煩渴，宜煎服。

木香檳榔丸，力大於此。有血積者用之。

(四)敗毒散　痢下兼有表症。寒熱、骨楚、頭痛。脈浮無汗、咳嗽者。當先解表。若裏症急。則兼治之。

羌活錢半(散風)獨活一錢(散風通絡)川芎一錢(治頭痛)柴胡一錢(解表)前胡錢半(祛風順肺)雲苓三錢(和胃化濕)炙草八分(調和藥)枳殼錢半(寬胸)桔梗錢半(升提)薑四片紅棗五枚，同煎服，內經云腸澼便血。身熱則死。寒則生。昧者乃與痢疾之感外邪者，混爲一談。經言之身熱。蓋以腸澼便血之人。久後血液枯涸。肌肉消瘦。臟腑內炎。其熱由內達外。必致自燔而死。至痢症外感之寒熱頭痛。顯有表症可憑。則此逆流挽舟之法。在所必用。每有表症達而裏自愈者。要之遇此等痢疾。切忌以苦寒藥先治其裏。以致表氣不達。必致重篤也。俞嘉言用敗毒散、必加參數分至一錢、謂有托表扶中之力。意亦可師。腸胃濕熱盛，嘔噦溲閉者勿用。

(五)烏梅丸　此本傷寒論治厥陰病蚘厥之方。然治久痢吐蚘，及肢厥、腹痛、煩躁、溲熱、脈沉慘數者。本方甚效。

烏梅六十個(殺蟲)細辛六錢(通脈)乾姜一兩(止吐溫中)黃連一兩六錢(清腸殺蟲)當歸四錢(和營)炮附子六錢(溫中強心)炒蜀椒四錢(殺蟲止痛)桂枝六錢(通脈散寒)人參六錢(補中)黃柏六錢(清腸滲濕)右十味、異搗篩、合治之、以醋漬烏梅一宿、去核、蒸之五合米上、飯熟、搗如泥、和藥令相得、內臼中、與蜜杵二千下、圓如梧子大、每劑三錢至五錢、或包煎、或分吞、禁生冷滑物腥臭。并宜節食。

(六)千金駐車丸　治虛痢腸滑。下赤白如魚腦。日夜無節度。腹痛甚者。

黃連六兩、乾薑二兩、當歸阿膠各三兩、右四味爲末、以醋八合、烊膠、和之、拌手丸如大豆許、候乾、每劑三錢、小兒減半。烏梅丸駐車丸二藥，大藥肆中皆有現成可購。

（七）參連飲　治下痢日久。胃中虛熱。得食即嘔。脈虛濇軟無力者。

人參錢半（補胃）石蓮肉三錢（濇腸）黃連七分（解毒）木香五分（行氣）石菖蒲一錢（開胃）水煎服、若赤痢多、腹痛者、宜加當歸三錢、阿膠錢半、痛甚有寒、宜加乾姜一錢、肉桂五分研冲、

痢下已久。治法可與泄瀉相通。如參苓白朮散，（人參、雲苓、白朮、扁豆、陳皮、白芍、炙草、砂仁、苡仁、桔梗、大棗、）眞人養臟湯、（人參、白芍、當歸、木香、白朮、肉菓、肉桂、粟殼、訶子、甘草、）在虛痢者（慢性腸加答兒）可斟酌用之。胃濕甚者，平胃散。（蒼朮、茯苓、陳皮、甘草、）更有寒積痢下不爽，腹痛如絞，硬滿拒按、脈沉、冷汗、肢清。則感應丸（木香、肉菓、丁香、炮薑、杏仁、百草霜、巴豆、）三物備急丹（大黃、巴豆、乾姜、）均可酌用。在尋常暑濕痢。則絕對禁用。特述此以備一格。

（戊）攝養　俗語有「吃不死痢疾」之說。蓋以腸病而胃未病。可藉飲食以行其腸氣。促進新進代謝之機能。若胃氣已病。而勉強食之。必增其病氣。即能食者。亦必擇流動易消化之品。如葛粉湯米粥餚麵等。常令胃酸有餘。則腸中熱滯易去。其有不能食者。雖數日不進食。馴至十餘日不進食。亦不必急急。但使治痢應手。逐漸減輕。即爲佳徵。尤以不見身熱煩燠嘔噁之症者爲順。一俟向愈。胃能恢復。自喜納穀矣。

（己）預防　凡病之防。不僅防於已病之日。猶應防於未病之前。痢疾亦然。夏秋之間。天氣炎熱。蒸發汗液過多。生冷瓜菓，原非有害於人。至此不免嗜之過量。或因納涼受風。腸胃之機能窒礙。則挾未全消化之飲食。釀成濕滯。留於胃腸。或傷氣絡。或傷血管。亦白痢之所由成也。論腸胃之氣化。腸在下而喜溫熱。胃居上而喜清涼。瓜菓進於熱飲食之後。其弊常少。瓜菓進於熱飲食之前。反腸胃之喜欲。每致成傷。吃西菜者。最後進香焦蘋菓。亦經驗而來也。

（庚）結論　痢疾之多生於夏秋者。則以暑熱之時。需要瓜菓。乘風納涼。不免過度。溫滯傷中。腸機阻礙而起。則當清其暑熱。化其濕滯。「通因通用」之治療原則。可用於痢疾。是以一切兜濇溫補之方。在所禁忌。其有因痢致虛。或成休息痢者。多因治不如法。或誤於「吃不死痢疾」之說。益傷其胃腑之機能。淹纏致篤。醫家病家。分負其責也。

（按本篇治療可參閱本期沈君之「痢疾驗方」）

驚風治療論評

陳杏生

從來醫家。關於驚風一症。（卽西醫所謂腦膜炎）既乏精確理論。治療上又難收美滿效果。是以小兒罹此疾病而夭亡者。幾等恆河沙數。殊可慨也。余十四年前。深信前人急慢驚風之說。分別醫治。似已能盡根本治療之能事。及今思之。頗覺前人立論之謬。與醫治之失當。故每一依據其法。多屬隔靴搔癢。難求切合於病情。宜乎無準確之效力。茲以鄙人之研究所得。從事實驗。爰將前人醫治誤謬之點。分述於後。以開驚風症之新治療。

關於前人所論急慢驚風症治。試立表以釋明其意。

驚風
- 急驚風 屬陽實熱之症
  - 一、症狀爲筋絡抽搐。面赤身熱。或角弓反張。或目睛上視。或痰涎潮壅。牙關緊硬。或氣急氣喘等類。惟本病之發暴而急。
  - 二、主治之法。不外清涼退熱。
  - 三、療治理由。謂熱極生風。風動則筋抽。能退其熱者。即所以治驚。緣驚抽之作由於熱。故不必求抽筋之醫治。而抽筋自愈也。
- 慢驚風 屬陰虛寒之症
  - 一、症狀爲吐瀉。或久病之後。抽筋絡搐。身軀或微熱。或頭部獨熱。或竟不發熱。面色青白。或有痰。無痰。或氣急。或肢冷氣微等類。惟本病之發緩而慢。
  - 二、主治之法。不外補陽溫脾。
  - 三、療治理由。謂吐瀉或久病傷脾。脾土虛而肝木來乘。木不自制。侮土生風。風動則筋抽。能治脾土者。則脾土之病愈。而肝木自平。故抽搐雖不治。而治其致病之由來。則筋搐自止矣。

觀前人所論驚風症治。似乎皆從根本。殊不知此種治法。徒爲惑人而誤事。豈眞有裨益哉。茲將其謬誤各點。分條舉述。以告後學。免致盲從。而貽人於夭折也。

（一）慢驚風症之抽搐。謂土虛木乘。侮土生風。風動則抽搐。蓋已明指脾土病而涉及於肝木病矣。夫既爲脾土與肝木兩臟之同病。何以用溫陽補脾之藥獨治一脾臟。試觀仲師傷寒論。太陽病傳至陽明。如太陽病未罷者。卽當太陽與陽明合治。乃前人之治驚風也。不知仲師療法之意義。而妄爲圖治於偏面。欲冀痊愈。其可得乎。況溫陽補脾之藥。是否能熄肝風。此爲其謬誤者一。

(一)急慢驚風之抽搐。俱爲該兩病所有之症狀。而同屬乎肝風因毋待言。何以其治法。一主寒涼。一主温補。夫肝風之動也。究因寒而動耶。抑因熱而動乎。惟攷閱難經。祇有熱極生風之句。未聞有因寒動風之說。此又爲其謬誤者一

(二)急驚風症。嘗見於涼解後。有熱退抽搐未停者。慢驚風病。每投温補之藥後。脾土之虛復。而抽搐仍在者。甚至因抽搐不止而至死。若果如其言。病根在肝在脾。則誠當愈矣。今之不愈者。又可從臨床上驗實。足資證明其不確。此又爲其謬誤者一。

基上種種之謬誤。實由於病理之不確。欲其治愈驚風之疾者。吾知其當深思其故。而別求有効之方藥也。

預防霍亂及其定名之考證

董志仁

病勢最凶最急的，要算霍亂了，人們說起霍亂，不免談虎色變，但是對於預防霍亂這一層，往往是認爲討厭或懷疑的。

現在各地醫院，因市府的委託，可以免費注射防疫針；一般民衆，總算知道霍亂有預防的方法了。可是他們祇知治療霍亂是西醫的能事，預防霍亂是要用西藥的，所以有許多人和我談起這問題，總懷疑到中國醫藥，治霍亂的方法很多，效驗也還確實，至於預防法也有的，不過少人注意。現在我預備介紹一個經驗過的簡要好方法，請諸位隨時宣傳試用，也許他的功效勝過西法預防針咧！

在這裏深恐一般人懷疑到霍亂病(虎列拉)是外國名詞，更要猜想到霍亂病是外國傳來的，所以社會上的宣傳，祇有西醫治療霍亂，中醫對霍亂或者是不明瞭的。那末我就先把霍亂的來歷考證一下。

霍亂的名稱，在我國醫書第一部內經上已有紀載了，如素問六元正紀大論所說的：

「太陰所至，爲中滿霍亂吐下。」

「土樞之發，爲嘔吐霍亂。」

「不遠熱則熱至，熱至則身熱吐下霍亂。」

到了醫聖張仲景所著的傷寒論上，解釋這霍亂兩字的是：

病有霍亂者何？答曰：「嘔吐而利，是爲霍亂」

其他照這樣相同的解釋和記載，是非常多。如靈樞經脈篇，內經拾遺論，千金方；外臺祕要，病源論，醫徹，醫通，瘟疫論，温熱暑疫全書霍亂論等。無非依照內經所說，互相發揮。大意是上吐下瀉，揮霍撩亂的意思；後來有一位英國名醫「Livingstone」，他研究亞細亞霍亂的歷史中，用我國巢氏病源

論的意見，來作引證的一段記載，在雜誌上發表，是承認中國的霍亂，與印度霍亂相同。還有一位先生長在中國的外人麥利氏，他對於霍亂，是研究有素的，曾經證明中國的霍亂，與歐洲霍亂相同的。照這樣看來，中國的霍亂，確實是向來所有的。德醫黃勝白，曾經說過：『Cholera的字音，與我們中國的霍亂，頗復相似，也許歐洲早先的Cholera ，就從這霍亂迻繹而去的，也說不定！因為我們的霍亂這名詞，在醫書上至少有二千年以上的資格，這其間偶然流到外國，更成Cholera ，也許理所應有的。』啊，日本譯名虎列拉，也就是霍亂二字的轉音，現在人已經數典忘祖了，在這裏，霍亂的來源和意義，總算有點清楚，就此再談預防的方法了。

霍亂是屬於急性傳染病類，起病非常快，像今年我們杭州患霍亂病而死亡的很多，所以沒有被傳染的人，應該時刻預防。預防的方法，我國很普通，不過很含有深意的。現在暫不引經據典，祇簡單的說明在下面：

一、霍亂是胃腸病，所以霍亂菌都蟠踞在胃腸之中，患霍亂病人，所遺棄的糞便中，含着霍亂菌，倘使沾在衣服物件上，或滋生在濕地上，或繁殖在水裏，那末我們若是由自己的手，或者從食物中吃下去，變化滋生，霎那間就能夠患霍亂病。所以患亂霍病人的嘔吐物，和糞便，不可隨地傾倒，並且應該用石灰水消毒，病人穿過的衣服，也應該用沸水煮過太陽晒乾。

二、注意蒼蠅！

三、少吃生冷物，最好是禁止生冷物！并且不要貪涼。尤其是看夏秋天氣雨水太多的時候，應絕對禁止瓜菓。

其他種種，說不勝說，總之要清潔衛生。並須注意下面藥物預防：生綿紋大黃一塊，重約二兩，盛於碗中，燒飯時蒸於飯架上，開飯時，就把盛大黃的一碗，用盤蓋好，待下次燒飯時再蒸，如是者一星期，另調同等量之大黃再蒸。按此法在夏令炎熱時甚好，若雨水太多時。只須勿食瓜菓就得了。

按此方在喉痧書中，採為喉痧預防法之一；後來甯波名醫徐友丞先生，把他當做化疫驗方，編入衛生指南中，又把他刊在甯甯波衛生公會出版的衛生公報第二十四期內。說此方氣味芳香化疫，恐怕未必，然而把大黃的功用想起來，也確實能夠避疫。原來大黃載在藥物學上說：『少服可以健胃，多服能夠通便。』現在把大黃蒸在飯架上，這飯內不是已經含有少量的大黃嗎？而且據用過的說，大黃味雖苦，蒸在飯內倒并不覺得苦，好像還有些甜味的，吃下去既能健胃，身體也因此會強健，那時雖有疫菌—霍亂菌—望你的消化道—口鼻咽喉進來，有了強有力的消化機能，自然會把這種戕害人體的細菌滅去。霍亂病也就不會發生了。

有人說：此法不甚佳，還是用預防苗漿注射好，既靠得住，而且也簡便，可惜預防苗漿是外國貨，我們給外國人做推銷員，有些不值得！我道：這到沒有關係，因為預防苗漿，不一定是外國有的，我們中國人，也有研究製造的，如北平龐氏微生物研究所，江蘇中華傳染病學院等，均有發賣，不過注射預防苗漿，也有兩種壞處：第一是因為藥汁灌到皮下，能發生刺痛和硬塊，第二就是注射次數須在兩次三次以上，如果注射一次，仍會被染的。而且一家人，如祇一二人注射預防，其他亦是難免，所以能夠用大黃蒸法，那末一家人皆可避免了。諸位以為對嗎？所費不多，有益無害，要請大家宣傳試用，如果已經注射預防苗漿的，也可輔助漿苗藥力之不逮！

筆記

記急救時疫霍亂灸治法

周子叙

報載各處時疫死亡數，實可驚人，杭市亦同此例，茲就所聞及目覩者，略記如下，初起概屬腹痛，繼起劇烈之嘔吐，泄瀉，或先泄瀉繼以嘔吐，體中水分因排泄太多，不能補足，致容貌即起變化，面龐削小，鼻梁隆突，眼陷沒，且繞黑暈，皮膚乾燥失彈力性，血液濃厚，血管空虛，四肢厥逆，且神經因失水分，起疼痛性筋肉攣彎，而尤以腓腸筋為甚，脈細而沉，聲音嘶嗄，結膜乾燥，尿量減少，重則數小時，輕則一二日，即行斃命，雖未加以細菌學之診斷，不能必其為真性或假性，然謂為時疫則無疑義，宜急服辟瘟丹一二片，重則四五片，用雷公散五厘許納臍中，上蓋薄薑片，以艾絨成圓，直徑約市尺二三分許，置於薑片上灸之，不知熱痛者，艾圓可增至五六分大，輕者三四壯，重者數十壯，必須待其覺痛，然後胸腹舒暢，肢體溫和，而吐瀉即可停止矣，再對證下藥，大約用香薷飲加減，無有不能挽回生命者，此亦救急之一法也。茲錄經驗中之一例於下，以備參考。

桐鄉曹永銈君，十九歲，來杭投考學校，宿於湖濱某旅館，七月廿四日上午三時許，初起腹痛，繼則嘔吐，泄瀉，至五時許，已不能起床，床上滿佈吐瀉物，脈沉細，聲嘶嗄，手冷已過肘，足冷已過膝，面色蒼白，眼圈黑暈，指紋癟螺，精神困倦、即使服辟瘟丹二片、另以雷公散半瓶、（每瓶約一分）納臍中、蓋以薄姜片、上蓋直徑三分許之艾絨灸之、時腹中仍雷鳴疼痛、大便仍瀉水樣液、三壯毫無感覺、後增至徑約六分許、再三壯、病人云：「臍部覺溫暖舒適」、再三壯、胸腹不痛矣、再二壯云：「腓腸筋已不痙攣、四肢亦覺舒適矣。」再二壯、則痛不能忍、因而停灸、、再用香薷飲加減而愈。

附註 辟瘟丹、雷公散、中藥店均有製售。

方藥

古方新解

沈仲圭

阿膠

阿膠係用阿井水與黑驢皮煮燉而成。然阿井水遠在魯省兗州。運取不易。滬杭藥舖。多用牛馬皮和西湖水煎成。其治療作用。歷來醫家認爲養血潤燥之藥。故錢乙補肺阿膠散（阿膠、馬兜鈴、炙甘草、牛蒡、杏仁、糯米）用之以潤肺。仲景黃連阿膠湯（黃芩、芍藥、阿膠、鷄子黃、黃連、）用之以養血。其實阿膠之用。不過止血。補潤之說。似屬古人理想。不可輕信。至其所以能止血之理。全在粘性膠質凝結破裂血管。故其適應症爲吐血、咯血、尿血、便血。吐血僅限於輕症。若盈碗盈盆。應用止濇藥或收斂藥、非阿膠所能勝任矣。和濟局方治下利赤白。用黃連三兩。阿膠二兩。茯苓二兩。黃芩二兩。先將芩連爲末。水熬阿膠作丸。此以黃連清火。茯苓滲濕。阿膠止血。用於下痢之後。洵至合拍。

六味地黃丸

係熟地八兩。山藥、萸肉各四兩。丹皮澤瀉茯苓各三兩。研末蜜丸。爲肝腎陰虛之普通補劑。時賢顧惕生云。久服此丸。治肺勞甚驗。余意熟地內含鐵質。山藥內含蛋白質。乃強壯藥。丹皮助血液之養化。山萸斂擴張之精管。茯苓安神。則夢不縈擾。澤瀉利尿。則膀胱舒緩。（蓋膀胱緊張。刺激精囊。能透起遺精。）以藥理言。對於遺精。當有偉效。是方本係宋代幼科大家錢仲陽所定。治小兒虛症。今則移治男子性慢性衰弱。小兒反不常用矣。

黑歸脾丸

本方之組織。以人參、茯苓、於朮、甘草補脾。培生血之源。熟地補血。黃耆補氣。當歸行血。木香行氣。其餘如遠志、桂元、棗仁、皆養心安神之藥。汪昂醫方集解歸脾湯治思慮過度。勞傷心脾。怔忡健忘。驚悸盜汗。發熱體倦。食少不眠。查各症都爲神經衰弱者應有之病狀。思慮過度。勞傷心脾。亦屬神經衰弱病源之一端。故吾友周子敍、謂此方治腦神經衰弱甚效。惟是病首重調養。服藥尤在其次。如充分之睡眠。滋養之食物。避精神之過勞。行轉地之療養。凡此種種。皆患者所當切實奉行也。

痢疾驗方

沈仲圭

治痢下純血方

苦參子(卽雅胆子)七粒。以桂元一張包之。七包爲一日量。分三次服。

(圭按)苦參子味苦性寒。爲涼血解毒之要藥。用治熱性赤痢。洵屬對症良藥。惟以桂元衣包。不若以豆腐衣包。蓋腸中濕熱方熾。不當以補藥助邪也。

治痢熱便膿血方

白頭翁北秦皮(各三錢)黃柏(一錢)黃連(五分)水煎服

(圭按)此方出張仲景傷寒論。原治協熱下痢。白頭翁、秦皮、黃柏、黃連。性具苦寒。寒以淸血分之火。苦以燥脾家之濕。濕熱爲痢之病原。濕熱剷除。下痢自瘳。且秦皮能固下焦。黃連堪厚腸胃。於淸熱之中。寓固濇之意。余療赤痢。輒用是方。奏效甚確也。要以脈滑數苦黃有熱、而不挾滯者爲宜。挾虛挾寒腹痛者忌之。

痢疾効方

廣木香(四兩)苦參(酒炒六兩)爲末。將甘草一斤煎膏和丸。如桐子大。每服三錢。

(圭按)苦參大苦大寒。旣能消腸中之炎。又堪殺痢疾之菌。用以爲君。木香辛溫除後重。甘草甘平和中宮。所以佐君藥以立功也。若有積滯腹痛症。宜加消導藥。參合用之。

治噤口痢方

老藕搗汁。煎熟。稍和砂糖。頻服。

(圭按)下痢而至不能食。此胃氣已竭之徵也。然大劑補藥。又非虛甚者所能受。故必以甘平養胃之品如藕汁者。緩緩調補。冀其胃氣一復。而後可以收斂劑。止其痢也。

痢疾初起方

葛根(炒)苦參陳皮陳松熟茶(各一斤)赤芍(酒炒)炒麥芽炒山查(各十二兩)硏細末。每服四錢。水煎。連末藥服下。小兒減半。忌葷腥、麵食、煎炒、悶氣、發氣諸物。

(圭按)痢之病源。總由先感暑熱。繼食生冷。暑熱爲陰寒所遏。遂鬱伏腸間而成痢。故以葛根鼓舞胃氣。陳茶、苦參清化暑濕。麥芽、山查以消宿食。赤芍行血。則便膿痂。陳皮調氣。則後重除。惟祗宜於腹不脹痛者。蓋無腹滿拒按之症。便不須下也。

治痢疾兼有表症者

葛根(錢半)黄芩(一錢)黄連(五分)甘草(八分)水煎服

(圭按)痢疾無表症者易治。有表症者難治。所謂表症者。即除大便下痢之局部症狀外。復有身熱、怯寒、頭痛、脈浮之全體症狀也。是項全體症狀。最爲治療之掣肘。蓋以下劑蕩滌腸垢。則表邪即有內陷之虞耳。本方以芩連治痢。即以葛根解表。內外合治。並行不悖。若寒熱頭痛無汗、表症重者。宜參用敗毒散。

治久痢不止

石榴皮燒灰存性。研末。米湯調下二錢。

(圭按)初痢必兼通下。久痢則當止濇。此治痢大法也。石榴皮味酸氣温。濇腸止痢。功與御米殼、赤石脂相若。故克治之。

升麻

葉橘泉

學名 Cimifiluga foetida, L. Var.

別名 周麻、周升麻、收靡、雉麻、雉脚、既濟公、黑蛇根、

產地 四川益州、

種類 毛茛科之有毒多年生草、

形態 春季自宿根生苗、高達三四尺、葉爲數回羽狀複葉、其小葉尖頭、長卵形、有缺刻、及鋸齒、花白色、穗蕊甚多、總狀花序、

藥用之部 根、

鑑別 肥大堅實青綠色味苦者爲上品、又形似老姜而肥大、皮紫黑、內帶褐色、有羅紋者亦佳、皮黑肉白焦瘦輕虛者爲下品、不可入藥、

性味 苦辛、

醫治功效 解百毒、殺百精、老物、殃鬼、及瘟疫瘴氣、邪氣蠱毒、入口皆吐出、中惡腹痛、時氣毒癘、頭痛、寒熱風腫諸毒、喉痛口瘡、〔本經〕安魂定魄、鬼附啼泣、疳𧏾遊風腫毒、〔大明〕小兒驚癇、熱壅不通、療癰、豌豆瘡、水煎、綿沾拭瘡上、〔甄權〕牙根浮爛惡臭、太陽鼽衄、爲瘡家聖藥、〔王好古〕

療時行邪氣、瘟疫瘴癘、寒熱風腫、赤眼、痘瘡、疳疹、喉痛、消癍疹、治諸惡瘡、癰疽、久洩、崩漏下血、久痢疫痢、　一本堂藥選

治胃熱喉腫、　古方藥品考

用本品爲鎮痛劑、如神經、卵巢痛、偏頭痛皆效、新纂藥物學

驗方　本品磨醋濃塗、卒然腫毒、能消腫止痛、

口舌生瘡、　本品十分、黃連三分、煎汁含漱極效、

修治　採得括去粗皮、及鬚根蘆頭等、米泔浸、切片、

用量　八分至錢半、

禁忌　忌用火烘炒、

按語　前人以升麻之升、推想爲升降之升、故論其功用往往牽強附會、日人香川修德著一本堂藥選已闢其謬、玆錄其語如下、

張元素曰、升麻升陽氣於至陰之下、李杲曰、升麻升胃中清氣、又引甘温之藥上升以補衛氣之散、自二氏創此謬說、後之醫家、遂往往以升提爲言、抑何深拘於升字乎、自李杲定補中益氣湯、方中用升麻柴胡二品、後世遂崇視此方、乃附會其說、升麻升陽明清氣自右上行、柴胡引少陽清氣自左上行、一唱百和、剿襲雷同、惑世誣民、莫此爲甚、若然則每方加此二品可也、豈其然乎、其實本品之效能、爲淸血解毒鎮痛、乃瘡毒血熱者之聖藥、本經謂治時毒癘疫殺百精、一本堂藥選謂其治疫痢消癍疹、療時行邪氣痘瘡等、據此則尚具有殺菌抗毒之力無疑矣、唯其藥性向上達外之力爲多耳。

雜俎

蔬果談片

沈仲圭

生薑

生姜爲蘘荷科多年生草本之塊根。隨地皆有。味辛甘而氣芳香。刺激力甚強。着於皮膚。起焮灼及變質。故爲皮膚刺激劑。治黃疸、凍瘡、毒蟲刺傷諸病。着於胃黏膜。立呈充血。使運動及分泌機能亢進。故爲辛辣性健胃藥。用於消化不良。與半夏茯苓同用。爲鎮嘔良藥。

生姜治痢。祇限初期。至腸壁成潰瘍時。卽不宜用。因刺激太甚。徒增病人腹痛耳。

金匱有當歸生姜羊肉湯。治產後腹中疞痛。及寒腹疝痛。

虛勞不足。蓋三藥合用。有止痛補虛開胃之效也。愚意去當歸。用為病后調理。虛人服食之滋養品。亦良。

俗云「上床蘿蔔下牀姜。」此言信然。蓋姜能催進食慾。蘿蔔有消化澱粉。滋養血液之功。常啖二物。確有益也。

大棗

大棗一名紅棗。內服治便祕咳嗽。外用治凍瘡皸裂。其營養值甚高。本草謂能補心脾。西醫用作強壯。白朮四兩。雞內金二兩。研末焙熟。干姜二片。研末。以熟棗肉半斤。搗爛。和上三藥。作成小餅。炭火炙乾。即醫學衷中參西錄之益脾餅。飢時食之。不但補養。並有開胃止瀉之效。脾虛久瀉。完穀不化。服此最宜。若與小兒作點心。亦賢於市售之八珍糕也。

回憶少年時代。極嗜甜味。家母常手製桃棗圓餉余。製法。紅棗三分。胡桃二分。先將胡桃搗爛。入棗再杵為圓。仍如胡桃大。當時未解醫理。僅讚歎其甘美可口而已。今考二物皆滋養強壯藥。本草且稱「食胡桃令人肥健。潤肌膚。黑鬚髮。」其皮濇可止欬。（和漢藥物學云。胡桃之主成分為脂肪油。此外含有胚乳、糖分、單寧等。本草載「洪輯幼子病痰喘。夢觀音令服人參胡桃湯。服之而愈。明日剝去皮。喘復作。仍連皮用。信宿而瘳。蓋皮能斂肺也。」由此推想。頗疑本品所含之單寧酸。或多在皮中也。其油滑可通腸。（大棗亦治便祕）是則此桃棗圓者不但為滋養之藥用食物。亦簡效之家用良方。編食譜者。盍採入之。

上文所述之桃棗●。不僅治欬嗽便祕。且可作絛蟲驅除藥。因胡桃仁中之脂肪油。有通便殺蟲之作用也。

三伏日。取大棗。以生姜自然汁拌之。曬乾。更拌更曝。三次為度。收密器中。名姜汁棗。（服時須經蒸煮）祛痰開胃。並擅勝場。可作風邪咳嗽之便藥。小兒老人之遊食。

本品八兩。合紅蓮子四兩。梨二枚。煉白蜜一兩。以枇杷葉五十片。煎湯代水煮果。即王孟英杜癆方。治骨蒸癆熱。羸弱神疲。腰痠脊痛。四肢軟痿。咳逆嗽痰。一切陰虛火動之症。其中大棗。亦以滋養祛痰為目的。本方除蓮子。用作熱性病後便閉。常習性便祕之食餌療法。亦頗佳妙。

曩時習醫。見名醫處方。每用大棗。不過三枚。心竊非之。以為棗乃吾人常食之乾果。一啖十餘。習以為恆。區區三枚。焉能已疾。今統計仲景方大棗之用量。以十二枚為常。益信予昔日之懷疑。為不虛矣。

山查

本品不但消食。且能化瘀。治產後惡露積於子宮。疼痛難忍。若煅之爲炭。研成細末。療胃出血尤效。因粉末入胃。密護胃膜。能使破裂之血管凝結。血即止而不流。且此物性本化瘀。雖初病用之。亦無流弊。至胃出血之症狀。爲血色紫暗。血量甚多。血中含有食物成分。且有胃病或肝病之既往症。

芡實

芡實生於水澤。形類雞頭。外被青刺。剖之。內有斑駁軟肉。累累如珠璣。去殼。則潔白若魚目。其功用(一)益腎固精。(二)補中開胃。醫家治療遺精。每多用此。如藥肆出售之水陸二仙丹金鎖固精丸。方中皆有芡實。惟本品之治遺精。宜於久病體虛。若夢遺之症。則以丹溪大補陰丸之清相火滋腎陰者爲佳。友人羅錦澄告余。曩時肄業高中。得夢遺疾。少則七日一次。多則三日一次。嗣服大補陰丸。八閱月而全愈。遵生八牋芡實粥方。用芡實去殼三合。新者研成膏。陳者磨作粉。和粳米三合煮粥。云食之益精強智。聰耳明目。余謂以芡實蓮實各一合半。加粳米糯米各一合半。煮成稠粥。不但益人。治久遺、久瀉均佳。

少女大乳之生理研究

馮起袞

申報八月十九日載無錫縣鬮北鄉少女李翠珍、年十七歲、於發育時期、雙乳忽長得碩大無朋、初以羞澀之故、祕而不宣、詎料逐漸膨脹、雙峯下墜、雖無痛無癢、而長有二尺許、較普通女性之奶、大有二十倍以上、萬分累墜、頗爲不便、特於昨日來城、投城中西醫某處求治、經醫診斷、係奶腺過長之症、醫治困難、若施用手術割去、恐創口過大、殊多危險、且以此疾、醫界所罕見、故當時未爲醫治而去、事後該醫師特仿照歐西共同研究之例、分告邑中西醫、作醫理之討論、以便採用適當治療方法、同時國醫界、聞悉此事、亦遍翻古今藥籍、有所討論云云、奶腺過長、脂肪血管擴大、自是表面原因、中說以乳房屬陽明胃脈、乳頭屬厥陰肝脈、推其內情、必胃經之脂肪血管、向外膨脹、肝脈循之、以助成其勢、大至尋常二十倍、他處又無所苦、此種特異之發育、每有特異之原因、且具有先天性、精子結合之時、已具此根萌、必至發育而始膨脹者、則以胞脈上循胸中故也、今人每以乳大臀肥爲美、父母以此爲心、若念念不釋、必生畸形之人、無形之意念、每影響於有形之精子、或當發育之年、驟感乳大之美、亦能促其膨大、若就其現象設治、手術割之、誠多危險、大約當消其局部過多之脂肪血管、以內服丸劑爲宜耳、苟無他項病徵、得在嫁後生育男女之後、奶腺當漸能收小、古籍雖所未載、推理固如是也、

衛生

衛生講話(續)

董志仁

(三)眼睛

眼睛司視覺、開着眼能夠看世界上一切的物體、不幸殘瞎了、多麼的不便利呢、所以要保護眼睛的永久的功用、須注意下面的幾點、

一、行路　在路上的時候、我們須謹愼顧到飛絲、微塵、煤屑等、預防這些東西侵入眼睛的好方法、是要戴眼鏡、如果旅行沙漠地、必須載着遮風鏡、

二、看書　從前讀書人什九是害近視眼的、原因是看小字過多、或目不轉睛的死用功、不知修養的也很多、可是從前所讀的書、純是木版、現在所有的書、大都是鉛石印、比較起來、鉛石印較木版能壞眼睛、所以格外應該注意、

1.在光綫不足或過強的地方、不宜看書、

2.搖動的車上、和搖動的燈燭下、不宜看書、

3.小字的書應該少看、

4.倚在眠床上、不宜看書、

5.看書的時候過多、應該閉目修養幾分鐘、

6.淫書、淫畫、淫戲、均能暗害腎水、間接是損害眼睛、所以要嚴格的禁止看閱、

三、睡眠　睡眠的時候、最好不點燈、應該把燈息滅、但是一般人因着小孩睡眠、恐怕驚嚇、於是必須點燈、甚有用強烈的燈光、點在上面的、雖是睡眠的眼皮是閤着、却能暗害眼睛、

四、忿鬬　常有忿怒鬬恨的人、用石灰包爲利器、因爲眼睛是最要緊的一部分、假使瞎害了、好比蛇無頭而不行、而且忿怒亦能激動肝火、損害目力的、故宜力戒、

五、眼鏡　眼鏡是保護眼睛的工具、有各種不同的形式、亦有各種不同的用處、顏色眼鏡、是遮光的、近視眼鏡、是有程度的、所以戴眼鏡是不該亂戴、應請教配光師驗檢、但是現在眼鏡店的驗光師、大都是隨便的、所以我們應該明瞭自己的眼睛有否近視、已患近視的、要戴適宜的近視眼鏡、以後不要再進步就是、普通在家裏不出外、最好不養成戴眼鏡的習慣、

六、修練目力　一般人以爲眼睛、的視力不充足、往往用一種修練工夫、修練工夫大約有數種、

1.在暗室中練的。練法在極暗黑的房室中某一地方、置一物作目標、從距離幾步的一處、靜心睜大眼睛望去、起初是一點也看不出的、如果日日不間斷的練去、久而久之、練到全部看得清楚時、那末無論走到某處黑暗地方、都能夠辨別纖毫了、

2.在日光下練的。練法在旭日初升時、對日光長久注視、到日光放大爲止、練此法者據說練到某程度時、說不定眼睛會暫時如瞎的一般、往後繼續練去、就會明亮、而且黑暗地方、眼睛裏會放出光芒來、我想此法頗危險、因爲日光原是很強烈的、尤其在初升時、怎好長久注視呢、還是不去嘗試的爲是、

3.看水法。據說此法甚佳、而極簡便、祗須每日早晨起來、立在井邊、或水缸旁、凝神靜視水中、(如水缸中養有紅色金魚數尾更佳)注視五分鐘後、閉目靜坐五分鐘、卽用硼酸水淨眼、或打井水揩拭、(須早晨第一次所打的井水)如果一生不斷、天天如此、目力能至不衰、而且比較普通人的眼睛要光明、

4.擲香點法。此法欲練技能者用之、法以點旺的線香一枝、插在一定的距離點、用眼睛注視香頭火、卽用黃豆看準擲去、以擲至香火能被黃豆打掉爲止、再加遠距離、如此練法、不但目力愈練愈佳、同時亦可練成擲法小技能、

此外還有注視屋上瓦片法、看花法、和露水揩睛等、無甚奇效、不過有病的眼睛、用此等法頗相宜、可是我們看了上面的修練目力法、更須注意的、就是節慾、和不揩公共場所的手巾、因爲公共場所的手巾、大都不消毒、不用沸水煮過、很有傳染眼患的可慮、縱慾呢、能夠損傷腎水、腎水一虧、目力就會減退、所以要節慾、同時更須知道前面說過的看書睡眠等衞生法、

（四）耳朵

耳司聽覺、如有損害、或有疾患、不但耳部失聰、並且可以有生命的危險、因爲耳病很容易延到腦部的、中耳受病劇烈、亦能傷命、所以耳的衞生、切不可忽略、

耳朵內有耳垢、積聚多了、好像有礙聽覺、是應該用圓滑的耳挖很仔細的、把他挖去、可是不宜常挖和用尖銳的器具去挖、假使因耳垢堅結的話、可以滴入菜油一滴、然後慢慢去挖、决沒有不能挖去的事實、

大礮聲和雷響聲、或震動聲劇烈時、很容易傷害耳中的鼓膜、耳孔中可以用綿絮塞住、所以對人家的耳門邊去大聲的驚恐、是不應該的、

耳漏、小兒是常常患着、——大人亦有——和身體很有關係、他的原因、大都是不潔的水、或眼淚流入耳內的緣故、所以洒水或洗浴後、必須用紙捻吸乾耳內的水、在小兒更須注意側臥時的啼哭、

青腐乳有益於衛生

董志仁

青腐乳一物、俗稱臭腐乳、爲勞動界之佐食品、亦卽衛生家之厭惡物、但攷其製成之原料、尙非不合於衛生者、不佞自幼嗜此、在校時與師友嘗作食青腐乳有益與否之討論、同情者竟不之其人、迄今馬齒旣增、食青腐乳之經驗、愈覺長進、認爲此物、似無毒質、常人食之、有健胃消食之功、病後食之、爲養身增餐之助、不佞作此考證、讀者諸君、其將疑爲嗜痂成癖之腐化分子乎、

考吾杭市上所售之青腐乳、類皆製自紹興、其製法將荳腐切塊晒乾、青鹽食礬同入罎內、密封年餘、使起發酵作用、而腐而酥、始可啓封爲食料、查食品化藥研究云、荳腐爲黃大豆所製成、內含脂肪蛋白、無機鹽類等質、富於滋養性、爲素食衛生之良品、食鹽有殺菌防腐之功、健胃消化之力、青礬卽綠礬、一名酸鐵、爲收斂性鐵劑之一、外用能消毒、內服能補血、本草綱目更言能治各種疾病、故隨息居飲食譜云、青腐乳能治疳積膨脹、萎黃等病、功能消積補血、自屬有理可據、經驗之論也、

然食之而嫌其氣味臭惡、或覺胸悶嘔吐者、亦屬常見之事、此則似因不知另加調味之故耳、倘能加以清香之蔴油、臭氣自可大殺、且因此而可調劑其中收斂性之硫酸鐵的便祕作用、最妙再加少量之米醋、以增益胃酸、（按其人素多胃酸、可以不必加、）輔助消化、則氣脹嘔吐自不發生、以視用紅腐乳與油檜等之用於輔佐晨饔者、其利弊不可同日而語。食物之衛生、固不可以皮相也。

或曰、青腐乳中常有小蟲、此小蟲非腐乳之臭腐而發生者乎、食之當不可疑、不知各種食物、除與空氣隔絕、或用化學藥品

保護、或食物自身能強有力之殺菌防腐外、難免么麼小體之侵入、故多數之食物、必經蒸煮而食、蓋即殺滅微生物之一法也、臭腐乳之原料、本有防腐殺菌之功、惟起壜後、環境不潔、在夏秋時蠅類間或光顧、微生物於以滋生、則食之難免有害、此非腐乳之罪也、（譬如清潔之西洋大菜、倘經蠅類附着、能保無礙於衛生乎、）雖然、若因病忌此、或多食此物而傷胃、即使無微生物之作祟、亦能致病、此則更非靑腐乳之罪矣、

長壽保險之術

熊璋

(1)食時須選易于消化。富于滋養。如牛肉、乳汁、鷄卵、等食云。每夜就眠之前。食生卵一個。不可間斷。（按卵黃養心血能安眠。然胃不宜者。自難勉強。）

(2)不問何種職業。須日日以一定之時刻。逍遙于大氣之中。爲充足之運動

(3)晝夜須常自鼻孔中爲呼吸。

(4)室內之空氣。務須流通。并須避不潔之共氣。如火鉢及燈火上之空氣。不可呼吸云。

(5)每朝起身時。須先開放窗戶。傍窗而立。以及手置臀上。以及肩引於後方。閉口。呼吸五次。如冬令寒氣凛冽之時。則可離窗爲之。且於着衣前。須在室內。以粗手巾、用力摩擦其身體。

(6)每夜睡眠。至少須有八點鐘之久。牀架須高至二英尺。且於就眠之前。須將窗戶開放、立于窗傍。呼吸數次。若天晴。則暫時須於庭中步行數分鐘。

右文錄自日本醫書。書名已不能憶。因其簡易可法。特刊諸本欄。以供講求衛生者之借鏡。

熊璋誌

文藝

攝生論

王孟圓

嘗謂古人之言曰。生之無亭毒之心。死之豈虔劉之志。是雖造化之不仁。人而共龜鶴爭年，可也。奈何未及下壽而先夭。等蜉蝣於天地。若蟪蛄之春秋。豈其未聞養生之道歟。他若夷齊絕食於首陽。三閭沉骸於瀟湘。尾生因信而死於水。比干因諫而剜其心。此皆志士之所爲。視死如歸。捐鴻毛之身。垂簡册之名。浩然之氣。千古常存。謂之不亡。原應別論。至若華士被戮於太公。正卯受誅於孔子。李斯腰斬。國忠受縊。此佞臣

賊子。罪不可逭。自暴其年。咎由自取。固不足道。惜乎彼庸庸者者流。惐惐乎。惛惛乎。善不勇爲。惡不敢作。生無益於時。死無聞於後。溘然霜露。不能盡其天年者又比比也。嘗試論之。夫衣食住。所以養生而奉身者也。不可坐而致也。爾乃勞其四肢。瘁其心力。俯仰於塵世。忙迫乎西東。或競奔於富貴之門。逶迤於勢利之間。隳胆抽腸。拆枝舐痔。幸而致陶朱之資。郭況之穴。其自奉也。進珍饈之饌。襲狐貉之衣。高朋滿坐。冠蓋輻輳。侍姬盈前。綠鬟雲集。於是添酒囘燈。調絲品竹。歌聲遏衡山之雲。艷曲驚迴文之舞。左擁右抱。擬溫柔於漢武。漫歌細聲。等風流於唐皇。慨良夜之易盡。覺逸興之無窮。脈脈然將自謂樂身心。娛耳目。善於養生矣。安知積勞成倦。積倦成疾乎。固極聲色之耽。膏粱之味。安知形疲於外。神躁於中乎。動其魂魄。越其心神。滋味煎其腑臟。醴醪腐其胃腸。病而不死者幾希。其所以養生者。適足以伐生耳。且夫執杓而飲河者。不過滿腹。棄室而洒雨者。不過濡身。過此以往。固不可得。是以皇天輔德。鬼神害盈。盛衰相遞。否泰相傾。昔富今貧。病曰失精。昔貴今賤。病曰脫營。七情之疾。方術則窮。至或有味於富貴。不幸而不能致者。利不遂於物。慾乃纏於心。怨天尤人。歎吾命之不辰。悽風苦雨。慨身世之飄零。痛楊朱之歧路。悲阮籍之窮途。夫憂能傷人。思令氣結。有動乎中。必搖其精。邪之所湊。其氣必虛。況天地爲爐。造化爲工。陰陽爲炭。萬物爲銅。陶之鑄之。斲之伐之。其人其可久持邪。若此者。富貴雖異。得失雖殊。其多慾則一。是故至人淸心寡慾。恬淡自守。神形相親。心不形役。澹乎若深淵之靜。泛乎若不繫之舟。知富貴之不可恃。樂天命而忘憂。土室編蓬。皆可以居。鶉衣敝裘。皆可以衣。餔醩啜醨。皆可以醉。蒸藜吹藿。皆可以飽。然非貪而過枉其情也。含光混元。攝生之道也。若夫起居有時。飲食有節。知葱薑之通神明。而識薰辛之能害眼目。魚能熱中。豆令人重。諸如此類。書載夥頤。不可誣也。雖屬曲枝末節。不可忽也。以上所論。言其概致云爾。蓋可以得攝生之旨矣。

社務記載

發起人談話會　本社發起人、於六月廿四日午後四時、在彩霞嶺王醫寓開談話會、湯李兩君因事往外埠、施稷香君亦因縣署開會、來條通知、到者、范耀雯陳鼎丞沈仲圭王一仁諸君、當卽討論社務進行辦法、以本社爲學術團體性質、與公會爲職業團體者、稍異其趣、完全以同情結合、以謀研究醫藥爲主旨、社章定每月開討論會一次、并出月刊、以收觀摩之益、一俟能有成績、即呈　教育局備案、唯內部職務、應暫行推定、以利進行、當推范耀雯先生爲社長、陳鼎丞先生爲文書兼發行部主任、沈仲圭爲宣傳部主任、王一仁先生總務兼編撰主任、李天球爲經濟部主任、湯士彥先生爲組織部主任、周子叙先生爲研究部主任、蔡松嚴先生爲調查部主任、陳君鼎丞因事往江西一行、關於文書發行、由沈王兩君暫代、並討論徵求社員、及商組學術討論會、發行醫藥衛生月刊等事、議畢散會、

討論會談話記　七月三十日午後三時半、本社同人、叙會於湖上西泠印社、到者范耀雯施稷香阮其煜周子叙沈仲圭劉瑤栽李天球董志仁湯士彥王一仁諸君、即開會、主席范耀雯、紀錄董志仁(一)由總務王一仁報告籌備經過、(二)討論每月開討論會一次問題先期徵之、下屆第一次開會地點、定在彩霞嶺王醫寓、日期爲午後四時、(三)施稷香君提議、社章「社費」改爲「常年費」、如此則入社費一元、常年費一元、不致誤會、通過、(四)擬推阮其煜爲西醫藥顧問、通過、(五)徵求社員、依照公會會員通訊錄徵求之、(六)對外民衆宣傳、隨時酌量情形、唯社會人士向本社討論會詢問病症、理應接受、或以義務會診出之、以符學術濟世之意、(七)劉瑤栽君提議、每次討論會宜着重時病研究、議畢、攝影散會、施君先行、致未攝入、云云、

杭州市中藥一覽表(一)

洪大藥材行	望仙橋河下
義成藥材行	望仙橋河下
恆豐藥材行	望仙橋河下
廣大藥材行	望仙橋
廣生藥材行	望仙橋
德記藥棧	望仙橋河下
三愼藥材行	望仙橋河下
大德藥材行	羊壩頭
元大藥材行	望仙橋河下
五昌藥材行	望仙橋河下
阜泰藥材行	望仙橋河下
培生堂藥號	倉橋大街
余香山藥號	城隍牌樓大街
天德生堂藥號	城隍牌樓大街
同春堂藥號	鼓樓前大街
益仁堂藥號	拱埠大馬路
仁益堂分號	拱埠橋西

天寶堂藥號　拱埠大馬路
大德堂藥號　拱宸橋下
范承志堂　薦橋大街
延齡堂藥號　塔兒頭
同德堂藥號　塔兒頭
保和堂藥號　藩司前
太和堂藥號　藩署前
慶餘堂藥號　大井巷
種德堂藥號　望仙橋
泰山堂藥號　薦橋路
華山堂藥號　上板兒巷
惠生堂藥號　聯橋直街
張同泰藥號　孩兒巷
孫泰和藥號　忠清巷口
同益堂藥號　貫橋

編後餘話

本刊自出版後、除本埠外、已向南京上海各處行銷了、顧名思義、我們要想對於「醫藥衛生」四字、做到相當功候、着實不是容易的事、國醫界老是守着舊書、不但不合潮流、而且惝恍

迷離、反致日日退化、要是走向時代潮流太快、又復自惑歧途、「陰陽」「五行」「六經」「六氣」、只可以說他的名詞欠新鮮、不能說他毫無學理的價值、但是化朽腐爲神奇、也就是在乎人的應用、我想不將中醫根本哲學思想說明白、對於改進是無希望的、我的仁齋醫說、便是如梗在喉、不能不出了、痢疾論治、祇可說、一篇應時的文字、當然說不到精深、或者能助醫生的應用、及病家的參考、周子敘君的霍亂灸法、濟急的應用、是很神妙的、「扁鵲心書」中的灸法、應該不致於失傳罷、如陳杏生君的驚風論評、很是確切、我們更希望他能夠將閱歷心得說出來、以救拯許多無辜的小孩、沈仲圭君在一期中、已有他的大作、本期中的方劑新解、說簡而賅、痢疾驗方、淸妥可用、至於他的衛生新舊學說、亦頗精博的、葉橘泉君「升麻」、尙是前期未登的一篇、雖然綴上幾個外國字、也見得藥物的發明、中外同例、不僅解釋藥性、且爲我藥業作一興奮劑。董志仁君的霍亂一斑、衛生講話、靑腐乳與衛生、運筆淺顯、含義甚精、閱者幸勿忽略、此外諸君短稿、多少是有意思的、杭市藥業調查、本期祇一部份、已有可觀、但我們看西藥房的林立、又應該如何地的努力提倡、研究「培種」「選擇」「精製」「推銷」「宣傳」等等工作呢、

投稿簡則

一、本刊內容分學說筆記衛生藥物雜俎餘興等欄以稿件贏缺爲增删標準

二、投稿不拘文言白話論究中西醫藥衛生學說以有含義者爲歸繕寫務希清晰以免訛謬或删棄

三、投寄之稿本社有酌量增删之權

四、稿末請註明姓名住址以便通信地址如有更動亦請隨時通知揭載時之署名可聽投稿者自定

五、投寄之稿經本社揭載後當于每年統計投寄最踴躍及最精警者稍備文具奉酬以示敬意

六、投寄之稿請寄杭州上城彩霞嶺十一號本社

中華民國二十一年九月一日出版
醫藥衛生月刊創刊第二期

主編者 王一仁 杭州上城彩霞嶺十一號
發行者 中國醫藥學社 杭州上城彩霞嶺十一號
代售處 本外埠各大書局
印刷者 新新印刷公司 杭州新民路四百〇六號 電話三三〇〇號

醫藥衛生月刊價目表

月刊定價表

一月一期	全年十二冊
另售每冊六分	(郵費) 國內日本一分 國外及香港澳門六分
預定全年十二冊七角二分郵費在內	
國外預定全年一元五角郵費在內	
郵票寄購以半分至五分爲限	

廣告價目

地位	一期	六期	十二期
全頁	十五元	八十元	一百四十元
一面	八元	四十元	七十元
半面	四元	二十元	三十五元
四分之一	二元	十元	十八元
木刻銅板鋅板外加			

中華郵局特准掛號七一六號立券寄遞

醫藥衛生月刊

于右任

第三期 王一仁主編

民國二十一年十月一日出版

中國醫藥學社印行
杭州上城彩霞嶺十一號
電話一〇九六號

學說

仁盦醫說

▲六氣說

王一仁

地球繞日。寒暑運行。四時成序。品物流形。關於天時氣候、與地面合併釀成、可以分晰者。曰風、曰火、曰暑、曰濕、曰燥、曰寒。此之謂六氣。六氣分配於春夏秋冬四時。四時共得二十四節氣。則大寒、立春、雨水、驚蟄、四節爲風氣主令。春分、清明、穀雨、立夏、四節爲火氣主令。小滿、芒種、夏至、小暑、四節爲熱氣主令。(熱卽暑也)大暑、立秋、處暑、白露、爲濕氣主令。秋分、寒露、霜降、立冬、四節爲燥氣主令。小雪、大雪、冬至、小寒、四節爲寒氣主令。凡二十四節配爲六氣。爲一切生物之源泉。動植無論矣。舉凡吾人之呼吸飲食起居動作。無不間接直接以受六氣之支配。可謂爲生理之來源。生理一有違和。則又爲疾病之媒介。故謂六氣可爲細菌之母。以生以殺。無不由於六氣。直捷言之。可以爲造化主。祇以年年歲歲。理太平常。生息其間。每爲人所不自覺耳。冬裘夏葛。固爲人所易知。秋涼春溫。又爲人所易曉。至於分晰

六氣。窮其變化。以至於無盡。則雖聖哲亦有所難。誠如聖教序所云、「象顯可徵。雖愚不惑。形潛莫覩。在智猶迷。」夫風無形而木有形。風動而木生。寒無形而冰有形。寒至而冰結。木也、冰也。有形生於無形者也。植物非日光水分空氣不能生。結冰之由熱漲冷縮之理。人皆知之見之。而獨於六氣之影響生理病理。稍稍趨新者。且譏其迂談。亦不思之甚矣。素問六微旨大論云、「物生其應也。氣脈其應也。」六氣云者、固無形而有象者也。萬物生於六氣。人非物質空氣、不能生活。同時亦受其影響。生老病死。皆爲其所左右。是以前賢醫籍。以六氣合人之臟腑。六微旨大論篇云、「厥陰之上。風氣治之。少陽之上。火氣治之。少陰之上。熱氣治之。太陰之上。濕氣治之。陽明之上。燥氣治之。太陽之上。寒氣治之。」此則以六氣之平者言之。此類抽象會意之談。視如空洞。理實精深。積若干之經驗實驗。乃成此生理病理一元之論。蓋凡一種溫度氣壓。特宜於某經脈某臟腑者。亦卽易爲某經脈某臟腑致病之因。由於積久成漸之勢。有不期然而然者。然其從化傳變。移動不居。亦非可印定眼目。靈樞五變篇云「匠人磨斧斤礪刀。削斲材木之陰陽。尙有堅脆。堅者不入。脆者皮弛。至其交節。而缺斤斧焉。夫一木之中。堅脆不同。堅者則剛。脆者易傷。況其

材木之不同。皮之厚薄。汁之多少。而各異耶。夫木之蚤花先生葉者。遇春霜烈風。則花落而葉萎。久曝大旱。則脆木薄皮者。枝條汁少而葉萎。久陰淫雨。則薄皮多汁者。皮漬而漉。卒風暴起。則剛脆之木。枝折杌傷。秋霜疾風。則剛脆之木。根搖而葉落。人之有常病也。亦因其骨節皮膚腠理之不堅固者。邪之所舍也。故常爲病也。」以木之剛脆。喻人之強弱。究之各有所傷。不能無病。氣壓積久之力。果可以目測乎。風、火、暑、濕、燥、寒。凡此六氣。雖可分晰多種。各各不同。要之皆氣體也。從氣體可以生液體。(雲降爲雨)生固體。(水冰地凍、及暑熱地結、)又可以燬液體(蒸發水氣)毀固體。(爍石流金)陰符經云「天生天殺。道之理也。」以輕養淡言、則以火風歸之養氣。寒濕歸於輕氣。燥熱歸於淡氣。人在大自然中。交受六氣之益。久之亦受其病。日求其利用與補救之方法。究未登峯造極。可以自我作主。則六氣之權威。依然存在。且中醫之所謂六氣，有屬於天行者。有屬於人爲者，人爲之六氣。亦可以種種因緣而生而致病。如貧血者之神經衰弱。腦眩耳鳴。是風從內起也。如暴怒鬱久。熱眩暈厥、或焦躁煩灼。是火熱從內起也。如多食霉腐。或嗜飲茶酒。或坐臥濕地。致患痞腫痿痺。或泄利下注。是濕從內起也。如血虛液乏。或奪汗泄津。而患口乾舌燥。是燥從內起也。如過食寒冷。臟溫驟低。或恐懼傷中。元陽不振。是寒從內起也。此外如圍爐飲冰、消寒避暑。皆人爲之六氣也。在中醫學上。以風火熱濕燥寒等字。且爲推想病理之抽象名字。以視西醫之僅以炎症言者。其精粗深淺。不可以道里計矣。夫天行六氣、太過爲淫。不知謹避，觸冒之者。可以爲病之主因。在內傷雜症中。則又可爲病之誘因。執一以論。皆失之也。天行六氣。雖可分配於四時、二十四節。究之某節某氣。亦非一例。或錯雜二氣三氣。甚至一日之間。可備六氣。如天氣鬱蒸之際。驟雨而涼之類是。或偏勝。或不及。時令之行。又至不一。或未至而至。或至而不至。或至而不去。或至而太過。或有氣伏於前。後期而發。或錯綜間雜、合併而生。雖以六氣爲言。仍須從見症上推論分別。是以風、火、暑、濕、燥、寒、六氣。一方爲總冒時氣之名詞。同時當知爲推原病象之意會詞。若斤斤於字眼上、泥而攻之。徒見其隔膜而已。

濕溫論治

葉橘泉

濕溫之名、昉見於難經、(難經曰、傷寒有五、曰傷寒、曰風溫、曰熱病、曰溫熱、曰濕溫)、爲五種傷寒之一、乃夏秋間習見之病也、其證初起惡寒、(或不寒)微發熱、身重頭疼、汗自出、或一部、或全身、惟胸悶口渴不引飲、舌苔白膩、（後變黃或灰膩）小溲亦濇等、爲必見之證、其熱於三五七日後漸弛張、每於日晡必增高、有類潮熱、甚則面色垢膩、胸脘窒悶、發疹瘖、脈搏細軟而糢糊、再進則耳聾神糊、煩渴喜熱飲、或厥逆、或痙攣、本病經過時期最淹纏、變化亦至多、有轉病瘧痢者、有瘀熱發黃者、亦有蓄血下血者、西醫稱本病謂「腸窒扶斯」、（腸傷寒）病原菌尚未明瞭、云係小腸寄生一種微菌而生瘡、故每下血或腸穿空孔而死也、彼邦於此病無治法、祇停給飲食物、冰以却熱、注射強心劑、以維持心臟不使其衰弱等對證處置而已、國醫則不然、自古迄今、論列既精、法治更詳、大論（金匱）有溼暍之篇、及淸代薛生白著溼熱之論、最爲精詳、蓋我國自來論病理、悉以六氣爲根據、本病原由於溼熱、長夏溽暑薰蒸、空氣水蒸飽和、人身汗液不得適量排洩、卽排出汗腺、亦不得盡量蒸發、體溫放散之路障礙、或遇其他誘因（或精神疲弱、或飲食不適、或細菌滋蔓）、悉卽發生本病、此因體溫汗腺調節失司、故汗雖出而胸悶發熱、妨害消化機能、則胃中食物停滯、醱酵刺激而致胃腸有炎性機轉、乃瘖滿腹鳴、大便溏或不爽、消化腺爲病、則苔必厚膩、水液排出失於蒸散、故渴不多飲、而多量汗液蓄集汗腺、故最易化瘖、（冬春兩季鮮有病白瘖者、以外界空氣乾燥、浮出卽蒸發無阻耳、卽此可以反證）、或高熱薰蒸、釀痰化濁、入腦則耳聾、神昏、痙厥、熱瘀於腸、則蓄血下血、諸險候因以現也、

至於論治法、初期宜解表化溼、如達原飲（檳榔、厚朴、草菓仁、知母、芍藥、黃芩、甘草）、胃苓湯（平胃五苓合方）三仁湯（苡仁、杏仁、蔻仁）等、蓋本病初期證狀、大概以身重頭疼微熱胸悶爲居多、故以蒼朮厚朴草菓蔻仁…等、芳香解表以燥溼、苓澤淡味以滲溼、爲溼重於熱之治法、

中期宜苦平燥溼、如半夏瀉心湯、梔子厚朴湯、二妙、及三妙丸方……等、蓋本病第二期證狀往往熱漸增高、苔漸化黃、瘖滿、腹鳴、或嘔、大便或溏或不爽、故以芩連梔子淸胃熱、夏半厚朴化脾溼、（促吸收）知柏淸腸炎、爲熱甚於溼之立法、

末期或淸熱化溼、如蒼朮白虎湯、或芳香化濁、或淸熱宣竅、如至寶、紫雪、鬱金、菖蒲、犀角、牛黃…等、蓋本病而至末期、證狀有化燥化濁之不同、病理有入腦入臟之各異、如熱重化燥則傷津、證現煩渴喜熱飲、汗多熱不解者、以蒼朮白虎湯、或溼盛化濁則害竅、證現耳聾昏糊、舌苔灰膩、以菖蒲、鬱金、至寶丹、…等、或熱逼營分而化癍疹、宜犀角、紫雪、蘆根……等、如或熱瘀於腸則蓄血、少腹急脹、小便自利、或如

狂或發狂、宜抵當丸桃仁承氣等、

概況雖如是、然病變無窮、殊難槩說、總之、本病治法以「芳香化濁」、「淡滲分利」、「苦寒燥溼」、三法之中、出入變化、隨機應變、活法在乎其人、

所謂芳香藥者、實具有興奮而兼強心之效、能振起胃腸消化、促進組織吸收、(即燥溼)淡滲藥有利尿之効、故得熱隨以出、苦味藥有健胃消炎之功、黃連更能厚腸胃、爲本病之特要藥、章炳麟先生謂我國治療本病之特長、在寒溫相間之藥、是以梔子必參厚朴、芩連必兼姜夏、即世之習用黃連者、亦未嘗不與厚朴同用也、又曰、黃連而外、猶有苦參焉、本經別錄云、苦參主心腹結氣、黃疸、溺有餘瀝、逐水、除伏熱、腸澼、癰腫、瘰惡瘡、下部䘌、據是、苦參有殺菌除熱利水之效、過於黃連、雖非近日濕溫常用之藥、于此症固甚宜也、其有濕溫日久、熱未退者、溼熱蘊於小腸淋巴管、侵及血管、互結不解、小溲頻短者、可以重用小薊至三五錢、每應手而効、

脚氣病之研究

俞慎初

脚氣一症，古名壅疾，內經曰厥，兩漢稱爲緩風，宋齊始謂脚氣。蓋其病先由脚起，有氣流於兩股或兩膕，故曰脚氣，然所得之由，皆因於濕，東垣謂北方高燥，多飲醇酪肉食及醇酒濕熱之物，下流足脛所致，南方卑下，濕氣迷滿山澤，血氣虛弱之人，或遇房事及負重遠行，衝冒雨雪，寒濕乘虛內襲，亦致成此疾，夫患脚氣者，宜即速治，若被衝胸，發爲喘嘔，則成不治，故患脚氣不可不注意也。

按此病多見於東南卑濕之地，如我國吳、越、閩、粵諸省、及日本、南洋羣島等處、

分類：濕脚氣　乾脚氣　傷寒脚氣

按千金方云『脚氣有冷有熱不同者，足有三陰三陽，寒中三陽者，所患必冷，疑即濕脚氣也，熱中三陰者，所患必熱，疑即乾脚氣也。脚氣芻言，謂脚氣有氣，熱，虛，實，表，裏之別，然皆屬此三者之列。

原因：(A)濕脚氣，(一)脾，腎兩經虛弱，風濕乘虛而入，(二) 地氣卑濕，(三)常食白米，缺乏維他命營養分，(四)病後失其調養，(B)乾脚氣，皆因濕熱下流，則脚無力，而痿弱，多因服乳酪醇酒及濕熱之物皆可能致，(C)傷寒脚氣，因內有水濕或濕熱，令營衛不和，則成此症，(D)脚氣衝胸，因初起不治，致漸蔓延，由小腹以至於胸。

症候：(A)濕脚氣，初起甚微，後漸腫軟，身重口淡，步履無力，面呈暗晦之色，常有痲痛之患，重指按之，久而不起，(B)

乾脚氣，足痛不腫，面色枯燥，(C)傷寒脚氣，兩足腫痛而重，不能步履，甚則足熱如火焰，或腹實便結，類似傷寒，(D)衝胸脚氣，胸中氣脹，喘急作嘔，小腹痲痺，兩足難行，二便祕結，目額色黑，精神恍惚，心中不安，難於療治。

診斷：(A)濕脚氣，脈遲濡，足腫痺痛。(B)乾脚氣，脈數滑，足痛不腫。(C)傷寒脚氣，頭痛，往來寒熱，症類傷寒，惟足腫痛。(D)衝胸脚氣，不治之症，面色忽變，異于平日，四肢厥冷，額黑爪青，氣逆大喘，心煩口渴。

療法：宜祛風滲濕爲主，次用活血行氣，後用補品，丹溪云『脚氣利濕不効，須用升提藥，隨氣血用之。』

用藥：濕兼風　羌、獨、柴、前、荊、防、枳、桔等。

濕兼寒　陳皮、厚朴、桂枝、附子。

濕兼熱　黃芩、黃柏、知母、萆薢。

濕兼痺　檳榔、木瓜。

血虛　芎、歸、芍、地。

氣虛　參、朮、耆、草。

處方：脚氣藥方，古今甚夥，玆擇其有効者，錄列於下：

濕脚氣，疎風除濕爲主，除濕湯雞鳴散千金半夏湯羌活導滯湯杉節湯。

乾脚氣，行氣活血爲主，羌活續斷湯四物湯八味丸金鈴子散。傷寒脚氣，利濕解表爲主，攢風湯五皮湯。

脚氣胸衝，茱萸木瓜湯蘇子降氣，沉香導氣湯。

脚氣口渴者，米糠紅棗煎湯代茶。

用礬石二兩煎湯，將此湯倒入桶中，洗脚亦効。

結論：凡患脚氣者，一切謹慎，忌房事，宜遷居高燥之地，飲食宜糙米及麵類等。魚肉油菜及生冷之物勿食。

按糙米內含有維他命B營養分，故西醫對於此症常用之。

中風論治

董志仁

(一)中風(或名眞中或名卒中)

1、總論

內經云。風者百病之長也。善行而數變。大法有四。曰偏枯。半身不遂也。曰風痱。四肢不舉也。曰風癔。卒倒不語也。曰風痺。偏身疼痛也。然偏枯、風痱、風癔。有卒中現象。而風痺則無。似不可列入中風類。故先哲害少逸先生編時病論之中風篇。以金匱之四中爲準繩。曰中腑、中臟、中經、中絡。尙屬確當。越醫何廉臣先生。嘗爲之解釋曰。腦出血者。即中醫所謂心腎虧損成脫症。名曰中臟之原因也。腦充血者。即中醫所謂風火痰狎成閉證。名曰中腑之原因也、腦筋痲痺者。即中醫所謂血不養筋。大筋軟短。小筋弛長。左癱右瘓。名曰中經中絡之原因也。至理眞言。不愧學貫中西之名醫矣。

2.症候與治療

一、中臟症

患此症之前。通常輒有前驅徵狀。如眩暈、頭痛。眼花閃發。耳鳴不眠。精神興奮。或半身之知覺障礙。或偏側有蟻走之感覺。言語時略呈澀滯狀。此項證狀。約數日或數時間。（亦有毫無前驅徵狀者）發作時。病人陡然昏倒。人事不省。唇緩痰壅。顏面潮紅。兩便失禁。脈搏充而虛。瞳孔或散大。手足或痲痺。或汗出淋漓。患此症者。或因高年衰老。或因患梅毒病者。或因體質肥胖。平時有心臟肥大症者。或係酗酒之人。凡此種種。其血管或因變化。或因衰弱。以致腦部小血管出血。即古書金匱四中之中臟脫症也。速將病人衣服弛解。聽其安臥。頭部用冷水洒罨。再宗古法急救回陽以固脫。用參、附、姜、芎、加龍骨、牡蠣、五味等收斂劑治之。但須注意者。此症初時顏面潮紅。經過若干時。亦有現蒼白者。如果昏睡二十四小時。熱度至九十八九度。甚至一百〇三四度者。結果必凶。

二、中腑症

患此症之人。或因體虛過勞。或因憤極盛怒。於是精神興奮。腦部充血。卒然昏倒。舌強不語。顏面潮紅。神識似明似昧。嗜臥不醒。或手足痲痺。脈搏強大。口噤手拳氣粗等症。急宜高墊頭部。使血流向下。再用宣竅導痰。佐以降泄之品。如石菖蒲、遠志、杏仁、殭蠶、皂角炭、瓜蔞實、生大黃等品。另用牛黃至寶丹一粒。溫淡竹瀝一兩化服。如果口噤目張。無從下藥者。宜用開關散取嚏。方用煅皂角一錢、生半夏一錢、北細辛五分、藜蘆八分、麝香二厘。共五味研細末。吹入鼻中。有嚏則生。如口噤不開。用白鹽梅蘸殭蠶末擦齒。

三、中經絡

驟然跌仆。語言蹇澀。口眼喎斜。半身不遂。乃急性之腦筋痲痺症也。蓋人身經絡。統主於腦筋。腦筋既呈痲痺。則無氣運行。於是經絡血瘀。諸象始見。故古書又稱之曰經絡中風。治以順氣活血。用犀角、羚羊、天麻、菊花、烏藥、陳皮、秦艽、當歸、川芎、殭蠶、桑葉、雞血藤膠、全蝎梢等。加人參再造丸。或聖濟大活絡丹化服。

3.結論

以上治法。亦不呆滯限定。視症狀而用藥。亦可通用。惟症狀必須辨明。陸定圃曰。中風最宜辨閉脫二症。閉證口噤目張。兩手握固。痰氣壅塞。語言蹇澀。甚則昏厥不語。脫症口張目合。手撒遺尿。身彊神昏。然閉證亦有目合遺尿。身彊神昏者。惟當察其口噤手拳。面亦氣粗。脈搏數大。愈按愈盛。以為別。脫證亦有痰鳴不語。惟當辨其脈微欲絕。脈細急數。及脈虛大無倫。按之豁然空以為別。至於閉證氣塞。亦有脈伏者。不得以其無脈而遂謂脫症也。準繩載閉證易治。脫症難治。蓋因閉者邪氣閉塞於外。元氣猶然在內。但與開關利氣。則邪自散。故治易。脫者元氣洩於外。邪氣瀾於內。雖與峻補。而臟已敗傷。故難治也。又古法中經。用大秦艽湯。中絡用小續命湯。中臟用三生飲。中府用三化湯。或閉證用三生飲。脫症用參附湯。經驗方劑。有時亦應酌用。不可視為峻劑而不敢用。或曰為古方不合今病而不能用也。

筆記

名畫家王潛廔先生卒中談

王一仁

卒中一症。有眞中類中之分。眞中謂之中風。類中即張景岳所謂非風也。究之眞中由於呼吸空氣之失於調節。類中亦何嘗非呼吸空氣之失於調節。「風」之一說。似籠統而實有至理也。以其虛實程度之相差。經絡臟腑所病之各異。舊有食中氣中痰中火中之別。亦非無一部份理由。即謂有三陽形症者為實。見三陰脫症者為虛。此在學理經驗上、亦為顛仆不破之論。西醫謂為血管破裂、內經謂為血之與氣、並走於上、則為大厥。總之暴昏卒中。其病在腦。自無可疑。中醫究本追原，所以血管破裂，所以血之與氣並走於上。追其病原，去其病根。是以治法甚多。究不能謂何種為卒中特效之藥也。

王君年逾六旬。素體豐碩。唯以畫件頗忙。每於中夜起床。勞形案几。日間又須與習畫弟子酬答。煩冗特甚。渠於今年來。每相見時、輒謂夜眠欠酣。時發頭暈。甚則嘔吐胸痞。嘔去痰水。減食一二日而安。余為處方、用歸芍天麻半夏白朮陳皮遠志枳殼雲苓。服之亦無不適。余並為處半夏秫米湯臨睡時服，以冀可得安眠。且王自謂遇出門行走。勞動筋骨時。是夜反得安睡。故知體氣不虛。祇是氣道濇而不利。余固未投補劑。曾打補血針。亦覺不宜。蓋其氣道行濇。以神經素日堅強。尚能動作如故耳。更以愛好夜起。不獲安心攝養。今夏憚於出門。每日起居。亦無大苦。唯畏於服藥。嘔吐頭暈。時發時愈。於九月四日晚間夜膳後。忽覺舌強言蹇。半體不舒。家人扶之靜臥。即目呆昏瘂。不知人事。急足來告。余往時。已先有西醫在。為之打針。當詢知適纔夜膳、尚進碗許。暴卒昏厥。其為食堵胃口無疑。雖腦脈裂傷左甚而右肢偏廢。胃口之食。尤當探急則治標之例。先以吐治出之。以通脈道而減病勢。其脈弦甚。頸脈伏而不揚。胃氣窒塞可知。余主用人參再造丸開絡探吐。未藥時遺尿。唯見其先以手示意。因難動彈。故直出耳。進藥後不逾數分鐘。吐飯約大半碗。又爲灸關元約六七壯時。能知痛、常以左手遮隔。又吐痰食半碗。噴出極遠。左手亦有力。脈較平緩。頸脈亦起。又遺尿一次。初董君志仁先余至寓。主用姜湯探吐。家人忙亂。無允行者。服再造丸及灸法。皆余躬自爲之。吐出痰食。本屬佳徵。唯最後有痰一口。垂出而復咯下。於時呼吸安和。脈絃較緩。此食出病減之明證。舌淡膩、肢清汗泄不粘。左手如常。右手足麻痹、不知痛楚。不能動彈。音瘖不出。仍如前狀。余擬投三生飲加參之劑。董亦謂然。唯西醫之藥。已取來。(云是鎮劑化痰藥)謂防與中醫藥同時並進。于是又未便開方。當某西醫未出時。余卽與之討論此症病情。以爲病一而藥不可亂。渠亦略無肯定答語。意謂欲奪功耳。其實余於王爲世好。苟利於病。何必言功。以其親友過多、家中忙亂。而王之兩世兄又不在側。渠弟亦不能有所主張。主藥無人。誠大難事。余卽辭出。翌晨前往。則于昨晚夜半。因親友紹介。又延中醫服藥。閱其方則爲黃耆首烏白芍玳瑁石决龍齒胆星橘皮秦艽等品。此方僅進頭煎。服藥後氣息漸促。至晨未止。親友中有謂黃耆之過。余爲力辨。生黃耆本可去大風苛毒。中症多由衛氣之虛。現在汗多。黃耆原有去風固衛之能。服之尙無大害。唯養陰平肝。似在可商之列。其時又延一乙醫來。余又爲之演述病之原委。渠謂此病伏暑、因新涼引動而發。前法皆誤。詢其用藥。謂宜力避平肝凉藥。處方擬二陳加味。余意溫化痰濕。究尙不礙經氣之流行。舌淡白膩。脈絃緩。一如昨夜。家族情急忙亂。余雖力斂唇焦。欲促治法之統一。究難有効。迨余午後往視。則已延一傷科醫、僅用外敷洗藥。似無大礙、又延一內科醫。取視其方。一派平肝涼藥。如羚羊石决桑葉菊花胆星鬱金象貝竹瀝等。已服頭劑。余意不愜。而病家以價昂藥貴。鄭重視之。謂已服頭煎。尙覺平妥。余診其脈。絃緩帶散。鼾聲時起。目合口開。敗症俱見。病家尙問藥之功効。余正告之曰。此病此藥。以余之經驗言。實不能有起色。但亦未便執強。平妥固甚佳也。入夜情勢轉急。鼾聲更頻。汗泄清冷更多。卽于十一時半逝世。藥誤耶。命盡耶。余於王君之卒中感想甚多。一、余素認定腦氣神經。不能有獨立性。苟無備液血液之營養。或因起居衛生之不適宜。強用神經。實多危險性。二、中風腦出血之原因。決非單簡。或因血管壓窄而破裂。或由髓液急脹。冲襲血管而破裂。或由粘膜分泌痰液。隔斷血管。而破裂。氣火冲襲。血髓乾滯者。固多屬於陽性熱性。痰涎膠滯。氣脈不通者。又何嘗無陰性寒性。是以從前小續命湯合麻黃桂枝防風川芎黃芩杏仁附子人參芍藥防已甘艸於一方。謂爲通治六經中風。隨症加減。其實中風昏厥。直接原因出於腦。必先疎其腦氣經絡之滯。此雖不可治風。而不能不用疎利經氣之藥。藥引之說。不可誣也。卽脫症用參附。亦取附子之能走十二經。反有益於人參之補益。呆補固不可。平肝果可平耶。中醫舊法以表、裏、陰、陽、寒、熱、虛、實。爲辨病之基礎條件。驟視粗疎。細晰實無窮盡。醫者之大患。在囊有成方。不辨症處方。而乃以方試症。甚至欲用某藥。則脈舌症情。一切皆可牽強附合矣。小續命湯雖非中風一成不變之法。然其効實勝平肝。平肝藥易用而不可用。疎氣絡之法。雖用而不能不用。終以究病中病爲法耳。用平肝藥治。中風症。其意似出於內經「血之與氣幷走於上」一言。不知幷走于上。必有所滯。血管裂矣。粘液膠矣。平肝果可平耶。余所見中風症已歷十餘人。果其昏厥不言。從無以平肝藥愈者。石室祕籙一書。中多假托神話。唯亦多可取處。其治厥症用啓迷丹。方中用生半夏五錢、人參五錢、菖蒲二錢菟絲子一兩、甘草三分、茯神三錢、皂角莢一錢、生姜一錢、水煎服、其意亦在化痰、補虛、通竅、續脈。此方重用菟絲。極有意義。蓋能補續已裂血管也。其味辛平。並不膩滯。且謂「倘以厥症是熱。而輕用寒涼之藥。則去生遠矣。」是雖稍異於余所欲用之三生飲。而實可以會通其意。余於王君之病。並非委卸責任。不爲立方。明知此病必有風波。言念舊情。不免存心過熱。欲立於超然地位。統一各醫意旨。以冀能涉坦途。乃皆不遂所願。於心滋痛。用記此案。以戒來茲。

醫話集腋

沈仲圭

1. 萊菔英治驗談

舍弟五齡。性喜飲酒。家父母以其幼小。常禁之。不聽，一日。因煮豌豆湯。案上置酒壺一。內盛鹼水。將以使豌豆之早腐而熟也。舍弟不知。誤以爲酒。飲之。剛入口。便大叫失聲。仆地旋轉。家人驚集。知中鹼毒。適叔祖朗齋公知醫。環請救治。公曰「速取萊菔英來」搗汁調白糖飲之再四。數小時後。舍弟於瀕危之中。得慶更生焉。維時。余十三歲。心嘗異萊菔英之治驗。而莫明究竟。今乃知其性味呈弱酸性反應。其能奏功也。殆卽中和之理歟。(倪宣化)

2. 驚風治驗

民十九春。姚縣嵐峯村趙抗逆之子。年甫四齡。突發急性熱病。汗出身熱。乳食不下。綿延三日。疾不稍瘳。趙夫婦年逾不惑。僅生一子。愛如掌珠。遽罹此疾。憂急異常。即延遠道名醫錢姓診視。謂此兒內傷乳食。外感風寒。書防風、荊芥、羌活、神曲、麥芽、枳殼、陳皮、白朮、甘草等。消導表散之藥。服後瀉數次。汗大出。翌午。發見四體抽搐。背反張。目直視、之神經症狀。趙夫婦見其愛子病危。抱頭痛哭不已。時余行經趙家。聞路人傳說。入內細視。知為驚風。回憶往日披覽兒科舊本。症狀與斯符合。其方亦能記憶。遂謂趙氏曰。「余有一方。能療郎君疾。能信服否。」趙頷首示可。余書辰砂、龍胆、天竺黃、麥冬、生地汁、當歸諸藥與之。服後四小時。目動氣舒。又半日。稍稍清醒。次日病大愈。惟肢體倦怠。乳食懶進。更以人參煎粥。調養數日而瘥。蓋龍胆降火。辰砂鎮驚。天竺黃化痰。麥冬歸地滋陰。藥方與病理。如針鋒相對。宜乎疾之速愈也。(沈煥章)

3. 鬧鐘與遺精

張某患遺精。百藥不效。丐予治。詢知每夜四時許必遺。遺後即醒。予告以勿藥療法外。并置鬧鐘一具於床頭。使三時半鬧。聞聲即起。張某如予言。果愈。狂喜稱感不已。特誌之以告同病。(趙績如)

4. 桔梗之治驗

大黃治痢。醫工咸知。不待余之曉舌也。然患者多苦腹痛後重。而大黃實具刺戟性。用之雖能盪滌腸內容物。然患者之痛苦。仍有增無減也。能加入桔梗。則可免此弊矣。夫桔梗治痢。本草原有明文。東人東洞氏亦謂能排膿。特無人注意耳。余一戚。年甫弱冠。今夏患痢。赤白相間。裏急後重。腹痛甚。求余診治。余初以醫事未精。不敢率爾操觚。待懇之再四。始擬一方。仿倪涵初先生治痢三方中之第一方意。去桃仁、紅花、加白頭翁、桔梗。且重用之。服二劑而瘳。足見桔梗排除腸間半流動之濁垢。其功效固信而有徵也。(陳可望)

5. 雄黃治瘧

宜邑蔣竹良精醫。言「雄黃治瘧甚效。」余初疑之。今秋九月。鄰村鄒姓患瘧。寒熱日作。乞治於余。思及蔣君。書雄黃一錢。研末一包與檳榔、草菓、常山等藥同煎。二服痊。瘧雖愈。心惑之。後讀余公俠先生瘧疾論。謂雄黃含硫化砒。與西藥奎甯同。能殄滅瘧疾原蟲。乃恍然於雄黃治瘧。殆在砒成分之功效也。(徐志勉)

6. 蘿蔔治肺炎實驗談

予家姪曾患欬嗽而無痰、身無大熱惡寒、不以爲意、迨隔二天、病勢轉劇、咽喉紅腫、號聲如啞、呼吸促迫、殆將如脫、父命取蘿蔔一條、洗淨去粗皮、切成分片、盛於盤、上蓋麥芽、適量蘿蔔、莊在鑊鍋、蒸之生汁、乃去滓、取汁、待冷則服、照常餐後，如此二天、病瘥若失、近隣同病者相傳以飲、無不呈效、(陳文統)

7. 林擒之治便血

家父患痢疾便血、就治於西醫犀我、未知其服何藥、三四日果愈、愈後約二星期再發、再服藥、再愈、愈後再發、連綿三月不愈、家父慕其醫術精明、不願更醫、時犀我亦施術已盡、束手無法、謂家父曰「予術盡矣、今有一便法、請試之何如」、令勿藥、日食林擒三粒、家父逐日食林擒三粒、二星期餘病果愈、連服一月、後不復發、按林擒於歐米俗稱爲果物之女王、極受賞讚、每餐後食之以助消化、其治赤痢便血者、於三十年前發明於德國鄉間、其治療經無數之科學實驗、公認爲極有效之赤痢藥、故歐米各國之治療界採用是法者頗多、在日本盛岡地方於二三十年前以爲血痔之要藥、有日食林擒能使便通者亦不鮮矣、其所以能治赤痢與血痔者、因其中含有極多量之タンニンニンシゴ酸及ペクチン質、入胃能使胃液增加以助消化、被腸壁吸收入血中、增加血液之凝固力、及能消腸胃之發炎、故治赤痢便血血痔神效、(按)林擒卽花紅(陳清幸)

雜俎

急慢驚風見症之對照

謝誦穆

急驚風	慢驚風
身壯熱力大	身冷力小
面紅唇赤	面色青黃及白
口中氣熱	口鼻中氣冷
二便祕濇或黃赤	大小便青白
昏睡露睛	眼上視忽而昏絕、
鼻額有汗	汗出如洸
病間明了	病間昏睡
無	吐瀉
無	顖門下陷
無	鼻風煽動

(按)按急驚風症。由於風、熱、痰、滯、阻堵痰脈、竄入脊腦

。故現有餘之昏瘵症。應視形症。爲之疏利。以疏風化痰滯爲法。不可雜入金石鎮驚藥。反使有餘膠滯之邪。不外出而內陷。以其病氣入脊腦。是以蟲類藥有特効。輕如殭蠶、九香蟲、蟬衣、五穀蟲、地龍、等品。重則蜈蚣、蝎尾、斑貓、蟾酥、水蛭、等味。此外如胆星鬱金西黃羚羊。皆有特効。慢驚則宜溫補劑中。參入蟲類藥。以爲引經而達病所。兩者自不能混治也。

醫藥鱗爪

沈仲圭

無論何種酒類。其主成分皆爲酒精 $C_2H_6O_9$。內含其少量之稀薄液。能增體溫。助消化。振精神。若早斯夕斯。飲之不已。在自身易罹慢性胃炎、肝腸變硬、腦出血、神經痛。酒客之鼻部。每作紅色。俗名酒糟鼻。此因該處微血管。日受酒之刺激而擴大。不能復原之故。在後嗣多爲低能、白痴。諺云。「少飲有益。多飲則害。」語雖俚俗。實含至理。日醫系佐近曰。『吾人至二十五歲以上。意志已強。有抑制情慾之力。不致爲情慾而越一定之量也。凡達此年齡者。晚餐時。一日之事已畢。乃飲一杯以取樂。約半合至二合談笑一時間。遂陶然就眠。決不妨健康者也。請自舉一例。余性嗜酒。日必三飲。纔恐有害健康。且致廢時失事。遂自立限。僅於土曜日或劇務日之晚餐。傾日本酒一合半。披時胸襟開豁。萬念都消。少焉遂寢。則齁聲如雷。而得熟睡矣。因此亦能早起。』此與吾國孔子「惟酒無量不及亂」之言。若合符節。無量者。不明定限量也。亂者。酩酊無知也。飲不及亂。其量殘可知矣。余意酒之嗜好。關於天性。不能飲者。固不必強飲。能飲者。避濃烈之酒。遵「不及亂」之戒。間或一飲。固無傷也。至酒在醫藥上之用途。虛脫者。用之以強心。(指白蘭地酒)失眠者用之以催眠。羸瘦者用之以致肥。因酒精能減少體中脂肪之分解。肌肉瘦削之人。每日飯後。略進麥酒。有增加體重之效。消化不良用之以健胃。(指百勿聖酒)貧血萎黃用之以補血。病後衰弱。用之以滋養。(均指葡萄酒)其效不能盡述焉。

論語第十鄉黨曰。『寢不尸。』又曰。『食不語。寢不言。』圭按尸仰臥也。不尸、側睡屈膝之謂。此法可免龜頭之刺激。而防夢遺之發生。寢時口不言。心不思。則意志專一。易入睡鄉。此二說者。誠養生之圭臬也。至「食不語」三字。未免拘泥禮貌。律以今日衛生學理。殊覺非是。蓋食物之消化。與精神之愉快。成正比例。喜則食量增加。憂則胃祕食減。此吾人所實驗也。故且談且食。一桌陶然。消化吸收。因神經興奮。而無所阻滯。身心獲益。自非淺鮮。或慮食時談笑。有食物誤入氣管之危險。余意祇須細嚼緩嚥。卽無此弊。不必效杞人之憂也。宋徽宗食冰太過。患脾疾。楊吉老進理中丸。上曰。『服之屢矣。』楊曰。『疾因食冰。請以冰煎此藥。是治受病之源也。』果愈。圭按。脾疾殆指腹痛吐利之症。理中丸用朮、薑止利。乾薑兼能止吐、人參健胃。甘草緩急。吐利腹痛。乃急迫之疾、。故以甘草緩之。藥症相對。得效固宜。至前之屢進不應。後乃覆杯而愈。或係藥不勝病之故。其關鍵似不在冰。蓋水與冰同爲輕養化合物H_2O。以水煎藥。與以冰煎藥。初無差異。若以病由冰起。加冰一塊。遂爲洩病之源。恐無是理。

藥物

附子應用標準

熊璋

湯本求眞曰。吾人之心力若較常態爲沉弱。則流入動脈系血量。及速度爲減。因而脈現沉微弱遲等象。末稍部及體表由於血量減少。在該部之新陳代謝及發溫機。隨而減弱。因起惡寒。或厥冷。此際靜脈血及淋巴之歸流。亦不活動。致停滯於末稍部。（下肢尤甚。而覺沉重。滲漏機亢盛。則爲浮腫。又靜脈血中之炭酸。及其他老廢物質。若刺戟知覺神經。則發生疼痛。此刺戟強且久。則知覺麻痹。又局部由於營養不足。運動神經及筋肉亦致麻痹。倘心力比前更爲衰弱。此等之症狀不僅限於末稍及體表部。遂波及於腹部。發生疼痛麻痹下利等症。此時若用附子。則心力旺盛。血行恢復。鬱滯之水毒。或爲汗。或爲嘔吐。或爲下利。或利尿。而排出於體外。諸患頓如雲消霧散矣。故附子一物乃當心力沉衰、脈象沉微弱遲等將脫之候。兼發惡寒或厥冷。或知覺不全麻痹。或全麻痹。或運動不全麻痹。或全麻痹。或沉重疼痛。或攣急。或腹痛。或下利。或浮腫。或失精。至一二證至數證之時。而應用者也。如前述附子之證。乃因新陳代謝及發溫機減衰。而不混他症。純粹附子劑之稍重篤症。在於此症呼氣寒冷。舌不生胎。（舌無胎。其色恰如混合墨汁。而潤濕者。卽附子證也。）且濕潤。肌膚粟起而厥冷。腹部輭弱無力而尿色淸白者也。（此篇愛其雅切、故錄以投本刊、璋註）

蒼耳草爲痲瘋聖藥

周廣眞

患痲瘋之痛苦、與治療痲瘋之困難、幾盡人皆知之、今有驚人之消息焉、卽痲瘋症可治而愈是也、淮安警吏張永茂、曾患大痲瘋、已至不可救藥程度、遇一老人、授以治方、照服不半月卽愈、年來且養育兒女、咸活潑健康、重享家庭之幸福矣、其法用所在多有之蒼耳草、於小暑節之日起、刈去此草、棄子與根、(其子滿身皆刺、名蒼耳子、中藥肆有購、)取莖與葉、切碎煮爛、取汁熬膏、絕不加他藥、每飯後取一二湯匙冲服、半月卽愈、重者一兩月亦愈、愈後一如常人、不致復發云、『蒼耳草熬法、』小暑時收採蒼耳棵子若干、用刀斷開二寸餘長、晒乾後、用大飯鍋加水煮汁約六時、將汁濾盡、用大鍋再煉汁、勤添慢熬、勿惜煤炭、不加糖質、汁熬成待用、此草須在小暑後立秋前採取、交秋無効、細爲研究、秋前有蟲在蒼耳子內、立秋後便攢出矣、該草除根鬚不用外、餘俱有用、按蒼耳在本草綱目所載、原治風濕痺攣、大風癘瘡、今以鮮者煎汁、其力自更勝矣、蒼耳一名枲耳、卽經詩所謂卷耳也、

阿膠製法之更正談

編者

上期載有沈仲圭君古方新解中之阿膠、內有杭滬藥鋪、多用牛馬皮和西湖水煎成云云、玆據國藥業消息、此說完全不確、杭地大藥號、如慶餘堂范承志及滬蔡同德在杭之製膠廠、關於阿膠製法、皆用驢皮和西湖水煎成、每年用驢數千頭、於此可知杭滬藥鋪、煎製阿膠、並無用牛馬皮者、牛皮乃煎黃明膠。可以粘器及煎膏藥之用、馬皮則不入藥、按綱目雖謂阿膠古用牛皮煎、若就製法沿革言、自以驢皮煎者爲更滋潤、今特據實更正以免誤傳、

衛生

衛生講話(續)

董志仁

(五)皮膚

皮膚是包於身外。佔人體組織之大部份。其色隨人種而有黃，白，棕，黑，等分別。又因爲所在部位的不同。有厚，薄軟硬，的各異。其他或因運動而生摺皺。或因創傷而留瘢痕。是沒有定例的。

日光有曛染皮膚的能力。如手顏面等。常因戶外運動。感受日光變成棕黑色。但此等棕黑色。又叫做健康色。是很有益處的。

保護皮膚不患生瘡疥的方法。在內部分須要血液清潔。要血液清潔。總以大便通暢爲第一。外部分呢。以清潔皮膚爲第一。清潔皮膚的好方法。就是洗浴。洗浴勤。大便通暢。不但不患生瘡疥。而且能永遠保持皮膚的美觀。

此外更須注意的。就是搽粉。無論何種搽臉粉質。大都是含有鉛的成分。尤其是賤價的粉塊。鉛質更多。鉛質積在皮膚裏。輕的發生黑點。重的或有中鉛毒的危險。所以最好是不用。因爲皮膚的美觀。顏面的黑白。根本不能用表面的白粉搽敷可以改造的。而且細膩無疵的顏面。一經搽粉的習慣。結果反生許多小黑點。愈搽愈多。除去困難。不是欲美觀而反醜陋嗎。

(六)洗浴

洗浴也可稱爲洗澡。能夠清潔皮膚。保護皮膚。增進血液的循環作用。加強皮膚的抵抗力。使疾病減少。精神愉快。

洗濯的方法。有冷水、溫水、海水、鑛泉、溫泉。以及蒸氣浴、海氣浴等幾種。我們普通的洗浴以溫水及冷水最多。此外海水、溫泉、鑛泉等浴。不是隨處有的。

冷水浴。最能強健皮膚。因爲皮膚感冷。使中間的血管收縮。血液也輸入於身體的內部。洗後則生出一種反動力。叫做反應。使血管復漲。血液仍流至身體的表面。激動全身的皮膚。這時宜用毛巾摩擦。以助起反應。使色赤而溫暖爲止。所用的水。不可過涼。大約以攝氏二十八度至三十度爲最適宜。時間以五分鐘爲度。不慣冷水的。宜先用微溫的水。逐漸加冷。冷水浴的時刻。以晨起爲最宜。因晨起皮膚溫而赤。血管擴張。易感惡氣。這時如用冷水洗浴。可以消去餘溫。使皮膚組織收縮。終日保留體溫在體內。如果身體虛弱。及有血行障害的人。不宜用甚冷的水。如覺惡寒。當暫時停止。浴時能運動身體更佳。

溫水浴是最普通的。用溫水洗浴。則體溫上升。血液自身體內部集於表面。使皮膚的血管擴張。而增進血液的循環。他的作用。適和冷水浴相反。所用的水。不可過熱。通常以攝氏三十八至四十五度爲宜。若溫度過高。就要起一種不快的氣逆、眩暈、與疲勞的弊害。也有暈倒的。入浴時間以十分至二十分爲度。但我們更須明瞭的。溫浴祇能去垢。冷水浴就有鍛鍊皮膚。預防感冒的功用。所以冷水浴比溫水浴有益。

海水浴的功效。和冷水浴相同。不過海中更含有多量的鹽分。可以刺激皮膚。又因海水的波動。可以運動筋肉。所以比冷水浴更好。並且海面上的空氣。又清潔。氧氣頗充足。所以對肺臟亦很有益。洗海水浴的時期。大約在七八九三月之間。海水熱度。最好在攝氏十五度至十七八度。低於我們體溫二十度餘、入浴時間。以五分至十五分鐘爲限。浴後以毛巾拭淨全身。再以清水摩擦。更加有益。不過有些人。體質過於衰弱。是不適宜的。

鑛泉浴。是因爲鑛泉裏含有硫黄和鹽類等物質。所以能殺皮膚上的寄生虫。和治各種皮膚病。

溫泉浴。是以溫泉的性質而不同。普通泉水清淨透明。中間所含的成分很單純。他的效力。和普通溫水浴相同。酸類泉含有游離的酸類。可以治療皮膚病、梅毒、及貧血症等。炭酸泉。含有炭酸、鹽酸、及炭酸瓦斯。可以治療腸胃病。肺癆病、及脚氣病等。鹽類泉。含有芒硝、食鹽。及其他炭酸鹽。可以治療腦脊髓病、腸胃病、及子宮病等。硫黄泉。含有硫化水素、硫化鹽類。於慢性的皮膚病。和梅毒潰瘍等很有功效。不過洗溫泉和鑛泉浴。每天次數不可過多。多則反致疲勞衰弱。

其他尚有海氣澡、蒸氣澡等。於我們身體都很有益。洗浴時還須注意下面幾點。

1. 時間不宜在飯後。最好在運動以後。睡眠以前。

2. 地點不宜在風前。

3. 所用的肥皂。應當精良的。不可太燥烈。以免傷害皮膚的外層。

4. 無論何種浴法。浴後必須用乾燥毛巾摩擦全身。使皮膚乾燥。尤須注意脚趾縫等處。

5. 到浴室裏去洗浴。混湯最好不洗。因爲容易傳染病毒。

6. 凡有感冒發熱外傷的人。以及種痘時。都不可入浴。

我們中國大部份的人。對洗浴是不很注意的。有的幾月才洗一次。有的夏天挨不過汗臭。勉強洗幾次。春秋冬季是絕對不洗的。甚至終年不洗的也有。如吉林地方。因處在寒帶的緣故。女子一生。祗洗三次浴。就是初生一次。臨嫁一次。瀕死一次。可是他們雖如此不衛生。照理應該常有疾病。或壽命短促。那知事實又不然。寒帶的地方。皮毛較緊。腠理較密。因爲遺傳習慣性的緣故。生理亦略有小異。可不能一概而論啊。

養生要言

沈仲圭

天地不可一日無和氣。人心不可一日無喜神。毋以妄心戕真心。勿以客氣傷元氣。

愼風寒。節飲食。是從吾身上却病法。寡嗜欲。息煩怒。是從吾心上却病法。

衣服常溫。四體皆春。心氣常順。百病自消。歡笑爲人之長壽品。道德乃人之固本湯。

寡思慮以養神。寡嗜欲以養精。寡言語以養氣。無可奈何。只須安命。怨嘆躁急。又增一病。兩足不嫌過暖。襪袴俱宜從厚。

灸焫煎炒。病家最忌。助火傷陰。損人不淺。腫毒牙疼。半因於是。

千金方訣曰。半醉酒。獨自宿。軟枕頭。煖蓋足。能息心。自瞑目。

呂升簡曰。以寡欲爲四物。以淡味爲二陳。以淸心省事爲四君子。無價之藥。不名之醫。取諸身而已。

祝無功曰。銷鑠人莫如忿與慾。慾動水滲。怒盛火炎。懲忿窒慾。火心下降。腎水上滋。此亦吾儒坎離功夫。何必仙家。

吃食須細嚼緩嚥。以津液送之。然後精微散於脾。華色充好。粗快止令糟粕塡腸胃耳。(斯言與西人吻合)戌亥二時。陰盛陽衰之侯。一手兜外腎。一手擦臍下。左右換手。各八十一。半月精固。久而彌佳。

每日於困時。正坐閉目。以舌偏攪口中三十六次。津以盈滿。分作三次嚥下。(嚥時喉中須汩汩有聲)以意送至丹田。此法行之久久。大可却病延年。

勞動精神者。於日入之後。上燈之前。小睡片刻。則夜間治事。精神百倍。

養生之法。莫要於懲忿、窒慾、少思、多動、八字。

長壽之道。只淸淨明了四字。內覺身心空。外覺萬物空。破諸妄想。一無執着。是曰淸淨明了。養性之士。唾不至遠。行不疾步。耳不疾聽。目不疾視。坐不久。立不至疲。先寒而衣。先熱而解。先飢而食。將渴而飮。不欲甚勞。不欲甚逸。不欲多啖生冷。不欲飮酒當風。

驗方

鵝口瘡之簡易療法

郭受天

鵝口瘡者。係由白屑生滿口舌。如鵝之口也。中醫病理云。由在胎中受母飮食熱毒之氣。蘊於心脾二經。生後遂發於口舌之間。其治法以淸熱導赤散主之。外用髮蘸井水拭口。搽以保命散。日數二三次。白退自安。此中醫治法之大略也。

至西醫學說。亦謂本病患者。乳兒居多數。由口內不潔而起。與大人患此。則係因傷寒。結核病。產褥熱。白血病等而來。其證狀爲哺乳時發疼痛。或屢瀉綠色之糞。最實者。則口腔及咽頭之粘膜。生米粒大之斑文點點。其治法每日用百倍之硼酸溶液淸拭患部。或因情狀。而節減哺乳。或暫時休止。此西醫治法之大略也。

余有一祕方。係得之於鄉農者。試之良驗。不敢自祕。特介紹如下。

附方

藥品 冰片一 樟腦十 (製法)用銀皮紙一張。覆於此碗上。碗下四圍之紙。以麵糊貼之。以前藥平鋪紙上。再以烙鐵烙於藥上。其藥粉卽蔚於碗內。後去紙。將藥密貯於有塞瓶內。用時以此藥粉。搽於患處。

廣福軒驗方集(二)

王一仁

鼓脹經驗良方

用黃牛糞一兩。陰乾炒燥。研末篩過。用好黃酒三碗、煎至一碗、澄清、濾去滓脚。服三次。卽愈。不可以汚物而忽之。男用雌牛糞。女用雄牛糞。藜藿之人。更爲相宜。(按)亦實臌治法，較前方力和平。

急救時疫經驗良方

每屆夏令。有一種類似癟螺痧。初起時手尖發冷。不到一刻。冷至手背。其冷時指上螺紋卽陷。若不速治。冷至手臂。卽不救也。方用明礬一大塊、如酒杯大。大蒜瓣(六七個)同搗爛。用水一大碗。澄淸渣滓。取水服一大半碗。卽無妨矣。)如已冷至手背。其勢已速。隨冲隨灌。不必再候澄淸。此方雖覺平常。功效甚速。如遇轉筋冷。可用外治法。用高粱酒四兩。白胡椒五錢。葱頭七個。搗汁。生薑汁半酒杯。和勻。用新棉醮擦患處。得筋舒肢溫卽解。如腹痛四肢抽搐。立刻用麝香四厘。按肚臍眼內。外用薑一片蓋上。用艾絨一撮燃灸。數次以愈爲度。起泡無礙。挑破用淸涼膏貼。必須三方并用。無不起死囘生。(按)此方殊奇妙。不可忽視。

腫毒神效散

製蘆甘石一錢八分 冰片三分 寒水石一錢八分 漂東丹六分 鉛粉六分 熟石膏二錢四分 輕粉六分 白臘一錢八分 紅升丹漂淨陳而好者六分 龍骨煅研漂淨一錢 上藥共研極細末。用磁瓶收藏。勿令洩氣。不拘有名無名大小腫毒。初起破爛。及日久不收口者。卽將此藥散敷於患口。外貼以膏藥。有膿拔膿。無膿收口。以患處收口生肌爲度。靈効異常。(小孩熱癤敷此藥更易全愈)(按)腫毒屬熱者多。此藥可備。陰疽殊未宜經試之。

眼翳神散

明淨琥珀五錢 掃盆輕粉三錢 血東丹三錢 頂上四六冰片五分 眞雲麝子一錢 上藥揀道地者。共研極細末。用磁瓶收藏。不可洩氣。左眼生翳。藥吹右耳。用棉花團塞耳內。以免藥氣走洩。神效之至。右眼生翳。則吹左耳。惟此藥料貴重。價目昂貴。用時可照方折合若干。(按)眼翳用花鉢上金錢草蔥生者、搗敷眼角、或同猪肝燉湯服奇效。

治痰厥祕方

用橄欖連核搗碎熬膏。內加明礬少許同熬。耐心於每日早晚用開水冲服一大羹匙。以不復再發爲度。服時不可間斷。愈後永遠斷根。(按)此方有效有不效。肝熱多痰者。力嫌輕也。

痢疾神效散

夏秋痢疾、流行甚廣、且有傳染性質、若不速治、深恐危險、此方錄後、治愈者不可以數計、幸勿等閒視之、川羌活一兩　甜大杏仁四十九粒　川烏一兩　生軍一兩　茅山蒼朮米泔泡透炒用四兩　上藥共研極細末、每服三分、孕婦忌服、服法列後、水瀉米湯下　紅痢燈心七根泡湯下　白痢生薑一片湯下　紅白痢燈心七根生薑一片泡湯下　噤口痢火腿骨煎湯下　(按)此方生軍宜加至三兩。蒼朮減至二兩爲宜。悶痛甚者。更應加枳實兩半也。羌活川烏如桔梗升提疏泄之意。

記事

本社第一次討論會記事

第一次討論會、於九月一日午後三時半、在彩霞嶺王齋寓開會、到者、有施稷香董志仁阮其煜沈仲圭王一仁諸君、茲將各項問答錄下。

(一)肺癆病、可否用虛勞方法治之、(董志仁)

(答)虛、勞、傷、極、皆以受病輕重、症象淺深而別之。其始固由生理之不足。補養之法。亦殊多端。未遑縷述。肺癆症有蟲菌者。曩者所謂傳尸癆瘵之類。有用殺蟲法者。詳列下條。若虛弱勞咳。屬於肺之不足者。可用麥冬(去心)一兩燉童雞汁。(去雜)或用百合二兩、將雞去雜藏入同燉服。能至百餘。必有大効。麥冬百合、性皆甘苦而涼。力能清肺。久服、礙胃、今與溫度最高之雞同煎。並補陰陽。則無偏勝之弊。

(二)一般殺蟲藥對於肺癆菌之用途。何種有効。(王一仁)

(答)今之肺癆。有爲醫之過甚其詞者。至於蟲菌釀生。病根不去。自當求殺治蟲菌之藥。如獺肝百部雷丸等。皆著有效驗。據西醫實驗。咳者多有菌。但有程度之差。如張氏醫通之傳尸丸用鰻鱺百部。肘後靑囊取蟲藥之啄木鳥法。尤以和劑局方之穀神嘉禾散。最爲平正。其方治脾胃不和、胸膈噎悶、氣逆生痰、不進飲食、或膈噎虛勞生蟲、產後泄瀉等症。藥用茯苓、砂仁、炒米仁、枇杷葉、姜汁製香、人參、各一兩、炒白朮、炒桑皮、炒檳榔、炒白蔻、青皮、炒穀芽、炒五味、各五錢、沉香、杜仲、丁香、藿香、隨風子、石斛、半夏、大腹子、木香、各七錢五分、炙草、陳皮、炒神麴、各二錢五分、研末、每服三錢、清水一盞、加生薑三片、大棗一枚煎服、噎加乾柿蒂二枚、船氣吐逆、加薤白三寸、大棗五枚、此方用藥、酸苦辛香。利脾胃之滯氣、收殺蟲之實效、亦治肺癆菌之別法也。

(三)灸鬼哭穴何以能影響生理人格之變換、其人初不解湖南語、昏狂後忽爲楚音、灸之而愈。理究何居。(周子叙)

(答)末稍神經。能影響於中樞言語神經。如此其甚。在今日生理解剖學上。誠無法以解釋之。此類經驗。非深於針灸經穴者。尤不能贊一詞。按鬼哭穴在大指甲外側、以兩大指相並、騎縫中、不上不下者卽是。主鬼魅狐惑恍惚振噤、用艾炷灼火灸之。

(四)蓮子、芡實、龍骨、牡蠣、五味子、金櫻子、魚鰾膠、潼蒺藜、本草皆云治無夢遺泄之症、何以別之、功效確實否、(沈仲圭)

(答)蓮子芡實、爲穀類塡補之品、龍骨、牡蠣、長於收斂。汗多精滑者宜之。五味、金櫻、濇精關。收血管。魚鰾膠滋塡。味厚於阿膠。有補精之効。潼蒺藜養腎陰。味淡於熟地。用之而當。固各有効驗。遺精中如三才封髓丹、五子衍宗丸、皆著明効。

(五)炮薑能否止血?(前人)

(答)血溫低而脈管裂者。得此自然能止。反之血溫高者。以火火濟也。

(六)藕汁藕節能否化瘀?(前人)

(答)藕節中空。其汁甘涼。取其清通絡熱。熱肺胃絡而瘀者宜之。

(七)本草云昔有飢者、同以白菓代飯、食飽次日皆死、其故安在?(前人)

(答)多食白菓生氣。攻心悶窒。未通精之男女。更不宜食。在杏仁有錆酸毒。此或另爲一類白菓毒耳。白鶲頭煎服、可解。

(八)白帶之原因若何？(前人)

(答)子宮內膜炎及子宮岩。皆能致之。卽內經所謂任脈爲病，女子帶下瘕聚者是。雖由於胞脈之粘膜分泌液過多。有不潔之原因。亦有因肝脾氣弱。不能運化精微。積爲濕濁而下注者。如歸脾八珍之類。每能取效。

(九)蘋菓於胃究否相宜！(前人)

(答)據聞美國蘋菓有數十百種之多。大約此菓近於花紅熟透者。水汁旣稀。能增胃腸酵力。施君自述其進蘋菓、卽發嘔痛。少食桃瓜、却無痛覺。蓋胃酸過多。不耐蘋菓之酵力。可知尋常菓品。宜於彼者。未必宜於此。何况於藥。

杭州市國藥業調查表(二)

店號	地址
同春堂	閘口
萬生堂	閘口小橋裏街
天德堂	化仙橋
天元堂	化仙橋
怡和堂	海月橋
祥泰和	海月橋
人壽和	海月橋
天生堂	洋泮橋
頤壽堂	南星橋
太山堂	南星橋
益元堂	美政橋
仁益堂	拱埠大馬路
仁益分號	拱埠橋西
天寶堂	拱埠大馬路
大德堂	拱宸橋下

太山堂　武林門外直街
愼德堂　湖墅雙輝街直街
存濟堂　湖墅雙輝街直街
美成堂　湖墅夾城巷口
范天益　湖墅左家橋直街
天成堂　湖墅賣魚橋直街
天祿堂　湖墅茶亭廟直街
天芝堂　湖墅康家橋直街
存仁堂　湖墅康家橋直街
濟生堂　湖墅大關紫荊街
天生堂　湖墅大兜直街
尙德堂　湖墅華光橋直街
同得堂　湖墅餘杭塘上

編後餘話

本期中有仁齋醫說之述六氣，稍稍演明大自然之變化，以作研究生理病理之一助，中醫學術之根本思想，實能高據顚頂，不能因人之攻斥，而我亦爲推波助瀾以反對陰陽六氣，這是要想創造中國新醫藥的最要緊的念頭，葉君之濕溫論治，說理清新，用方妥愼，俞君之脚氣研究，頗能扼要，董君之中風論治，與筆記中王潛慶氏卒中情形論述對勘，更能獲益，沈君之醫話集腋，是集中國醫學院同學所述經歷而成，亦可稱之曰活的教學法，謝君之驚風對照，淺顯明白，末附按語治法，或能補前期陳君之未及，此外諸君，各有精當之處，閱之自悉，阿膠製法之更正，這是根據事實，杭廠方面，且有歡迎參觀的表示，能有機會，當可以中藥製法之大觀，貢獻閱者，末了編者尙有幾句要說的話，就是九一八東省事變後，繼之以一二八之滬變，死者固爲國殤，傷者應該救治，我不信以中醫藥之歷史悠久、底固很深，竟集不出救傷療法，手術不妨從新，醫藥豈無其術，這是中國醫藥創造的要緊關頭，也是今日中醫藥界重要的使命，很希望同志們研究學術外，能設注意於此，

投稿簡則

一、本刊內容分學說筆記衛生藥物雜俎餘興等欄以稿件羸缺為增删標準

二、投稿不拘文言白話論究中西醫藥衛生學說以有含義者為歸繕寫務希清晰以免訛謬或删棄

三、投寄之稿本社有酌量增删之權

四、稿末請註明姓名住址以便通信地址如有更動亦請隨時通知揭載時之署名可聽投稿者自定

五、投寄之稿經本社揭載後當于每年統計投寄最踴躍及最精警者稍備文具奉酬以示敬意

六、投寄之稿請寄杭州上城彩霞嶺十一號本社

中華民國二十一年十月一日出版

醫藥衛生月刊第三期

主編者 王一仁 杭州上城彩霞嶺十一號

發行者 中國醫藥學社 杭州上城彩霞嶺十一號

代售處 本外埠各大書局

印刷者 新新印刷公司 杭州新民路四百〇六號 電話三三〇〇號

醫藥衛生月刊價目表

月刊定價表

一月一期	全年十二冊
另售每冊六分	（郵費）國內日本一分　國外及香港澳門六分
預定全年十二冊七角二分郵費在內	
國外預定全年一元五角郵費在內	
郵票寄購以半分至五分為限	

廣告價目

地位	一期	六期	十二期
全頁	十五元	八十元	一百四十元
一面	八元	四十元	七十元
半面	四元	二十元	三十五元
四分之一	二元	十元	十八元
木刻銅板鋅板外加			

醫藥衛生月刊

陳果夫題 [印]

第四期　王一仁主編

民國二十一年十一月一日出版

中國醫藥學社印行
杭州上城彩霞嶺十一號
電話一〇九六號

學說

仁盦醫說（二續）

▲經脈（上）

王一仁

陰陽以叙原子之初。以爲對待生化之象。五行以總化學之源。六氣以明生化傳變之本。是皆國醫學之基本哲學思想。而經脈之說。尤爲國醫學之精粹所在。靈樞經脈篇云、「經脈者，所以能決死生。處百病。調虛實。不可不通。」原夫經脈云者。並非單指動靜脈管。亦非僅指神經。實包括「呼吸系統」「循環系統」「神經系統」「淋巴系統」以及「消化」「排泄」「生殖」「骨骼」各系統。而叙述其脈氣流通之路。若證以今日之生理學說。可證者證之。其不可證者。在中醫病理學上。已不少眞確之實驗。固不必強爲會通也。所謂六經者。太陽、陽明、少陽、太陰、少陰、厥陰、各分手足。則得十二經。經脈篇論經脈之行。以肺手太陰經爲起點。以肝足厥陰經爲終點。復還於手太陰。週而復始。有在同一途徑。而爲兩經或三經所行者。以見臟腑經絡相維相繫之故。生理固有循環生化之妙。而病理亦有一髮動全身之由。且其經脈起迄之分區。是於無可差別之中，勉強爲之差別。如一國一省之分疆劃界。可分而不盡可分也。

經脈篇云「肺手太陰之脈。起中焦。下絡大腸。還循胃口。上膈屬肺。從肺系橫出腋下。下循臑內，行少陰心主之前。下肘中。循臂內，上骨下廉。入寸口。上魚。循魚際。出大指之端。其支者，從腕後直出次指（食指）內廉出其端。」「大腸手陽明之脈。即起於大指次指（食指）之端。循指上廉。出合谷兩骨之間。上入兩筋之中。循臂上廉。入肘外廉。上臑外前廉。上肩。出髃骨之前廉。上出于柱骨之會上。下入缺盆。絡肺。下膈屬大腸。其支者，從缺盆上頸。貫頰入下齒中。還出挾口。交人中。左之右。右之左。上挾鼻孔。」「胃足陽明之脈。即起于鼻之交頞中。旁約太陽之脈。下循鼻外。上入齒中。還出挾口。環唇。下交承漿。卻循頤後下廉。出大迎。循頰車。上耳前。過客主人。循髮際。至額顱。其支者，從大迎前下人迎。循喉嚨。入缺盆。下膈。屬胃、絡脾。其直者，從缺盆下乳內廉。下挾臍。入氣街中。其支者，起于胃口。下循腹裏。下至氣街中而合。以下髀關。抵伏兔。下膝臏中。下循脛外廉。下足跗。入中指內間。其支者，下廉三寸而別。下入中指外間。其支者、別跗上。入大指間出其端。」「脾足太陰之脈。即起于足大指之端。循指內側白肉際。過核骨後、上內踝前廉。上踹內。循脛骨後。交出厥陰之前。上膝股內前廉。入腹。屬脾絡胃。上膈。挾咽。連舌本。散舌下。其支者，復從胃別上膈。注心中。」「心手少陰之脈。卽起于心中。出屬心系。下膈。絡小腸。其支者。從心系上挾咽。繫目系。其直者。復從心系，却上肺。下出腋下。下循臑內後廉。行太陰心主之後。下肘內。循臂內後廉。抵掌後銳骨之端。入掌內後廉。循小指之內出其端。」「小腸手太陽之脈。卽起于小指之端。循手外側上腕。出踝中。直上。循臂骨下廉。出肘內側兩筋之間。上循臑外後廉。出肩解。繞肩胛。交肩上。入缺盆。絡心。循咽下膈。抵胃屬小腸。其支者從缺盆循頸上頰。至目銳眥。卻入耳中。其支者，別頰上䪼。抵鼻，至目內眥。斜絡於顴。」「膀胱足太陽之脈。卽起於目內眥。上額交巔。其支者，從巔至耳上角。其直者從巔入絡腦。還出別下項。循肩髆內。挾脊，抵腰中。入循膂，絡腎。屬膀胱。其支者，從腰中下挾脊。貫臀入膕中。其支者，從髆內左右別下。貫胛挾脊內。過髀樞，循髀外。從後廉下合膕中。以下貫腨內。出外踝之後，循京骨。至小指外側」「腎足少陰之脈。卽起于小指之下。邪趨足心。出於然谷之下。循內踝之後。別入跟中。以上腨內。出膕內廉。上股內後廉。貫脊、屬腎、絡膀胱。其直者從腎上貫肝膈。入肺中，循喉嚨，挾舌本。其支者。從肺出絡心。注胸中。」「心主手厥陰心包絡之脈。卽起於胸中。出屬心包絡。下膈歷絡三焦。其支者，從胸中出脅。下腋三寸。上抵腋。下循臑內。行太陰少陰之間。入肘中，下臂。行兩筋之間。入掌中。循中指出其端。其支者，別掌中。循小指次指出其端。」「三焦手少陽之脈。卽起于小指次指之端。上出兩指之間。循手表腕。出臂外兩骨之間。上貫肘。循臑外，上肩。而交出足少陽之後。入缺盆。布膻中。散絡心包。下膈。循屬三焦。其支者，從膻中上出缺盆。上項，繫耳後。直上出耳上角。以屈下頰。至䪼。其支者，從耳後入耳中。出走耳前。過客主人前。交頰。至目銳眥。」「膽足少陽之脈。卽起於目銳眥。(眼外角)上抵頭角。下耳後。循頸。行手少陽之前。至肩上。却交出手少陽之後。入缺盆。其支者。從耳後入耳中。出走耳前。至目銳眥後。其支者，別銳眥。下大迎。合于手少陽。抵於䪼。下加頰車。下頸，合缺盆。以下胸中，貫膈，絡肝，屬膽。循脅裏。出氣街。繞毛際。橫入髀厭中。其直者，從缺盆下腋。循胸，過季脅。下合髀厭中。以下循髀陽。出膝外廉。下外輔骨之前。直下抵絕骨之端。下出外踝之前。循足跗上。入小指次指之間。其支者，別跗上入大指之間。循大指歧骨內，出其端。還貫爪甲，出三毛。」「肝足厥陰之脈。即起於足大指叢毛之際。上循足跗上廉。去內踝一寸。上踝八寸交出太陰之後。上膕內廉。循股陰。入毛中。過陰器。抵小腹。挾胃，屬肝，絡膽。上貫膈。布脅肋。循喉嚨之後。上入頏顙。連目系。上出額。與督脈會於巔。其支者，從目系下頰裏。環唇內。其支者，復從肝別貫膈，上注肺。」靈樞營氣篇論營氣所行之道。「氣從手太陰，出注手陽明。上行注足陽明。下行至跗上。注大指間。與足太陰合。上行抵脾。從脾注心中。循手少陰、出腋。下臂。注小指。合手太陽。上行乘腋。出䪼內。（目下）注目內眥。上巔，下項。合足太陽。循脊、下尻。下行注小指之端。循足心。注足少陰。上行注腎。從腎注心。外散于胸中。循心主脈。出腋。下臂。出兩筋之間。入掌中。出中指之端。還注小指次指之端。合手少陽。上行注膻中。散於三焦。從三焦注膽。出脅注足少陽。下行至跗上。復從跗注大指間。合足厥陰。上行至肝。從肝上注肺。上循喉嚨。入頏顙之竅。究于畜門。（鼻裏）其支者，上額循巔。下項中。循脊入骶。是督脈也。絡陰器，上過毛中。入臍中。上循腹裏。入缺盆。下注肺中。復出太陰。此營氣之所行也。」今日生理學說，論血液循環之路。以「血液始自心之右室。由肺動脈輸入於肺。經毛細管網達肺靜脈。復歸於心之左房動脈幹部。是曰肺循環。一名小循環。」以「血液自心之左室。入大動脈幹。環流全體。經毛細管網。達上大靜脈幹。復歸於心之右房，靜脈幹部。是曰體循環。一名大循環。」以心肺爲血液循環之樞紐。先後數千年之學說。並無二致。營氣篇所論營氣流行。不僅概括大小循環。並述明全體循環之路。實最有研究之價值。古昔並無顯微鏡。而敘述如是之明且盡者。蓋得于內心體驗之功多。理思不澈。器械必有所窮。今之論脈管者。每枝枝節節而爲之定名。如云、外頸動脈、內頸動脈、總頸動脈、無名動脈、鎖骨下動脈、大動脈弓、腋窩動脈、胸部大動脈。肋間動脈、上膊動脈、橈骨動脈、骨間動脈、尺骨動脈、臂動脈、腹部大動脈、總腸骨動脈、中薦骨動脈、下腹動脈、外腸骨動脈、股動脈、膝膕動脈、前脛骨動脈、腓骨動脈、後脛骨動脈、以及頭面顏面、各定其部位動脈之名。即其骨骼神經。亦多如此。而其出入連繫之故。每略而不言。抑知生理血液之循環。即爲病理波伏傳變之根據。於此吾人雖欲不信內經之經脈。亦不可得矣。

于十二經之外。又有衝、任、督、帶、陽維、陰維、陽蹻、陰蹻、之說。所謂奇經八脈者是。奇經者。爲十二經之餘。

在其未充之時。一若無足重輕。及其長成之時。則有體用可見。難經論奇經云、「天雨降下。溝渠滿溢。當此之時。雱霈妄行。絡脈滿溢。諸經不能復拘。」又云「溝渠滿溢。流於深湖。人脈隆盛。入于八脈。」此皆言八脈必待十二經滿溢而後全其用。並非十二經未充之時。絕無形跡也。衝脈爲經脈之海。起於氣街。並陽明少陰之經。挾臍上行。至胸中而散。意卽今日所云大動脈大靜脈。散絡於心肺。非消散也。任脈起于中極(前陰)之下。以上毛際。循腹裏。上關元。至咽喉。上頤，循面入目。意卽今日之子宮胞腺系統。循面入目。于男女發育之後。尤爲顯而可徵。督脈起于少腹以下骨中央。女子入繫廷孔。其孔、溺孔之端也。其絡循陰器、合篡間。繞篡後。別繞臀。至少陰。與巨陽中絡者合少陰。上股內後廉。貫脊屬腎。與太陽起于目內眥。上額交巔。上入絡腦。還出別下項。循肩髆內、挾脊抵腰中。入循膂、絡腎。其男子循莖下至篡。與女子等。其少腹直上者。貫臍中央。上貫心。入喉。上頤。環唇。上繫兩目之下中央。(注意行于身前者卽任脈之路)此則詳述生殖系統。將頭腦脊骨心腎。合綜其說。較之今日生理學說。僅以攝護腺、睾丸、精囊、輸精管、子宮、卵巢、輸卵管之組織爲言者。其精深博大。不可以道里計矣。帶脈者、起于季脅。迴身一周。余疑此脈爲最古原人之所無。乃出于束帶之故。可謂爲後天人造之經脈。因其束帶週圍。亦能影響於脈氣。遺傳習慣之久。以是形成此脈。在今日生理學上。無可考見。然以腰溶溶如坐水中一症論之。則此脈之非無。又顯然可見。要之帶脈爲病。與腎臟及衝任督脈均有關聯。故前人註釋帶脈。皆謂如人束帶之狀、以束諸脈。至於陽維維於陽。主身之表。陰維維于陰。主身之裏。李瀕湖云「陽維起于諸陽之會。由外踝而上行于衛分。陰維起于諸陰之交。由內踝而上行于營分。所以爲一身之綱維。陽蹻起于跟中。循外踝上行于身之左右。陰蹻亦起于跟中。循內踝上行於身之左右。所以使機關之蹻捷。」大約維蹻之脈。皆言其作用。其經脈之道路。並非有外於十二經。特於其充長之時。假定此名。以爲綜合云耳。此皆非今日生理學說之所能證者。

原夫手之三陰。從胸走手。手之三陽。從手走頭。足之三陰。從足走腹。足之三陽。從頭走足。陽經從外走內。陰經從內走外。人於未生之前。胎盤之內。得母氣以呼吸。隨衝任以營養。胞衣之外氣。所以爲陽經生長之由。臍帶之內營。所以爲陰脈肇成之始。循環相生。由來已舊。故論經脈之學。豈僅須明後天之生理。尤當究及胎生學說。不如是。則支解經脈。

其液已泄。其氣已虛。何能尋其相繫相維之路乎。

余于篇首謂經脈之說。實包括呼吸、循環、神經、淋巴、消化、排泄、生殖、骨骼、各類系統。今當略略述之。手太陰肺足少陰腎主呼吸。手少陰心、手厥陰心包絡、主循環。足厥陰肝、足少陽胆、主神經。督脈又主神經中樞。手少陽三焦手太陽小腸主淋巴。足陽明胃、足太陰脾、主消化。足太陽膀胱、手陽明大腸主排泄。足少陰腎又去生殖。督脈任脈足成之。骨骼本多屬礦物質。爲各經沉澱而成。但各種系統。成分變化。雖各各不同。要以呼吸、消化、排吸、爲其主要。至謂血液循環之理。亦僅演其新陳代謝之功能。呼吸消化排泄。吐故納新。皆新陳代謝也。血液淋巴。類須日日更新。若有鬱積。則爲病矣。故云、「出入廢則神機化滅。升降息則氣立孤危。」神經之代謝機能。比較似爲遲緩。然其營養運行。亦最忌鬱積。是以經脈循環。並非限於血管。而口鼻毛孔之出入。實爲促進各項機能之健全。外間空氣之關係。固如是之重要也。若必泥定以血行論經脈。是先已具誤解矣。果僅以血脈爲言。又何能決死生、處百病、調虛實乎。三部九候論曰「形肉已脫。九候雖調猶死。」脈管候病之非萬全。可概見矣。

陰陽五行六氣之新釋

蔡松巖

國醫之談病理者，以陰陽誌其正負，五行以假定臟器之功能，及其相互之關係，六氣以概言氣候轉變時人體抵抗力調節力之現狀。此數者，皆爲抽象名詞，範圍頗廣，非比痰，食，積水，瘀血，畜膿等有形顯著之病理，鮮見學者之聚訟也。不佞今就其可以具體解釋者、略加說明之：

(一)關於陰陽者：

甲、凡神經，心臟，或內分泌機能障害者，爲陰盛，其機能之興奮，則爲陽盛。

乙、心臟或神經衰弱，爲陽虛。細胞原形質，或內分泌機能減退，爲陰虛。

丙、肝陽升，即腦充血。肝陰虛，即腦貧血。

丁、腎陽，指生殖腺機能；胃陽，指消化力；腸陰，胃陰，指腸胃之粘膜及其分泌等等。

戊、藥用之目的爲亢進其作用者，爲陽藥。若以作用之減退爲目的者，爲陰藥。

(二)關於五行者：

甲、神經性之疾患，曰屬於木。

乙、循環器之疾患，曰屬於火。

丙、消化器官之疾患，曰屬於土。

丁、呼吸器官之疾患，曰屬於金、

戊、泌尿系之疾患，曰屬於水。

巳、上述諸病，其有波及性，連環性，或轉歸性者，其相互之關係，則謂爲生尅。

(三)關於六氣者：

甲、人身造温機能，與散温機能同時略嫌亢進者，曰感風。

乙、造温機能亢進，而散温機能減退者，曰感寒。

丙、造温機能與散温機能皆亢進者，爲傷暑。

丁、在低氣壓中，人身窒素放散之機轉迂緩者，曰傷濕。

戊、在高氣壓中，人身窒素放散之機轉，過於迅疾者爲傷燥。

巳、不關於全身而屬於局部之發炎充血者爲火。

吾人觀於上述之說明，苟不復以陰陽五行六氣等爲神祕之學說，但目爲過去醫學上之一種演繹法，則陰陽五行六氣之說，非惟不嫌其玄奥難信，且可深覺國醫在診斷與治療上，早已有要而不繁，簡而易行之醫學應用上之方法。所謂形而上之學是也。返觀近代醫學日新月異，病理之新發見，儘許層出不窮，但多數疾病，雖曰知之，而仍不克療之，卽謂其進步爲牛步化也，亦無不可。習此者，其詆毁國醫藥也，必謂其陰陽五行六氣之說，毫無意義，何其不肯虛心下氣耶？

吾爲此說，非欲大開倒車，提倡玄說焉：蓋鑒於國醫學者，一方固須審慮固有之學說，明其眞義之何在，以冀合於邏輯，切於實用。一方尤須儘量吸收近代之產物，以濟學術之飢荒；勿謂南轅北轍，必不吻合也。

偏說之辨正

吳漢僊

表裏陰陽虛實。六者爲辨證之提綱。此西醫之所忽。中醫之所詳也。日醫和田氏曾備述於鐵錐一書矣。湯本氏叙皇漢醫學。且黜稱爲漢方醫學所特有。則此六者。豈非世界學者所信仰乎。有西醫余氏不辨表裏。不明陰陽。不究虛實。已則不明。而反誣人之敝。抑何荒謬之甚也。

以表裏論之。湯本氏謂傷寒病菌初起時期。病毒集中於膚表，卽發表症。余氏則謂初期毒在血液裏面。宜采血培養。絕對無集中膚表之表症。今以臨床證之。益見余氏誤人之罪。不可勝誅也。傷寒在表。治以辛温。温病在表。治以辛涼。按法處方表邪自已。余氏不知有表證。故病在氣分而反滋其血。使氣分之邪深入血分而不解。是引狼而入室也。誤人之罪一。

余氏又謂病毒集中於消化管，而爲裏證。萬不能用泄下劑。致成腸出血腸穿孔之危候，夫病毒集中於裏。當未出血穿孔之前。本宜急下之以泄其毒。日醫和田氏對於此證。大聲疾呼。謂當下失下。所以腸出血而穿孔也。余氏既謂病毒集中消化管。而反禁用下劑。使毒邪內陷。是閉門而藏賊也。誤人之罪二。

以陰陽論之。陰陽二字。其義至廣。而寒熱亦統括其中。湯本氏所論之陰陽。卽寒熱二字之代名詞。其謂陰症。宜用發揚性之附子。陽症宜用沉降性之石膏。使陰症不用附子而反用石膏。陽症不用石膏而反用附子。則必起不測之變。此非經驗之談乎。余氏用附子不問陰症與陽症。但據脈象微細。便以附子爲對症之藥。設遇熱伏少陰。脈象微細之陽症。乃復用附子以發揚之。是抱薪而救火也。誤人之罪三。

石膏寒涼。爲陽症要藥。余氏絕對不認石膏是寒性。絕對不認石膏能治愈陽症。設遇脈象微細之陰症。乃復用石膏以沉降之。是落穽而下石也。誤人之罪四。

以虛實論之。湯本氏歷言虛實證狀。而舉汗吐下三法爲虛者所禁用。而實者必澈底行之。故有數十日便閉。而嚴禁下劑之虛證。有一日數十次下痢。不得不投以下劑之實證。此非經驗獨到者。而能若是乎。余氏不明此義。又不能據理詳辨。而但以模糊影響含沙射影八字之批評。隨意抹煞之。則虛者益虛。而犯虛虛之戒。實者益實。而蹈實實之危。皆余氏倡之也。誤人之罪。又烏可數耶。

切脈爲中醫四診之一。貴得其神。不可徒泥其形。湯本氏深知西醫聽診。但能察心臟血液之循環。而不能察全身氣化之運用。脈波計脈壓計。但能察脈形之遲速。而不能察脈神之有無。故採集漢醫脈學。以備學者揣摩。誠探本之論也。

余氏則謂寸口動脈。是手百枝動脈之一枝。萬不能分配臟腑。萬不能分配上中下全身。以形質論之。似亦可信。惟余氏但知脈是血管。但知血之流行。而不知血之行。實由於氣之運用。知血而不知氣。根本錯誤。故其論脈。無一非狂瞽之談。二十七脈之精微。姑不具論。但取浮沉遲數四脈論之。國醫分析最精。而表裏寒熱。猶其粗淺耳。余氏論浮沉兩脈謂完全關於脈位之淺深。生成脈位淺薄卽是浮。生成脈位深下卽是沉。與病情之表裏無關也。其論遲數兩脈。尤爲荒謬。以脈遲而弱。爲迷走神經作用。脈數而強。爲交感神經作用。與病情之寒熱無關也。更可怪者。謂平人脈搏遲數。均有一定不變之規例。心臟收縮強弱。原有定程。刺激力強是如此。刺激力弱亦如此。總不因刺激力強弱而生變化。此種事實。名曰悉無律。嗟乎。自悉無律之說倡。而我國之脈學掃地以盡矣。而我國之患病求診者。皆斷送於余氏之手矣。誤人之罪。甯有過於此者乎。

瘀血之症。金匱診之甚詳。而產後驅瘀。仲聖已垂明訓。湯本氏歷言瘀血之害。足以引起心臟辨膜病。動脈瘤。血管硬變等種種疾患。西醫遇此病症。往往缺乏驅瘀方劑。惟漢醫獨擅其長。瘀血屬陽症者。用桃仁丹皮屬陰症者用當歸芩〇。屬陳久性者。用䗪蟲。芒蟲。乾漆等物。此種藥物。實爲西醫所未有。而其備於漢醫方劑中。則此方劑。豈不至尊而可貴乎。(見皇漢醫學)余氏不信國藥有驅瘀功能。故僅以竭力誇大一語批評之。則余氏之不識國藥可知矣。夫余氏既不識國藥。則雖有驅瘀之法。余氏終不敢用。故嘗謂產後惡露爲至可寶貴。本宜速止之血。而以驅瘀爲鴆毒。與湯本氏之說相反。今之西醫產科。於小兒生後。卽用止血之劑。使瘀血不能下行。因而凝結爲病。成癆瘵者有之。成癥瘕者有之。皆由余氏宜速止血之言。以盲引盲而成此劫也。夫產後瘀血。總以下行爲宜。卽偶有血虛之體。不宜驅瘀。亦宜聽其自然。萬無止血之理。故不惜大聲疾呼。以告國人。幸毋聽其邪說。以自戕其生命也。

中風論治（續）

董志仁

(二)類中

1.總論

古人中風之稱。有眞類之別。雷少逸云。一因氣虛之體。煩勞過度。淸氣不升。忽然昏冒爲虛中。一因氣實之人。暴怒氣逆。忽然昏倒無知爲氣中。一因七情過極。五志之火內發。卒然昏倒無知爲火中。一因過飽感受風寒。或因惱怒氣鬱食阻。忽然昏厥爲食中。一因酷暑之氣。鼓動身中之痰。阻於心包爲暑中。一因脾胃素虧之體。宿有痰飲內留。偶被溼氣所侵。忽然昏倒。涎潮壅塞爲溼中。一因嚴冬時突受寒淫殺厲之氣。卒然腹痛昏閉爲寒中。一因登塚入廟。冷屋棲遲。邪氣相侵。卒然妄語。頭面青黑。昏不知人爲惡中。具此八種現象。均稱之曰類中也。

2.證候與治療

一、虛中

此症忽然昏冒。口眼歪斜。語言蹇澀。辨諸口角流涎。小便頻數。或遺尿不禁。身冷肢麻無力。原因於陰氣虧虛之體。口角紛爭。以致氣不接續所致。有夜臥遇祟暴僵者。此實陽氣虛。非眞有鬼魅也。治以六君子湯加減。曹仁伯虛中案。用六君子湯加川附、白芍、竹瀝、蝎梢、蓋兼治痰也。李修之虛中案。用六君子湯加黃芪、白芍、桂枝、鉤籐、竹瀝、姜汁等。此外補中益氣湯。與王淸任之補陽還五湯。均可酌用。

二、氣中

鬱怒過甚。逆氣上升。於是身冷面赤。牙關緊閉。脈象沉弦。而口無痰沫。此氣中也。宜用烏藥順氣散加減爲治。但此症或與積食併發爲多。須辨明脣紫便閉。必兼食積者。宜加用消食劑。

三、火中

驟然昏倒無知。面赤發熱。脈象弦大而虛。緣於腎水素虧。心火旺盛。故舌形乾絳。治擬地黃湯加減。

四、食中

此症辨諸體本壯實無病者。於飲食醉飽之後。感風寒或着惱怒。使胃氣不行。昏迷厥逆。口瘖肢廢。狀類中風。但脈來急盛或沉伏。按胸則眉皺、按腹則體舉、可斷爲食中。宜先用生姜鹽湯探吐。吐不出者危。吐後無別症者。用藿香氣正撒。合平胃散加減。昔陸養愚治食中。用稜莪、檳、枳、橘、麵、木香、白蔻、菔子、潤字丸等、頗佳。

五、暑中

忽然悶倒、昏不知人、軀熱汗微、氣喘不語、牙關微緊、或口開、脈來洪濡、或滑數、此乃赤日中行走過勞、酷暑之熱氣、鼓動身中之痰、痰阻心包所致、急移病人至清涼處、解其衣服、以涼水澆其面各胸部、如呼吸甚微、宜用人工呼吸法、藥宜消暑開痰法、用黃連、香薷、扁豆衣、陳皮、益元散、荷梗等、昔江應宿治暑風類中、用人參白虎湯、加胆星、殭蠶、秦艽、天麻、姜汁、竹瀝等、葢中暑兼風、辨諸汗多六脈滑數而無力者也、或謂中暍症、因天氣亢熱、道路奔波、暴倒途旁者、與暑中相似、祇須大蒜一味、用道上熱土、雜研爛、新水和之去渣抉齒灌之、即能全愈、但有中暑症、與暑中、不過名字之顚倒、而中暑則係畏暑貪涼得病者、見證自覺形寒無汗、捫之身熱舌赤面垢、俗名寒包暑、宜用白虎湯、加薄荷、青蒿、荆芥、等藥治之、

六、溼中

時令雨溼之時。人或脾胃素虧。或有痰飲內留。偶被溼氣所侵。與痰相搏而上冲。以致涎潮壅塞。忽然昏倒。神識昏迷。脈來沉而細緩。此即丹溪所謂溼熱生痰。昏冒之證也。因此證不兼吐瀉腹痛。知非中寒。肢不冷。知非中氣。口眼不斜。知非中風。治擬少逸先生所著時病論中之增損胃苓法。或宜豁導痰法加減治之。

七、寒中

時令嚴寒。突受寒淫殺厲之氣。卒然腹痛。面青吐瀉。四

肢逆冷。體強直而無汗。手足攣踡。脈來沉緩之症。名爲寒中。丹溪曰。倉卒中寒。病發而暴。難分筋絡。溫補自解。可用麻桂葱薑以散之。又因中寒之體。大致陽虛。用理中以治本。甚者加附子。亦頗當。

八、惡中

身登古塚或破廟地。感受邪氣。驟然昏倒。妄言妄語。頭面青黑。不省人事。古稱惡中。實則古塚破廟，類多炭氣。炭氣中人。有是症也。治宜急行人工呼吸法。再服祛邪解毒發汗通竅之劑。如茅蒼朮、廣木香、石菖蒲、茯苓、生甘草、薄荷、綠豆、桃葉、葱白、大蒜等皆可酌用。

3. 結論

類中症。除上述八項外。尙有類似之暴脫僵仆等。如大吐血後。診脈無根。或一動一止。或二三動一止。證見喘促或僵仆倒地。此氣隨血脫也。宜用張壽甫之保元寒降湯。(生山藥、台野參、生赭石、知母、杭芍、牛蒡、三七末冲、)治之。如產後血悶。暴僵。胸膈尙有微熱者。紅花並湯熏之。如中半夏毒喉音漸啞。忽然暴僵者。用生姜汁溫熱灌之。(如平素嗜食竹雞者易罹、)如因誤服水銀。肢體僵冰者。用白金煎湯。洗浴後。坐川椒湯上薰下體。如因在送殯時。忽然昏仆。不省人事者。爲飛尸症。用蘇合香丸研灌之。尙有情志所傷。而有似乎中腑中經之風症者。如內經所云。神傷於思慮則肉脫。意傷於憂愁則肢廢。魂傷於悲哀則筋攣。魄傷於喜樂則皮槁。志傷於盛怒。則腰脊難以俛仰等。宜調榮養血。不可雜用風藥。薛立齋云。昔有孀婦。十指攣踡。掌重莫舉。飢膚瘡瘢。風藥雜進。絕不奏效。竟以舒鬱結。調氣血而愈。可知治法之宜追究原因也。

泄瀉病之原因與治療

俞慎初

夫食物入胃而達腸，藉諸液之混和，成爲糜粥狀，變爲營養分，而運行週身，餘者在小腸去其水分，由闌門排出大腸，成爲堅糞而出肛，今外邪侵入客於脾胃，於是轉運失司，不能消化，致食物停滯，發酵腐敗，或腸之分泌機亢進，或吸收營失其技能，則水分不能排出腸外之所致也。

分類　寒瀉　火瀉　暑瀉　濕瀉　痰瀉　食瀉　五更瀉　飧泄　洞泄

病因。A『寒瀉』外感風寒，侵入脾胃，脾胃受邪則陽虛，陽虛則不運，故水穀不分，以糟粕不化，清濁混淆，流走腸間，致爲泄瀉。B『火瀉』感受濕熱，及有火氣以阻礙腸胃，致健運失司，熱氣下行則瀉，故經曰，暴注下迫，皆屬於熱，C『暑瀉』長夏暑濕之令，患泄瀉者，皆因天之暑熱下逼，地之濕熱上騰，人居其中，而感此氣，脾胃失消運之力，清濁不分，上升之精氣反下降而爲便瀉，D『濕瀉』經云。濕勝則濡泄，難經謂濕多成五泄，故知泄瀉屬濕爲多，夫脾惡濕，今濕侵脾則失健之所致，E『痰瀉』夫脾爲生痰之源，肺爲貯痰之器，而痰乃濕所生，蓋脾虛寒濕乘隙以入，而痰作奏，F『食瀉』飲食不愼，致傷胃府，或脾爲濕困，不能健運，失其消化之所致，G『五更瀉』乃由腎傷，夫腎爲利尿機關，今失其轉輸之職、則尿不利，於是腸中之水液不分，則成此症，H『飱泄』經云『春傷於風，夏生飱泄。久風爲飱泄』此感風邪而致病也，又云『胃中寒則腹脹，腸中寒則飱泄，』此感寒氣而致病也，又云，『厥陰之勝，腸鳴飱泄。歲木太過，民病飱泄。』此木之所勝而致病也，又云。『脾病者，虛則腹滿腸鳴飱泄，食不化，』此脾虛外邪侵入而致病也。又云，『清氣在下則生飱泄。此當春升發之令，而不得發，致氣下降而生此症。—I『洞泄』經云『邪氣留連爲洞泄』蓋因風木之邪，潛伏於內，留連既久，木氣尅土，則中土失治，而成洞泄。

。。症候A『寒瀉』腹中作痛，澄澈清冷，如鴨糞之狀，B『火瀉』瀉出稀溏粘糞，色黃氣穢，肛門熱痛，腹內鳴響，痛一陣瀉一陣。C『暑瀉』身熱口渴，面垢有汗，瀉出稠黏，小便熱赤。D『濕瀉』瀉水而腹不痛，胸前痞悶，小便黃赤。E『泄瀉』胸腹迷悶，頭暈惡心。F『食瀉』胸脘痞悶，腹痛脹滿，內則發酵腐敗，上則噯腐吞酸，下則泄瀉汚濁。G『五更瀉』到夜五更之時乃瀉，瀉下青糞。H『飱泄』腸鳴腹痛，穀食不消，溏出糜粥。I『洞泄』身重神疲，肢體懈怠，下利清穀，小便短赤。

。。診斷A『寒瀉』脈怠緩而遲，舌苔淡白。B『火瀉』脈數，舌苔黃膩，口渴尿赤。C『暑瀉』脈濡數，或沉滑，口渴喜涼，通體皆熱。D『濕瀉』脈緩濇，口不渴。E『泄瀉』脈弦滑，時瀉有時不瀉，F『食瀉』脈沉滑，瀉則腹不痛。G『五更瀉』乃由腎命火衰，不能生脾土，蓋五更將交陽分，陽虛不能健運而泄瀉，夫胃中之水穀，藉命火之薰蒸而能消化。H『飱瀉』屬虛者多，屬實者少，其脈兩關不調，或弦而緩。『洞泄』脈軟緩乏力，或關脈兼弦。

。。療法：法宜理中焦利下焦爲主。

寒瀉。溫脾胃利小便爲主，理中湯藿香正氣散四逆湯胃關煎。

火瀉。苦寒瀉火爲主，葛根芩連湯四苓湯。

暑瀉。清暑蕩熱爲主，滑草翹蒿芩澤車前通草等。

濕瀉。滲濕利尿爲主，五苓散胃苓湯。

痰瀉。順氣化痰爲主，加味二陳湯。

食瀉。温補脾胃爲主，分消法平胃散。

五更瀉。補腎温脾爲主，四神丸。

飧瀉。補土瀉木爲主，加味痛瀉要方。

洞瀉。法同上。

久瀉則命火必衰，故補命火爲主，桂、附、蓮、芡、萸、智。肛門下脱，補土收脱爲主，加減訶子散補中益氣湯。

。。

結論；西醫泄瀉稱爲急慢性腸加答兒，其治法如行洗腸，法用灌腸喞筒，塗甘油凡士林阿列布油胡麻油石鹼，使腸胃潔淨，後用滋養液灌腸，助其營養，並斷食數日，使腸胃消化力。日漸復原。

五更泄瀉，中醫謂是腎病，夫腎爲利尿機關，尿不利則腸中停水，因之而瀉，西醫謂是腸痨，因腸結核菌潛其間，晝則消化力強，故該菌不得逞。到五更時，各機關已安靜，故此菌乘機活動，考此二者，可同歸一説，以中醫在於腎，求其本也，西醫在於腸，治其標也。

方藥

桃仁承氣湯治驗

沈仲圭

余因遵行「小便時緊咬牙關」之法。不患牙痛者。十數載於玆矣。近因左上小臼齒蛀蝕成孔。神經暴露。一受冷熱刺激。痛楚隨作。綿綿不絶。困苦異常。馴致牙浮而長。齦腫而脹。身發熱。頰亦腫。時民廿一年九月三十日也。方擬投藥。同事沈君見之。開龍胆草、細辛、防風、白芷四味等分。另加花椒少許。煎湯。待冷含漱。治一切牙痛。無不效。余如法外治。次日腫益甚。亟自疏方。用生石膏五錢生地八錢麥冬牛膝板藍根各三錢。（按卽玉女煎加減）余用成方。不喜改易藥品。及門龔熙謂「板藍根善消口腔炎腫。」乃去知母而加此。二日服許半龍先生方。（荆芥錢半桑葉三錢薄荷一錢鮮生地四錢蘆根一兩丹皮二錢黃芩錢半黑山梔二錢連翹三錢生石膏四錢）三日服自擬方。（三七錢半鮮生地五錢元參麥冬白茅根各三錢）四日服沈嘯谷先生方。（安南桂心六分元參麥冬天冬牛膝各三錢知母二錢）三方服後。諸症均退。惟齦肉猶腫。蓋內已化膿。非藉刀圭之力。不能去也。乃詣謝醫師診所開刀。膿出腫平。而時有淡黃色膿水。滲漏不已。月旣望。齦腫又發於左上大臼齒。左頰亦腫大。自服桃仁承氣湯。（桃仁錢半白芍二錢半歸身三錢元明粉錢半製軍八分丹皮錢半）一劑腫消大半。二劑而平。

(次方歸芎、丹皮之藥量減輕)

按張氏醫通云。「齲齒數年不愈。當作陽明畜血治。桃核承氣爲細末。煉蜜丸。如桐子大。服之。好飲者多此。屢服有效」。先哲醫話云。「齒痛難堪者。宜用桃核承气湯。齲齒、齦疽、(按卽牙疳之甚者)骨槽、諸種齒痛難堪者。余用之。屢有効。蓋多屬血氣衝逆故也)。觀此。本方之治齒痛、齗疽。古人早有經驗。若言藥理。硝黃引起下部充血。使上部血量減少。上部血量減少。則炎腫得消。桃仁主瘀血。桂枝主衝逆。一則化變壞之濁血。一則降衝逆之血氣。皆直接作用於病所也。余所服者。乃瘟疫論之桃仁承氣湯。有歸、芎、丹皮。無桂枝、甘艸。蓋較景仲原方。爲輕一等。語本處方學津梁本方栗園說)齦腫未成疽者。其力已足也」。

方余初病張生宗璇力勸余服桃核承氣湯。云其尊人及介兄牙床腫脹。皆服此湯而愈。是方治是病之神効。余非不知。特恐胃腸衰弱。不勝硝黃之峻下。口腔病甫除。大腸炎繼起。詎非「得不償失」耶。乃消散淸降之方。僅能稍挫病勢。卒以桃仁承氣收功。此張生之卓見。遠勝余之小心也。

齒痛。小恙耳。人人能治之。原不必載諸簡册。公於當世。惟以桃仁承氣治牙痛齦腫。爲時師所不用。特詳記顛末。以備一格。

赤石脂之研究

蔡松巖

赤石脂爲外科之收口藥。研之頗易粉細，不如禹餘糧之堅硬難碎，蓋其在地層變遷時之高熱度，煅成赤色，其年代之久遠，當在千萬年以上。本草言其功用，謂可收濕，止血，固下，療腸澼泄痢，崩帶遺精；然時醫不甚用之，似恐此酸濇之品，有留邪之患，而有所顧忌也。往歲不佞，鑒於同仁，對於傷寒下血，往往忽略不加注意；若見洞濇不止，亦不稍加止澀；心頗非之。及試用古方赤石脂法，殊覺對症，近年以來，因多用本品之結果，深覺其應用之範圍益廣，其功效之確實，彌有表彰之價值。茲將經驗及研究所得，述之如下左

(一)本品爲腸胃內敷藥：可保護粘膜之發炎，不爲過剩之分泌所侵潰，有生皮止痛之作用。

(二)本品能吸收水分與毒素：治胃酸過多，胃擴張之飲水則吐，胃部脹滿與嘈雜。若霍亂之毒素瀰漫全身，吐瀉不止者；本品大量內服，有吸收毒素，止吐止瀉之效。

(三)傷寒腸穿孔出血者，犀角地黃湯亦難奏效，用本品以整潰決之腸。不惟止血，且可止瀉，

(三)內臟出血，本品與驢皮膠合用頗效。爲血崩，月汛過多

，便血之良藥。

（五）本品與海螵蛸，川萆薢等合用，治赤帶有效。但對於遺精。則無甚效驗。

綜上各點，則本品之功用，與本草所述者，大部份印合。惟所引爲遺憾者，此無機物質，與腎臟排尿機能，不無微有抵觸；老年人服之，或研之不細，亦足發生流弊。至服後胸次微覺飽悶，或少腹微脹，則爲大量內服之副作用，其不適之狀，卽易過去。藥肆中有以紅泥代者，則爲贋品，服之不宜。

本品內服方法，須經煅過，研至極細，水飛，臨服時納水中煮一沸，調勻呑服。若整塊煎入湯劑，而不呑服，則失其效。用量每次一錢至二錢，一日兩囘。

藥用白蜜宜用改良蜜之我見

蔡松巖

國藥滋補丸劑，大抵皆用煉蜜爲丸，由來伊久，自無可議，蓋蜜爲緩和藥，而兼有滋養之功，今昔之所公認也。

考今之製丸者，已有少數採用改良蜜，但襲用土蜜，仍居多數，此則鄙見以爲應一例改善之。緣土蜜採取之時，農人例將蜂桶中之蜂房摘下，置於竹籮中，壓蜜使出；同時此櫛比之蜂房之一部，中有幼虫無數，亦因其壓榨而成乾癟；蜜質因之不甚純淨。幸而蜜之本身，有防腐能力，故日久尙不致腐化，祇多服常感不適耳。

若改良蜂蜜則不然，彼因蜂箱構造之複雜，使貯蜜之房與產蜂之房完全隔分，俾取蜜時不害及幼蜂，搖蜜則不毀壞蜂房，故其蜜晶瑩潔白，合於衛生。

養蜂事業與藥草種植事業，皆爲農家重要副業，吾國固有之蜂業不發達，其原因之一都，由於蜂種之不強，而管理之不得法，使繁殖阻礙，實爲主因。試思蜂房之構成，與幼虫之長大，何非蜂羣工程之結品？吾人欲蜂羣之繁殖，及蜜產之添加固須選擇蜂種，採用新法管理，絕對不可以破壞與殘殺。是以藥用之蜜，如全國皆用改良蜜，則一方面固可使丸劑更清潔與衛生，一方面實可使以農立國之吾國農家，促進其養蜂事業之改善與發達也。

鮮蘆根解救河豚魚毒

王馨遠

河豚爲脊椎動物魚類之一。種類甚多。生活於淡鹽水相交之處。吾浙沿江一帶。及近海處。均產此魚。其味甚美。故一般人恆喜食之。但有劇毒。食後往往中毒。每年因此殞命者。不如凡幾俗諺所謂拚死吃河豚。誠確有其事也。俗間經驗。謂河豚中毒。非經七日不可埋葬。各國法律。亦限非死後二十四小時。不可解剖。蓋此項毒死。有假死性。埋葬後不少得生之例也。今將河豚形狀毒素。及中毒現象急救良方。分列於後。

(一)河豚之形狀　考河豚之形。頭部扁。體圓長而肥滿。至尾漸細。口小上下兩顎之中央。有縫合綫。背呈淡蒼色。而有濃黑斑紋。脊背兩鰭。位於近尾處。上下對生如鐮狀。各有十二至十五對。背鰭呈紫赤色。腹部白而大。皮面平滑。無鱗而有鈎。若感觸外物。即吸入空氣於胃。腹更脹大如球。故俗又稱吹肚魚也。

(二)河豚之毒素　河豚魚之毒。存於卵巢肝臟胃腹等內。血液中亦略有之。尤以卵巢(即魚子)含毒爲最多。此爲古今中外學者所公認。但其所含毒素。究係何物。據日本藥學專家田原純良氏試驗之所得。分爲二種。一爲鐵脫羅特林之中亦結晶物質。一爲樹脂狀之酸性物質。(或稱河豚酸)毒性極猛。如以動物試驗注射少量於犬內。往往即起嘔吐。次即發現麻痹狀而死。厥後研究河豚毒素者頗多。其目的莫不期此毒素。能完全分離。以供醫療上的作用。乃田原純良氏更費十七年之研究。以特殊方法。抽出河豚毒素之有效成分。製爲百分之一注射液。(約人體致死量十四分之一)名爲鐵脫羅脫克因。Tetroartoxin 用以鎮靜神經系各病。及皮膚症頗效。然考河豚魚。我國古昔早已認爲藥用動物之一。其肝及子。更可外治瘙癬溼疹等皮膚病。惜乎無人加以精密之研究。反爲日人所發明。良可歎也。

(三)河豚中毒之現象　查我國動物中毒中。以河豚中毒爲最多。所起中毒現象。雖因服食毒物多少之關係。而其症狀不一。約言之。輕症面紅目赤。頭痛眩暈。肢體懈怠。嘔吐不已。四肢厥冷。知覺異常。口燥舌麻。不能下咽。脈搏滑數。重症者驟然知覺麻痹瞳孔散大。言說澀滯。呼吸遲緩。皮膚呈紫藍色。而發疹。脈搏細弱。嗜眠冷汗。往往數小時而死。

(四)河豚中毒急救。河豚中毒之救治　在西醫先用吐劑。使毒物速離胃中。對於呼吸中止者。則行人工吸法。及注射強心藥劑。我國醫籍關於河豚中毒。所載驗方頗多。如蘆根汁。橄欖汁。烏蘆草根。麻油金汁等。效者固多。乏効者亦不少。但以敝人實驗所得。解救河豚中毒。以鮮蘆根爲最特效。其法即以鮮蘆根二三斤。切碎置鍋中。煎濃汁服之。中毒輕者。服後渴止神清。諸症消失。重者須連續灌服。亦能轉危爲安。如症狀危篤不及煎服者。急以鮮蘆根搗汁。灌服亦可。

(五)用蘆根救治之實驗　民國十五年夏。敝人應臨浦某紳家邀診。途遇舟子。中河豚毒狂躁不安。勢瀕於危。乃告以鮮蘆根能解此毒。因迫不待煎。隨用鮮蘆根嚼汁飲之（如嚼甘蔗然）未及一小時。居然化險爲爽。其他尙有數例。大略相同。茲不贅。

（六）蘆根治河豚毒之質疑　考蘆根屬禾本科植物之一。多產於近水處。本草綱目謂氣味甘寒無毒。功能生津止渴。治消渴。利小便。解河豚毒。及諸魚蟹肉毒。至其所以能解救諸毒之理。尙無相當之解釋。嘗請友人之精於藥物化學者驗之。亦未得明確之報告。還望海內醫家加以精確之研究。其中究含何種成分。能使河豚毒素中和。而得救治之特殊也。

志仁按河豚毒之醫療作用。能使運動神經。及知覺神經麻痹。故用其適量。頗有鎮痛甯神之功效。不幸中毒。似應用對症之興奮劑。而蘆根祇具宣透之力。並無興奮之性。則其所以能解救河豚毒者。或爲大量之蘆根宣透力。將其中毒質趨從毛孔中洩出。或其中含有一種解毒素。中和毒性。亦未可知。然而河豚毒性猛烈。救治甯可從速。否則延誤急救時期。勢必毒侵腦神經。使心臟肺臟。趨於痲痹。此時雖有蘆根。恐將杯水車薪。無濟於事矣。

白鯗頭急救白菓毒

董佩箴

白菓（俗稱）卽公孫樹。屬松柏科。生江南宣城。初名鴨脚子。宋時入貢。以其形如小杏而色白。遂名銀杏。明李時珍發明作爲藥用。故今時方中間亦用之。本草綱目載。味甘苦。性平濇無毒。熟食性温有小毒。近傳三角者有毒。然其所以有毒之理。均無人註明。據多數經驗之報告。少食無害。多食必有中毒之惡。小兒之中毒。尤易於成人。蓋因小兒之體重。較成人爲輕。而好食白菓。較成人量多也。美醫譚義爾博士云。『凡菓仁率多含有青酸毒多食每易中毒』。意白菓亦屬核仁之一。其中所含之毒。或爲青酸。亦未可知。不然。何其中毒之現狀。與桃杏仁之毒相彷彿。雖然。意想所及。容多謬誤。還祈明哲指正。

（一）中毒之現狀　中白菓毒者驟然大賊一聲。卽時知覺脫失。仆於地上。而發痙攣。如癲癇狀。面色紫褐。瞳孔散大。脈搏微弱。呼吸遲緩。（每分鐘約五六次）且帶白菓仁氣味。若不急救。數秒鐘。卽可斃命。

（二）急救之經過　予用白鯗急救白菓毒。已治愈四五人。因無記錄。不能追述。惟最近於民國十七年七月間。曾治愈友人趙君悟生（住本市上板兒巷）緣趙君因患遺精。每日以白菓十枚冲荳腐漿。充當晨餐照例冲服。不料下咽移時。忽然大喊一聲。身亦隨倒。其家屬驚詫萬狀。疑爲染時疫也。電招予診。予詢知顚末。知中白菓毒。急命以白鵞頭三枚。煎湯頻灌半小時後。忽然而愈。愈後亦無其他變端。

(三)驗方之由來　吳興名醫凌曉五先輩於『六科良方』自序曰『予於字麓中。檢得錢塘周氏舊本良方集要。置於案頭。以資參考。至辛亥歲秋九月。次兒忽中白菓毒症。狀類驚風。已瀕於死。翻閱是本得白鵞頭可治。遂按方煎服立甦。洵屬千金易得。一效難求也。於是添刊親驗良方數則。以廣流傳』云云觀此則知良方集要中載此驗方。復經凌氏實驗。是驗而更確。且查各種驗方書中。均有用白鵞頭解白菓之方。是此方之有價值。已可不君可知矣。雖然。白鵞頭解救白菓毒之效如此。而其所以有效之理由。尙不能得其確解。海內外不乏明士。望有以教我焉。

志仁按此例中倘有足供研究者。趙君連服白菓多日。未曾中毒。何以第十一日忽然發病。莫非誤食三角毒乎。毒白菓持續服之。在內排洩遲緩。發生蓄積作用。而起中毒現象。如西藥中之毛地黃乎。大抵食此中毒。而歸咎於三角者。亦當時推測之辭。於後說較爲近似也。(作者擬徵集實驗良方愈詳愈好稿寄杭州新民路祥林醫院、董志仁收、應徵合格者、書籍酬謝、皆在本刊披露)

齒痛驗方一束

謝誦穆

齒牙罹病，至易且多；而疼痛尤爲常人之所苦，民間流行之療法，頗有驗者，擇錄數條，以備濟急：

1.胡麻一合，以水二合，煎作一合，候冷含嗽之。

2.蓮葉燒灰，敷患部。

3.黃柏樹上之黃色粉末，敷之有效。

4.丁香油浸綿，塞入洞中。

5.生姜汁和細麵粉，貼敷患齒之頰外。

6.水仙根車前葉，同搗敷。

7.青松葉之嫩者，煎湯冷嗽。

8.萊菔搗糊，置痛齒旁。

9.昆布燒灰，和燒鹽研細末，敷痛部甚效。

10槐花炒研末，敷腫處。

雜俎

虛損病適宜於食物治療

龔香圃

虛損之病。服藥難效。爰選食物有益於治療者。羅列於后。俾患者之採擇。

人乳粥　補陰。滋五臟。悅顏色。退虛熱。養血。

用肥壯婦人乳汁四兩。候煮粥米半熟時。下入乳汁煮熟。攪勻食之。　按人乳難採時。可用牛乳暫代。煮法同。

粟米粥　治病後脾胃虛弱。時作吐酸、不寐。甚效。

用粟米一合、煮粥。空心食之。

山藥粥　治脾虛泄瀉不止。

用懷山藥研末。四六配白米煮粥食之。

芡實蓮子粥　益精氣。強智力。聰耳目。療遺精。治虛痢。

用蘇芡實二合。蓮子一合。糯米二合。煮食。

枸杞粥　治肝火旺。血液衰。

用甘枸杞子一兩。白米三合。煮粥食。

胡桃粥　治陽虛腰痛。及石淋五痔。

用胡桃肉搗爛一兩。糯米一合。煮粥食之。

扁豆粥　益精補脾。又治霍亂吐瀉後。元神不振。

用白扁豆四兩。西潞黨一兩。煎湯。去參豆。加入白米二合。煮粥食。

甘蔗粥　治胃陰虛。口乾舌燥。欬嗽泛痰。虛熱有汗。用甘蔗汁半盌。入白粳米煮粥。空心食之。

理脾糕　治老人脾瀉水瀉。小兒脾疳。

用百合、蓮肉、山藥、苡仁、芡實、白蒺藜、各末五合。粳米粉五升。糯米粉一升五合。用沙糖一斤。調勻。蒸糕。烘乾。常食最妙。

蓮肉膏　治病後胃弱。不消水穀。

用蓮子肉四兩。山查肉一兩。粳米四兩。茯苓二兩。各炒研末。沙糖調膏。每服五六匙。開水冲下。

參歸腰子　治心腎虛損。自汗腰酸。

用西潞黨五錢。當歸四錢。猪腰子一對。細切、煮食之。以汁送下。

人參猪肚　治體虛乏力。脚浮氣。

用上黨人參五錢。乾姜二錢。胡桃肉一兩。葱白七莖。糯米七合。裝入猪肚內。扎緊、勿泄氣。煮爛、空心食。飲好酒一二杯。大效。

歸元仙酒　養血安神。驅風治絡。

用當歸桂元肉各二兩。以好燒酒一斤。浸飲。每日飲一二小杯。

衛生

衛生講話（續）

董志仁

（七）寒暖

天時有寒暖的。而人的體溫。凡是康健者。總在三十七度左右。原因是皮膚有調節作用。皮膚感受寒冷時。就能限制體溫。不使放射傳導。而降到三十七度以下。感溫熱時。就反着前的作用。以集其放射。所以常不失爲平均數。

可是驟寒驟暖。或寒暖不時。身體薄弱的人。往往容易患病。所以普通都在衣服上的量加減。不過我國一般人。對於小孩。大都是嬌養的。就是寒暖這一層。往往有太過的弊病。要知道太過。就容易漸漸失却身體上原有的機能性了。

正常的天時寒暖。能夠鍛鍊我們的身體。至於人工的寒暖。祇可取爽一時的。例如電扇火爐等。切不可常用不離。因爲這種用品，不但能軟弱身體。而且可以危及生命。

在這裏我知道諸君看了前兩段衛生常識。或者要懷疑到不確實。原來古話說得好。小兒甯熱莫寒。在這一句甯熱莫寒中。明明指出寒是有弊病的。那末過熱或者有之。過寒恐怕未必

。這是第一點。還有現在用火爐電扇的。也不知有多多少。假使說能夠危及生命。那末也不會有人去使用了。這是第二點。有這兩點緣故。於是我也不屑瑣煩。再把牠說明如下。

(1)關於第一點。我在社會上實地觀察。許多人確是只知寒有害而熱有益的。所以把甯熱莫寒這句話。當做千金不易的古訓。可是我亦在某一地方聽見說。小兒是純陽體質。過熱是不相宜的。因此一般愚夫愚婦。竟誤爲純陽體質。冷冷是滿不在乎的。這個冷冷的毛病。尤其是在夏天容易犯着。她們把小兒脫得一絲不掛的裸體行走。似乎很有趣。很可觀。這樣一來。些微感受風寒。就逃不了病魔來侵襲。過冷的罪名。不是由此而證實嗎。

(2)關於第二點。我也明知電扇火爐。用的頗多。發生危險的也很多。祇是諸君不明瞭就是。現在我又分述在下面。

一、電扇　電扇是藉電的能力。轉動電扇機片。發生的一種涼風。這種涼風。決不能和天然風那麼自然。所以當着人們因體受溫熱。而將要使皮膚行使放射作用時。他竟耐不住。立在電扇的前面。受着激烈的電風以取涼爽。把毛孔立刻閉住。體質強壯的。尚不妨礙。薄弱的就因此暗種病根。患生陰暑病。（俗稱傷寒）甚至睡眠時忘去關住電扇機

。無論如何強壯的。恐怕也要立刻害病。有的請醫治療。即可全愈。如果遷延時日。或者誤就庸醫。豈不危及生命呢。

二、火爐　火爐的害處。比電扇還要大。甚至有全家人口。皆斃命於火爐的。原因是睡眠時忘記把火爐熄滅。或忘把煤氣放去。肺臟中有煤氣毒。窒礙呼吸。時間延長。於是就能嗚呼哀哉。這種中煤氣毒的消息。在臘月冬季。往往能夠在報紙上看到。或耳鼓裏聽見。不是確實的有生命危險嗎。

（八）　衣服

衣服有補助皮膚。調節體溫的功用。當體溫與外熱相差過多。或蒸發過盛時。衣服就能助皮膚以調節。使皮膚先傳體溫於衣服。而後達於外氣。如果反轉來說。就能傳外熱達於皮膚。為間接的導體。所以材料色澤。第一要選擇適宜。若是專為裝飾而不合於衛生的。應該不取用為是。現在我把合於衛生的種種說明如下。

1.衣服的取料　衣服料大都是動植物纖維所做成。如毛皮呢絨等。傳熱遲而放熱亦緩。穿在身上。就覺得溫煖。反之如麻布綢紗等。傳熱和放熱都很容易。穿在身上。就不覺

溫煖。所以夏天應該選用麻布綢紗。冬季應用毛皮呢絨了。但是襯衣的材料。更以毛布絨布等質柔而糙的算最佳。若是綢緞等又不合用了。

2.衣服的顏色　衣服的顏色。在夏季中宜用白色或淡色的。因其能反射光線。不受外熱。冬服宜用黑色或暗色。使其能吸收光線。可護體溫。

3.衣服的大小　衣服是不宜大小的。但是過實。亦是有礙動作。而且衛生上與經濟上。兩不便利。總應該求其適當。但是現在一般社會的惡習。歡喜時髦。有時盛行束胸。她們就把兩乳緊束得和男人一般。極不顧及身體上的發育。眞是可嘆。現在總算各處放胸放腳。甚至做行歐化。有時亦不免妨礙衛生。其實穿衣服是保護身體。及補助皮膚調節體溫的。大小適合身體就是。何必時髦新式。別出心才。時時改換花樣呢。

4.衣服的洗滌　衣服汚穢了。這是人人知道應該洗滌的。但是襯衣應該比外衣格外洗得勤。病人的衣服。尤其要洗得淨。換得勤。並且必須在日光下晒乾。因日光能撲滅微菌的。患傳染病人的衣服。更須用沸水或消毒水煮洗。嚴格的講起來。尚須把它燒化咧。

婦女經期之攝生

徐志勉

月經爲生理的機轉、雖無煩特別處置、但以多兼有月經痛、且易誘起諸種疾病、故經期中非謹守衛生、以圖保全健康不可、現今中國婦女月經期中、對於攝生毫不注意、以不消毒很齷齪的騎馬布、(俗語)及紙屑棉花等、塞在陰戶處、往往細菌乘此竄入、而誘起陰門炎、及搔癢症、患此者尤以一般鄉間婦人爲衆、故對於月經期中之攝生法、是誠研究婦女衛生者、値得注意之一事也、

女子於月經來潮時、對於攝生法實有多種、今約略分述於下：

1. 月經中須清潔陰部、月經血附着於外陰部股間、馴致腐敗、不僅該部易生炎症、且誘發子宮陰道等炎症者不少、故月經中每日二三次以微溫水清洗外陰部、(此時宜勿觸及陰道)
2. 月經期內陰道中插入棉花紙片者、均甚危險、宜以清淨之脫脂棉壓抵外陰部、施丁字帶、或用月經帶、(藥房中均有出售)
3. 月經中宜避沐浴、除特別情形外、高溫或寒冷之坐浴足等、亦應禁忌
4. 經行期、房事須禁絕、因行經時宮內血管開張、不可稍有外

物侵入、若不禁忌、則有月經紊亂、或致過多之虞、

5. 月經中、須安靜精神及身體、如體操乘、乘車、乘馬、舞蹈、網球等、均須避之、
6. 月經中、遊戲場影戲院不可進、因爲觀劇很容易興奮精神、誘起各種邪念、使精神疲乏、
7. 經期中、不聞猥褻之談話、勿看淫穢之小說、以及淫畫淫劇等、
8. 月經中、宜忌食酸性、(酸梅湯等)及生冷之物(冰淇淋等)若不避之、則有經閉經痛之象、對於生育有莫大之障礙、(按以上數條、現摩登化女子犯此者甚多、)
9. 月經中、宜注意豫防感冒、月經與感冒雖似無何等直接關係、但月經中、感受溫度之影響、最爲敏捷、月經中罹感冒致續起生殖器障礙者甚多、(如子宮內膜炎、白帶、經太旺、子宮屈、子宮癌等症、)
10. 經淨後、始能沐浴、隨意作事、

記事

本社第二次討論會記事

本社第二次討論會，於十月一日午後三時，在東街路施醫室開會，到者，有周子叙王一仁施稷香蔡松巖李天球諸君，沈君仲圭由滬郵函筆答，玆將各項問答錄下。

(一)吐血藥以何者爲最効？（董志仁）

吐血之原因療法甚多。十灰丸亦確有効驗。尤奇者於對病藥中，加童便冲服。或自服迴輪湯。均著有明驗。但須取清淨者。取法。先日爲戒腥羶膩滯，愼風寒。多飲清開水。卽得。考尿水有安母尼亞及鹽酸。能歛血管以復血行。但近日頗有用淡鹽湯治吐血者。効驗並不甚著。再白糖湯亦能止血。服至滿悶，可勿慮，逾時卽安。

(二)外用止血藥，有特効方藥否？（前人）

(答)血旣出於血管。强止必腐。如龍骨粉雖佳。却有腐肉之患。常見艸藥郎中，有似艾絨的艸藥，止血收口極効。苧蔴葉甚散血，五六月間收取，和陳年石灰，搗作團，曬乾，研末，收盛，金瘡折損出血者，得之，卽時血止，且易歛也。此本李時珍綱目所載。有家傳傷科用之，極效。大約取其綿性，能歛續血管耳。

(三)用艾一灼，謂之一壯，此壯字作何解？（前人）

(答)壯有刺激强壯意。艾灸當堆滿以壯陽氣。後乃由形容詞而爲名詞矣。

(四)有二人皆屬無病者，一人大便不通者半月，一人、夜解燥糞者四五次，結果亦皆無病，其理若何？（前人）

(答)此二者應有食量多少之分別。或其時間甚暫。並非屢月經年如此。若其飲食多而大便少者。必其皮膚排泄，及口鼻放散之氣太多。蓋胃腸之吸化力過强。以是渣滓之留於大腸直腸者無多。故大便半月一行。亦無所苦。至一夜解燥糞四五次。必非常態。或氣墜而所解必無多也。

(五)生熟石膏之利弊（沈仲圭）

(答)重用熟石膏。硫酸性沉鈣着。每致腹中脹痛。凡温熱病中類宜生用。牙痛用熟石膏與川升麻同用。亦著明効。當知熟石膏之未煅透者。仍有消炎止痛之力。若煅如炭如灰。必無効矣。或謂製豆腐用熟石膏。卽取其凝固之性。温熱病固所不宜也。

(六)慢性之濁，不因於濕熱者，應用何種治法最善？（施稷香）

(答)中醫治濁，有時以濕熱爲有毒之抽象名詞。凡濁症之小溲溺管不痛者。多作虛治。當因體氣而斟於六味、及萆薢分清飲與補中益氣之間。慢性濁以白檀片八分至一錢。研末服、有效。急性濁。用廣東泡花（卽刷髮用）三五錢煎湯。峻服能滌濁垢。單方中尙有三白草野茭白等均有効。

(七)瘧病之間歇熱。何以間一日二日三日四日者、或漸早漸晚者。舊說之衛氣日上日下云云，可信否？（王一仁）

(答)邪客風府。循膂而下。則漸晏。待下骶骨。入脊內。注伏膂。出缺盆。其氣高。則發作漸早。邪氣與衛氣客於六府。有時相失。不能相得。故休數日乃作。今說謂瘧疾球形原蟲之生長時期不同。故有間一日數日乃發者。但非與衛氣合。究不能作。是以邪正循逐之理。正可互相發明。凡瘧疾須先三時服藥。紹興單方用草撥一味能治瘧。又有用起泡刺激療法。及用信石貼脊椎法。皆有效。

贈書誌謝

●並代介紹

醫界之警鐸　吳漢仙著湖南長沙藥王街三尊里廿三號拌湖醫社發行全一册定價一元二角

漢和處方藥津梁　沈石頑譯上海法租界南陽橋安納金路一七一號昌明醫藥學社出版價兩元

如皋醫藥學報五週彙選　陳愛棠編如皋南門外東城脚如皋醫學報社出版全一册定價一元四角

中醫新論彙編　王愼軒編蘇州閶門吳趨坊國醫書社出版全四册定價大洋五元

漢藥救急簡効方　朱籌朋編浙江仙居城內壽朋醫療所印行全一册取印費三角此書急救之方。頗符簡効之實。

漢和藥學　章次公編每月一册上海西門斜橋紅卐字會醫院漢和醫號編譯館發行定閱全年一元

國醫雜誌　每月一期實售兩角全年二元四角上海西門內石皮弄國醫學會發行

神州國醫學報　每月一册售價一角全年一元上海厦門路尊德里神州國醫學會編輯部編印

中國醫藥問題　王一仁著實價一角二分本社售

三衢治驗錄　王一仁著實價一角二分本社售

醫藥衛生月刊價目表

月刊定價表

一月一期	全年十二冊
另售每冊六分	(郵費) 國內日本一分　國外及香港澳門六分
預定全年十二冊七角二分郵費在內	
國外預定全年一元五角郵費在內	
郵票寄購以半分至五分爲限	

廣告價目

地位	一期	六期	十二期
全頁	十五元	八十元	一百四十元
一面	八元	四十元	七十元
半面	四元	二十元	三十五元
四分之一	二元	十元	十八元

木刻銅板鋅板外加

中華民國二十一年十一月一日出版

醫藥衛生月刊第四期

主編者　王一仁　杭州上城彩霞嶺十一號

發行者　中國醫藥學社　杭州上城彩霞嶺十一號

代售處　本外埠各大書局

印刷者　新新印刷公司　杭州新民路四百〇六號　電話三三〇〇號

醫藥衛生月刊

漢民題

第五期　王一仁主編

民國二十一年十二月一日出版

中國醫藥學社印行

杭州上城彩霞嶺十一號

電話一〇九六號

學說

仁盦醫說（三續）

王一仁

◎經脈（中）

今請伸述脈管候病。所以不能萬全之理。則必先追求血脈之所由生。謂心臟獨能生血乎。曰、否。謂肺臟能生血乎。曰、否。謂淋巴液能自生血乎。曰、否。謂靜脈管能自化動脈血乎。曰、否。謂肝藏門脈能自生血乎。曰、否。謂脾腎胃腸能自生血乎。亦應之曰、否。血之所生。必由飲食入胃。散精入肝。行氣於肺。此爲一路。由胃傳於小腸。由淋巴幹部上行化血。此爲一路。肝臟所生之膽汁與脾臟之胰液。又爲消化之主力。然無腎臟之分濾機能。則血液不能清潔。其他小液管小靜脈小毛孔。皆與化成血液、有至要之關係。今日以脾、骨髓、淋巴腺等。爲造血臟器。血脈之來源。既如是之複雜。是以各種生理病家。可從脈管切候而得。然血脈之爲物。果有獨立性乎。則應之曰、有。可暫不可久也。在心肺兩臟血液、勉可自給之時。而淋巴肝胃之來源。已有顯著之變更。則其九候雖調者，一時。而竭蹶不振之象。相因而至矣。常有久病形瘦。而脈和調。忽然暴卒。皆屬此類。故曰脈管候病、不能萬全也。而又不能不從血脈以决病象生理之進退。則又理勢之無可如何者也。貴在綜合之耳。

經、說文訓，從絲織也。易言之、絲連繫而爲經也。从系、从巠。謂循係而從徑也。亦卽含有系統之義。脈字在說文無可考見。謂爲管腺之隧道。則似可通。血液循環。在生理上當然居重要地位。然人身之循環代謝。又非僅血液爲然也。從臟腑上之比較言。六腑化穀。其所排之糟滓常多。而吸收之液汁亦盛。五臟生精。其所生之血液神氣。以質言固屬主要。以量言、則遠少於六腑矣。（此本籠統，唯爲縮短篇章。故合縱言之）。唯血液固爲飲食所化。而飲食之所以能化。及血液所以不致陳腐。臟腑百骸之所以能各呈功用者。則又全恃呼吸機能、以爲調節。而寒暑空氣之冷熱。又恃臟腑內外、以爲調節。當須時時體驗內外之關係。則各種脈循行之路。方可有所着落。而必不致以今日之生理學說、所謂各種系統、爲滿足矣。論血液淋巴之循行。本以臟腑最近之地。爲最切要。稍遠則爲次要。唯孫脈集合而成主脈。其間連屬與關係之重要。又初無軒輕可分。余於上篇巳言之。經脈起迄之分區。是於無可差別之中。勉強爲之差別。則知陽脈從外走內。陰脈從內走外。各有分區。皆相連繫。至其連繫之故。則根於呼吸。若離呼吸、而單言血管。則血管先有滯閉絕裂之虞。更何有於生理可說。素問太陰陽明篇云「陰氣從足上行至頭、而下行循臂至指端。陽氣從手上行至頭、而下行至足。故曰、陽病者、上行極而下。陰病者、下行極而上」。雖爲抽象之談。百病之傳化。舉不能外於是矣。

吾人全體上下。苟作一度閉目之想象。可謂無處無骨。無處無筋。無處無肌肉。無處無淋巴液。無處無血管。無處無神經。則此骨也、筋也、肌肉也、淋巴液也、血管也、神經也。若何構造。若何傳佈。生理解剖學上之千萬言。有時細入秋毫。有時竟不免掛一漏萬。得其小者。遺其大者。在學術進程中。此患本所不免。然吾人有前人之遺產。實已包羅其深博之義。如上經脈篇所云者。將各系統主要之途徑。分別敘出。惜數千年來，於經脈皆知其重要。而苦於不能印證。能作切實發揮者甚少。吾人欲使陳死之尸。爲之還魂。應從內心體驗上。多用功夫。蓋今日之顯微鏡。僅能窺見盈寸之地。安能解剖人身、整個置之顯微鏡下、而一窺其究竟乎。且萬物之生也根於性。性異而生亦異。蟾蜍兎鼠之性。異於人之性。唯其生理循環代謝之機能。並不相遠。故從顯微鏡下可窺蟾蜍血液之循環。然其經脈循行之路。實與人異。况以針截於板上。神經血脈僨張。並蟾蜍之血脈循環。已亂其序矣。

人之經脈。異於動物固矣。即人與人之間。其經脈之循行。亦大同而小異。至其因病變時間之關係。則更萬別千差。不可究詰。今就人之反關脈言。此稍有醫事經驗者。類能知之。肺手太陰脈出於寸口。今則不見於寸口而見於反關。又六陰六陽脈之說。又爲吾人經驗之所知。此皆脈管之候見於外者。反乎常理。一部份之經脈。且有此異。則人之全部經脈。果可同乎。故吾人於經脈之說。即有龐大之顯微鏡。可以窺見一切。亦不能執一二人以概其餘也。雖然。經脈之說。究異於陰陽五行六氣之抽象。故內經於此特詳伸其說。如經脈篇外。又有靈樞之經水篇經筋篇及其他論病變論穴道之說。無不牽涉經脈。又經別篇又鄭重其言曰。「十二經脈者。人之所以生。病之所以成。人之所以治。病之所以起。學之所始。工之所止也。粗之所易。上之所難也。又謂其離合出入。粗之所過。上之所息也」。今試觀經別篇所述離合出入之路。『「足太陽之正。別入於膕中。其一道下尻五寸。別入於肛。屬於膀胱。散之腎。循膂。當心入散。直者從膂上出於項。復屬於太陽。此爲一經也。「足少陰之正。至膕中。別走太陽而合。上至腎。當十四稚出屬帶脈。直者繫舌本。復出於項。合於太陽。此爲一合。成以諸陰之別。皆爲正也」』。『「足少陽之正。繞髀入毛際。合於厥陰。別者入季脅之間。循胸裏屬膽。散之上肝、貫心。以上挾咽。出頤頷中、散於面。繫目系。合少陽於目外眥」。「足厥陰之正。別跗上。上至毛際。合於少陽。與別俱行。此爲二合也」』。『「足陽明之正。上至髀。入於腹裏。屬胃、散之脾。上通於心。上循咽。出於口。上額顱。還繫目系。合於陽明也」。「足太陰之正。上至髀。合於陽明。與別俱行。上結於咽。貫舌中。此爲三合也」』。『「手太陽之正。指地列於肩解。入腋走心。繫小腸也」。「手少陰之正。別入於淵液(腋下穴名)兩筋之間。屬於心。上走喉嚨。出於面。合目內眥。此爲四合也」』。『「手太陽之正。指天別於巔。入缺盆。下走三焦。出循喉嚨。出耳後。合少陽完骨(耳後)之下。此爲五合也」』。『「手陽明之正。從手循膺乳。別於肩髃。入柱骨下。走大腸。屬於肺。上循喉嚨。出缺盆。合於陽明也」。「手太陰之正。別入淵液少陰之前。入走肺。散之太陽。出缺盆。循喉嚨。復合陽明。此六合也。」』所謂正者。經脈之準也。如足太陽膀胱之經。本從頭循背下足至小指外側。容有不出於小指之下。或即出於足心。而上入膕中者。又爲正準之路。其餘諸經。皆可比類以推。

然則足太陽不至小指。足少陰脈不起小指。豈此小部竟無血液神經淋巴液乎。曰、是又不然。因血液神經淋巴液固無處不注。然於末梢傳達之路。不必人人相同。以大部之經脈。循行不亂。則繫末枝節之影響。初於生命無關。是以截足斷手者。而經脈仍可別尋途徑以循環也。雖爲殘廢。猶可爲人。若抉其主脈。或封其腦。或剜其臟。或傷其腑。則必死矣。此十二經之外。又有所謂經正經別也。本篇所述。以視十二經爲簡略。然視十二經尤重要。蓋撮要言之。初非十二經外之經脈也。所謂合者。即此經可藉彼經以行。如少陰腎氣虛。得太陽之經氣充餘。可使其恢復。或太陽經脈病。腎之脈氣足。則太陽雖病而不危也。他經之合。亦可依此例推。十二經已包括全部極深博之生理學。此則又撮述概要。綜合其離合出入之途。「粗之所易。上之所難。粗之所過。上之所息」。其言抑何深切著明乎。

欲研究經脈學。決不能單記其出入循行途徑。非從古今生理學說。澈頭澈尾研究。再返之一己之內外體驗。則必以此爲玄虛無味。何能再進竿頭。余於此固不敢謂已知已能。竊有志焉學之耳。今人於傷寒論注意研求者。尚不乏人。唯於傷寒論所根據之經脈。又若足無重輕。或畏其難而避之。或苦其深而泥之。余之所以嘵嘵者。良非得已。無徵不信。於後當更有所印證也。

三消病理之研究與治療

俞慎初

劉河間曰『消渴爲病，由皆濕潤之陰氣極衰，燥熱之陽氣太盛』。是知消渴之症，無一不從燥熱而來，經曰『二陽結謂之消』。二陽者，手陽明大腸主津，足陽明胃主血，今燥熱燔灼，則津血不足，故結而不行，蓋消症之病原有二，一爲風邪，一爲飲食，夫風能灼液，液去則燥生，故內經亦有風消之謂，或多食辛熱之物，及乾燥之品，喜吸過量之煙酒，種種嗜好，皆足耗損津血，若燥熱過甚，則胃中之水穀受其阻礙，不能變化精微，致津液無以生，而血液亦隨以竭，則消症成矣，

分類：消渴(上消)　消中(中消)　消腎(下消)

原因：A『消渴』乃由多食辛熱之物，或飲酒過度，經曰『心移熱於肺爲膈消』。夫肺本燥，心復移熱於肺，則燥兼熱，於是氣分受傷，則津液枯竭。B『消中』經曰『癉成爲消中，蓋消中多因脾胃鬱熱，或平素喜食鹹性及乾燥之物，致津液被灼，陳無擇曰『消中復有三，有因寒中，陰勝陽鬱，久必爲熱中。經云脈洪大，陰不足陽有餘，則爲熱中，多食數溺爲消中，陰狂興盛，不交精泄，則爲強中，病至強中。不亦危乎』。是知消中之外，又有寒中熱中強中之別。C『消腎』縱慾過度，或誤服壯陽之藥，致腎陰虧損，虛陽爍陰。

症候：A『消渴』心虛煩悶，肌膚黃瘦手足心熱，小便頻數。B『消中』自汗，大便反堅，小便數而甜，1.『熱中』胸中痞悶，心神不甯。2.『寒中』心中嘈雜，時時欲食，食而卽吐狀如反胃。3.『強中』心煩口渴，陰莖常勃起，精自出。C『消腎』口乾唇燥，小便多，且五色渾濁。

診斷：A『消渴』口渴，舌上赤裂，咽如火烙，B『消中』善飢，大便堅。C『消腎』小便淋濁如膏。

金匱曰『厥陰之爲病消渴，氣上衝心，心中疼熱，飢不欲食，食必吐蚘，下之利不止』。傷寒厥陰病提綱

按厥陰爲肝，肝藏血，肝陰虛，則邪熱乘之耗傷血液，虛火盛，則津液被灼而生消渴，風木不舒，則氣上衝心，心中疼熱，木邪剋土，則土受制，故飢而不欲食，食則胃中之蚘聞臭而動，隨嘔而出，夫飲食入胃，脾而運之，肝而疏之，肝木受邪，則胃土受剋，若下之則胃土虛，虛則木益賊，故下之利不止。

又曰『寸口脈浮而遲，浮卽爲虛，遲卽爲勞，虛則衞氣不足，勞則榮氣竭』。

按浮脈主表，遲脈主裏，表陽虛弱，則衞氣不足，裏陰勞傷，則榮氣枯竭，今寸口脈浮而遲，則肺氣不宣，榮衞虛竭，虛火上浮，則津液被灼，此上消脈也。

又曰『趺陽脈浮而數，浮卽爲氣，數卽消穀，而大堅，氣盛則溲數，溲數卽堅，堅數相搏，卽爲消渴。

按趺陽者，胃脈也，熱結於中則脈浮而數，故內熱氣盛，胃中消穀，熱氣盛則水滲熱下流膀胱，故小便數，而大便堅，熱盛胃無津液，而消渴成矣。

又曰『趺陽脈數，胃中有熱，消穀引飮，大便必堅，小便卽數。』

按趺陽脈數，胃中有熱，經曰『胃中熱則消穀』故胃熱則穀易消，善飢善渴，消穀引飮，而大便必堅，津液偏滲，則小便卽數。

療法：丹溪曰『消渴宜養肺降火生血爲主』

張潔古曰『能食而渴，白虎加人參湯主之，不能食而渴，錢氏白朮散倍加乾葛，治之，上中既平，不復傳下消矣。

A消渴宜滋肺清心增液泄熱爲主，麥門冬湯。

B消中宜清脾胃爲主，調胃承氣湯。

C消腎宜滋陰降火爲主，六味地黃丸。

結論：下消之症，卽西醫所謂糖尿病，其所謂糖尿者，乃因小便之味甜也，夫飮食入胃，後經胆汁將食物之小粉化爲乳劑，其乳劑內含多量之糖分，若腎中虛熱上蒸，則乳劑盡下而爲小便，故名曰糖尿病。

鼠疫之研究

李健頤

鼠疫略史

鼠疫、西人名爲(Pest)、日本譯其音爲百斯篤、其疫之發源地、爲印度及前亞細亞地方、繼傳及歐洲諸邦、至前清乾隆間、傳至中國、中國名醫知此疫是鼠爲媒介、故名鼠疫、同光之交、雲南鼠疫大作、斯時西人始知此疫、卽百斯篤、回匪亂時、流行尤盛、漸延至東京灣北海各地、光緒九年、愈傳愈廣、各處咸遭波及、光緒二十年、廣東省垣、鼠疫發生、頗爲猛烈、一百五十萬之居民、其死亡達至六萬之譜、由香港而汕頭、而厦門、而福州、勢若燎原、嗣後香港無歲不有、旋復延及台灣、然此僅及熱帶地方耳、至光緒二十五年、牛莊東有鼠疫發生、宣統季世、滿洲暨東三省寒帶之區、亦有是疫、民國紀元、上海城廂內外、亦有鼠疫流行、幸防禦有方、未致蔓延、現在寒帶各地、雖漸稀減、而福州泉州平潭各處、仍跋扈非常、至今不絕、民國十年、平潭東區一帶、此疫大發、甚至滅門之禍、推其原因、實由平潭叢爾小邑、偏居海隅、濕氣較厚、毒氛綿綿不絕、加之人民愚蠢、不知衛生、以是每年皆有、而不能撲滅、靜言思之、眞令人毛骨悚然、吾儕忝列醫界、責任所關、應當盡力研究、集其心得、貢獻於世、庶可得未病者、有預防之途徑、已病者、有療治之良策也、

鼠疫之原因

鼠疫爲傳染病中之最猛惡者、患之者、百人中至少有七八十人、不克保其生命、其致疫原因、實爲疫菌、是菌乃光緒二十年、香港大疫時、法國醫生葉爾珊氏、自患鼠疫病人之淋巴中所發見者、此種鼠疫菌、增殖最易、蕃育最速、由一而二、二而四、四而八、分裂至於千萬、蔓延廣播、傳染急速、每有不及防備、考其傳染之機會、卽由人體皮膚之潰瘍、及破傷處侵入者、或由空氣不潔、乘人呼吸以侵入者、或由食物不潔、毒菌混食物以入於腸胃者、旣侵入後、卽發生各種其病症、如核腫性鼠疫、疫菌是由皮膚之潰瘍、及破傷處侵入、卽潛伏於淋巴腺、淋巴腺受毒之深、結成惡核、血毒性鼠疫、疫菌是由不潔食物侵入、卽潛伏於腸胃之血液中、血毒蒸痧、釀積成毒、外發黑斑、此症西人謂黑死病是也、更有疫菌由空氣之不潔、乘人之呼吸而傳於肺府、肺毒蘊結、卽發生肺炎性鼠疫、此症又名肺瘟、推其最重者、卽肺炎性鼠疫、其次卽血毒性鼠疫、再其次、卽核腫性鼠疫、夫肺炎性鼠疫、與血毒性鼠疫二症、毒發最速、故易損生、惟是核腫性鼠疫一症、菌毒只在於淋巴核中、未經竄入心肺、若早投活血解毒之藥、卽可保其生命、不然毒氣渙發、走黃入心、最遲經二三星期、亦足使患者就斃、考驗其病者之病菌、多居於病人皮膚潰瘍中、及血液咯痰等處、亦有於病人大小便中尋出者、病菌離體以後、在空氣中、土中、水中、亦能生活、於適當之處、生存頗久、故有時鼠疫症暫時中止、尋復流行、因而互及數年、時時有發生鼠疫之恐慌也、

漢代之前已有鼠疫之發生

今時之疫症、卽古時之傷寒、難經曰、「傷寒有五、曰傷寒、曰風濕、曰熱病、曰溫熱、曰濕溫、」凡此五種、卽時疫之傳染病、若今之鼠疫、亦卽傷寒中之溫熱也、上古之時、不知鼠疫是由鼠之毒菌所感、故無鼠疫之名、遇有其症、統稱爲傷寒病、至於治法、亦不外治傷寒之法而已、素問曰、「今夫熱病、皆傷寒之類也、或愈或死、其死皆以六七日之間、其愈皆以十日以上、人之傷於寒也、則爲熱病、熱雖甚不死、其兩感於寒而病者、必不免於死」、查鼠疫之症、多死於六七日之

間、若能延至十日以上、必不至於死之地步、是知素問所論之傷寒、統今之鼠疫證也、傷寒論曰、兩感於寒者、一日巨陽與少陰俱病、頭痛口乾煩悶、二日陽明與太陰俱病、腹滿身熱耳聾囊縮而厥、水漿不入、不知人、六日死、譫兩感於寒、是感寒而兼觸毒、毒菌內發、恢復外寒、寒邪與毒氣鼓動發作、先受於巨陽少陰之經、故初起即見頭痛寒熱、毒氣易散、隨熱邪而傳裏、裏熱內熾、轉變陽明熱病、故二日後即有狂熱神昏譫語各現象、而鼠疫之病症亦如斯也、鼠疫初起、先則頭痛寒熱、飲食不思、胃惡作嘔等證、與傷寒論所謂一日巨陽與少陰俱病之病狀同也、繼則驚慌譫語、發狂神昏、耳聾、循衣撮空等證、與傷寒論所謂二日陽明與太陰俱病之病狀又同也、似此病證、均傷寒病中之所有也、華陀曰、夫傷寒始得一日在皮、二日在膚、三日在肌、四日在胸、五日在腹、六日在胃、胃若實熱爲病、三死一生、熱微者、亦斑出、五死一生、劇者黑斑出、十死一生、此與秦西所謂黑死病同也、夫黑死病、爲傷寒病中之最劇者、世人疑古無鼠疫、而更不知於傷寒論中求之也、然則鼠疫一症。在仲景已詳論矣、吾謂鼠疫之發生、非特仲景之時有之、即漢代之前、各家名醫、亦曾有討論此症者、如中存經曰、「陽施於形、陰愼於精、天地之同也、失其守、則蒸熱發瘖而寒生、結作癭瘤、陷作癰疽、」脾存脈論第一云：「若藏實則陽疫所傷、蘊而結核、起其喉頸之側、布熱毒於皮膚分肉之中、上散入髮際、下貫顳顬、隱隱而熱不相斷離、故曰黃肉隨病也、」此則明言疫症之帶有結核者、疫症之有結核者、豈非鼠疫乎、世人謂古無鼠疫、未必然也、惟其治法則今之研究善於古矣、（參閱本期方藥）

雜俎

醫藥鱗爪

沈仲圭

繆仲淳廣筆記。治姚平子傷寒、頭疼、身熱、舌上苔、胸高飽悶。用大黃五錢、瓜蔞二枚、佐以黃連、枳實、二劑便通熱解而愈。圭按、本方去瓜蔞、治食積亦良。蓋大黃下積。黃連消炎。枳實消食導滯。積去胃開。則病自瘳。傷寒論大黃黃連瀉心湯。治心下痞。張元素謂心下痞及宿食不消。並宜黃連枳實。陸彭年君云、仲景所謂心下痞。即時師之所謂傷食。觀此、是三藥者。古人本用以治食積。惟本方有大黃之攻下。倘無腹滿便結。而有惡食、胸悶、噯氣。是爲食滯於胃。似不可重任生軍。宜以飯灰。或覘何物所傷。即以何物炙炭服之。

許叔微治二人皆陽明府證。一用承氣而愈。一用蜜煎導而愈。爲其自汗、小便利。津液已損。不可蕩滌五藏也。嘉定張山雷氏評曰。『此條辨症察脈。頗爲精當。然蜜導尚是古法。且有不應者。既已津少口乾。則古有黃龍湯之法。圭按、張氏此言。余亦云然。蓋蜜之通便。爲燥糞在直腸。其力至弱。陽明府實。非下不愈。故一面攻積。一面生津。如養營承氣湯（卽小承氣加歸、芍、生地、知母）者。乃正當之法治也。

用三承氣之標準。予意中焦痞滿。下焦燥實者。宜大承氣。中焦痞滿。下焦燥實不甚者。宜小承氣。無痞滿但有燥實者。宜調胃承氣。蓋三承氣皆爲下劑。其效專在大黃。枳朴之去滿。爲痞悶而設也。芒硝之軟堅。佐大黃以推蕩燥矢也。（芒硝乃鹽類下藥。只能軟化堅糞。無亢進蠕動之力）。

白頭翁湯。治亦痢身熱口渴也。皇漢醫學引方輿輗之言曰。『痢熱非白虎所能治。而連、柏、白頭翁能治之。一也。痢下膿血。腸壁腫且潰矣。不能再行攻下。惟消炎止血。方合病機。方中黃連、白頭翁、秦皮、皆消炎性收斂藥。二也。從藥效推勘病理。可知本品之治熱渴。無疑義矣。

本草載『梁莊肅公患血痢。陳應之用胡黃連、灶心土、烏梅、等分爲末。茶調服而愈。査烏梅、灶心土、爲濇性收斂藥。黃連、茶葉、爲涼性收斂藥。配合爲方。有止血止痢鎮嘔之特長。血痢久痢。洵至合拍。東人多紀桂山曰。『俗所傳奇方。多出于本草附方。』觀于此而益信其言之非妄也。

檳榔不但爲治痢要藥。又能殺條虫。法於服藥之前夜。斷食一餐。使虫困憊。明晨煎煮檳榔紅棗湯飲之。服後三小時。再繼以下劑。則死虫隨糞而出矣。

病與腦膜炎

倪宜化

或者曰：『中醫之痙病，卽西醫之腦膜炎也；』噫！是何言也!?痙而眞屬腦膜炎，則必有傳染之可能；若而非也，則其名有可商之處，古今云痙，指成人之癲癇，小兒之急慢驚，不傳染之神經性病也；西說之腦膜炎，指有腦膜炎菌，無分老幼，皆能傳染；痙與腦膜炎之區分如是，稱疫痙已屬不可，烏可謂中醫之痙病，卽西醫之腦膜炎耶；歷來痙之分解，除金匱痙病篇外，實鮮精警論文，惟是素會以陽明爲直屬，差強人意，蓋痙病有胸滿口痙，臥不着席，脚攣急，而兼口渴躁煩，大便不通者，急下之以大承氣湯；無汗，小便反少，氣上衝胸，口噤不得語者，治以葛根湯；他如見仁見智，則須臨床謹愼，庶無意外之虞。玆爲明瞭起見，分兩點述之：(1)中醫之痙病，不傳染，(2)西醫之腦膜炎，則傳染，雖然。金匱以痙爲卒病。固知其有危急性也。

蟹在食療上之功用及其毒害

周廣眞

賞菊持螯。爲深秋時節之樂事。豈知此二螯八足之貝類。于食療上有相當之功用乎。茲臚述于下。(一)主胸中氣熱結痛。凡秋深燥邪入肺。與肺之粘膜分泌物。和合而爲燥痰。咳嗽形寒。口渴內熱。咯痰不爽。胸中結痛。食蟹一二枚。咳痰驟舒。胸痛亦愈。其効勝于蛤殼貝母瓜蔞皮光杏仁等藥。此屢試而知者。蓋蟹得西風而長。其性鹹寒。故於肺之燥邪痰熱。有特効也。(二)治筋骨骨折傷。內有熱瘀者。生搗署之。或去殼用黃。搗爛微炒。納入創傷處。筋卽連續。痛自無形消散矣。(三)治漆瘡塗火燙。皆取其散血消炎之功。(四)蟹爪可以催生。姙婦不可食蟹。以其性專逆水橫行也。其爪爲下死胎胞衣專藥。千金神造湯治子死腹中。幷雙胎一死一生。服之令死者出。生者安。誠神驗方也。但以一邊運動、一邊沉着者。卽是無疑。方用生脫蟹爪、連足用之。約一平碗。東流水煎去滓。入阿膠一兩、令烊頓服。或分二服。若人困不能服者。灌入卽活。取蟹之散血。而爪觸之卽脫也。

雖然。蟹之毒害。亦有不可不知者。凡食蟹以被霜者爲佳。未被霜有毒。多食令人腹痛泄瀉。以紫蘇紅糖湯解之極妙。食時尤須薑酒同服。以免中其寒毒。蟹性喜入蛇穴。得其毒則驟長。故重一觔以上者。誤食殺人。又兩目相向。足斑目赤者。有大毒不可食。俗言「九月團臍十月尖」雌蟹團臍。雄蟹尖臍。雌性成熟早於雄。謂其肉味之豐厚。此則老饕經驗之談。不關食療及毒害也。

一個粗粗的解剖

馮起衰

杭報載嵊縣江東居民姚沛昌、因傷斃命、由尸妻呈請檢驗、茲將檢驗情形、照錄於下、

任檢察官命將尸體用藥水週身洗淨。但見其外狀。頭部腮脈頸皮破、色背紫全部紫瘢。身長五尺四寸。下肢三尺。胸圍二尺七寸。腰圍二尺六寸。頭圍一尺九寸。陽囊外狀。皮色紫瘢。毛細。血管正常。左陽囊稍有傷痕。右正常。洗畢、遂由李法醫用刃將死者陽囊下面割開。取出左右陽核二個。盛於碗內。復提放在天平內權之。各重九錢四分。再用小刀剖開左陽核內膜。係現紫色。經察驗得左睪丸正副均正常。右睪丸正副接連內部正常。遂將睪丸浸於藥水中。陽囊空處。實以棉花。用灰綫縫好、紗布札後。繼將頭部檢驗。先將頭髮剃光。復由李法醫持利刃、及將死者由眉上直至後頸上週圍半截割開。頭皮剝落。作鮮紅色。顱頂內皮正常。顱骨厚三分。再將腦殼用

鋸子鋸落。(如半邊西瓜皮)遂將腦取出。爲血少許。盛於面盆內。復提放於天平內權之。計重三十七兩二錢。再用小刀割開其腦之內部察驗。得大腦血管全部充血。腦橋亦強度充血。始知係『腦充血』所致。驗畢。將腦殼仍復合上。用灰線縫之。紗布包札後。攝影備案云云。

雜錄

內外科兼通之我見

蔡百星

醫重專科。由來尚矣。周代專科有四。曰疾醫。曰瘍醫。曰食醫。曰獸醫。唐之專科有七。詳于六典。宋專科有九。金專科有十。古籍失傳。無從稽考。元專科十一。曰大方脈。曰小方脈。曰風科。曰產科。兼婦人雜病。曰眼科。曰口齒兼咽喉。曰正骨兼金鏃。曰瘡腫。曰針灸。曰祝由。明專科十一。曰大方脈。曰小方脈。曰傷寒。曰婦人科。曰口齒。曰咽喉。曰外科。曰正骨。曰痘疹。曰眼科。曰針灸。清九科。曰大方脈。曰小方脈。兼痘疹。曰傷寒。曰婦人。曰瘡瘍。曰針灸。曰眼。曰口齒兼咽喉。曰正骨。此歷代專門分科之大略也。夫醫科既列專門。操是業者。能專而精之。其治療必獲佳良之效果。無待贅言也。百星所慨者。今之瘡瘍醫生。有學者少。不過本多少秘方。生草藥物。以愈人疾病。而於內科學。則懵焉。少有所知。此誠一缺憾之事也。而治內科者。又鄙棄瘍科爲不足道。每每專習內科。而對於瘍科治療。各醫籍。東之高閣。並不肯一爲研究。是亦一偏之見也。査金匱之一書。瘡癰腸癰浸淫毒。何嘗不列爲一篇。千金外台。對於瘡瘍。亦嘗分列門類。詳述療法。後賢如齊德之。鄂爾泰。普明子。通一子。無不詳列症狀。著爲治法。以爲學刀圭者。示之矩矱。何後人治內而不治外。治外而不治內。竟成一牢不可破之惡習乎。考新醫學之書。雖各有專門。而於基本醫學。及普通醫理。未嘗不將內外治療病理診斷而兼習之。新舊醫學。法各不同。其理則一。況清九科。小方脈可兼痘疹。大方脈獨不可兼瘡瘍乎。就個人之學識論。治內症者。不可不兼通內科。就病人治療。有便利無危險起見。精內症者。更不可不兼精外科。活人濟世。術貴變通。膠執成見。難補缺憾。此百星區區之我見也。同業之士。有聞吾言而興起者乎。不禁翹首擧香以祝之。

方藥

療治鼠疫之方藥

李健頤

二一解毒湯之發明

愚于研究鼠疫、已歷十載、恆將各家之學說、中西之病理、以及古人之經驗、時賢之討論、取長舍短、追本尋源、更參考疫菌之來源、發病之原因、深知鼠疫之症、是由毒菌侵入血分、瘀毒蘊結而爲病也、至于治法、則當以散瘀通絡爲主、以殺菌解毒爲佐、卽可建功矣、所以用荊芥、解毒發汗、雄片、通絡殺菌、然其熱毒已散、疫菌已殺、但血管之積瘀未除、肌膚之熱毒未清、故益桃仁紅花、散血管之瘀、生地銀花、清肌膚之熱、加紫草蘭根浙貝赤芍、散結化核、石膏大青連召甘草、和中解毒、曾經試驗二十一次、歷治一百餘人、皆著手成春、因名其方、爲二一解毒湯、

(藥方)二一解毒湯、荊芥穗三錢、光桃仁八錢、川紅花五錢、生地黃五錢、金銀花八錢、紫草片三錢、浙貝母三錢、板蘭根三錢、香連翹三錢、生甘草錢半，雄黃一錢、腦片八分、赤芍藥三錢、生石膏二兩、大青葉五錢、活蘆根四兩、煎湯作水煎藥、熬爲一碗、分二次、乘微温服之、

(加減)鼠疫病症、變幻百出、自不能執一方而統治之、特擬此方爲主治耳、此外盡可隨症加減、如表邪外甚、壯熱口渴、倍石膏、加知母八錢、裏熱內甚、吉黑話語、大便祕結、加大黃一兩、芒硝三錢、(冲化)毒在血分、舌絳發斑、加犀角、丹皮、西藏紅花、天葵、金汁、神犀丹、等。毒在氣分、身熱喘急、加杏仁川貝、邪竄心包、神昏譫語者加安宮至寶、毒埋筋絡、核腫刺痛者、加乳香三錢、麝香一分、更須臨證審察、權衡加減、至熱平爲限、不可躊躇、貽悞匪輕、外核用銀針鑿小孔、取出毒血、以通毒氣、再用西藥加波力酸、調温湯洗之、中藥可用銀花露屢試屢驗、

核腫性鼠疫

核腫性鼠疫、必先見頭痛寒熱、一日後、大熱不休。脈搏緊數、舌被厚苔、外表之淋巴核、如股核鼠蹊核、腋窩核、頸核等、咸腫脹疼痛者、以二一解毒湯、去荊芥、加大黃一兩、連追數劑、大瀉其熱毒、卽可漸漸熱退而愈、

血毒性鼠疫

血毒性鼠疫、俄然戰慄、繼則大熱灼甚、頭痛、眩暈嘔吐、皮膚發出黑點粘膜、有時出血、其淋巴核之腫痛、反見輕微、以二一解毒湯、加大黃、芩、連、蒲公英、犀角、金汁等。

肺炎性鼠疫

肺炎性鼠疫初起戰慄、俄傾大發高熱、頻發咳嗽、兩脅刺痛、脈搏頻數、呼吸困難、每多略出粉紅血絲、病人精神朦朧、時發譫語者、以二一解毒湯、去荊芥、加款冬花生藕肉馬兜鈴生枇杷葉、

古今名人特效方

鼠疫一症、變病百出、禍害叢生、固非一方可爲統治、尚須採取衆方、補其不逮、庶無錯悞、以是特集古今名賢之良方、可堪治此症者、均搜羅之、臚列於後、以便臨證採擇焉、

辟穢驅毒飲　見辨症求眞

西牛黃八分、研冲、人中黃三錢、石菖蒲三錢、忍冬蕊五錢、野鬱金錢半、靛葉錢半、水煎溫服、按此方、善治鼠疫邪閉心包、頑痰內甚之證、

清芳辟疫湯加味　原方載洄溪醫案方

鮮蘆根一兩、鮮茅根一兩、鮮薄荷三錢、鮮青蒿三錢、佩蘭葉三錢、石菖蒲三錢、鮮桑葉三錢、杭菊花三錢、蘆根汁一兩、冲水煎湯服、送下解毒萬病丹一錢、按此方治鼠疫初起、表邪外壅、兼可作預防之常服、

解毒萬病丹　方載蘭台軌範

雄黃精五錢、山慈姑二兩、川文蛤一兩、千金霜二兩、紅芽大戟一錢、當門子三錢、飛辰砂三錢、右七味、各研細末、糯米粥爲丸、每丸約重一錢、按此丹有解毒清熱之功、無論鼠疫初起及病後、皆可服用、

調胃承氣湯　傷寒論方

大黃一兩、生甘草一錢、芒硝二錢、按鼠疫裏熱甚者、可加入此方、大瀉其熱毒、最效、

清瘟敗毒散　余師愚方

生石膏一兩、酒黃芩三錢、粉丹皮三錢、苦桔梗錢半、眞犀角錢半、赤芍藥二錢、小生地三錢、白知母三錢、山枝子三錢、青連召三錢、川黃連錢半、大元參三錢、生甘草一錢、鮮竹葉五錢、按此方治肺炎性鼠疫、頗有效驗、

大黃牡丹皮湯　金匱要略方

生大黃二錢、粉丹皮三錢、桃仁泥三錢、冬瓜仁三錢、芒硝錢半、按此方治鼠疫病後、大便富祕者、最妙、

竹葉石膏湯　傷寒論方

鮮竹葉五錢、生石膏一兩、大麥冬三錢、北沙參三錢、製半夏錢半、生甘草八分、粳米三錢、按此方治病後胃熱善嘔最宜、

葦莖湯　金匱方

葦莖三錢、苡仁三錢、桃仁二錢、冬瓜仁三錢、按此方治肺炎性鼠疫愈後、見有喘咳氣急、兼咯出粘痰、夾帶紅絲血質者、

紫雪丹　方載和濟局方

藥品製法太繁、著名大藥舖、有製成出售、按此丹無論何種疫證、血熱神昏者、皆可用之

牛黃膏　劉河間傷寒六書方

西牛黃二錢、廣鬱金三錢、梅片五分、硃砂二錢、丹皮三錢、甘草一錢、共研細末、每服一錢、水調成膏、服之、日服三次、按此膏功用同上、

加減血府逐瘀湯　方載遇安齋證治叢錄

青蒿三錢、桃仁三錢、赤芍三錢、生甘草一錢、大黃二錢、紫花地丁三錢、王不留行三錢、丹皮三錢、小薊三錢、紫背天葵三錢、鮮蘆根五錢、另用蟬退一兩、皂角刺一兩、殭蠶一兩、滑石粉五錢、先煎代水、按此方治各種疫證輕病最靈、

加味解毒活血湯　鼠疫約編

桃仁泥八、川紅花五錢、當歸尾三錢、赤芍三錢、銀花八錢、連召八錢、丹皮三錢、生甘草一錢、元參三錢、小生地三錢、按此方治法同上、

王孟英結核方　方載王氏醫案

銀花二兩、蒲公英二兩、皂角刺角半、生草節錢半、嘔者去甘草、加竹茹一兩、大便祕、加大黃五錢、身︰甚、加生石膏二兩、送服神犀丹一錢、如核不消、用藏紅花二錢、煎湯送服、眞熊胆二分、若白泡疔、去皂刺、加白菊花一兩、兼黑痘、用神犀丹解毒萬病丹、間服、

經驗塗核散

辰砂、明雄黃、生大黃、紫花地丁、各五錢、冰片、蟾酥、各二錢、山慈姑、番木鱉、各八錢、右藥、各研細末、貯磁瓶內、蠟封、每用一兩如意油調敷、按鄭肖岩云、凡小兒不能服藥、于結核四面、先以輕針微刺、再塗此藥、尤妙、

鼠疫毒核消毒散　鼠疫約編

銀花三錢、連召三錢、元參三錢、桔梗二錢、殭蠶三錢、板蘭根五錢、生甘草錢半、馬勃三錢牛旁二錢、薄荷葉錢半、射干五錢、蘆根一兩、同煎、

鼠疫驗方　鼠疫約編

大青葉三錢、青黛二錢、黃芩三錢、花粉三錢、人中黃三錢、紫草三錢、連翹三錢、忍冬籐三錢、山梔子三錢、水煎溫

服、

應驗疫證方　鼠疫約編

紫花地丁三錢、紫背天葵三錢、甘草節二錢、象貝二錢、生大黃三錢、山甲片三錢、忍冬藤二錢、牙皂錢半、絲瓜絡三錢、藏紅花一錢、白菊花三錢、熊胆五分、冲、水煎、温服、

按以上三方、治血毒性鼠疫、頗有功效、

經驗化核散　約編

山慈姑二錢、真青黛二錢、生黃柏二錢、浙貝母三錢、赤小豆二錢、共研末、香油調敷、

經驗敷核方　彙編

蒲公英二錢、柏樹葉二錢、浮萍二錢、雄黃二錢、上梅片五分、共研末、和勻、白蜜和敷、或用梅花點舌丹、調旱烟膏敷之、按以上二方、用外塗結核甚佳、

善消鼠疫結核方　朱鉢文傳

生大黃五錢、甘草五錢、生牡蠣八錢、瓜蔞仁五錢、連召三錢、煎服甚效、按張錫純云、此方大黃五錢、似近猛烈、而與甘草等分、並用其猛烈之性、已化爲和緩矣、所以能穩善建功也、

清熱辟疫湯　周氏驗方

鮮菖蒲三錢、芒硝二錢、山慈姑一錢、人中黃三錢、生大黃二錢、續隨子一錢、生石膏五錢、車前子三錢、細木通二錢、犀角尖三錢、另加蘿菔汁八兩、西黃五分、麝香五分、二次或三四次冲服、

通絡活血湯加減　周氏驗方

藏紅花一錢、粉丹皮三錢、紫草三錢、天仙藤三錢、犀角尖二錢、鮮生地五錢、絲瓜絡三錢、絡石藤三錢、雞血藤三錢、水煎服、連服三劑、有效、按此三方、可治諸證鼠疫、靈效頗著、

坎離互根湯　張錫純方

生石膏(三兩軋細)元參八錢、知母八錢、野臺參五錢、生淮山藥五錢、甘草三錢、生雞子黃三枚、將前六味、煎三茶杯、分三次温服一次、調入生雞黃一枚、按此方、核證兼少陰者最良、

治鼠疫方　中西良方大全

生石膏一兩至八兩、元參四錢至八錢、野菊花四錢、至一兩、連召四錢、甘草一錢、薄荷二錢、丹皮四錢、射干二錢、川貝母二錢、金銀花五錢、右藥十味、用清水煎服、不拘數劑、全愈爲止、按此方治鼠疫甚善、

三聖丹　外科大全方

巴豆霜五錢、大黃粉一兩、雄黃五錢、共研細末、水泛爲丸、每服一錢、開水送下、

海蜇荸薺治痢談

董志仁

痢疾分急性慢性兩種。急性的屬於傳染性。有流行性赤痢。（卽赤水玄珠所稱之疫毒痢，范汪方所稱之天行痢，傷寒論所稱之便膿血，本草綱目所稱之瘴痢等。）有地方性赤痢。又各熱帶性赤痢。或阿米巴性赤痢。（卽千金方所稱之熱毒痢。）慢性的無傳染性。有消化不良性下痢。蓄便性下痢。神經性下痢。其他所稱之五色痢。挾熱痢。噤口痢。休息痢等。均係以證立名。謂之證名則可。謂之病名則不可。本方所治之病。爲腸胃有熱。消化不良性之下痢。故特述其原因證狀如下。

原因　爲多食瓜菓及生冷之不良食物。胃腸不能消化而起。故在小兒爲較多。

症狀　嘔吐噁心。噯氣吞酸。腹部疼痛。糞便如糜粥狀或液狀。有特殊臭氣。在小兒往往發中等熱度。

藥方　用陳海蜇六錢。去皮荸薺一斤。放於小鍋中。加水一大碗煮之。俟海蜇消烊。則濾去其渣。取湯當茶飲之。並以荸薺爲過口。若小兒不願飲湯者。單與荸薺亦佳。

用義　海蜇卽海蛇。又名水母。或樗蒲魚。生東海。其色紅紫。狀如血衉。大者如牀。小者如斗。無眼目胃腸。腹下有物如懸絮。羣蝦附之。嘔其涎沫。蝦動則蛇沉。故以蝦爲目也。其味鹹平。王氏孟英謂淸熱消痰。行瘀化積。殺虫止痛。開胃潤腸。能治哮喘疳積。癥瘕瀉痢。崩中帶濁。丹毒癲癇。痞脹脚氣等病。諸無所忌。陳久愈佳。

荸薺卽鳧茈。又名烏芋、地栗、黑三稜。植淺水泥中。其苗三四月出土。高二三尺。無枝葉。如葱樣。秋後根部結顆大如山樝栗子。野生者黑而小。多滓。種出者紫而大。食之多毛。入藥以種者良。時珍曰。荸薺合銅錢嚼之。則錢化。可見其爲消堅削積之物。故治膈疾消宿食。善療挾食痢疾。

證明　二藥若用其一味。治消化不良之痢疾已有餘。今配成偶方。則效力更強。亦卽絳雪園古方選注之雪羹湯妙用。廣益良方採爲小兒痢疾方。以小兒易起消化不良多於大人也。且云此方極效云。

眩暈證治

張澤霖

暈與痛、皆屬腦部疾患。有先痛而後暈。爲外邪之欲解。有始暈而忽痛。爲內傷之增劇。古醫以頭痛因風。眩暈因肝陽。今先言眩暈之病理與治療。夫肝者、包括神經而言。所謂肝陽。

卽血液夾熱上衝。而腦部充血之意。用溫水濯足。及近賢錫純氏施牛膝赭石。以降引血液下行。爲治本病原因療術。然多數眩暈症。屬於胃寒痰飲者。不可不知。倘或誤治。禍不旋踵。蓋痰濕阻遏胸胃。氣機升降失調。淸不能上升。濁不得下降。故頭部眩暈。治當和其中、溫其飲。胸病去、眩亦自愈矣。至因於風者必兼痛。輕則天麻殭蠶疾藜鈎籐桑菊之類。重則羚羊石斛茯神全蝎之類。因肝陽上升者。耳鳴目昏。用决明磁石龍牡丹梔龍胆瀉肝湯等若抑木降火不效。當兼滋腎補陰。如杞子胡麻阿膠龜版鱉甲生地知柏諸品。至眩暈而由嘔血後或產後者。宜先用鐵器燒赤淬醋。令病者嗅之。以安腦經。並濃煎獨參湯頻服。或飲以童便。遲則有昏厥之虞。總之無論任何病症。須審其原因。診其色脈。斟酌處方。是在臨床時之權衡也。

鎭嘔特效方

張植林

主治：嘔吐吞酸。反胃乾噦。胸滿上逆。及姙婦惡阻。

藥品：川雅連四分、紫蘇葉三分、灶心土三錢、生薑二錢、

服法：先將蘇連二味。研極細末。再煎黃土生薑湯。調藥末頻服。

方義：連爲苦降。蘇爲辛溫。二味合用。性平而一開一降。何患嘔逆不止也。灶土生薑。溫中健胃。合而成方。效如桴鼓。

梗通不能代通艸之我見

姚祖耀

抗日聲中之抵制日貨。由來久矣。考中國之藥物上。亦有幾種出自日本者。通艸卽其一也。此物爲中醫藥中應用最廣之品。一經抵制。將何物以代之耶。蓋通草性寒味甘淡。物質透明而輕。細視之。且有微孔爲通利水液之品。今吾紹之醫。皆以梗通代之。余察其形如粟梗。色糙白。外皮堅厚。中空質鬆軟。嘗其味。淡而濇。可見梗通並非滲濕利水之品。乃是收斂之藥也。余自考驗之後。决不以梗通代之矣。然則代通草之品。果何物耶。曰、莫如燈芯爲善也。燈芯其性甘淡。亦爲通利水濕之品。其物質與通草同。其功用亦初無二致。略陳管見。質諸讀者。以爲何如。

衛生

衛生講話（續）

董志仁

（九）飲食

飲食物是供體內營養。及燃燒的作用。少則不足。過多有礙。因着習慣性的不同。就有飲茶飲水吃米吃麥的分別。並因

操作運動的多寡。飲食量亦隨之變更。至於飲食的衛生。不外適量，細嚼，有定時，及戒除不良的嗜好，不吃阻礙消化的物品等幾項。

一、飲食須適量　飲食適量。原是人人明瞭。但有少數無病人。以己之飲食量。不及他人的飲食量。往往引爲憂慮。或者用藥餌去補助消化。結果飯量加增。身軀依照如常。是何等的不經濟。或者反因此而使飯量減退。身軀反日漸羸弱。又是自討苦吃了。要知飲食量是跟着操作運動爲轉移的。文人不甚運動。食量自較用武力者減少。但也有天生胃量者。不在此例。總之食量的多少。原沒有一定。不必比較。祇要吃下肚去。覺得舒服康健就是了。

二、飲食須細嚼　食物入口。必須細嚼。否則就有許多害處。原來齒牙的功用。是咀嚼。不去磨礪。就失其功用。容易腐敗。不細嚼。唾涎不生。漿類的食物。就不易消化。囫圇吞下。味覺神經。不及細辨。久而允之。成爲不辨滋味的呆舌頭。因着呆舌的不辨滋味。就講求烹調。於是肴饌厚味。腸臟愈受刺激。往往害成腸胃病。這種害處。都是不細嚼的緣故。可是細嚼也不是勉強把食物留在口內盤旋。不使咽下的。也不是一哺幾嚼。必符定數的。假使是這樣。有些人就要覺得太麻煩了。其實細嚼的情形。在『男人吃飯如虎，女人吃飯如數』得的兩句俗諺形容當中。要使食物嚼入食管。而不覺其吞咽才可。

三、飲食有定時　食事的時間。必有日常一定的規則。我國通常食例。每日三餐。是很合衛生的。因每隔五小時。消化可終。所以正餐外。雖吃消閒點心。是不相宜的。

四、戒除不良嗜好　茶本來是潤口用的。而一般人竟常坐在茶店內吃茶。口燥的果然多吃些。口不燥的也是照樣的一壺兩壺喝進去。而且喝慣。算作日常生活規之一了。其實茶的害處很多。多吃以少吃爲妙。少吃以不吃爲妙。口渴了。少許喝點開水。也能潤口。還有烟酒二物。一般人明知是不良的嗜好品。但因社會的習慣。竟視烟酒爲不可缺少的酬酢物。不知二物暗損腦力精神。爲害更大。且可因之中毒。或爲他種疾病的誘因。應該絕對的戒除。

五、不吃阻礙消化的物品　食絕冷絕熱的物品。都是有礙消化器的。尤其是生冷。或有微生菌的黏着。食之頗有危險。過甜的食物。亦以少食爲宜。其他如夏暑中運動熱烈。因着一時的痛快。飲用多量冰凍的飲料。結果不是死亡。就有發生胃腸病的危險。有人說。糕餅粗食乾果。必定有礙消化。不宜吃食。其實糕餅等粗食。本身極易消化。而且有種種的益處。從前日本曾舉行過提倡粗食的運動。就是我們鄉村農野中。他們所吃的。大都是粗食。而身體極強壯。不常患生疾病。是可想而知了。有許多人吃下去。感覺腹部不舒的。是因咀嚼不細。未出唾液。補助消化的緣故。

以上所講的是飲食衛生的大概。而一般衛生家對于飲食。每分析其有無脂肪，蛋白，含水炭質，鹽類等。以定去取。其實食物除不能消化者外。均能營養身體。我國的蔬菜及烹飪。都爲外人所稱道。而且飲食上所用的器皿。大都是磁器。亦極合衛生。因磁器不但便于洗滌。而且不起化學的作用。如用鋼鉛所製治的器皿。因着化學的變化。能發生中毒的危險。最普通要算銅鍋。所以應該忌用。

此外飲食衛生方面。曾有人以爲同桌吃飯。或有傳染病的人。容易傳染疾病。提倡分食制。也頗有理由。因着幾千年的習慣。實行改革。必定很困難。不過我國人確實很古怪。在飲食上有湯水的。同桌人都把瓢羹去撓。放到嘴裏去吮。再到碗裏去撓湯。這樣好像沒有什麽似的。假使把一個乾餅咬一口。去給他人吃。那人必以爲齷齪。其實咬一口與吮一吮。有何分別呢

末了。我要附帶說。凡食物是分不出美惡的。祇要細嚼。就能辨得滋味。要吃的物品。更須合自己的胃口爲相宜。如衛生家所指定的食物。我吃了反覺得不舒服。就該棄掉不吃。反之若衛生家所拒絕的食物。而我吃後。反覺有益。那末就所應取。可是最要緊的話。無論什麽。是不可多吃。俗語有句話。叫做『少吃多滋味。多吃壞肚皮』。眞是千金不易的衛生良言。

(十)動靜

動作有時。起居有度。這是叫人每日行事。當有定例。但是舉止動作。人各不同。歸納起來。不外工作游戲。休息和睡眠四大部。

一、工作　操勞做事。本是人生的極大幸福。但有許多人。因工作而不能享受快樂的。更有安逸而苦無事可做的。有這種情形。都是不會工作的緣故。會工作的能使所遇的工作。所做的工作。處處適性悅意。這裏的關鍵。就是知道所工作的是很有興趣。工作有興趣。是最大的補劑。但有初時興趣。而中途或結果覺得苦惱的。實在是倦則生厭。要除去這個困難點。最好是變換工作的事務。和規定工作的時間。再能參透休閒的方法。就能趣味無窮。

二、游戲　游戲本沒有限制。也不能規定。但有種類的不同。高尚的游戲。能陶冶人的性情。卑劣的游戲。能墮良好的人格。現在社會上流行的普通游戲。如跳舞和打牌。本來很有意義的。因爲跳舞能舒筋絡。壯觀瞻。聯交際之歡情。而近人多做得太過。男女夾雜。竟把跳舞當作肉慾發泄器的一般。甚至晝夜連綿。往往害成失眠症。又有打牌。原能得精神上的休養。而一般人竟視打牌爲金錢輸贏的賭博。以致生出種種不利的地方。其他流行的各種宴樂。他的結果也不免于恣情縱欲。高尚的游戲。如體操，國術，泅水，騎馬等等。都能使身體愉快。但是不要存着好勝之心。和偶像式的動作。

三、休息　工作勞倦的時候。必須休息。但若休息時間過多。很容易生倦。倦生就不願工作。這是普通的一個和毛病。所以休息除規定的睡眠以外。是另有一種休息的方法。例如書記終日伏案。如有意外的事務來纏繞。工作不免須臾的間斷。這種間斷。就可資爲工作的休息。但是一般人於工作間。往往厭惡他人有事來纏繞。其實是未曾參透個中的好處。

四、睡眠　睡眠最能恢復精神的疲勞。而一般人往往害成失眠症。或者勉強睡着。就有許多惡夢。大抵是境遇煩囂。心思不靖的緣故。引眠的方法。大約有兩項。一、寂靜二、律音。律音是沒有高下輕重。始終一律的聲音。如敲木盂。如聽鐘聲搖擺。如數一二……數目。或念誦佛號等等。一經睡眠。祇要熟有定時。就能回復日間疲勞的精神。睡眠的時間。是因人而異的。普通是七小時到。十小時。有人說。飽餐之後。容易睡眠。因爲飽餐後腦血降到部胃。自然成眠。但是必有惡夢或魔魘的現象。不如以空腹就寢爲妙。

引眠的方法。已經上面說過。但有一種特殊的不眠症。就是一經移換臥榻。往往不能成寐。這種不能成寐的原因。除了上述的原因以外。或是因着被褥氣的不同。或眠床形狀的不同。心中存了不同的觀念。勾起種種煩惱的意緒。就不易入睡了。據經驗過的說。可用自己脫下的襪墊在枕下。很容易的引入睡眠狀態了。

睡眠除爲夜間所規定的生活律外。一般人往往多一種午睡。午睡能影響夜間的睡眠。和阻害胃腸的消化。既費了有用的時間。而睡醒後精神反欠爽快。應該免除。

身體動靜的衛生。已經說明如上。最要緊還有心理的動靜。心靈是要鎮靜而不可暴躁的。凡是憤怒，畏懼，憂慮，妬嫉，悲哀。和一切情感上非常的變動。都應該除免。有時患難臨頭。或急事在前。祇要力圖鎮靜。排除憂慮。想着欲速則不達。及性情卞急必有害的話。就不致心慌意亂。心不懼。意不亂。自能想出辦法。可以解決。否則憂慮成疾。反能害事了。

記事

本社第三次討論會紀事

本社第三次討論會、於十一月一日午後三時、在東街路蔡醫寓開會、到者、有王一仁周子叙蔡松巖董志仁及蕭君諸君等、意味極佳、玆將各項問題答案錄下。

1.痢下純血名血痢、屬肝病、治以當歸黃芩湯、未知此方係何藥品、並張氏醫病簡要、係何代何人著作、敢乞詳示、(見中醫雜誌廿一期費耆炎說痢)（沈仲圭）

(答)痢下純血、謂爲肝病者、當由肝主血之說而來、然血痢實不盡屬肝、腸管之脫血、及少陰症之便血。有用桃花湯者。西醫謂有亞米巴小原蟲入肝而爲赤痢。此則中醫用黃連檳榔桃仁紅花等藥。又極有効。但必有痛苦。與因虛而痢者不同。至當歸黃芩湯有芍草香連楝茴桐仁等。醫病簡要爲紹興張畹香著。載三三醫書第一集第四種。

2.三七之功用、止血乎、化瘀乎、（前人）

(答)考三七之功用。在于歛管排瘀。于血傷症中、用途甚廣。蓋在化舊瘀而不傷新血。唯無瘀血而少血者。用人參阿膠之不暇。又非三七所宜。西法接生。產後必用麥角。其實不如三七之功爲勝。以產後衝任之脈。不免多少勞傷。以三七調之。殊甚宜也。

3.日本中醫書用藥、分量甚輕、如何推算、（前人）

(答)分字當作份解。如石原保秀漢藥神効方、齒痛妙方、用桃仁五分芍藥三分芒硝五分當歸三分大黃一分、若以分計、總共一錢七分、何能治病。若以份計。則可酌量配合也。此在古方亦多以等分爲言者。分亦當作份解。

4.咽喉有痰、國醫有無含漱、及其他治法、（董志仁）

(答)喉頭有痰。有用探吐法者。以桐油冲水含漱探吐。或以土牛膝根搗爛及萬年青根汁亦可。更有一種酸枚枚草根、夏秋之季所採。其根葉圓中空。頗利于劫痰。本草從新載八角金盤滌痰化痰之効極著。每用八分入煎劑中。虛痰勿用。多令致倦。惜藥多備于草藥郎中。而市上藥肆、反不經見。此外用吹藥法。牙硝一錢元明粉錢半硼砂三錢。化喉頭痰亦効。

5.國醫學之基本書、及其參攷書、以何者爲適用、（沈仲圭）

（答）關于國醫學書籍。浩如煙海。唯主要之基本書及參考書。有可得而言者。內經可由靈素類纂內經知要入手。而達研究全部靈樞素問之途。並涉獵難經、以博其趣。吳稚暉先生所著之上下古今談。於科學思想。以談笑出之。可同時並閱。傷寒金匱固爲必修之書。當與本艸經同時閱讀。下至千金方外臺祕要諸書。亦須參閱。以明醫藥之進化。金元四家、劉河間之三六書、張子和之儒門事親、朱丹溪之丹溪心法、李東垣之東垣全書、皆在必閱之列。陶節庵之傷寒心書、李濂之醫史、叢書中、以王肯堂六科準繩、當歸草堂叢書、醫宗金匱爲最佳。本艸綱目集中藥之大成。翻印日本之新本艸綱目、載藥太少。亦可同時參閱。近代之徐靈胎陳修園葉天士尤在涇各家。亦涉獵不能達用。至於時代西醫學說。如商務出版之生理衛生學提要、病理總論、診斷學、內科祕典、在讀內難傷寒金匱之後、于國醫學已有深刻認識。即當泛覽西醫學說。以爲古今學理溝通之計。參透名詞見解。不論閱讀新舊書籍。自然可以獲益。所最要者。我讀書、則有活法。書讀我、則入死途。此外中西醫界近人所出之書。雖牛解一知。但能自有眞見。亦多少可以得益。書目太繁。亦載不勝載也。再如內科、外科、婦科、幼科、眼科、喉科、傷科、針科、祝由科、等、門徑不同。當在修習國醫基本書籍之後求之。各書均有專門。暫不列述。

6.白痞病因之研究、及其與痰之關係。（施稷香）

（答）白痞之原因。固不外于濕溫之醞釀而成、在胃腸脾肺間之血管。及淋巴總幹。吸收濁質。蒸達表皮、而爲白痞。凡濕溫初期、在七日前。即宜通便。如黃連、厚樸、大黃、瀉葉、之類。俾其溫熱濁邪。得有下行之路。唯有一要事。即用下藥時。須絕對戒除水菓冷飲。即碗箸亦須用沸水滌之。決無危險。二候後、即難用下藥矣。失下則攻肺釀液爲痰。或蒸表皮爲痞。此時腸內生瘡。內潰不已。每致危篤。

7.戰爭救護、手術參用新法、關于藥療方面、完全採用中土、是否可能。（王一仁）

（答）絕對可能。如藥膏藥油藥粉消毒。皆可完全以中藥製成。傷科虞君舜林。有救護經驗。已准着手編訂中國救護療傷法。由董志仁君助之。並擬參酌吸收同人經驗學說也。

8.畝處上春發生腦膜炎症、用回天再造丸、甚有効、請問該丸何藥、及其有効之故、(温州方瀛仙)

(答)腦膜炎菌。亦殊多類。以川芎、大黃羚羊角爲主要用藥。回天再造丸、卽人參再造丸、去人參、加山羊血。按人參再造丸、合祛風通絡活血化痰開竅之藥於一方。藥多至六十餘味。玆將人參再造丸方藥錄下。眞水安息四兩、人參二兩、眞蘄蛇四兩、當歸川芎川連羌活防風元參藿香白芷伏苓麻黃天麻川草薢片薑黃炙草肉桂白蔻仁製首烏西琥珀炙黃耆大黃草蔻仁雄鼠糞熟地各二兩、穿山甲脚二兩、全蝎靈仙葛根桑寄生各二兩五錢、北細辛赤芍烏藥青皮於朮殭蠶乳香沒藥辰砂骨碎補香附天竺黃製附片生龜版沉香母丁香胆星各一兩、紅花犀角尖各八錢厚朴地龍松香各五錢、廣木香四錢、梅花冰片西牛黃各二錢五分、血竭八分、虎脛骨一對、右藥法製、共爲末、煉蜜和勻、搗數千槌、爲丸、每丸重一錢、金箔爲衣、蠟殼封固待用、此藥在大藥肆中有製就者、治中風癱瘓症有効。腦膜炎病源。亦在腦脊神經。故克奏功。

9.滴血之法。雖見於洗冤錄。究起於何時。(湯士彥)

(答)六朝時、孫德宗、一名宗之、吳興人。以父屍不測入海。尋求父骸。操刀沿海。見骨卽灌血。十餘年、臂脛無完肉。終不能得。後苦頭創痛。夢神人告以牛糞塗傅。果驗。又梁豫章王因驗父骸。私發東昏墓。是六朝時已有滴血傳說。倘非起始。因念中庸有「凡有血氣。莫不尊親」。之語。俗間經驗。每出于聖人之暗示。或滴血已起于周秦之際。亦未可知。(按本題由日本方面函詢浙省府、省府函國醫公會、由湯君提出、於此可知日本于中國之學說經驗、追原究委、至於此極、吾人應如何光大其遺產也、)

◉本社的口號

(一)讀書看病

(二)在迷新迷舊外求自立

贈書誌謝

●並代介紹

國醫雜誌　季刊已出三期上海石門內石皮弄國醫學會發行每期實價三角

醫學雜誌　兩月一期已出六十五期時逸人編山西太原精營東二道街山西中醫改進研究會發行每期二角五分

徵集驗方第一集　時逸人編山西中醫改進研究會出版價一角五分

醫藥月刊　單張已出二期浙江衢縣天皇巷中醫公會發行每期四分

醫藥月刊　已出第五號劉嶽崙編湖南長沙市中山東路六十六號醫藥月刊社出版每期一角

救國積極政策　俞大同著非醫藥性出版品上海三馬路新通信訊代售定價二角

建國月刊　載黨政論文非醫藥性出版品已出七卷五期南京成賢街建國月刊社發行每期大洋二角全年連郵兩元

本社代售　中國醫藥問題　王一仁著　實價一角二分

三衢治驗錄　王一仁著　實價一角二分

中華民國二十一年十二月一日出版
醫藥衛生月刊第五期

主編者　王一仁　杭州上城彩霞嶺十一號

發行者　中國醫藥學社　杭州上城彩霞嶺十一號

月刊定價表

另售每冊六分	(郵費)	國內日本一分　國外及香港澳門六分
預定全年十二冊七角二分郵費在內		
國外預定全年一元五角郵費在內		

本刊寄售處

本市　古今圖書店（保佑坊）　經香樓（城站）　維新書局（湖濱）

上海　國醫學會（西門內石皮弄）　中醫書局（山東路）　千頃堂（三馬路）

蘇州　國醫書局（吳趨坊）

南京　建國書店（成賢街）

衢州　聚秀堂（下街頭）

山西　中醫改進研究會（太原精營東二道街）

醫藥衛生月刊

蘭仲

第六期　王一仁主編

民國二十二年一月一日出版

中國醫藥學社印行
杭州上城彩霞嶺十一號
電話一〇九六號

學說

仁盦醫說（四續）

★經脈（下）

王一仁

靈樞經水篇以十二經合十二水。吾人苟于水道源流。未有甚深之研究。本不易爲詳盡之解釋。然其意則似矣。其言曰、「足太陽外合于清水。內屬於膀胱。而通水道焉。足少陽外合於渭水。內屬于膽。足陽明外合於海水。內屬于胃。足太陰外合於湖水。內屬于脾。足少陰外合於汝水。內屬於腎。足厥陰外合於澠水。內屬於肝。手太陽外合於淮水。內屬於小腸。而水道出焉。手少陽外合於漯水。內屬於三焦。手陽明外合於江水。內屬於大腸。手太陰外合於河水。內屬於肺。手少陰外合於濟水。內屬於心。手心主外合於漳水。內屬於心包」。水道之有源流。亦猶經脈之有起迄。經脈之起迄。本於無可差別之中。勉強爲之差別。則水道源流之名。其義亦猶是也。水道源流。固有分支。經脈循行。尤貴條理。然氣候風波之變。影響於水源。病理臟器之變。顯形於經脈。素問離合眞邪論云「天有宿度。地有經水。天地溫和。則經水安靜。天寒地凍。則經水凝泣。天暑地熱。則經水沸溢。卒風暴起。則經水波湧而隴起。夫邪之入于脈也。寒則血凝泣。暑則氣淖澤。虛邪因而入客。亦如經水之得風也。經之動脈。其至也、亦時隴起。其行於脈中循循然。其至寸口中手也。時大時小。大則邪至。小則平。其行無常處。在陰與陽。不可爲度」。本段可爲百病與經脈關係之總提綱。全部傷寒金匱以及古今萬病之變化。何莫由於經脈波隴之起伏。俗諺有謂人最惡毒之語。謂爲「忘形」。其實人之平時。幾無一不自忘其經脈循行之路。非忘也。所謂由之而不知其道者衆也。必待病變之後。而經脈之形。始能顯其一部或大部。以是有疑於內經所述之經脈。專爲傷寒雜病之症象而設。是無怪古今醫者之於經脈。明知其重要。而無肯究心。猶幸有傷寒論一書。太陽、陽明、少陽、太陰、少陰、厥陰、之名。尚傳佈於醫者之口。由生理以見病理。復由病理以推生理。此爲醫者兩大學問。吾人因不當以「經脈」作生理基本學說乎。

欲明經脈。則不可不知其連繫之故。欲知其連繫之故。則不可不明呼吸與血液淋巴神經肌肉筋骨臟器之關係。若支離破碎割裂以求之。則多枘鑿不相入矣。素問陰陽應象大論所述之生理。以大自然氣化。合於小自然之生成。今節其所言之生理。可得爲下列之結論。「肝生筋。筋生心。心生血。血生脾。脾生肉。肉生肺。肺生皮毛。皮毛生腎。腎生骨髓。髓生肝」。欲解釋此義。非千萬言所能盡。然其生理循環。皆相連繫。實與經脈篇同一主旨。決不能以其根據五行立論而小之。本臟本器之生理。非本臟本器單獨經營之力。小如毛髮。當其拔出之時。有毛囊。有血液。有淋巴腺液。而其覺痛者。則爲神經之感覺。拔一髮之不愼。可使肌皮發炎。生理病理之影響。初不僅以部位面積而分。因其連繫波動之故。可想其積小成大之理。楊朱拔一毛利天下而不爲。雖出於自私。亦由於自愛。非笑談也。卽以細胞言。以生以長。是否需要適宜之環境。此其每種適宜之環境。卽爲每種細胞之生機。以整個之人身言。家庭社會國際。猶爲人之小環境。而上天下地。則爲人之大環境。然此上天下地之大環境。人之所得。果何物乎。亦曰氣而已矣。物質亦氣之形成者。離氣不能有血。離呼吸則不能有經脈。卽不能有臟器之作用。在十二經以手太陰肺爲起點。以足厥陰肝爲終點。週而復始。肺主氣也。肝所主之神經亦氣也。而中間之消化淋巴循環排泄生殖各系統之生化。亦包含于內。論其起迄會合之源流。又不僅各有形系統之形成。卽近日西說所謂無管腺內分泌之學說。亦何能外於此。

張仲景之傷寒論。有方有法。此爲中醫所憑籍。以爲運用治療之書者。而其創著之來源。要非深明經脈之理。不能道隻字。觀其自序有云。「天布五行。以運萬類。人禀五常。以有五臟。經絡府兪。陰陽會通。元冥幽微。變化難極」。非遊神於冥冥。何能立說於昭昭。其所定之六經病篇。爲歷來註家各以已意出入。顚倒錯亂。欲明其眞意。亦必從研求經脈始。欲研求經脈之病。則當知一年之空氣成分。空氣中有成分。人身中有原質。人身之原質。卽由空氣中之成分。間接或直接和合而成。而空氣中之成分。又由地面及生物之氣合併釀成。正如趙松雪所云。你身中有我。我身中有你。混合而不可分。不可分而不能不分。分而勉強可以歸納者。曰六氣。風、寒、熱、濕、燥、火、卽空氣成分之形容詞。六氣者。所以養手足十二經者也。六微旨大論云「厥陰之上。風氣治之。少陽之上。火氣治之。少陰之上。熱氣治之。太陰之上。濕氣治之。陽明之上。燥氣治之。太陽之上。寒氣治之」。所謂治者。卽其主氣。主不能無客。主客以對待而生。各有其應守之治節。大過不及。則臟器經脈之原質。不能無變化。變化則病。病必有象。傷寒論叙述六經之病象。同時卽闡明六氣之病象也。捨六經六氣而不言。專以傷寒論所述病變治法爲對象而研究之。未始不可。然已落第二義矣。

以經脈論證傷寒。本爲地義天經之事實。以太陽經病言。如經脈篇云。「膀胱足太陽之脈。起於目内眥。上額交巔。其支者、從巔至耳上角。其直者。從巔入絡腦。還出別下項。循肩髆内。挾脊、抵腰中。入循膂。絡腎、屬膀胱。其支者。從腰中下挾脊。貫臀入膕中。其支者。從髆内左右別下。貫胛。挾脊内。過髀樞。循髀外。從後廉下合膕中。以下貫腨内。出外踝之後。循京骨至足小指外側」。「小腸手太陽之脈。起於手小指之端。循手外側上腕。出踝中直上。循臂骨下廉。出肘内側兩筋之間。上循臑外後廉。出肩解。繞肩胛。交肩上。入缺盆。絡心。循咽下膈。抵胃。屬小腸。其支者。從缺盆循頸上頰。至目銳眥。卻入耳中。其支者。別頰、上䪼。抵鼻。至目内眥。斜絡於顴。熟觀太陽經脈之所過。尤當究其生理氣化之原由。蓋其呼吸之氣。由巔頂下項。以行於背。至於足。絡腎、屬膀胱。連小腸。抵胃。上絡心。循臑外。入缺盆。呼吸之氣由外入。而太陽所主衛外之陽。則由下出。人身之體溫。爲各種臟器血液淋巴腺所放散。尤其下焦膀胱油網所蒸騰之氣化。遍行於太陽經脈所過之地。其所放散體溫之量。隨氣候溫度之高低而增減。所謂「太陽之上。寒氣主之。」所謂「寒勝則浮」。皆抽象以明其氣化。於此可知太陽經爲調節全身體溫之主要機關。較之僅以皮毛肺管。爲調節體溫器者。其義實更深刻。是以前賢謂六淫之病。必始於太陽。又謂善治者治皮毛。良以空氣爲造菌之因。而空氣又爲消菌之刃。故太陽經者。可謂入死出生之門戶。全部軀骸臟器經脈之屏障也。不論「腸窒扶斯」「傷寒菌」。苟太陽經而無障礙者。則以呼吸空氣消滅之而有餘。初不待於藥物。今日所謂西醫關於濕溫療法。有僅服清飲。待其自愈者。本是無法。却隱合於堅壁清野之法。世間學理。不可窮盡。無法者便是法。法多者。反入亂道矣。

今觀傷寒論。特詳於太陽篇。認清本部經脈所發之病。因爲診斷之要訣。尤當瞭解於太陽經爲調節體溫之主要機關。有各種原因形成之見症。如云：「太陽之爲病。脈浮。頭項強痛。而惡寒。」「太陽病發熱。汗出。惡風。脈緩者。名爲中風。」「太陽病或已發熱。或未發熱。必惡寒體痛。嘔逆。脈陰陽俱緊者。名曰傷寒」。「太陽病、發熱而渴。不惡寒者。名曰溫病」。「太陽病、發熱。脈沉而細者。名曰痙」。「太陽病、發熱無汗。反惡寒者。名曰剛痙。太陽病、發熱、汗出、而不惡寒。名曰柔痙」。「太陽病、關節疼痛而煩。脈沉而細者。此名濕痺」。「太陽中熱者。暍是也。其人汗出惡寒。身熱而渴也」。

「太陽中暍者。發熱惡寒。身重而疼痛。其脈弦細芤遲。洒洒然毛聳。」所謂中風。所謂傷寒。所謂濕病。所謂痙病。所謂濕痺。所謂暍暑。一切六淫之邪。皆可從太陽受病。中間傳變治法。當各隨其見症。此在陽明少陽太陰少陰厥陰等經。實無此複雜。大哉門戶。爲出生入死之途。人之死亡。即腦、肺、心臟、之間接、或直接障礙。停止機能。而太陽經實爲主此三臟之關捩。其機轉之重要。所不待言。素問三部九候論云。「脈不往來者死。皮膚著者死。瞳子高者。太陽不足。戴眼者。太陽已絕。此決死生之要也」。決死生而歸要於太陽。尤可想見其生理之重要。病變之多端矣。此外五經。與太陽部位相去一間。謂太陽病轉陽明病少陽病。猶爲順傳而輕淺者。疫症之早發夕死、夕發朝死者。則直入少陰厥陰之部內外血脈氣化驟絕。何能更限一日二日乎。

十二經脈之循行。始於手太陰肺。太陽之經氣。未嘗不藉肺以行。然非肺之所能限。所謂「肺生皮毛。皮毛生腎。腎生骨髓。髓生肝。肝生筋。筋生心。心生血。血生脾。脾生肉。肉生肺。」週而復始。其氣固無所不達。而總其成者。實爲太陽之經氣。讀者疑吾言乎。試靜坐深調呼吸以體驗之也。欲體驗之。當從留意於太陽經脈之起迄始。

幼稺患瘧不可認爲驚癇說

徐志勉

夏秋之際。幼稺患瘧。往往見驚癇厥逆之症者。斷不可認爲驚癇。當認定暑濕成瘧。從脾胃着想。此古人之論也。致瘧疾之發。乃由細菌原虫所致。細菌原虫。隨地有之。即使健康人之體內。亦常有病原菌發現。其人所以不病者。因抗毒力充足。病菌於體內不能繁殖故也。病菌繁殖於體內。必因其人抗毒力衰減之故。抗毒力衰減。多因外界氣候之異常變化。調節機能失於應付之故。然則國醫以六淫爲病原者。雖無實驗。而謂至理存焉。驚癇爲神經系之病理變態而發生者也。陳藏器「驚癇即急驚」。巢元方曰、「驚風者、由血氣不和。熱實在內。心神不定。所以發驚」。錢仲陽曰、「小兒急驚風者。本因熱生於心。身熱面赤。劇則搐也」。今以科學醫理解說。因腦內血壓亢進。遂壓迫中樞神經。或因高熱而腦膜發生炎證。以是運動中樞之神經細胞。遂消失其隨意運動、及傳達之任務。故其諸部分之筋肉。遂現出無意識之運動。及反意識之運動也。西醫稱之爲痙攣。治療以鎮靜及麻醉等劑。鎮壓神經爲主。由此觀之。瘧疾與驚癇病理既明。安可誤治乎。幼稺夏秋間患瘧。手足瘛瘲等證。因高熱而起者也。當清暑熱爲主。若誤認爲驚癇。以鎮靜麻醉等劑。鎮壓其神經作用。危矣。

孕與積血之辨治

徐志勉

醫者之難。難於辨症。而辨症最難者。莫難於婦科。寇宗奭曰。甯醫十男子。莫醫一婦人。其言是矣。蓋婦人病四診有所不能盡。而其所患者。多隱曲不可述。如月經胎產至崩淋帶下。俱屬鄙瑣、難以言示。然而婦人之症。尤以胎孕易與積血混淆。如婦人經停九月。腹形充大如懷子狀。而究其實。則又非孕。世醫不察。往往妄投藥劑。以致刑事起訴甚多。故孕與積血。不得不詳細辨之也。蓋婦人孕後。必發惡阻。(子宮反射而起)食物變味作酸。在初姙之婦。乳房改變。捫之刺痛。乳暈呈茶褐色。若壓迫之。有水液流出。腹壁緊張。及至末期。則生灰白之線。下腹部紋色紅形如輪輻。時覺微動。更後、其動愈烈。聞胎心聲。陰門略爲哆開。(亦有全不哆開者)、稍呈紫色。粘液分泌甚盛。在經產之婦。則腹壁之皮膚甚弛。且極薄弱。欲觸知胎兒甚易。乳房長垂而不緊脹。陰門哆開。而呈青藍色。種種現象。可診察而知也。夫積血爲氣血凝滯所致。內經有腸覃石瘕之分。經云、腸覃者。寒氣客於腸外。與衛氣相搏。氣不得榮。因有所繫。癖而內着。惡氣乃起。瘜肉乃生。小漸益大。至其成如懷子狀。又云、石瘕生於胞中。寒氣客於子門。子門閉塞。氣不得通。惡血當瀉不瀉。衃以留止。日益以大。狀如懷子。此由寒氣襲入胞中。蓋寒則凝滯。經水因寒而瘀也。腹雖膨脹。而子宮並不膨脹。腹部未有動感。既無種種生理變態。可以爲之驗辨。且有腹脹、斑點、肌皺、便黑等象。可以斷爲瘀血。更有想像之姙娠。似孕非孕。似塊非塊。疑似莫決。最難辨治。若妄投藥劑。則爲害甚大。可用(潞黨參、當歸、白芍、川芎、白朮、香附、陳皮、甘草、木香、雲苓、蘇梗、佛手、)最爲妥善。加減治之。無不取效。蓋積血及似孕非孕。以養血理氣爲先。故用當歸川芎以養血。用參朮苓甘以健脾養正。再用香附陳皮佛手蘇梗理氣。因氣爲血之帥。氣順而血自行。積自消、有胎養胎。而使萬全。即雙解意也。

筆記

診餘隨筆

潘國賢

有章嫗者，年將五十，自去年秋間起，忽患奇疾；倏寒倏熱，或每日發，或隔一二日發無定；熱時遍身汗出，寒時統體起粟，性情喜怒無常，稍不如意即詬厲交加，然視其平日形色，則渥碩若未有疾者，惟自訴頗病苦，已求治於中西醫矣，終無効，鄙意以爲此乃婦人年屆五十左右、經將停止時應有之現象也，特有微甚之差耳！爲醫者，此時應告以善怒之故，俾自知其疾病之所以然，使平心靜氣，以免得罪於人，是爲上乘。至服湯吃藥，儘可不必也。

聞之姜辛升先生，妊娠惡阻，乃由子宮神經起反射作用之故，法可以古加因水（Cocain）2%浸以棉花，納膣內子宮中，如此三數次即止。

友人南振鏞君夫人，患經前後臍腹絞痛，服養血、袪瘀、行氣、止痛諸方無効，南君伉儷情篤，頗以爲憂，後南君負笈來滬，時以夫人疾患爲念！閱三月，得家書，謂：「夙患經痛疾，前月有王媼者，言能愈之，僅出三元代價，得祕製藥一服，服後諸患頓失，身體已日見強健矣、……」南君得書狂喜」，走以告余，余謂世之緘祕良方能愈奇疾者多矣，豈王媼一方哉？

村人某一子年十三，患病已久，面目手足悉腫而有光澤，小便不利，顯係水腫無疑，鄰人授之土方，以葫蘆匏與水白桒同煎熱飲，不數時小便通暢，腫亦漸退，按葫蘆即匏瓜，能通利水道，消除腫脹，服後宜其小便通暢，腫脹即消也，惟水白桒一物，吾鄉溪水邊多有，其功効雖不可考，要以不過助葫蘆匏通利水道之功耳。若非水腫而由氣脹，色枯白而無光澤者，愼勿輕試。

去年春，以事留蕭城，越五月始來滬，後患痢疾，腹微脹，舌黃膩，飲食大減，服中藥無効，內子以余罹疾經旬未愈，心甚憂之，因堅邀往杭州花市路某醫院醫治，蕭紹素多薑片蟲寄生腸內使然，須行灌腸可痊，余既明疾患由於薑片蟲，願將已身作中藥治薑片蟲之試驗，即返滬商諸沈仲圭先生，沈先生謂多食榧子可痊，乃買炒香榧二升，三日而盡，後得大便通暢，腹脹漸減，調養月餘，諸患盡失，迄今年餘，未覺腸間不舒適，大感沈先生之告示，并以公諸同病者。

雜俎

醫藥鱗爪

沈仲圭

冰糖

冰糖白砂糖製成。新本草綱目云。「將上等白砂糖。入釜溶化煮沸。投鷄子白。乘熱攪拌。液面如有浮滓。則取去之。至適宜稠厚。移入他器放冷。聽其結晶」。中國醫學大辭典則謂「冰糖乃甘蔗汁之凝煉成塊者」。二書所載製法。雖詳略互異。而提煉所自。同爲甘蔗或甜菜。

單方治卒然腹痛。白砂糖一錢。酒二鍾。煮取一鍾飲。蓋取其緩痛。民間療咳嗽痰滯。生萊菔切片。加糖餅蒸食。蓋取其祛痰。他如金創流血。外敷(砂糖)有止血之功。吸烟被醉。內服奏解毒之效。語其作用(冰糖之作用。大致與砂糖相同)。如是而已。

富庶之家。一至冬令。多服膏滋藥。膏滋藥者。醫病體虛羸之因果。施以適當之方藥。熬成流膏。以便久服。此種「對症發藥」之補劑。自較一般成藥爲優越。

致膏方中多加冰糖。冰糖屬緩和藥。矯味藥。在補劑中之價值。不過增加甘美之味。使病人易於服用。及略能興奮胃機能。既無其他作用。亦乏高深藥理。與西藥舍利別之加白糖。中藥丸劑之加蜂蜜。同爲「非藥的藥」。(丁譯普通藥物學教科書有非藥的之藥一章)

腸寄生虫驅除藥

醫藥評論六十二期有滅蛕一方。云係上海仁濟醫院所經驗。用使君子、榧子、苦楝皮、白丑四味。按前三味皆滅蛕藥。後一味乃泄下藥。配合頗有法度。收效。自然確矣。

越醫何廉臣先生云。「積熱生虫。爲小兒成疳之原因。當以祛積殺虫爲首要。安虫散最有捷効。安虫散爲胡粉、檳榔、川楝皮、鶴虱各三錢。白米粉錢半。鐵器內火熬。加砧杵。共爲細末。每服三分。重則半錢。米飲湯送服」圭按疳、即腸寄生虫病。方中檳榔、楝木皮、能殺條蛔、蟯、諸虫。鶴虱本草謂殺蚘虫。胡粉醫學大辭典云即鉛粉。治小兒疳痢、疳氣。

醫賸瑣探

(一)太素脈

董志仁

清錢曾讀書求敏記云。太素脈法一卷。序名仙翁。不知何地人。相傳隱崆峒山。常帶一籠丸藥。出山救人。更於指下決兆吉凶壽限。時人莫不神之。後不知所終。唐末有樵者。於其石室石函中。得此書以傳於後。印雪軒隨筆云。醫家太素脈訣之傳。不知始自何人。其法以心脈爲君。肝脈爲臣。君臣相應爲貴脈。又以左右各三部。每部分爲十年。十年之中。分作七十二至。以定人命之壽夭。福秩之崇卑。并有診父而悉其子之休咎者。診子而知父之生死者。如智緣爲王荊公診脈。而知元澤登第之類。其言亦皆成理。吾鄉徐靜園尙書。幼時患瘵幾殆。蘋村宗伯憂之。適石門某來縣。延至診治。某一診即曰。是兒功名富貴。過君遠甚。瘵何患焉。如某者。殆精太素脈者歟。

志仁按。據有淸蔣超伯氏之南漘楛語錄。謂太素脈始自醫和。至宋時有智綠僧者得其法。與王珪王安石同時。療脈能知富貴壽夭。其術大行於世。後人謂傳自崆峒樵者非也。又據大淸相法太素脈論相云。揚上善立太素脈法。徵休徵咎。比於神靈。其斷者。如脈形圓淨。至數分明謂之淸。脈形散濇。至數糢糊謂之濁。質淸脈淸。富貴而多喜。質濁脈濁。貧賤而多憂。質淸脈濁。外富貴而內貧賤。失意處多而得意處少也。質濁脈淸。外貧賤而內富貴。得意處多而失意處少也。富貴而壽。脈淸而長。貧賤而夭。脈濁而促。淸而促者。富貴而夭。濁而長者。貧賤而壽。其要如此。特今所行者。不能得其神妙。故有驗有不驗。恐未可奉爲金科玉律也。又據醫學大辭典云。太素脈訣一卷。爲明人揚文德所撰。綜上三說。可知太素脈法萌自春秋醫和。創於隋人揚上德。而傳自揚文德者也。奈何世人傳言仙翁所遺。謬之甚矣。且夫脈之強弱長短。醫經原有壽夭之徵。人之善惡靜躁。有經驗者。亦可期其貧富貴賤。是精於診斷術者。不難預操勝算。吾人苟能究心於診斷。雖未考研太素法。亦能得心應手。又何必以太素脈爲奇。

(二)髭鬚變白

鄭文寶南唐近事云。烈祖輔吳之初。以爲非老成無以彈壓羣衆。遂服藥變其髭鬚。一夕成霜。按染白爲黑。世上稱之。變黑爲白。則僅事也。未知所服何藥。

志仁按。相傳伍員度昭關。因憂愁過甚。鬢鬚一夕成霜。此變黑爲白之法也。本草從新謂何首烏與蘿蔔同食。令髮早白。此又一法也。而曲園茶香室雜鈔。引晉稽含南方草木狀云。菴摩勒樹。葉細如合昏花。實如李核。圓作六七稜。食之先苦後甜。術之以變鬚髮有驗云。此引證之反誤也。考醫學大辭典及本草綱目云。菴摩勒實。甘寒無毒。補益強氣。能生髮變白不老。此變白者。指該實能補益強氣。自然變白爲黑而不老。非變黑爲白也明矣。

(三)女鬼

閱微草堂筆記曰。曹司農竹虛言。其族兄自歙州往揚州。途經友人家。時當盛夏。延坐書屋甚軒爽。暮欲下榻其中。友人曰。是有鬼。夜不可居。曹強居之。夜半有物自門隙蠕蠕入。薄如夾紙。入室後展開作人形。乃女子也。曹殊不畏。忽自摘首置案上。曹又笑曰。有首尙不足畏。況無首耶。隨你披髮吐舌。吾終不畏。鬼技窮。倏然。及歸途。再宿。夜半門隙又蠕蠕。甫露其首。曹輒唾曰。又此敗興物來耶。竟不入。此與稽中散事相類。夫鬼不食醉人。不知畏也。大抵畏則心亂。心亂則神渙。神渙則鬼得乘之。不畏則心定。心定則神全。神全則沴戾不能干矣。

志仁按。神鬼之有無。說之者衆。研究者多。究竟有無。不佞未嘗實驗。難以妄談。然據各國靈魂學家之報告。似乎人死之爲鬼。確有其事。民國七年。上海淞滬警察廳寃魂附體控盜之奇案。發現後。當時社會哄動一時。民國八年。新聞報載有鬼影事實。九年申報亦有鬼影新聞。並聞伍秩庸博士。曾在江蘇省教育會演講鬼學。確持有鬼之論。（上見無錫丁福保之佛學撮要）據此數事。既可證實有鬼。則紀曉嵐所刊載之女鬼。當非盡屬子虛。至於人之可以不畏鬼。紀氏既已論於前。自可無庸再贅。惟其所謂虎不食醉人語。不知出何典藉。曾見聊齋筆記云。傳言虎以狗爲酒。食之必醉。又虎不傷醉人。昔有村人入市醉歸。臨崖甜睡。有虎來嗅之。虎鬚偶入醉者鼻中。醉者大噴嚏。其聲且震。虎驚躍落崖而斃云。

（四）麻醉藥

癸辛雜誌云。回回國之西數千里。產一物極毒。全似人形。如人參之狀。其名押不蘆。生於地中。深數丈。或從傷其皮。則獷毒之氣。着人卽死。取之之法。先開大坑。令四旁可容人。然後以皮條結絡之。其皮條之前。則繫於犬脚。既而用杖打犬。犬奔逸。則此物拔起。犬感此氣卽死。然後將此樹埋土中。經歲後暴乾。別用藥以製之。其性以少許磨酒飲之。卽通身麻痺而死。雖刀斧加之不知也。然三日內投以解藥卽活。後漢書華陀傳云。痘發結於內。鍼藥所不能及者。令先以酒服麻沸散。旣無所覺。因刳破腹背。抽割積聚。若在腸胃。則斷截湔洗。除去疾穢。旣而縫合。傅以神膏。四五日創愈。

齊東野語云。草烏末同一草食之卽死。三日後卽活。

桂海虞衡志云。曼陀羅花盜采花末。置人飲食中卽當醉。

梅元實藥性會元云。曼陀羅花川草烏合末卽蒙汗藥。

本草茉莉根。以酒磨一寸。服則昏迷。一日仍醒。二寸二日。三寸三日。

紀曉嵐云。閩女飲茉莉。陽死。與私夫共逃。此茉莉亦可醉人。

張介石資蒙醫經云。蒙汗一名鐵布衫。少服止痛。多則蒙汗。其方爲鬧羊花、川烏、瓦楞子、自然銅、乳香、沒藥、熊胆、硃砂、麝香、凡九味。爲極細末。作一服。用熱酒調服。乘飲一醉。不片時渾身麻痺。

陳士鐸石室祕錄治法門云。先用忘形酒使人飲醉。忽忽不知人事。任人劈破。絕不知痛痒。取出虫物。然後以神膏異藥。縫其破處。後以膏藥貼敷。一晝夜即全好。徐以解生湯藥飲之。如夢初覺。而前症頓失矣。

志仁按總觀以上各方。均未詳明分量。甚至不詳藥名者。實爲吾國醫書之通病也。嘗讀世醫得效方。用草烏、船上茴香、坐拏草各二錢半。猪牙皂角、木鼈子、紫荊皮、白芷、半夏、烏藥、當歸、川芎、川烏、各一兩二錢半。木香一錢。共研細末。每服一二錢。好紅酒調下。然後奏刀剜割。能無痛苦。事後取鹽湯服之即醒。又拳經內載麻藥散方。生川烏、生草烏、生南星各五錢。蟾酥三錢。每服五厘。陳酒送下。摻麻藥方。用川烏、草烏、黃蔴灰、各五錢。半夏、雄黃各二錢。芋葉七錢。共研細末。臨時摻用。又傷科大全方。內麻藥。用生川烏、生草烏各三錢。半夏南星各五錢。酒化蟾酥一錢。黃麻花、芋莢葉、鬧羊花(酒製七次)各二錢。共研細末。每服酒下八厘。或一二分。事後用淡鹽湯服之。解其麻。又方用牙皂、木鼈子、當歸、半夏、紫金皮、小茴香、少許。研末酒服二錢。一方用白芷二兩。生半夏、川芎、草烏、烏藥、荊皮、牙皂、茴香、各二兩。土木鱉、木香各五錢。川烏當歸各二兩。研服一錢。一方用申姜香附各二兩。草烏錢半。川烏一兩。每服三錢。姜酒下。事後用醋及冷水解之。不解用升麻乾葛芍藥甘艸湯。或枳殼磨水解之。黑豆湯亦解。又外用麻藥方。用南星半夏雄黃各二錢。川烏草烏各一錢。芋莢葉八分。黃蔴花五分。共研末。醋調敷。如無黃蔴花。加萆麻仁一錢。一方用南星、半夏、萆薢、川烏尖、川椒、蟾酥各三錢。研醋末調敷。即能麻木矣。

(五)江良庭之篆字藥方

清代名人笑史云。蘇州江艮庭先生善篆書。兼知醫理。性奇癖。嘗爲人開藥方。輒書篆字。藥肆每致錯誤。先生怪之。或曰。藥肆人不識篆字。無怪其誤。先生曰。不識篆隸。那便開藥肆耶。迂癖如此。可謂不達世情者矣。

志仁按。篆字方今雖無見。然而非龍非蛇。不成行草之方頗多。亦能使藥肆悞認。前年衛生部明令國醫在處方箋上。不得書怪體別名。誠有見也。

(六)狗醫

履園叢話載。吳郡新郭里有藥舖主人姜某。浙江慈谿人。知醫理。里中有疾病。輒請其調治。頗有驗。家畜一狗、甚馴。姜每出診。狗必隨之。搖尾侍坐以爲常。一日主人偶他去。有鄉人患濕氣。一腿甚紅腫。不知其所由來。以示姜。此狗忽向其腿上一咬。血流滿地。作紫黑色。主人歸。痛打其狗。而以散藥敷之。一宿而愈。有患膈症者。姜誤爲虛弱。開補中之劑。狗又號其旁。乃改焉。飲數劑、卽痊。有孕腹者。飲食漸減。姜認以爲蟲鼓。欲投以殺蟲劑。狗待其側作小兒聲。乃悟其旨。而以安胎藥治之。越月而孿生。產母無恙也。姜以此狗知醫。每出診。必呼其同行。一時哄傳有狗醫之目。後狗忽亡去。不知所之。姜歎曰。吾道其衰乎。未幾病死。

志仁按。是狗知內外科。而又兼婦人科。以匡主人之不逮。歷數諸畜中。豈可多得哉。然而狗醫之名。殊太滑稽。著者其有意侮辱醫生乎。雖然。今之車輿出入。勒索請封。若有定價。而卒無效驗。或致殺人者。眞狗彘之不若也。

雜錄

古今人之形性說

馮起袞

（靈樞陰陽二十五人）木形之人。其爲人蒼色。小頭、長面。大肩背。直身。小手足。好有才。勞心、少力。多憂。勞于事。能春夏、不能秋冬。

（釋義）木形者、象其人狀如木枝也。木在人則肝臟應之。肝主神經。狀木條達之義。色蒼而老。頭小、面長、肩背大、身直、手足小。皆象其如樹枝莖直、根蟠枝細之狀。木形人之神經發達。偏于向外。故好有才、喜勝人。勞心耗血。以擴發其神經。筋骨方面之發達不足。故少力。思想過度者。不如意事常八九。故多憂。唯欲達其志願。故勞于事。斂精耗神。所不暇計。能春夏者。「春夏養陽」。神經興奮。能得天之淸陽。以補其不足。至「秋冬養陰」之時。神經興奮不已。血液耗傷。腦髓神經、中樞神經。皆有涵養不足之慮。能者耐也。耐春喜夏而不喜耐秋冬也。此類木形之人。有如現在生理解剖學家所述之神經質。按神經質者。（毛髮鬚黑。肢體脆弱。肌肉細小。感覺敏銳。舉止伶俐。學術勝人。貧血善病。故嗜好變遷。喜新厭故。）

（同前）火形之人。其爲人赤色。廣䏶銳面。小頭好肩背髀腹。小手足。行安地。疾心行搖。肩背肉滿。有氣、輕財、少信、多慮。見事明。好顏急心。不壽。暴死。能春夏、不能秋多。

(釋義)火性炎上。其氣內通於心。火形之人。頗似于今日所謂多血質。血素充盛。故赤色。䐃音引、脊肉也。血盛者、脊肉必豐滿。肩背髀腹肌肉皆充廣美好。面銳小手足者。血液雖盛。骨骼不充長也。行安地、疾心行搖者。皆血液充餘于肌肉。而骨骼內有不足之象。有氣、輕財、少信。狀其血多任俠。虎虎有生氣。然于意志未決之時。常多顧慮。及其思慮明澈則又急心勇往。好顏者、血氣盛、華于面也。不壽暴死者。偏于逐外。骨髓神經。因勞而耗。內無所守也。春夏爲溫和之令。利于發揚。能裨補于血氣。故能耐春夏。唯至秋冬寒令之時。筋骨氣勞日久。血耗過度。不勝寒威之壓迫。其死也、常以秋冬。然其勞苦適中。反能耐冷。(按多血質者容貌活潑。毛髮鮮明。肌肉黑而豐腴。動脈頗爲強實。體力壯健。一念當前。無他瞻顧者是。)

(同前)土形之人。其爲人黃色圓面。大頭、美肩背。大腹。美股脛。小手足。多肉。上下相稱。行安地。舉足浮。安心好利人。不喜權勢善附人也。能秋冬。不能春夏。

(釋義)土質重厚。爲萬物之所資生。在人則脾胃大小腸應之。爲此項機能發達。粘液脂肪生發必多。故其爲人黃色、圓面、大頭、美肩背。大腹。美股脛多肉。上下相稱。皆其腸胃豐滿。脂液充餘于外。所生之象。唯骨骼肢幹。亦不見充長而強。故小手足。行安地、舉足浮也。此類土形之人。骨髓神經皆無充分擴張。故安心懶怯。憚于進取。大有「能有是是亦足矣、能善是是亦足矣」之概。以其重厚之故。不喜權勢善附人。非以鳴高。實少進取勇往精神所致。好利人者。一巳易于滿足。略略有餘。卽以分人示惠也。能秋冬不能春夏者。其本性不喜務外。故當春夏蒸發之令。常感而致病。秋冬氣收之時。于其本性相宜。得自攝養。故能耐秋冬也。然亦有未盡然者。此類脂肪粘液過多之人。眞陽元氣之運行。每感不足。其死也、亦有在秋冬者。此項土形之人。有似于今日所謂粘液質。(按粘液質者。皮膚灰色。毛髮美麗。肢體擁腫。肌肉厚而柔弱。精神較爲遲鈍。喜怒不形于色。性情偏好婾惰。燕安是務。不善治生。)

(同上)金形之人。其爲人方面、白色。小頭、小肩背。小腹、小手足。如骨發踵外。骨輕、身清廉。急心靜悍。善爲吏。能秋冬、不能春夏。

(釋義)金爲西方燥氣所結成。燥氣于時應秋。于臟應肺。天高氣清之日。正燥氣盛行之時。燥爲濕之反。能使潮濕黑潤之處。轉爲潔白。金形之人。肺氣能澄清血液。是以方面白色。唯骨骼肌肉皆不充盛。故小頭、小肩背、小腹、小手足。有似於骨發腫外。其實金形之人。肺氣較尋常充展。而骨中髓液。不致過多重着。行動甚便、而能有操守。故曰骨輕、身清廉也。肺氣盛。魄力強。作事常恐不及。故急心靜悍。善爲吏者。能赴事功、善應變也。秋冬爲肺腎得氣之時。故能耐秋冬。至春夏則不勝其發泄。常苦致病。此類金形之人。有近于膽汁神經質。（按膽汁神經質、肢體脆弱、肌肉細小、堅忍沉靜。剛毅善斷。）

（同上）水形之人。其爲人黑色。面不平。大頭廉頤。小肩、大腹。動手足。發則搖身。下尻長。背延延然。不敬畏、善欺給人。戮死。能秋冬、不能春夏。

（釋義）水形之人。其發達在腎與骨。血液既不澄清。肌肉亦欠豐滿。腦髓發達。而髓液神經。皆未能緻密。是以黑色面不平。頭大、頤廉、肩小也。骨盤大、故大腹、下尻長也。背延延然。形容背脊闊大之象。動手足、發則搖身。骨大、與血脈肌肉不相稱也。不敬畏、善欺給人者。則腎之發達。骨髓充餘。而腦神未能細密。一切無可恐懼忌憚。又無周密思想也。其于事也。勞而無功。故戮力以死。能秋冬者、腎與骨髓。皆得其時而養。不能春夏者。神經無所發揮。不能吸收相當之營養。故至春夏易感病也。此類水形之人。實最低劣之種。于人類中無可取材。苟有後天之良好教育習慣。雖不能易形。庶幾可以草除惡劣根性。然充其極。能至土形之粘液質。決不能爲木形火形之神經多血質也。上述五形之人。與今日科學之生理解剖學家所分之形質。頗多不謀而合。此類辨別。在處世交際、以及男女擇配、選用此項原則。殊有益于合作事業。及改善人種之企圖。而醫學上亦頗關重要者。則于其人全部形態性情。知其大概。有裨于病理之推測也。然世間人類。體質駁雜者多。每易爲其蒙混。所當以活法論之也。論人形之變化。不外皮、脈、肉、筋、骨、之血氣上下。盛衰之有異。而皮脈肉筋骨。與臟腑之生理。又息息相關。人形之不同。各如其面。故靈樞本篇、有二十五人之異。論述原理頗詳。因過冗故略之。而通天篇又有太陰之人、少陰之人、太陽之人、少陽之人、陰陽和平之人、等說。唯論其情性。不及身形。故不錄。

中西針法會通說

王一仁

中醫針法。傳世最久。但觀靈樞經之暢論經絡針刺。吾人可知前古於針法之重視。而爲中醫精粹之所在。雖後人所造。

未能得前哲精粹而發揚之。然其一鱗半爪。收効亦宏。日本至今。於針法尙盛行研究。吾國針科。應若何努力自新。方不負古聖傳世之盛意。而爲民族自強之計。針法有迎送重輕疾徐啓閉。其補瀉工拙。完全决於兩指。且於每經之穴。必辨井滎俞經合之所宜。其法至精。終身不能造其極。能者効驗。固彰彰在人耳目。而西法之注射針。從皮下靜脈。注入藥液。如喉痧、霍亂、腦膜炎、梅毒、以及各種預防免疫等針。亦頗有相當功効。有時殊勝於服藥。據德國醫家議論。將來不論何病。皆可用藥針注射。可免服藥之麻煩。雖其言尙屬臆說。然日有發明。漸積漸多。強心有針。補血有針。以科學經驗。製成藥液。爲直接療法。縱云利弊參半。未必絕對有効。然在醫言醫。吾人不能不注意及之。我國針法。認穴而不用藥。病人受術者。亦有効有不効。余意苟能盡得中醫針科之經驗。明於認穴。再輔以藥液注射。其收効必倍捷。今試爲假定言之。如喉痧屬於肺胃之熱毒。則注射手太陰之少商與列缺穴。足陽明之商陽與合谷穴。霍亂之屬於腸胃病。則注射足陽明之乳根、與梁門穴。手陽明之陽谿與曲池穴。腦膜炎則注射太陽之大杼穴、與督脈之腦戶穴。梅毒則注射足厥陰之行間。與太衝穴。強心則注射心俞穴。補血則注射手少陰之少府穴。其他預防補瀉。均可原其病。而各注其穴。余所論述者。未敢著爲定例。大旨則爲溝通中西、冀收簡捷之効耳。苟能如此。余意較之西法之專注皮下靜脈。勝十百倍。而中醫數千年之針法。亦可供獻於世界。必大有生氣。唯於針法不用藥之舊術。仍當研究發明。以最正確之生理。改進穴道之謬誤。或增減俞穴。勿令前古之良法美意。有中墜之厄。舊法針科。能就本身營衛之力。補其不足。瀉其有餘。法至高妙。固亦不能廢棄。針科之有志者。或韙余言。（按中醫針科、必先推排而後下針、亦避去動脈以防出血。與西法之皮下靜脈注射、其義可通。據柏林威嚴醫院、華斯曼博士發明、以軟橡皮管、由肘腕靜脈管引入心房右端之小孔、歷一小時有半、而心房與脈管、未曾發生任何危險變態、謂由此注射藥劑、入手心房及臟腑各部、較之他處爲安全迅速、余意尙不及中醫認穴之爲有益。）

方藥

疔之療法

徐志勉

疔瘡險症也。其害最速。生頭面耳目鼻手之間。顯而易見。生臂足衣遮之處。隱而難明。知覺早者。朝醫夕愈。遲者枉死甚多。每每婦女而患暗疔者。初時誤作傷寒。至毒陷發。神昏牙緊。遂成走黃。多致不救。知痛爲輕。麻木皮癢者爲重。切忌開刀。尤忌犯鐵。內服忌發風流走之藥。恐其走黃。外敷又忌過於寒涼。防其逼毒內攻。初起內服蟾酥丸汗之。藥後、毒勢不盡。憎寒壯熱仍作者。宜服五味消毒飲。（銀花、野菊花、蒲公英、紫花地丁、紫背天葵子、加酒、）汗之。若將欲走黃。急服疔毒復生湯。（銀花、梔子、地骨皮、牛蒡子、連翹、木通、牡蠣、生軍、皂刺、天花粉、沒藥、乳香、加酒、）外用立馬回疔丹。用針挑破。以此丹一粒。嵌入孔中。太乙膏蓋之。拔出膿血疔根爲度。或用麻油一斤。活蒼耳虫四兩。冰片四分。同浸麻油罐內。將口封好。不可泄氣。臨用時將蒼耳蟲二條。貼於患處。上蓋清涼膏。其效響應。勿輕視之。（按蒼耳蟲一名蠹虫。生於蒼耳草梗內。狀如小蠶。梗有大蛀眼者。以刀截去兩頭。即得此蟲）。倘遇至重者。倘賴刺法。以泄其毒。用銀針在脊第三脊骨下空隙中、刺入五分。約一分鐘取出。見血爲輕。不見血即危。須隔四小時再刺。可免疔毒走黃。以上諸法。功效偉大。並非無稽之談。世人每持此方。（指蒼耳蟲而言）以稱治疔專家。祕而不傳。所當留意。以備緩急。

小兒初生誤服苦寒藥之害

張植林

近時民間習慣、凡遇小兒初生、不審母體之強弱、不顧稚體之嬌柔、先購服黃連大黃等苦寒藥、再喂犀黃等辛劇劑、謂能解胎毒、防後患、噫、此種惡習、不知戕害多少小國民、夫嬰孩始生、臟器尚未健全、脾胃薄嫩、何能當此猛烈之品、恐毒未得去、而中陽已傷、疳疾驚風嘔瀉諸病易起矣。即幸幼年無恙。及長必有胃疾、如胃寒呑酸、甚且爲噎嗝之根、余見實多、目擊心傷、不得不大聲急呼、以告世之爲父母者、對于此種習慣、宜速免除、倘欲預防胎毒、祗可用甘草銀花菉豆衣三味煎服二三次、絕不可與大苦大寒、以伐胃腸生生之氣、庶于民族繁衍有益焉。

婦人白濁白淫論治

張植林

婦女之白濁白淫。與男子淋病相同。不可誤認爲帶。而妄施止濇升提。考淫濁之由來。有因交媾不潔。穢物入內。釀成膿炎者。有因花柳遺毒。或性慾過度者。有因思想憂鬱。肝經火熱下泄者。有因濕熱下注膀胱者。故其症狀。頭暈體倦。鬧有寒熱。大便常祕。小溲短濇而赤。便時疼痛。所排泄之物。色黃白有腥臭氣。淋滴不斷。袴褪班班。或陰部熱痛作痒。治療之法。初起宜導赤散。或萆薢分清飲。不效則以龍胆瀉肝湯。加熟大黃淡竹葉。若小便痛甚者。再加琥珀甘草稍其溲濇便祕者。用生軍扁蓄瞿麥冬葵子海金沙木通車前滑石之類。或黃連石膏土茯苓等。若日久不愈。面黃體羸。漸成虛損。斯當用止濇固脫。然亦不可温補升提。傷陰刦肝。如所下之物純白而無腥臭者。以芡實龍牡苓瀉知柏白朮生苡薏或加風藥。藉風藥能勝濕之意。且可鼓動脾胃生氣也。設用之不應。則施進一步之療法。以五味山藥白芍烏梅續斷故紙杜仲海鰾鮹山萸白石脂菟絲子等品。總之本病初起。施治得法。使濕濁排泄淨盡。絕不至纏綿日久。傷損衝任諸脈。而入勞怯之途也。

治痢驗方

張沛恩

藥品：鹹肉骨。火煆。研細末。（陳火腿骨最好）

服法：白滾湯調下。每日早晚各服二錢。

方解：骨乃石灰質與膠質所組成。醃鹹則含鹽質。故能使大腸細菌無生存餘地。而由大便瀉出也。

衛生

衛生講話（續）

董志仁

（十一）腦力

腦在頭蓋骨之內。是人體中最高的器官。一切記憶和命令。都要腦力為之主司。對於衛生。應當特別注意。

腦的營養。不外乎呼吸新鮮空氣。攝取佳良食物。使血液循環。有充分的供給。到腦部方面去。那腦部就可以常常健康了。在運動或進食後的半小時內。不宜用腦。愁苦憤怒。不知自節。容易傷腦。尤其煙酒更能傷腦。所以吸食煙酒。不可成為嗜好。而且腦部一如他種器官。不用就要退化。用得過度。又要衰疲。所以要求腦的發達。必有相當的練習和休息。如學校中研究各種科學。不但可以得到生活上的智識技術。並且可以鍛鍊腦力。使腦力發育。各部平均。

睡眠，休息，散步，運動等。都是休養腦力的方法。就中以睡眠為最好。當睡眠的時候。大腦的作用。完全停止。只呼吸循環等營緩慢的運動。如是一度睡眠。能使精神的疲勞。就此恢復。而精神也就此振作起來。

此外如撲打頭背。誤傷腦部。亦能爲腦力的障害。頭髮不宜過長。夏時炎暑。必用帽以防日光直射。更有青年手淫之習慣。亦能大傷腦力。頗宜注意。

(十二)呼吸

我們知道飲食物。是人體的榮養品。不知空氣是人體的榮養品。而且飲食物須購買。多食就能害病。空氣是天然供給物。不費金錢。任人取用。取用愈多。身體愈能強健。但是取用的目標。要擇其新鮮和不含毒物及塵埃等爲佳。

取用空氣的動作是呼吸。(外氣從鼻管流入肺內、稱吸息、次即諸筋弛緩、胸廓下垂、橫隔膜再隆起、肺受壓迫出空氣、稱呼息、若強深的呼吸、附着於胸壁之各筋、亦能收縮以助之)呼吸的衛生。不但要攝取新鮮的空氣等。並且要注意呼吸器的保護。現在分述在下面。

一、換氣的必要　多人齊集。或燃燒薪炭的地方。那空氣裏面。一定多含着炭酸氣。吸了這種空氣。就要發生眩暈和嘔吐等病症。所以應當多開窗戶。交換空氣。而一般在寒冷的冬季。往往不很注意。在中國式的房屋門窗等處。常有隙縫空氣。略能由此出入。尙可稱他爲自然換氣法。不過終非妥善之法。至如西式房屋。水泥灰壁。密不通風。連自然換氣法也沒有了。有錢的須裝置換氣管。否則必須常開窗戶。夜間就寢。亦不可將窗戶緊閉。應該把不受急風的窗子。上下或左右或前後開通空氣。

二、關於空氣的注意　空氣的良否。和植物多少有關係。所以草木茂盛的地方。空氣較佳。尤其是竹林。更有吸炭呼養的大力。高山濱海地方。空氣頗佳。應該常常到該處作呼吸運動。可以促進呼吸機關的發育。並且有增大肺活量的功效。

三、塵埃的害處　城市熱鬧的地方。空氣裏面。必多塵埃。其中往往夾雜病菌。人們吸之。怕有傳染的患害。所以這種地方。應該常常掃除。以爲豫防。

四、呼吸器的保護　鼻腔中的鼻孔。能阻止塵埃的侵入。不能剝除。在第一節已經講過。而吸煙能刺激呼吸器。亦應加以禁止。其他壓抑胸部。或屈曲身體。或穿緊窄衣服。或吸入空氣之冷暖。驟然變更。都與肺臟有害。應當注意。最好在早晨就空氣清新的地方。作幾回深呼吸運動。以發達呼吸機關。

此外更須注意的。呼吸必用鼻。不可用口。若用口吸入冷氣。尤有大害。睡眠中有開口呼吸底習慣的。應該隨時矯正。

(十三)性慾

性慾是天生的。男的在十六七歲。女的在十三四歲時。情竇一開。便有性的發動。和性交的知識。是不必有父母的教訓。和師傅所啓導的。可是性交有兩種目的。一種是生殖作用。一種是愉快作用。愉快和生殖。都不能勉強。更不能過度。否則就是過淫。過淫的結果。能使全身衰弱。視聽障礙。精神幽鬱。消化不良等症外。在男子要發生陰萎。和交接不能諸症。女子要發生陰門，陰道，子宮病及不姙症等。要避除這種害處。應該節慾。若據嚴格的衛生理論。性交的度數。性交的禁忌。因着年齡體質氣候而有差別。茲列表如次。足資參考。

年齡	週月	度數
二十至三十歲	一週	二——三回
三十至四十歲	一週	一——二回
四十至五十歲	一月	二——三回
五十至六十歲	一月	一——二回
六十歲以上	一月	一——二回(衰弱者禁絕)

性交的禁忌時間。

(一)關係身體方面的。

1.月經來潮時。
2.姙娠六個月以後。
3.分娩後五週以內。
4.患生殖器疾病時。
5.患花柳病時。
6.患傳染病或其他疾病時。
7.大病方愈後。
8.業務繁忙時。
9.食前食後，或空腹過度時。
10身體過於疲勞時。
11酒醉後。
12行遠路後。

(二)關於精神方面的。

1.精神不爽適時。
2.夫婦感情不和合時。
3.精神感動劇烈時。
4.發生嫌厭之念時。

(三)關於天時氣化方面的。

1.春分秋分日。

2.夏至冬至節前後七日內。

3.迅雷暴雨。烈風閃電時。

4.日月薄蝕。嚴寒酷暑時。

此外還有關於迷信方面的。如神佛降生誕忌日。晦弦日。及燈火前，寺廟區，井灶前，坑廁，塚墓，尸柩旁等。說者謂犯之能減年降疾。其實神道設教。原是輔佐法律所不逮的。這種禁忌。無非是要使人節慾長壽。須要遵照。況且井竈坑前。或有毒物。塚墓尸柩的旁邊。必有惡氣。當然不能性交。是頗有意義的。

性交的度數。和禁忌。既已說明。還有非性交。而關於性慾衛生的。如青年的手淫。手淫能刺激神經。而消耗精液。既沒有愛情的調和。於是腦神經和脊體神經必能大受損害。所以常犯的人、很容易害神經衰弱的病症。又易併發早漏，遺精，陽萎，生殖器，發育不全。或外傷不姙娠等病。

要防止手淫的惡習。除一般良好教。須留意下列各條。

1.保持陰部的清潔。

2.節用刺激性飲食品。

3.睡眠時要側臥。被褥勿太重厚和過暖。

4.寢前用冷水洗擦下腹部。

5.晨間一醒覺後。即行起床。

6.平時所用之褲料。宜用細軟者。

7.勿看淫書淫畫。

養生瑣談

郭芬亭

●睡寐零話

養生家曰。先睡心後睡目。空言擬議耳。寐有操縱二法。操者。如凝神貫頂。數數鼻息。是心有所着。乃不紛馳。庶可獲寐。縱者。任其心遊思於杳渺無朕之區。亦可漸入朦朧之境。最忌者。心欲求寐。而寐愈難。

就寢即滅燈。目不外眩。則神守其舍。自能熟睡。

頭為諸陽之首。攝生要論曰。臥不覆首。徵之現今衛生學說正同。

古人夜臥時。有常以兩手揩摩身體。以活筋絡。名曰乾浴。此似現今之按摩術也。日長精神疲倦。坐而假寐。任其自然。醒時彌覺神清氣爽。不可言喻。較之就枕而臥。更為受益。

中国近现代中医药期刊续编·第二辑

樂天詩云。不作午時眠。日長安可度。可知晝眠。乃春夏日長時。所不可無也。時間以二三十分鐘。爲最適衛生之道。惟少壯時期。晝臥可不必。強爲之。反令目昏頭眩。此實經驗之談也。

臥宜樓房。能杜濕氣。韓偓詩曰。寢樓西畔坐書堂。現今衛生家。亦以臥室在樓爲宜。

陽光益人。且能發鬆諸物。褥被久臥則實。故宜陽處晒之。不特棉絮加鬆。終霄亦有餘暖。并藉此日光。可殺滅微生物與蚤蝨。至黃梅時臥具。尤宜常晒。方合衛生。褥底鋪氈。臥時熱氣下注。必有微濕。得氈以收之。臥前宜嗽口。俾齒間殘粒不留。則不至隔宿製成腐敗也。

●笑之利益

前人

笑爲天賦吾人獨有之特權。其功用之宏。善用之。不僅能祛憂鬱。愈癲狂。又能陶養性情。開拓神志。西洋稱笑爲最廉之養身物者以此。今述其利益如下。

(一)能使肺葉膨脹。呼吸因之加速。

(二)能使精神活潑。消化力因之增加。

(三)能使腦力鼓動。血液因之通暢。

(四)能解憂愁鬱結。心志因之舒展。

有此四種特效。均能助康健。減痛苦。增樂趣。愈癲狂。笑之利益。豈不大哉。

文藝

歲暮感懷(集藥名)

張仲純

天門冬際總重陰。百草霜凋丹染林。却顧桑榆搔短髮。倍因薑桂憶同心。帳前胡蝶夢難續。江上鯉魚書恐沉。懶向仙靈乞芝朮。從容竹葉且頻斟。

楓赤橘紅已過時。寒天水石尚清奇。徑荒休歎無花菓。囊澀還摩大腹皮。酌我蒲桃差耐冷。贈人芍藥每傷離。金釵換去餘糧米。覓取丹鉛自下帷。

寄生異地類蓬飛。一任自然素願違。花萼無端嗟獨活。梓桑何處話當歸。井華朝汲盟心慣。松柏後凋知我稀。從此白頭甘草食。忍冬杞菊近猶肥。

何曾遠志未能伸。自省無名異達人。故紙堆中枉埋首。僵蠶繭裏且存身。逐波偶似浮萍聚。久客轉於生地親。心血竭餘腰脚健。好防風露待長春。

論醫詞 調寄賀新郎

周廣眞

醫法誰爲最。猛回頭、靈樞素問、傷寒金匱。十二陰陽經與絡、臟腑病形如繪。更附後外臺淸臈。百草千金含道妙。儘饒君、深淺嘗滋味。細評判、陳篇碎。　華陀扁鵲空追悔。笑紛紛、醫奴醫丐、醫魔醫賊。咀嚼糟粕遺義蘊、白晝驕人見鬼。却未覩西醫解剖。滌胃滴腸窺肺腑、算希奇、千載遙相對。恨不起、古人會。

記事

本社第四次討論會記事

本社第四次討論會、於十二月一日午後三時在竹竿巷周醫寓開會、到者、有董志仁施稷香吳煥成周子愉王一仁諸君、意味甚佳、會後並商定下期討論會爲二十二年元旦于午後三時、在聚豐園開會、會後聚餐、玆將本次各項問題答案錄下、

一、問陸氏潤字丸用法、與大小承氣湯之區別、(沈仲圭)

(答)陸氏潤字丸方藥、爲橘紅一兩、杏仁二兩、牙皂一兩、前胡天花粉枳實山查肉各二兩、甘草三錢、檳榔七錢、半夏一兩、生川軍十二兩、水泛爲丸、大承氣湯重用枳樸、有芒硝、小承氣湯重用大黃、無芒硝、雖三方皆用大黃、而分量配合則有別、以是主症亦不同。大便不通而痞滿燥實兼全者。必用大承氣湯。但痞滿而無燥實者。則不必用芒硝。凡須少用枳樸。則小承氣湯已足勝任。若在夏秋之際。秋溫濕溫之症。腸胃雖有熱積。同時又見泛噁、胸痞、咳嗽、多痰者。則用潤字丸、可收清滌之効。與胃家實症。究大同而小異也。

二、問石榴皮殺蚘蟲、見本草、但其藥理作用如何、未能明悉。(前人)

(答)石榴皮酸濇之性。見鐵即起養化而爲黑色。如杏梅等菓、內含青酸。石榴皮當如烏梅一類。借其酸濇之性。可以殺蟲。殺蚘之藥。最妙莫如烏梅安胃丸。其力尤勝。

三、問結核性下痢、神經性下利。何以不能用單甯酸。(前人)

(答)結利性下利。病在直腸。時作疼痛者是。神經性下利。亦時隱痛。其氣液皆有所滯。揆之中醫肝主條達之旨。宜用疏泄和中之法。單甯酸收濇之性。固所不宜也。

四、問千金方云、氣急久不瘥、變成水病。其病理若何。(前

人）

（答）氣急由于肺管支炎。肺逆則呼吸爲逆。淋巴血液皆起病理變化。外溢內聚。而爲水腫。內經以肺爲通調水道、下輸膀胱。且外通于皮毛。由氣急而爲水腫。亦自然之趨勢也。

五、問西法治梅毒、用六零六、中法用水銀製劑、唯有時不免爛齦腐肉之患、此外有其他良効方否。（董志仁）

（答）梅毒初起。輕者爲白濁、爲結核。繼則爲潰爛、爲竄毒。白濁熱甚者。以龍胆瀉肝湯。膀有結核者、以紅花散瘀湯。潰爛者、以搜風解毒湯。（土茯苓、白蘚皮、金銀花、苡仁、防風、木通、木瓜、皂角子、人參、當歸、）若梅毒已愈。毒竄於經絡。頭痛如破。筋骨拘攣不可忍。或起痰水狀。膿水淋漓滴瀝者。宜靈砂黑虎丹。製法。白砒三錢用綠豆水煑過、入罐內、升五柱香、取出、以白蘿蔔同煑、連入煎、寒水石百草霜各三錢、大黑豆一百二十粒、金頭蜈蚣三條煨、射香一分、冰片一分、上藥研極細末、和勻用紅棗四兩、煑熟、去皮核、同搗爲丸如豌豆大、每服二丸、冷水或茶下、口服起泡而腫、則藥力到矣。緩一日再服、忌飲熱湯及大葷腥。藥中黑豆生用。以冷水浸軟、去皮、同紅棗肉搗爛爲丸。更加西黃三分尤妙。此方治梅毒竄經絡者、有奇效。又梅毒症常以土茯苓一兩煎湯代茶。能促早癒。防服水銀製劑。而有爛齦腐肉之患者。若進上列之方。決無此患。再以金鑑外科梅瘡門金蟾脫殼酒服之。亦能於梅毒建奇勳。查現行之六零六中、有百分之二十五砒素。舊出者更多。

六、問經脈與血管之區別、（前人）

（答）經脈所包者廣。如神經、肌肉、骨骼、淋巴、消化、呼吸、循環、生殖、各系統。皆爲其涵蓋、血管則僅以動脈管靜脈管而言、義固有廣狹也。

七、問天熱發痧、有能嚼爛銅錢者、其理何居？（周廣眞）

答）此由於靜脈中有毒素。以血得熱而煩車神經緊急。更因頸下腺之毒素。互相迫擊。故能嚼爛銅錢。以放血法治熱痧甚效。以泄其毒素故也。

◉本社的口號

（一）讀書看病

（二）在迷新迷舊外求自立

贈書誌謝

●並代介紹

衷中參西錄增廣第五期上下兩册定價兩元三角

衷中參西錄第六期卽志誠堂醫案全一册定價一元六角以上兩書爲鹽山張錫純著發行處天津東門裏路北對費家胡同北口中西匯通醫社

靈素氣化新論全一册定價二元溫病講義全一册定價二元五色診…元定價一元醫學新論定價二元五角以上四書爲楊如候著發行處天津法租界綠牌電車道楊達夫醫社

景景室醫稿雜件　陸晉笙遺著非賣品蘇州葑門鳳凰街六十八號印行

醫界春秋　第七十三期張贊臣主編每册一角六分上海英租界西藏路跑馬廳路六十三弄(卽西洋關弄)二十號發行

醫學雜誌　第六十七期時逸人編每期一角五分山西太原精營東二道街中醫改進研究會發行

國醫學報　第一期林志生編每期八分發行處厦門公園西門前十五號

國醫公報　創刊號每期二角南京慧圓街十三號中央國醫館發行

江都衛生報　第七期每期一角楊州運司街新民里八十號發行

本社代售　中國醫藥問題　王一仁著　實價一角二分

三衢治驗錄　王一仁著　實價一角二分

中華民國二十二年一月一日出版

醫藥衛生月刊第六期

主編者　王一仁　杭州上城彩霞嶺十一號

發行者　中國醫藥學社　杭州上城彩霞嶺十一號

月刊定價表

另售每册六分	(郵費) 國內日本一分　國外及香港澳門六分
預定全年十二册七角二分郵費在內	
國外預定全年一元五角郵費在內	

本刊寄售處

本市　古今圖書店(保佑坊)　經香樓(城站)　維新書局(湖濱)

上海　國醫學會(西門內石皮弄)　中醫書局(山東路)　千頃堂(三馬路)

蘇州　國醫書局(吳趨坊)

南京　建國書店(成賢街)

衢州　聚秀堂(下街頭)

山西　中醫改進研究會(太原精營東二道街)

醫藥衛生月刊

通謨題

第七期　王一仁主編

民國二十二年二月一日出版

中國醫藥學社印行

杭州上城彩霞嶺十一號

電話一〇九六號

學說

仁盦醫說（五續）

王一仁

◉經脈與生理系統（二）

就生理言。能爲分出系統。各述職司。丁丁明晰。似亦善矣。然系統之分。仍爲相對之歸納。而非絕對之眞理。何以言之。如謂心爲血液循環系統之主。肺爲呼吸系統之主。然血液之循環。有賴於肺藏之呼吸。而肺藏之呼吸。卽所以呼炭吸養。以全血液循環之用。中間又須神經以爲調節。于此則血液呼吸神經三個一體。今旣勉爲分晰爲三個系統。自不能不敷陳邏輯、以堅其說。說愈堅而系統愈不可恃。然則余以經脈附於生理系統之說。前提已有搖動不穩之勢。此題又何能成立。今則未能免俗。姑妄言之。苟無破空之見。必來矛盾之譏。要知國醫經脈之說。集生理之大成。是整個而非片段。更非支離系統、所能盡述其義蘊。後所云云、有待於闡發者。固甚多也。

太陽經主體溫系統　在生理學上。體溫原不成一系統。然以整個人身之體溫。在祁寒暑雨之中。善能調節收放。以維持其生命。應爲劃出立一系統。而歷來生理學者。皆以循環、呼吸、消化、排泄、淋巴、神經、生殖、各系統爲至當不易之定論。陳陳相因。以體溫之來由爲次要。不免捨其大而守其細。此而不革命。豈竟以推翻往古中土醫籍之學理經驗。徒拾他人之牙慧。卽爲醫界革命能手乎。太陽二字之解釋。據前人所言、「太陽者，巨陽也。」又曰「太陽主衛外之陽」。人之體溫。彌綸全部上下。無處不到。故有巨陽之號。至言衛外之陽。尤爲體溫下一極明瞭之轉語。靈樞營衛生會篇云。「衛出於下焦」。小腸網油之熱氣。放散於體外。爲衛氣生發之大源。而足太陽經脈「上額、交巔、絡腦、下項、挾脊、抵腰、絡腎、屬膀胱」亦爲衛氣(體溫)發生之本。據生理學家發見大腦皮質、腦橋、視丘、中腦和延腦、有熱中樞。又據實驗之結果。表明腦迴轉紋狀體有一個熱中樞。用針刺激之。則體溫增高。割去之。則體溫低降、以至于死。且熱中樞、有時反因腦溫過度升高。而喪失其活動。腦溫低降、則能激發熱中樞之活動。至其所以然之理。實驗結果、尚難斷定。若以經脈之道路印證。則或易了然。蓋生理氧化。隨環境氣候之高低。肌肉活動之程度。食物養料之性質而盛衰。食物養料、固爲下焦發生衛氣之主。肌肉活動。亦所以增加熱力。環境氣候。應響于皮膚血管之漲縮。汗液分泌之多寡。此固當然之事。其尤要者。則由口鼻呼吸。上達于腦。以調節熱中樞之活動。而使整個體溫、得平衡之道。苟熟探太陽經脈所循之徑。則體溫所以發生、所以平衡之故。殊不待煩言而解。是以熱病為超出正常之體溫升高。無不涉及太陽。即其頭痛寒熱。乃為必然之症。故內經有「熱病皆傷寒之類」之言。治理樞轉。即以恢復太陽經氣為不二法門。若無整個體溫系統。嫻熟于胸。則治療傷寒。誠有無處下手之嘆。中醫之善治傷寒內症。豈偶然乎。非有學述理論之根據。僅憑陳陳相因之經驗。果能泛應而曲當乎。

癲狂病的研究

俞慎初

在未談這病之前，先要把病的原動機關研究一下、西醫謂思想運動皆由於腦的作用，中醫指由心的作用，二說不知誰是，然二者互相參考，我下了公斷的理論，就是說心和腦有連帶的關係，西醫指腦，中醫指心，一言標，一言本，我在研究內經書中找出兩句，就可斷說心和腦有連帶的關係，一是脈要精微論說『頭者精明之府』，一是靈蘭秘典說『心者君主之官，神明出焉』頭是腦的外廓，腦是頭的中心點，精明即是神明，國家貨物所藏之處，就叫做府，由這樣的解釋，那麼知道內經所說頭，就是神明所藏之處，心居主之職，乃全身的主宰，故不說藏，而說出，出是神明的出發點，是知思想運動的主宰，皆由於心貫於腦，由腦轉達，由是即可知癲狂病發生的原因，對於腦和心很有關係，腦是神經系的總機關，神明所藏之處。心是循環系的總機關，神明的出發點，假如腦神經受一種的刺激，每每影響到心臟，血液也必起了變化，血液倘受了一種的障礙，也可以影響到腦神經，甚則頓起變態，我們知道，神經有分佈於各臟腑，對於心臟有兩種的作用，一是交感神經和迷走神經，能制止心動的力量；一是脊髓神經和腦髓神經，能催進心動的力量，兩種的作用，互相平均，使心動不致亢進，若受了障礙，以激盪腦神經，而影響到交感神經緊張，迷走神經無力制止，則心動亢進，以靜脈起了鬱血，或受了瘀血阻滯，則神經受這種的刺激，便起了變化，以致神志失常。

我國方書，對於癲狂症，議論很多，內經說『重陰者癲，重陽者狂』難經說『邪入於陽則狂，邪入於陰則癲，』到後來的醫家，議論更得渺茫，有的主火，有的主痰，有的主肝風，有的主陽明邪熱，治法狂症以為是痰火等病，用當歸蘆薈丸、礞石滾痰丸等；癲症以為是邪入於心，憂愁思慮，肝不條達，用磁砂丸，硃砂安神丸等，其治法總不離化痰開鬱鎮墜劑，然或效或不效、西醫對於癲狂症分有四因，一是梅毒入腦，一是先天遺傳，一是酒精中毒，一是跌仆重傷，其治法皆用鎮靜劑，使腦神經暫時安定，然沒有根本的治法，故也沒有徹底的效果。

所以我們由怎樣的研究。這種的病症，原因是由血液的變態，故要用特殊的方法，從根本上來治，中毒性用癲癇龍虎丸，以祛內中的毒質，和鎮攝腦神經；鬱血性用癲狂夢醒湯，以活腦中血液，不致再起鬱血，又使瘀血不能積滯，這兩方的用藥，眞是巧妙的。

方藥

中國舊有痲瘋治療方法

王吉民

廿二年二月一日。以事謁王吉民先生之廬。承出示大作中國醫史。並以本篇見貽。圭以痲瘋治法。同道中研究之者甚多。且本文彙集治法。詳備靡遺。爰提供讀者。以資參攷。　沈仲圭附記

中華第一屆全國痲瘋大會，定于十月五六兩日，在滬舉行，此在吾國爲創舉，實爲我醫界放一異彩，鄙人被邀出席，因事不克參加，多聆國內外諸碩士之教益，甚深歉憾。

關於痲瘋症狀病由等，鄙人前曾纂『中國痲瘋史』一文，刊載中西各誌，惟略於治法，玆就典籍所載，涉獵所得，草成是篇，非敢謂有何貢獻，聊供普通之參攷云爾。

痲瘋一病，自古以爲難治，唐孫思邈經驗最多，嘗云所療六百餘人，瘥者十分有一，成績堪稱優美，若現代醫者，恐無此本能也。

中國舊有治法，約可分爲四種，(一)藥物，(二)針灸(三)外治(四)攝生。

(一)藥物　內服藥物，有植物類，動物類，鑛物類，前醫多用植物類，動物類次之，鑛物類則甚少入藥。

1.植物類

大風子

晚近新法，以大風子油注射爲有效特劑，詎此藥吾國早經入用，金朱震亨言之最早，惟彼謂此物性熱，有燥痰之功而傷血，至有病將愈而先失明者，故曰治大風病，佐以大風油爲粗工。

李時珍本草綱目，大風諸癩方云，大風子油一兩，苦參三兩，入少酒糊丸梧子大，每服五十丸，空心溫酒下，仍以苦參湯洗之，其取油法，用子三斤，去殼及黃油者，研極爛瓷器盛之，封口入滾湯中，蓋鍋密封，勿令透氣，文武火煎至黑色如

膏，名大風油，可以和藥。

松　脂

『外臺祕要』松脂投冷水中二十次，密丸服二兩，饑卽服之，日三，鼻柱斷離者，二百日差，斷鹽及房室。

『抱朴子』趙瞿病癩，歷年不差，家乃齎糧棄於山穴中，有仙人經穴，見而哀之，具問其詳，瞿知其異人也，叩頭自陳乞命，於是仙人取囊中藥賜之，教其服，百餘日，瘡愈，顏色悅，肌膚潤，仙人再過視之，　謝活命之恩，乞遺其方，仙人曰，此是松脂，彼中極多，汝可鍊服之，長服，身轉輕，力百倍，登危涉險，終日不困，年百歲，齒不落，髮不白，夜臥常見有光大如鏡。

苦　參

『儒門事親』苦參末二兩，以猪肚盛之，縫合煑熟，取出藥，先餓一日，次早先飲新水一盞，將猪肚食之，如吐，再食，待一二時，肉湯調無憂散五七錢服，取出大小虫一二萬為效，後以不蛀皂角一斤，去皮子煑汁，入苦參末調糊，下何首烏末二兩，防風末一兩半，當歸末一兩，芍藥末五錢，人參末三錢，丸梧子大，每服三五十丸，溫酒或茶下，日三服，仍用麻黃，苦參，荆芥，煎水洗之。

『聖濟總錄』苦參丸治大風癩及熱毒風瘡疥癬，苦參丸為末，掘取去皮暴乾，取粉一斤，枳殼麩炒六兩為末，蜜丸每溫酒下三十丸，日二夜一服，一方，去却枳殼。

何首烏

『聖惠方』何首烏，大而有花紋者一斤，米泔蒸一七●九蒸九晒，胡麻四兩，九蒸九晒，為末，每酒服二錢，日二服。

黃　精

『聖濟總錄』營氣不清，久風入脈，因而成癩，鼻壞色敗，用黃精根去皮，潔淨溪水洗，二斤暴納粟米飯中，蒸至米熟，時時食之。

此外治癩之植物藥，不勝枚舉，若防風，獨活，當歸，荆芥，牛膝，大黃，天麻，木鱉子，川芎，羌活，細辛，白蒿等，或數味，或數十味配製而成，更有以動植鑛物合於一方，如市上之通天再造飲，換肌散，萬靈丹，消風散，追風散，磨風丸，醉仙散等是也。

2.動物類

諸　蛇　一

世傳以蛇治癩，頗有奇功，醫籍亦多所記載，但究竟如何，尚未經證明，難以確斷，此法初發明，似屬偶然，據「朝野

命戴』云，商州有人患大風，家人惡之，山中爲起茅屋，有烏蛇墮酒甕中，病人不知，飲酒漸瘥，底見有蛇骨，始知其由

各項蛇類，以白花蛇及烏蛇，爲最通用，『本草綱目』云治大風，用烏蛇三條，蒸熟取肉焙研末蒸餅丸米粒大，以喂烏雞待盡，殺雞烹熟焙研末，酒服一錢，或蒸餅丸服，不過三雞，即愈。

又白花蛇一條，酒潤去皮骨取肉，絹袋盛之，蒸糯米一斗安麴於缸底，置蛇於麴上，以飯安蛇上，用物密蓋，三七日取酒以蛇晒乾爲末，每服三五分，温酒下，仍以濁酒幷糟作餅食之尤佳。

『瘍醫大全』肥鴨一隻，餓一日，用赤煉蛇一條，切碎，麻黃，羌活，各四兩，大附子二兩，麝香一錢，陳米二升，俱爲細末，好酒火酒各一碗拌勻，作三四次與鴨吃，待鴨毛將落殺之，用酒煮爛去骨，當歸，白花蛇，金銀花，各四兩蛇蛻一兩土茯苓半個，髮灰，龍肝，各五錢，共爲末，和鴨搗勻，加酒和丸桐子大，每服百丸，酒下，半月自愈。

死人蛆

『赤水玄珠』治大痲癩疾祕方，用死人蛆虫洗淨，銅片上焙乾爲末，每用一二錢，皂角刺煎濃湯調下，若腫而有疙瘩者，乃陽明經，温熱蘊盛，先以防風通聖散，服二三帖，然後再服，此藥有補功，以皂針爲引，故能達表，能久服之，極有神效，非泛常草木可比也。

『醫學指南』有治大痲瘋祕方，用人蛆一升，細布袋盛之，放在急水內流之乾淨，取起以麻黃煎湯，將蛆連布袋浸之，良久取起晒乾，再用甘草煎湯浸晒乾，又用苦參煎湯浸晒乾，又用童便浸晒乾，又用葱薑煎湯，投蛆入內，不必取起，就放鍋內煮乾焙爲末，每一兩加麝二錢，蟾酥三錢，共爲一處，入瓷器內，每服一錢，石蘚花煎湯下，花即山中石上生白蘚如錢樣，用蒼耳草煎湯洗浴，然後服藥，七日見效，體壯者一日一服，體弱者二日一服即愈。

穿山甲

『瘍醫大全』穿山甲一個，不拘大小，務要頭尾爪甲毫無缺損，方可入藥，倘有不全，則患者亦於斯處，不能全愈矣，以濕絹拭淨灰塵，灰須去淨，用上好嚴生漆一斤，絞去渣，將山甲遍身漆到，陰乾又漆，以漆完爲度，再陰乾，用火酒浸一日夜，取起風乾，覓無焇大罐一個，將山甲四肢分作五塊將雙銅絲穿縛，懸放罐內，四邊不可挨貼，鹽泥封固，罐口開一孔，用文武火煅煉，看罐口烟淨，即退火，俟冷取出，鋪放地上一

二時，研細末，每穿山甲一兩，加透明硃砂五分，和研收貯，每服三錢，燒酒調服，仍以燒酒過口，每日三服，忌鮮魚雞鵝羊肉麵食，惟鴨臘肉猪腰可吃，或病者欲頭先愈，即先將山甲頭服之，餘仿此，如聽其緩效，即合研可也，若鬚眉已落，服完再服長蕊，可復生矣。

其他如蝦蟆，蜈蚣，螃蟹，全蝎，蟬蛻，斑蝥，蜘蛛，水蛭，陵鯉甲等，合以他藥，亦均取用。

3. 鑛物類

石灰

『千金要方』石灰酒，主生毛髮鬚眉去大風方，石灰一石，水拌濕蒸令氣足，松脂煉成，（十斤爲末）上麵一斗二升，黍米一石，先於大鍋中炒石灰，以木札著灰中，火出爲度，以枸杞根剉五斗，水一石五斗，煮去九斗，去滓以淋石灰三遍，澄清以石灰汁和漬麵，用汁多少，一如釀酒法，訖封四七日，開服，常令酒氣相及爲度，百無所忌，不得觸氣，其米消及飯糟一年以上，不得使人畜犬鼠食之，皆令深埋却，此酒九月作，二月止，恐膈上熱者，服後進冷飯三五口壓之，婦人不能飲食黃瘦積年及蓐風，不過一石即差，其松脂末初設釀酒攤飯時，均散著飯上，待飯冷乃投之，此酒，飯宜冷，不爾即醋，宜知之

中國舊學，因不諳化學，故鑛物極少採用，有之亦多係外治，鮮有內服，單方中曾見用砒霜輕粉等劑，據云頗具奇效，惟未得臨床試驗者，不敢輕信。

（二）針灸

『素問長刺節論』病大風，骨節重，鬚眉墮，名曰大風，刺肌肉如故，汗出百日，刺骨髓，汗出百日，凡二百日，鬚眉生而止針。

『內經』癘瘋者，數刺其腫上已，刺以銳針，針其處，按出其惡氣，腫乃止。

『萬病回春』治大風斷根方，於大拇指觔骨縫間，約半寸，灸三炷香，以出毒氣。

『外臺祕要』。灸兩手約指中理左右，及手足指虎口中，隨年壯。

『玉堂閒話』高駢時，有術士善醫大風，置患者於隙室中飲以乳香酒數升，則惛然無知，以利刃開其腦縫，挑出虫，可盈掬，長僅二寸，然後以膏藥封其瘡口，別與藥服之，而更節飲食動息之侯，旬餘創盡愈，纔一月，鬚眉已生，肌肉光潔，如不患者。

按大風爲古來中西難治之疾，豈區區術士能治之耶，且其

致病之細菌，非目力所能及，則所謂挑出虫長二寸，當屬附會之談耳。

(三)外治

1.敷擦

『醫宗金鑑』顛聚祛風散，硫黃，寒水石，枯白礬，貫衆，各二兩，蛇床子一兩，朴硝五錢，共研細末，臘月猪脂搗爛調敷。

『張氏醫通』敷擦用白礬，川楝子，五倍子，全蠍，爲末，加斑蝥少許，香油調敷，狼油尤妙，爆瘡用大楓肉，番木鱉，烏桕仁。黑芝蔴，黑豆，杏仁，木鱉子，共搗一處，入陽成罐內，以鐵蓋蓋上，鐵線紮定，鐵釘旋緊，糠火煨一夜，取其藥油調後藥，預用胡椒，川椒各二兩，枯礬，輕粉各六錢爲細末，入前藥油調勻，擦患處，數日後如蛇蛻脫下，再擦二次效，肥人用川烏，草烏，細辛，杏仁，白附子，雄黃，白芥子，爲末，加麝香少許生薑蘸擦，頑厚者加斑蝥，白砒，不時擦之，擦時須覓密房，用紙糊好，弗見風，數日後，房子臭穢，再移別室居之，七日後，日擦一次，至病痊爲度，如有一處痛癢，即是病根，但如前法再擦，日三五次。

2.薰浴

『瘍醫大全』苦參，蛇床子，蒼朮，千里光，白芷，劉寄奴，大黃，番木鱉，搗碎，白殭蠶，烏藥，白蘚皮，各等分，用水一桶，煎去十分之三，煎湯洗浴，必待汗出而止，切勿透風，浴後飲藥酒溫睡，至四五日後，又浴一次，再五日後，又浴一次，酒到病除，皮膚顏色如故，飲酒將半，兼服大補氣血丸藥，致腠理固密，永絕此患。

『醫宗金鑑』地骨皮，荊芥，苦參，細辛，各二兩，河水煎湯，浸浴薰洗。

『外臺祕要』水銀蘭茹，藜蘆，真珠，雄黃，丹砂，各一斤，皆研如粉，以三歲苦酒三斗五石，於甕中漬諸藥令耗，七日，於靜溫密室中漬浴，始從足漸至腰浸之，日一，以棉拭面目訖，以水洗兩目，勿令入目也，可七日爲之，勿令冷，神效，忌生肉猩血等。

『張氏醫通』先用黃柏，黃連，薄荷，爲末，水調塗眼四圍，次用荊芥苦參，風藤，枳殼，蒼耳，羌活，桑槐桃柳等枝，連根葱煎湯熏浴，浴起用木通，石菖蒲，大黃，爲末，加麝少許擦患處。

(四)攝生

『千金方』神仙傳有數十人，皆因惡疾而致仙道，何者，皆由割棄塵緣，懷頹喪之風，所以非止差病，乃因禍而取福，故含所覩病者，其中頗有士大夫，乃至異種名人，及患斯疾，皆愛戀妻孥，繫著心髓，不能割捨，直望藥力，未肯近求諸身，若能絕其嗜欲，斷其所好，非但愈疾，因此亦可自致神仙。

又曰，一遇斯疾，即須斷鹽，常進服松脂，一切公私物務，釋然皆棄，猶如脫屣，凡百口味皆須斷除，漸漸斷穀，不交俗事，絕乎慶祝，幽隱巖谷，周年乃差，差後終身愼房室，犯之還發，蓋疾有吉凶二義，修善則吉，若還同俗類，必凶矣。

『聖惠方』食療治癩，可取白蜜一斤，生薑二斤，搗取汁，先稱銅鐺，令知斤兩，即下蜜於鐺消之，又稱知斤兩，下薑汁於蜜中，微火煎，令薑汁盡，秤蜜斤兩在，即休，藥已成矣，患三十年癩者，平旦服棗許大一丸，一日三服，酒飲任下，忌生冷醋滑臭物，功用甚大，活人衆矣，不能一一具之。

孫思邈葛洪等輩，因受道教之影響，力主凡染此症者，不可全賴醫藥，尤須修身養性，以隱居山林爲妙，此雖含有宗教色彩，而對於衛生方面之效果，未可掩沒，蓋入山休養，既可得新鮮空氣，又能免傳染他人也，南方有惡俗，名曰賣瘋，即初得病者，遍覓異性，與之性交，謂可除病，此種迷信，既傷身，又害人，眞遺毒不淺也。

醫藥鱗爪

沈仲圭

血病簡効方

失血之種類甚多。見於上竅者。如欬血、嘔血、鼻衄是也。見於下竅者。如遠血、近血、腸風、藏毒是也。其在男子。又有血淋一症。在女子。又有崩中、漏下二症。更有不論身體之何部。因輕微之外傷。而起致死的出血者。血友病也。欲詳論各症之療法。非數萬言莫能盡。茲選錄三方如下。皆方藥簡單。功効確鑿。可以自療。可以濟急。願醫士、病家共珍之。

一、內服方

A痰中夾血

痰中夾有血絲血點。肺癆病者。往往見之。可用白芨四錢。三七一錢五分。煎服。按白芨不但止血。兼可減少氣管之分泌。(即痰)且味微苦。適合胃藏。雖久服而無妨消化。三七止血無留瘀之弊。合以爲方。誠肺病欬血之要藥也。

B嘔血盈盆

嘔血雖較欬血易治。但失血過多。往往遽起心臟衰弱。而致虛脫。延醫診療。每嫌迂緩。可用花蕊石二錢至五錢。煅存性。研如粉。以童便一鍾。男和酒半鍾。女和醋半鍾。煎溫送下。（方出十藥神書）而止其血。再以獨參湯補氣。然後容從商治。自無意外之變。

二、外用方

C金創流血

五六月間。取苧蔴葉和石灰搗作團。曬乾研末。止血極靈。且易結痂。（方出本草綱目）他如生半夏或龍骨研粉敷之。亦良效。

黃雌鷄飯

元鄒鉉所著壽親養老新書。中有黃雌鷄飯。治產後虛羸。補益。用黃雌鷄一只。去毛及腸肚。生百合一顆。洗淨。粳米飯一盞。將粳米飯百合入鷄腹內。以線縫定。用五味汁煮鷄令熟。開肚取百合、米飯。和鷄汁調和食之。食鷄肉亦妙。圭按肥鷄含水分七〇•〇六蛋白質十八•四九脂肪九•三四。非淡素物一•二〇。灰分〇•九一。中西醫家。皆認爲最富滋養分之鳥肉。治產後虛羸、年老體衰之食補品。百合含蛋白質三•三〇。脂肪〇•一一。澱粉二四、一五。木質一、二四。灰分一•五五。水分六九•六三。功能補虛羸。益衰老。本草稱「百合新者可蒸可煮。和肉更佳。」此方以鷄肉配百合。益以補脾清肺之粳米。不但鮮美可口。抑且相得益彰。對於氣血衰少之產婦。誠爲事簡功宏之補劑。其用黃雌鷄。亦有深意。蓋哺乳動物及鳥類之營養價。牝肉恆勝於牡肉也。

考隨息居飲食譜謂百合專治虛火勞嗽。甄權云。百合治熱欬。愚意黃雌雞飯移治肺病欬嗽。亦殊合拍。蓋肺病治法。宜注重營養。而營養品中。當推雞肉爲巨擘也。

蚘虫及滅蚘藥

蚘爲人體內最大之寄生虫。狀似蚯蚓。兩端細小。頭部有口。雌虫長二〇至四〇糎。雄虫長一五至二五糎。全身白色。或灰赤色。其卵附着於蔬菜。吾人苟食不煮沸之蔬菜。或不潔之菓實。遂入胃腸而作病。患蚘虫病者。成人無顯著症狀。小兒往往惡心嘔吐。頭痛眩暈。口渴舌苦。腹痛下利。瞳神早晨散大鼻孔瘙癢。亦有全身發痙攣者。

蚘居於小腸之上段。但性喜游行。或羣集於輸胆管附近。致發黃疸。或大羣成團。充塞腸管。令人吐糞。或棲息喉中。令人氣塞。或入枝氣管。致發肺壞疽。最普通者。上入胃臟。而成「吐蚘」耳。

殺蚘特效藥。厥惟山道年與鷓鴣菜。但石榴皮亦克治之。陳藏器云。『酸榴皮煎服。下蚘虫。』及門孫鳳皋疑榴皮有麻醉作用。故能使蚘昏迷而死。此言殊有理由。惟虫類之神經。與人不同。是以榴皮雖殺蛔虫。而無礙吾人腦部也。

婦人溲泔方

俞慎初

一婦人病，小溲下如米泔，或如沸膏，月事漸少，體日羸瘦，脈細而弱，已經四月，諸藥罔效，後服羊肚五六個而愈。

藥品：每用羊肚一個。

服法：切小塊放於鍋中蒸服。

方解：羊肚性甘溫，故凡脾胃虛弱，肝陰內虧，不能運化，及消渴之症，治之頗效。

潞黨參考證

時逸人

黨參 平補劑 荳科（近世通以本品。爲五加科參之代替品）。

「形態」 本植物地下莖。長數寸。至數尺不等。鬚根多少不一。苗由地下莖上端蘆頭處。發簇多數長柄。葉枝長三四尺不等。繁盛稠密。如豌豆之簇生狀。柔枝細長如蔓。新生之葉。形如杏葉而薄小。葉之主絡明顯。支絡不甚分明。葉柄細長。全苗之葉對生。均呈綠色。微帶碧黃色。季夏枝間開梅花式、荳花形、之小花。秋季結莢角。長約寸餘。剖之內藏數粒豆形種子。成熟時呈黃褐色。深秋苗則乾枯如白絲。此其形態之大略。名曰黨漫荳。初結莢角呈青色。

「釋名」 （黨。地名。卽古之上黨郡。）今山西省。長治、長子、屯留、壺關、潞城、黎城、襄垣、平順、八縣。縣境轄地。按地理及山脈言。在山西省東南部。太行山之南端。在隋文帝時。由上黨發現之蔆。故名黨蔆。（蔆。草。故從草。從漫。漫同浸。浸漸之意。卽形容年久浸漸長成之意。）

「科名解釋」 據趙燏臣氏。黨參考云。黨參爲雙子葉植物部。離瓣花植物類之一種。其子形似豆。又有黨參豆之名。故列於荳科。

「產地及名稱」 山西省潞安府。所產之黨參。曰潞黨參。遼縣所產之黨參。曰遼黨參。五吉縣所產之黨參。曰台黨參。交城山野所產之黨參曰交黨參。北部歸綏區大清山所產之黨參。曰大山黨參。四川山野所產之黨參。曰川黨參。又名南黨參。陝西終南山。所產之黨參。曰南山黨參。又有係人工栽種者。名種黨參。山野生者。名野黨參。色白者。名曰白黨參。山西黎城縣產。用紅色土搓染者。名紅黨參。根蒂皮紋。螺旋纏繞。如獅子盤頭者。名獅子盤頭參。參全形小如防風者。名防風黨。現今市肆通行者。以舊潞安府屬之八縣爲最多。故通稱黨參。

「產量」

山西黎城所產種黨參爲多。四川產量亦不少。其他處所產之野黨參。爲數無幾。約計全中國每一年之產量。在十五萬斤左右。野參以百分之一計之。每斤約五元之譜。種參以百分之九十九計之。每斤約三元之譜。其中關於晉省之出產。約估百分之八十。

「藥田種植法」

(1)選擇土地　宜採依傍山石之砂土地爲最善。

(2)種植時期　第一年。爲秧苗培養期。按其地方之寒暖。而定其適宜時期。（大抵在清明節前後。爲最相宜。）

(3)秧苗培養　先于適宜地點。灌溉土地。耕掘虛鬆。務使平坦。以資播種。待參苗發生齊全。勿令土地乾燥。冬令宜用麥草覆之。可免凍傷之害。預備翌年分秧。

(4)栽秧方法　挖取第一年之參秧。於另一土地。相距四五寸、或七八寸。各栽一苗。隨時澆灌。所上肥料。宜於植物性肥料。（如豆餅等類。爲佳。）不宜於動物肥料。（如骨灰等類。）第三年。另地移植。常加灌溉。使生長茂盛。則根莖堅實。生長經過數年後。方可收採。

(5)培植方法　藥用黨參。勿使開花結實。若令開花結實。資液即不能充於根莖。宜用人工剪去花實。更宜詳記苗之發生。葉柄生長之節氣。以供研究。（因各地氣候不同。故生長不能預定。）

「採取時期」

陰歷八九月。或二三月。一在將結實之際。一在未發苗葉之先。蓋取其有效成分。尚未離其根莖。採取地下根。陰乾備藥用。

「辨別老嫩方法」

考本品歷年之多少。須數地下莖之上端近蘆處。橫列凹凸之皺紋。每有兩層皺紋。即已歷一年之證據。（蓋冬夏氣候。有寒暖之變遷。植物體質。因之有榮枯張縮之異狀。熱則漲。寒則縮。此所有橫列凹凸皺紋之原理。）

「採取方法」採取本品。種植者肉嫩。野生者力厚。野生而歷年多者。其效尤佳。採時用人工掘去週圍之土。以取其根莖。須注意不可誤傷其莖。（倘若誤傷其莖。則莖間之白色乳汁狀、液體。溢出。本品之有效成分。必致喪失。急用綫繩緊紮其斷處。不使其乳汁狀液體溢出。則本品效用。或可保留半數。總宜不誤傷其莖爲佳。）取回陰乾備用。

「陰乾時應注意之手續」本品採取。完全不缺者。陰乾備用。宜隨時用力揉握。務使皮肉緊貼。而至堅實。倘不經此手續。或揉握未曾用力。則皮肉分裂爲二層。虛鬆而不堅實。外雖乾燥。內已腐爛。或生虫蝕。不能耐久。故務須揉握至實。收藏於乾燥之處。以防霉蛀。而重保存。

「鮮藥鑑別」大山黨參之佳者。肥白細膩。身長津足而粗大。皮顯橫紋。而無順皺紋。內部少植物纖維。味甘。而微有土香之氣。其嫩如白水蘿蔔。用鮮者入藥。其效最著。乾者次之。奈產量既少。而又極不易得。潞安府屬各縣所產者。無論野生。與種植。均較大潞由所產者略次。

「乾藥鑑別」（野黨參）色澤蒼老而瘦。有含而不露之油潤氣象。外皮灰白色。（有罩以薄薄一層黑土者。）味甘有土氣。全身週圍有寬一二至四五分之橫列隆起棱。（此棱爲乾野黨之要點。）近蘆處。週圍有多數橫皺紋。其至下稍有稀疎之深凹順皺紋。蘆頭上。有多數葉柄脫落之螺旋突起蒂痕。其莖根。自蘆至梢。長六七寸、至三四尺不等。莖根至梢。其圓徑。八九分、漸至梢漸細一二分不等。（種黨參）質潤而肥。不甚緻密。外皮芽白色。而又罩灰土色之土銹。味甘而微兼土氣。近蘆處。周圍有少數橫皺紋。離蘆較遠之部。有數順皺紋。及多數毛根。其莖根自蘆至梢。長三四寸至三四尺不等。莖根至梢。其圓徑。六七分至一二分不等。

「鮮乾分解」「野生鮮黨參之橫斷面」。參質嫩軟而無空隙。爲非真圓之圓面。中心之白色小點。不甚明顯。自中心之輻射紋。略顯白色之最細紋。貼表皮之褐色環。其色極淡。圓面全部之光澤。如燈光之色。

「野生乾黨參之橫斷面。」質堅韌而微有空隙。(或亦有無空隙者。)爲周圍有圓凹沿。成不規則之圓面。自小白心至表皮處。有直綫形。輻射狀。在表皮裏圈周圍。形呈不足一分寬之褐色環圈。(其在解部上所得之形狀。大略如是)。

「性質氣味」 味甘微寒無毒本經 熟則甘溫綱目

編者按。古代之參。多掘自天然生長者。故尚能保全其微寒之本性。若近代之參。多係由人工種植者。必取硫黃馬糞爲肥料。其微寒之性。已渺不可得。是當謂其「味甘微苦性溫。」

「用量」 入煎劑。一錢半。至三錢。然獨參湯。獨用多用。亦有至一兩以上者。

「泡製」 一種用生者焙乾。或用土炒。(用土炒以去黨參內之油質。而期其增加促進乳糜吸收之作用。)

「成分」 本品含有澱粉糖質。及少量脂肪。微兼酸性。故有補益身體。生津止渴。強健消化之效用。

「忌鐵」 參無論生熟。經鐵器則發黑。大抵植物中。含有酸性成分者。均忌鐵器。參其一也。試以茶葉用鐵器烹之。何首烏用鐵器切之。皆變黑色。因相感而變色。則其有效成分。必起變化。此所以忌鐵之理由。

「本草效能」 補肺氣。強心臟。補中、健脾胃。安神、止驚悸。

「本草主治」 胸脅逆滿。肺氣虛促。短氣少氣。陽虛自汗。及一切虛勞內傷等證。

「近世應用」 大失血證。面白少氣者。

崩漏金瘡。出血過多。身體虛弱少氣者。

小兒慢驚。及痘瘡虛陷。不能灌漿者。

癰疽外證已潰。膿稀體弱者。

產後去血過多。心悸怔忡。脈結代者。

「生理上之作用」 興奮肺部組織。補氣 恢復神經疲勞。安神 增加血壓。強心 促進分泌。生津 補益膵液。補脾 振興新陳代謝機能之衰減。大補元氣

「健肺作用」 或謂參能補肺。載在中醫之典籍。然則服參後。在生理上如何顯著其補肺之成績。但以參之

效用推之。凡肺部組織萎縮。發生呼吸力弱。或短氣失音（無力發音）等證。服參後。則以上諸證。均見減退。足見參與奮肺臟之細胞。而且能強健肺部之組織。故古人試驗參能補氣與否。使二人競走同度之里數。一含參。一則否。結果含者氣息自如。不含者必作氣喘。於此可見參有健肺之效用。

「恢復神經疲勞作用」 勞動過度。神經必有疲倦之感覺。其原因在心臟衰弱。血液運行。不合常度。參之效用。在興奮肺部組織。旺盛細胞之活動。強健心臟動作。促進血液循環。心肺之作用健全。腦部神經。得充分之接濟。自無疲勞之感。或有疑其作用。等於嗎啡者。不知嗎啡之作用在麻醉。參則有強壯與奮之效也。

「強心作用」 血液循環週身。心臟實爲其主宰。心室弛張。以容納大靜脈之血液。心房收縮。以注射血液於大動脈。假使此種弛張收縮之作用。稍形衰弱。則動脈血壓減低。靜脈血液沈滯。體中必起重大變化。西醫名此證。爲心臟衰弱。宜用強心劑。中醫謂此證。爲中氣下陷。又爲中氣虛弱。宜用獨參湯。以補中氣。徵之於日本富田長壽成氏之報告。謂「用參則血壓增進」。又井上圓治氏。化學試驗之成績。謂參含淡灰色之糖原質。爲沙泡甯屬。爲血行器之要藥云云。

「復脈作用」 脈之原。根於心臟。凡結促代散等脈。有因心臟衰弱。致血液循環，不能整齊劃一。脈波因而有顯著之變化者。參之效用。在強心健肺。促進循環。增進血壓。故脈波自能恢復。張仲景治傷寒脈結代。心動悸。炙甘草湯。張潔古治傷暑無脈。用生脈飲。其復脈及生脈之效用。皆藉參之力也。

「止渴作用」 渴因生理上分泌液體。不足供體內之消耗。遂致口渴。思飲水分。參能旺盛分泌。則口渴自止。（按此項效用。西洋參較優。黨參較次）。

「醫療上實驗報告」 患者心臟衰弱。血壓低降之時。服參有振起心臟機能。促進血液循環之效用。依日本富田長壽成氏之報告。脈搏微弱者。服參後則脈波漸漸高起。是參能增進血壓。信而有徵。（張仲景治傷寒脈結代心動悸之炙甘草湯。重用參。以奏增高血壓之效。惟脈搏有力者。忌用）肺氣虛弱少氣。呼吸無力之時。服參後。則肺部功用振作。呼吸力量。漸漸恢復。至若風寒感冒之肺氣不宣。胸悶氣喘。肺部分泌痰濁甚多。倘誤用參劑藥品。則其病必致增劇。蓋肺部功用。因鬱滯而致遲遏。與參之興奮強壯效用。不能相宜故也。

「施用禁忌」參之效用。卽在補虛。苟不因身體虛弱。而誤服參。必有胸脘脹悶之感。服參過多。能引起胸部充血。發生頭暈頭重等證候。是皆參之副作用。又日人依豬子氏。以參在病證危急時。毫無作用。此迷信參藥萬能之說。而疑可以概治百病之誤會。蓋用藥治病。重在配合。（因病有兼證夾證之故。）無適當之配合。宜其無效也。

「處方配合」配龍齒治精神不甯。配五味子。治肺虛氣喘。配白芍。治內有虛熱之自汗。配黃耆。治中氣虛弱。心臟衰弱之自汗。配熟地。治肺氣弱、而腎氣虛者。配半夏。止嘔吐。配陳皮。化滯氣。配升麻。治中氣下陷。配蘇木。治產後肺部鬱血之氣喘。配代赭石。治心下痞鞕。配蘇葉。治氣虛感冒。脈弱者。配生石羔。治身熱自汗脈弱。配白朮。治大便瀉脈弱者。配茯苓。治脈弱而小便不利。配厚朴。治虛人脹滿。配附子。治陽虛氣弱怯寒者。

「新舊與藥效」大抵植物之有效時期。在一年或二年之內。不至喪失。黨參爲荳科植物之一。當然不能例外。故其效用。以本年採取者爲最佳。質柔而潤。藥效充足。若經過在三年以上者。雖收藏妥當。尚可入藥。但不如鮮者力強。若經過六七年以上。雖未霉朽蛀爛。亦不宜入藥。蓋其有用成分。完全喪失故也。

「製膏」（流動膏）取鮮黨參。壓榨其汁液。熬膏最佳。如非在原產地。當用乾黨參切碎。用熟水浸數日。煎濃汁。熬至稠厚爲度。大抵鮮黨參一斤。可熬純膏八九兩之譜。乾者。可熬純膏五六兩之之謂。（如量加白蜜。則膏量必可增加如白蜜之量數。）用量。每服一分。至五分。（硬固膏。）取前項煎成之稠厚流動膏。盛模型中。入乾燥器。烘乾為度。貯藏備用。用量。每服一分至二分。

「荳科參與五加科之區別」　據趙氏黨參之研究云。黨參為荳科植物。人參為五加科植物。在植物學。分明兩種。五加科參。苗葉分數柄。每葉分五歧。根長數寸。荳科參。苗生緊盛。簇生如豌豆。根長數尺。觀察植物形態。顯然可資鑑別。此不能認兩種為一物者一。五加科參。為強壯並滋補劑。荳科參為強壯平補劑。其藥效成分。功用各異。不能認兩種為一物者二。又凡參類。其根偶爾長成人形者。方可謂之人參。不成人形者。只可謂之參。不可謂之人參。（荳科參。五加科參。同一植物也。何時何地。不可生長。在古時山西太行山一帶。潞安遼縣等處。焉知不產五加科參。焉知其時吉林長白山等處。不有荳科參。）彼時即有荳科參。而偶成人形者。亦不能認為五加科參。將其名稱主治。加以混合也。在彼時長成人形之參。是五加科參之根。抑是荳科參之根。因無典籍可稽。未能決定。但據現在出產地之調查。在上黨一帶。所產之參。完全屬於荳科參者。（又按荳科參之根。即使長成人形。亦不足為怪。例如何首烏之根。經過數十年後。亦有長成人形者。他如枸杞之根成犬形。冬虫夏草之根成虫形。植物之根。偶然而成異形者。亦為極尋常之事實。）

「編者意見」　按趙氏云。五加科參。東西各國。已研究分析。改良種植。現今出產額甚多。銷途專在吾國。已成經濟侵略工具之一。反觀吾國。不但不知研究改良種植方法。以抵禦之。甚且對於五加科參。荳科參之界限。尚多未能分別。詢吾國研究藥學者之缺點。本篇詳細分析其種植形態。辨明其所以各異之點。然形態雖有別。其功用主治。則大略相同。故荳科參。為五加科參之代替品。苟非有確實可靠之經驗。誰敢以無用疲藥。以誤病機。其能行數十省。歷世數百年。傳之久遠。莫之或替。緣本品種植易。生植繁。功效確實。品質純良之所致也。(完)

苦參之研究

葉橘泉

「學名」Sophora flavescens, Ait. Vat.

「別名」苦蘵、鹿白、苦骨、拔麻、地槐、虎麻、白莖、苦辛、野槐、綠白、水槐、陵郎、菟槐、岑莖、驕槐、虎卷、扁府、

「產地」河南郾城、方城山谷、等處、

「種類」豆科槐屬之多年生草、

「形態」春季抽苗、高達三四尺，莖帶紫色、葉爲奇數羽狀複葉、夏季于莖稍開淡麟色之蝶形花、花冠作總狀、花序排列、穗長七八寸、秋季結莢實、形細而長、約二寸許、有類似小豆之種子、莖下角黃白色大長之宿根、形似牛蒡根、

「藥用之部」根、

「性味」呈弱酸性反應、味甚苦、

「成分」透明白色之「瑪篤林」Cnatrin. 結晶、

「生理作用」入胃能刺激胃神經、增加胃液之分泌而促進消化力、入腸能激腸之蠕動、使大便易排出、

「醫治功効」本經主治心腹結氣、癥瘕、積聚、黃疸、溺有餘瀝、逐水、別錄養肝胆氣、安五臟、平胃氣、令人嗜食、除伏熱、腸澼、癰腫、療惡瘡、下部䘌、止渴、小便黃赤、宏景漬酒飲、治疥殺蟲、時珍殺疳蟲、炒存性米飲服、治腸風瀉血、并熱痢、又曰、苦參黃柏之苦寒、皆能補腎、蓋取其苦燥溼寒勝熱也、熱生風、溼生蟲、故又能治風殺蟲、金匱狐惑條、「蝕於下部則咽乾」、此皆由溼毒氣所爲也、苦參湯洗之、

「驗方」用苦參一味爲末揩齒、治齲齒、蓋取其清熱殺蟲良效、見史記「倉公傳」

苦參炒焦爲末、水泛丸梧子大、每服十五丸米飲下、治血痢不止、

「用量」五分至二錢、

「用法」採其根、洗去泥土、浸米泔、去腥穢氣、剉用、

「禁忌」腹痛下痢之無熱者禁用、

「畏反」藜蘆、菟絲子、漏蘆、貝母、

橘泉按 本品之味極苦、爲苦味健胃劑之最著者、能俾助胆汁之防腐制酵、消腸粘膜之發炎、殺菌清血、解毒除熱、故能治腸澼、癰瘡、黃疸、積聚、癥瘕、伏熱、蟲䘌、等患、蓋具有特效于一切細菌性血液毒素熱病也、然苦味藥之健胃助胆、爲藥物上之通性、即黃連龍胆草等、亦具同効、特本品爲苦味中之尤者、其效力故尤勝也、太炎先生論溼溫治法云、「……黃連性能解毒、厚腸胃、則腸中自無生瘡之患……問者曰、腸窒扶斯、（溼溫）遠西以其無特效藥而不能治也、今子云、服黃連者無下血出血之患、豈黃連爲此症特效藥耶、曰、猶有苦參焉、據本經別錄云云、則其殺菌除熱利水之效、過于黃連也、千金療天行熱病、五六日以上、宜服苦參湯、（苦參黃芩地黃三味）張文仲療天行熱毒垂死、破棺千金湯、直用苦參、文仲或以是爲吐劑、千金蓋以是爲寒劑、若用諸溼溫、視諸溫當更效、昔人治熱病狂言、有以苦參爲末、每服二錢、用齏散法服之者、今用仲景法、則自微發汗後、倘有諸方、必欲直攻本病、則一味苦參亦足爾、以病態多變、故不欲執言耳、觀章大炎先生所論、則本品確爲溼溫之特效藥、然所謂溼溫、溫病、天行熱病等、蓋皆細菌性熱病也、其具特效於「清腸殺菌除熱消炎」愈益明顯耳、

雜俎

漢醫「十二經」說之將來

杜志成

不久將有細胞徵絲分佈圖加以嚴格之證明

一九三二年醫學科之諾貝獎、今由牛津 Oxbord 學府英爵士漢林屯 Chalies CheRRinG+on 暨劍橋 Combridge 大學英教授黑垤 Drob Edger ADrian 二人合得、二人對醫學界之

大貢獻、爲從動物之胎、察知「神經細胞 Nearon 逐期發達之詳細部位、蓋神經之于人身、不啻寄送消息之電綫、或自體層集於腦海、主司感覺、或自腦海而遍佈全身、主司動作、心之跳動、肺之呼吸、智慧之發生、視聽味嗅之判別、莫不惟神經是賴、神經細胞之形狀、逈異其他各細胞、神經細胞之週圍、除有短鬚、略如微蟲之曳長尾、長度每逾一公尺、例如手指與足趾之能伸曲、活動、乃藉上下相連之兩節長鬚、傳達命令、其上節之長鬚、起于腦殼內之細胞、而其尾稍通至脊髓、其下節之長鬚、起於脊椎骨後方脊髓中之細胞、而其尾稍又與手尖或足尖之筋絡細胞相牽附、脊髓之任務、乃爲接轉腦部所發出之命令、接轉之工作、神速無比、其中巧妙研精如何？至今尙爲未經揭發之一種祕密、惟細胞之爲物、爲至弱之微絲、自非數千莖之微絲平行集合、不足以任一屈指一伸趾之勞、近人研究神經細胞最感困難之一端、則以肉體構造過于繁複、中有微絲至難分辨、偶藉動物爲試驗、只有兩法可以鑑別、細胞之長鬚、而終覺不甚便利、其中一法乃先蹤尋神經細胞微細之長鬚平行通過處、而以精密審之手術、截斷其一部分、（萬不可完全截斷、隔數星期察視之、則被割斷之下半截長鬚、忽變灰色）其又一法、卽按神經細胞曳長之成束長鬚、對準部位、射鍍質化合物之藥料、（例如銀質與酸化合之鹽、）長鬚外包髓質 Myelin 之白皮、極易攝取化合物中之銀質、而變黑色、取置顯微鏡下細窺之、此黑色之包皮、最易分辨、今溪林甫爆拉二氏之所得新法、乃較上述兩法、更爲精巧、其法乃先隱試動物之胎、證明其細胞之長鬚、本爲灰色、每鬚外包髓質之白皮、尙須由漸長成、故知細察灰色、長鬚之以次變白、卽可辨明其相關之統系、此事在今日雖爲理論上之發明、而將來考察事業、逐漸完成、則如分成肢體間痳痺部位、上溯神經之交點、推定腦殼內神經膠腫 Gliona 確在何點？濟之刀圭聖手、謂那醫學界驚人之進步耶、且數千年漢醫學說之所謂「十二經」是否正確、如在彼時、得藉細胞微絲分佈圖、進爲事實上之證明、打破生理上與病理上之疑團、自更足爲人世間一大快事、

按瑞典大發明諾貝 Alfred NOBel. 自別塵世於今三十六年、其主創之諾貝獎金、向于十二月十日就瑞典之首都、株島 Stoch-palm 市舉行發獎盛典、十二月十日爲諾貝逝世之紀念日也、人世匆匆、孰有不死、惟善爲天下後世謀者、乃足以勸天下後世之崇敬、如諾貝氏之撥遺產充獎金、壽有盡、而事業無盡、是誠善自謀、爲普天下富貴中人所弗能及矣、（錄自時報新年元日專號）

一九三三、一、六。

衛生

衛生講話(續)

個人衛生(十四)婦女

董志仁

個人衛生。大概已在上面講完。但是婦女小兒。因特殊的關係。就有特殊的衛生。婦女的特狀。是月經。姙娠。和乳部等。

一、月經　月經是婦人生殖器分泌的作用。月經正常的。約四週一次。持續的時間。二三天乃至一星期。各人不同。在月經期內或有頭痛。腰痛。精神不安。和食慾不振的症候。其時所當注意者。外陰部須保持清潔。凡附着於陰部和陰毛的血液。最易腐敗惡臭。應該每天用溫開水在外陰部洗滌。(陰道內不可洗)至於身體和精神方面。當安靜休養。禁止劇烈運動。和作事過勞。飲食物須採用流動易消化者。對於生冷酸辣。或過於刺激之物。都要禁忌。倘有沐浴和交媾二項。尤須切忌。但月經後即宜沐浴。使之清潔。同時在月經閉止後星週內行房。很易受孕。此外關於月經衛生的月經布。我國婦女往往認牠為穢褻的。不肯給人看見。洗的時候。大多在晚間。洗淨即晒於陰僻之處。這樣假使有蟲蛇經歷。豈不危險。而且是項月經布的質地。都是用布裹草紙而成。很容易抄傷陰部。而藥房中有現成的月經帶。三友實業社有柔軟的月經布。祇有少數的婦女去購買。眞是莫明其妙。

二、姙娠　從受胎到分娩的期間。即姙娠期。在此期內。若不知攝生之法。往往要發生意外的事情。如小產難產等。如姙娠初三月中。和末後三月中。姙娠最感痛苦。惡心。嘔吐。食慾不振。精神不快。或過敏。尿意頻數等症狀發生。及末期時。因機械的障礙。發生腹壁緊張。呼吸頻促。大便秘結等症候。若加甚時。須行相當的治療。對於衛生。須恪守的條件列如左。

1. 劇烈的運動。勞力的工作。長時踦立。旅行登高須禁止。宜常散步。

2. 飲食物選用易於消化而滋養豐富者。凡一切興奮和刺激的物品。如酒。煙。辣椒。姜。等。不可濫用。生冷和過熱的飲食物。不可暴進。濃茶亦以少用為上。飲食一切均不可過多。

3.大便須通順。祕結時飲用開水。鹽湯均可。水菓也有通便之利。無效時。行灌腸法。不可服瀉下劑。以免流產之虞。

4.膀胱因胎兒的壓迫。致尿意頻數。或閉塞。須就醫治療。不可自服利尿劑。

5.適宜運動。正當的工作。爲最有益。公共場所或劇場。切宜少到。

6.精神不可過勞。煩憂之心。切須禁除。睡眠須充足。於喜怒之情。不可過劇。

7.在懷孕前半期。房事加以限制。在後半期中絕對禁止。免生意外。

8.在懷姙中。外陰部屢分泌粘液。宜時常洗滌外陰部。保持清潔。乳房部亦須清潔。若乳嘴陷沒者。用手時撮之。使之突出。以便分娩後嬰兒易於吸吮。

四、產褥期分娩畢後。生殖器及身體的變化。須經四週乃至八週後。才恢復生前的狀態。在產褥期中。如不知攝生。則有發生產褥熱之危險。

1.在此期中。身體和精神須絕對安靜休養。在最初二三日中。須仰臥。並撮服生化湯。褲褥須時時更換。及後經過佳良。惡露不多時。可行左右側臥。半月後。始可起坐。三週後。可出產室。如離床過早。有妨害子宮之復位。

2.外陰部嚴重消毒。保持清潔。以防發生創傷傳染。

3.飲食以流動物品爲宜。如牛奶。藕粉。牛肉。汁粥。雞蛋等。以少食多加餐次爲宜。並須禁止飲酒。

4.授乳前後。乳頭須用溫開水或硼酸水拭淨。以防小兒口腔炎。

5.如有會陰破裂。由產醫縫合後。兩腿伸直。密接而仰臥之。以期早日正常癒合。

姙娠期之衛生。大約已如上述，但我國各省縣。因地土氣候風俗習慣的不同。對於衛生方法。往往不能一例適合。如甯紹等處。婦女體質強壯。貧窮者。往往在娩出後。自行包紮小兒及洗滌衣服。又如某處產婦。聞說在產後第一天。即須大嚼雞肉。每日一隻。須連吃三天。飯量並須照常不準吃粥。云如此可以使產婦康健。這種習慣。與上列衛生不相吻合。且亦可說相反。但危險或患生疾病的很少。總是體質習慣的關係。一般體質羸弱的。還是依照普通衛生。仔細實行爲妙。

四、乳部　婦女的兩乳。因養兒授乳的關係。所以生理上比男子不同。形式較大。本來不足奇異。但我國一般婦女。自覺羞慚。竟把兩乳用緊身衫或小馬甲束縛如罪犯一般。爲害不淺。

記事

第五次討論會紀事

本社第五次討論會、在廿二年元旦午後三時、借座聚豐園開會、會後聚餐、是日到者、有阮其煜、李天球、施稷香、劉瑤栽、高一志、童志仁、湯士彥、王一仁、周子敘、諸君、玆將討論問答錄於下、

一、請詳示胃臟釀酵素之消化作用、（沈仲圭）

答、釀酵素、是細胞所產出的一種能夠發生促速作用的物質。性質不祇一種。更不是專在胃臟。譬如變化炭水化合物底酵素。如睡液澱粉酵。胰液澱粉酵、在小腸液裏有砂糖酵。麥芽糖酵、乳糖酵。又有肝臟臟粉酵、肌肉臟粉酵及葡萄糖酵。更有變化脂肪底酵素。變化生精質的酵素。在肝肺肌肉等底細胞裏又有氧化酵。各種酵素。皆有各個的特性。當由積久慣習而成者。然亦有共通之點。一、多數酵素皆能融解于水。二、溫度之高低。應響其作用。三、在過量酒精中、皆能沉澱。至于消化作用。則因排泄呼吸之故。促成而使然也。

二、問牛肉汁之滋養力，何以不及牛肉。（前人）

答、生理自然之吸收。勝于人造養料。憶者日本出兵西比利亞時。兵糧皆用提精液汁。歸來時病死大半。牛肉內含蛋白脂肪肌肉纖微灰分水分甚多。提取其汁。胃之所欲吸收成分。反致減少。是以不宜。唯于牛肉不慣食者。則以不食爲佳耳。

三、問郁李仁之功用，通小便乎，通大便乎，（前人）

答、郁李仁之功用。在于潤腸。因配合藥之不同。如與車前澤瀉等同用。亦有利小便之功。唯藥肆郁李仁、每以莵混用。須寫郁李肉。則得其力。

四、問人價價昂、黨參力薄，拯危救急之藥、以何種爲勝、（周廣寘）

答、大約黨參一兩可抵人參錢半之功。至于參附湯之回湯。參芎湯之止虛汁。當視其危急之因而用之。殊難固定。

五、問羊毛瘟之經驗及其理解、（前人）

答、以蛋白青布每能擦出細毛。此或爲一種特異之病理。其理解殊未易說明。

贈書誌謝

●並代介紹

脈話 陳觀光著每部定價一元六角太原橋頭街晉新書社代售

醫學雜誌 第六十八期每期一角五分山西省城精營東二道街中醫改進研究會發行

中國時令病學 時逸人編山西中醫改進研究會代售定價五角

神州國醫學報 新年號上海廈門路導德里神州國醫學會發行每册一角

醫界春秋 第七十四期張贊臣編上海西藏路西洋關弄第二十號醫界春秋社發行定價一角六分

硤石醫報 第二號每期三分硤石東南湖九二號硤石醫會發行

中醫世界 季刊五卷二號秦伯未編上海山東路十三號中醫書局發行定價五角

醫學月刊 第九期郭紹庭編揚州舊城十巷曾壽民醫寓江都中醫公會發行售價大洋八分

中國醫學院特刊 第三期上海公共租界老靶子路中國醫學院發行實價壹角

建國月刊 地方自治專號(非醫藥出版品)南京成賢街建國書店發行寄售四角

中華民國二十二年二月一日出版
醫藥衛生月刊第七期
主編者 王一仁 杭州上城彩霞嶺十一號
發行者 中國醫藥學社 杭州上城彩霞嶺十一號

月刊定價表

另售每册六分(郵費)	國內日本一分 國外及香港澳門六分
預定全年十二册七角二分郵費在內	
國外預定全年一元五角郵費在內	

本刊寄售處

本市 古今圖書店(保佑坊) 經香樓(城站) 維新書局(湖濱)

上海 國醫學會(西門內石皮弄) 中醫書局(山東路) 千頃堂(三馬路)

蘇州 國醫書局(吳趨坊)

南京 建國書店(成賢街)

衢州 聚秀堂(下街頭)

山西 中醫改進研究會(太原精營東二道街)

中華郵局特准掛號七一六號立劵寄遞

醫藥衛生月刊

蓬安題

第八期 王一仁主編
民國二十二年三月一日出版

中國醫藥學社印行
杭州上城彩霞嶺十一號
電話一〇九六號

學說

仁盦醫說（六續）

王一仁

▲經脈與生理系統（二）

論人身內外之體溫。內部器官之溫度。常高於皮膚之溫度。內臟中離外表愈遠者。其溫度愈高。肝臟之底部。卽爲溫度最高之處。此由屏藩之密。故蘊熱亦較多。然太陽經脈並不循肝。何以可爲總攬體溫之主。蓋太陽經脈雖不循肝。而足厥陰肝脈之氣。却上於巔頂。與足太陽及督脈合。中醫以肝主神經。卽由其氣上通于腦。腦爲調節熱中樞之活動。其於肝經發生影響。所不待言。肝底溫度較高。已由生理學家證明。其實腎臟部位。屏藩之密。初不亞於肝臟。腰部溫度。自亦較皮膚足膝爲高。足太陽之脈。絡腎屬膀胱。手太陽之脈。絡心屬小腸。小腸部位之脂肪淋巴。腎與皮膚之排泄。心藏所主血液之縮漲。以及膀胱氣化之蒸騰。整個體溫。已瞭如指掌。於此有須補述者。今日生理學上所言腎有輸尿管以達於膀胱。一若膀胱僅司貯尿排溺之用。別無蒸化之力。而中醫則不然。謂太陽經脈從腦至膀胱。中間經過心臟腎臟小腸等臟器。血液脂肪中之水分濁質。固流於膀胱化尿排出。而水分中之清質。方將藉太陽經氣。得氧化而蒸氣外出。以助發體溫。但觀忍尿之久。有尿中毒一症。此爲水分中之濁質。不下行而上逆。可爲腦氣通於膀胱之明證。唯其中間防範甚密。有如細篩播粉。粗粒自能汰去。是以尿中毒而致暈厥者甚少。亦生理自然之妙用也。

靈樞本藏篇云「衛氣者。所以溫分肉。充皮膚、肥腠理、司開闔者也。」又云、「衛氣和。則分肉解利、皮膚調柔、腠理緻密矣。」平常體溫。總在攝氏三十七度、華氏九十八度左右。若有變常。非由於體內產熱太多。卽由於體外散熱太少。此爲溫度升高者而言。反是若體溫低降。則由於體內產熱太少。體外散熱太多之故。司其樞轉者。實爲太陽之經氣。太陽經氣外發而爲衛外之體溫。有開闔之功能。然開之成分。究多於闔。皮膚之積垢。卽由太陽開泄而來。故有「太陽主開」之說。又曰「寒勝則浮」者。則以過嚴寒酷冷。太陽經氣。必亟起以應之也。夏月之汗多過甚者。每致疲倦。固不宜於太陽經之營養者，此又非寒勝則浮之義矣。支支瑣瑣而論體溫。則體溫之來源系統。仍然模糊。整個以太陽經氣爲言。則活潑潑地有伸縮性矣。

以病理言。如體溫變常之三陽熱病。在太陽則惡寒發熱。

在陽明爲壯熱汗渴。在少陽爲寒熱往來。此皆體溫之變常昇高。亦卽衛氣之開闔。失其常度。其病理源由治法。固各種不同。然太陽經氣不能恢復。則寒熱必無解散之期。此固斷然可見者。若在太陰少陰厥陰各經脈受病。非由於體溫之逐漸昇高。反有低降之勢。然其傳經之病。體溫低降。常爲假性而非眞性。如太陰病之四肢淸。少陰病之四肢逆冷。尤以厥陰病者之熱深厥深。更爲險篤。厥卽逆冷之甚者。病氣漸漸深入。體溫反漸漸低降。果何由而致此。則以厥陰之脈上巔頂。太陽之脈。交巔、絡腦、下項。因腦部熱中樞之溫度過高。體溫反漸低降。在前已言之。究竟誰能調節熱中樞。則捨太陽經氣外。更無能促其平衡者。今日之生理學說。果有實驗證據。類可解釋中醫之學理。熱中樞之說。卽其一也。太陽所主衛外之體溫。以腦溫低降。而能激發熱中樞之活動。以腦溫過度升高。而喪失其活動。於此則六微旨大論所云「太陽之上。寒氣治之。」鑿鑿可據矣。

生理之來源及其變化

馮起衰

素問陰陽應象大論。東方生風。風生木。木生酸。酸生肝。肝生筋。筋生心。肝主目。其在天爲玄。在人爲道。在地爲化。化生五味。道生智。玄生神。神在天爲風。在地爲木。在體爲筋。在臟爲肝。在色爲蒼。在音爲角。在聲爲呼。在變動爲握。在竅爲目。在味爲酸。在志爲怒。怒傷肝。悲勝怒。風傷筋。燥勝風。酸傷筋。辛勝酸。

(釋義)東方生風之說。姑以吾人習見而論。則冬至之後。春令之始。確以東風爲多。而草木欣欣。亦自此有向榮之象。所謂木生酸者。酸有化之義。萬物非空氣不生。非酸素不化。所謂助燃燒也。木生於風。而酸生於木。所謂木者概植物而言也。是酸味之成。間接生於風也。所謂酸生肝者。則以肝臟之氣。必吸收多分酸素以養之。而後以生以長。觀乎孕婦嗜酸。則以多分酸素。爲胎元所吸收。故欲繼續補給之。亦一明證。卽如八之腸胃酵素酸化。最關重要。古今中外所不能外。卽由空氣所化。而肝賴此以生。肝生筋者。筋膜爲血氣結成。其堅紉僅次於骨。據生理學上、解剖肝臟。爲體中最巨之腺。佔全體重量四十分之一。筋者、內繞臟壁。外週全身。聯結諸骨。絡屬肌肉。因其收縮力、以成關節之運動。然其長成。實隨肝臟血液分泌而並進。心臟雖爲批發血液之總機關。而本身無資生之力。反須肝肺脾腎之精氣。隨連屬之筋。內通於心臟。乃能生長。故曰筋生心。卽運動筋脈、可以強心。勝於樟腦針萬萬也。所謂肝主目者。目窩之內容物有眼球、肌肉血管、神經、脂肪、組織、淚器。然其能透明視物。則由肝臟之內分泌。繼續供給於黑眼球。其神經方得其用。但觀暴怒傷肝。由脅脹而目盲。則其主目明甚。其在天爲玄者。如生風生木之理。實幽隱而難見。在人爲道者。老子云：「道之爲物。唯恍唯惚。」又曰、「道法自然」。風木之化生。肝筋之生長。皆本於自然之生理。能見其已成之形跡。而難測其澈底之原由。地氣之萌動。氣出於風氣之化生。因化而生酸甘辛苦鹹之五味。五味之美。多至不可勝極。其源則皆出於風。所謂道生智者。積自然之經驗觀察。而智慧生焉。直覺爲經驗之暗示。最爲近之。玄生神一語。更須重視。今之所謂神經。其源謂皆出腦髓。腦髓則恃血液之營養。計分嗅神經、視神經、動眼神經、滑車經、三叉神經、外旋神經、顏面神經、聽神經。舌咽神經、肺胃神經、副神經、舌下神經。又有脊髓與交感神經系。以及局部神經末梢神經。更多至不可數。所謂知覺情感、思想觸覺。皆出於神經之運用。其大本營則爲心與腦。於此所當注意者。肝臟佔各臟最高之溫度。其生氣尤易達于腦。于神經實關重要。人爲動物中之最進化者。以腦髓神經均較細密之故。然神經之肇成。實由于空氣。何以言之。人有神經。動植物亦非無神經。蓋以同受空氣之故。唯構造有異同。進化程度不能一致耳。人窒息則身死神絕。動植物無空氣日光則死。是以神經之生成。歸功於空氣。雖似幽隱。然神經之說其理本屬幽隱也。且遺傳歷史與暗示。其影響於腦髓與神經甚鉅。然非目之所能覩。有時或能想象得之。故曰玄生神。下文曰神在天爲風。在地爲木。在體爲筋。在藏爲肝。皆徵足上文之意而言。吾人觀於本段經文之意。以肝臟概括神經。兩者相提並論。含義何等重大。應細味之。天色青蒼。木葉之色亦青蒼。而解剖肝臟。其色暗赤。大腦之色。亦由灰白質(皮質)圍繞白質(髓質)所成。所謂在色爲蒼者。非全無據。角音和而長。想象神經愉悅之意。在聲爲呼者。呼則舒暢條達。反之則鬱滯而病。在變動爲握者。如張脈僨興、握拳透爪。皆出于肝臟神經之急變。筋證之表現。其在竅爲目。又可以癲癇病之目瞪證之。眼目神經、在視察學上極關重要。眼部之組織。可以局部分析。眼之生理病理。不能以局部限之。容後論之。在味爲酸。已詳前述。在志爲怒。當究怒之由來。必由鬱勃衝動而後發。此肝臟神經之所司也。過怒則腦神經緊張。內臟分泌不及。則肝系緊急。急則傷害隨之。悲時氣斂而緩。神經由緊張而收束。而怒氣自平矣。所謂風傷筋者。跡其太過者而言。適宜之空氣。可以養筋。故經文陽氣者、精則養神。柔則養筋。風淫則適以傷筋。燥則風得其平。肝與筋乃得其調節。酸素過多。則筋弛緩而病。唯辛烈之味。足以減少酸性。天時氣味情性。皆貴得其平。此之謂也。

(同前)南方生熱。熱生火。火生苦。苦生心。心生血。血生脾。心主舌。其在天爲熱。在地爲火。在體爲脈。在臟爲心。在色爲赤。在音爲徵。在聲爲笑。在變動爲憂。在竅爲舌。在味爲苦。在志爲喜。喜傷心。恐勝喜。熱傷氣。寒勝熱。苦傷氣。鹹勝苦。

(釋義)南方爲熱帶。謂爲生熱。當非臆說。熱之作用爲焦灼。火性亦然。凡經火之物。其味皆由焦而苦。焦苦之氣味入心。能助心之堅長。於此有一半滑稽之證明。越王勾踐臥薪嘗膽。苦心積慮之餘。卒以滅吳。苦之有益於心臟。但以能吸收爲限度耳。所謂心生血者。大動脈發源於左心室。分由毛細管而佈達於週身。大動脈與門靜脈管。皆直捷通於脾臟。得血液滋灌。則脾臟充實。故曰血生脾。舌主味覺。爲運動自在之肌肉器官。舌根脈絡。內通於心臟。凡藏腑血液變化。其象皆見於舌。是以爲診視學上重要部份。臟腑安全。心氣和達。則舌能知味。所謂黏膜乳頭神經云者。乃辨別滋味更能週密之組織。決非知味之原動力。不僅此也。凡神經皆非孤立性。心之主舌。特其一端。天之熱氣。最顯者爲日光。距日近則熱。距日遠則寒。大地之火溫。皆出於日。故曰在天爲熱。在地爲火。所謂在體爲脈者。大動脈與大靜脈。皆由心臟佈於臟腑內外。其義甚明。凡天之熱、地之火。爲肇成血液之原始動力。血液之原。又出於心臟。故曰在臟爲心。日色、火色、血色、皆赤。故曰在色爲赤。所謂在音爲徵者。乃心藏和美之氣。由聲門而達於外。其音可抵齒而得之。燕太子丹欲刺秦王。送荊卿於易水上。爲變徵之音。酸楚激烈。反於和美。乃心之變音也。所謂、在聲爲笑者。必有所喜而後能笑。喜笑則由心氣和美悅利而致。有益於血液之循環。然必出於自然。彼苦笑假笑、非心臟之聲。憂能傷生促壽。非心之志。故曰在變動爲憂。在竅爲舌。在味爲苦。在志爲喜、云者。皆繳足上文而言。喜固爲心之志。然暴喜過喜之餘。血流散弛太甚。反有阻滯之處。(吾人作過度之笑。每致心腹牽引作痛。此即心與小腸動脈管散弛而滯也)。終之心臟疲乏。無以自振。故曰喜傷心。人過於喜笑之時。驟以恐懼之事告之。則心臟收束而下鎮。喜笑不禁而自定。故曰恐勝喜。過度之熱。能令人血液沸騰。終之液耗氣泄。觀於夏日汗多易乏。爲熱傷氣之明證。因汗血同源也。唯寒能勝熱。避暑必至深山峻嶺。所以調節氣候。保養心液之道也。苦味固足生心。然暴苦過苦之味。皆從熱化。能耗血傷氣。唯鹹味出於水。有滋潤下澤之力。苦味太過。唯鹹足以勝之。

(同前)中央生濕。濕生土。土生甘。甘生脾。脾生肉。肉生肺。脾主口。其在天爲濕。在地爲土。在體爲肉。在臟爲脾。在色爲黃。在音爲宮。在聲爲歌。在變動爲噦。在竅爲口。在味爲甘。在志爲思。思傷脾。怒勝思。濕傷肉。風勝濕。甘傷肉。酸勝甘。

(釋義)溼爲醞釀蒸腐之氣。乃水火寒熱合併而成。在一年氣候中。唯五月八月、最爲近之。五月爲霉節。八月爲桂花霉。其時日光雨水。相間而臨。其候不熱不寒。爲釀溼最顯之日。初非屬於何方之特有生氣。故曰中央生溼。土得溼蒸。乃受其滋養。而有生發之力。故曰濕生土。植物之生於土者。多含甘味。如米麥、及尋常草木之莖葉是。所謂甘生脾者。吾人脾臟有甜肉汁。(胰腺液)入腸、化澱粉爲可溶葡萄糖。中和酸性食糜。溶解蛋白質及乳化脂肪。俾腸之蠕動。此項膵液素之生成。根於飲食動植物之甜質吸取而來。脾臟非此不能健全。年老或病後脾虛。多喜甘味。尤爲甘生脾之證。所謂脾生肉者。肉之纖微素。爲脂肪與血液化合而成。脾生胰液。入腸化物。同時有動靜脈通於心臟。實有鼓鑄脂肪血液。凝合而爲肉之功用。是以思慮勞役。脾藏受傷。形消肉脫。則反乎生理。不能生肉矣。肺藏之呼吸。外通於汗腺皮毛。而皮毛賴筋肉爲之盾甲。肉堅腠固。則肺藏之生氣盛。不爲風寒熱濕外感之氣所傷。肉爲肺之護衛。儼有生成之德。故曰肉生肺。口爲脾之外候。脣膠及舌下神經。皆通於脾。脾和則能知穀味。故曰脾主口。其在天爲溼。在地爲土。在體爲肉，在藏爲脾云者。皆纔足上文之意而伸言之。據解剖上、脾及膵腺、帶赤黃色。而土色濕腐之色。非赤非黑。故曰在色爲黃。其曰在音爲宮、在聲爲歌者。宮之音大而和。由聲門而出于口鼻之心中。其音爲四聲之綱。皆由脾脈所發。故曰主歌。歌者、咏歌也。噦卽今之呃逆。氣逆於肺胃之間。適當脾之分野。由脾脈氣逆而上。橫隔膜痙攣而致。纖者卽愈。甚者呃而不止。亦足致危。在竅爲口。在味爲甘。其義已詳於上。思想主於腦。然非心臟之血液。無以神其用。脾臟統血。血中之電氣。向上分泌。則腦部工作。方可開始。故曰在志爲思。思慮過度。脾臟分泌不及。則傷害隨之。水液潮腐過度則爲溼。浸漬太久。如人之坐臥溼地、及淋雨。每易流爲肌肉痿痺及脚氣病。故曰溼傷肉。唯風性流動。能燥溼濕通。如脚氣病易溼地而居他處高爽之地則易愈。甘味太過則壅滯。而有傷於形肉。唯酸性能制甘。助其燃燒。化其壅滯。此天時氣味之自然生化對制。有關於醫學。實非淺尠。尋常因天時生理之自然調節。人多不注意及之。

(同前)西方生燥。燥生金。金生辛。辛生肺。肺生皮毛。皮毛生腎。肺主鼻。其在天爲燥。在地爲金。在體爲皮毛。在臟爲肺。在色爲白。在音爲商。在聲爲哭。在變動爲咳。在竅爲鼻。在味爲辛。在志爲憂。憂傷肺。喜勝憂。熱傷皮毛。寒勝熱。辛傷皮毛。苦勝辛。

(釋義)金類是否爲多受西方多年燥氣所結成。此須待深研礦物家之討論研究。而世間辛味其原始是否由燥氣。或金類原素所結成。亦有待於深明原質之化學家考證。所謂辛生肺者。肺居臟腑最高之位。呼吸汗腺。皆其所主。辛辣之性。最爲慓悍疾利。吾人食辛味過多。能使汗液外泄。想見能促肺臟機能之排泄。則少食之有益於肺之健全。謂爲生肺。或非過論。夫肺臟呼吸、與皮毛開闔。息息相關。故謂汗液出於皮膚者。其義過狹。且不可通。因肺臟之一呼一吸。吐故納新。而皮毛亦以生以長。其間無管腺之分泌。決非肉眼可見。故曰肺生皮毛。所謂皮毛生腎者。腎主排尿。皮毛主泄汗。然其總司樞紐者。實爲肺臟。苟呼吸開闔機能不利。則水與汗之排泄。皆失其常度。誠以皮毛爲人身之外廓。其由肺吸入而達於週身之良好空氣。有澄清血液之益。腎臟濾尿之功。其原實本於皮毛之呼吸。新陳代謝。乃全其排泄之用也。謂腎爲皮毛所生。亦非臆說。夫生者非謂受生於彼也。如肺臟之因辛味。皮毛之因肺臟。腎臟之因皮毛。皆就其主要關係而言。若以詞害意。則成笑說。即如內經全書。竟無一通順語矣。肺主鼻之義。意甚顯明。肺分肺尖肺底肋骨面肺門。而氣管枝、血管神經。皆由肺門出入。鼻通氣管。主呼吸。此人人之所易見也。其在天爲燥。在地爲金。在體爲皮毛。在臟爲肺。皆總束上文而伸言之。所謂在色爲白者。據解剖上、肺質輕而似海綿。能浮水之表面。色帶灰赤。處處現青色、或黑色。斑點呈大理石狀之紋理。皆從死後解剖見之。且所謂青色、黑色、斑點、或已是生前之病理狀態。非復生理健全時之肺色。以意測之。生前肺色。雖非純白。以接觸空氣最直捷之臟。含養分最多。當非如肝之青暗、心之純赤、可知。現代治療肺病專家。常使病者穿白色衣。意謂光線易透。便於殺菌。然白色有益於肺。亦自然愛其同化之色。有裨於本臟生理之恢復。光學治療。自是徵信。肺音商而主哭者。商音輕勁嚴肅。發於肺臟。哭爲肺臟神經系脹急而使聲門狹窄之故。人之悲從中來。則哭泣隨之。腦髓亦隨之變化。謂一切性感。原動刺激盡屬於腦。則又似是而非也。其在變動爲咳者。肺臟有縮力而少伸力。其氣主乎清肅。若有黏液固形物、或空氣中之多量炭養氣。襲積於氣管或氣道內。當呼吸之時。因迸阻而反動、則咳。咳則喉與氣管暫舒。必將該項黏液固形物、及多餘炭養氣掃除淨盡。方能復其常度。故咳爲肺臟生理變動之病態。在竅爲鼻。在味爲辛。已詳於上。其在志爲憂者。憂者其氣斂。適合肺藏縮度。殊有益於生理。唯憂之過甚漸入沉悶。則肺臟之氣管血管神經。皆縮斂而不已。幷呼吸之力而有不足。則大有害於肺臟。故曰憂傷肺。喜爲心之志。喜則氣緩肺舒。使斂者復得暢達之機。故能勝憂。其曰熱傷皮毛者。燥之過甚者爲熱。熱能走泄皮毛。其黏液層與皮脂腺。不勝久熱之開發。以致耗傷。唯寒能收斂。則皮毛復返爲固密。故曰寒勝熱。辛味散動過烈。亦令皮毛之氣、傷於無形。唯苦味堅凝。能勝辛而固皮毛也。肺以皮毛爲尾閭外泄之地。故過熱過辛。不曰傷肺。而曰傷皮毛。

(同前)北方生寒。寒生水。水生鹹。鹹生腎。腎生骨髓。髓生肝。腎主耳。其在天爲寒。在地爲水。在體爲骨。在臟爲腎。在色爲黑。在音爲羽。在聲爲呻。在變動爲慄。在竅爲耳。在味爲鹹。在志爲恐。恐傷腎。思勝恐。寒傷血。燥勝寒。鹹傷血。甘勝鹹。

(解義)北方寒冷。此吾人所習見習聞。地廓之水蒸氣。上結爲雲。過寒冷則下降爲雨水。亦吾人之習見習知。海水及四川鹽井。可以烹煮爲鹹味之鹽。又吾人之所習聞習見。無待於解釋。唯其原理。非專家研究不明。所謂鹹生腎者。腎爲排泄尿溺主要之臟。其構造有腎門。(爲血管、輸尿管、及神經出入之門。)大動脈下大靜脈、腎動脈、腎靜脈、輸尿管、膀胱、尿道。而縱斷腎臟研究其內部。見輸尿管開口於具有數多短闊突起之腔。腔成漏斗狀。是曰腎盂。而其分枝。則曰腎盞。初生兒之腎臟表面。有許多深溝。分爲腎葉。至一年後。乃消滅而平坦。小兒之尿。以未得直接飲食鹽味之故。尿中鹽味極少。而成人新鮮之尿。爲黃色清澄之液。味苦而鹹。呈酸性反應。凡草食動物尿液內多含炭酸鈣。故鹼性強。肉食動物則多含燐酸鹽類。故鹼性弱。人之飲食。兼動物與植物而備之。經文巳告吾人以水生鹹之原則。在尋常供食之動植物。固無不吸收水分而生成。而吾人更以鹽與水爲日食不離之物。況分析尿溺、又有鹼性鹽類。(爲腎臟吸餘之渣滓)尤爲反佐之證明。則鹹味之有益於腎臟之生理。不益明甚。吾人觀於初生兒軀骨之柔軟。更測知初生兒之腎。必待一年後方始平長表面之深溝腎葉。則於腎生骨髓之原理。亦可窺一斗。更如骨含無機化合物。爲水、炭酸鈣燐酸鈣、及食鹽。可見鹹味之能生髓長骨也。再將腎之實質分內外兩部觀察。內部曰髓質。呈纖維狀。色帶灰白。外部曰皮質。呈暗赤色。（學者注意。此爲腦髓之雛形。）髓質係由無數細管集成。列爲圓錐體（有八個至十八個）各圓錐體之尖端。朝向腎盂。上有數多細孔。（二十乃至五十）卽細管之開口。名曰細尿管。試擠此截斷之腎。見有少許水液。由細管漏落於腎盂。可由新鮮之猪腎試而知之。於此可確知腎臟謂雖爲濾尿之器。然因動靜脈管之循環。更能生出灰白色之髓質（腎之內部）必由脊骨分泌以上供於腦。下趨脛股。實全身骨髓生長發源之處。腦僅爲積髓最多之處。故曰髓海。腎爲濾尿生髓之臟。腎虛則腦不健全。骨弱筋軟而無力矣。內經以腎爲作強之官。謂伎巧之所出。今之生理解剖學。專以腎爲濾尿之器。則從剖解所得之灰白色髓質。何以爲他臟所無。其原理亦未一深究也。卽如週身各臟腑之血液。以由腎靜脈出者爲最純淨。蓋提精擷華。爲製髓之用。而其排泄尿溺。僅爲製髓之副作用。此如胃腸之導化。爲吸收液汁。而排除糞便。則所以棄其渣滓耳。腎臟提擷而成之髓液。上輸腦髓。橫充骨髓。下藏睪丸。以灌精道而爲精。古人以腎藏精實指外腎而言。睪丸爲聚精而使之益多之地。決非生精之處。所以從前宦豎閹割、而音容頓改者。絕其精道。不能助生殖器之勃舉。而生育之機以絕。久之亦如婦人。然其腎臟生精之機能未斷。思得女性之心。何曾稍息。歷來太監之爲內庭醜患。歷史所載。不乏傾人家國者。卽可爲其生理橫決之一證。鹹能生腎。而腎中本質。並無甚多之鹹味。腎生骨髓。而腎藏亦並無甚多之髓液。此皆人身自然之生理。老子云「生而不有」。「爲而不恃」。差足以形容之。凡事物之無形者。尙欲推究其原理。而况有跡可尋者乎。所謂髓生肝者。神經之總司。雖出於腦脊髓。其源實主於肝。據生理學上迷走神經。又名肺胃神經。滿佈內臟。不知實有總司之處。蓋肝臟蓄空氣最多。故溫度高於他臟。卽右心逼近肝臟。且直接受肝靜脈之血。其溫度亦高於右心。能於肝主神經之旨。不致懷疑。而後髓生肝之說。方有着落。在今日之生理解剖學上。謂肝臟僅能分泌膽汁。亦淺矣。（未完）

痺症論治

俞愼初

痺者，閉也，以筋肉爲邪所侵，淋巴管及血管爲邪所閉，致淋巴液與血液，受其阻礙而發生。

按筋之外面，有結締組織所包裹，名曰筋鞘，兩端有腱，爲光澤質所成，附於甲乙兩骨之間，爲神經脈管及淋巴管分布之處，故血管運動神經若受了障礙，致淋巴液分泌過多，而筋肉關節遂成痲痹疼痛。

分類：行痹（歷節風痛又名白虎歷節風痛）　痛痹　着痹

病因：（一）『行痹』經曰『風氣勝者為行痹』蓋風性遊走不定，故曰行痹。（二）『痛痹』經曰『寒氣勝者為痛痹』。蓋筋骨受寒，則濇凝而為痛痹。（三）『着痹』經曰『濕氣勝者為着痹』，夫溼氣所勝，則限於一處痹痛，故曰着痹。

症候：（一）『行痹』其病之發，本無定處，在上則有喘嘔，在中則脹痛，在下則為飧泄或祕結，尿呈強酸性，富於赤色沈澱（二）『痛痹』筋骨攣痛，或兼發熱及頭疼，目眩之感，（三）『着痹』患部腫起疼痛，多痰，發黃汗。

診斷：（一）『行痹』其痛走歷關節，今日發於膝關節，明日發於手關節，故西名關節僂麻質斯，又名遊走性關節痛。（二）『痛痹』寒氣所勝，則筋骨痙攣疼痛。（三）『着痹』其腫起痹痛，則僅限局部一定筋肉，故西名筋肉僂麻質斯。

金匱曰『寸口脈沉而弱，沉卽主骨，弱卽主筋，沉卽為腎，弱卽為肝，汗出入水中，如水傷心，歷節黃汗出，故曰歷節。』

按脈沉主骨，骨屬於腎，故沉卽為腎；脈弱主筋。筋屬於肝。故弱卽為肝。腎肝並虛，故脈沉弱，風邪乘虛而入於筋肉骨節之間，致腠疏汗泄，當汗出之時，沐浴於水中，致水氣傷心，心主脈，水氣隨脈而注於筋骨，風邪傷則歷節作痛，水溼傷，則有黃汗。

又按關節僂麻質斯與筋肉僂麻質斯，多在僧帽筋、三角筋，胸鎖乳嘴筋，肋間筋腰筋等。

又曰『趺陽脈浮而滑，滑則穀氣實，汗自出，少陰脈浮而弱，弱則血不足，浮則為風，風血相搏，則疼痛如掣。』

按趺陽者，胃脈也。滑則為陽盛，而穀氣實；浮則為風邪，風搏則汗自出。少陰者，腎脈也。浮則是風邪，弱乃是血不足，風邪侵入血管，故疼痛如掣。

又曰『盛人脈濇小短氣，自汗出，歷節疼，此皆飲酒汗出當風所致。』

按肥胖壯盛之人，何以脈濇小短氣。夫濇者。乃血虛。小者，乃氣虛。其原因皆由飲酒中風，風邪侵入筋骨血脈以起。

療法：（一）『行痹』者，宜祛風活血為主。獨活寄生湯。

（二）痛痹者，宜疏風散寒為主，小續命湯，

（三）着痺者，宜祛溼疎風為主，羌活勝溼湯。

按蠲痹湯，三痹湯，為風寒濕三痹之總方，故可通用，外用火龍膏貼之，或用溫灸法，灸臍中及局部痛處。

結論：若患痹日久，致延不愈，則腿足或變成枯細，膝頭

瘇大，形如鶴膝，故名鶴膝風，俱宜服五積散汗之，常服虎骨膠丸，外貼回陽玉龍膏，或普救萬全膏，若治不愈，終成痼疾，未可圖也。

西醫謂此病爲一種定期之傳染病，其主要病毒。乃心臟及神經起毒作用，其治法如溫罨法，按摩法，微溫浴，蒸氣浴，塗擦麻醉藥等。

慢驚風論治

徐志勉

慢驚風西醫謂之虛脫麻痹，乃由慢性營養障礙而起下痢，蓋下痢因大腸之吸收機能減退，而反增蠕動性而來者也，若繼續下痢，則漸次消失其體內之水分。故各臟器細胞之水分，亦隨而消失，其機能亦因之而衰退，即循環器之細胞消滅其機能，則忽然失力，而陷於虛脫，且神經細胞因減水分，而起退行性變化，消滅其機能，遂現出麻痹現象，可知慢驚風非一種獨立之疾病，因營養障礙而發生一部分之症狀也，中醫謂慢驚之症，緣小兒久痢久瘧後，脾胃虛弱所致，醫學正傳曰，慢驚風者，因吐瀉日久，中氣不足，而得，金鑑云，小兒稟賦不足，或因急驚用藥過峻，暴傷元氣，每致變成慢驚之症，沈金鰲曰，其候因外感風寒，內作吐瀉，或得於大病之後，或誤治傳變而成，其症爲小便清白，身微溫，口鼻中氣，或肛門下陷，不知人事，（虛脫）目上視，或斜轉，（滑車神經寬緊之故）神昏手足瘈瘲，口角流涎，（神經麻痹）脈沉無力，睡則露睛，此眞陽衰耗，而陰邪獨盛，成陰盛生寒，寒爲水化，水生肝木，木爲風化，木尅脾土，胃爲脾之府，故胃中有風，瘈瘲漸生，此爲虛症也，亦危症也，俗名謂之天弔風，虛風，慢驚風，皆此症也，治宜先用辛熱，再加溫補，補土即所以敵木，治本即所以治標也，若用寒涼，再行消導，或用胆星抱龍以除痰，或用天麻全蝎以驅絡風，或用知柏芩連以清火，或用巴豆大黃以去積，殺人如反掌，實可畏也，宜先用逐寒蕩驚湯，後用加味理中地黃湯，蓋本病爲營養障礙而起吐痢，四肢冰冷，口鼻中氣寒，手足瘈瘲等症爲多，故用胡椒炮姜肉桂丁香以強心，使增進其心臟之緊縮力，挽回其虛脫症狀，用熟地白朮當歸黃芪黨參炙甘草棗仁等。健脾補血，振起其機能，促其吸收，則各臟器細胞得水分營養，不致虛脫，病可霍然而愈矣，若因急驚過用峻利之藥所致者，宜培補元氣爲主，虛而挾痰者，用醒脾湯，痰熱相兼者，宜清心滌痰湯稟，稟賦羸弱，脾虛肝旺者，用緩肝理脾湯，從來于驚風症分急慢，即謂治法之之補瀉各異，急驚之不可補，亦猶慢驚之不可瀉也，

方藥

茶之研究

葉橘泉

「科　屬」山茶科(一作厚皮香科)茶樹之葉

「形　態」樹高四五尺、叢生、葉長寸許、橢圓形、呈深綠色、有光澤、邊緣有細鋸齒、初春生新葉、秋開白色單瓣花、結實作褐色、扁圓形、熟則有三子裂出、

「種　類」春夏間採摘嫩葉、於焙爐上揉搓、使充分乾燥者爲綠茶、或蒸熟後露置以待醱酵而製成者、爲之紅茶、

「性　味」苦濇微甘、呈弱酸性反應、

「成　分」咖啡鹼、Caffeinum $C_8H_{10}N_4O_2+H_2O$(〇、二、至三、四%)揮發油、單甯、等、

「生理作用」入胃後刺激胃壁、興奮胃神經、使胃腺分泌增加以助消化、至腸、被腸壁吸收、攝入血液中、助鐵質以旺盛血行循環、促進腎藏濾過工作、以奏利尿之效、

「醫治作用」主治瘻瘡、利小便、去痰熱、止渴、令人少睡、有力、悅志、食經下氣消食、作飲加茱萸葱姜良、蘇恭

破熱氣、除瘴、利大小便　藏器

清頭目、治中風昏憒多睡不省、　王好古

「驗　方」治久痢　雨前茶一兩、臭椿樹根皮一兩、扁柏葉八錢、烏梅二個、大麥二個、酒水合煎、緩緩服、勿令嘔、鳳聯堂驗方

頭風痛　川芎七錢、雨前茶五錢、天麻三錢、酒煎服、家寶方、

「民間療法」脚指丫溼爛、茶葉嚼爛、敷之極效、

「禁　忌」空腹時忌服、

「橘泉按」本品係「興奮」而兼「收斂」劑、有清腦爽神、健胃、止利、化痰利尿、之功效、無病之人、如食葷膩之後。飲茶固佳、若嗜飲無度、害多利少、故蘇軾茶說云、除煩去膩、世故不可無茶、然暗中損人不少、空心飲茶、入鹽則直入腎經、且冷脾胃、乃引賊入室也、惟食後濃茶漱口、既去煩膩，而脾胃不知、且苦能堅齒、消蠹、深得飲茶之妙、李時珍云、人有嗜茶成癖、時時咀嚼不止、久則血不華色、黃瘁痿弱、抱病

不悔、尤可歎惋、按茶葉內含咖啡鹼、服之興奮神經、易成慣性、久飲則耗神損血、且成為痿黃、蓋本品尚含有一種色素、被攝入血中、則皮膚即現黃色也、

分清泄濁丸

張植林

主治：男子淋病。婦女白淫白濁。

藥品：生廣黃研末一兩。

製法：右藥以雞蛋白和勻為丸。每日服三錢。車前草淡竹葉煎湯送下。

蘿蔔

沈仲圭

蘿蔔亦名蘆菔。為十字花科萊菔之根。形圓或橢圓。表皮甚厚。肉質潔白。有紅白二種。為中人以下之滋培食品。考其功用。約有三端。

（一）化痰　素問陰陽應象大論謂。「秋傷於濕。冬生欬嗽」。考之病理。雖不盡然。但冬日之病痰飲、欬嗽者。確較春夏秋三時夥頤。而植物界之蘿蔔。亦至此肥碩。人多欬嗽之患。天生化痰之藥。造化待人。可謂至厚。且本品之化痰。不論外感內傷。皆可用之。而日華子同羊肉銀魚（圭按隨息居飲食譜作鯖魚）煮食。治勞瘦欬嗽之方。尤為佳妙。獨怪近世醫工。祇知萊菔子消痰下氣。從不一用蘿蔔。實則根子二者。功用本相彷彿。而藥物治病。又不如食餌療養。事簡而功宏也。

（二）消食　蘿蔔之助消化。吾閱綱目引楊億談苑「江東居民言。種芋三十畝。計省米三十斛。種蘿蔔三十畝。計益米三十斛」之言。確信其有裨於澱粉之消化。而為胃弱者之下飯妙品。遵生八牋載蘿蔔粥。用不辣大蘿蔔。入鹽煮熟。切碎如豆。入粥將起。一滾而食。吾謂此與羅蔔、海蛇切細。加醬油、糖、醋拌食。一宜老人。一宜壯年。同為「衛生的食品」。

(三)補益　本草云。「補不足」。「肥健人」。西醫亦認爲有滋養之效。惜富貴之家。日飫膏粱。靑菜蘿蔔。目爲粗糲。有經年不入口者。豈知營養成分之豐歉。不與食物代價之高低成正比。如松江之鱸。西湖之蒓。號稱特產。但一有小毒。一妨消化。皆害多而利少。又如果類中之長生果。菜類中之菠薐。固至微至賤之物。但一則富於脂肪。一則含有鐵質及甲乙丙戊四種維他命。大有益於身體。吾勸世人對於營養。宜取葷素混食主義。不可偏於一面。又俗云。「一口蘿蔔三口血」言其傷血也此乃臆說。切勿輕信。

雜俎

記虞翔麟氏之運氣治病法

董志仁

今年秋、予受聘爲祥林醫院內科主任以來、恆有以虞翔麟先生之神奇運氣法，詢予個中之眞相、口述函復、不能盡其詳、且亦患煩瑣也、爰假本刊一席地、爲記其顚末、解以學理、俾釋羣疑、

凡百患病，其原因不外血衰氣滯、或血瘀氣虛所致、求之治療、首推運氣、因氣有行血生血之功也、惟疎散補益、不善用藥者、反使病體加劇、虞君乃得名醫秘授運氣法、治療百病、可免服藥之痛苦、無論五勞七傷，五鼓十脹、胸痺痞塊、翻胃膨膈、癱瘓臥床不起等、及一切疑難雜症、雖年久服藥無效之廢疾、亦可逐漸全愈、若因體質孱弱，亦可以藉此法以圖强、凡屬不可救藥之病、皆可用運氣療法以施治之、誠神乎其技矣、安得不使吾人滋生疑竇、當予入院之初、亦不知此項悶葫蘆、究有若何妙藥，頗願以身作則、親歷試驗、乃蒙虞君首肯、詳加指導、半月以來、精神較前壯健、雖每日觀書寫字十二小時、連續不息、亦不覺倦、始知此項運氣法、確有研究之價値也、玆將研究所得、並其所由來、記述於左、

(一)運氣法之來歷　民國十八年冬、張靜江主浙政時、提倡武術、舉行國術比較大會、當時西子湖畔、聚全國之英豪、其中人物、可注意者自不在少、而評判委員中、更有異人在焉、時虞君担任該會創傷救護主任、與評判委員劉宗俊、劉百川、杜心五等結義、而虞君正因事務煩雜、勞傷過度、時患頭暈腰痠之虛症、服藥無效、由杜君心五、介紹其師王老師澄九、授以運氣法、虞君侍奉起居、一如嚴父、閱五月、始終如一、於是王老師嘉其勤學、盡傳其術、虞君至是、不特向患若失、而精神充壯、嗓音較昔尤宏

矣、據云王老師年巳七十餘、精神矍爍、望之如五十許、此術得自異人、爲修養神仙之進階、向不輕易授人、遇有患疾者、祇傳其療病之法、而不盡傳其術、此次虞君得能承受、其迨天緣巧合耶、閱前月十七日、民國日報載杜心五之歷史、稱杜心五之武功、已由精研而至於道、擅輕身術、蓋亦有得於王老師傳授之氣功焉、

(二)運氣法

(1)運氣前之預備　用火盆一個、燒炭令熾、(炭須不爆裂者爲佳)移入空氣不暢流而無穢雜氣之房室內、安放於正中地上、如火盆有火門者、須向北、

(2)運氣之時間　運氣時間、以早晨空腹時爲適宜、若鍊有相當成績、或治療失眠症時、在晚上臨睡時鍊運亦可、

(3)初學之鍊法　初學者、須坐鍊、其坐向面北、坐半臀於櫈上、兩眼平行線直視前面、背不宜直、亦不宜灣、以自然之姿勢坐之、兩手掌向上、置於腿縫處、兩足距離、約尺許、脚尖不宜斜、小腿灣與大腿適成方角形、坐既定始可開始運氣、其法與深呼吸相同而實異、呼吸時、肺部不宜高聳、從兩眼之中山根部注意、徐徐吸氣、連綿不斷、能發巨響、如夜臥鼾聲、其氣聽其自然經過肺部、以意送入臍下少腹、不必過意用力、惟須注意肺部不使高聳、少腹使其外凸、復次意會該氣巳從脊骨內上升顚頂，薰蒸腦部、森然流佈於肌膚毛髮、似無處不到者、同時可將肺部之濁氣、用力從鼻尖呼出之、此爲一呼吸、初學者三呼吸即須停止、由導者推拿其山根部、並令學者用兩手自摩少腹十次、離座隨便緩行數十步、以舒體力、後再照前鍊法共三次、每日如是、一星期後、俟每呼吸能延長至十五秒鐘時、可以加氣兩口、卽每次五呼吸、再過一星期、每呼吸有二十秒鐘可延長、可以加至七呼吸、每日共計二十一口爲止、

(4)治療疾病法　患慢性疾患之病人、藥餌無效、得用運氣療法以根治之、治療之初、除練習必要之初學鍊法成功後、病者巳自知漸見效驗、於是由導者按所病之臟腑經絡施術推運之、例如『痿躄』一症、內經云、『肺熱葉焦、五藏因而受之、發爲痿躄』、蓋因肺主皮毛、脾主肌肉、心主血脈、肝主筋膜、腎主骨髓、惟喜怒勞色、內藏虛耗、使皮膚血脈肌肉筋膜、無以運養、故成痿躄也、治以推拿陽明經、推拿時、由推拿者煉氣運至指尖、自上顎及兩頰車推起、順次循喉嚨膈上脘、而下至膝臏、旁循脛外廉至

足蹠、復由下而上、左右各一次、蓋因陽明經爲水穀之海、主化津液、變氣血以滲灌溪谷、而潤筋脈者也、况陽明之經、合於宗筋、會於氣街、屬於帶脈、而絡於督脈、故陽明虛、則五藏無所稟、不能行氣血、濡筋骨、利關節、則宗筋弛縱、帶脈不引而爲痿、故古人治痿、首重陽明、此運氣法以運行陽明之氣、實乎見效也、此外如癆瘵之推運太陰經少陰經等、總以推運其所病臟腑之經脈而治之、茲因限於篇幅、不能盡量記載、後當續撰以刊載之、

(5)強壯體力法　無病人煉氣、可以強壯體力、其始除練習必要之初學煉法成功後、可以改坐爲立、兩足距離約尺許、兩手掌向前垂下、離大腿側約五寸許、手指撐開、但不必用勁、眼仍前視、徐徐照前吸氣、俟氣入丹田、沈往後、兩眼轉視左右眼角一次、再向前視、內氣即可呼出、如是初由三呼吸一休息、至二十一氣能一次煉完後、可以練習下列之強壯術、逐次進階、每日練習、至三五年不間斷者、不獨却病延年、且可臨對大敵、架受刀劍而不傷、

1.開鵬　步成弓箭式、手掌撐開、臂膊伸直、一起一落、左右各三十次、能擴張胸襟、增大肺臟、

2.提膣　兩足跟先後上提至大臀部、共三十下、能發展小腿肌肉、長途跋涉而不疲、蓋因加進踁腱之勁力也、

3.搖動海　練習腰部法、

4.幌麒麟　活動腰節、練習幌腦習慣、

5.按八卦　在前胸腹部諸重要穴道部位處、用巴掌盡力打按、由輕而重、先在中脘穴、二在關元穴、三在兩膀胱頭處、四在兩氣海穴、五在兩腋下、六在兩乳下肋骨處、七、在胸骨處、八、在陰阜處、各打三下、然後用掌遍拍、打時須呼氣、則打至其處、氣即到達該處矣、

6.散七竅　摩顏、按睛、擦鼻、過顎、掩耳、叩齒、各七下、

7.排四肢　初用巴拳遍打臂腿、復倩人用沙袋量力按打、不計數、以痠痛爲止、

8.操背臀　擺定馬部、由他人以拳自第一脊骨量力打起、由輕而重、直打至尾閭骨、即改用掌拍、

以上八法、均屬略而不詳、蓋因此種練法、不易形諸筆墨、即於必要時將其寫出、亦須加繪圖像、始可按圖索驥、且此種練法、在短時間內、即面授者、一時亦難領會、幸而練習成功、又非一二載不能見效、是以往往練至半途而中止者、予故祇記其名式、而不詳述其動作練法、如有志願學習、而不憚煩

、能耐久者、不伎願盡義務、與其共同研究也、

(三)運氣之理解　素問曰、『百病生於氣、怒則氣上、恐則氣下、喜則氣緩、悲則氣消、思則氣結、驚則氣亂、寒則氣收、炎則氣泄、勞則氣耗、』可知病皆生於氣、而欲言養生者、自應奉素問『恬淡虛無、眞氣從之、精神內守、病安從來』之論、蓋氣爲血之帥、血隨氣行、氣機若阻、血行自滯而致病自易、故凡養生家、皆當勿令氣滯於胸膈之間、務使能運及下焦諸部、而常湛乎氣海、不獨養生宜然、卽修諸道者、所謂修煉丹田、實卽煉此氣也、吾人普通之呼吸、有三種分別、一爲肺尖呼吸、其吸息僅至於肺、病人及婦女大槪如是、二爲胸呼吸、其息以胸、卽吸息之際、胸擴而腹凹者是、三爲腹呼吸、吸息時、胸腹均凸者是、言其利弊、則肺尖呼吸最爲不良、胸式呼吸頗佳、腹式呼吸則更有益、因胸腹之間、有橫膈膜一方、其形上穹、略似傘、能伸縮、縮則下移、弛則上昇、膜下降、則胸廣腹窄、肺部擴張、胃腸被迫、而向前凸、腹壁乃凸、膜上昇、則胸狹腹廣、肺部收縮、內臟後退、腹壁遂凹、在此一凹一凸之間、能促進血液之循環、循環旺盛無阻、則抵抗力自強、百病當能減退矣、然或有疑者曰腸式呼吸、

旣有如許大效、曷不行住坐臥隨時行之、不當更往、又何必定時間、備火爐、列形式、規次數、而拘拘然哉、於是予不得不逐項加以理解、說明於後、

1.定時間者、堅練習者之心志也、且每日早晨未進食前、胃囊空虛、不致發生被氣迫而致飽滿脹痛之現象、

2.備火爐者、因房室內空氣冷冽、空中微菌滿佈、用熱烈之火焰以撲殺之、則吸入胸腹、自無危害、或謂夏季炎暑、氣候乾燥、空中微菌、本無生存之餘地、又何必再置火盆、增加熱度、不將發生熱昏之現象耶、予曰、誠然、惟不設火盆、則隨處可行、隨地可煉、失其莊嚴態度、散其煉者心志、必無成績可言、故夏暑宜減少火焰、若云屏除、則不可也、且據五行生尅之說、北方壬癸水、火門向北、當係水火相尅之義、炭火雖烈、不致爲害、此謂予頗信驗、嘗觀演魔術者、以空釜置於爐上、添加薪柴、燃猛火燒之、釜上加蓋、用黃紙黏成一坎卦、演者在旁、僞作符咒數語、卽令人頻添柴薪、演者旁演他術以娛觀者、俟四小時、該空釜、仍然無恙、且不燒紅、此卽水能尅火之表現、因坎爲水卦、釜中雖然無水、已暗爲坎卦尅制、空釜決不致有爆碎之虞也、而煉氣者面北或坐或立以煉之、亦

是水火旣濟之象、至有疑及炭氣吸入、有礙肺臟者、實神經過敏之理想、不足根據、蓋炭燒令熾、必無炭氣也、

3.吸氣須從由根部吸入者、因鼻管前部用力、容易使吸氣驟入肺部、故用鼻後部呼吸、且煉有成效時、該氣不必定經肺部而後送入丹田、亦可由頭蓋部從脊骨而入丹田、（因方骨內有孔也）是因氣爲無孔不入、無所不至之物、煉者已經爐火純青、當能隨意使氣也、

4.煉氣時必須三五七、或念一口者、亦有至理、據河圖洛書云、天五生土、土爲萬物之母、生生之氣也、三七在五之前後、亦隱含生氣之意、老子曰、一生二、二生三、三生萬物、故煉氣之初、以三爲始也、

一九三三年一月脫稿於杭州新民路祥林醫院

志仁按、此稿經多數同道所促成、倉卒下筆、必多謬誤、倘希　明哲指正、

衛生

衛生實驗談

沈仲圭

西諺曰：「健全之精神，寓于健全之身體」，此言誠然。但欲使身體健全，非實行衛生不可。爰輯此文，以告我有爲之青年。

（一）個人衛生

a.節食

蔣維喬曰：余自幼至長，喜多食快食，而又不以時，致積久成胃擴張之病。自研究靜坐法后，始漸漸覺悟，及今力戒。每餐所食之物，已較曩者減去三分之二；早晨僅飲牛乳一盂，屏去早食。從前多食而心中時虞飢餓，今則少食而並不虞飢餓，且精力反優于昔。可知向所謂飢餓，乃胃中習慣充塞食物；爲一種反常之感覺，並非眞餓。而食物宜少，宜細嚼緩咽，使易于消化，爲至當不易之理也。

b.獨宿

蔣氏又曰：衛生家言，恆人睡眠，每日以八小時爲適宜。又言夫婦同睡，各呼出體中炭酸，致空氣惡濁。且使無病者，沾染有病者之毒菌，最非所宜。余庚子歲初習靜坐時，獨居禁欲者一年，收效最捷。自是迄今十五年，雖未能完全禁欲；然恆喜獨宿，則十年如一日也。

c.窒慾

丁福保曰：余前在北京教授算學及生理學，幾及三年。終

日忙迫無暇，慾念未嘗一動。蓋耗費腦力過多，則生殖之慾自淡也。近見政界中人，稍得一志，則縱慾無度。因怠惰無事而縱慾，因縱慾而慵，愈不能治事。墮落青年，可爲浩歎！

d.呼吸

丁氏又曰：福保少患欬嗽，每月必傷風一二次。自練習呼吸之後，約二月，欬嗽大減。又二月，欬嗽斷根。至今不患欬嗽者，已十年矣。

e.通便

有羅某者，每日用硼酸水灌腸，已十餘年。年已五十歲，望之如三十許人，終年不患病。皆每日通利大便，冲去腸內細菌之效也。（見近世長壽法）

（二）家庭衛生

鮑君芳年逾古稀，精神矍鑠。余遇於禪悅齋，見其鬚髮雖白，而談鋒之健，聲浪之清，不類七十老人。據鮑自述：合家大小九口，十餘年未有人疾病。余叩其衛生之法，則曰：（鮑自稱）余於家庭，並無特異，惟訂有家規十二則。始行之時，家人咸感不便，今則習以爲常。余之親朋中仿行者，已有四五家矣。其法若何？請爲諸君述之：

A每晨六時半振鈴，促家人起身，齊集家中，作二十分鐘體操。

B每日掃除屋舍後，必用石炭酸水灑之。

C手巾飯碗，各人分開，不准通用。

D粥飯之外，嚴禁雜食。

E夏間合家素食。

F特設暖房，無論男女老少，日必沐浴一次。

G食物經宿，除不易變味外，不惜拋棄。

H禁止吸烟飲酒

I不備茶葉，口渴以熟水代之。

J各室備寒暑表，以避寒暖。

K入晚九時休息，十時息燈。

L有乳兒者，隔三日給洋燭一支。

以上十二則，合家遵行。余對於家人大便一事，尤爲注意。午飯時必逐一查問。如有大便不行者郎禁止食物，迫令多飲熟水，至便行乃止。因之十餘年間，家中無疾病人矣。（見申報常識）

衛生講話（續）

董志仁

茲將女子束乳之弊害述于下：

1.女子身體正在發育時。如把胸部束縛緊迫。以致胸廓發育不全。內臟也能受壓迫的影響。

2.胸部緊束。不能行充分的呼吸。肺的機能受害。從此易罹肺病。

3.乳房受壓迫。乳嘴於是陷入。到分娩後喂乳。就發生困難。甚至失了授乳的機能。

4.在夏季時。胸背部因壓迫。汗不能充分發散。以致胸背及腋窩部發生痱子和濕疹。

五、化粧品　女子塗脂抹粉的目的。本來是想增加美容。但是常因化粧品擇選不慎。其結果反成醜陋。青年女子所得的雀斑鵓蟠蛇。就是受了化粧品影響的原故。凡是化粧粉之劣質者。因其中鉛質未曾提盡。所以用的人。面部即受其害。時候長了。還要發生全身鉛中毒的徵候。

化粧粉所含鉛質之有無或多少。行下列二種簡單法子。即可知道。

1.把化粧粉放在小銀勺內。用炭火加熱。待冷後。把化粧粉倒出。要是含有鉛質。則勺上留有暗斑。且不易拭去。無者爲不含鉛質之證。

2.用同樣質地同樣大小的茶杯二個。把二種不同的化粧粉傾入。多少約相同。於是秤其輕重。輕者質良。重者質劣。因含鉛多故也。

個人衛生(十五)小兒

小兒是無知識的、要使小兒康健發育、不發生疾病、在於做父母的對於撫育知識、和一般衛生上的條件明瞭才好、

(甲)初生兒營養法

初生兒的營養法、可分天然和人工兩種、天然的營養法、就是吸食生母的乳汁、或僱食他人的乳汁做營養的、人工的營養法、是因爲生母不能授乳、並且不能雇用乳媼之時、不得不用非人乳的物品來代替養育、授乳的次數和時間、都要有定例、否則能使小兒發生胃腸病、和消化不良等症、

一、哺乳之回數——一日間哺乳的次數、因小兒的強弱、亦不能一致、大概起初每隔二三時哺乳一次、如日間某時已至哺乳的時間、小兒雖在睡眠中、亦宜使之清醒哺授、反之、若夜間不到哺乳時間、雖小兒啼泣、亦不可哺乳、如此則小兒發育豁然、並可養成良好的習慣、到十月或一歲以上、即宜斷乳、而我國嬰兒的習慣、往往三四歲的小兒、尚是繼續授乳、其實反有害處、

二、哺乳的時間——健康的小兒、無嚴定一回哺乳量的必要、

可以哺到既飽而就眠時爲止、或至其含弄乳嘴時亦可、他的時間、大概十五分到二十分鐘、但多數小兒、約在最初的五分鐘內、就能攝取大部分了、至於乳房充實、乳汁迸流的時候、小兒吮吸二三分鐘、已得滿腹、自能離開乳嘴、

三、乳媼的選擇——選擇乳媼的標準、雖有種種、其要點大約如次、(1)須身體健康、不可有結核病、梅毒、脚氣、皮膚病、沙眼等傳染疾患、(2)乳房分泌須佳良、乳汁分泌之良否、由乳房外觀、及觸診等亦略得判定之、(3)乳媼的年齡、以二十至三十歲的經產婦爲佳。因經產婦有育兒的經驗也、(4)乳汁的性質佳良的、乳汁帶純白色、若滴於指爪上、雖輕輕振動、仍能保持其原形者、是良乳、否則爲稀薄之乳、

四、人工營養法——人工營養法、古來用驢馬山羊之乳汁、頗與人乳的性質相類似、但此等乳汁、供給甚少、日常得之不易、所以普通都用牛乳或煉乳爲代替、用法如下、

年齡	用法
一—三星期	牛乳一分對水三分
四—八星期	牛乳一分對水二分
三—五月	牛乳一分對水一分
六—七月	牛乳二分對水一分

八月後、卽用純乳、又牛乳稀釋之時、糖分因之減少、哺調時須稍加白糖、如沒有牛乳供給的地方、使用煉乳亦可、頭三月的小兒、煉乳一分、可加水二十二分、其後逐漸增濃、以一與十八及一與十二之比、但須隨時注意乳兒消化的狀況、酌量加減、

在這裏、我們要明瞭的幼年期小兒的營養、最重要的是母乳、但近來一般上流社會的女子、爲着自身的安樂計、往往將自己的乳汁停止不用、而雇用乳母、或代用牛乳、或用其他人工營養法養育之、尤其是受過教育的青年時髦女子、對於授乳、頗多厭惡、實爲最可悲之事、

(乙)小兒的睡眠

睡眠須有規則、小兒的發育、大半在睡眠與休息期中、所以睡眠時間宜多、列表如次、

年齡	每日睡眠之時間
一月以內	二十二小時
一月至一歲	二十小時
一歲至二歲	十六至十八小時

三歲至四歲　十四至十六小時
四歲至六歲　十三至十五小時
六歲至九歲　十至十二小時
九歲至十三歲　八至十小時

小兒的衛生、最重要的、如哺乳睡眠、已如上述、其他尚有數點、分列於后、

1.未經消毒過的假乳頭、不可給小兒用、
2.吮吸手指、有惹起口腔、及胃腸疾病之慮、宜禁止、
3.污穢的玩具、須避用、
4.猛力的跳躍、和搖動、宜禁止、
5.不要接吻、
6.大人用口喂食、或以手指放入小兒口內、宜絕對禁止、
7.須避免與母親對臉的睡眠、
8.不許患欬嗽或其他疾病的人、抱持、或看護小兒、
9.嚴禁酒類的飲用、
10來歷不明的藥品、不可服用、

婚姻衛生之重要

俞愼初

男大當婚，女大當嫁，古之常例也，吾國之人，每欲求子孫之多，以爲子孫之多，乃是家庭之幸福，所以替子孫早婚，對於父母之責任盡矣；此値可笑，以不知早婚之害匪淺，夫男女身體未壯，氣血未充，苟若早婚，則夫婦身體勢必漸弱，以子女先天則必不強，並能促壽；早婚之後，則養育必多，家計之牽連，妻孥之留阻，且妨礙學業，不學無術，無所謀生，坐困家中，生活日蹙，甚則頓萌厭世之念，其禍之烈，不可勝言，並且青年之人，缺乏衛生，涉足花場，致患惡疾，結褵之後，終至鴛鴦同命，甚則累及子孫，以一生之幸福，永無望矣，是知婚姻衛生之重要大哉，爲父母者所應當注意焉。

記事

本社第六次討論會記事

本社第六次討論會、于二月十五日午後三時、在佑聖觀巷李寓開會、到者有吳煥成阮其煜周子叙高一志王一仁李天球諸君等、茲將各題答案錄下、

一、問痰飲咳喘之有効治法、(周廣眞)

答、痰飲咳喘治法、當分表裏虛實。有表症者、形寒咳喘、肺腎有寒者、小青龍湯加附子重用乾姜。肺有熱者、小青龍湯加

石膏、裹實痰盛。二便不利者。葶藶瀉肺湯。虛症咳喘。腎不納氣者。宜附桂八味丸。沉香百部、爲喘咳特効之藥。蓋納腎肅肺有專長也。凡痰飲究因氣虛水聚而成。故云、病痰飲者、宜以溫藥和之。湯劑以水濟水。藥性旣消。水性便發。不若丸劑之有効。如十棗丸苓桂朮甘丸等。皆著明驗。

二、問房事後、或月經來時。須忌生冷、其理何居、(前人)

答、房事能奪胞宮精室之氣。卽于衝(大動脈)督(中樞神經)不免受一時之疲累。驟進生冷。卽不瘀凝。必暗耗人身之陽電。至月經時忌生冷。亦恐防其冷滯經脈也。

三、問授乳婦、有有月經者、有無月經者、何故、(傅仲華)

答、乳房屬於陽明。衝任之脈。亦附麗於陽明。凡胃氣旺盛。衝任之血有餘。則雖授乳期間。亦可行經產卵。以至懷孕。反是則乳汁分泌時間。衝任之血無餘。經事自然歇止也。

四、問節育最有効而無弊之方法、(吳煥成)

答、俗傳服蝌蚪一升。可以寒精絕孕。據歸有光文集所載。歸母苦於多孕。因食生田螺兩枚致死。蝌蚪或亦有中毒之患。不可不慎。X光鏡能壞精卵。凡司鏡久者。雖男子亦無生殖能力。此法固貧寒者所不能用。且精卵全壞。人之生活力。亦減退矣。舊日宮中有于交合後一日。點臍下關元穴。精自流出。孕自不成。法殊奇妙。然亦尙未實驗。大約節育之方。不交合爲人情所難。節育製器。又減興味。此外萬全簡易之方。殊未易得也。總之性交目的。卽爲生育。若以藝術方法爲之。自合於優生學理。故言節育。不如節交。

五、腸嵌頓與睾丸炎之鑑別診斷如何?(沈仲圭)

答、腸嵌頓卽所謂小腸氣墜。睾丸或偏脹或全脹。並無毒素。爲慢性及時間伸縮性。如平睡則消。起又墜脹者甚多。睾丸炎則有梅毒、結核、白濁、各因素而成者。睾丸炎痛。固定不移。又有囊大紅腫、俗謂繡球風者是、此則異于斯二者。

六、腸嵌頓可用補中益氣湯否?(前人)

答、宜分寒熱虛實論治。虛者可用補中益氣湯

七、中醫之抗毒祛痰藥、是那幾種(前人)

答、抗毒祛痰。當論因素。抗何種毒。祛何種痰。藥自不能呆定。俗遇溫疫。以雄黃菖蒲節投水缸中。又如端午節之服雄黃酒。皆抗毒也。又如服甘草桔梗萊菔汁青菓。可免喉症。再小兒化痰藥。以萊菔子爲佳。須用三錢。化痰極効。

八、問藕粉之製造、及治療上之功用(前人)

答、用老藕在淘米籮中擦汁沉澱。晒乾卽成藕粉。溫熱病後及治白濁皆効。以其有清血生津之功也。

贈書誌謝

幷代介紹

醫藥月刊　第六號湖南長沙市南門外沙河街五十六號長沙醫藥月刊社印行每期一角

醫藥雜誌　第六十九期山西太原精營東二道街中醫改進研究會出版每期二角五分

醫界春秋　第七十五期上海西藏路西洋關弄第二十號醫界春秋社發行每期一角六分

中國出版月刊　非醫藥出版品三四期合刊杭州浙江流通圖書館發行每册三角

建國月刊　非醫藥出版品地方自治專號下册另售四角又八卷三期出版南京成賢街建國書店發行

學術演講　非醫藥出版品第一集非賣品上海尚文路市立民衆教育館發行

本社代售

中國醫藥問題　王一仁著　實價一角二分

三衢治驗錄　王一仁著　實價一角二分

中國時令病學　時逸人著　實價二角五分

中華民國二十二年三月一日出版

醫藥衛生月刊第八期

主編者　王一仁　杭州上城彩霞嶺十一號

發行者　中國醫藥學社　杭州上城彩霞嶺十一號

月刊定價表

另售每册六分	郵費：國內日本一分；國外及香港澳門六分
預定全年十二册七角二分郵費在內	
國外預定全年一元五角郵費在內	

本刊寄售處

本市　古今圖書店（保佑坊）　經香樓（城站）　維新書局（湖濱）

上海　國醫學會（西門內石皮弄）　中醫書局（山東路）　千頃堂（三馬路）

蘇州　國醫書局（吴趨坊）

南京　建國書店（成賢街）

衢州　聚秀堂（下街頭）

山西　中醫改進研究會（太原精營東二道街）

醫藥衛生月刊

錢西樵

第九期　王一仁主編
民國二十四年一月一日出版

杭州上城彩霞嶺十一號
中國醫藥學社印行
電話一〇九六號

學說

仁盦醫說（七續）

王一仁

●經脈與生理系統(三)

人之體溫。因隨血管之伸縮情形、汗腺之放散多少、以及皮膚呼吸情形。而有所調節增減。熱中樞雖在于腦。而人之體溫。固全身上下。無處不達。亦猶神經中樞之在腦脊。而其末稍神經。則遍於全體。太陽旣主衞外之陽。「天熱則爲汗。天寒衣薄、則爲溺與氣。」是皆太陽經氣之所化。晝夜之氣候。寒暑之推遷。皆以太陽經爲調節之主。日間醒覺與夜間眠睡之時。體溫放散之量。自有多少不同之處。靈樞營衞生會篇「人受氣于穀。穀入于胃。以傳于肺。五臟六府。皆以受氣。其清者爲營。濁者爲衞。營在脈中。衞在脈外。周營不休。五十而復大會。陰陽相貫。如環無端。衞氣行于陽二十五度。行于陰二十五度。分爲晝夜。故氣至陽而起。至陰而止。故曰日中而陽隴爲重陽。夜半而陰隴爲重陰。故太陰主內。太陽主外。各行二十五度。分爲晝夜。夜半爲陰隴。夜半後而爲陰衰。平旦陰盡。而陽受氣矣。日中而陽隴。日西而陽衰。日入陽盡而陰受氣矣。夜半而大會。萬民皆臥。命曰合陰。平旦陰盡而陽受氣。如是無已。與天地同紀。」又靈樞衞氣行篇「陽主晝。陰主夜。故衞氣之行。一日一夜。五十周于身。晝日行陽二十五周。夜行于陰二十五周。是故平旦陰盡。陽氣出于目。目張、則氣上行于頭。循項。下足太陽。循背。下至小指之端。其散者。別于目銳眥。下手太陽。下至手小指之間外側。其散者。別于目銳眥。下足少陽。注小指次指之間。以上循手少陽之分側。下至小指之間。別者以上至耳前。合于頷脈。注足陽明。以下行至跗上。入五指之間。其散者。從耳下下手陽明。入大指之間。入掌中。其至手足也。入足心。出內踝。下行陰分。復會于目。故爲一周。」人睡必合目。此爲衞氣行陰之始。醒必張目。爲衞氣行陽之始。日間神經血管緊張運動之度量。過于夜間睡眠休息之時。而體溫耗散之量。亦遠多于夜間。每日三餐。有時尚有迫不及待之勢。夜間睡眠以八小時計算。去夜膳又三四小時。以十二時之久而進早膳。可知入夜氣候。氧化之量。遠少于日間。故不僅因睡眠休息之時、少耗放散體溫之量已也。然衞氣爲慓疾之悍氣。常行于脈管外。何以亦有道路可循。此則出於腦脊神經系之主宰。故日間讀書做事、理肴、用腦過度之時。亦不能不感疲之。每小時能以五分鐘時之合目休息。則腦疲易於恢復。若因他部衛氣放散。有所窒礙。因末梢血管神經。影響於腦、而感疲乏者。則須起立行走。此皆恢復腦氣之最良方法。亦卽使令衛氣行陽之度。不致減少。則腦氣自常甯靜矣。衛氣行陽卽寤。行陰卽寐。行於陽經之時。內外體溫。常得其平。行於陰經之時。則內臟體溫。高於皮膚。夜間睡眠之易於感冒。卽由於此。且必須內臟體溫、高於皮膚。而後能入睡。反是衛氣不得入於陰。卽爲一切不得眠睡之總因。靈樞邪客篇「衛氣者。出其悍氣之慓疾。而先行於四末、分肉皮膚之間、而不休者也。晝日行於陽。夜行於陰。常從足少陰之分、間行於五臟六腑。今厥氣客於五臟六腑。則衛氣獨衛其外。行於陽不得入於陰。行於陽則陽氣盛。陽氣盛則陽蹻陷滿。不得入於陰。陰虛、故目不瞑。」此於陰虛。卽謂臟溫之低。亦卽內臟血液神經之失常。衛氣不能內入。然臟溫過高。如心臟肝臟有熱之時。衛氣依然不能內入。故內經治不得眠之症。僅出一半夏秫米湯。謂其陰陽已通。其臥立至。雖不得眠之原因甚多。而衛氣不入於陰。乃爲其總原因。所以不入於陰之故。則於臟腑生理病理。固應不厭求詳。然陰陽不通。必不能臥。靈樞營衛生會篇「黃帝曰、老人之不夜瞑者。何氣使然。少壯之人不晝瞑者。何氣使然。歧伯曰、壯者之氣血盛。其肌肉滑。氣道通。營衛之行。不失其常。故晝精而夜瞑。老者之氣血衰。其肌肉枯。氣道澀。五臟之氣相摶。其營氣衰少、而衛氣內伐。故晝不精、夜不瞑。」此其論眠與不眠之故。甚爲精透。固不僅老少之異。卽多少不眠之原因。皆由「氣道澀、五臟之氣相摶。營氣衰少。衛氣內伐。」可知衛氣入於陰則睡。衛氣內伐。則反不得睡矣。養陰潛陽之法。爲後世治不得眠之最良方策。然所以養之、所以潛之。則爲活法而非死法。若以今之嗎啡麻醉一時、而得眠者。又豈能盡通陰陽之能事乎。衛氣之入於陰也。亦週遍於五臟。靈樞衛氣行篇「陽盡於陰。陰受氣矣。其始入於陰。常從足少陰注於腎。腎注於心。心注於肺。肺注於肝。肝注於脾。脾復注於腎。爲周。人氣行於陰藏一周。亦如陽行之二十五周。而復合於目」衛氣晝行於三陽。夜行於三陰。而以太陽經司其樞轉。靈樞經脈篇列述足太陽之經穴。多至六十三穴。其挾背脊而行者。有肺俞、厥陰俞、心俞、鬲俞、腎俞、三焦俞、胃俞、脾俞、膽俞、肝俞、大腸俞、小腸俞、膀胱俞。臟腑經氣之所發。以太陽而集其大成。固知衛外之體溫。實爲臟腑綜合調節而成者。腦爲熱中樞之說。亦僅言比較重要者而已。若臟腑停止機能。則亦無體溫可說。卽如日間醒覺之時。腦神臟氣之疲勞。得夜間休息而恢復。常人如經三日以上之不眠。益以勞耗。則體温放散太多。不能得睡息而恢復。生理必起異常之反動矣。一言體温。以爲僅言身體之温度。抑知其內外調節之故。固甚繁複。而中醫衛氣之說。實勝於以體温爲言者、爲有統系。太陽經主衛氣之中樞。尤深切著明。毫無鑿空之嫌。學術之大患。在於播弄名詞。反遺精義。舊者可以翻新。何有於廢棄。又何能廢棄乎。

衛氣亦血管中所放散温氣之一部。故離營卽不能有衛。營衛兩字。在中醫常連繫用之。營與衛、易言之。卽爲血與氣。出於上焦心肺者爲宗氣。出於中焦淋巴總管者爲營氣。出於下焦膂與膀胱網油者爲衛氣。中醫學哲理一元之論。隨處可見。體温之散失。在皮膚尿溺。然無養氣之吸入。亦卽不能促速温氣之外放。太陽經脈、絡膂、屬膀胱。其所放散體温之熱量。常多於吸入養氣所生之熱量。蓋以太陽主開之故。唯賴飲食所產生之血液淋巴液中之温。以濟太陽所開不足之熱量。而後體温乃得其平勻矣。

衛氣變常之病。於寒熱症、不得眠外。如痹症、如水腫。皆須究其體温變異之原因。亦卽須究太陽經氣反常之故。其愈也。必恢復衛氣行陽行陰之位序。動作眠睡之失常。百病皆無向愈之望。大哉太陽。大哉衛氣。大哉體温。

陽明經主營養系統　營養云者。卽人之所以賴以生活之義。生活必恃飲食。飲食必須消化。祇是消化不能成爲營養。必合消化吸收排泄各種作用而論。方能完成營養系統。中醫學上之陽明經。卽陳述此項營養系統之所以然。試觀陽明經脈所循行之道路。靈樞經脈篇「胃、足陽明之脈。起於鼻之交頞中。旁約太陽之脈。下循鼻外。上入齒中。還出挾口。環唇。下交承漿。郤循頤後下廉。出大迎。循頰車。上耳前。過客主人。循髮際、至額顱。其支者、從大迎前下人迎。(結喉旁動脈)循喉嚨。入缺盆。下膈。屬胃、絡脾。其直者、從缺盆下乳內廉。下挾臍、入氣街中。其支者、起於胃口。下循腹裏。下至氣街中而合。以下髀關、抵伏兔。下膝臏中。下循脛外廉。下足跗。入中指內間。其支者、下廉三寸而別。下入中指外間。其支者、別跗上。入大指間、出其端」。「大腸、手陽明之脈。起於大指次指之端。循合谷兩骨之間。上入兩筋之間。循臂上廉。入肘外廉。上臑外前廉。上肩。出髃骨之前廉。上出於柱骨之會上。下入缺盆。絡肺、下膈、屬大腸。其支者從缺盆上頸。貫頰、入下齒中。還出挾口。交人中。左之右。右之左。上挾鼻孔。」大腸手陽明經脈。緊接肺手太陰之脈。(手太陰出大指次指之端)而胃足陽明之脈。又緊接大腸手陽明經脈。(

鼻之交頞中）是胃足陽明脈雖緊接於手陽明。間接實繫於脇手太陰經。今且言人之飲食物。必經齒牙之咀嚼。唾液溶化澱粉。和合小粒液汁。由咽門嚥下賁門。而入於胃。得胃液之磨化。擠入下口幽門。得脾臟所生之胰液。肝臟所產生之膽汁。共入十二指腸。化爲乳糜。唯膽汁實無獨立之消化作用。必與胰液相和。始顯其作用。故論消化之重要質素。仍不能不推脾臟與胰所產生之胰液。此項胰液。可以化澱粉食物爲可融葡萄糖。可以分解蛋白質及膠質食物爲配滲頓。（類胃液）可以乳化脂肪。是以中醫學上以脾主消化。實含有重大意義。而足陽明胃脈、必絡脾屬胃者。更見其關繫之重要。胰液有黏稠性及鹼性。頗似口中之唾液。分泌唾液者。有腮腺、下頷腺及舌下腺各一對。唾液腺有激動及禁動之分泌纖微。如視、嗅、味、觸、等。皆可以激發或禁止唾液之分泌。如見或嗅適口之食物。即饞涎欲滴。反是不適口味者。則唾液分泌減少。必覺淡而無味。唾液分泌之神經節制。理甚顯明。可知足陽明胃脈之「循鼻、入齒、環唇、交承漿、循頤後、出大迎、循頰車、上耳前、循髮際、至額顱從、大迎前下人迎、」皆敍述咀嚼之時。唾液腺及其神經節制之途徑。初無絲毫架空之說也。至「循喉嚨、入缺盆、下膈、屬胃、」則爲食物嚥下之途徑。咽門在氣管之後。故曰循喉嚨耳。此其嚥下入胃。原非直傾而下。由於食管胃臟神經之吸入。即以其脈原本下行之故。每有走江湖玩戲法者。能以足懸上、頭口向下而飲食。所食之物。並不流出。其胃肌收吸之力。得練習而愈顯。然非常人所可試行也。

生理之來源及其變化（續）

馮起袞

肝謂臟所產生之膽汁。所以助腸之消化。竟將佔有人體重量三十分之一（約重四十八兩）最重要之肝臟功能。輕輕抹煞。實由先立成見學說。以腦爲神經發源誤之也。肝居膈肉之右。其色紫赤。左右兩葉。向上圓滿。貼承膈肉。下銳披離。外凸內窩。右靠腎而左枕胃。肝臟之動脈與靜脈。聯屬各臟腑。從肝臟溫度最高一點推測。可知有溫養神經之功。而其物質上之原力。則在於髓液。髓液漸充。則肝臟所主之神經。無不受其滋養。而臻於健全。是髓液直接有裨於神經。而間接以傳生氣於肝臟。以肝主神經故也。循環互益之理。爲生理來源最難說明之處。反之如髓液不足以營養神經。則肝臟溫度。非橫決即低降。生氣以絕。故曰髓生肝。今於此再補述數言。夫神經實發源於五臟。而肝總其成。腦與脊髓神經。則司運用之權。此猶臟腑乃公司之股東。肝臟爲股東之董事長。腦脊中樞神經。

則爲行政執事之經理夥友而已。各負其完成責任之職。然經理夥友可以爲法人之代表。決不能忘其所自。否認董事長與股東之資格也。若以電流相喻。神經中樞爲一流電池。各種神經爲傳電流之線。而肝臟與他臟腑。乃煤水等之燃料蒸氣。否則流電池，亦塊然一物而已。安有發電之足云。神經非髓液無以滋生。非血液無以運用。然賴空氣以爲之調節。以尋常論。春光明媚。草木固欣欣向榮。人亦因多愉悅欣快。秋風急雨。草木固是凋敝。人亦因而憂傷不歡。空氣之能影響神經。所不待言。而髓生肝之原理。則有近乎哲學範圍矣。人之腎臟。藏于腰際。耳則佈于頭之兩方。聽覺器之構造。自有耳翼、聽道、鼓膜、乳嘴、蜂窩、各種特殊之組織。然僅謂聲浪之波動。刺激蝸牛殼肉之聽神經。聽神經卽傳於腦髓而成聽覺者。其理倘屬簡單。蓋人之聽覺。腎臟神經實有傳達之力。其經氣自下而上。正如肺之開竅於鼻。肝之開竅於目。有調和呼吸傳送生氣之功。但不若肺藏於鼻之顯明。腎主耳者。腎臟之神經纖續以供其用也。在靈樞經以耳之高下堅脆偏正。驗腎之高下堅脆偏正。其詳容後論之。在天爲寒。在地爲水。在體爲骨。爲臟爲腎云云。皆緻足上文之意而伸言之。在色爲黑者。寒氣屬於陰沉暗晦。已言其爲生水之源矣。水至深處必黑。如北溟洋南溟洋（卽今黑水洋）之類是。積水至深不能測。其本色乃現。如黃海黃河水質之雜泥沙者不同。腎臟之色。赤褐而暗。所謂在色爲黑者。亦非全爲黑色。在人身器官。比類得之而已。謂黑色有益於腎臟之生理。能神養也。在音爲羽者。羽爲舒續爽暢之音。推其原動力。發於腎臟。在舊說謂之丹田。在聲爲呻者。腎之在臟。其位爲最下。其聲必太息引伸而出之。在變動爲慄者。形寒戰慄。或不寒而慄。其原根於腎臟之震動。腎之生髓與排尿機能。亦因動靜脈流行之度減少。發生障礙。其寒冷情狀。有似出於骨髓者是。又小兒因恐懼而遺尿。亦常見也。在竅爲耳。在味爲鹹之義。略見於上。在志爲恐者。恐有傷厲震蕩之意。爲情感中之一。由於腎藏所發。西人有畏懼本能之說。在相當傷厲警畏。頗有益於腎臟生理之健全。若恐畏之不已。腎臟機能下泄。如尿便自遺。神志恍惚。卽神經中樞因過度之刺激。而腎臟受損失其機能之證。唯熟加思維。處事宜以精詳。知過度恐懼爲不必要。則恐懼自定。故曰思勝恐。人體係有適宜之溫度。血液方能生長流行。若驟傷寒冷之氣。溫度低降。血流凝濇。既不能生。又不能行。久之則血停閉窒氣脫而死。此由過度之寒。有損於脈。唯燥爲熱氣之輕者。可以漸祛寒冷。而復血流。因寒極傷血。若以熱救之。格格不能相入。且有迸裂之患。以物理喻之。以冰凍之玻璃瓶。製於沸水中則裂。故不曰熱勝寒。而曰燥勝寒也。鹹味凝固。於生腎長骨泄濁之外。又能凝固血脈。不致弛散外溢。若鹹味太過。則血液因凝結而耗傷、而氣泄、而液脫。故曰鹹傷血。唯甘味能緩和鹹味。去滌其凝濇。而復其血流。故曰甘勝鹹。

總觀以上五段。從天時地理聲色氣味。論到人身內臟。以見寒之於腎。風之於肝。熱之於心。濕之於脾。燥之於肺。直接間接。影響於人之生理病理。至今之空氣療法。日光療法。轉地療法。尙爲此項原則之所範圍。至五味之變。不可勝極。各歸所喜。以生以長。出於先天歷史。由來甚久。雖因種族及各個人而差異。然其同者十之七。異者十之二三耳。夫淡味出於五味之外。而能兼五味之長。故鄭重提出。五味各有所傷。勉人歸於和平。有五味而勿專恃五味。淡食養生。爲最適宜於生理。至如皮毛之於肺。骨髓之於腎。筋之於肝。肉之於脾。在今日之解剖學上。皆另立一系統。以肺歸於呼吸系統。腎歸於排泄系統。肝則歸於產生膽汁之消化系統。更如骨骼系統、筋肉系統。皮膚系統。其局部之分析解剖。固甚詳明。爲吾人所不及。爲吾人所當知。(須假藉顯微鏡之力)。唯於其主要之來源。多無確定解釋。論生理之來源。本不易輕下斷語。如肝主筋。腎主骨。心主血液。肺主皮毛。脾主肌肉。其事皆非出於本臟獨有之力。必吸收他臟及天空之氣。互助互益。而後以生以長。欲判定何臟生理來源。出於何種原動力。急切正未易言。至其所傷所病。原因亦至複雜。決不能以簡單之思想而泥之。唯作爲較有證明力之假定。在學術上亦所許可。余讀西醫書籍太少。意謂西方醫學本身所得之精粹。在今日尙非吾儕及多數西醫之所知。吾人不能不自勉也。至形色之辨別。其源本於光學。音聲之分析。其源本於樂家。苟非專門。猶未易輕加演繹。至樂家之於性情神經內臟。容有論述。而能有裨於醫家生理之發明。光學中之黑白青赤黃各色。究竟於內臟有何關係。正未易言。吾人亦就醫療學上所得假定言之。如太陽燈之有益於血液循環。且能殺菌。白色衣之能透光線。宜於肺病。青藍色有益於目。(目爲肝竅)等類。至於開竅之說。如肺竅於鼻。此在中西醫說皆無異詞。若腎竅於耳。肝竅於目。心竅於舌。脾竅於口。豈僅西醫謂爲不經之談。(按內分泌學說倡明未久。將來終有化中醫玄虛爲實在之日)。即中醫亦每參伍錯綜。難以執定。如腎竅於耳。又曰開竅於二陰。心亦竅於耳。少陽之脈循耳中。肝竅於目。而太陽之經脈起目內眥。少陽經脈起目外眥。執此以觀。豈僅不能將頭部所有之視覺、聽覺、味覺、嗅覺、各器官之功能。全歸於腦髓神經、局部神經。且欲於腦髓與局部神經之外。更指一種器官。專屬於每臟。亦覺過於拘泥。以見人體生理之相維相繫。相生相益。從生理變化之病理原因症象。更爲複雜矣。貴在深求。不可淺執。安在中西學理之不可溝通乎。

(靈樞本神篇)何謂德氣、生精、神、魂、魄、心、意、志、思、智、慮。曰、天之在我者、德也。地之在我者、氣也。德流氣薄(迫)而生者也。初生之來謂之精。兩精相搏謂之神。隨神往來謂之魂。並精出入謂之魄。所以任物者謂之心。心之所憶謂之意，意之所存謂之志。因志而存變謂之思。因思而遠慕謂之慮。因慮而處物、謂之智。

(釋義)世間人類中。乃有一我。追究吾人生理之所自來。不能不歸功於天地。若無天地之化生萬物。則人與我之父母。亦無自而生存。又安能養育子女。天之德、有日月星辰。化爲風寒暑濕燥火之氣。以照臨流行於大地。長養萬物。父母得之。以結成精血。絪縕孕育至十月而人始生。推原其始。固由於男之精蟲。女之卵巢。合化而來。精蟲卵巢。實人之精氣神所結。兩者相搏合而成人。精神之根本。出於父母先天之所賦。至出生之後。加以長養增益而已。以人之後天言。腦髓生於腎臟。賴肝之生陽佈神經。然非得心臟血液上濟。則腦髓神經皆無以神其用。兩精相搏、亦可作如是觀。在中醫學說、魂藏於肝。則血之精。日出於目。夜宿於肝。魂即運用神經之生氣。魂靜則神經靜。魂動則神經動。故曰隨神往來謂之魂。魄藏於肺。即氣液氣胞之精。得腎臟之化。而生髓液。以養腦而充骨。泄精過多。則腦骨髓液爲之虛耗。髓液爲營養神經之主。精氣虛、則髓液之化源少。魄氣因而日耗。精氣充盈。則髓液化生有源。腦得營養。神經豐密。肺之魄力自強。此於肺氣衰弱者。雖以強度之液補其生殖腺。其射精力亦不能遠。可爲肺與精連係之明證。故曰並精出入謂之魄。心爲生血之臟。腦髓神經、非血液不生作用。而臟腑各器官之脈管。皆非血液不行。故曰所以任物謂之心。且神經細胞原子。非核心則無知覺。亦所以任物之理也。心臟血液上注於腦。髓液爲發生意志之原動力。因血液與腦髓合、存留一影。執之不變謂之志。然志之能達。必賴曲運腦神經。以赴事功。腦髓中之灰白質、與外膜之皺襞。即志之所存。爲發生思想之源泉。因思想之故。而腦膜之皺襞。(名曰回轉)欲擴強其面積。凡動物愈高等者。回轉愈多。此即因思遠慕爲慮之根據。然處置事物。不能專精思慮。宜憑直覺。此類直覺之發現。宜於處事物之用、則謂之智。於此可以將首段「道生智」一語解釋正明。經驗非思想不能擴展。思想非經驗不能發生直覺。是以智慧實爲思想經驗兩者之結晶品。然前言所以任物者謂之心。與下文循環讀之。以見神經之發生智慮。隨血液循環、以爲運用。苟其腎臟生髓之力。與肝臟生陽之氣、而能繼續供給。其源不絕。决不致發生劇烈之腦神經病。卽有挫傷。有適宜之療養。亦易恢復也。

(靈樞經脈篇)人始生、先成精。精成而腦髓生。骨爲幹。脈爲營。筋爲剛。肉爲墻。皮膚堅而毛髮長。(上節)穀入於胃。脈道以通。血氣乃行。

(釋義)精之在於先天者。爲父之精蟲。母之卵巢。結合爲胚。乃人體生理之具體細胞原子。漸積漸長。賴此項原素以成人。精之屬於後天者。卽腎臟之內分泌腺。吸受水液穀食之精氣。以生髓長腦、充骨。今人以男女發育後謂之成人。以其臟腑腦髓神經。皆發達至相當程度。人體以骨骼爲軀幹。骨者賴髓以充以長。髓由腎生。先天之氣。以此爲主要。卽在後天所關亦重。脈爲人身血管。自心臟發源者。有大動脈、大靜脈、毛細管。內分佈於臟腑各器官。外行於頭腦四肢百節。如結營守壘者然。人之全體。賴以營養者也。筋在人體。屬主於肝臟。細長而韌。其用至剛。亦佈於臟腑百節外。卽如兩膝、骨、陰壼、爲宗筋所聚之處。作用之剛。可以推知。肉爲墻者。肌肉爲脾臟所主。在人身爲外衛。如屏牆藩蔽之用。皮膚堅緻。可以抗拒外來風寒暑濕燥火六淫之氣。毛髮者。所賴以調節體溫者也。爲血氣之餘。出於肺氣。賴人之呼吸以充長。以上言人之生理官能。因五臟之所司。完成生理。後言穀入於胃。脈道以通。血氣乃行。則言消化系統之重要。五臟得吸受其養分。保全腦髓骨脈筋肉皮膚毛髮繼續不斷之功用。此爲人身生理概括之論述。將神經系統、骨骼系統、循環系統、筋肉系統、皮膚系統、呼吸系統、消化系統、在此簡短文中敘出。且可望文生義。週知其情狀。何等明白。凡研究生理之先。當以此作大前提讀。研究生理之後。又當以此作由博返約觀。

偏枯論治

徐志勉

偏枯者、卽半身不遂、乃中風後之遺患病也、醫學綱目云、中風之名、各有不同、其卒然仆倒者、經稱爲擊仆、世稱爲卒中、乃初中之症也、其口眼喎斜、半身不遂、經稱爲偏枯、世稱爲癱瘓、及腿腿風、乃中倒後之證也、西醫謂之腦溢血、蓋因腦血管之破裂、血液外溢、壓迫其附近之腦部神經、而發生之症象也、其溢出血管外之血液、如壓迫其關係生命之重要部份、（卽血管運動中樞神經及呼吸中樞神經等）則引起痲痹、而停止心臟之運動及肺部之呼吸、竟爲致死之原因、或出血較少、其被壓迫部分與生命無大關係者、則被壓迫腦部所轄之神經系受其影響、而至痲痹、以之成口眼喎斜、卽遺半身不遂之證也、其血管破裂之原因、乃由動脈變硬、及腦動脈之粟粒形動脈瘤以致神經受其障礙而失司、故卒然昏倒也」、患此症之前、通常輒有前驅徵狀、如眩暈頭痛、眼花閃發、耳鳴不眠、感情敏、易於興奮、（如暴怒易悲善泣等）或半身之知覺障礙、或偏側有蟻走之感覺、言語時略呈澁滯等狀態、皆爲本病之前驅徵狀也、凡上述諸症狀、皆係血壓亢進之自覺症狀、人若有此症狀者、宜速就醫師診視、詳細檢查血管、及血壓狀態，服藥預防、俾免臨症噬臍不及也、患此症者、蓋因高年衰老、或因患梅毒病者、或因體質肥胖、平時有心臟之肥大症者、或係嗜酒之人、凡此等等皆爲本病之大原因也」、治療方法、西洋醫學上之最新發見、尙無何等預防及治療之良藥、近日雖有一部歐美醫學家、提倡自血療法、及樟腦等爲注射之劑、惟樟腦之性、含有特殊之揮發油、能通血管之閉塞、使血液流行、但非根本療法、實則其經驗尙淺、功效不確、故無人注意、吾國先醫、雖有確切立論、而無相當之治療、惟王任清先生有高人之見、立還五湯、以生氣破血、方用生氣之藥爲主、破血之品以助之、蓋生氣之藥、能亢進體內之機能、而振起其衰弱、加以破血之藥、以減少其血管之血、而除體內之障礙、夫機能旣得強壯、而組織之障礙又除、則偏枯之病可霍然而愈矣、最近海上佛慈藥廠、發明海藻晶爲偏枯之特效劑、余未實驗、不敢妄加議論、蓋其能軟化血管、調平血壓、其效力大概較諸古方活絡丹、人參再造丸、天麻丹、金匱小續命湯、丹溪愈風湯、局方排風湯、及最近西藥之血管製劑等、功效或能勝之。

筆　記

流行性時疫治驗記

張澤霖

病者：衛姓子、年九歲、住姜堰市西鄉、民二十一年四月六日、來診所求治、

病名：流行性急性痙病、（西名腦脊髓膜炎）

病原：初春天氣亢旱、寒燠不常、多風少雨、疫氛傳播、外感六淫之氣、內觸厥陰之陽、誘因比鄰發生本病、該兒被感動傳染而暴發、

症狀：頭劇痛、後項強、身熱徵寒、不數分鐘卽神[illegible]、昏

厥不省人事、手足抽搐、便祕溺短、遍身紫斑隱隱、險態畢呈、

診斷：初、六脈洪數、搏指、旋反沉細有力、由衞入營之過程也、苔亦先如積粉純白、疫邪瀰漫上焦之象、繼即光赤、津竭、熱邪燔灼所致、夫疫癘之氣、傳變極速、其中人也、由口鼻而入心肺、肺爲五臟華蓋、職司吸養排炭、心爲血液循環之總樞、疫乃穢濁不正之氣、而侵心肺重要之經、於是肺不能排炭、以致血液渾液、故氣粗發斑、散溫機能減退、生溫機能增進、故身壯熱而無汗、肝爲風木之臟、又屬純陽、外風引動內風、風本善行數變、故上沖巔頂、入於腦經、則知覺失、諸官能之作用亦失、故譫語昏厥、肝開竅於目、熱邪既沖上部、故目充血而赤、肝主筋、津不養筋、風乃乘之、故抽搐、火腑不通、故溺短、津被火灼、不能濡潤大腸、故便祕、病勢凶惡、危在頃刻、所幸正氣尚足、冀其能敵邪也、

療法：急以玉樞紫雪二丹開竅搜邪用化斑清營加減爲方、犀角清營中之熱、石羔泄氣分之邪、生地元參知母麥冬、增液以養陰、津足汗自出也、銀翹芳香以散穢、濁去神自清也、黃連解毒而降逆、羚羊熄風以平肝、丹皮丹參解血液之毒、再加珠珍母平鎮肝陽、共建偉功、而挽生命、

處方：烏犀角八分、羚羊角八分（磨汁和服）鮮生地一兩（絞汁沖服）潤元參紫丹參粉丹皮　白知母　銀花連翹各三錢

石決明　兩半（煎湯代水）

大麥冬四錢、珍珠母五錢、川雅連八分、竹葉三十片、

蘆根掐去節、兩半

先用開水調服太乙玉樞丹二錢紫雪丹五分

二診：服玉樞紫雪兩丹後未片刻神識稍清、呼之亦應、頭仰不能轉側、呻吟呼痛、間有譫語、舌絳微有津液、按六脈仍形沉細、重按之亦甚有力、手足不時抽搐、熱邪疫毒、尚在營分、腦部風陽仍旺、不過陰津稍復、隨進湯藥、服後、至午夜身微得汗、煩亦稍安、神識若清若昏、四肢常似蠕動、苔脈與前略同、病勢漸有轉機、處方亦照原法增減、惟冀神清風熄、庶可徐入坦途、

處方：烏犀角一錢、羚羊角五分（磨服）珠珍母五錢、川雅連八分、生地麥冬元參各五錢、丹皮銀花知貝母連翹各三錢、竹葉二十片、

三診：昨藥服後、神識清明、風亦漸熄、已能言語、夜間不時譫妄、斑色轉紅、呼吸亦調、舌則非如前之光赤、而變焦黃厚膩之苔、脈實有力、熱邪傳腑、疫毒有下行之勢、佳象也、且腹痛拒按、大便五日不行、腸胃滿結、宜因其勢而導之、古人有急下存陰之言、爰擬增液承氣加減爲治、

處方：鮮生地一兩(取汁和服)生錦紋三錢(取汁和服)元參知貝母丹皮銀花花粉各三錢、川雅連八分、石決明一兩、活水蘆根一兩、

效果：藥後更衣二次、所下皆黏膩之物、腥臭異常、中人欲嘔、病者自覺舒適、項痛已蠲、津液滿足、神爽風靜、諸恙悉除、繼續調理數日、所服之劑、不過驅餘邪而育眞陰、潚腸胃以養津液、現已安康活潑如常、

附識：去春天氣不正、吾蘇江北各地、盛行此病、其現象均如衛姓子、蔓延頗廣、傳染極速、尤以小兒爲多、緣幼年純陽之體、氣陰薄弱、故外邪易侵、且皆身現紫斑、危險堪虞、西醫不明治法、徒以注射爲塞責、然皆罔效、輒認絕症、良可哂也、此病治療、初時卽宜寒涼清邪、最忌辛散溫燥、

雜俎

針灸漫談

糜雪亭

(針灸之起源)。吾國醫學之歷史。爲全世界之最久者。在上古之時。未有方藥湯液之前。先有針灸治療之法。但當上古之時。針之一物。尙未發明。祇得以砭石之有鋒芒者代之。是以砭石治療。爲吾國醫學之起源。而砭石治療。實卽今之針灸學也。諺所謂「針砭」「藥石」者。亦卽指上古之砭石也。

(針灸之神效)疾病之本因。旣紛耘而複雜。治病之方法。亦異曲而同工。故有宜於湯藥者。有宜於丸散者。有宜於按摩者。推拿者。有宜於針灸砭石者。按病而施治。用之適當。莫不有立起沉疴之妙。但此數法之中、尤以針灸一法。其效最爲神速。舉凡湯液藥餌所不能治。及不及治之一切病症。如急痧、霍亂、暴厥、卒仆等症。以針灸施之。其效驗之神奇。有如鼓應桴。如響斯應者。昔秦越人起虢太子於俄頃。狄梁公墮贅瘤於瞬息。此數千年來。歷驗不爽。斑斑可考者。余故曰。針灸一學。爲國醫獨到之神術。決不能坐視其湮滅而不急起研究之也。

(經穴與針灸之關係)語云。不以規矩。不能成方圓。不以六律。不能正五音。試觀渺小一針。其爲效有若是之神速。其實針灸一道。與人身之經穴有密切之關係。守經穴之規矩。始能起變幻之疾患。如某經共幾穴。某穴治某病。某穴宜針深。某穴宜針淺。絲毫不可出乎規矩之外也。肺經共十一穴。少商爲井。魚際爲滎。太淵爲俞。經渠爲經。尺澤爲合。春宜針滎。夏宜針俞。秋宜合。冬宜井。亦規矩之類也。蓋人身經氣之流行起伏。實與四時相呼應。故針病之法。亦不得不因四時爲轉移。經氣伏者刺深。經氣浮者刺淺。肉多處刺深。肉少處刺淺。某經爲病。尋某經之穴以針之。不容相混者也。

(針灸書籍之不淸晰、與經穴圖之不準確、爲後學之障礙、及針灸學不進化之最大原因)、針灸一學。爲吾國最古之國粹醫學。其爲效之神速。已如上所言。吾人處此中西醫學競爭之秋。對於針灸醫學。實有亟起研究之必要。但學者感於針灸書籍之不淸晰。經穴圖之不準確。而畏難不前者。比比皆是。如坊本針灸大成等書籍。銅人經穴等繪圖。錯誤實多。難以借鏡。非失之太繁。即失之太簡。太繁則淆亂不淸。太簡則略而不詳。而關於經穴舛錯之點。更不勝枚舉。如足少陰肓俞。在商曲下。或言一寸。或言二寸。某穴或言在內。或言在外。如手陽明商陽穴。甲乙經。脈經。皆言此經起次指之端外側等。使後學者難以肯定。如墮五里霧中。此實後學者之一重障礙。亦即針灸學不進化之一大原因也。近有包天白氏。繪有銅人經穴圖。歷數年之研究。參考各家。證之實驗。將以前錯誤之點。頗有更正。亦經穴圖中較完善之本也。

防空之意義及其設備

周廣眞

孫子云、「善攻者動於九天之上。善守者藏於九地之下。」不圖於今日空中戰爭。深應此言。論空中戰爭。敵以飛機來襲。我即以飛機逐之。同時以擾亂敵之後方。並掩護軍隊之衝鋒陷陣。方爲正對之方策。無如中國空防太乏。不足以語此。中日之決死戰爭。自熱河陷落後。外交方面。久已窮於應付。非戰爭已無出路。一至戰雲密佈之際。空中轟擊。似非遷居避地所能躲避。而吾人於此整個民族生死關頭。苟非親臨前敵。可以奮不顧身。若在後方者。爲策應前敵計。爲愼重生命計。皆不可不早自爲謀。玆敘其要端於下。

一、應有毋畏精神　飛機之來。以擲炸彈爲最危險。雖然。數十磅之炸彈。其損害力有限。數百磅之炸彈。因飛機不能多載。偶落一二枚。亦只及於尋丈之地。言者震於炸藥之鉅。以爲可毀一二里區域之建築物。未免自起恐慌。將至惶惶不可終日。故於飛機之臨。當首先鎮靜。以若無其事之精神。應付匆遽慌張之事變。然亦不可奔走觀望。以惹不測之禍。

二、地道之設備　小至方丈之地。大至數丈之地。最好擇於天井園場空曠之處。掘土須至七八尺深。四方掘開。將泥挑出。兩方出口作梯級形。以便出入。中間以木幹擱之。作棚欄狀。上蓋薄板。覆以稻草。以掘出之泥。即堆其上。再以多量炭屑合桃屑炭撒上。即有炸彈擲下。亦必不能爆裂。且炭屑合桃屑尤能吸收綠氣之毒。佈置地道之法。如嫌潮濕。可以炭屑石灰作底。上覆薄草。再以草蓆被褥置於內。坐臥即可自如。若能安排食料鍋碗燈燭於內。則更泰然矣。

三、其他之設備　(甲)論防空之法。以飛機團逐飛機為最上。次則當有高射炮。再思其次。莫如於防空區域之四週。搭蓋高射樓。上置機關鎗及平射炮。不待飛機飛入城市。即奮起擊之。務使不敢飛近城市。以免擾亂後方。可以從容策應前敵。其利甚多。以視飛進城市。而後匆遽擊之。以擾亂若干人心者。相去遠矣。(乙)每遇風清月白之際。夜間亦可襲擊。從高望下。則電燈燦爛之城市。適為其擲彈毀擊之目的。一聞報警。即當熄滅電燈。電汽公司。尤當先為佈置。以便燈光可以總熄。如是，各家宜預備燈燭。便於暗室可以燃點。(丙)其他如消防設置。亦當力求敏捷。在燐硫彈起火之時。可以從速救滅。減少損失。是皆防空護生之要端也。

毒氣戰爭之簡易防禦法

鄭志成

毒氣戰爭。人皆談虎色變。其實毒氣究屬氣體。在空中易於放散。若氣候陰冷或風雨時。便失却毒性。茲舉毒氣戰爭所用之主要化學原質。大略如下。有窒息性者。如光成毒質。氣苦味質。有糜爛性者。如芥子毒質、劉威毒質。有中毒性者。如鯖氫酸、一氧化炭。有催淚噴嚏性者。如鯖溴甲倫、倫氯乙酮、二倫氯砷𤐫、二倫碘氯砷𤐫。中間如芥子劉威毒質有持久性。餘多急速散失其毒性。決無致命之憂。茲為有備無患、以防萬一起見。特將簡易防禦法。略述於下。

各國現通行一種毒氣面具。連帶有一個呼吸罐。罐中盛木炭鹼石灰及胡桃等殼所燒成炭的混合物。中間有彈簧、重綱、木棉蓋、填充綱、制栓等。以皮製的面罩。用寬緊帶縛於後頭。眼用玻璃透鏡。口鼻即用管通於呼吸罐。以便呼吸。而毒氣又可從罐中濾去。但罐之製法較繁。然為防糜爛刺激性之毒氣、侵入面孔。面目口耳之保護。可分用面罩耳套之法。口鼻呼吸。但以濕手巾、或浸透尿溺之布。兩端以帶懸於鼻端口角。即可防止四圍毒氣侵入。若在家庭團體人多之處。遇有毒氣將臨之時。將前後門開通。聚居密室或地道內。經過若干時間。毒氣卽失去作用矣。於此則在公家當先有警信設備。則可防止無意間中毒之危險。

關於中毒氣之治療。可用「開關散」「紅靈丹」等取嚏。四圍撒以炭屑。賴其有強力吸收作用。毒氣自漸散失。更以硼砂水洗滌中毒者之面龐口鼻。如有陳年舊日所用之鼻烟。搐入鼻孔。自能漸醒。玆將鼻煙之製法錄於下。北細辛八分、白芷薄荷、豬牙皂角、各二分、乾皮絲煙爲君、約十分、焙乾研、冰片三釐、各爲細末。酌量配合。以色如椶色者爲佳。此爲疏散之品。以之搐鼻。有辟疫、明目、通關竅、散邪穢、解積滯之功効。開關散、孔靈丹、在中藥肆皆有現成可購。若中毒氣昏厥不醒。用搐鼻洗法外。亦可服紅靈丹少許。或嘔吐甚者。可服紫金錠五六分。必効。

中醫與顯微鏡

周廣眞

中西醫之爭論。甚囂塵上。其實可以二語概括之。中醫之經驗博大。西醫之學說精細。若兩方各走極端。於人類生命之保障。爲力甚尠。吾人主張改進中醫。固爲世界學術與人類幸福計也。自西醫有無管線內分泌之發明。漸有科學而超入哲學之勢。其進展至屬可驚。然自西醫內分泌之學說興。大足助中醫學說之張目。如肝開竅於目。心開竅於舌。腎開竅於耳。脾開竅於口等說。皆有一反玄虛而爲實在之趨勢。吾人驚喜之餘。宜如何勿封故步。亟與圖新。余謂欲中醫由哲學而科學化。當從用顯微鏡始。以吾博大之學理。納之於至細至小之範圍。復從至細至小之範圍。尋出至大至博之確證。老子有言。見小曰明。中醫界見大不能見小。不明者過多。又俗語有云。耳聞不如目見。現今中醫之維新者。漸知紅血球、白血球、結締組織。纖微毛細管、淋巴管、血管。脂肪動脈靜脈。以及細胞細菌。學說之重要。在今日實可欣幸之事。唯此皆從翻譯之西醫書籍。探取摸索而來。藉供談助。固是以一新耳目。然决非由眞知灼見而得之。何若將血球細菌等類。置之於顯微鏡下。一窺其究竟生理之血球水液。與病理之血球水液。從氣候地理飲食性情等所釀出者。其原因變化。果作何狀。一一記之。以推源泝流。决病用藥。必大有益於新理之發明。較之紙上談兵。尤爲眞切有味。中醫數千年之進化。科學方法之整理。我自有之。科學器械之證明。我所未有。在化學機械。及其用法。非急切可明。姑以最低限度。去二三百金。置一五百倍至千倍之顯微鏡。如醫院醫校。必須購置。個人之無力者。可以合購一具。共同研究。則所謂白血球。紅血球。毛細管。腺狀。桿形菌球形菌。霍亂肺癆之菌。皆可眞實見之。卽由六氣疾病。釀出之痰液細菌。亦能了了分晰。且可確知用藥後制治之狀况。如以藥劑和入病菌。以察其併爭之類。趣味既眞。進步倍速。否則紙上陳言。吾恐西醫之新名詞。亦將漸漸陳腐。如五行六氣之壅洞。中國新醫之創立。仍無斯日。當此中西醫將有劇變之時。吾願中醫界。抱革新之願者。早與顯微鏡發生關係。必能愈益瞭然於生理病理之情狀。以促創造之成功。吾於中醫之談新理者。愛之甚。不能不望之殷。特於此細微之事。而縷縷言之。

方藥

中醫藥與軍事療傷方劑

許子香

療傷救護之法。先須有組織設備。又當研求手術。中國醫藥博大精深。或研散、或製丸、或浸酒、或製膏。苟配合得法。皆能左右逢源、以取實効。且有藥取鎗彈之法。唯非經實驗毒。不便取用。茲所錄述方劑。皆愼選利多弊少者。或可作軍事療傷之一助。幸海內賢達發揮其精神。以爲濟急之裨。

治取出彈片後。或墜墮損傷筋骨皮肉。發熱疼痛。沒藥丸方

沒藥研　澤瀉　當歸切焙　桂去粗皮　檳榔剉　甘草炙剉　白芷　蜀椒去目并閉口者炒出汗　附子炮裂去臍　芎藭各壹兩　大黃　續斷各一兩半　澤蘭葉二兩　統十三味、搗羅、爲散、製丸、每服三錢、溫酒調下、不拘時、骨斷加自然銅(醋煅焠)研末、每服八分、

治傷折疼痛。及手術取出彈片後。筋骨未合。肌肉未生。延胡索飲方

延胡索　鹿啣草　黃耆　熟地黃各一兩半　桂去粗皮　當歸切焙　白歛　桑寄生各一兩　右八味、粗搗篩、每服五錢至一兩、水一盞半、煎至一盞、去滓、溫服、不拘時。

治傷折筋骨。接骨散方

自然銅一兩火燒三度醋淬研　木炭半斤火燒醋蘸二度　白絲三兩燒灰　右三味、搗研爲細散、每服一匕、煎蘇木酒調下、病甚傷折骨者。服訖、裨裹了、次服前沒藥丸

治彈傷、及墜折、傷損疼痛。不可忍者。沒藥散方

沒藥別研　乳香別研　延胡索　當歸切研　甜瓜子各一兩　丹砂研半兩　右六味、搗研爲細散、拌勻、每服一二錢、熱酒調下、又取藥散二三錢、以黃米作粥、攤作餅子、糁藥散在上、用貼痛處、以帛封角定、一二日換佳、

治彈傷墮撲、腹中瘀血。桃仁湯方

桃仁拾四枚去皮尖雙仁炒　大黃剉炒　消石研　甘草炙各一兩

蒲黃一兩半　大棗擘二拾枚　右六味、切如麻豆大、每服五錢、水一盞半、煎至一盞、去滓溫服、

治損傷後。瘀血腹中不行。虎杖散方

虎杖三兩　赤芍藥二兩　右二味、搗羅爲散、每服二三錢、溫酒調下、不拘時、(按)虎杖即牛膝

治傷損滯血在腹中。桂心湯方

桂去粗皮　當歸切焙　蒲黃各二兩　大黃蒸焙一兩半

右四味、粗搗篩、每服二錢、水一盞、煎至七分、去滓溫服、不拘時、得血利爲度、

治彈傷、及墜馬撲損、內傷吐血。又治暴熱、背上煩熱、心中欲吐。喉內先覺血腥氣。雞蘇湯方

雞蘇二兩半　地黃汁五合　桑根白皮剉一兩　生薑汁五合

葛根剉　小蘇根切　淡竹茹各二兩　切碎、每次五錢煎服

治鎗彈傷折風腫。荊芥散方

荊芥穗　當歸切焙　續斷　芎藭剉各一兩　右四味、擣羅爲散、每服二錢匕、溫酒調下、不拘時候、

治鎗彈傷折、風腫疼痛。黃蠟膏方

黃蠟五兩　桂去粗皮　吳茱萸炒爲末各一兩　鹽炒燒一分　右四味、擣羅三味、爲細末、熔黃蠟幷麻油五兩、與藥末同煎數沸、攪勻、傾出瓷合收、每用看所傷大小攤貼、頻易之、

治傷折、皮肉破裂。風腫痛。芥子塗方

芥子細研不拘多少　右一味、釅醋調塗腫處、頻易之。

治療鼠疫之略識

李健頤

中醫之治療　中醫治鼠疫一症、各具有特長之處、用藥則分別氣分血分二大法門、用之得當、效驗如神、爰將大略、述之于左、

一　初起在氣分、身發寒熱、頭痛口渴、舌燥脈數、精神倦怠者、用治鼠疫良方、合三聖丹、輕症日服一劑、重則加倍接服、如症重、咽喉腫痛、咽乾舌燥、脈微神昏者、用辟穢驅毒飲、或用清芬辟疫、湯送下解毒萬病丹、如寒熱無汗者、參用麻杏甘湯法、如協熱下痢、熱結旁流、或痞滿腹痛、大便祕結者、參用承氣湯法、口渴喉乾、腺腫漸大、胸滿氣喘吐血嘔血、身發瘢疹、用清瘟敗毒飲、加杏仁牛旁大青葉枳殼、喘不臥者、參用葶藶大棗瀉肺湯法、腹痛腸腫者、參用大黃牡丹湯、若竹葉石膏湯、及麥門冬湯

、皆可供清熱生津輔助之用、如聲粗氣喘、面赤如醉、用葦莖湯、送下紫雪丹五分、或牛黃膏一錢、如發熱二三日、煩躁潮熱、口舌無津、咽喉作痛、昏昏欲寐、脈微細者、屬少陰濕熱之鼠疫證、用坎離互根湯加減、

二 病毒在血分、壯熱神迷、形如尸厥、面青肢厥、身發青紫色斑、身如被杖、唇紫舌燥、用加減血府逐瘀湯、如腺腫紫赤灼熱疔瘡斑疹者、用通絡活血湯、或加味解毒活血湯、如腺體腫大、疼痛劇烈者、用王孟英治結核方、合神犀丹、外用經驗塗核散、如兩顳腫痛、咽痛喉乾、身熱、發生膿瘡(卽血毒性鼠疫)者、用毒核消毒散、或治鼠疫驗方、及應驗疫證方等、均可酌用、外核用經驗化核散、及經驗敷核方、如大便常祕、核腫、日久不散者、用善消鼠疫結核方、或清熱辟疫湯(上方可查閱五期本刊方藥門)

以上二法、係採取吾國古今名賢治疫之驗方、吾輩若能審查病因、細察症狀、按法投藥、無不效如桴鼓、

西醫之治療　西醫對于此症、尚無特效之方劑、不過施對證療法而已、如病人頭痛大熱、卽用阿斯比林、或弗那攝精、病人發嘔吐者、用大劑加路米、繼以鹽瀉、如不見止、服小劑嗎啡、胃脘上貼以芥末膏、倘症現虛弱者、用馬前精加波麽阿麼尼亞、和以毛地黃酒、極佳、如病人發昏、嗅以阿麼尼亞、夜不能寐、用嗎啡注射皮膚、瀉甚則與沙羅止之、淋巴核發腫、則抹甘油顚茄膏、上蓋以極熱之胡麻麵、冷則更換、如已成膿、則剖開洗淨瘡口、敷以去腐藥、瘡膿極毒、宜以加波力酸水和入、以免傳染他人、此法頗見完善、然亦不過百中一二耳、惟其注意預防、故遇疫之盛時卽留意飲食、而尤保護手足等皮膚爲要、愼勿損傷之、病人之血液、及排出之吐瀉物、咯痰唾液、均須以石炭酸水、或石灰消毒、衣服寢具食器等、則當以蒸氣或藥品消毒、據最近各西醫之研究治療此證者、主張雜出、固不一端、有謂可用萆麻油等類瀉藥、以清掃病人之消化管、蓋于消化管中受壓迫刺戟之處、營因便祕致腸膜出血之際、若用萆麻油、可以防禦其刺衝、稍減其炎勢、外核腫者、則敷以水銀軟膏、或施以昇汞水、或石炭酸水、濕布繃帶、有謂淋巴核之腫、卽宜割開、或云卽令淋巴核割開、亦無濟于事、有謂鼠疫當防心臟衰弱、可與毛地黃酒咖啡精、及伊打酒、或樟腦油注射皮下、多投補品、如牛奶之類、有謂初起時、卽用毛地黃酒、頭部行冰罨法、並給以多量之酒、及飲料、煩渴以茶、或鹽酸里母奈垤解之、諸醫所見不一、功效各殊也、

衛生

衛生講話（續）

董志仁

個人講生—（十六）結婚

結婚是人事遭遇第一件之幸福。從此就做了終身的伴侶。所以要造成甜蜜的夫婦。和樂的家庭。在結婚前須澈底明瞭結婚的意義。和結婚的衛生。

男女什麼要婚嫁。大家知道的是生育問題。換一句話。便是爲了養兒子。爲了繼承宗祧。爲了新增種族。責任是何等重大。所以自古以來。對於結婚。都奉爲隆重之儀節。不敢輕率舉行。可是現在的一般青年男女。不了解婚姻意義的緣故。亟亟焉婚婚嫁嫁。甚至私拚淫奔。這都是不了解婚姻意義的緣故。雖然有說私拚淫奔。是雙方感情濃厚者。爲避免不良的環境起見。出此不得已之舉。或有可原之處。不知易合則易離。是事實。亦是天演的常理。結果比不上有正式婚姻能維持他們的常久愛情。

結婚的衛生約有三大點

一、擇婚的條件：朋友須擇交。永久的伴侶。更應該充分的加以選擇。這選擇的條件。一般人的目光。大約如下。

男性擇婦的標準

1. 年輕美貌。如花之含苞未放。色香可愛者。
2. 宅性仁慈。性格溫順者。
3. 有普通教育者。
4. 性情端重、舉止活潑者。
5. 通達事理者。
6. 儀態高尚。風致嫣然者。
7. 善理家政。處事周到者。
8. 長於應酬。擅交際者。
9. 堅忍耐勞。願同甘苦者。
10 一身之外。絕無繫累者。
11 頗有財產。毋須供養者。

女性擇夫的標準

1. 姿容秀美。風采瀟灑。體格強壯者。
2. 勇氣活潑。才智奮發者。
3. 思想豐富。頭腦聰明者。
4. 性情溫和。舉止端凝者。
5. 富於愛情。作事誠實者。

6.生計寬裕。富有財產者。

7.無家累者。

8.不貪不吝。

9.秉性俠義。而無廢氣者。

10精於藝術。有正當職業者。

11有胆力。有高尚的志向者。

上面的擇婚條件。是社會上一般人的眼光。還有一般愚男女。是專門計及對方人物的漂亮。齒牙伶俐。舉動闊綽。金錢累累者。對於品行性格學識。反不計及。實是可憐無知的一樁事。更有現時代一般受過教育的女子。往往中學生要嫁大學生。這種虛榮的愛才。又是高尚知識女子的錯誤。其實眞正擇婚的條件。反爲一般人所不注意。就是：

1.血統關係。凡不明血統而成婚姻者。生出子孫。多遭癡騃、不具、精神病、眼病、及聾啞等病的不幸。雖較遠的血族。也應該禁止。

2.疾病關係。對方的身體強弱。是爲一般人所要知道的。但是他的或她的父母。患癩病、肺病、或精神病的。一般人就少注意了。其實遺傳的關係。頗有患發的危險。又有生殖器發育不全者。或生殖器有疾病者。更是伉儷的魔障。在結婚前。是應該仔細偵查的。同時男女也應自己在未結婚前去思想一下。我的生殖器犯着過度的手淫否。生殖器有無異常否。覺有可疑之處。就應該到醫生處診斷或治療完善。假使不是這樣、未雨綢繆。那末結婚後夫婦間的感情。難免不洽。等到男的另娶妾媵。女的另戀情人。實在要悔不當初了。

二、結婚的時期。結婚在年齡上。以我國舊時的習慣。是男子三十而娶。女子二十而嫁。是很合生理衛生的。如果依照現代社會的惡習。男女均在二十歲以內結婚。實是減少壽命的禍機。又有結婚的時期。須擇春風和暖。萬紫千紅。百花開放時最好。其次在九十月。秋高氣爽的秋天。是適宜。在結婚期迫近時。若有罹生疾病。須延期結婚。不要和俗例所舉行的冲喜法。舉行結婚儀式。尤其是患慢性肺癆病的。往往在結婚後。使病狀增進。宜格外注意。不可以爲疾病未劇。當無大礙去着想。

三、結婚後的注意。結婚後在蜜月內過着甜蜜的光陰。往往有縱慾的現象。須知生殖器過用。爲兩者疾病衰弱的起原。不可不節制。同時須注意第十三講性慾衛生條。(見本刊第六期)切實履行。現在尙有補充的。就是夏冬兩季的時候。最易縱慾。其一因着天時暑熱。衣單臥簾。頗能引起性慾的衝動。其一寒天畏冷。同枕共衾。可以取暖。也是交媾的好機會。其實夏季開泄。冬季蟄藏之令。都應該守身如玉。保持衛生。最好的方法。是隔離寢室。至於交媾時。一般人因想保持長時間的快樂。或恐精出體衰。往往熬忍丟情。爲害不淺。法國亞爾博阿爾病院長別爾開番士曰。『男女交媾而不丟精。則擾亂腦筋。其害甚於手淫。而女子陰機熬忍可久。其受害尤多於男子。余治婦人陰部掀腫、白帶、子宮病等。其原因多由於不丟精者』。這是結婚後所需要知道的。

末了我還附帶說幾句。前面所講的私奔淫奔。果然是壞事。但是一般婚姻介紹。往往左右瞞騙。或者男女自己。幷不願意。而強爲結合。以致婚後成就一對怨偶。因怨而鬱。因鬱而病。甚至自殺。直接是不能享受家庭的快樂。間接是損害民族國家了。我們應該隨時勸導這班舊腦筋的人們。

記事

本社第七次討論會記事

醫藥衛生月刊 第九期

第七次討論會、於三月十五時午後三時、在新民路祥林傷外科醫院舉行、到者有王馨遠高一志阮其煜周子敍董志仁王一仁施稷香湯士彥諸君等、除討論問題外、阮君提議、以後討論會、加入研究本草、以本草三家註爲研究藍本、各述藥性之特効功能、茲將本期問答錄於下、

一、問中國有實驗可靠之麻醉方劑否、（傅仲華）

答、內服者、有 1.茉莉根（福建另有特產）以酒磨一寸、一日醒、二寸二日、三寸三日醒、 2.草烏、船上茴香、坐拏草各錢半、豬牙皂角木必子紫荊皮白芷半夏烏藥當歸川芎川烏各一兩二錢五分、木香一錢、共研細末、每服三錢、好紅酒送下、——事後、用鹽湯服之卽醒、 3.生川烏 草烏 生南星各五錢、蟾酥三錢、每服三釐、陳酒送下、 4.生川烏生草烏各三錢、半官南星各五錢、酒化蟾酥一錢、黃麻花 芋艿葉 鬧羊花酒製七次、各二錢共研細末。——每服酒下八厘、或一二分、事後用鹽湯服之、 5.牙皂 木必子 當歸 半夏 紫金皮 小茴香等分、研末、酒服二錢 6.白芷二兩、生半夏 川芎 草烏 烏藥 荊皮 牙皂 茴香各二兩、土木必 木香各五錢、川烏 當歸各二兩、研服一錢、 7.申姜 香附各二兩、草烏五錢

、川烏一兩、每服三錢、姜酒下、用冷水醋解、不解、用升麻乾姜芍藥甘草湯、或枳殼磨水解、黑豆湯亦可解、

8.痹藥昏散　草烏一錢五分、骨碎補二錢、香附　川芎各一錢、共爲細末、姜汁和酒調服、——飲醋冷水即解、

9.住痛散　杜仲　小茴　大茴各四兩、共爲細末、每二錢、老酒調服、外用者、有　1.川烏尖　草烏尖　生南星　生半夏各五錢、蟾酥四錢　胡椒一兩　細末、燒酒調敷、

2.南星　半夏　雄黄各一錢、川烏　草烏各一錢、荸芧葉八分、黄麻花五分共研末、如無黄麻花、加草麻仁五分

3.南星　半夏　草烏　川烏尖　川椒　蟾酥各三錢、醋研末調敷、中間內用者以8爲較妥、外用以3爲較妥。大概麻醉劑、反須過分與奮血液神經、乃入於昏麻狀態。常見服麻醉劑者、面部紅赤而昏迷、如腦充血狀、解法以冷開水鹽湯爲佳、若作動物試驗、鷄不如狗、狗不如猴、以近人性者爲宜、

三、問嘔吐狂血實効之急救法、(前人)

答、以十灰散或改湯劑服、有効、十灰散藥、有大薊、小薊、側柏葉、薄荷葉、茜草根、茅根、山梔子、大黄、丹皮、棕櫚皮、等分、燒炭存性、紙裹蓋地上一宿、出火毒、研爲細末、每服三錢至五錢、空腹時、童便、或藕汁菜菔汁磨京墨半鍾調下、如不効、用花蕊石散以消之、獨味花蕊石研細末服二錢、熱童便調下、十灰散如改湯、即用藥炒炭、酌量用之、

三、神農發明本草、若何化驗及其解毒法、有所考據及推測否、(前人)

答、史傳神農嘗藥、一日而遇七十毒、其本意在探索可食之植物礦物、以利民生、此其經驗、漸積而來、故自有其解毒之方法、且其生理健碩、遠勝常人、而味覺嗅覺之精、尤能超人、故有偉大之成就、至迷信傳說、似不可靠、

四、鄙人素患健忘、閱方書有用遠志益智仁等分研末、和桂圓肉搗丸、清晨以鷄心及蓮子湯下、可常服有効否、(趙銀)

答、內經以腸胃實而心肺虛、爲健忘之因、神經衰弱、或血管有滯、腦氣不利、記憶亦必不健、內分泌之不足、更爲明顯、遠志益智仁有強心益腦之功、久服自効、唯須多吸新鮮空氣、益以柔和運動、並注意戒絕手淫房色、自能恢復記憶。

五、問眩暈之原理、及其有効治法、(鄭志成)

答、須分究原因治之、靈樞大惑論「邪隨眼系以入於腦、則腦

轉、腦轉則引目系急、目系急、則目眩以轉矣」、此爲論眩暈之總因、須分別外風、肝風、或熱、或痰、而施治法、腦虛者、以黃耆天麻補之彌佳。

六、問前人謂汗血同源、其治法能混合否、(周廣眞)

答、有可以混合、有不可以混合、當視其病象而定之、內傷不足症、可合綜治之、外感有餘症、當分別治之、此大法也

七、人之體素、有寒熱分別、中醫最爲重視、其理何居、(董志仁)

答、此有先天關係、於內分泌之生理、尤有影響、以陰陽虛實分寒熱、定標準以用藥、在經驗上確有是處、引伸學理、非簡短可盡、

編後餘話

本刊出世、忽忽已到九期了、編者的主見、是不廢棄陰陽五行六氣六經等學說、同時又接受理化細胞細菌等學說、「高以下爲基、新以舊爲本」、果不將舊名詞誤解、是亦不致迷惑新學說的、我們於中醫舊說、應該用吹氣還魂的方法、叫他活起來、一般的現象、反對陰陽五行、一切標榜新名詞、於試驗管顯微鏡等科學器具、並未習用、長此以往、於新舊兩無是處、最大的弊害、一已既反對陰陽五行、於舊學說不能深入、同時又引起後學厭惡中醫心理、更不肯讀書、不免以湯頭歌訣藥性賦爲實用至寶、危害國醫進展與創造、影響亦太大了、或者以經驗爲中醫存立之根據、要知經驗應以學理爲前提、而後可以增加追求之意味、啓發創造之精神、不如是、則經驗經驗云者、又不免自儕草頭郎中剃頭針匠之林矣、總之國醫學之經驗、是豐富的、國醫學之學理、更是博大的、移上時代潮流、決非一手一手所能濟事、那麽倡導的人、主觀固不能太重、亦不能偏重客觀、追隨時尚、以收一已之聲名建立中心思想、要冶新舊於一爐、一洗人云亦云之見、最可歎者、是中醫無一健全之學府、出版界亦少生氣、定價尤昂、或者是生活逼追、難道國醫竟無創造之望麽。自前年九一八以來、忽忽逾年、國醫療傷方法、尚未有人提倡、尤奇者、國醫館以政治的立場、以學術的立場、皆不應於此事噤若寒蟬、且醫校不能登報招生、這是國醫界何等可恥的事、國醫館不趕速打開出路、又於學術無所建樹、是自毀其立場、是自掘其墳墓、悲觀固是無益、急起直追、勇往邁進、纔是生路、本刊第三期月刊、欲徵集國醫藥救傷方法、本期所載、亦甚簡略、後有所得、當逐期登載、國醫界比較差強人意之一事、即朱殿君有農村醫藥改進社之組織、並有建立三千個農村醫院之計劃、我以爲學術建設、更爲要緊、但亦不妨並進、總之、今日之事、做就是好、做得好更好、願全體國醫界振作起來、

贈書誌謝（並代介紹）

考正經脈經穴圖　包天白製特價二元四角寄費國內一角三分上海梅白格路松柏里六號中國醫藥社發行

建設三千個農村醫院　朱殿著定價大洋九角上海京滬車站路十三號農村醫藥改進社發行

醫藥月刊　第二年第一期長沙南門外沙河街五十六號發行每期一角

神州國醫學報　第一卷第六七各一期上海厦門路尊德里神州國醫學報社發行每期一角

醫界春秋　第七十六期上海西藏路西洋關弄第二十號醫界春秋社發行每期一角六分

懷濟醫刊　創刊號梅縣上市老廟前四十五號懷濟醫院發行函索一分

建國月刊　非醫藥性出版品第八卷第三期南京成賢街建國月刊社發行每期二角

本社代售

中國醫藥問題　王一仁著　實價一角二分

三衢治驗錄　王一仁著　實價一角二分

中國時令病學　時逸人著　實價二角五分

二四

中華民國二十二年四月一日出版

醫藥衛生月刊第九期

主編者　王一仁　杭州上城彩霞嶺十一號

發行者　中國醫藥學社　杭州上城彩霞嶺十一號

月刊定價表

另售每册六分（郵費）國內日本一分；國外及香港澳門六分

預定全年十二册七角二分郵費在內

國外預定全年一元五角郵費在內

本刊寄售處

本市　古今圖書店（保佑坊）　經香樓（城站）　維新書局（湖濱）

上海　國醫學會（西門內石皮弄）　中醫書局（山東路）　千頃堂（三馬路）

蘇州　國醫書局（吳趨坊）

南京　建國書店（成賢街）

衢州　聚秀堂（下街頭）

山西　中醫改進研究會（太原精營東二道街）

徵明

醫藥衛生月刊

第十期　王一仁主編
民國二十二年五月一日出版

中國醫藥學社印行
杭州上城彩霞嶺十一號
電話一〇九六號

學說

仁盦醫說（八續）

王一仁

◉經脈與生理系統(四)

陽明經脈之絡脾屬胃。義甚顯明。已如上述「其直者、從缺盆下乳內廉。下挾臍。入氣街中。其支者、起於胃口。下循腹裏。下至氣街中而合。以下髀關、抵伏兔。下膝臏中。」缺盆近於氣道。呼吸之氣。實間接影響於胃之消化。挾臍入氣街。則爲接近腎臟內分泌入胃腸助醱酵素之活動。實有甚深意義。至於「下髀關。抵伏兔。下膝臏中。下循脛外廉。下足跗。入中指內間。其支者。下廉三寸而別。下入中指外間。其支者、別跗上。入大指間。出其端。」下肢之運動。小孫脈之通滯。關係於胃腸之消化。良非細故。考足陽明經脈所循行之路。多側重於身前。人之行走無不向前者。行走愈勤。則胃臟消化愈健。若陽明胃脈衰。不僅不良於行走。即飲食亦必漸減少矣。或謂人之行走。由於杠楨活動之力。抑知此杠楨活動之原動力。實出於陽明經脈也。胃下爲幽門。即緊接小腸。內經以小腸爲「受盛之官。化物出焉。」在生理學上。小腸之消化及吸收。起於十二指腸。而終於迴盲腸蓋。小腸之消化。賴胰液、膽液、及自己液腺所分泌之腸液、三者和合而成其作用。小腸內有絨毛及皺襞。消化吸收之機能。乃增其旺盛。小腸之蠕動。乃恃有多數神經叢之刺激。液汁入淋巴而化血。其炭養外散而爲體溫。故小腸原屬手太陽經。而於消化營養。又可屬於陽明。靈樞本輸篇云、「足陽明、胃脈也。大腸小腸。皆屬於胃。是足陽明也。」胃、小腸、大腸、三者爲主要消化機關。唯消化乃得營養。然消化吸收之後。所存留之陳腐渣滓。必需排出體外。食物經過小腸之後。可吸收之養分液汁。已屬無多。尙經大腸之最後吸取。食物渣滓大部存在橫結腸。得大腸之蠕動下迫。即爲糞便。大腸經脈絡肺屬大腸。得上焦肺臟之呼吸。腸乃得其轉曲蠕動之功能。大腸之腐菌最多。一方固藉糞便而排除。一方亦賴肺臟呼吸空氣。消滅菌毒。否則病患尤多。溫疫症從口鼻而入者。即空氣減少消痼之作用也。大腸經脈之上挾鼻孔。即爲接近呼吸之道路。試思以大腸隱僻之地。中留水穀之渣滓。又復甚多。若非絡肺以呼吸空氣。其間腐痼之產生。將有促臟腑炎潰之險矣。大腸絡於肺。上出于鼻。此誠造物之奇功。亦人體生理之自然妙用也。

六微旨大論云「陽明之上。燥氣治之。」蓋以陽明經脈所過之地。尤以胃與大小腸中之液汁。非得燥氣不能化。胃液酵素、僅就其本體作用而言。至其來源。則有賴於空氣中之淡氣。爲之蒸化。飲食必經于胃。難經謂胃橫屈受水穀三斗五升。其中常留穀二斗，水一斗五升。雖古今之度量、不必盡同。然胃爲容受水穀最多之地。可無疑義。推之於大小腸。亦有液壓渣滓之所留容。若非燥氣以爲蒸化。則其浸淫濡漬之久。必有橫決潰爛之憂。是以陽明必以燥氣爲治氣。而後可免於浸淫之患。唯燥氣內結太過。液汁太少。又將轉而爲「胃家實」便閉之症。正如太陽經本以寒氣爲治氣。若寒氣太盛。又有傷寒之變。同一意義。胃中之配潑頓。腸中之酵素。非燥氣不生。而燥氣之傳入。口鼻固爲其重要之門戶。而陽明絡於內外之經脈。亦爲調節燥氣之要道。誠以陽明液汁。由胃腸而散滲於經脈。苟非得淡燥之氣以疎泄之。必有濇滯之患。反是而胃腸燥熱太甚。則於陽明經脈所行部份。先有灼熱之感覺。而後蔓延於他處經脈。此陽明病之額熱口乾鼻燥所由來也。

陽明主肌肉。肌肉之豐瘦。視其營養。營養足、則肌肉豐盛。營養不足，則肌肉消瘦。然因先後天種種原因。營養雖盛。肌肉仍不豐肥者。有之。要未有饑餓茱食、而能肌肥腦滿者。人之食物。不外澱粉、蛋白、脂肪、生質精、炭水化合物、水、礦質、等類。經胃腸之消化。管腺之吸收。或融於血液。或化爲脂肪。或成爲肌肉。多由和合而成。而其化生之由來。則出於陽明胃腸消化吸收之力。而大腸之排泄部份。尤關重要。素問靈蘭秘典論云「大腸者、傳導之官。變化出焉。」大小腸之變化。關係於肌肉之豐消者甚大。是以腸結核及胃病。未有形體肌肉不消瘦者。素問六節藏象論云、「脾、胃、大腸、小腸、三焦、膀胱者。倉廩之本。營之居也。名曰器。能化糟粕、轉味、而入出者也。其華在唇四白。其充在肌。」是以肌肉之化成。根於六府之盛衰。謂陽明主肌肉者。撮其要者而言也。謂陽明胃腸主營養系統。亦就其重要者而言之耳。

陽明主飲食。因飲食消化而得營養。因得營養而生肌肉。當未進飲食之時。胃粘膜呈灰白色。食物入胃之後。血管驟盛。胃液分泌。工作緊張。因胃爲主要消化管。故謂「胃爲多氣多血之海」「後天生化之源」。所謂陽明病。卽營養機關病。其病之變化。常有兩方面。其一爲進行性之實熱症。其一爲退行性之虛寒症。在平時營養盛者。不必定屬肥甘之奉。但其納穀旺盛。陽明脈氣有餘。則身以前皆熱。經脈所過熱痛。甚則消穀善饑、溺色黃。或爲狂譫。或爲傷寒論中之胃家實症。在平時營養不足者。因胃腸之消化力量。漸次減退。陽明經脈漸次虛弱。則病洒洒振寒、善伸、數欠、身以前皆寒慄。胃中寒則脹滿。或面浮皖白、納少便泄、形瘦肉脫諸症作矣。

溼溫（腸窒扶斯）之正當療法

王潤民

溼溫一病。西名腸窒扶斯。（紹興何廉臣氏在十餘年前卽有此語。近人章太炎氏亦宗此說。余雲岫著溫熱發揮。亦謂臨床所見。凡遇中醫方案定爲溼溫者。驗其血多是腸窒扶斯。中西醫生意見一致。乃由實地觀察而得。非附會之談也。）又有「小腸壞熱症、腸熱症、傷寒、傷寒菌病」諸名。爲夏秋間常有之病。初起時。惡寒發熱頭重頭痛。熱度在第一週內。每日約昇半度至一度。一週之終。達四十度。同時口渴。舌生白苔。腸部稍膨脹。大便或便祕或下痢。至第二週熱度依然繼續。且或加高。病人精神昏瞶。常發囈語。聽力衰微。亦有精神反形興奮發狂者。至第三四週時。若不起腸出血腸穿孔等症。則體溫漸次下降。舌苔剝離。呈赤色。以至恢復元狀。（參觀鄧源和傷寒全書及商務內科全書傷寒篇）此症病竈在腸。有如腸部生一瘡者然。其原因由傷寒菌附着不潔之食物入腸胃而起。此爲西醫論此病之大概。而於中醫論此症亦綦詳。古來疊有專書。仲景傷寒論卽論此症與流行性感冒等。篇中如白虎承氣大小柴胡葛根芩連麻杏石甘大青龍猪苓湯等。實爲後世治此病種種方劑所從出。惜書名傷寒。首冠以桂枝麻黃二方。致後世拘泥者流。往往用麻黃桂枝於此症之初。卽現在之日本漢皇醫家。如湯本求眞等。尙用此等方法。幸之因此種發汗法而愈者可謂絕無。不知傷寒云者。特一名詞而已。猶古之所謂天行病、今之流行病、或外感病。非卽謂感於寒也。麻黃桂枝實不適用於此症也。及金劉河間出。謂溫病宜用寒涼之劑。不宜用辛溫。創防風通聖散等。可謂有識。然其他亦無發明。明吳又可著溫疫論。其所謂溫疫。實卽溼溫。其書曉暢病機。所立諸方亦多可取。惟好用大承氣。是其一弊。至於有清。葉天士吳鞠通王孟英等。妄倡三焦之說。將外感溫病。幾無一不說成伏氣。（試觀溫熱經緯自知）實爲黑霧薰天。惟所創各方。如三仁湯宣清導濁湯等。頗多可取。殆亦千慮之一得也。自此以後。迄於今茲。治此症者。或仍宗傷寒。或崇葉吳。或主滋陰。或主早攻。或主燥溼。議論紛紛。莫衷一是。因無一定之治法。致患此症者。輕者纏綿一二月。幸而得免。重者名登鬼錄。良可哀也。

聆若輩之議論。不曰溼爲陰邪。急不易化。溼與熱合。去其溼則生熱。清其熱則助溼。最爲難治。卽曰溼溫不可發汗。

汗之則神昏耳聾。（其實雖不發汗。耳聾亦所難免。惟究竟能否發汗。容再論之。）如是而已。

於此舉世暗中摸索之際。吾得三人焉。比較差强人意。一曰章太炎。二曰張山雷。三曰吳漢仙。試更述之。

章太炎濕曰溫論治一文。純用傷寒金匱之方。樸實說理。一掃浮詞。實多所發明。

張山雷著濕溫病古今醫案評議。語語出自經驗。絕非憑空杜撰者可比。其評黃醴泉各案。雖不免阿私所好。而其評惲鐵樵醫案則至佳。茍能細心研究。則治此症。自不難得心應手。蓋張氏生平臨症甚多。經驗極富。故能如此也。

岳陽吳漢仙氏。著醫界之警鐸一書。中有「論東西譯本以腸窒扶斯爲傷寒之誤」一文。論濕溫之原因。謂由飲食中毒。邪中下焦。中醫界千古以來。未有能爲此言者。固不必借西說而後重也。其所論治法。極爲正當。而謂「始終必以解毒爲要」。尤有眞識。

特是吾不能無言者。章太炎之所論。猶大匠之示人以規矩而已。吾儕臨症時。正不必泥用其方也。張山雷吳漢仙之所論。雖各有其獨到之處。而未見到處亦尙多。斯則不能不加以補充者也。

吾嘗謂內科醫生第一種本領。即須能治此病。（此語用之於西醫不甚確實。用之於中醫。則確切不磨。）而治此病之兩大前提。一曰預防腸出血。一曰預防心臟衰弱。

西醫之論此症也。謂其菌不僅在小腸內作惡。且能分泌一種毒質從血液散佈周身。舉凡聽神經腎臟內無一處不可以作惡。若腦神經不幸吸收。即神志昏迷。耳目不聰。甚者有時竟至使全身命脈所關之心臟神經。亦突然失其作用而大命以傾。所謂心臟痲痹也。西醫此論。甚爲詳盡。惜乎其預防心臟痲痹之法。與腸出血之預防法。同一不甚健全。

玆當進而述吾之治法。吾以爲欲治此病。須遵守以下之規律。即四戒與五宜是也：

四戒：

(1)不可用柴胡桂枝發表。

(2)不可用溫藥。

(3)不可早用滋陰藥。

(4)不可妄用大小承氣攻下。

五宜：

(1)初起宜辛涼解表：

(2)宜通大便。

(3)用血液藥及解毒藥。

(4)利小便。

(5)宜內服白蘭地葡萄酒等興奮藥。

此症之治法。全在一開手時。即遵守此種規律。按步做去。若誤治於前。則雖遵守於後。其結果或不良。則非作者所能負責也。試述之。

(1)曰不可以柴胡桂枝發表。　此症初起。往往惡寒發熱有汗頭痛。類桂枝症。不知者往往用桂枝。昔在上海國醫學院時。吾友章次公告余曰。某次診一孟姓小孩。症象即如此。心疑之曰。豈其桂枝湯症耶。雖然。吾不敢也。吳又可有云。醫者動筆輒云傷寒。臨症悉是溫熱。乃改與葛根芩連。並邀作者同往視之。則一濕溫症。後即以濕溫法處治。果不三星期而全愈。因此知王淸任謂「桂枝湯所治之病。爲吳又可所論之溫疫」。其言實有見地。不可忽視。大抵古代藥物簡。發表祇有麻黃桂枝柴胡葛根之屬。尚未知有其他藥物如薄荷等。如嫌溫散。甯可加黃芩石膏等等。(如陽旦湯、小靑龍加石膏湯、麻杏石甘湯等) 此本不得已之事。不足爲古人責也。至於柴胡。吾目所見耳所聞者。此症用之。大都現象不良。或經過遲緩。此或由醫生不能識症。或由今之柴胡。非古之所謂柴胡。(唐容川謂今所用之柴胡。不知是何種草。非仲景所用之柴胡。害人不淺。仲景所用之柴胡。爲四川柴胡云云。) 或由其他藥物配伍不得法所致。此則尚待研究。總之吾認爲柴胡之用。須在腸胃病毒肅淸以後。

(2)不可用溫藥。　用溫藥後之第一現象。即爲煩躁。所謂溫藥者如乾姜黨參是。(昔治一濕溫病。在已下之後。用太子參白朮等。其人煩躁異常。故知此味亦不適宜。) 此等藥。皆有　激胃壁。促進血行。鼓舞細胞。增加體溫之效。於此種大熱症實不相宜。然此亦不過言其大概而已。有時此症因用寒涼藥太過。濕邪遏伏。以致纏綿不解者。則又非用溫藥不爲功。屆時豈惟乾姜。即附子或亦在所必用。知其常者必知其變。不能通權達變者。不足以爲醫也。不過用時仍須參以涼藥。如黃柏黃芩等。(更加利尿藥。如滑石豬苓等) 故章太炎先生曰。治溼溫者。其藥必寒溫相間。是以梔子必參厚朴。芩連必參半夏乾姜。斯言得之。

又按不可用溫藥固矣。然亦不可純用苦寒藥。特此並識。

(3)不可早用滋陰藥。　此症早用滋陰藥之弊。非數言所可盡。若欲詳細說明。非另易一題目不可。無已。請介紹上海國醫學院學生趙錫庠君所撰「急性熱病之滋陰療法」一文。其文剖析精確。特其篇幅甚長。姑引其中數語。以破俗醫之惑：

「…發高熱而不食。榮養爲之耗劫。肌肉爲之消爍。誠所謂『熱病最易傷陰』。此乃因熱傷陰。非因陰傷而熱。不得據爲滋陰退熱之理由也。斯時之陰虛。當積極的去其病。不當消極的滋其陰。所謂揚湯止沸。不如釜底抽薪也。即退一步言。陰固當滋矣。然榮養品之得變爲人身陰津者。特其腸胃爲之消化。爲之吸收耳。若急性熱病者。多見食慾不振。不爲之消化。不爲之吸收。雖飫以血漿。亦奚用哉。即能消化。即能吸收矣。亦豈可越出日常食物之外。強胃腸納不經慣之物乎。今張介賓之熟地。葉桂之阿膠龜板。濁膩敗胃。皆絕對不宜病體者。是滋陰退熱法。有害而無益。熱亦終不可退也。

(4)不可妄用大小承氣攻下。　此症自有其通大便之法。不必輕用此等猛劑。而在二星期後。尤不可不愼。蓋防其腸出血也。請觀下「宜通大便之條自知」。既言四戒。更進而述五宜：

(1)初起宜辛涼解表。　世醫動稱溼溫忌表。因此症往往有汗也。故吳鞠通云。「溼溫汗之則神昏耳聾。」不知所謂忌表者。忌辛溫之表耳。非忌辛涼之表也。此症初起惡寒發熱頭痛。（或有汗或無汗。即有汗亦甚微。惟過此則往往大汗壯熱。不惡寒。因病毒正進行也。）在中醫謂之表症。有表症者。法當解表。（無論傷寒溫病溼溫。有表症者俱當解表。雖方法各自不同。而定例則不得違反。）此時宜以清涼發汗藥與之。使其微汗出。則病毒息息自毛孔中出。實爲治此症初步之要着。若於此時不敢發汗。則此後往往險象雜呈。日就危篤。（如鼻血等等。即因未發汗所致。）不僅如章太炎先生所謂「遷延時日」已也。而此症發汗最適宜之藥。莫如薄荷連翹蟬退。（葛根荊薺穗等次之。惟葛根力弱。須多用。更以他藥輔之。）用量視病者之有汗無汗而定。無汗多用。有汗則少用。（大約薄荷極量二錢。中量一錢五分。最小量則爲八分。連翹二三錢。蟬退約一錢）至解表藥之應停止與否。則以惡寒頭痛二者爲標準。（吾治此症。初起時即以此二者爲標準。二者去。則謂之表症已罷。即或頭痛未全除。而惡寒已全止。亦即停與解表藥。）（發表藥之用。不過一二劑。）

或謂此症因解表而愈者甚希。似解表無多大價值。應之曰。非謂解表即可愈此症。此不過初步之一要着而已。欲愈此症。更須用下列各法。

(2)宜通大便。　此症有一最要之現象。即初起四五日間。殆無有不患胸滿腸脹者。此層按腹最能得其眞相。(行腹診法)而市醫於此。每多忽略過去。愚按此實不可不注意。否則後之腸出血等。即基於此。然則其原因爲何。曰此爲腸中有宿糞之徵。通大便。所以掃蕩腸內之病毒也。故此症中醫之有經驗者。皆知其必由下解。乃西醫於此。謂病毒集中於消化管而爲裏症。萬不能用泄下劑。致成腸出血腸穿孔之危候。此則與吾儕見解根本不相容。夫旣謂病毒集中消化管。而又謂不能用下。抑何言之矛盾也。今有賊於此。將開門逐之乎。抑閉門藏之。任其破屋傾垣乎。宜乎日人和田啓十郎大聲疾呼。謂當下失下。病毒內陷。所以腸出血腸穿孔也。夫腸出血腸穿孔。吾儕亦知之。(腸出血卽古人亦早知之。)然試問西醫所以畏用下劑者。非恐下藥刺激病竈乎。下藥可以刺激病竈。則糞便豈不能之。此等畏藥不畏病之怪現象。非吾儕所敢贊同者也。西醫於此。又往往用灌腸法。此則較爲可取。然灌腸法不能肅清全腸部之病毒。不能代替下劑也。祇用於病將愈時。大便祕結。恐其復發熱。最爲適當。(卽中醫用豬胆汁導法。亦在此時。)若於初起時卽用此法。恐效力不能充分。吾敢正告西醫曰。君等可無畏下藥如虎。凡用下劑而腸出血者。大都在十餘日之後。(章太炎先生謂此症三星期而後。小腸發炎過甚。馴至出血穿孔。及腹膜炎諸症。仲景用抵當湯祇在六七日至十餘日間。急以峻藥下之。腸中瘀熱。一下而解。此仲景治術所以神也云云。亦可參考)若在四五日之間。且下之得其道者。決無此患。(其實卽在十餘日後。如下之得法。亦可無恐。)此有時間及得法與否的關係。不足慮也。(按西醫於此症初起時。往往用甘汞。似亦知用下之重要矣。然觀諸大家之論著。又謂絕對不宜下。何耶。吾聞余雲岫先生云。「醫者之治傷寒。其法至不一致。或禁固體食物。或反以固體食物飼之。或忌用退熱藥。或反以退熱劑服之。或用化學療法。或用物理療法。或乞靈藥石。或注意攝養。不但國異其流。亦且人異其撰云云。則西醫治此症之法。至今尙未有定論也。又其用甘汞之成效。不知視吾所用之下法如何。吾未治西醫。姑存疑。)

欲用下劑。當明舌苔。凡治急性熱症。舌苔最有關係。(較脈搏尤爲重要。)當病人初起惡寒發熱頭痛時。無論爲傷寒溫病溼溫等。欲知其是否發汗可愈。祇須觀其舌苔。卽可決定十之七八。苔淡薄者。往往一汗卽愈。胎白膩或黃厚。則非徒發汗所能了事。必得下而後解。實歷驗不爽之事。此症初起。往往爲白胎。追後則轉黃。(大都在舌之中心)終則爲深褐色。

若下之得當。則胎退而舌面光淨鮮紅。故舌胎乃腸胃之代表。不可不注意。近人沙允武君有言。「…由解剖學言。舌係消化器系統之一部。傷寒之病竈在腸。故舌與腸常取同一趨向。而互爲表裏。吾人觀察舌。卽不啻觀察腸之變化」。(見傷寒全書關於傷寒之鱗爪。)誠有經驗之談。故吳又可於舌胎言之最詳。卽深知用下劑當以舌苔爲標準也。

總之用下劑之標準。最好舌苔與腹症相參。如胎黃而腹部更悶脹者。卽當毅然決然以下劑與之。

茲試進而述下法。　吾前不云乎。此症不可妄用大小承氣攻下。誠以大小承氣。力量甚猛。其下行太速。反不能將腸中之積垢完全排除。與吾儕之期望不符。吾儕之期望。則爲一種緩和而有力之藥。刺激不大。而瀉下之效。深遠透澈也。且也濕溫病現大小承氣症者實甚少。湯本求眞有言。「今觀腸窒扶斯大小承氣之症甚少。而調胃承氣之症甚多」。其言至爲確當。嘗見有泥古不化之徒。妄用大承氣而致症出血者屢矣。不可不戒。大小承氣既不可妄用。然則如之何而可。曰此有兩法。一爲吾自己經驗之法。一爲調胃承氣湯加味是也。茲先述吾之心得。

（未完）

失眠之原因證候及療法

俞愼初

睡眠者，乃恢復日間精力之疲勞，維持新陳代謝之能力，爲吾人生活上所不可缺少也。蓋睡眠之原因，乃由延髓中血管神經運動中樞，因思想作事達到一定之程度，則運動中樞，必陷於疲勞，而頭動脈被壓迫，使血液集合於皮膚等處，則腦貧血而睡眠，於是運動中樞使得休養，而漸漸恢復，達其適當之度而醒覺，若夜間睡眠不足，翌日則覺精神恍惚，肢體倦怠，幾至不能作事，是知睡眠之重要大哉。

原因：用腦太過，憂愁思慮，怒逆氣鬱，心臟血液衰少，胃中痰濕阻滯，外邪內束，恐怖太甚，皆使臥寐不安。

證候：(一)用腦太過，憂愁思慮，則腦痛、眩暈、耳鳴、眼花、記憶力及思考力減退，或過敏，或緩慢。(二)怒逆氣鬱，則脅痛、頭暈、目眩。(三)心臟血液衰少，則血液不能灌輸全身，致呈貧血而不眠。(四)胃中痰濕阻滯，則消化致被障礙，胃神經刺激過甚，於是不得安臥，故內經曰『胃不和，則臥不安』。(五)外邪內束，熱結上焦，致心煩不得臥。(六)恐怖太甚，則心神不甯，血管神經興奮。

療法：(一)用腦太過，憂愁思慮，治宜硃砂安神丸，以安定腦神經。(二)怒逆氣鬱，則肝〻妄動，治宜龍胆瀉肝湯，以清胆涼肝。(三)心臟血液衰少，宜用天王補心丹，或歸脾湯，以補心育血。(四)胃中痰濕阻滯，用半夏秫米湯，以袪痰安胃。(五)外邪內束，結上熱焦，心煩不寐，宜用黃連阿膠湯，梔子豉湯，以袪內熱。(六)恐怖太甚，心神不甯，用酸棗仁湯以鎮靜神經。調理血液。

調攝：除藥物施行外，對於調攝亦所必須，如烟、酒及刺激性物品。切宜禁忌，勿遲眠，勿過飽，勿受餓，勿多言，勿勞神，勿憂慮，勿煩惱，臨睡之時，宜作深呼吸，每夜宜用熱水洗足，使腦中之血液，下流足部，易於安眠。

按近來市上所流行關於安眠藥品，多至數十種，大抵皆含有麻醉毒質，切宜注意，不可多服。

筆記

霍亂治驗記

張澤霖

壬申夏七月。有劉婦者。患霍亂甚急來延余診。已經脈伏肢冷。目陷聲嘶。轉筋汗多。險態畢呈。余雖知內有暑邪。然亡陽在卽。命危須臾。非大劑辛溫理中。不能挽救頃刻。俟其汗斂脈復。再爲清暑化濕。爰擬川桂枝附片乾薑各二錢。川樸猪赤苓澤瀉各錢半。蔻砂木瓜各三錢。服後至翌晨。肢已溫。脈亦復。瀉止而汗仍然。胸部痞滿而痛。苔白膩燥。寸關細絃。暑濕穢濁之邪。遏阻胃腑。清不升而濁上衝。最易發生呃逆。先令以大麥薏苡仁煎湯頻飲。爲處連樸梔豉夏陳藿蔻天水散通草荷梗秫米藥等。連進兩帖。汗止胸寬。惟小便不多。腹中微痛。調理數日。愼重飲食。一星期後。已恢復如初矣。按今年虎疫流行。遍於全國。西醫徒恃注射。僅能使瀉甯抽止。便算了事。而於亡陽虛脫以及結胸等後患不顧也。吁可嘆已。

方藥

腦膜炎之治驗方解

張治何

吾人生於斯世、可云危險極矣、大兵大疫、接踵而來、去年虎疫流行、今春以來、各處又有腦脊膜炎發生、其區域之廣、死亡之衆、較之去年霍亂、尤加甚焉、此誠人民之刼運也、近兩月來，敝處亦有是疫發生、來勢兇猛、傷人甚多，其現狀先覺頭疼、旋卽惡寒發熱、或戰慄、或嘔吐、重者則昏糊閉竅、角弓反張、目赤多眵、舌絳苔黑、呼吸氣粗、唇焦齒燥、大便祕、小便赤、或周身發現斑點、脈象有洪大者、有弦勁者、其致命時間、有十餘日者、有五七日者、亦有二三日者、最速竟有數小時者、一班冬烘之輩、猶認爲小兒驚風、殊不知驚風一病、無傳染性也、此症發生、傳染甚烈、凡病有傳染性者、皆屬細菌爲害、西人危塞蒲氏、檢查患者之腦脊、確有球狀細菌、歐洲各地、常有此疫流行、我國古時、則向來罕見，近因環球交通、輪船往來不絕、他國之患者、易將病菌帶來、以致我國、現亦成爲此菌殖民地焉、治河始因國藥之中、缺乏殺滅此菌之品、頗覺躊躇、繼而恩思我國、原有之流行病、如傷寒霍亂痢疾瘧疾等症、據西醫檢查、靡不含有細菌、而我國古人、不知細菌爲何物、祇知按其現症、施以汗吐下之療法、考其成績、實不遜於西醫、則此症雖屬舶來之品、當亦可以借用古方、以應付也、於是即以仲景大承氣湯爲主、加入芩連桑菊龍胆葛根等藥、定名曰消炎排毒湯、病者服此方後、約隔五七小時、即下黑糞、下後三五小時、神志便漸轉清、連進二三劑後、則嘔吐疼痛、洪脈黑苔、以及一切發炎症狀、無不逐漸退去、惟病毒過重、腦筋受創太深者、則每變成精神病狀、勿爾頭項脊背以及四肢等處、痛似針刺、身熱面紅、大渴引飲、如此者、一時許、勿爾又若平人、按時發作、猶如瘧狀、余用本方、去大承氣、換三化湯、再進三五劑、則多餘焰消滅、諸症肅清、古之驗方、饒有研究之價值、謹將運用古方之拙解、詳載於後、以備海內方家、加以斧政。

方藥

生軍三錢　雅連一錢　枳實二錢　鈎藤三錢　龍胆草三錢
芒硝三錢　黄芩三錢　根朴一錢　葛根五錢

方解

本症病理爲充血性之發炎(即舊說陽明實火症也)不獨腦膜發炎、即腸胃尿道、以及其他粘膜、無不發炎、全體內外、幾無一處乾淨土也，如嘔吐不止、即胃膜炎也、肚腹疼痛、即腸膜炎也、白睛發赤即眼膜炎也、小便赤濇而痛、即膀胱尿道炎也、本方係以大承氣湯、排泄大便、驅其腸胃毒素，從大便而出、腸胃一空、則他處毒素趨入、而腦部之壓迫、因之減焉、三五下後、毒便可去大半、桑菊芩連龍胆艸、取其清熱消炎、此數藥本草謂其明目清頭、即消炎之證也、勾藤葛根、取其和緩神經、葛根一物、仲景用治項背几几、項几几者、神經攣急之故、、此物飽含澱粉、大有和緩神經之力、本方採擇排毒消炎和緩神經諸藥、融治於一爐、使其相助成功、服過三五劑後、毒去大半、若神經猶覺興奮、疼痛或作或止、如瘧狀者，則去芒

色硝加天麻羌活、以麻醉之、此物本草、謂其能治一切風、止一切痛、今以科學釋之、卽麻醉藥也、

加減法

初起嘔甚、服藥困難者、去芒硝、加半夏四錢、口渴者、加花粉一兩、山梔三錢、夾斑疹者、加生石羔一兩、知母五錢、板藍根三錢、丹皮二錢、（鮮生地三兩、杵汁冲服）犀角一錢、（犀角一物如貧苦者不用亦可）小便淋痛者、加木通一錢、服過本方二三劑後、大便暢下、餘邪未淸時、而頭痛身疼如有邪祟者、去芒硝加羌活天麻各一錢五分、此又仿古方之化湯也

病人調護法

病者頭部常用冷水手巾罨之、窗戶不可關閉、除服藥之外、常用梨汁荸薺甘蔗等汁與其儘量飲之、谷食不可多進、辛辣油膩之物、更不可食、

附告贈藥

吾遇病者昏糊、不能服藥者、或病起倉卒、不及購藥者、輒用鄙製（治河萬靈丹）數粒、數小時後、卽見神效、此丹係吾臨床心得之藥、同仁如欲試用、望賜郵票十分、寄至淮安益林商會對門敝寓當卽奉上

癲癇方

俞愼初

癲癇龍虎丹　主治癇症痰熱、便結不眠。屬於中毒性者。西牛黃三分、巴豆霜三分、水飛硃砂一分、白信三分、酌加米粉爲丸、每服三分、水吞服、

癲狂夢醒湯　主治癲狂身熱、痰咳、腹脹痛症。屬於鬱血性者。參究王淸任先生所著醫林改錯。桃仁八錢、柴胡三錢、香附二錢、木通三錢、赤芍三錢、半夏二錢、腹皮三錢、青皮二錢、陳皮三錢、桑皮三錢、蘇子四錢、甘草五錢、水煎三碗、分四次服、

大黃於醫療上之價値

俞愼初

大黃性味苦寒，爲瀉劑及收歛劑輕補劑之藥品，故可兼治內外，並有推陳致新之功能。本草言其功用，謂可下瘀血，去寒熱，破癥瘕，滌腸胃又有療治腫黃等。然時醫及病家，每恐其峻劑，不敢用，豈不知此種推陳致新之功能，本經已明言矣。不佞研究古方及試用此藥，按症施之，每奏靈驗，是知此藥對於醫療上之功效，及藥物上之價値，不可湮沒。故仲師方中，關於此藥之用治，亦有十數種之多，其最著者，如承氣湯，大

黄牡丹湯，抵當湯，下瘀血湯，皆爲靈效之經方，何今之醫者，畏此藥而不敢用耶，玆將日醫東洞吉益氏，對於此藥之評論，探錄於下。

吉益氏曰『世醫之畏大黄也，不啻如蛇蝎，其言曰，凡用大黄者，雖病則治、損內而死，切問而無其人，此承本草之訛而吠聲者也，非耶、仲景氏用下劑，其亦多矣，可見大黄攻毒之干莫也，今也畏其利而用鉛刀，宜哉不能斷沉痾也，雖大下之後，仲景氏未嘗補也，亦可以見損內之說妄矣，凡藥劑之投，拔病之未及，以斷其根，則病毒之動，而未能爽快，仍買其劑也，毒去以後爽快，雖千萬人亦同，世醫素畏下劑，故遽見其毒未去也，以爲元氣虛損，豈不亦妄哉。』

(慎初按)此藥之作用，能刺激腸粘膜，催進大腸之蠕動，逐去腸內之物，可藉瀉以洩其病。吉益氏曰『雖大下之後，仲景未嘗補也。』可知瀉後則有收歛及補益之功能。

又按下瘀血湯，爲近來借治被瘋犬咬傷之靈方，以此藥亦爲此方中主要之藥品。

天生石璜

劉蔚楚

凡人火虧至極。附桂不效者。必用琉璜。惟南北人氣體不同。南人服生璜。雖少而積久每生毛病。祇近日西藥房林立。可購生磺。以洋磺潔淨無疵也。中國天生磺。產雲南浪穹縣。琉磺泉。氣蒸右上結成。不用再製。余師 黄公植庭。宦雲南藩司。升巡撫時。嘗有寄贈親友。余以酒。或薑水。或開水。或廣皮水。送服每三五分。多則八分一錢。其功殊偉。聞中國大藥房。亦有販運。價祇頗昂耳。

附子之應用理解

沈仲圭

鄒氏本經疏證云。病以傷寒名。宜乎以附子治之最確矣。殊不知寒水之氣。隸於太陽。既曰太陽。則其氣豈止爲寒。故其傷之也。有發於陰者。有發於陽者。其傳變有隨熱化者。有隨寒化者。烏得盡以附子治。惟其氣爲寒折。陰長陽消。附子遂不容不用矣。雖然、氣爲寒折。陰長陽消。其爲機甚微。而至難見。試以數端析之。知其機。得其竅。則附子之用。可無濫無遺矣。曰下之後。復發汗。晝日煩躁。不得眠。夜而安靜。不嘔不渴。脈沉微。身無大熱者。乾姜附子湯主之。曰發汗。若下之。病仍不解。煩躁者。茯苓四逆湯主之。二證之機。皆在煩躁。下條煩躁以外。不言他證。良亦承上而言。惟下條則晝夜煩躁。上條則入夜猶有間時。其他則不嘔不渴。無表證。脈沉微。是可知無表證而煩躁。則附子必須用也。曰太陽病。下之後。脈促胸滿者。桂枝去芍藥湯主之。若微惡寒者。去芍藥方中加附子湯主之。曰傷寒醫下之，續得下利。圊穀不止。宜四逆湯。夫不當下而下。其氣不爲上衝。必至下陷。上衝者仍用桂枝。以胸滿惡寒。故加附子。下陷者。無不下利。但係圊穀。則宜四逆。（若非完穀。脈促胸滿而喘。乃葛根芩連湯證。）則下後陰盛。不論上衝下洩。皆須用附子也。曰太陽病發汗。遂漏不止。其人惡風。小便難。四肢微急。難以屈伸者。桂枝加附子湯主之。曰發汗後。惡寒者。芍藥甘草附子湯主之。曰太陽發汗。汗出不解。其人仍發熱。心下悸。頭眩身瞤動。振振欲擗地者。眞武湯主之。夫發汗本以扶陽。非以亡陽也。故有汗出後。大汗出。大煩渴不解。脈洪大者。（白虎湯證）有發汗後不惡寒。反惡熱者。（調胃承氣湯證）。今者仍惡寒惡風。則可知陽洩越。而陰隨之以逆。於是審其表證之罷與不罷。未罷者仍和其表。已罷者。轉和其裏。飮逆者必通其飮。皆以附子主其劑。是可知汗後惡風惡寒不罷者。舍附子無能爲力也。過汗之咎。是以陽引陽。陽亡、而陰繼之以逆。誤下之咎。是以陰傷陽。陽傷而陰復迫陽。陽亡者。表中未盡。故多兼用表藥。陽傷者。邪盡入裏。故每全用溫中。此又用附子之機括矣。其有不由誤治。陰氣自盛於內者。曰傷寒表不解。心下有水氣。乾嘔發熱。欬且瀉者。小青龍去麻黃加附子湯主之。曰少陰病。始得之反發熱脈沈者。麻黃附子細辛湯主之。曰少陰病得之。二三日。麻黃附甘草湯微發汗。以二三日無裏證。故微發汗也。是三者。陰氣盛而陽自困。曰傷寒八九日。風溼相搏。身體疼痛。不能自轉側。不嘔不渴。脈浮虛而濇者。桂枝附子湯主之。曰若其人大便鞕。小便自利者。白朮附子湯主之。曰若其人汗出短氣小便不利惡寒不欲去衣。或身微腫者。甘草附子湯主之。是三者。陰濕盛而困陽。均之用附子以伸陽。用表藥以布陽。不緣亡陽。其義實與亡陽爲近。卽本經所謂主風寒欬逆。邪氣寒濕。跋躄拘攣。膝痛不能行步者也。其附子湯。眞武湯。通脈四逆湯。白通湯。白通加猪胆汁湯。四逆加人參湯。四逆加猪胆汁湯。四逆散等所主。皆係陽衰陰逆。均之用附子以振陽。用薑草以止逆。不緣傷陽。其義實與傷陽爲近。卽本經所謂溫者也。總之。汗後下後。用附子證。其機在於惡寒。否則無表證。而煩躁。未經汗下用附子證。其機在於脈沈微。是則其大指矣。

鐵樵先生曰。凡病汗下後。汗多肢濕口燥者。爲陽證。肢涼口和者。陰證也。口乾舌燥自利。神昏譫語。其人反側不安。爲陽證。自利雖蠹水亦屬陽。所謂熱結旁流也。若靜者。屬陰證所謂陽衰於外。陰爭於內。則九竅不通是也。汗下後。其人煩躁。刻不得安。下利色深黃者屬陽症。下利清穀者陰證也。清穀卽完穀。俗所謂漏底傷寒是也。汗出齊頸而還。或但頭汗出。踡臥但欲寐。舌色而潤者。屬陽證。乃熱病之夾濕。俗所謂濕溫是也。舌色鮮明若錦。似潤實乾者。屬陰證。舌色枯萎者。亦陰證。所謂腎陽不能上蒸而爲津液者是也。

右舉各家之說。讀者若能反覆研求。不但附子之用法。界說分明。卽病之原理。讀書方法。亦可以此隅反矣。

雜俎

關於創傷之救護及治療

俞慎初

際此國家多難之秋，吾人廁身於醫界，雖未能效命疆場，然遇有受傷之軍士，亦當努力救護，設備治療，所宜應盡之義務也。

茲將戰場上，各種受傷之救護及治療，列述於左。

（一）打傷

A腦部受打傷：重則暈倒，急將傷者輕輕扶正，若人事不省，急用細辛皂角研末吹鼻，使其蘇醒，外貼玉龍膏，如有破口，卽用止血散塡之，或止血絮包裹傷口，另用防腐繃帶紮之，腦若傷痛，宜服芎、歸、芍、地、芷、吉、羌、防、等味。

B胸背受打傷：卽用吊膏貼於患部，傷重不省人事，宜服七釐散，後接服歸尾生地、川膝、澤蘭、蘇珀、蘇木、枳壳、等味。

蓋受傷治療之步驟，始則活血袪瘀，如桃仁、紅花、川膝等。繼則涼血平肝止痛爲急務，如生乳香、生沒藥及歸尾、赤芍、知母、鬱金等、待病勢漸減，而傷平痛止，其善後之治療。尤宜用調補氣血，如十全大補、八珍等湯。

（二）跌傷

A挫傷：由於皮膚之軟部挫創，因皮膚受外界劇烈之刺激而起，其所傷之處，組織挫碎，致血液及淋巴液滲出。切宜制止腐敗物及細菌之侵入，故患者務宜全部消毒爲要。出血宜用止血散滲之，續用消毒藥棉及防腐繃帶紮緊，若多日發生膿水，宜硼酸水洗滌潔淨，後用乾藥，如龍骨、牡礪、滑石、赤石脂、冰片等，研末敷之，或高舉其四肢，使其四肢安靜，後行冷罨法，按摩法及石炭酸洗法。

B骨折：骨骼折傷，卽將傷處先行手術，使兩骨端復合於適宜之位置，內服飛龍奪命丹，外貼萬應回生膏，後接服凉血平肝等藥。

跌傷骨碎，宜先服麻藥，然後開刀割之，將骨碎取出，後塗制腐劑。

C脫臼：由於關節窩脫離，其脫臼或完全，或不完全，宜行整復法，先用麻痺法，患肢使其復原，後服調血劑及補劑。

(三)刀傷

A割傷：無論創口長短，在淺不在深，故易於奏效，無甚問題，色紫來遲，其源由於靜脈，倘無大礙，色紅來速，其源由於動脈，宜用止血散填之，或用止血絮密封於傷口，凡所傷血管之流動處，用布條紮緊，而阻血液之來源。

B砍傷：砍傷比割傷重，蓋砍則用力必猛，血管損傷必多，宜止血散敷之，外用制腐綳帶纏紮，倘瘡口流血過多膿腫，內服活血祛瘀劑，外用石炭酸溶於湯中而洗滌，後用綳酸軟膏塗之。

C刺傷：由尖銳之器械，深刺皮肉，血管及器官，多被損傷，然難治愈，外速宜止血及防護，內宜服活血祛瘀劑。

(四)鎗傷

鎗彈之質，有鉛鐵鎔鑄，蓋鉛之傷輕於鐵，如炸彈手溜彈，皆鐵所鑄，其猛烈過於鉛之所鑄，其量有小如豆，有大如瓜；其形有圓滑，有凹凸。蓋鎗彈自遠處打來，其彈丸之力弱者，其丸則止于體內，丸力強，而彈丸通過身體者，有射入口，與射出口，欲知彈丸之所在，必先測所傷之部位，蓋傷于左部，多在於右部。取彈丸者必先須施行手術，患處宜消毒爲要，其內服之湯藥，則宜于中法，炸彈火藥之所傷，輕則皮膚潮紅微痛，宜施冷罨法及藥水藥膏之塗布，外用防腐綳帶敷之。甚則皮膚起水泡，抽孔使內中漿液排泄，塗以硼酸軟膏，後用制腐綳帶纏紮，重則彈片飛匿於皮膚，致皮膚破裂而崩潰，血液流溢，宜先鎮痛止血，將彈片取出，再將患部消毒，後用撒里矢爾酸軟膏塗之，若走黃則宜消黃解毒爲急務。

(五)方藥

玉龍膏：治跌打損傷，及取彈後，發熱者。

藥方：香油一觔、白蘞四錢、升麻四錢、川芎四錢、當歸四錢、銀花四錢、甲片四錢、連翹四錢、象皮四錢、乳香錢半、沒藥錢半、川烏四錢、輕粉三錢、冰片三分、麝香三分，白占二兩。

用法：共研細末，先將蘞、麻、芎、歸、銀、翹、甲、烏、象皮入香油內、煤枯色、去渣、入宮粉三盒離火、再入乳、沒、粉、冰、●攪勻，再將白占投入於內攤貼之。

止血散：耑治破口出血。

方藥：羌活一兩、防風一兩、天麻一兩、白芷一兩、南星一兩、(姜汁炒)赤芍六錢、

用法：右六味研細末、磁瓶收貯、春夏常晒之、如有破口、硼酸水洗淨，將此散加茶油調敷、如未破口、加燒酒調敷冷粥卽止。

七厘散：耑治跌打彈傷、血迷心竅、人事不省、服之可行、用

方藥：硼砂八錢、硃砂四錢、血竭八錢、地鱉八錢、歸尾五錢、紅花五錢、蘇木四錢、加皮四錢、枳實五錢、木香五錢、大黃六錢、巴霜三錢、蒲黃三錢、青皮三錢、廣皮四錢、烏藥三錢、靈脂五錢、三稜五錢、莪朮五錢、寸香一錢、猴骨三錢、肉桂三錢、土狗六錢、

用法：共研細末、重者二分半、輕者一分、再輕七厘陳酒下、

吊傷膏：耑治一切打傷、及彈取出後、貼於患處、可散瘀止痛

方藥：麵粉五兩、官粉一兩、赤芍、芥子、大黃、木香、草烏、乳香、沒藥、南星、各等分研末、

用法：先將麵粉官粉放於鍋中炒、加燒酒入各藥末、煉膏塗於防腐繃帶纏紮於患處、

飛龍奪命丹：治跌打、取彈後、接骨、

方藥：赤芍、寸香、蒲黃、廣皮、硃砂、貝母、杜仲、猴骨、韭菜子、各二錢、土狗、青皮、碎補、烏藥、桂心、寄奴、桂枝、羌活、前胡、葛根、秦●各三錢、三稜、莪朮、胡索、香附、蘇木各四錢、當歸桃仁各五錢、木香六錢、土鱉八錢、加皮、硼砂、血竭、然銅各八錢、古錢四個醋酒浸、

用法：共研細末、重服三分、輕分半、再輕一分酒送下、

萬應回生膏：耑治跌打受傷、及彈片取出後、貼之甚効，

方藥：杜仲、木瓜、赤芍各錢半、獨活、元參、麻黃各二錢、當歸、川烏、靈仙、寄奴、牛膝、桂枝、防風、骨脂、荊芥、丹皮、蘇木、青皮、烏藥、韭子、松節、秦艽、續斷、蒲黃各二錢半、胡索三錢，香附升麻猴骨各三錢、生地熟地草烏紅花碎補虎骨各五錢、桃仁三十個、

用法：共研細末、麻油一斤、血餘四兩、煎好共熬成膏、塗於布上、貼患處、

硼酸軟膏：殺菌防腐、

方藥：硼酸三分、白占四分、阿列布油二十分、

用法：右調和爲軟膏、用以塗擦患部、

撒里矢爾酸軟膏：制腐消毒、

方藥：撒里矢爾酸一分、白蠟六分、巴刺賓十二分、扁桃油十二分、

用法：右調和爲軟膏塗擦、

（十八）結論

創傷破口，切宜避風，以免增病，若瘡口被風邪所侵，則成破傷風或細菌侵入，而致瘡口浮腫，潰痛流膿，甚則惡寒發熱，險象叢生，要宜注意、

一個打破生理學的論證

馮起裦

今日所盛行之生理學。分晰人身器官之組織。曰扁平組織。曰維繫組織。或曰結締組織。曰肌肉組織。曰腺組織。曰神精組織。曰脂肪組織。論其形不可謂不詳。論其質又竟無一是。如扁平組織。爲包含被覆身體內外兩面、及各種器官之外層。然各器官之外層、以及皮膚之外層，口喉之黏膜。其原質形態性情。似同而實異。又如維繫組織。包括硬骨組織。軟骨組織、及遍布全體之結締纖微組織。論其原質形態性情。又似同而實異。又如腺組織。爲組成器官、及時常分泌液體之面。如口中之唾液、眼中之汗腺、皮膚之汗腺、肝內之膽汁。論其原

質形態性情。又似同而實異。此外肌肉組織、循環組織、神經組織、脂肪組織。在人身器官。原不限于一臟一處。以人之心、肝、脾、肺、腎、膽、胃、大腸、小腸、膀胱、而言。皆有塊然之一物。皆有各營其特種作用之功能。雖經脈皆相連繫。而作用不必相同。故其原質形態性情。又非僅以組織而可區別分晰之也。

吾人之論證。不必求之於遠。但以日常所食豕豬之臟器而區別之。辨別其性味。皆有其特殊者在。如猪心之味。不必如猪肺之味。猪肺之味。不必如猪肝之味。猪肝之味、又異于猪腰。猪腰又異于猪肚。甚至猪胃與小腸大腸膀胱之味。亦有小異。謂其爲扁平組織維繫組織。何竟不同。而其氣味差別。則又如此。論生理者。可以思過半矣。

是以中醫學上。以五味合于五行。五行分甲、乙、丙、丁、戊、己、庚、辛、壬、癸、而爲十。又有參合之化。如木味酸。肝爲乙木。膽爲甲木。火味苦。心爲丁火。小腸爲丙火。土味甘。脾爲己土。胃爲戊土。金味辛。肺爲辛金。大腸爲庚金。水味鹹。腎爲癸水。膀胱爲壬水。又如甲己化土、乙庚化金、丙辛化水、丁壬化木、戊癸化火。以五行五味言。本有參合不同之變化。然其由博返約。猶有軌則可循。不似僅論其形

態。並其氣味性質而略之也。

兩性之發育及其衰退

周廣眞

（素問上古天眞論）女子七歲。腎氣盛。齒更髮長。二七而天癸至。任脈通。太衝脈盛。月事以時下。故有子。三七、腎氣平均。故眞牙生而長極。四七、筋骨堅。髮長極。身體盛壯。五七、陽明脈衰。面始焦。髮始墮。六七、三陽脈衰于上。面皆焦。髮始白。七七、任脈虛。太衝脈衰少。天癸竭。地道不通。故形壞而無子也。

（釋義）人有男女。其生理本屬大同小異。然女子發育。較早于男。此古今中外、地球萬國。皆屬如此。唯亦從多數比較上之。固多因先天與環境。發育後于男子者。此屬例外。人之始生。成于精。精成而腦髓生。而精之由來。則出于腎。故後天之發育。亦以腎爲言。中醫以「腎」包括生殖系統。舉凡外腎精囊陰莖之發育。皆視內腎以爲衡。固不僅職司排尿而已。腎爲生髓之臟。髓足而後骨充。齒者爲骨之餘氣所結成。髮者爲血之餘氣所結成。必腎臟完滿。與夫肝脾化血之臟。及主司循環系統之心臟。皆發達至相當時期。而後能齒更髮長也。考齒之原質有三。曰象牙質、（卽齒質）琺瑯質、骨質。齒腔內、有齒

髓。由結締組織細胞、及神經血管組成。各齒皆緊嵌于齒槽。（卽牙齦）齒固爲骨之餘。然齦肉之神經血管。則與腸胃脈管相通也。又考人之乳齒。在半歲後卽發生。而恆齒發生期、必待八歲後。其有先天關係。發生較遲者亦有。然以比例言之。大致女子之齒。至七八歲。卽由乳齒而入恆齒發生時期。（乳齒根柔，必更易恆齒、而後齦固。）血氣漸充、而髮亦易長矣。二七而天癸至。天癸卽內分泌之合而孟。爲男女知人道之原。女子經事之行。由於卵巢之成熟。卵巢有極細之喇叭管、與子宮相貫通。此項卵巢。有二。在子宮之兩旁。子宮則處於直腸膀●之中間。年屆二七。卵巢成熟。春季內動。其道乃通。至時張脈奮興。充滿血液。此項血液。蓋由各臟腑內外營養所積餘而來。因卵巢之溯漲、導入胞脈。（卽任脈、卽子宮脈之云者、謂有連係之處）每月一度。按時而至。當其來時。尻骨時覺壓重、或骨脊痠痛。或惡心頭痛。或全體不適。是時陰道有少許粘液流出。逐漸加多。乃微帶血色。一兩日中。全爲純血。經行之後。卽無不適矣。凡此生理之自然。固無足異。考衝任二脈。屬於奇經。皆起屬於胞中。奇者零餘也。難經釋奇經。謂必臟腑之血液有餘。乃注於奇經。如溝渠滿溢流於深湖之意。是以女子必待十四歲後、任脈方通、衝脈方盛也。「太衝

脈」前人皆釋爲衝脈。余意太衝爲二脈。卽太陰與衝脈也。手太陰肺上主呼吸。有除炭氣吸酸素之作用。血液之充盈不腐。全賴肺氣之調節。人當發育之辰。男女皆覺膺乳有異狀。此卽太陰肺脈充餘之證。衝脈者、爲十二經脈之海。蓋卽連屬臟腑之大動脈管也。太衝脈盛。任脈通。至此乃完成先天之精氣。而本身有傳殖之力。亦卽爲醫所言之內分泌。其氣出於先天。不似臟腑生理之顯明。故下文於男子亦言天癸。可知天癸不僅指月事言也。女子必待經行而後有孕育之望。若月不如期。則爲病態。然亦有未盡然者。苟血液未及盈餘。則奇經自無輸泄。或有行經過多者。則以並非盈餘。乃以奇脈損傷之故。癸淫而下。則雖月行而多。反以經行爲病態矣。三七腎氣平均則臟器健碩。骨髓充餘。眞牙生而長極。四七筋骨堅、髮長極、身體盛壯。此爲女性最充實時期。至年滿三十。卽開始衰退。於不知不覺之間。漸離嬌艷美健之象。故曰、五七、陽明脈衰。面始焦。髮始墮。焦者漸現皺紋而轉色也。五七、三陽脈衰於上。面皆焦。髮始白。七七、任脈虛、太衝脈少。天癸竭。地道不通。形壞而無子。女性當五十後、經事不行。奇經已無餘血。至此卵巢毀壞。其勢不能再孕矣。

（素問上古天眞論）丈夫八歲。腎氣實。髮長齒更。二八。腎氣盛。天癸至。精氣溢寫。陰陽和。故能有子。三八腎氣平均。筋骨勁強。故眞牙生而長極。四八、筋骨隆盛。肌肉滿壯。五八、腎氣衰。髮墮齒槁。六八、陽氣衰竭於上。面焦、髮鬢頒白。七八、肝氣衰。筋不能動。天癸竭、精少。腎臟衰。形體皆極。八八、則齒髮去。腎者主水。受五藏六府之精而藏之。故五藏盛乃能寫。今五藏皆衰。筋骨解墮。天癸盡矣。故髮鬢白。身體重。行步不正。而無子耳。

（釋義）初生小兒之腎臟。表面有許多深溝。分爲腎葉。至生後第一年。乃消滅而平坦。至八歲而始平實。爲知識漸展之時。髮長齒更。皆可見其髓骨漸充之狀。至二八而腎氣盛、天癸至、精氣溢寫。發育至此。有追求異性之感覺。於此最宜防閑。轉其精神氣力於學問。腎氣能上升化髓。則神經營養愈足。卽學識之啓迪亦易。若一任腎氣之下行橫決。則夢遺手淫之患。由此而生。戕賊生理。莫甚於此。斯時雖能有子。決非生子時間。因腎氣之向上向下。爲決定一生事業成敗之緊要關頭。近日談性學者。有昇華之說。誠不可不愼也。三八、腎氣平均。筋骨勁強。故眞牙生而長極。至此雖可藉性慾以洩其餘。以和其陰陽之氣。果能守氣養神、保嗇精液。愈充其筋骨。豈不甚善。三十歲後、所謂四八之期。筋骨隆盛。肌肉滿壯。至此則生理發育。已臻最上之時。最適宜於擇求配偶、以傳子嗣。蓋三十後、一生之學問事業。已立根基。可以稍享室家之樂。至五八則腎氣衰、髮墮齒槁。爲人生開始衰退之期。六八、陽氣衰竭於上。面焦、髮鬢頒白。七八、肝氣衰。筋不能動。天癸竭、精少。腎藏衰。形體皆極。至此速宜斷慾。以保晚年之康健。至八八則齒髮去。五藏皆衰。筋骨解墮。天癸盡矣。故髮鬢白、身體重。行步不正。而無子矣。此常人生理盛衰之度數也。自始由於腎臟之長成、而健實。而充盈。其衰退也。亦由於腎藏之減衰而虛弱。而衰竭。故曰腎者主水。受五藏六府之精而藏之。五藏盛乃能寫。所謂腎者、指內外腎而言。內腎充盛。則生精生髓之功能。乃由此始。而外腎藏精之地。亦可由生殖腺之充盛。筋脈血氣。皆能充實。此即五藏盛乃能寫之義也。猶憶年前有外國之滑稽醫學家某氏。有返老還童之術。以割換生殖腺爲祕法。後試術者終無驗。豈知生殖腺之衰退。根於內腎之衰退。而內腎之衰退。則根於五藏之精氣不盛。果欲還童。勢須盡換其臟器。即不得已而求其次。亦必割換其內腎而後可。此非有鬼斧神工手腕。何能奏功。可知欲求返老還童、以及長生久視之道。皆宜有整個修養之法。決非僅用手術所能有効也。

衛　生

衛生講話（續）

董志仁

個人衛生—（十七）行旅

行不亂步、是中國古禮教的一句話、到現在可以說是行的衛生、故行路須有一定的步度、

一、行小街　在衛生尙未上軌道的中國衛生行政、往往可以見到不衛生的景象、凡是小街小巷、或者垃圾沿路、或者陰缸泆塞、行路人觸着穢濁惡氣、很覺難受、應該暫時掩住呼吸、或將消毒手帕悶住鼻孔、足下更須顧到菓皮等滑脚的物品、

二、行馬路　人事日多、交通愈繁、馬路上有各種不同的車輛、來往如梭、行路的人、應該把兩只眼睛和耳朵、特別運用、左右前後、同時兼顧、最好讓在行人道上、或靠左邊行走、走時不可東張西望、就能免掉破磕●跌損的痛苦、

三、長途旅行　凡是長途行路、初走時脚步不要過急、以免中途疲憊、稍覺着累、就須休息、在夏季須帶不傳熱的帽子、並且多飲茶水、以防中熱、身上應攜帶各種救急用品、

以防不測、在冬季不宜飲酒、以防體溫外散、晚間停止時、休息三十分鐘後、卽行入浴、能夠恢復精神、使身體爽快、

四、乘船行　船行時飲食不宜過度、座位要使空氣流通、早起晚間、都應該出外遠眺野景、或於停泊時起坡散步若干時、可以活動筋絡、輔佐消化、愉快精神、最忌飲酒及徹夜不眠、這樣可以減少暈船的痛苦、若乘划子船時、上船手宜扶穩、上後卽坐下、以防船身搖動、傾跌入水、手不宜放在船邊、以防擯碎、倘遇風暴、船身播動、應該鎮定穩坐、不要張皇失事、

五、乘火車　坐火車、不可站於車外、以防鐵路不平之處、上下坡度時、車厢互相衝撞、致被震跌落下、又不可將頭伸出牕外探望、以免路傍的障礙、凡食物除車上所售的飲食品外、所需要的點心等類、要在未起程前、在家備好、因在車站負販售的食物、多半不良、倘不得已時、必須審愼選擇、

六、騎馬　騎馬之先、要探問該馬的情形、并須檢查肚帶、是否緊緊、馬鞍上有無突出的硬結物、卽自己所穿的褲子、亦不宜有補痕、以防鞍脚蹬的高低、是否合度、行走時則須刻刻留神、上防懸掛物及樹枝、下防行人及馬失足、倘馬發烈性時、切不可雙手抱鞍、須加緊襠勁、并將馬鬃後之一撮長毛、名叫鬉毛扭緊、心中平定、則不致有失、

此外如汽車內、不可吸烟等、看似常識、其實就是衛生、所以我說衛生、是講不盡的、假使刻刻留神、處處保護身心、事事適合常理、不衛生就是衛生、如果講求衛生的、對於普通的一切、反處之淡漠、或者以爲無關而危反、結果傷身敗家、危及生命、就是不衛生了、

個人講話—(十八)住屋

住屋是藏身之所、倘使建築不合衛生、亦能妨害健康、發生疾病、

一、方向　土地須高燥、建築的方向、以坐北朝南的屋子是最合宜、因爲易於採取光綫、並且四季的溫度、容易調節、如果建造深邃雙層之屋、又須強光放射、方可透入、所以位置應該向着東西、最近聽說因着方向的問題、建築家就想出一個基部旋轉法、借重電力馬達、能使屋樓旋轉四週、終日受到光綫的益處、這種建築、而且最適合肺病的療養、法國已有此特建的療養院了、

二、構造　通常用石、煉瓦、木材、泥等物質爲多、若用金屬

為壁料、那末夏熱多涼、極不適用的、外面的塗料、以石灰為佳、膠質有發青細菌的危險、屋面最好是茅草、能夠冬暖夏涼、至於地板與泥地地磚等、亦頗有關係、泥地地磚、都有潮溼、用地板雖較乾燥、但須與地底有高度的距離、使其通氣、以謀土壤的乾燥、否則溼氣透過地板間隙、吸收屋內、仍有受潮溼之危害、

三、採光　光綫居衛生上重要的條件、凡是室內各部、皆要使光綫達到暗黑的地所、不特於視力上發生障礙、並且容易到得肺病和他種病的危險、所以居室宜多設窗戶、令光綫充足射入、至於人工的採光、通常為蠟燭、煤油、瓦斯、電燈等、燭和煤油的光力薄弱、並且有害呼吸和汚穢居室、瓦斯則有危險、所以電燈最為適用、

（未完）

記事

本社第八次討論會紀事

第八次討論會、於四月十五日午後三時、在燕子弄高寓舉行、到者有王心源、阮其煜、董志仁、王一仁、高一志、諸君、茲將討論研究者錄于下、

一、內分泌是否僅限于腎臟及脾臟、(鄭志成)答、內分泌是由內分泌腺所產生的分泌。但不必經由管腺、而顯其作用者。所謂內分泌腺者。如甲狀腺、副甲狀腺、胸腺、松果腺、腎上腺、膵島、前列腺、之類是。此外兼生外分泌者。如睾丸、卵巢之類。然如脾腎之內分泌學說。雖有言及。尚未研究明了。

二、傷外科檢瘍、應用何種度量尺、(傅仲華)

答、以盛行之公尺為宜。

三、研究本草人參

答、論人參之功用。祇緊定一補字。凡氣脫而因於血虛。陽衰之由於陰弱者。乃為必用之藥。因虛脫衰弱而精神不安定者。則人參有興奮補益之功。因神經衰弱而魂魄不甯靜者。則人參有鎮靜之効。因其有糾正神經衰弱性病狀之力故凡虛脫虛弱虛熱之宜于補益者。人參乃奏奇効。可謂為不隨意肌之普遍強壯劑。生脈救急者用之。皆着明効。但須診斷貫確。則投之所向。無不如意。虛脫症如面青肢冷汗出脈細者。可用人參救急。凡脈大不虛弱者。不宜用。昔有服茴香毒者。肢攣麻痹而亦現充血狀。服人參一兩而解。是人參有安和血脈之効。不僅補益虛弱而已。唯真野山參甚少。別直參又帶溫性。石柱子力薄。潞黨參一兩可代野山參一錢。大約真野山人參用量。三分至五錢。若大脫血致貧血虛脫者。可獨用至兩數。

贈書誌謝

●並代介紹

醫學雜誌第七十期山西省城精營東二道街北首中醫改進研究會出版每期一角五分

醫界春秋月刊第七十七期上海西藏路西洋關弄第二十號醫界春秋社出版每期一角六分

神州國醫學報第一卷第八期上海廈門尊德里神州國醫學報出版每期一角

醫藥月刊第二期湖南長沙河街五十六號醫藥月刊社出版每期一角

國醫雜誌第四期西門內南石皮弄上海市國醫學會出版定價二角五分

中國出版月刊第五期私立浙江流通圖書館出版每期一角五分

本社代售

中國醫藥問題　每期一角二分

三衢治驗錄　每期一角二分

中國時令病學　每期二角五分

國醫雜誌　第四期　一角五分

山西醫學誌　第七十期　一角五分

中華民國二十二年五月一日出版

醫藥衛生月刊第十期　杭州上城彩霞嶺十一號

主編者　王一仁　杭州上城彩霞嶺十一號

發行者　中國醫藥學社

月刊定價表

另售每冊六分

(郵費) 國內日本一分　國外及香港澳門六分

預定全年十二冊七角二分郵費在內

國外預定全年一元五角郵費在內

本刊寄售處

本市　古今圖書店(保佑坊)　經香樓(城站)　維新書局(湖濱)

上海　國醫學會(西門內石皮弄)　中醫書局(山東路)　千頃堂(三馬路)

蘇州　國醫書局(吳趨坊)

南京　建國書店(成賢街)

衢州　聚秀堂(下街頭)

山西　中醫改進研究會(太原精營東二道街)

醫藥衛生月刊

第十一期　王一仁主編

民國二十二年六月一日出版

中國醫藥學社印行
杭州上城彩霞嶺十一號
電話一〇九六號

學說

仁盦醫說（九續）

◉經脈與生理系統（五）

王一仁

胃爲容納穀食之府。舉凡尋常日食之蛋白質、含水炭素、脂肪、澱粉、水、及鹽類。無不兼收併蓄。但須經由胰液膽汁腸液之後期工作。方能化爲乳糜。被乳糜管所吸收。經胸管、入靜脈。而循環全身。一方小腸絨毛內之靜脈。亦吸收乳糜。經門脈。入肝臟、而循環全身。此卽靈樞營衛生會篇所云、「營氣出于中焦」之說也。其言曰、「中焦亦並胃中。出上焦之後。此所受氣者。泌糟粕。蒸津液。化其精微。上注于肺脈。乃化而爲血。以奉生身。莫貴于此。故獨得行于經隧。命曰營氣。」靈樞癰疽篇「腸胃受穀。上焦出氣。以溫肌肉。而養骨節、通腠理。中焦出氣如露。上注谿谷、而滲孫脈。津液和調。變化而赤、爲血。血和、則孫脈先滿溢。乃注于絡脈皆盈。乃注于經脈。陰陽已張。因息乃行。」乳糜化血。此爲胃腸消化後、提精之工作。其不消化之糟粕。則由小腸而輸送于大腸。化糞便出肛門。素問陰陽離合論「陽明爲闔」。闔者、合而下行也。腸中之糟粕不能下行。則乳糜液汁。必有壅滿之患。故陽明胃腸能收營養之功者。蓋以通爲用者也。

傷寒陽明篇「陽明之爲病。胃家實是也」。又曰、「陽明居中。主土也。萬物所歸。無所復傳」。所謂胃家實者。卽胃腸之燥熱結實。壅滯于中。不得大便。外爲發熱潮熱汗多之象。內爲譫語煩渴便閉之症。至此而營養系統、有涸閉苑絕之虞。然果淸下得宜。閉者復使之通。其勢甚易減退。而漸漸囘復其營養之功能矣。故陽明原本主闔。而合之太過。卽又轉成胃家實症。正如「太陽爲開」。開之太過。尙非爲體溫增高之熱病。卽爲脈微汗漏之亡陽症。此皆中醫學哲理一元之基本學理。所當細審而熟認者也。

素問至眞要大論云、「陽明、兩陽合明也」。兩陽者、合太陽少陽而言之。太陽之膀胱小腸。少陽之膽與三焦。與陽明之胃與大腸。合爲六府。爲整個消化系統。以陽明經脈、絡脾、屬胃。古之所謂脾。蓋包括脺臟而言。但觀難經謂脾重二斤三兩。卽可顯見。脺臟所產生之胰液。爲主要消化力。已如上述。是以謂胃爲陽土、脾爲陰土。或以國醫學上之脾。指整個消化系統。亦似可通。此卽素問陰陽離合論「陽予之正。陰爲之主」之說也。素問太陰陽明篇云、「脾與胃。以膜相連耳。」

而能爲之行其津液。何也。足太陰者。三陰也。其脈貫胃、屬脾、絡嗌。故太陰爲之行氣於三陰。陽明者、表也。五藏六腑之海也。亦爲之行氣於三陽。藏府各因其經。而受氣於陽明。故爲胃行其津液。四支不得稟水穀氣。日以益衰。陰道不利。筋骨肌肉。無氣以生。故不用焉」。因脾胃之疾病。或營養之不足。四支筋骨。皆無氣以運用。陽明系統之要重。誠無可比擬。人之食類原料。皆由土中產生。脾胃大小腸、卽以土爲名。古所謂「無土不王」。常人之生理如是。固不必爲帝爲王。方以土爲貴也。

溼溫之正當療法（續）

王潤民

吾於此症四五日間。審其應下。輒以瓜蔞貝母半夏杏仁泥四味爲主。（內貝母約用二錢。餘皆三錢）降痰濁而通大便。（此症經過中往往咳嗽）約服一二劑可以瀉下。如仍不瀉者。更輔之以利氣藥。如藿梗佩蘭之屬。（舊說芳香化濁）胸不寬加枳殼。如此再服一劑。殆無有不瀉下者。而瀉下之糞必甚多。可謂全腸部的肅清。且人安適異常。吾言至此。乃憶及一事。頗爲有趣。昔在滬時。與友人某君合診一濕溫病。某君固負盛名者。且常以經驗傲余。不過其人有一種好處。與人合診時。能和衷共濟。不鬧意見。此爲其道德高尙之處。此症首由其診治。兩三日間解表不愈。病家乃邀余會診。余察腹及舌苔。斷以應下。卽用此法。不三劑。病者更衣數次。首次所下之糞。約半馬桶。二次三次亦不少。下後舌苔退。腹部和軟。人甚安靜。惟熱仍未退。後此卽停瓜蔞等。（注意。大便既通。須立卽減少瓜蔞或全不用）改他劑與之。又調治約十餘日而差。愈後轉呈肥胖。聞某君謂人曰。「王某脊實不差」。此褒語固由某君之樂與人爲善。不過其時余於此症。尙未有今日研究之密。使其知余後此之成績。（余後此又治愈此種患者五六人）將更讚嘆不置矣。

次言調胃承氣湯之用法。沙允武君曰。此症有「初爲厚白苔在短時日中卽移行於褐色或煤色者。則屬重症。且不特此。卽其他一切症狀亦均重篤。故預後之良否不易决斷。往往有更進而爲極烈之乾燥狀態。或生龜裂呈小出血狀。同時更致腸出血者亦不少。其預後大概不良。若更進一步。甚至口唇並口腔粘膜全部乾燥。處處出血。其苦狀殆非言語可以形容。如斯之現象。其預後可决其絕對的不良。卽偶有暫取良好之經過。一般症狀亦呈好象。若舌苔不見改良時。其預後亦難樂觀」云云。按此爲臨床上常見之事。亦爲最險惡之症。在中醫謂之伏邪。或謂之伏氣温病。(以別於外感温病)其實無所謂伏邪。亦無所謂伏氣。不過爲一種常有之現象而已。治之之法。以調胃承氣湯下之。法以調胃承氣爲主。加血液藥如生地(熟地不可用)玄參麥冬洋參芎藥丹皮犀角山梔羚羊等。(各藥隨症選用。此等藥品。舊說謂養陰退熱。其實仍以泄爲主也。)或合增液湯。往往有瀉至多次而後愈者。至用血液藥之原理詳下節。

於此有不得不附帶一言者。濕温症大便不通。知用下法者甚多。而有時大便泄瀉亦宜下。此在中醫舊說。分「熱結旁流」與「協熱利」兩種。下之則利自止。俗醫每不敢用下。大誤。關於此種。吾不欲多言。可參閱傷寒論吳又可温疫論及醫界之警鐸自知。

(3)用血液藥、解毒藥、及(4)利小便。大便通暢之後。則熱退乎。曰就經驗言之。十之七八退熱。然亦間有不退者。(此時腸中因無固形物體—糞便—之刺激。腸出血可免。雖不服藥。專事靜養。亦可以漸漸痊愈。不過爲愼重計。仍以兼用此二法爲佳。)此何以故。曰此當爲血中毒素尚未盡排除之故。此種熱中醫名曰陰虛發熱。謂當滋陰。

吾嘗思陽虛生外寒。陰虛生內熱。爲中醫常用之語。始而不得其科學上之解釋。今乃知之。陽虛生外寒者。稟賦孱弱之人。血液稀薄。體温不足。天氣未寒。而彼已覺慄然而寒。非多藉衣被不足以資保護。所謂慢性虛弱症之人也。治宜温補。內經勞者温之。卽指此等人而言。諸建中湯歸脾湯六君子等最爲適用。陰虛生內熱者。爲血中含有毒素發熱。其熱也非由外感。無表症。不可以發汗而愈。如肺癆之發熱與此症下後之餘熱是也。治宜用血液藥兼利尿藥。以排除血中之毒素。如柴胡清燥湯人參養榮湯六味地黃湯元陰湯(六味地黃加黃連白芥子)九味柴胡湯(見漢和處方學津梁)等。則熱自退。(與滋陰家之滋法不同)故日本渡邊熙博士於所著主證治療學一書中謂「東方醫術治病。必以血液爲目標。成功者居多」。又謂「玩索東方醫學之眞髓。則無所謂病原有須直接殺菌消毒之一法。故無論何時。終從事於間接治療爲主也。而除去症候之所主者。乃先以除去病人之痛苦爲主眼耳。其治法從原因之不同而各異。爲原因之對症療法」。因歷舉胃病、消化不良、頭痛、不眠、便閉等以爲之說明。其論頭痛云。「又據病者之告訴云。頭部某處疼痛。在東方醫學治之。無論其病劇至如何。而麻醉劑則絕不使用。必須認識其病由貧血而痛者。抑係爲因中毒素而來者之區別。而後以補血藥或利尿法排毒素療法以除其痛。不眠症亦與之相同。決不使用麻醉劑。而依據排毒素法療之。此等處頗有深意。有熱之時。亦取右之理由。在西洋醫學無此項解熱藥以間接解熱也。例如有因血中毒素而發熱者。以血液消毒藥之犀角與血液藥之地黃。以爲解熱計。又竹葉竹茹石膏等。亦爲解熱計。皆對於血液方面之原因考察而得之藥品也」。按中醫學之精義。渡邊熙其知之矣。（又按便祕之治法。渡邊熙亦曾論及之。其言曰。東方醫學對於便祕。亦以血液藥治之。全爲原因療法。在現代醫學則習常以單味藥治便祕。結果其症永久不愈。且此後非服下劑。則不得大便云云。則知前條調胃承氣湯加血液藥之爲何故矣。）

用血液藥及解毒藥。於此更有一重要之關係在焉。彼西醫不常諄諄以心臟衰弱爲言乎。試思心臟何以衰弱。非因血液久汚。毒素日積所致乎。此時欲救心臟之弱。必須先解血液之毒。此至明顯之理也。乃西醫不此之務。徒在表面着想。心臟衰矣。欲使轉強。則注射強心劑。未免失之過簡。此湯本求眞氏所以斥西醫用強心劑之無謂也。故強心劑之用。鄙意須同時行排毒素療法。否則結果恐不佳良。

更有言者。方今吸鴉片者甚多。凡吸此者。其血液汚穢。其心臟無不衰弱。一旦患此症。危險異常。尤非注意排毒素不可」。至於利小便一層。亦所以排除毒素（舊說謂利濕，濕者病毒也。）退熱。

以上各法。非可截然分開。在實際上。往往相互並用。如通大便時可參加血液藥。利小便時亦可加之。通大便藥可與解表藥同用。又可與清熱藥同用。餘可類推。

(5)宜內服白蘭地葡萄酒等興奮藥。吾昔嘗思此症心臟衰弱之救濟法。以內服酒劑爲最簡便。第未有經驗。恐酒類刺激。於此種大熱症。有如火上澆油。不相宜。且與吾四戒中之第二條「不可用温藥」相矛盾。故終未敢用。迺閱傷寒全書。乃知酒類不但能維持心臟。且能降低熱度。數年疑竇。一旦豁然。益我誠不淺也。玆錄之如下。「心臟衰弱內服葡萄酒白蘭地等興奮藥。及…………葡萄糖等注射皮下或靜脈。本患者之心臟。極易爲傷寒菌所侵害。且因經過久長。心力更易衰弱。每有在病之經過中。突發心臟衰弱而致命者。若爲預防。計宜早用興奮藥及強心藥。據著者之經驗。在病始已用酒類與奮劑而至病終爲止，蓋歷來論酒之一物。對於中樞神經系呼吸器及循環器。有一種興奮作用。幾乎人人能道。然以今日學者之研究。而論其治療上價値。約計四端。(一)酒能擴張皮膚之血管。且使腦之體温調節中樞趨於鈍麻。而帶有退熱之性質。(二)有鎮靜之作用。可去腦之不安觀念。而促其睡眠或休息。故對於有熱之病人。更覺相宜。(三)酒之吸收於體中。可以不勞消化器。凡遇有熱病人。不能攝取普通食物。不妨酌量給與。惟研究人之身體。每一小時。可以酸化其酒之力。如爲純粹酒精。祇有一〇、〇之分量。故欲以酒暫爲病人權充食物。則每一小時內不能超過一〇•〇。並須以小量而分數回服用之。(四)酒對於重症傳染病人。自古以來稱其有效。因酒能吸收迅速。但據近來實驗。謂對於免疫反應。有促進之功用。而有良好影響。果爾。則不特急性傳染病人可用。卽慢性有熱者。亦屬有益」。又曰。「酒類多少能降低熱度。鼓舞神經及心力。且有節止蛋白質之分解。患者向來飲酒者。可與以稍多量。不飲者投以少量。(潤民按飲酒者可用白蘭地。不飲者可用葡萄酒)。老人及衰弱者。病初至病終。當每日飲酒少許」。(見該書鄧源和醫師編傷寒篇第十五章療法中) 觀此則患此病者。可時給以酒類飲之。至體力衰弱。脈搏細數。更不可不與。

至論藥物。則西醫有 Digalen Digifolin……」等。中醫則以附子劑。附子劑之用。以轉陰症爲標準。所謂轉陰症者。譬如病人本壯熱煩躁。口渴脈洪小便黃大便閉。今忽一變而爲體溫減低。(或出冷汗)脈沉微。嗜臥。下利淸穀。現種種衰弱之現象是。(傷寒論謂之少陰症。少陰者心臟也)。用附子能起沉衰。強心力。常奏他藥所不及之奇效。如四逆湯、白通湯、白通加人尿猪胆汁湯等。皆可選用。而白通加人尿猪胆汁湯。旣強心力。且能消毒。尤爲完善。較西醫之強心劑。或有過之無不及也。

濕溫之治法。旣如上述。卽症之重者。用過三四兩法。亦殆無有不全愈者。惟有一點。爲市醫所不注意。而實關係重大。始終不可忽略者。卽多飲開水是也。吾言及此。或者以爲此症所注重者在藥物。開水何關重要。不知其尤重於藥物也。試論之。近醫之言曰。傷寒傷陽。溫病傷陰。嗚呼。吾今不暇辨論其所謂傷陽傷陰之是非。而第問所謂陰者爲何。非津液耶。旣知傷陰。何以不令其多飲水以補充之。試思一人身中之水分有限。呼吸耗去者幾何。(吾人試呼氣於鏡或桌面。則見有水珠凝結。可知呼吸之耗水分也。) 小便耗去者幾何。大便耗去者幾何。皮膚排出者幾何。而況高熱久續。奈之何其不水分爽失殆盡也。吾鄉老醫周君。嘗謂余曰。此症得水則生。失水則死。先生之言。誠救世之言也。(昔堂弟某患此症。先生一面飲之以藥。一面囑其多飲開水。其家中不聽。改延庸醫診治。日就危篤。手足冷至肘膝。醫皆逃去。周用鹽水注射。起死回生。可知水之關係大矣。周謂此症經過中。每日必須飲水若干次。每次之量不必多。水以冷開水爲宜云。愚按以溫開水最爲適宜）蓋多飲水。既能補充血中水分。且能淸滌胃腸也。開水之外。則宜輔之以雅梨蜜橘等。亦有生津液通便淸腸胃之功也。

此外於飲食方面。亦一言及之。中醫於此症經過中。往往忌口太過。尤禁食肉類。即病者遷延日久。衰弱至極。亦不令其稍犯。此層吾大不贊成。昔堂弟道悲患此症。幾瀕於死。雖爲周醫治愈。而衰弱特甚。乃命其食雞鴿肉。曰吹去浮油。食其精肉。（俗稱瘦肉）勿食其肥肉。決無妨礙。且曰。如因此復發。吾任其咎。凡愈後食肉而復者。皆因未知此法也云云。後道悲果不數日而營養漸良。今年夏吾親戚家某孩患此症。衰弱特甚。熱未退淨。醫生即命其吃雞汁。結果甚良。凡此皆吾所親見。方今少常識之醫生甚多。吾冀其愼勿固執成見。致使病人營養不良。陷於虛脫也。

醫者於此症。果能照以上各法施法。全經過約十五六日。至多不過三星期。其長處在於步步爲營。處處照顧。實能預防心臟衰弱及腸出血也。至於既發生腸出血。其治法亦不可不言及之。

西醫於腸出血。大概與以止血劑及強心劑。出血過多。或注射食鹽水以補足之。中醫於此。則有數方。章太炎先生主張用犀角地黃湯。據日人之經驗。則用白頭翁加甘草阿膠湯或金匱黃土湯。此種方劑治腸出血。皇漢醫學中有醫案可參閱。

至已發生腸穿孔及腹膜炎。（其時病人必有面色蒼白。腹痛嘔吐。脈搏細速及便血等之現象。）則惟有速送醫院中施手術。以作萬一之希望。捨此無他道也。

結論。治濕溫之第一要事。即爲知此病之經過、特點、（與他病之鑑別）危險、及病後之調理等。然後施以適當之藥物。乃市醫於此。既不知此病之經過變化。又不知此病之危險。用藥因之進退失據。茫無標準。始則不敢發表。（即發表亦不得其法。因市醫慣技。往往用豆卷豆豉應付一切熱病也。）繼則攻下又不能得宜。或魯莽滅裂。或逡巡誤事。迨心臟已衰弱。又復不敢用附子劑。惟輕描淡寫或養陰。是其慣技。因此陷病人於萬劫不復之地者。吾見之屢矣。

本篇所述。不及吾所欲言者十之一二。他日有暇。當更爲續篇論之。

參考書（張仲景傷寒論及吳又可溫疫論等書之當讀。不待言。此外則須讀下列各書。）

(1)鄭源和醫師編傷寒全書。（定價二元。發行所上海南市南碼頭內大王廟街九十二號新醫編譯社。四馬路作者書店代售。此書無論中西醫生皆當一讀。）

(2)章太炎論濕溫治法（見上海國醫學院院刊第三期）

(3)張山雷著濕溫病古今醫案評議（上海中醫書局及醫界春秋社代售。價約四五角）

(4)余雲岫著溫熱發揮（見社會醫報）

(5)吳漢仙著醫界之警鐸（中有論東西譯本以腸窒扶斯爲傷寒之誤一篇。所列治法。極爲精當。爲近人著作中不可多得者。發行所湖南長沙藥王街三尊里廿三號排湖醫社。價一元二角。按該書又有中醫破疑錄一編。亦極好。）

(6)趙錫庠著熱性病之滋陰療法。（見上海國醫學院辛未級畢業紀念册）

（完）

方藥

傅青主痢疾方

沈仲圭

及門潘子國賢嘗爲余言：『傅靑主男科痢疾第一方，施之痢下赤白，腹痛，裏急後重之初起病人；往往一劑知，二劑已。』又曰：『國賢之用是方，蓋本諸家君之昭示也。』

余聞潘子言，即檢傅氏男科，方爲：

白芍貳兩　枳殼貳錢　滑石三錢　萊菔子一錢

當歸貳兩　檳榔貳錢　廣木香一錢　甘草一錢

方後並云：『……其餘些小痢疾，減半用之；無不奏功，此方不論紅白痢疾，痛與不痛，服之皆神効。』

更查本草，則知方中各藥之功用爲：

(白芍)鎭痛，用於腹痛下痢。(當歸)潤腸，尤宜於痢疾，因當歸爲油類緩下劑，不致刺激炎腫之腸黏膜也。(枳殼)爲苦味健胃藥。(檳榔木香)除促進食慾外，並除裏急後重。(滑石)行水除濕(萊菔子)消食。(甘草)有緩下作用，助當歸排除腸內容物。(以上各藥之作用，皆根據最新出版之藥物學，讀者不能以舊說相繩。)

吾人觀上方之用量，及各藥之功用，可知本方之主藥，厥爲「歸芍」。其他木香檳榔之除後重，枳殼萊菔之消食滯；不過協助主藥，以解除病人痛苦耳，惟芍藥鎭痛，亦是治症狀之藥，而量與當歸等。痢疾非比泄瀉，毋須通利小便，滑石之加，似嫌蛇足。此則以藥理學觀察本方，殊覺費解也。

男科另有治血痢寒痢方，亦以歸芍爲主，他藥亦與本方大同小異，意者歸芍治痢，爲傅氏經驗之結果，故用之効如桴鼓乎!?

吾意傅氏痢疾方有當歸之滋養；而檳榔枳殼萊菔木香，皆助消化，故於體虛患痢，胃納減少者，尤爲合拍。

創傷應用方藥

俞慎初

1. 敷骨膏

主治：骨折脫臼傷痛。

方藥：松香二兩，赤芍二錢。白芷二錢，血竭二錢，乳香二錢，無名異二錢，紫荊皮二錢，兒茶一錢。

共研細末，攪醋爲膏。

用法：用杉支剖成薄片，兩方各鑽孔，內塗此膏，四方塡以藥棉，用帶穿板孔，縛於患處。

2. 止痛續骨湯

主治：跌打接骨。

方藥：自然銅二錢，血竭二錢，蘇木二錢，牛膝二錢，木瓜三錢，三棱三錢，莪蒁二錢，赤芍一錢半，續斷二錢，乳香三錢，紅花二錢，五加皮三錢。

用法：右藥和酒煎服。

3. 疎風活血散

主治：創傷作痛，血流不止。

方藥：外貼金鳳花葉，內服澤蘭、薄荷、銀花各三錢。

用法：將金鳳花葉和蜜搗爛，貼於患部；另三味研末，每服五分，溫酒送下。

4. 神効吊傷膏

主治：跌打傷痛。

方藥：五加皮一兩，芥子一兩，乳香一兩，沒藥一兩，丁香四錢，川膝四錢，木香四錢，麝香二分，松香一斤，肉桂二錢，沉香二錢，川烏二錢半，草烏五錢，白芷五錢。

用法：共研細末，麻油一斤，煎熬成膏，貼即効。

5. 金瘡散

主治：鎗彈刀傷。

方藥：螵蛸八錢，冰片二錢，白臘六錢，水粉一兩，兒茶四錢，乳香二錢，沒藥二錢，象皮二錢，樟腦二錢，血竭五錢，硃砂二錢。

用法：共研幼末，敷於傷口。

夏令之新鮮妙藥

周廣眞

夏令天氣鬱蒸。又當霉雨之時。忽而晴日炎灼。忽又雨濕蘊蒸。人在氣交之中。因空間濕溫之度。漸由口鼻傳入。若胃中有濕滯積熱。內外相引。易患身熱、頭痛、胸痞、不飢。甚則嘔吐煩懊泄瀉之症交作。藿香正氣散、香薷飲、雖有治暑化濕之功。若服不如法。有時竟不免加重病變。於此若得新鮮芳草。如鮮藿香、鮮佩蘭者治之。則有百利而無一弊。蓋炎夏濕熱穢濁之氣。由口鼻而病腸胃。唯一對治之方。以芳香藥爲上。然芳香藥如廣藿香乾佩蘭葉廣木香嫩香薷等。皆不免味帶辛烈。雖化濕而亦礙熱。服之不愼。每至刦液傷津。唯鮮藿香鮮佩蘭可無此弊。既清熱又能化濕。既化濕又不礙熱。有澄清血液之功。有宣化暑濕之効。同時開胃健脾。功難盡述。可謂時令新鮮妙藥。於暑熱症各用三四錢。極著明效。卽無病時以之代茗。亦殊清香可口。開鑰胃氣。滬上鮮藥業在夏令出品中。以此爲鉅。各藥肆皆備。且日進鮮貨。無陳積者。可知銷路之廣大。採用之普遍。唯杭地藥材。於鮮藥似無專業。藥肆亦不備售。誠辜負此天生時令妙品也。

此外如鮮荷葉、鮮荷梗、鮮薄荷、鮮蘆根。皆各有妙用。藥肆備售者亦少。醫藥兩方。果能採用。亦一求進步而可獲益之事也。

雜俎

金匱虛勞篇書後

周岐隱

金匱虛勞病篇凡八方。用桂枝者居其六。可知仲景用益陽和陰法居多也。腎爲先天。脾胃爲後天。陰陽相貫。如環無端。未有陰虛而陽不病。陽虛而陰不損者也。浮大之脈。爲陰不能維陽。陰虛者宜壯水之主。虛細之脈爲陽不能勝陰。陽虛者宜亟建中氣。行陽卽以固陰。補中亦以安腎。此調以甘藥之法。非惟扶陽所必用。亦救陰所不可少也。若陰虛熱極。火爍肺金。則清金保肺之法。滋陰潤燥之方。自亦不能偏廢。此酸棗仁湯與附方甘草湯所由設。亦正見仲景之不偏於扶陽也。陽虛不能衛外。致風氣自外入。俗所謂傷風不治便成勞者。則有薯蕷丸之補散並用法。陰虛內熱。血液焦涸。俗所稱爲乾血勞者。則有大黃䗪蟲丸之去瘀生新法。苟能善用仲景方。何患不頭頭是道乎。

又按此卷血痺與虛勞合爲一篇。論血痺則曰尊榮之人。論虛勞首曰男子平人。夫尊榮之人。何以不成風寒濕之痺而成血痺。(血痺與風寒濕痺之症因不同。)以尊榮之人。往往飽極思淫。煖極思嬉。縱極淫慾。耗散其眞者居多。(陽虛於內。而加被微風。於是血痺乃浸致而成。細玩經文。一則曰骨弱。再則曰重因疲勞(經曰腎者作強之本。罷卽不能作強。重因疲勞。卽是內傷其腎)三則曰尺中小緊。(尺中腎脈小緊者陽衰而寒凝也）對於腎中陽氣。實三注意焉。至於虛勞門起手即曰男子平人。是蓋謂耗精奪血皆可謂致虛勞之因。不僅如血痺之專責於尊榮之人也。第一節。不叙病先叙脈。以後再將病症逐條補出。如第二條之言脈浮。第四條之言脈浮大。第八條之言脈大。第十條之言脈弦而大。皆承脈大爲勞而言。第三條之言脈虛沈弦。第五條之言浮弱而濇。第六條之言極虛芤遲。第七條之言虛弱細微。第九條之言脈沈小遲。皆承脈極虛亦爲勞而言。細譯經文。條理自井井然也。吾嘗謂仲景之論虛勞。多冠以男子二字。實有絕大意義。蓋其所謂虛。多指腎中眞陽而言。其所謂勞。多指疲勞傷腎而言也。所謂陰寒精自出。痠削不能行。所謂無子精氣清冷。所謂失精夢交。所謂脫氣。所謂盜汗。無不與腎陽殘傷有密切關係。而與血痺症之因骨弱。因疲勞。因搖動者。因被微風者。不即不離間。亦有呼應迴環之妙也。

陽痿之原因及其療法

沈仲圭

名稱……一名陰萎。亦名陰莖勃起障礙。即當交搆時。陰莖之擴大不足。硬度減低。或全無奮起力。因之不能插入女子膣中之謂也。

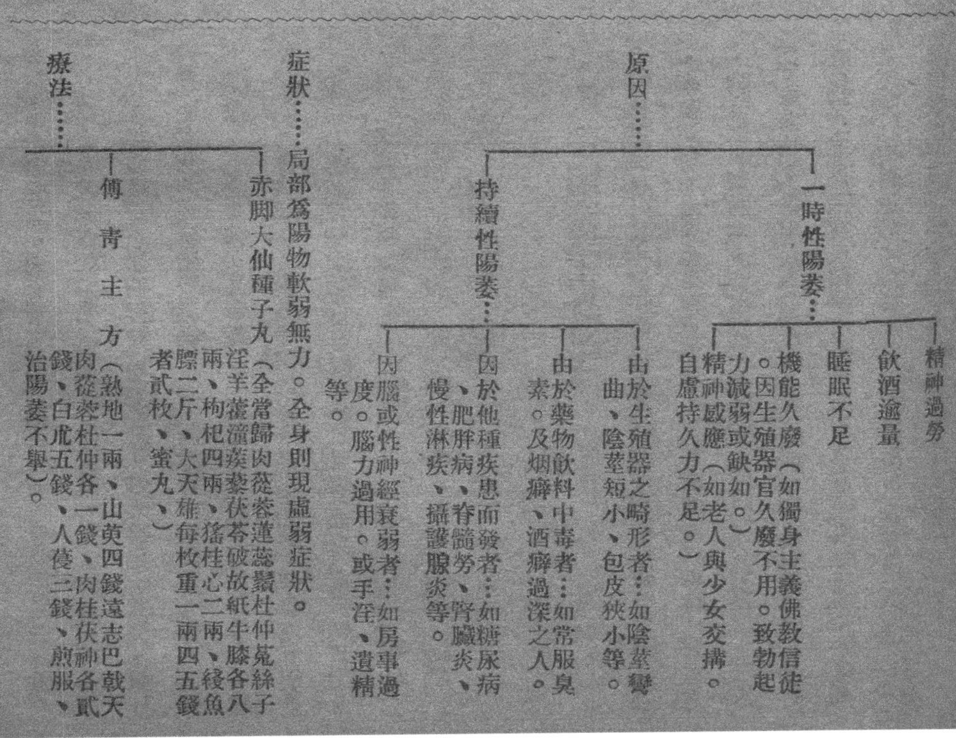

右歸丸（熟地八兩、杜仲山藥萸肉杞子菟絲子各四兩、鹿角膠全當歸各三錢、附子肉桂各貳兩、蜜丸、治陽衰無子、）

龜鹿二仙膠（龜版五斤、鹿角十斤、杞子一斤十四兩、人參十五兩、熬膠、大補精髓、）

攝生……

- 食滋養之食料（如鷄肉汁、牛肉汁、鷄卵、魚肉、而以羊腎或羊肉和米煮粥爲尤佳。）
- 爲規律之運動（如球術、拳術、郊行、乘馬皆可。惟須有一定之時間。持續之恆心。及勿使太過爲要。）
- 行局部之冷浴（以冷水灌注生殖器及脊柱。復以毛巾拭乾。）
- 保精神之安靜
- 杜淫猥之言行

預後……苟非重篤之症。皆有治愈希望。

附記一　上列四方。概括言之。以補陽（附子天雄）滋陰（山萸熟地杞子巴戟天菟絲子杜仲龜版潼蒺藜魚鰾膠）補命門（淫羊藿蓯蓉破故紙肉桂鹿膠）兼以固精（蓮鬚山藥山萸潼蒺藜）補脾（白朮山藥黨參）養心（遠志茯神）爲目的。對於神經衰弱之陽萎。（惟陽萎兼有遺精者。宜慎用。）陰莖短小之陽萎。皆可選用。

附記二　患陽萎者。每焦灼憂悒。若攖沉疴。此大誤也。致陽萎非死證。充其量。不過喪失床第之歡耳。夫床第之歡。爲使神經感覺愉快之一種方式。並非舍此方式。即無愉快可得。如伴愛人。小語於綠陰之下。徜徉於山水之間。如與嬌妻。歌唱於明月之夜。舞蹈於氍毹之上。此種精神之戀愛。實人生無上之幸福。且床第之歡。爲時至促。苟旦旦伐之。將自戕其身。奉勸陽萎之病人。宜達觀。毋憂悒。須知達觀則精神怡悅。病亦易愈。憂悒則氣血鬱結。藥物將不能爲力也。

雜錄

中國醫學史略序

宋愛人

醫界春秋月刊主編張贊臣先生修輯中國歷代醫學史略既竣、來書問序於余、余謂醫史沿革，就其最著而成一時代者言之、約計之、則爲六、一曰『啓元時代』、二曰『大成時代』、三曰『守成時代』、四曰『學派時代』、五曰『新學時代』、六曰『混亂時代』、昔炎帝教民稼穡以療民饑、嘗百草以療民病、神農本草經所以爲藥物學之始也、黃帝戰勝蚩尤、垂裳而治天下、命岐伯作内經傳有素問九卷、靈樞九卷、所以爲生理學病理學氣化學之始也、此時謂之『啓元時代』、至周秦而長桑、扁鵲、陽慶、倉公、輩、遂以醫鳴於世、醫之得以卓然成家者、亦自此始、後漢張仲景氏出、握長沙大令政治之餘、痛當時醫者、多以赤丸治傷寒、民多夭枉、遂著傷寒卒病論、以發明六氣運變、六經證治、並金匱雜病論、是爲醫學濫宗、彙集生理學、病理學、氣化學、診斷學、治療學、方劑學、而並有之、此時謂之『大成時代』、至隋唐以還、王冰滑伯仁之註釋內經、王叔和成無己之闡解傷寒、諸先哲者雖各有慧心、而行文設辭、處處依據經文、不敢稍有隃越、此時謂之『守成時代』、至宋元而劉河澗、李東垣、朱丹溪、張景岳輩、相承繼起、各具實學、各有發明、各有專長、而各有著作、所謂四家之說、遂起後學紛訟之端、而於經學、轉有時明時晦之局、此時謂之『學派時代』、至明清之季、如方中行之傷寒前條辯、喻嘉言之傷寒尚論、程郊倩之傷寒後條辯、章虛谷之醫門捧湯等、皆注重傷寒之學、良以傷寒爲醫學全部精彩集中之點、歷代醫家之成名者、無不於仲景傷寒論、痛下工夫、然此數子者、均有革命思想、非如守成時代之不敢越出經文、然其所謂革命思想者、於仲景之學、仍是推宗備至、惟以仲景傷寒論原文散佚、故非存其闕疑、闡其未明、不足以繼此絕學、而傷寒溫熱之論、應此時代、翕然風起、至葉天士之著溫熱論、陳平伯之風溫證治、薛生白之濕溫證治、吳鞠通之溫熱條辨、王孟英之溫熱經緯、雷少逸之時病論、柳穀孫之溫熱逢源等、著書行世、溫熱治療、頗具眉目、與傷寒論對勘可得也、餘如王勳臣之醫林改錯、唐容川之中西醫纂、醫學革命、至此益著、此時謂之『新學時代』、自清政日衰、洋奴派欲推翻中國一切文化、而盡以歐化代之、醫學不幸、墮此漩渦、余岩輩曾欲假借政治勢力以廢置中醫者、爲獻媚異族、而中醫之爲保古派者、每以四千年來之歷史爲赫赫金章、中醫之爲趨新派者、於自家之學多所懷疑、或曰五行可廢也、或曰伏氣無徵也、悚惶不甯、自申討伐、於是不曰傷寒、而亦曰流行性感冒、不曰溫熱、而亦曰腸窒扶斯、添列性別診斷等新標題、而即曰科學化、新彩異樣、雜亂紛陳、故醫至現代、可名之曰、『混亂時代』、然此爲新舊潮流應有之激蕩焉、

論曰、儒之有孔子、醫之有仲景、此天之生聖人也、實萬世師宗而莫之與京也、故孔子之道不衰、則半部論語足以治天下、仲景之學長存、則傷寒金匱足以治民病、後世百家諸子、爲先聖闡揚輔翼可耳、醫之命脈、始於炎黃、而集大成於仲景、至劉李朱張所謂四大家者、爲學派之有脈支也、四千年來之

命脈依然鐘靈於仲景之學、傷寒一書、於醫學興替、最有關係、溯自王叔和於五湖十六國兵燹之餘、搜集仲景原文、釐訂成篇、使仲景之學、初尙晦黯於叔和之前者、今適昌明於叔和之後、則叔和述聖之功、不可湮沒、微叔和則仲景之書、亦將如伊尹湯液之無傳矣、至方喻諸家起、而傷寒論益爲學者聚精會神之處、喻氏文筆縱橫、天姿獨放、雖於叔和持論有過激之辭、而傷寒溫熱之論、確有超越前人註釋傷寒論而上之、則喻氏亦足爲仲景門下能言之賢者也、夫仲景之傷寒論、所以明六氣之運變、六經之證治、顧寒熱補瀉、無不圓機活潑、大變咸備、然論中如桂枝證、麻黃證、柴胡證、白虎證、承氣證、此數者而外、均屬壞證、逆證、及傳經入臟之裏證也、聖人立變、每於大者、遠者、著筆、授之以規矩繩墨、而後之方圓曲直、形態千變、則又各盡其受者之巧矣，內經曰熱病者、皆傷寒之類焉、則傷寒雖曰溫病熱病之廣義名辭、然而證之爲風溫、爲暑溫、爲濕溫、爲秋燥、爲冬溫、爲時行疫痧、爲伏氣晚發、其初起也各有局勢、其治法也各有宜忌、而論中之桂枝湯麻黃湯均非其治也、此非仲景之未備、蓋六氣之運變既明、六經之證治既詳、則後學之隨時制宜、不難於傷寒論中推衍無窮、能治民病、能創新學、眞是仲景功臣、仲景聖也、固無物不容也、若以拘執大論爲推宗仲景、獨創心得、另標一格者、卽曰違反仲景、此不爲仲景所許、而實非通達之士、迂儒誤國、罪亦相等矣、天士鞠通、深以傷寒溫熱糾纏不淸、直捷了當、立言立變、以暢釋嘉言未竟之旨者、所以承仲聖之學也、四方之士羣起論述、所以廣葉吳之法也、於是六淫之病俱有專載、俱有心法、而六氣運變、六經證治、所謂規矩繩墨、實未嘗背乎仲景、故仲景之學雖歷萬世而光耀長如日月也、醫之聚訟、緜來已久、然讀書不廣、不足言學、臨證不廣、不足以知前人立言之得失、余今不爲學派所惑、而持平論之、醫學史乘、自仲景而後、苟能去瑕取瑜、蔚爲大觀、從啓元而集大成、緜學派而成新學、中古守成、尤爲承先啓後之中運、相磨相蕩、固無代不在演進之中、卽成一家言、而能大行其道者、亦非百年或數百年不爲功、夫合以千餘家之學力、而得若斯之收獲、國醫傳至今日、受輿情贊助、民間信仰者、良非偶然也、致西國醫學、細胞血輪內分泌等學說、似較吾國爲詳細、然以吾國之學簡古、而諸說內經亦已備述、則西學引爲備注、固絕妙借鑑、若欲廢置中醫、事實等於篡竊、而中醫或爲頑固、或爲迷新、則亦等於自暴自棄、中醫前途將從此入於混亂時代、而亦隨今日之潮流以浮沉耶、抑自建大纛、而屹立於天壤間耶。

癸酉花朝愛人宋 翼謹序於吳門愛吾醫廬。

中國醫學史序

王一仁

古言六經皆史。約言之、二十四史。無非事也。醫之事、由來舊矣。人之有生。不能無所養。養必有需於物。大自然之晝夜寒熱、以及林林總總之動植品類。無非物也。人亦爲物之一。謂爲萬物之靈者也。故醫藥事業之所由興。以物明物、以物療物而已。救弊濟偏。有一時之功。而無萬全之法。人在天地間。高壽不能至百。小自然之壽命。終不及大自然之永久。以一時代之學理經驗、傳於異代。其遺產之遞傳。有可因襲者。有宜改造者。大約可因襲者、其哲理。宜改造者、其運用之方法與名詞。今人喜談新學說、新名詞。苟於前賢簡藉、無深入之功。則其所得者。亦僅拾他人之牙慧。膚淺可憐。縱欲翻新。無裨大雅。古人有言：「高以下基。宏由纖起」。前人之遺藉。卽前人精神才力之所薈萃。古人不必下愚。今人未必上智。若謂無事於學術、則亦已矣。苟其欲之。則纍纍遺籍。不可不尋出源流與系統。同條共貫。節解支分。以得其精粹之所在。然後曠觀時代。相與會通。則整理創造之道得矣。學說翻新、名詞改造。初非甚難之事。茫茫斯世。苦於趨捷徑者之多。才難之款。豈其然乎。國勢凌夷。人心墜落。凡百學術。有蟬鳴雀噪之人。無藏器待時之士。奈之何其不窮且亂也。中國今日之醫學、混亂極矣。有中醫、有德醫、有日美英法之醫。其儼然劃爲鴻溝者。曰中醫、曰西醫。黠者標其名曰舊醫新醫。其於學術根本之所自。誤解名詞。各是其所是。而非其所非。旣無闊大襟懷、以事吸收。又無久長歲月、以求深造。皆欲沽一時之名、售一時之利。國家之大患。固不待敵人之相加。而已搖搖欲墜矣。以今之道。無改今之俗。危機之逼。日又甚焉。欲救正醫界之學術思想。當從恢復醫學歷史觀念始。醫學史者。前人學理經驗之餘緒。所以爲承受之本。所以爲創造之資。尤當瞭然於前人之環境、與今人之環境。環境云者。大之在天地之中。小之在人羣之內。雖世界事物之遷變。古異於今。而人之呼吸、飲食、性情、動作。初無以異也。因其異以尋其不異。安見古人之學說。不可爲今人之學說。古人之經驗。不可爲今人之經驗乎。唯信仰能生力量。唯能信而後能疑。若一味迷新迷舊。等於臧獲亡羊。以云自立難矣。張君贊臣、近有中國醫學史之輯述。索序於余。余喜其能復醫界歷史觀念。可以推古知今。以進於時代潮流也。其有裨於醫林之自信自立。豈淺鮮乎。

中醫基礎學序

王一仁

「源遠者其流長。根深者其葉茂」。此老生之常談。亦萬古之通例。唯源遠之水。其支河必多。根深之木。吸養料必富。人羣之進化。學術之演變。必有賴於生力與生氣。豈知其生力生氣之原動力。卽出於腐舊之資料。得養化而醞蒸乎。靑靑之草。必生於河畔肥饒之地。滾滾之流。乃出於涓涓細水之積。不揣其本而齊其末。則方寸之木。可使高於岑樓。學術亦由是也。醫之事起於有人生。人之病、起於有變化。人苟無生。亦卽無病。旣有病矣。不能無醫。醫之事萬端。其源出於一。一者何。糾正生理機轉、歸於平衡而已。古人之生理。未必有異於今人之生理。故古人之學理經驗。未必不可爲今人學理經驗之資。醫之事、旣出於糾正生理機轉之一途。上下數千年。中外鉅萬里。更何有於不可融通之處。然而無源之流。無根之葉。未有能長能茂者也。自西醫襲人之皮毛。其於西來醫藥歷史源流。固懵然罔覺。更一返而攻擊中國醫學。以爲陰陽五行、六氣、六經、等學說。皆屬虛妄。苟非誤解名詞。卽爲忘本逐末。其誤解名詞者。如中醫之陰陽。本以相對正負而立論。五行爲最早化學原子之歸納詞。六氣爲萬物肇生之原動力、及病理病因之抽象詞。六經爲整個生理系統。而誤解名詞之輩。乃一切斥爲玄虛。一若學步今日之所謂生理、病理、診斷、療法。卽可一蹴而幾於新醫之林。其於基礎之學。旣未深入。舍已之田、而耘人之田。究之所獲者。僅其皮毛。而所亡者、乃其自立自信之意志。得失之數。不待智者而後知之矣。醫之事、本爲人身之事。人各有生。不自反其生活經驗。則生理不能明。不自反其生理機轉之情形。則病理不能達。書本爲一事。學理經驗爲一事。合而一之。貴乎自反。會而通之。貴乎深入。中醫之所有者。爲抽象博大之學理經驗。西醫之所擅者。爲細審詳明之實驗精神。植中醫學之基礎。必須深明內經。植西醫學之基礎。不僅恃乎書本上之生理病理知識。尤當習用顯微鏡試驗管。而後能有酌見。故中醫之基礎。重在內心自省。西醫之基礎。重在利用器械。非先有內心自省之功。不能得利用器械之益。吾友葉君勁秋、有中醫基礎學之作。多自內經輯述而來。讀者能因是而進求於原書。更因是而利用器械。則細胞細菌之學說、生理、病理、之變端。將有左右逢源之樂。則去創化之途不遠矣。

★　★　★　★　★

衛生

衛生講話（續）

個人衛生—（十九）時令

董志仁

春—春日多風、人在春風和暖的時候、是最適意、但是也最易受病、因爲風字從虫、意思是風內含着傳染性病菌的、所以一不小心、就要感冒、內經曰、『春傷於風、夏生飧泄』、這是告訴人說、春天是容易感受風邪、患生傷風、中風、風寒、風熱等病、又如春天受病、不卽發生、伏邪在內、到夏天就會慢性泄瀉症、因此在不冷不熱的春天、更不可大意不講衛生、俗話說、吃了端午粽、寒衣勿可送、這兩句話、我們亦應該體會到、

夏—夏日天氣炎熱、白晝有蒼蠅的纏繞、夜晚有蚊子的麻煩、各種瓜菓和清涼飲料、都是紛陳市上、稍一不謹愼、就是生病的好機會、而且夏令的病、多半是急性傳染病、非常厲害、往往有生命關係、所以夏令衛生、要特別的講究、

（甲）關於飲食方面

一、生冷　夏季因汗液泄發過多、身體上就缺乏水分、所以一般人很喜食生冷、可是生冷是催人性命的魔鬼、例如生水受過、或蒼蠅停留過的瓜菓、不良的井水、時髦的冰淇淋汽水等、牠們都帶着生活病菌、和寄生蟲卵、到人的腸胃裏作祟、除了抵抗力強壯的外、總難逃病魔的纏繞、假使因着高興多吃、那末更是快速與危險、所以夏天行路的人、甯可忍受乾渴少許、切不可亂吃生冷、

二、食物　夏天的塵埃乾燥、蒼蠅衆多、飲食物難免灰塵的佔染、蒼蠅的光顧、所以要預製細鐵紗罩住、既免了上述的弊病、而且因着紗罩流通空氣、可以減少食物的腐敗、如果食物稍有腐敗的現象、還是把牠傾掉、否則因痛愛金錢、就難免貪小失大、害生疾病、

（乙）關於起居方面

一、勿着夜涼　夏天的人們、往往因爲日裏太熱、夜間任意着涼、如坦腹而臥、露宿等等、常因此引起胃腸疾病、應該免除這種習慣才好。

二、勿受暴熱　夏天的烈日、非常厲害、倘若在驕陽下作長時間的工作、或步行、就不免中暑、或得日射病了。

三、勿使蚊叮　蚊子叮了、可以使人感染疾患、最重要的像瘧疾等，頗爲危險，所以夏天居室的門窗、要用紗格、睡眠

的時候、要掛着紗幔、在白日裏、不亦膊、跣足、若能帶上手套更妙，那末蚊子就無所售其技了。

夏天最爲害的要算蚊蠅、所以滅蠅除蚊的工作、是刻不容緩的、可是撲滅蚊蠅、有簡單的方法、現在記述在下面、

(甲)滅蠅方法

(一、)剷除幼蟲　幼蟲就是蠅蛆、蒼蠅都是蠅蛆變成的、沒有蠅蛆、蒼蠅也就絕跡了、而且蒼蠅是到處活動的、飛來飛去，比較難以撲滅、至於蠅蛆、是通常聚在一塊、處置甚是容易、撲殺蠅蛆的方法、簡要的如左、

1.石灰　用石灰灑在廁所糞窖裏面，可以殺蛆、二尺直徑的糞坑、要用石灰一斤(如散石灰卽風化石灰要用斤半)

2.沸水　此法更爲簡便、只用煮沸過的水、傾入廁所糞窖裏面、蠅蛆就登時死亡、二尺直徑的糞缸、要用沸水二斤、餘類推、

(二、)剷除成蟲　成蟲就是蠅蛆變成的蒼蠅、撲殺成蟲、不過是一種治標的方法、於事實上、不發生任何大效力、但相當的效力是有的、剷除成蟲的方法、簡要的如左、

1.撲殺　多置蠅拍、見蠅就撲殺之、巳經撲殺的死蠅、用火把牠焚化最好、撲死的地域、如桌上之類、應該消毒

2.毒殺　就是用化學藥品、來毒死蒼蠅、現在市上最流行的、要算捕蠅紙、此外有用捕蠅瓶或用水烟皮絲草蔴子油等類、加入燒酒白糖及水、放入平底盤內、蒼蠅吃了、就可以致死、

(三)防止蒼蠅的產生　根本的滅蠅方法、當然是防止牠的產生、

1.嚴格清潔、

2.焚燒垃圾

3.廁所糞窖糞桶、都要做蓋子、

4.修理陰溝陰缸、

(乙)除蚊方法

蚊蟲以池塘水缸陰溝等、爲其產生地、根本的滅蚊方法、不外左列各項：

一、塡平池塘沼潰水淌、

二、排除停水、

三、家中用水、應加蓋罩、污水積水、宜隨時傾去使乾、

四、疏通溝渠

五、保持畜舍清潔與乾燥、

六、水裏畜魚、尤以鯿金魚最佳、

如果孑孓已變成蚊子、除用捕蚊器誘殺、用紗拍捕殺，或用松香和栗炭末捲於粗紙中、作成紙捻、俟日暮蚊聚時焚殺外、當然還要(一)設置紗窗(二)剷除雜草(三)使用蚊帳(四)室內充足光綫(五)保持清潔(六)燃驅蚊香等等，以盡防蚊之能事了、

記事

本社第九次討論會紀事

本社第九次討論會，于五月十五日午後三時，在缸兒巷阮寓舉行，到者、陳鼎丞、王一仁、高一志、阮其煜、董志仁、王心原、諸君、除討論問題外，並研究本草，以三家註為藍本，開會之後，並于電話中商討，茲將本期內容錄于下。

一、有病右手足瘓癱。因受驚擾而起。服養血通絡泄風法不效。請示症原及特效方。(馬星樵)

答、右手足瘓癱。必因左大腦運動部有刺激障礙。其原因或因腦出血、或因患瘤、如梅毒瘤等。中醫以諸風掉眩、皆屬于肝。諸痙項強。皆屬于濕。肝主腦主筋。脾主濕主思。此病由驚擾而起。屬于神思筋脈間病無疑。當以內服鎮靜神經劑為宜。如中藥之羚羊石决。西藥之溴剝類。唯脈舌不明。病原亦難確定、不便為詳開之處方。

二、藥用無灰酒、是何種酒、(傅仲華)

答、當是紹酒之澄淨無酒脚者。古以燒酒為火酒、以醋為苦酒。以紹酒為無灰酒。

三、研究本草之特殊功效。(本社同人)

●甘草

原文：氣味甘平無毒；主五藏六府之寒熱邪氣；堅筋骨，長肌肉，倍氣力；金瘡尰解毒；久服輕身延年。

(1)氣味甘平：甘草是強壯劑的扶助品，故曰甘。為各種方藥之和緩劑，以減少劇烈性藥品之副作用，故曰平。

(2)主五藏六府之寒熱邪氣：邪氣指病症；寒指不足，熱指有餘。凡病症由於藏府作用之不足，或由於有刺激性者，均可用之。

(3)堅筋骨，長肌肉，倍氣力等，指甘草為強壯劑之扶助品。

(4)金瘡尰解毒；凡由跌打損傷，以致皮破而成之創傷，均名為『金瘡』，生甘草煎湯內服，能使瘡瘍易愈，大概因能增加皮膚的免疫性之故；然而對於『金瘡』，雖有解毒

之效而不獨用。

若甘草重用，每次用一兩至四兩，煎湯頻服，可解各種藥品之中毒，與食物之中毒。

禁忌　舌苔厚膩，胸腹自覺滿脹者，單獨不能用之。酒後嘔吐者，不能用；因用後愈增其嘔吐。

劑量　三分至三錢；外科症，每次至少用三錢。

注意　不炒，不炙者，名生甘草；外科症，以及解毒，須用生甘草煎湯內服外，其餘均用蜜炙甘草，或水炒甘草；因生甘草祇具排毒功能，而無補中之力。

●黃耆

原文：氣味甘微溫無毒；主癰疽久敗瘡，排膿止痛；大風癩疾；五痔鼠瘻；補虛小兒百病。

(1)氣味甘，微溫：凡因新陳代謝虛弱而體溫減低者可用之。除肺結核病外，因其他各種之結核病，現潮熱，自汗者均可用之，故曰味甘，微溫。

(2)主癰疽，久敗瘡，排膿止痛：久敗瘡指慢性之結核性潰瘍，服之，能催促細胞的生活力而助生肉芽；對於急慢性潰瘍，均可作爲內服的主藥。

(3)大風癩疾：指大麻瘋，可用黃耆，以作副藥。

(4)五痔指結核性肛漏；鼠瘻指淋巴腺結核性疾患，概可用黃耆內服。

(5)補虛小兒百病：小兒身體虛弱者，可用之，故曰『補虛小兒百病』。

劑量　成人：三錢至一兩。小孩一至三錢。

禁忌　(1)氣急者禁用，然因心臟虛弱而氣急者可用之。

(2)脈洪大而旺者有時絕對禁用，然有時亦可用之。

(3)有礙消化作用；故消化不良，自覺氣悶飽脹者禁用。

(4)傳染性熱病，以及傷風等症(俗名外感症)禁用。

●白朮

原文：氣味甘溫無毒；治風寒濕痺；死肌；痙；疸；止汗；除熱消食；作煎餌；久服輕身，延年不飢。

(一)味甘性溫：味甘指此藥有強壯劑之作用。性溫者表示能治體溫減低之慢性虛弱病。不宜於急性病。

(二)風寒濕痺：指慢性羅麻質斯，此藥內服有效；然因性溫二字，表示急性羅麻質斯，忌用。

(三)死肌：指慢性，日久不愈之潰瘍，內服有收口之效。

(四)痙：指抽筋；慢性抽筋症，服之有解抽之效。然因『性溫』二字，故急性抽筋症，以及體溫增高者，不宜用之。

(五)疸：指人體虛弱性之面黃症，可服之。

(六)止汗：自汗症，可作主藥；盜汗症，可作副藥。

(七)除熱消食：因胃腸消化不良而發生之熱度，方可用之。對於急性熱症忌服。除熱消食，也可以說對於小腸消化不良，而現腹瀉者。有止瀉，扶助消化之作用。

(八)此藥俗名『健脾藥』：中醫所謂脾虛者，指胃腸吸收性不足而現腹瀉之病也。健脾者，即能增加胃腸之吸收性而止其腹瀉。又因其能增加胃腸之吸收性，故可用『甘溫』二字代表之。

劑量　一至三錢

禁忌　熱度高而脈搏快者，忌用之。

●蒼朮

原文：氣味苦溫無毒；主治風寒濕痺；死肌；痙；疸；除熱消食；作煎餌；久服輕身；延年不飢。

蒼朮與白朮之功用相似；其不同之處如下：

(一)白朮甘溫，蒼朮苦溫：

白朮的甘，表示對於胃腸有強壯劑之性質；白朮的溫，表示可用於慢性的虛弱症，以及熱度減低之病症。

蒼朮的苦，因有排泄性，如排泄汗液，故曰苦；蒼朮的溫，因有興奮性，如興奮汗腺而使其出汗，故曰溫。

倘汗腺之功用缺乏之時，用之，因能興奮汗腺，故能出汗；然有時患『濕溫』，熱度低而汗液多，且其舌苔膩厚者稱為濕重熱輕之現狀，可用蒼朮，有止汗之效。

按中醫素以蒼朮能燥濕，故能止汗；其實所謂燥濕，或即止汗之互詞也。其能止汗者，凡汗腺有麻痺傾向時，而致出汗者，服蒼朮能止汗，仍由於蒼朮之興奮汗腺之性質而恢復其正常狀態之故。』

(二)白朮止汗，蒼朮發汗：白朮對於皮膚有收斂性，故能止汗；蒼朮對於汗腺有興奮性，故能發汗。

(三)對於胃腸：白朮補脾，蒼朮運脾。

補脾者，指白朮能增加胃腸之吸收性。

運脾者，指有扶助消化之作用；然胃液過多者可用之，胃液缺乏之者，不能用。

(四)蒼朮有燥濕之效：燥濕就是指『止汗』，與增加小腸之吸收性。排除胃液之過多。

劑量　八分至三錢

禁忌　(1)熱度過高者。(2)胃液缺乏而現舌燥者。(3)汗液過多者；均忌用。

附註　濕溫者，有汗之熱症，患於五六月黃霉時間者。

薯蕷(又名山藥)

原文：氣味甘平無毒；主傷中補虛羸；除寒熱邪氣；補中益氣力，長肌肉；強陰；久服耳目聰明，輕身不飢延年。

(一)甘平：因其爲滋養品，故能補虛羸，補中益氣力，長肌肉，強陰；又因其能增加腸之吸收性而止洩痢故曰甘。因能和緩腸道之刺激，以治瀉痢；又因能阻止神經性虛弱之躁動病狀，故曰平。

(二)主傷中補虛羸：其主要之作用爲主治『傷中』；傷中痊愈則虛弱者轉爲強壯，羸瘦者轉爲肥胖。

傷中：指交感神經之虛弱；山藥爲滋養品，其功用特別行於由交感神經虛弱而成之疾病。交感神經虛弱者，其現狀如下：(1)心力虛弱而現四肢無力。(2)『腸胃肌』失其緊張力而現腹脹之狀。(3)消化腺分泌減少而現消化不良之狀。(4)血管之收縮力，失其正規而現乍熱之狀。若交感神經強壯時；心力強，消化佳良，則虛羸者即可轉爲強壯而肥胖；所謂補中，益氣力，長肌肉者，亦不外乎此理。

(三)除寒熱邪氣：若交感神經強壯時，血管之收縮力，是屬正規，即可無乍寒乍熱，以及其他神經虛弱性之病狀，此即所謂『除寒熱邪氣』。所以『寒熱』二字，並不是指體溫增高；因體溫增高者，禁用山藥。又『寒』字，是指神經虛弱；『熱』字，是指神經虛弱性之躁動病狀；『邪氣』二字，是疾病二字之變換詞。

(四)強陰：壯陽也。服山藥後，虛羸旣轉爲強壯肥胖，則強陰之效，當然亦隨之而有。

劑量：三錢至一兩。

禁忌：(1)脈搏高者。(2)腸胃消化不良，舌苔膩厚者，均忌服。

石斛

原文：氣味甘平無毒；主傷中；除痺；下氣；補五藏；虛勞羸瘦；強陰；益精；久服厚腸胃。

(一)甘平：因能補五藏，虛勞羸瘦；強陰益精；厚腸胃，故曰甘。因能除痺；下氣，舌紅者可服，故曰平。

(二)主傷中：傷中指交感神經虛弱；口乾燥者服石斛，能使口中滋潤，表示石斛能興奮交感神經，使唾腺之分泌增加，爲主治交感神經虛弱之主要藥，故曰主傷中。凡口乾燥，舌紅而脫液或起刺者，以鮮石斛爲最宜；以鮮石斛能養津液也。

(三)除痺：痺指關節痛；是指虛弱性之關節痛，並不是主治慢性僂麻質斯；至於急性關節炎，是絕對的忌用。

(四)下氣：能平氣促；所能平之氣促，是指心臟虛弱性之氣促，並不是肺病之氣促；至於熱度高的氣促，以及哮喘病的氣促，均忌用。凡心臟官能病之氣促，而由於交感神經虛弱者，服之，乃有平氣之效；因石斛能興奮交感神經之故。

(五)補五藏，虛勞羸瘦：石斛因能興奮交感神經，對於不隨意肌之內藏，乃有強壯之效，故曰補五藏內藏既強，則虛勞羸瘦，當然亦隨之而去除也。對於此條學理，以霍山石斛爲常用；凡結核性發熱，俗名虛熱可用之；

(六)強陰益精　強陰並不是指壯陽；乃是指虛弱之性慾，進入正規。此藥因能興奮甲狀腺與精腺之內分泌，故曰強陰益精。

(七)久服厚腸胃：指此藥能增加胃腸之蠕動；鮮石斛對於腸或許也有刺激性，故多服則現腹瀉。金釵石斛，是偏重於『厚腸胃』之一條；俗名養胃是也。

劑量(1)金釵石斛，二至四錢。(2)霍山石斛，五分至一錢。(3)鮮石斛，三錢至二兩。

禁忌(1)各種急性熱病，其體溫過高者。(2)體溫過低者。(3)舌苦厚膩者。

▲酸棗仁

原文：氣味酸平無毒；主治心腹寒熱；邪結氣聚；四肢痠痛；濕痺；久服安五藏；輕身延年。

(一)酸平　酸平表示有鎮靜神經之作用；失眠症，可服炒酸棗仁乃有安神之效；慢性抽筋症亦可用之，然急性抽筋症忌用。

(二)心腹寒熱：心腹指大腦神經系統；心腹寒熱指神經虛弱。性之不安病狀。

(三)邪結氣聚　指神經運動部之有刺激，此卽中醫所謂厥陰不能疏泄者是也。

(四)四肢痠痛，濕痺；指此藥有止痛之效。

(五)久服安五藏　表示此藥有鎮靜之作用。

劑量。錢半至三錢。

禁忌　(1)急性熱症，以及感冒性之寒熱等均不能用。
(2)刺激性之情感躁動忌服；惟可用於虛弱性之情感躁動症。

注意　酸棗仁可分爲生熟兩種；炒過的名熟酸棗仁，不炒過的名生酸棗仁。尋常所用者爲炒酸棗仁。服炒酸棗仁者有安眠之效；服生酸棗仁者，不但不能使其睡，更有醒睡之功。

贈書誌謝

●並代介紹

國醫學報　第二期　思明國醫研究會　每期壹角

神州國醫學報　第八九各一期　上海厦門路尊德里　每期壹角

現代醫藥月刊　第一期　福建福清城內官塘里　每期壹角

新民　第四十六期　杭州新民路民衆教育實驗學校出版

醫藥月刊第二年第三期湖南長沙南門外沙河街五十六號發行每期一角

醫界春秋　第七十八期　上海白克路寶隆醫院西首西祥康里第七十七號　每期壹角六角

建國月刊　第八卷第五六期　南京成賢街一百〇一號建國書店　每期貳角

本社代售

中國醫藥問題　每期一角二分

三衢治驗錄　每期一角二分

中國時令病學　每期二角五分

國醫雜誌　第四期　一角五分

山西醫學雜誌　第七十期　一角五分

中華民國二十二年六月一日出版

醫藥衛生月刊第十一期

主編者　王一仁　杭州上城彩霞嶺十一號

發行者　中國醫藥學社　杭州上城彩霞嶺十一號

月刊定價表

另售每冊六分	(郵費)	國內日本一分 國外及香港澳門六分
預定全年十二冊七角二分郵費在內		
國外預定全年一元五角郵費在內		

本刊寄售處

本市　古今圖書店（保佑坊）　維新書局（湖濱）

上海　國醫學會（西門內石皮弄）　中醫書局（山東路）　千頃堂（三馬路）

蘇州　國醫書局（吳趨坊）

南京　建國書店（成賢街）

衢州　聚秀堂（下街頭）

山西　中醫改進研究會（太原精營東二道街）

醫藥衛生月刊

安登

第十二期　王一仁主編

民國二十二年七月一日出版

中國醫藥學社印行

杭州上城彩霞嶺十一號

電話一〇九六號

學說

仁盦醫說（十續）

王一仁

◉經脈與生理系統（六）

少陽經主分泌系統　足少陽膽經分泌膽汁以助十二指腸之消化。手少陽三焦。卽生理學上之淋巴。有頸淋巴。胸淋巴。腹淋巴。下肢淋巴。淋巴又可名爲津液。凡液之滲出於組織之間而無色透明者。謂之淋巴液。（從前譯爲明汁）液之製造於腸管之間。而白色不透明者。謂之乳糜。吸收淋巴液及乳糜。而輸送於靜脈者。謂之淋巴管。人之淋巴腺（津液管）滿布于週身。今之生理學以淋巴管系統。爲血管系統之附屬。參互錯綜。遍布于身。試以針刺破皮膚。則血液流出之外。更有一種透明之液體流出。此卽所謂淋巴液也。淋巴一方固吸收血液所運來之營養分及養氣。給與於組織細胞。一方又自各細胞中。攝取老廢物。返輸於毛細管。或入於靜脈。或爲排泄于體外。是以少陽經乃執開闔之中樞。故有「陽樞」之說。唐蓉川氏以網油爲三焦。三焦爲淋巴管腺。遍佈于全身上下。不能離于脂肪。然不能謂油卽三焦也。如人之皮膚。有汗腺。有皮脂腺。皮脂腺固爲三焦之一部。而汗腺尤爲三焦所主。素問靈蘭祕典論云「三焦者決瀆之官。水道出焉。」人身內外水液之分泌排泄皆屬三焦之所主。三焦之作用。又不能離肺腎。故靈樞本輸篇云。「少陽屬腎。腎上連肺。故將兩臟。」淋巴之新陳代謝。與肺腎有密切之關係。今之生理學。以排泄分泌爲腎臟之所司。然肺臟呼吸。實爲促進排泄分泌主要之原動力。其間以三焦（淋巴）爲其樞轉途徑。尿溺雖出于膀胱。其源則來自三焦。故本輸篇又云。「三焦者。中瀆之府也。水道出焉。屬膀胱。是孤之府也。」上言將兩臟。極言其重要。此言是孤之府。極言其廣大。三焦根於腎系。不僅爲水液分泌之主要機能。且爲傳達內分泌之重要路徑。如甲狀腺、腦腺、性腺、以及胰腺胃肝腺。皆有顯著之內分泌作用。要無不涉屬于三焦。難經以「三焦爲原氣之別使。主通行三氣。經歷於五藏六府。」又曰。「原者。三焦之尊號。」極言其重要。又難經曰。「三焦者。有名而無形。」三焦之作用。難經已屢言之。謂之無形者。蓋以三焦之管腺。雖甚重要。但其形狀非似肝腎胃腸之爲塊然物。故曰無形耳。三焦之淋巴腺。既達于全身內外。似無道路界限可言。然其經氣部位。亦可勉爲分別者。靈樞營衛生會篇云。「上焦出于胃上口。並咽。以上貫膈。而布胸中。走腋。循太陰之分而行。

還至陽明。上至舌。下足陽明。常與營俱行于陽二十五度。行于陰亦二十五度。一周也。故五十度而復大會于手太陰矣。」此言胸頸淋巴腺液之流行。隨肺臟呼吸以運用。伴營血以周流。新陳代謝。亦無休止。可知有循環代謝之作用。初不僅限于血液爲然也。又云。「中焦亦並胃中。出上焦之後。此所受氣者。泌糟粕。蒸津液。化其精微。上注于肺脈。乃化而爲血。以奉生身。莫貴于此。故獨得行于經隧。命曰營氣。」此即腸胃間之淋巴總幹。或曰乳糜管者是也。又云。「下焦者。別迴腸。注于膀胱而滲入焉。故水穀者。常并居于胃中。成糟粕而俱下于大腸。而成下焦。滲而俱下。濟泌別汁。循下焦而滲入膀胱焉。」此則通過腹腔之淋巴。外散爲體溫。下入膀胱而爲尿溺者也。三焦者。儼如人身之蒸滷機。完成其功用者。爲肺腎。前已言之。而膽汁又大有裨于三焦之蒸滷。故膽與三焦。合而爲少陽經也。

察舌概要

周廣眞

「總論」舌根心脾腎三臟之陰。司腸胃傳化之變。外淫內傷。臟腑失和。則舌上生胎。或無胎。或刺胎。最爲臨症時確據。舌爲血管神經最細最密之處。因臟腑而象徵于舌。正如地氣之生苔。有活法而非死法。察舌者所宜留意也。白胎及白滑者。風寒與濕也。滑而膩者。濕與痰。滑膩厚者。則濕痰與寒。薄白如無則虛寒。但滑膩不白者。濕與痰也。兩條滑膩者。非內停濕食。即痰飲停胃。白如積粉。則濕熱或痰熱也。感冒時氣。時有此胎。與白胎作寒論者大異。薄黃爲熱。黃膩爲痰熱濕熱。黃膩垢則濕痰祕結。腑氣不利。食滯亦時有此胎。焦黃則熱甚。宜滑宜下。舌絳色而潤爲虛熱。絳而乾爲實熱。絳而刺爲熱盛。絳而光爲陰液不足。光燥裂爲陰液大傷。但裂不光絳爲胃陰不足。痰熱凝結。剝蝕而糙乾爲陰虛。剝蝕邊有膩胎。爲濕痰停積。藍色胎爲溼熱鬱蒸。黑胎而燥爲痰熱。黑潤胎爲虛寒夾溼。灰色胎爲溼食停積。病變雖多。大要不出此數條。神而明之。是在臨症者之參酌。

「傷寒苔色」上古不言舌胎。言之自仲景始。傷寒論中數數中明。以傷寒變幻。極多極疾。尤難於雜症也。風寒溼初中皮毛也。則爲白胎。寒溼本陰邪。白爲涼象。故胎色白。仲景以爲表症。立和解法。禁用攻下。以邪在表。不宜攻裏也。溫病熱病始起。舌滑而薄白。或始起即絳色。以溫熱病皆裏先鬱熱也。故宜用清。甚或用涼。切忌用辛。有白胎中兼薄黃。邪入胃腑也。白胎中兼黑色。邪傳少陰也。滿舌一色爲一經症。邊白與中間白。俱傳經症。如從根至尖。直分兩條者。則合病與夾陰寒症。合病則白中兼兩條黃。陰寒則白中兼兩條黑潤。或更兼灰色。從根至尖橫分兩三截。胎色不一者。是并病症也。故尖白根黃。或根黑。或半邊胎灰胎滑。皆半表半裏症。但看白胎之多少。白色多者邪尚多。宜清解。或表裏並用。若黃黑灰多。或生芒刺。及黑點乾裂者。則裏熱已結。急宜用下以清裏。有白胎而滑厚者。寒飲積聚膈上也。每於十四日過經時。忽然生變。最宜先時謹防。臟結症亦有此胎。傷寒論謂爲難治。

「黃苔」黃胎。多主裏實。滑厚而膩者。爲熱未盛。結未定。在冬時尚未可遽用攻。夏月纔見黃胎。即當用下。以夏令伏陰在內。裏熱即熾。而胎不遽乾燥。雖滑厚亦未可信。如黃而燥。或生芒刺。生黑點。中心瓣裂。則無論何時。皆當速下。以存陰液。有根黃而尖白。不甚乾。短縮不能伸出者。痰挾宿食也。亦宜用下。痰飲水血諸症。舌多不露燥象。不可因其未燥。而疑慮誤事。陰寒夾食。亦多黃而不燥。然黃爲實象。總宜急下。或用清法。但其法微有分別耳。有胎黃厚而舌中青紫。甚則碎裂。口燥而舌不乾者。此陰寒夾食也。亦宜斟酌溫通下之。如附子硝黃同用法。

「黑苔與灰苔」邪熱傳裏。火極反兼水化。則爲黑色舌。熱結燥實。津液焦灼。少陰眞水垂涸。此最凶象。宜急攻下其熱滯。以存一綫之陰。或兼芒刺燥裂隔瓣者。須用新青布蘸薄荷湯溼潤。揩去刺瓣。看舌上色紅者可治。急下之。若刺瓣下仍黑色者。則腎陰已竭。臟色全露。法在不治。有胎黑腐爛者。爲心腎俱絕。舌黑而卷縮者。爲肝絕。皆不治。有黑薄而潤或滑者。爲陰寒。有始病即舌心黑色。非由白黃變化。舌轉瘦小者。爲眞臟中寒。此由寒水凌心。腎色外見。急宜用溫。稍緩則誤事。有中黑而枯。並無積胎。邊亦不絳。或略有微刺者。爲津枯血燥症。急宜養陰生津。誤用攻下或溫經。皆必死。有中間一條。或拇指大。黑潤浮胎。兩邊或黃或白者。兩感症也。凡胎黃黑白雜見。或中燥邊滑。或尖乾根潤。皆并病合病。寒熱不和之候。大抵尖黑稍輕。根黑全黑則死。夏月中暑。多有黑舌。溼痰鬱熱。亦有黑滑膩厚舌。又不可與傳經症同論。灰色黑舌者。是三陰雜病。而太少爲多。始自白胎漸黃而灰黑者。爲傳經症。或生刺點燥裂。不拘在根在尖。並宜急行攻下。有淡灰色中起深黑重暈。爲溫病熱毒瘟疫症。急宜涼膈雙解等。清中逐邪。有舌灰而潤並無胎。更不變別色。始病即見。非由白黃漸變者。爲夾食中寒。及停飲蓄血症。當用消、用溫、用燥、用攻因症而治。又有屢經汗下。而灰黑不退。或滋潤。或不潤亦不燥者。脈必虛微無力。此因汗下太過。傷陰使然。宜急救陰津。固不得用硝黃。亦不可用薑附。

「紅紫苔」有滿舌明紅。並無他胎者。爲絳色心之本色也。溫病熱病瘟疫。及傷寒邪熱內傳三焦。熏灼心胞。先受熱蒸。則本臟之色見。治宜清心存陰化熱。紅中兼有白胎者。更感非時之寒也。紅中夾兩條灰色者。溼熱兼夾寒食也。兼黑胎者。邪熱傳入少陰也。兼黃黑有芒刺者。邪熱入腑也。有紫黑斑。或外症兼發斑者。心胃熱極也。起白疱點者。心脾熱灼也。若紅色柔嫩。望之似潤而實燥乾者。數行汗下。津液告竭也。病多不治。有紫如熟豬肝色。上罩浮滑胎者。邪熱傳裏。表邪未淨也。既不可下。又不可表下並用。法宜清中以解外。若全紫光暗。並無浮胎者。陽極似陰也。多不可救。急下之間有得生者。有淡紫帶青者。爲直中陰經症。治宜用溫。有紫胎中心帶青或灰黑。下症復急者。熱傷血分也。宜微下之。酒後中寒、及痰熱鬱久者。往往見紫色胎。

「藍色苔」有舌滑中見藍色胎者。肝臟本色也。邪熱傳入厥陰。陰受液傷。臟色外見。深而滿舌者。法在不治。如微藍而不滿舌者。法宜平肝息風化毒。舊法主用薑桂。然邪熱鴟張。肝陰焦灼。逼其本臟之色外見。再用薑桂。是抱薪救火也。瘟疫及溼溫熱鬱不解。亦有此舌。感受不正之氣。蒸熱不解也。治宜芳香清泄。溫痰痰飲症。亦有舌滿滑膩中見藍色者。爲陰邪化熱之候。法宜清化。

「粉膩苔」有舌厚膩如積粉者。爲粉色舌胎。舊說並以爲白胎。其實粉之與白。一寒一熱。殆水火之不同道。溫病熱病。瘟疫時行。每見此舌。並外感穢惡不正之氣。內蓄伏寒化熱之勢。邪熱瀰漫。三焦充滿。與熱在陽經者異。與腑熱燥實者亦異。治宜清涼泄熱。粉胎乾燥者。則急宜大黃黃連瀉心湯等。甚或硝黃下之。切忌拘執舊說。視爲白胎。則大誤事矣。

方藥

麻黃湯之變局

周岐隱

傷寒方中、桂枝湯之變局最多、其次則爲麻黃湯、桂枝湯之變局、多在傷寒本論、註家類能述之、至於麻黃湯之變局、則大青龍湯、麻杏石甘湯而外、多錯見於金匱千金之中、故歷來註家多忽焉而不講、而不知古方變化之奇、莫如麻黃湯一方、往往一味之出入、其所治之症、大不相同、研究古方者、不可不細加參考也、

麻黃湯加姜棗石膏、爲大青龍湯、治太陽中風脈浮緊發熱

惡寒身疼不汗出而煩躁、此傷寒法也、而金匱則溢飲水氣、亦用之以發汗焉、

去桂枝加石膏、爲麻杏石甘湯、治發熱汗出而喘、此傷寒法也、而後人治風濕初起、肺有痰熱者、則推爲辛涼解表之主方焉、

與麻杏石甘湯、僅一味之出入、而主治迥殊者、在金匱有麻杏薏甘湯（麻黃杏仁薏苡仁甘草）之治風溼身疼日晡發熱、在千金有還魂湯（麻黃　杏仁　甘草　桂心）之救卒死客忤、又有鬼箭湯（麻黃　甘草　石膏　鬼箭羽）之治賊風所中、腹中攣急、此麻杏石甘湯之變局也、

從大青龍湯而變化者、在金匱曾有越婢湯（麻黃　石膏　甘草　生姜　大棗）之治風水惡風一身悉腫、又有文蛤散（麻黃　杏仁　甘草　石膏　姜棗文蛤）之治吐後渴欲飲水、兼主微風脈緊頭痛、而射干麻黃湯、厚朴麻黃湯、小青龍加石膏湯、與方義相去較遠者、尚不與焉、

至於就麻黃湯之本方、以爲增減者、則金匱有麻黃加朮湯之治溼家身煩疼、千金石膏湯（麻黃　石膏　雞子　杏仁　甘草）之治風毒、水解散（麻黃　杏仁　甘草　大黃）之治時行頭痛壯熱、三拗湯（麻黃　杏仁　甘草）之治風寒咳嗽喘急、進退之間、而從涼從溫、各異其用、

推而廣之、則麻黃甘草湯之治裏水、麻黃醇酒湯之治黃癉、是專用於發表、麻黃附子細辛湯、發少陰之汗、麻黃附子湯、治少陰之水、是兼用以溫中、而千金黑散（麻黃　杏仁　大黃）之治小兒蒸變兼挾時行、則汗下並行、又是表裏雙解法矣、

大黃健胃之我見

張澤霖

大黃爲攻下劑猛品，人皆盡知，多用傷胃，怯者每不敢施，而病家尤畏，自西人稱其有健胃之能，世界驚爲新發明，奚知我國先醫，久已載諸本草，而其學理較西人，更精且詳，即本經所謂「蕩滌腸胃推陳致新」者也，蓋腸胃乃消化系中之主要器官，設腸胃被積滯停蓄，阻礙消化作用，上下不得通調，食慾於是不展，若進以大黃或其他苦味藥，推除廢物，使腸胃內部清潔，消化機能恢復，食慾亦即興旺，而成健胃之效，此健胃乃間接作用而非直接也，倘病因胃寒裏虛，氣血衰弱，致消化乏力飲食不進者，豈可與大黃以重傷其氣血哉，西人但知能健胃，而不明其原理。使習西醫者，不問病之虛實，不究體之強弱，動施以攻爲補之謬說，是知其一而昧其二，良可慨也、

治久欬驗方

植林

欬久肺傷。胸脅疼痛。或吐白沫。或嘔膿血。夜間虛熱多汗。肢體羸瘦。食少不眠。

藥品：白芨(研末)白菓(去殼)麥冬　文冰

服法：每日早晨。先將銀杏等三味煎湯。卽以湯調服白芨末二錢。月餘始能見效。

腦血管循環障礙疼痛之治驗

俞愼初

余前在校攻讀，用腦過度，致患失眠，繼則腦痛，纏綿數月，每閱書過久，運動劇烈，或因激怒卽發，由微痛而大痛，甚至呼哭不安，發時不定部位，始以爲氣虛所作，用補氣之劑，不特無效，反加作痛；後以爲肝陽內動，用養陰潛陽之劑，甚至投以羚羊，然暫時安定，未能根本治療，後經多方研究，乃知由於腦中血管被血瘀積滯，而致血管循環發生障礙，蓋外方若受刺激，則血管循環必加緊，腦中之積滯血管，受此劇烈之接觸，則發生疼痛，由此原因及病理之研究，非理血之藥不爲功，故投以血府逐瘀湯，一劑果瘥，連服數劑而愈。

按王氏曰『頭痛有外感必有發熱惡寒之表症，發散可愈。有積熱，必舌乾口渴，用承氣可愈。有氣虛，必似痛非痛，用參芪可愈。查患頭疼者，無表症，無裏症，無氣虛痰飲等症。忽發忽愈，百方不效，用此方一劑而愈。

當歸三錢　生地二錢　川芎錢半

赤芍二錢　桃仁四錢　紅花二錢

枳殼二錢　柴胡一錢　甘草一錢

桔梗錢半　牛膝三錢

患此症對於飲食，運動，修養亦當注意。

飲食宜擇易於消化滋補之品，如牛乳、腐乳、雞蛋、蔬菜等。日作柔軟運動數十分鐘，或往遊郊外，以換新鮮空氣。每飯後行數百步，以暢身心。早起與睡眠，宜靜坐修養。勿煩勞，勿思慮，勿憂怒，調攝與藥物並行，則自能早離苦海。

雜錄

國醫學上之時間空間觀念

馮起衰

時間空間。所以肇成萬事萬物者也。世間種種之變化。舉不能外于此。以言時間。則于一刹那、一刹那、之過去。其速異常。以言空間。則人處天地之中。事物先後相續之間。雖非可以捉摸。究竟爲一切現實之母。人欲離于時間。則時間刻刻相續。人欲離于空間。則空間又息息相伴。時間空間。既爲人生事物之所不能外。則不可不追求其故。以冀有所把握。此國醫「天干」「地支」「五行」「六氣」之說所由立也。

子、丑、寅、卯、辰、巳、午、未、申、酉、戌、亥。謂之地支。所以記時。甲、乙、丙、丁、戊、己、庚、辛、壬、癸。謂之天干。所以記日。雖時間空間之流轉。有晝夜寒暑之不同。而天干地支之號。已能盡其蘊。此如代數幾何執簡御繁之法。故干支云者。誠代名詞之符號也。

人生需養。不離于物質。種種物質之化生。無不根于時間空間。大自然之生物。由于時間空間。人爲之世間。亦無不根于時間空間。若無時間空間。則天地不能對立。人物皆無自而生。然萬物雖生于時間空間。果在何時而生何物。在人類中。自應有此想像。是以天干地支之化生木火土金水之五行。以天干而論。甲乙爲木、丙丁爲火、戊己爲土、庚辛爲金、壬癸爲水。甲巳化土、乙庚化金、丙辛化水、丁壬化木、戊癸化火。以地支而論。亥子爲水、丑未辰戌爲土、寅卯爲木、申酉爲金、巳午爲火。子丑化土、午未亦化土、丑巳酉化金、辰酉亦化金、寅亥化木、卯未亥亦化木、巳申化水、子辰申亦化水、卯戌化火、寅午戌亦化火。故干支之化生五行。乃參互錯綜而變化者。物質有多種。其來源皆自于寒暑晝夜。雖有極良之種子。而無適宜之環境。物又何能生長。人在天地間。因氣候萬物以長其生。亦因氣候萬物以趨于死。時間空間之觀念。果可視若等閒乎。不能視若等閒。則必過于穿鑿附會。差之毫釐。謬以千里。星相家之干支。所以失之者衆。而中醫學上之干支。在曩昔過于重視。與今日之視若無覩。皆兩失之也。

針灸治病之意義及其効能

高一志

針術者、乃用金屬製爲細針。以刺入身體組織中。刺戟各部神經系統。以治療疾病是也。上古之時。僅以石或竹製成。迨後智識日啓。乃以鐵製。較之石竹進步已多。但尚有因酸化而生銹。刺入身體易於曲折。故又改以金銀質製者爲多、而考其式樣。古者有九種之列。一曰鑱針。二曰圓針。三曰提針。四曰鋒針。五曰鈹針。六曰毫針。七曰長針。八曰員利針。九曰大針。以上九針。乃不用於內科之病。專用於攻破腫瘍外科的手術。然今外科學術已進步。刀針之用。各有變化。世之所稱針科。皆以針術治於內科之適應症。然就針而言。其方式目今計有三種。曰撚針。曰管針。曰打針。撚針者。係以大指食指中指互相搓撚。而刺入應針之孔穴。發揮刺戟之作用。但針治須以適應之疾病。方可定適用之刺戟。此乃治療經過上最佔重大之關鍵。其刺戟法甚夥。茲擇古定者外。亦有十種手術。(1)單刺法。以針尖之達於目的部位時。卽行出針。此法主於輕微的刺戟時用之。(2)旋撚法。乃針之刺入中。或針達目的部位時。或出針之際。行左右旋撚之手技。此法在單撚法欲稍強的刺戟時用之。(3)雀啄法。在此法恰如雀之啄餌。先入針於目的部時。於組織中。將針上下動搖。加以強的刺戟。此法於強弱之制止。或欲達興奮時用之。(4)皮針法。係在皮膚淺處。行刺戟手術。此專用於小兒身體。(5)置針法。乃於應針部位。行一針或數針刺入目的組織中。停留該針二分或數分鐘之長時間放置而後出針。此專應用於制止興奮神經。或達鎮靜之目的也。(6)亂刺法。將針刺入應針孔穴而卽拔針。再就原處覆刺。如此頻頻反覆刺。(7)間歇法。乃針刺入後、或在中途卽行拔出。(古法所謂地部)逾相當時間、從復刺入。此法欲血管擴漲。筋肉弛緩時、應用之。(8)迴旋法。針刺入時。向左右迴旋刺進。出針時向反對而迴旋拔出。此法存稍稍與以緩刺戟時應用之。(9)細振法。針刺入時。將針行極微振動。此法在收縮血管筋肉時用之。10歇啄法。乃針體刺入達三分之一時行雀啄法。更刺入三分之二時。行第二次雀啄法。更於刺入全部針體時。行第三次雀啄法。(古所謂天地人三部)而後出針。此法指身體深部疾患、須強刺戟時應用之。以上十種法術。須視患者之年齡。體質。如何病症而適宜定之。猶內科擬方決定藥物之量。不可稍有疏忽也。又針之對於生理作用、以及針治之適應症、消毒法等、皆關重要。容後述之。

日本之漢醫著述

朱壽朋

日本醫學進步之速，直可追蹤德國。著作之多，汗牛充棟，卽漢醫研究，亦頗極一時之盛。其名著如湯本求眞之皇漢醫學三卷，第一卷爲總論傷寒論大意，及太陽病篇，第二卷述少陽病，第三卷述陽明、太陰、少陰、厥陰各病，頗能發中醫所未發，精微盡致。日野五七郎之和漢藥物學，分正續二編，正編述植物藥，續編述動物鑛物各藥。小泉榮次郎之和漢藥考前後二編，採藥五百餘種，於各種藥分爲異名、產地、製法、基本、品類、成分、效用、處方、用法、用量、禁忌、來歷、備考、雜纂等項，序次詳明，發揮亦多。淺田和壽衞之和漢醫籍學由述難經本義和解釋和漢醫學脈理解說傷寒論分類疑解金匱要略義解俱有科學性，可供吾華醫之研究。他如岡本幸一郎之和漢藥實典，栗原廣三著之漢方醫藥全書，石原保秀之和漢處方富士川游著之民間藥具原益軒纂修之藥草藥木療病寶典，理學士松島種美著之藥草藥木速治療法、野津猛原著之漢法醫典、香川修德著之一本堂藥選寺島良安著之和漢三才圖會東洞吉益著之藥徵丹波元堅著之訂補藥性提要三村玄碩著之靈寶藥性能毒大成俱有獨到之見，對於漢藥漢醫，學理上之發揮，與經驗上之紀錄，頗能實是求是，洞中肯綮，可供吾醫藥界之參考也。

衛生

衛生講話（續）

董志仁

秋—秋天寒暖不定、各種急性傳染病、仍有續發的機位、尤其是肺炎病傳播的當令、除繼續的撲滅蚊蠅、禁食生冷瓜菓外、對於時令上的衛生、在中國醫衛書鼻祖內經素問調神大論內紀載、謂『秋三月、此謂容平、天氣以急、地氣以明、蚤起蚤臥、與雞俱興、使志安甯、以緩秋刑、收斂神氣、使秋氣平、無外其志、使肺氣清、此秋氣之應、養生之道也、逆之則傷肺、』這一段是秋季的絕妙養生法、把牠演繹做通俗文、就是說、萬物之容於天地間的、到了秋天、在動物界已可不慮暴熱的侵襲、植物界已可收花結實、一切自然界都不要耗勞其精力、可以得着平定的修養、更因秋日天氣多風、風力轉動快速、大地上物色、不榮不枯、一片清肅的氣象、故曰天氣以急、地氣以明、在這時候、應該早睡早起、早睡可避初寒、早起則吸入新涼秋爽之氣、能使神志安甯、和緩秋令的肅殺、若是養生合着時令、就不致患生感冒、肺氣清肅、肺炎菌就不會來親近了、否則逆傷秋氣、則各種呼吸氣病肺病等等、難免要趁其技倆了、

冬—冬天寒冷、一般人都需要取暖、在火爐上的衛生、大約已在第七講寒暖篇說過、現在所需要補說的、就如十六講結婚篇裏說過的、『其一因着天時暑熱、衣單臥簟、頗能引起性慾、寒天畏冷、同枕共衾、可以取暖、也是交媾的好機會、』我們要知道夏天是開泄之令、一般人爲天時炎熱、身體本來覺着疲倦、總是分床來得衛生、可是冬天就不對了、他們以爲身體卽使因房事虧乏了、也可以用滋養藥補足、而不明瞭藥物是療治疾病、若把牠糜補血肉有情的軀體、是何等困難、何況冬季是蟄藏之令、開泄精竅、又是違反大自然的氣化、古云、順天者昌、逆天者亡、順天就是應時、眞是千金不易的遺訓、而我國社會習俗、不明此理、於青年娶婚的擇吉、日期每在冬季

、新婚燕爾、更加忘其所以、那末疾病的侵襲、壽命的短促、產生子女的薄弱、直是意料中事、是該大聲疾呼、請讀者注意的、

記事

本社第十次討論會記事

本社第十次討論會、於六月十五日午後三時、在中扇子巷陳鼎丞醫寓舉行、到者有阮其煜周子叙程賓範施稷香高一志湯士彥陳鼎丞王一仁諸君等、除討論問題外、並繼續研究本草經、所載研究之稿、又多由電話中續成之、茲併錄於下、

一、西法藥液針、何以不能屢用、（傅仲華）

答、蓋謂其有過敏性之故、恐其中毒也、

二、本草之研究、

●大棗

原文：氣味甘平無毒，主心腹邪氣，安中，養脾氣，平胃氣，通九竅；助十二經；補少氣；少津液；身中不足；大驚；四肢重；和百藥；久服輕身延年。

（一）甘平：表示大棗爲滋養品，故曰甘；又因其有鎮靜神經之作用，而能解抽，平驚，故曰平。

（二）主心腹邪氣：心腹指大腦神經；邪氣指神經性病狀；因有鎮靜大腦神經之主要作用，故曰主，心腹邪氣。

（三）安中：指對於神經系統，皆有鎮靜之作用。

（四）養脾氣：此大棗爲滋養品，有滋養人體之作用。故曰養脾氣。

（五）平胃氣：指能鎮靜胃腸之蠕動，故能止胃腸之絞痛。

（六）通九竅：九竅者二目孔，二鼻孔，一口，二耳孔，以及前陰後陰是也。通九竅者指大棗有滋養性，能使九竅之部位得以健康是也。

（七）助十二經：十二經指整個之臟腑；助十二經，表示大棗對於整個之臟腑，有滋養性之作用。

（八）補少氣：少氣者如多走路，即現氣促狀者是也；多走路即現氣促，表示心臟虛弱，所以補少氣，就是對於心臟有滋養之作用。

（九）少津液：人體現津液缺乏狀用大棗可以滋補之，因有滋養性，故能使人體現津液充足之狀。

（十）身中不足者，如現四肢無力者，大棗能治之；謂大棗爲全身之強壯劑。

(十一)大驚：謂虛弱性之抽筋症可用之；然熱症不能用。

(十二)四肢重：謂大棗有強壯肌肉之作用。急性熱症之四肢重，不能用。

(十三)和百藥：與劇烈性之藥品同用，有和緩藥性之作用。

劑量　六至十個

禁忌　(1)胃部覺脹滿者　(2)有嘔吐症者。　(3)有高熱者。

注意　從前常用者爲南棗，現今常用者爲紅棗。

●芡實

原文：氣味甘平濇無毒；主溼痹腰脊膝痛；補中除暴疾，益精氣強志，令耳目聰明，久服輕身不飢，耐老神仙。

(一)甘平濇　能補中除暴疾，益精氣強志，令耳目聰明，指有滋養性，及強壯神經之作用，故曰甘。能治泄瀉，能止夢遺滑精；對於婦人帶下，最爲有效，故曰濇。能利尿止痛，故曰平。

(二)主濕痹腰脊膝痛！此藥可作『羅麻質斯』之副藥，而有止痛利尿之效。

(三)補中除暴疾：如上吐下瀉之霍亂症虛脫時，曰暴疾。暴疾者，不但指心臟虛脫狀，同時神經亦現虛脫狀。芡實有滋養神經之作用，故曰『補中』；亦可作爲暴疾後之調養劑，故曰『除暴疾』。

(四)益精氣，強志；令耳目聰明：芡實能治遺精症。精既固則精力益；精力益則志強，而耳聽目明矣。

劑量　三錢至一兩。

禁忌　芡實之肉，極能耐飢；消化不良者，忌食其肉；因芡實肉能阻礙消化之作用。作以上諸治療用時，是服其煎出之汁，不當食芡實之肉。

●蓮實

原文：氣味甘平無毒；主補中養神，益氣力；除百疾；久服輕身，耐老不飢延年。

(一)甘平：因蓮實有滋養性故曰甘；有收斂性而無奮興性，故曰平。

(二)主補中養神：指完全的神經系統。神乃指大腦，中乃指交感神經。蓮實對於神經系統，有營養之作用，故曰主補中養神。

(三)益氣力，除百疾。氣力者指心力也；蓮實能滋養交感神經，若交感神經強則心力亦強。同時抵抗疾病之力強而可免除百疾矣。

劑量　三錢至一兩

禁忌　蓮實極耐肌，故消化不良者，不甚相宜。

附：(1)蓮蕊鬚之主要作用爲止遺精。劑量錢半至三錢。(2)蓮房之主要作用，爲治療白帶。劑量一至三個。(3)蓮薏即蓮心，有安神與止渴之效三分至一錢。(4)鮮荷葉之主要作用，爲退炎，止血；瀉痢亦用之。劑量一角。(5)鮮荷梗，有通乳液之效。劑量，一尺。

●薏苡仁

原文：氣味甘微寒無毒；主筋急拘攣，不可屈伸；久風濕痺，下氣；久服輕身益氣。

(一)味甘微寒：因能益氣故曰甘。氣指心力；益氣者指有強壯心臟之作用。因主筋急拘攣以及下氣故曰微寒。

(二)主筋急拘攣，不可屈伸：是指肌肉痙攣；如患霍亂症時，小腿肚之肌肉抽痛者，服薏苡仁能和緩之

(三)久風濕痺：指兩下肢腫，其腫是由脚部起，向上而腫至膝者，名久風濕痺，凡下肢腫者，服薏苡仁，有消腫之效，故能治久風濕痹。

(四)下氣　凡有下肢腫爲主證之氣促，可與麻黃同用，有平氣促之效。在科學言之，氣促而現下肢水腫者，爲心臟病之現狀，此可知薏苡仁有強壯心力之效，亦有利尿之效。

注意　浸溫後可代茶用；蓋因能增加腎之排泄作用，故有汗之熱症，舌膩者，亦可用之。霍亂吐瀉之後，可代茶用；蓋因能強壯心力，亦能鎮靜痙攣之故。

三錢至一兩。

舌紅液燥者忌服。

●大麻仁(又名火麻仁)

原文：氣味甘平。無毒。主補中益氣。久服。肥健不老。神仙。

(一)甘平：能補中益氣。爲使人肥健之主要藥。故曰甘。因富含脂肪。故有潤腸之作用。可作爲通利大便之副藥。故曰平。

(二)主補中益氣：大概因其有脂肪類之滋養性。能強壯神經與心臟。故曰補中益氣。

(三)久服肥健：使人肥健。是此藥之主要功用。概因大麻仁富含脂肪。故能使人肥健。或因含有維他命乙。Uitamine B，正如魚肝油中所含者相似。能增加人體之免疫性。使其不易患各種傳染病。故曰健。

凡嬰孩之神經系統。發育較易者。必須飼以富脂肪之食品

。有極多神經系統之官能病。因其食品中缺少脂肪之故。若「中性脂肪」在腸化成脂酸時。可與鈣鎂等之化合物相合。吸收入血。而有舒長骨骼之作用。故體中之脂肪缺乏者。能阻礙骨骼之舒長也。

劑量　爲滋養劑　五分至錢半　潤腸　錢半至四錢

禁忌　腹瀉者忌用。

◉巨勝子（三角胡麻又名黑芝麻）

原文：氣味甘平無毒。主治傷中虛羸。補五內益氣力。長肌肉。塡髓腦。久服輕身不老。

（一）平甘：爲滋養劑之一種。故曰甘。因能潤腸。故曰平。

（二）主治傷中虛羸。補五內。益氣力：巨勝子能滋養交感神經。故能主治因交感神經虛弱而現之虛羸。若交感神經健康。則胃腸肌與心肌之緊張力。是屬正規。而消化佳良。心力亦健康也。

（三）長肌肉。塡髓腦：巨勝子中所含之脂肪甚多。脂肪之在人體中。不但能使人肥胖。亦爲強健與骨之主要物質。故曰長肌肉。塡髓腦。

注意　此藥因含脂肪甚多。故常用爲潤腸劑。

劑量　三錢至五錢

禁忌　腹瀉者忌用。

◉赤箭（赤箭之根名天麻）

原文：氣味辛溫。無毒。主殺鬼精物。蠱毒惡氣。久服益氣力。長陰。肥健。

（一）辛溫。急性羅麻質斯內服有効。概因有消散關節炎之効。故曰辛。中藥以赤箭爲袪風劑。袪風卽鎭靜痙攣。然而對於麻木痛癢。可作緩和劑。故曰溫。

（二）主殺鬼精物。如急性羅麻質斯之疼痛。以及痙攣諸狀。其形勢正如被「鬼精物」所附。此藥能去除之。故曰殺鬼精物。

（三）蠱毒惡氣。概指日久的羅麻質斯。此藥有治療之効。

（四）益氣力。長陰肥健。「李時珍曰。補益上藥。天麻第一。世人止用之治風。良可惜也。」可知「赤箭」不但鎭靜神經之作用。也有一種強壯性質。比如副甲狀腺之內分泌缺乏者。易現「痙攣」之狀。若赤箭能興奮副甲狀腺。使其內分泌增加者。豈非爲一種強壯劑。又如體中缺少鈣質者。易現「痙攣」之狀。若赤箭中富含鈣質者。服赤箭後。卽可增加體中之鈣質。而使痙攣狀消滅。古人以赤箭能益氣力。長陰。肥健。實有至理在焉。

劑量　內服一錢至五錢

注意　黃耆合天麻。爲腦虛暈眩聖藥。

●乾地黃(卽大生地)

原文：氣味甘寒。無毒。主傷中。逐血痹。填骨髓。長肌肉。作湯除寒熱積聚。除痹。療折跌絕筋。久服輕身不老。生者尤良。

(一)甘寒。因爲強壯劑。故曰甘。因有消炎性。與止痛性。如能除痹療折跌絕筋。故曰寒。

(二)主傷中。表示能強壯神經。中醫所謂補腎是也。

(三)逐血痺。概指因損傷後。而現如痺之疾病。故逐血痹。卽表示此藥對於如慢性羅麻質斯之疾患。有消炎性。

(四)填骨髓。長肌肉。表示能使人肥胖強健。

(五)作湯除寒熱積聚。寒指神經虛弱現狀。熱指因神經虛弱。而有不安之現狀。積聚二字。就虛弱者而言。此寒熱非指體溫增高。因體溫高者。不能用。

(六)除痹。療折跌絕筋。慢性羅麻質斯。以及折跌絕筋者。概因消炎性與止痛性之故。

注意　按中醫言大生地能補血。可治貧血症。無退熱之効。熟地補血之効爲最大。鮮生地有退熱與安眠之効。亦有止痛之効。如折跌絕筋者多用之。

劑量　乾　三錢至八錢
　　　熟　三錢到一兩
　　　鮮　八錢至二兩

禁忌　(1)泄瀉者　(2)消化不良舌苔厚膩者。

●麥門冬

原文：氣味甘平無毒。主心腹結氣。傷中傷飽。胃絡脈絕。羸瘦，短氣。久服不老不飢。

(一)甘平　因有強壯劑之性質。故曰甘。因有鎮靜作用。故曰平。

(二)主心腹結氣。結氣、卽爲邪氣結聚。是「不安現狀」之變換詞。心腹指整個的神經系統。麥門冬有鎮靜神經之作用。故曰主心腹結氣。

(三)傷中　傷中指交感神經虛弱。

(四)傷飽　指胃有充血狀態。傷飽者、有覺餓而食後不爽之狀。舌發紅者、可用之。在西醫言之。舌是胃腸之代表。舌發紅、是舌之充血狀。舌現充血者。其胃粘膜亦必現充血。在中醫言之。舌紅是陰虧狀。按陰虧二字。卽指交感神經虛弱。交感神經虛弱者。血管之收縮放大。亦可在特種之部位上。有放大或縮小之現狀也。

(五)胃絡脈絕　卽指脈有間歇狀。可知麥門冬對於心臟。有強壯之作用。或許是因強壯交感神經之作用。

(六)羸瘦短氣　麥門冬旣爲強壯劑。服後得其効者。羸瘦自然成爲健康肥胖。短氣在中醫又名氣虛。氣虛卽指心力虛弱。

劑量：一錢半至三錢

禁忌：(1)舌苔膩厚者、(2)胃寒(卽現吐酸與胃痛等狀)、而胃口不開者、(3)胸口氣悶者、

注意　中醫以麥門冬能養精液。故舌乾燥而發紅者、可用之。

◉天門冬

原文：氣味苦平。無毒。主諸暴風溼偏痹。強骨髓。殺三虫。去伏尸。久服輕身、益氣、延年不飢。

(一)苦平　葉天士曰、「苦平」俱降陰也。又云「味苦」可以祛溼。「氣平」可以清熱。此藥能主治半身不遂。(卽半身麻痹)乃有「平血壓」與「消散」之作用。故曰苦平。

比如左半身麻痹者。乃因右腦出血之故。右半身麻痹者。乃因左腦出血。在主治腦出血時。第一卽須平其血壓。第二卽須消散已出之血液。故中醫乃以苦平二字總括之。又

因能治傳尸鬼疰。故曰苦。

(二)暴風溼、偏痹、強骨髓。指半身不遂。是腦出血之現狀。表示天門冬可治腦出血。如患左腦出血者。右面之上下肢等、均失其効用。待病痊愈時。上下肢卽能復其效用。故用強骨髓三字、以表示之。

(三)殺三蟲、去伏尸。表示天門冬不但有殺寄生蟲之効。更有殺滅「結核桿菌」之作用。

(四)清心熱。瀉肺火。清心熱卽平血壓。凡肺炎者、有退炎化痰之效。故曰瀉肺炎。此爲經歷所得者也。

劑量　一錢至三錢、

禁忌　(1)腹瀉者、(2)胃寒者、卽如吐酸水胃痛等狀者、爲胃寒、(3)脈沉細者、(4)因有感冒發熱、而脈洪大者。

◉萎蕤(又名玉竹)

原文：氣味甘平。無毒。主中風暴熱、不能動搖。跌筋結肉。諸不足。久服去面黑䵟。好顏色、潤澤。輕身不老。

(一)甘平　有滋養神經之作用。並能潤澤皮膚。故曰甘。能潤肺燥。卽止乾咳。能治風溼，卽鎮靜運動神經。能治跌筋結肉。卽能消散慢性炎。故曰平。

(二)中風暴熱。不能動搖。中風暴熱。指忽然發作之腦出血症。可用之爲副藥。因有清熱之效。(清血卽平血壓。)不能動搖。指在腦出血後、身體有不能動搖之部份也。因患腦出血之人。其身體之三部、或數部。現麻痹狀、而不能動搖矣。

(三)跌筋結肉諸不足。筋帶或肌腱、因跌而成之慢性病。曰跌筋。肌肉因跌傷而成之疼痛。曰結肉。跌筋結肉等、屬乎不足之病。此藥有改正與消散慢性關節炎之作用。

(四)去面黑䵟。好顏色。潤澤。外用可作蜜糖。能去雀斑。能潤澤皮膚。

劑量　一錢至三錢、

禁忌　(1)感冒不能用、然患肺結核病者、若加受感冒、或可用之、(2)熱高時不能用、(3)腹瀉者、(4)胸口閉悶者、

●牛膝

原文：氣味苦酸平。無毒。主寒溼痿痹。四肢拘攣。膝痛。不可屈伸。逐血氣。傷熱火爛。墮胎。久服輕身不老。

(一)苦酸平、苦除溼熱。指能清散關節炎。而治急性羅麻質斯。或許對於關節炎有殺菌之作用。故曰苦酸。舒筋指能鎮靜運動神經。故曰酸。有退炎解抽之作用。故曰平。

(二)寒溼痿痹。指急性羅麻質斯。或許是指「淋病性膝關節炎。」又牛膝治下肢急性之關節炎。凡在腰以上之疼痛不用之。其藥力是達於下肢、而不行於上肢。

(三)四肢拘攣、因牛膝有鎮靜運動神經之作用。故可治「四肢拘攣」。

(四)膝痛不可屈伸。逐血氣。牛膝之特效。行於急性膝關節炎。對於關節炎、有退熱殺菌之作用。故曰逐血氣。

(五)傷熱火爛、熱溼火傷等之外傷。外用。有殺菌退炎止痛之效。

(六)墮胎、因其性爲苦酸平。蓋因能毀壞卵巢之分泌。或減低子宮內之養育力。故能墮胎。

劑量　二錢、

禁忌　(1)腹瀉者不能用、(2)腰以上之疼痛、不能用、

注意　牛膝可分爲三種、(1)懷牛膝其特效是治關節炎、(2)川牛膝肌肉因疲乏而疼痛者、可用之、以強壯肌力、而恢復其疲勞、(3)土牛膝、可用以治淋濁、並有利尿之作用、

牛膝搗汁外用漱喉、以治喉痛、有消炎殺菌之作用、

本經所論之牛膝、是指懷牛膝、尋常用者、是懷牛膝與川牛膝、至於土牛膝、罕見於藥店、乃見於草藥攤中、

◉杜仲

原文：氣味辛平。無毒。主腰膝痛。補中益精氣。堅筋骨。強志。除陰下溼癢。小便餘瀝。久服輕身耐老。

（一）辛平、有消散性、而能治慢性羅麻質斯。主治腰膝痛。故曰辛。

有安撫性而能止膝腰痛。除陰下溼癢。治小便餘瀝。並能安胎。故曰平。

（二）主腰膝痛。能止腰膝痛。慢性羅麻質斯可用之。而急性羅麻質斯、不能用。

（三）補中益精氣、能使睪丸之內分泌增加。而強壯交感神經。故曰益精氣、補中。

（四）堅筋骨強志。不但能強壯體力。也能強壯精神部。故曰堅筋骨強志。中醫以「杜仲」爲「補腎」之特效藥。腎虧卽神經虛弱。補腎卽強壯神經是也。

（五）陰下溼癢、或是指婦女因虛弱而有之白帶。以是所成之溼癢。而男子之繡球風。並不相宜故。

（六）小便餘瀝、尿後滴滴不清之狀。多因「前列腺」變大之故

。此藥對於生殖泌尿器。或許有安撫之作用。對於前列腺變大。或有消退之作用。故能治小便餘瀝。

劑量　三錢至一兩、

禁忌　(1)有高熱者、(2)有感冒者、(3)消化不良、舌苔厚膩者、

◉枸杞

原文：氣味苦寒。無毒。主五內邪氣。熱中消渴。周痹風溼。久服、堅筋骨。輕身不老。耐寒暑。

（一）苦寒。（或作甘平）因枸杞是一種強壯劑。中醫以枸杞能補腎氣。腎虧症可用之。有壯陽之作用。故曰甘。因能平五內邪氣。治熱中消渴。除周痹風溼。故曰苦寒。枸杞少苦味。當以甘爲是。

（二）五內邪氣、指五藏因虛弱而現之疾病。

（三）熱中消渴、消渴指糖尿病。因糖尿病、有消瘦口渴之現狀。故曰消渴。熱中是指消渴來源之代名詞。蓋以爲消渴之來源。由於火熱蒸耗其津液者。故曰熱中。

糖尿病是由於胰島患病。而使糖之氧化作用失效。枸杞能治糖尿病。或許是由於能增加糖之氧化作用。

（四）周痹風溼、周痹者、因虛弱性而有之上下遊行、周身俱

痛之病也。概指患虛弱性病人所患之肌肉痛、或神經痛。風溼指慢性羅麻質斯。用枸杞治療、不但有強壯之效。亦有止痛之作用。

(五)久服堅筋骨、輕身不老、耐寒暑。枸杞是補腎藥。故能堅筋骨。補腎者、即能奮興生殖腺是也。

劑量　錢半至五錢、

禁忌　(1)強陽不痿者、因能壯陽故也、(2)消化不良、(3)大便溏瀉者、

注意　常用者、爲枸杞子、以名「蓋棗王」者爲最佳。

附　枸杞根名地骨皮、結核病之潮熱用之、有清熱之效、結核病之潮熱、是因結核桿菌之毒素、在血中過多之故、中醫以地骨皮有「涼血除虛熱」之功效、概因能消溶結核桿菌之毒素、故其氣味苦寒也、

地骨皮之製量、一錢半至三錢、大便泄瀉不能用、

◉女貞實(又名女貞子、即冬青樹子、)

原文：氣味苦平。無毒。主補中、安五藏。養精神。除百病。久服人肥健。輕身不老。

(一)苦平、虛勞咳嗽症可用之。蓋因能消溶結核桿菌之毒素。故曰苦。患虛勞咳嗽、夜間不安眠者。能安神止咳。並能安五臟。故曰平。

(二)主補中。安五臟。養精神。除百病。因其味苦。即表示能消滅結核桿菌之毒素。故神經系統。得以恢復其健康。故曰補中、養精神。神經系統之康健。以可得其恢復。則百病自除矣。中醫以女貞子爲養陰藥。「養陰者」。即所謂「交感神經、恢復其健康也。」其性「平」表示女貞子對於五臟。有鎮靜之作用。故曰安五臟。

劑量　一錢至三錢、

禁忌　(1)泄瀉者、不能用、(2)惡寒者、不能用、(3)感冒以及患傳染性熱症者、不能用、

◉五加皮

原文：氣味辛溫。無毒。主治心腹疝氣。腹痛。益氣療躄。小兒五歲不能行。疽瘡陰蝕。

(一)辛溫、有消散性。能治慢性羅麻質斯。能治疝氣、及寒氣性腹痛。故曰辛。對於下肢有興奮性。能益氣療躄。故

曰溫。

(二)主治心腹疝氣。心腹疝氣。指胃腸積氣。而腹部覺脹滿者。服之有疏氣之效。溫度低者可用。溫度高者、不能用。

(三)腹痛、指寒痛。不是熱痛。寒痛即因受冷後之腹痛。常與腿痛相連者。熱痛指食物吃壞之疼痛。

(四)益氣療躄　因患羅痲質斯。而脚軟無力者。服五加皮。因有發散性。並能促進排泄性。而去羅痲質斯。故能使無力之下肢。成爲有力。故曰益氣療躄。並不是直接有益氣之作用。益氣指對於下肢有強健之作用。

(五)小兒五歲不能行。能治軟骨症。五歲時、若仍不能行者。可以確斷其有軟骨症也。故曰小兒五歲不能行。

(六)疽瘡陰蝕。疽瘡指在身體陰面之蜂窩組織炎。陰蝕指陰部潰瘍。五加皮辛溫。對於疽瘡陰蝕。有消散性、並有促進潰瘍部血液循環之性質。故能治疽瘡陰蝕。

劑量　三錢至一兩、

禁忌　(1)舌紅燥者、(2)溫度高之疼痛症、

◉肉蓯蓉

原文：氣味甘微溫。無毒。主五勞七傷。補中。除莖中寒熱痛。養五藏。強陰益精氣。多子。婦人癥瘕。久服輕身。

(一)味甘、因有強壯作用。故曰甘。

(二)微溫、可治婦人癥瘕。因略有消散作用。故曰微溫。

(三)主五勞七傷。張隱菴曰、五勞者、志勞思勞煩勞憂勞恚勞。七傷者、喜怒憂悲思恐驚之七情所傷也。

按科學醫言之。喜怒哀樂、以及思慮意志。皆歸大腦精神部管理之。肉蓯蓉對於精神部虛弱症、可用之。然精神錯亂之顛狂病症忌用。若現虛弱之精神錯亂。息短者、可用。

(四)補中、指肉蓯蓉能強壯交感神經。

(五)除莖中寒熱痛。因房事過度、而陽舉。時有欲止性、疼痛者。可用。淋病性之莖中痛、忌之。

(六)養五藏。對於五藏有強壯之作用。

(七)強陰、益精氣、多子。此藥能壯陽。蓋因有興奮睪丸之作用。故能強陰、益精氣、多子。

(八)婦人癥瘕。腹內所積之硬塊曰癥。腹中有聚散不常者曰瘕。此藥因能促進硬塊部之血液循環。而增其排泄量。故可消散硬塊。倘硬塊現發炎諸狀者、忌用。

劑量　一錢半至四錢、

禁忌 (1)性慾過強者、(2)舌苔膩厚而黃色者、(3)腹瀉者、

◉巴戟天

原文：氣味辛甘。微溫。無毒。主大風邪氣。陰痿不起。強筋骨。安五藏。補中增志、益氣。

(一)辛甘微溫、因有消散性。故曰辛。因有興奮性。故曰溫。因有強壯性。故曰甘。

(二)主大風邪氣。指大腦血管、因栓塞而成之痲痹症。巴戟天能治之。因此藥性辛微溫。故有興奮與消散之作用。

(三)陰痿不起、巴戟天爲壯陽藥。故能治陰痿不起。

(四)強筋骨、因係一種強壯劑。故能強健體力。

(五)安五藏、補中。巴戟天能強壯交感神經。而安五藏。故曰安五藏、補中。

(六)增志益氣、因此藥能強壯神經、增加體力。故曰增志益氣。

劑量 錢半至三錢、

禁忌 (1)溫度高者、(2)性慾過強者、(3)消化不良、舌現黃色者。

◉五味子

原文：氣味酸溫無毒。主益氣欬逆。上氣。勞傷羸瘦。補不足。強陰。益男子精。

(一)酸溫。患欬逆上氣者。服之能平氣。患遺精者。服之。能止遺。故曰酸。患慢性氣管炎之咳逆上氣可用之。而急性氣管炎。以及感冒咳嗽。忌用者。因能促進局步的血液循環。故曰溫。

(二)主益氣。能強壯呼吸器管。增加呼吸力。故曰益氣。

(三)欬逆上氣。慢性氣管炎之氣促。服之。有平氣之效。急性氣管炎。以及感冒咳嗽忌用之。有惡寒發熱之咳嗽症。亦忌用之。

(四)勞傷羸瘦。補不足。凡因勞苦過份。而羸瘦者。服此藥後。能恢復其健康。故曰勞傷羸瘦。補不足。

(五)強陰益男子精。強陰非指壯陽。乃能使性交之時間加長。患遺精症者服之。有止遺之作用。故曰強陰。益男子精。

劑量 八分至錢半。

禁忌 (1)感冒咳嗽。(2)無汗之熱症。(3)消化不良者。

◉覆盆子

原文：氣味酸平。無毒。主安五藏。益精氣長陰。令人堅強志倍力、有子。久服輕身不老。

(一)酸平　能固精而治遺精。並能縮小便。故曰酸。因能安五藏。故曰平。

(二)主安五藏　中醫以覆盆子能益腎臟補肝虛之藥。所謂益腎臟。即指強壯神經系統。補肝虛者。指能強壯交感神經。若神經系統強壯。則五藏自安也。

(三)益精氣長陰　此藥能起陽痿。故曰益精氣長陰。

(四)令人堅強志倍力有子。蓋能使神經系統強健。又能興奮生殖腺。而有起陽痿之作用。故能令人堅強志、倍力有子。

劑量　一錢半至三錢

禁忌　(1)性慾過盛者(2)小便不利者

◉蛇床子

原文：氣味苦辛。無毒。主男子陰痿濕癢。婦人陰中腫痛。除痹氣、利關節。癲癇。惡瘡。久服輕身好顏色。

(一)苦辛　因有收燥止癢殺菌消炎之作用。故曰苦。因有發散性。故曰辛。

(二)主男子陰痿　因此藥有壯陽之作用。

(三)溼癢　此藥能收燥止癢。

(四)婦人陰中腫痛　此藥有退炎之作用。

(五)除痹氣利關節　能治慢性羅麻質斯。有消炎殺菌之作用。

(六)癲癇　指無瘈瘲之癡呆狀精神病。可服此藥。有抽筋狀者不用。

(七)惡瘡　指日久不愈瘡瘍。無論內服外用。均有治療之效。

劑量　一錢至五錢。

禁忌　(1)性慾過盛者(2)熱度高者(3)消化不良者

◉菟絲子

原文：氣味辛甘平。無毒。主續絕傷、補不足。益氣力、肥健人。

(一)辛甘平　因能主治「絕傷」。概因有消散之作用。故曰辛。能強陰益精。故曰甘。強陰者、即能強壯交感神經。益精者、因有強壯生殖腺之作用。雖強壯交感神經。亦有鎮靜神經之作用。雖能強壯生殖腺。却不是壯陽劑。又能固精而治遺精之病。故曰平。所謂益陰清熱是也。

(二)主續絕傷　絕傷者、指因外傷有骨折。或小血管斷絕流通之損傷也。菟絲子不但有辛散而有消散之作用。更有補力、而能促進血液循環。而使「絕傷」處易於聯續之作用也。

(三)補不足益氣力肥健人　因能強壯神經及生殖腺。故能補

中国近现代中医药期刊续编·第二辑

不足。益氣力、肥健人。

劑量　三錢

禁忌　(1)消化不良者(2)大便燥結者(3)小便不利者

◉沙參

原文：氣味苦微寒無毒。主血結驚氣。除寒熱。補中益肺氣。

(一)苦微寒　此藥常用以治肺結核病。概因有殺滅結核桿菌之作用。故曰苦。此藥能治肺結核病之乾咳。而感冒咳嗽。絕對禁用。故曰寒。

(二)主血結驚氣。指煩燥性病狀、血結是煩躁不安之變換詞。中醫以沙參能清心火。即沙參能主治各種神經性躁動不安之狀。故曰主血結驚氣。

(三)除寒熱　非指感冒性之惡寒發熱。是指虛弱性之寒熱。

(四)補中　此藥在中醫稱爲養陰藥。凡舌苦脫液而口燥者。服之能生津液。或能強壯交感神經之效。

(五)益肺氣　因能清虛熱。殺肺結核桿菌。益能強壯交感神經、而能增加肺力。故曰益肺氣。

劑量　三錢至一兩

禁忌　(1)舌苦膩厚消化不良者(2)有感冒者

◉澤瀉

原文：氣味甘寒無毒；主風寒濕痹；乳難；養五藏，益氣力，肥健消水；久服耳目聰明，不飢延年，輕身；面生光，能行水上。

(一)甘寒　因能增加氣力，使人肥健，故曰甘。因能利尿，去水腫；主治慢性羅麻質斯，故曰寒。

(二)主風寒溼痹：能主治慢性羅麻質斯，故曰，主風寒溼痹。

(三)乳難　乳汁少者，服之有通乳之效；對於肥胖之婦人，較爲有效，概因能興奮乳腺之作用。

(四)養五藏，益氣力，肥健消水：澤瀉爲最常用之利尿劑。

(五)藏與人體有積水之病者，服之有去水之作用，故能安五藏，益氣力，肥健消水。此外泄瀉者，亦有止瀉之作用。

(五)面生光，能行水上：概因能興奮『皮脂腺』，故能使皮膚光滑。又因患水腫之病症者，服之有去水之作用，而使身輕，故曰，能行水上。

劑量　三錢至八錢。

禁忌　尿多者不能用。

贈書誌謝 （並代介紹）

國醫雜誌 第五期 上海西門內南石皮弄 每期三角

醫界春秋 第七十九期 上海西藏路西洋關弄第廿號 每期壹角六分

神州國醫學報 第十期 上海厦門路尊德里 每期壹角

醫學雜誌 第七十一期 山西省城精營東二道街北首 每期壹角五分

（杭州市國醫公會年刊第一期 杭州市佑聖觀巷五十四號）

中國醫學院第四屆畢業紀念刊 上海租界區北河南路老靶子路 每期壹元

精神病廣義 上下二冊 寧波鎮閘街四十一號 每部二元四角

家庭醫藥常識 第六期 蘇州吳趨坊一三七號 每期八分

本社代售

中國醫藥問題 每期一角二分

三衢治驗錄 每期一角二分

中國時令病學 每期二角五分

國醫雜誌 第四期 一角五分

山西醫學雜誌 第七十期 一角五分

中華民國二十二年七月一日出版
醫藥衛生月刊第十二期
主編者 王一仁 杭州上城彩霞嶺十一號
發行者 中國醫藥學社 杭州上城彩霞嶺十一號

月刊定價表

另售每冊六分 （郵費） 國內日本一分 國外及香港澳門六分

預定全年十二冊七角二分郵費在內

國外預定全年一元五角郵費在內

本刊寄售處

本市 古今圖書店（保佑坊） 維新書局（湖濱）

上海 國醫學會（西門內石皮弄） 中醫書局（山東路） 千頃堂（三馬路）

蘇州 國醫書局（吳趨坊）

南京 建國書店（成賢街）

衢州 聚秀堂（下街頭）

山西 中醫改進研究會（太原精營東二道街）

醫藥衛生月刊第一年刊誤表

期數	頁數	行數	誤	正
一	下三	十	汙	汗
一	上四	七	滅	減
一	下四	八	臉	瞼
一	下四	十	臉	瞼
一	上五	五	小	少
一	上五	十九	法於	於法
一	下五	八	疼	痨
一	上六	十五	到	利
一	上六	十六	脯	哺
一	下八	十四	炙	灸
一	下九	十六	迴	洄
一	上十三	十四	劾	效
一	上十五	十五	嘔	錢
一	下十五	四	或	成
一	下十五	六	桅	梔
一	上十六	九	桅	梔
一	下十六	四	荒	莞
一	下十六	十七	旅	流
一	上十八	十	際	傺
一	上二十	二	椿	椿
一	上二十	十七	要	要
一	下二十	十七	朽	朽
一	上二一	二	的	吃
一	上二二	十八	空	腔
一	下二二	十	菜	萊
一	下二二	十二	升	順
一	下二三	十	搏	縛
一	下二三	十	是	知
一	下二十三	十七	樂	藥
二	上六	十八	茯苓	厚朴
二	下六	十	燠	懊
二	上七	二	温	濕
二	下十	七	攣	痙
二	下十	十一	劑	臍
二	下十一	十一	透	誘

醫藥衛生月刊第一年彙訂刊誤表

二	下十一	十六	乏	之
二	下十四	五	謂	藥
二	下十五	四	。	圓
二	下十六	九	藥	醫
二	下十六	十四	杏	者
二	下十七	九	恨	狠
二	下十八	三	。	老
二	上二〇	十一	云	物
二	上二〇	十六	共	空
二	上二一	二	者	剔去
二	上二一	十二	梁	粱
三	上九	十	絃	弦
三	下九	十三	絃	弦
三	上十二	五	之	於
三	上十四	十	淺	治
三	上十四	十四	稍	梢
三	上十四	十六	稍	梢
三	下十四	六	汙	汗
三	上十五	十二	經詩	詩經
三	上十七	五	離	離
三	下十七	十八	灸	炙
三	下十九	十九	拆	折
三	上二十一	十	稍	梢
三	上二十二	七	于	子
四	上六	八	去	主
四	上九	二	診	論
四	上九	三	辨	辦
四	上九	五	苓〇	川芎
四	下九	十三	療	瘵
四	上九	十五	儷	仆
四	下十	十五	氣正散	正氣散
四	下十	二	各	及
四	上十	十六	★	鳴
四	上十一	十六	並	煎
四	上十五	五	贊	臂
四	上十七	十五	的	約
四	上十八	十三	君可	言而
四	上十九	四	熬	熱

四	下二十二	三	乘	○
五	上二	十五	家	象
五	下二	十五	種	經
五	上四	十三	太	少
五	上四	十三	三焦…共落去二十八字	
五	下四	十九	脤	脈
五	上七	十四	其	之
五	上八	五	譫	謂
五	上八	六	恢復	感
五	下九	七	○	痙
五	下九	十五	痊	噤
五	上十	十	骨	○
五	上十	十	冐	詈
五	下十一	十三	內	外
五	上十二	二十	盡	儘
五	上十三	二	脤	脈
五	上十四	十八	○	餞
五	下十四	三	角	錢
五	下十四	四	一	熱
五	上十六	八	帯	草
五	上十八	十三	人	入
五	上十八	十六	允	久
五	上二十	十四	和	的
五	下二十一	一	桐	柏
五	上二十二	十四	慣	鑒
五	下二十二	二	者	書
五	下二十二	五	幻	幼
五	下二十二	十二	褔	濕
六	下二	十五	因	固
六	下三	四	愈	俞
六	上四	三	病	脈
六	上五	二	渴	溫
六	上五	八	脤	脈
六	下五	九	謂	剔去
六	下八	十二	髓	隨
六	下八	十五	祟	崇
六	下十	七	發	毒
六	上十一	九	訓	調
六	上十二	七	待	待
六	下十四	十	旣	概
六	下十五	十二	手	于
六	上十六	十六	倘	倘
六	上十七	二	班班	斑斑
六	上二十	十八	除	須
六	上二十	十八	教	教育

醫藥衛生月刊第一年彙訂刊誤表

六	下二十	十九	須	更
六	上二十一	八	胥	胥
六	上二十四	九	一	鈎
六	上二十四	十一	件	存
七	上六	五	焰	餡
七	上六	六	熱	熱
七	下十	十二	葷	暈
八	上七	十三	閱	關
八	下七	十八	性	情
八	下八	二	過	遇
八	下八	十六	渾	滓
八	上十	八	沈	沉
八	上十一	十五	虐	瘧
八	下十一	四	成	或
八	下十一	十七	稟	○
八	下十一	十八	之	○
九	上二	十三	管	營
九	下十七	十四	甘	石甘
九	上十九	十	拚	姘
九	上十九	十一	拚	姘
九	上二十	十五	駿	騃
九	上二十一	十一	拚	姘
九	下二十一	一	時	日
九	下二十二	二	菜	萊
九	下二十三	七	手	人
十	上五	五	曰	剔去
十	上十二	二	也	剔去
十	上十四	九	大	太
十	上十四	十二	閏	瞤
十	下十五	三	吉	桔
十	下十六		官	宮
十	上十七	十六	官	宮
十	下十七	四	○	羌
十	上十八	十七	徵	維
十	上十九	十	上	言
十	下十九	十	○	胱
十	上二十	十六	五	六
十	上二十三	十八	督	膂
十一	上六	十九	汗	汗
十一	上七	十五	法	治
十一	下十	九	附方	炙
十一	上十三	十三	前	剔去
十一	上十三	十	澗	間
十一	下十五	一	歎	歎
十一	下十五	四	日	曰
十一	上二十	八	灸	炙
十一	下二十一	五	與	興
十一	上二十二	十二	痢	利
十一	下二十二	十二	胖	健
十一	下二十三	六	緊	緊

投稿簡則

一、本刊內容分學說筆記衛生藥物雜俎餘興等欄以稿件贏缺爲增删標準

二、投稿不拘文言白話論究中西醫藥衛生學說以有含義者爲歸繕寫務希清晰以免訛謬或删棄

三、投寄之稿本社有酌量增删之權

四、稿末請註明姓名住址以便通信地址如有更動亦請隨時通知揭載時之署名可聽投稿者自定

五、投寄之稿經本社揭載後當于每年統計投寄最踴躍及最精警者稍備文具奉酬以示敬意

六、投寄之稿請寄杭州上城彩霞嶺十一號本社

中華民國二十二年七月二十日出版

醫藥衛生月刊第一年彙訂

精裝全一册價洋八角

主編者 王一仁 杭州上城彩霞嶺十一號

發行者 中國醫藥學社 杭州上城彩霞嶺十一號

月刊定價表

另售每册六分	(郵費) 國內日本一分 國外及香港澳門六分
預定全年十二册七角二分郵費在內	
國外預定全年一元五角郵費在內	

本刊寄售處

本市 古今圖書店（保佑坊）
維新書局（湖濱）

上海 國醫學會（西門內石皮弄）
中醫書局（山東路）
千頃堂（三馬路）

蘇州 國醫書局（吳趨坊）

南京 建國書店（成賢街）

衢州 聚秀堂（下街頭）

山西 中醫改進研究會（太原精營東二道街）

·白页·

王一仁主編

醫藥衛生月刊
第二年彙訂本

范耀雯署耑

中國醫藥學社印行
杭州東坡路湖濱七弄第三號
電話一〇九六號

凡例

總則 本刊主旨在闡發中國醫藥學理經驗並破中西名詞見解之爭執以揚真理而裨實用為歸

學說 關于專載論文長篇鉅著說理精粹宏體達用

筆記 長短篇章闡發醫藥學理各有取材歸于精當

方藥 或方劑之特效或一藥之專長述其理事以備取用

雜俎 于醫藥有關之事物可助臨床或研究之用者

雜錄 關于醫藥論文或挈領提綱或崇論宏議義有指歸理無偏倚

衛生 攝生之旨人皆知其重要此獨發其精要之事理以為延年之助

記事 專載討論內容鉅細不遺所載本經研究尤能為研究藥學者之指南

醫藥衛生月刊第二年彙訂要目

學說

筆記

方藥

雜俎

雜錄

衛生

討論內容要目索引

醫藥衛生月刊第二年彙訂要目

文藝

醫藥衛生月刊第二年彙訂要目

醫藥衛生月刊

茹香 [seal]

第十三期　王一仁主編

民國二十二年八月一日出版

中國醫藥學社印行

杭州上城彩霞嶺十一號

電話一〇九六號

學說

仁盦醫說(十一續)

●經脈與生理系統(七)

王一仁

膽何以有裨於三焦之蒸濾。則可以今日之生理學說印證之。膽汁由肝臟所產生。從肝細胞分泌。入小肝液管。由小肝液管匯於較大肝液管。以入膽囊。或直接入總膽管。在消化時。則膽汁由膽囊、或總膽管輸入十二指腸。以助胰液脂肪酵。以消化脂肪。乳糜管之吸收。從此開始。殘餘之糟粕。乃得下行。故膽汁入腸化物。實有澄清之力。考膽汁為近鹼性液體。味苦而性寒。苦能下降。寒能消毒防腐。促進小腸之吸收機能。液汁吸出。由淋巴管(三焦)而傳佈。然非膽汁澄清下降之力。則淋巴管必有混濁之慮。生理學上以膽汁之功用。可以排泄體內廢物於體外。如一部分之色素、及有機酸、肝液精、蛋黃精、與各種無機鹽。皆屬此類廢物。又能促速脂肪消化、及吸收。又能刺激小腸蠕動。又能反射刺激肝液分泌。總其最大之功用。實不外于澄清。因膽汁之入腸。淋巴液以之而吸收。糟粕以之而下行。肝藏門脈以之而迴血。腦神經以之而清明。故素問靈蘭祕典論云、「膽者、中正之官。決斷出焉。」非澄清固不能決斷也。又素問六節藏象論云、「凡十一藏、皆取決于膽。」所以極言其重要者。澄清泄濁。在整個生理上。所關甚鉅。是皆鑿鑿可據。何曾有一空玄說意味乎。膽有澄清泄濁之功。三焦(淋巴)又為血管系統之附屬。有新陳代謝之作用。兩者皆屬少陽經。故素問陰陽離合論云、「少陽為樞。」與太陽之為開。陽明之為闔。成立三角連繫之生理。

少陽之名義既明。今且論其氣化。六微旨大論云、「少陽之上。火氣治之。」膽汁本苦。苦為火味。舊有「相火」之號。膽汁之寒。固有防腐消炎之力。然其苦味實能生溫。今日生理學測知人身臟器。以肝臟溫度為較高。豈知此較高之溫度。卽由膽囊而來乎。故中醫學上。以肝為一陰。膽為一陽。一陽附于一陰之中。以維持其肝膽生理之平衡。膽為黃色汁液。蓋由紅血素之色素而成。紅血球衰老、及身體各部網狀系統之動作。起紅血素分解作用。脾肝細胞吸收其剩餘之鐵質。而肝臟更將其餘剩部份。排出于小肝液管、而成肝液色素。換言之。膽汁之成。乃出自肝臟之無用物。而因其澄清、以助淋巴管(三焦)之分泌。竟起不可思議之妙用。人身內臟生理之奇持。于此一端可見。因膽汁有澄清以助分泌之功。三焦之蒸濾。乃可完成其功用。小淋巴管本不易見其形狀。唯小腸之乳糜管。較爲明顯。脂肪經消化後。便被乳糜管吸收。已消化之脂肪汁液。色白而似乳。乳糜管內卽充滿此類乳形狀之液汁。由此卽可跟蹤胸腹淋巴管。以得其跡象。上章所述靈樞營衛生會篇論列上中下三焦之道路。卽淋巴管之途徑。可覆按也。淋巴管一方吸收淋巴液及乳糜。輸送於靜脈。一方又自各細胞中，攝取老廢物。排泄于體外。因膽汁之澄清。而完成其蒸濾作用。然非空間之火溫。則亦無以促成其生理之平衡。故炎夏爲出汗最多之日。亦卽淋巴管排泄老廢物最多之時。人生而無夏。疾病固可減少。人生而無夏。生理必起變端。以火氣少而三焦病。火氣滅而三焦危矣。三焦無火。等于釜底無薪。何能蒸發酵氣乎。故四時皆須保其體溫。內藉膽汁之澄清。三焦固可全其用。然必待空間之火溫。而後三焦之積廢盡除。三焦之生理全復。金風送爽。而透體清涼。神志俱適。非偶然也。

少陽雖爲火氣所治。然火鬱太過。以致膽汁之澄清。三焦之分泌。盡失其常度。亦有轉而爲少陽病者。如傷寒論「少陽之爲病。口苦、咽乾、目眩。」此卽膽有鬱熱、而咽目淋巴腺炎之象也。「往來寒熱。胸脅苦滿。或嘔、或煩、或咳。」此卽陽樞之開闔失利。淋巴壓脹之象也。小柴胡湯以柴胡黃芩半夏爲主要藥。黃芩以泄有餘之火。柴胡以疎三焦（淋巴管）之滯。半夏化痰。卽所以化淋巴液之壅塞也。三焦卽淋巴管腺。故柴胡、半夏、可治腺質瘰癧病。淋巴腺兼有吸收分泌排泄之作用。然不能離于肺腎之呼吸。更有賴于膽汁之澄清。雖附屬于血管系統。實爲製造血液、澄清血液、之主要機轉。所以能吸收分泌排泄者。則藉火溫之力。如肺臟之吸養。可以造溫。腎臟之濾尿。亦可以生溫。膽汁之化物澄清。更爲造溫之要素。最顯者。尤莫如炎夏蒸發多汗之時。可以窺見三焦之治理也。胸頸淋巴液、隨呼吸以運用。伴營血而週流。此卽靈樞營衛生會篇「上焦如霧」之說。胃腸間之乳糜管。傳靜脈及門脈而化血。卽「中焦如瀆」之說。腹腔淋巴、外散爲體溫。下入膀胱而爲尿溺。此卽「下焦如漚」之說。合如霧、如漚、如瀆、而言。初不外于水氣之形狀詞。三焦之得溫以分泌。亦由水氣之得火以蒸化。「少陽之上。火氣治之」。謂爲比例之抽象詞、可。謂爲生理之平常狀態。亦無不可。

傷科之辨症及其施術

黃亞雄

吾家習傷科、四代相傳、曾祖精拳術、遇一鳳陽老人肩草藥至、先曾祖卽速入、款待殷懃、三年不倦、老人云、余走江湖六十年、未嘗遇此、(問其姓氏不答)、就布袋中抽出破書數頁、交曾祖曰、汝將此書細研、可世世不愁衣食矣、後照法行施、有曾平河者、以紅羊軍績、陞任閩提督、遷家於衢、其女牙關節脫臼、遍延醫者瞠目相視、先曾祖施手術即愈、於是哄動三衢、求診者、數百里皆聞風而至、鄙人秉承吾父之教、在家自習應診、已閱二十餘年矣、謹將傷筋骨斷脫臼三種辨別常識、以經驗所得、並附以捕術補救方法、附入本刊、倘閱者能領會之、亦可得傷科實際之効用也、

(1)凡傷筋多在各部關節處白膜筋。(即新名詞之韌帶)、富彈性、有司伸屈功能、受傷現狀、紅腫疼痛、伸屈不靈、爲關節部位無變更、即可診斷筋傷、此症不必用手術、但服藥、應時時爲適度之伸屈、即愈、

(2)凡骨斷多在手臂腿關筋脊肋各部、肌肉紅腫、疼痛徹骨、支持力失却、以指揑之、其人痛即汗出、重揑則骨有響聲、須用手術將骨揑整、再將杉皮削薄成片、用五六片不等、用黃紙包就、綳紮患處、一月、不許動移、服藥後、經過適度時間、自然恢復原狀、杭虞祥林氏用米袋配疊傷處、亦佳、

(3)脫臼、須察各關節有無變更情狀、如肩關節脫臼、其手即下垂、不能與胸壁緊夾、肩關節上處、現凹形、腿關節脫臼、其足必向外或向內、足不能直伸、疼痛徹骨、此時不能用強度搖動、須用手術順性抖進、恢復其原狀、如年老者、紉帶固着力薄弱、還須用布緊紮其患處、免移動時仍再脫、肘關節脫臼、其形狀爲腫痛、彎舉力失却、此亦須手術抖進、但不可用大圓徑搖動、以再傷其白膜筋、此處進臼後、服藥時、還須天天作一次以上之伸屈、以免靭帶彈性、失其固有伸屈之功能、踝部脫臼、位置完全成凹凸形、形狀最易顯明、有時病人自己能用手恢復、然須用布帶紮緊、免其位置動移、牙關節脫下、亦易明了、口不能脗合、飲食不能進、此處手術最易、將兩拇指插入口中、兩旁下大齒部位、向下斜度稍稍用力、一撳、即合臼、腕關節脫體、先要觀其現狀、若用手術恢復、再用(杉皮)(形狀與骨斷同)布紮好、服藥後、亦能愈、但每三兩日亦須動作一二次、免將來靭帶失却伸屈彈性、

總之、三項傷症辨明之後、不可亂動手術、蓋傷筋不必綳紮與手術、宜應時適度動搖伸屈、免白膜筋失固有彈性功能、傷骨宜整其固有情狀、用杉皮布帶緊紮、避免無規則動移、致加損骨質、妨礙恢復也、脫臼用手術。不宜杉皮緊紮、三症倘不辨明、時間性延誤、由病理轉入生理變化、固有功能反常、

卽殆終身之患矣、

方藥

乳汁缺乏之原因及通乳良方

俞愼初

經曰：『食入於胃，脈道乃行。』又曰：『水入於經，其血乃成』。此乃謂食物入胃，受胃液之消化，其糜粥傳入於腸，經腸液、膵液、胆汁之作用，化爲營養分，由腸絨毛管之吸收，上歸於心，而化爲血，一則行於脈管，循環全身，一則由衝任二脈導引而下，與癸水會合，男則化精，女則化經。蓋婦人妊娠之時，則月經停行，所以養胎也；至分娩後，而月經仍停行，因一部分營養分上行，不入於心，故不得統化爲血，而注於乳房，分泌爲乳汁。女子之血有餘，歧而分爲二，若血液缺乏，身體羸弱，不足自給，何能分而爲二，故在平時月經必少，或兩月一行，或三月一行，或半年一行；分娩之後，則乳汁因之而缺乏。茲將通乳之良方，錄列於下，以備缺乏乳汁者之採用。

洋參三錢　黃芪六錢　白朮五錢　首烏五錢　牛膝三錢　通草三錢　當歸六錢　川芎三錢　熟地五錢　白芍五錢　王不留行三錢　半服亦可，用猪蹄一對，先煎藥去渣，後入猪蹄炖。

洋參（入胃後能助胃消化，其類似葡萄糖「沙波甯」（Saponin）「巴那規倫」（Panaquilon）至小腸腸絨毛管將該成分吸收血中，能促進血液之循環。助長血球之產生）。

黃芪（能亢奮心筋機能，收縮血管，使胃間之營養分，不致全被吸收）。

白朮（刺激胃液增加，助其消化）。

首烏（入胃後能助胃消化。入血內能促進血液中酵素作用）。

當歸（刺激血液中氧化酵素，令血液中之氧化迅速）。

牛膝（行血散瘀）。

川芎（和血鬱，疎氣滯）。

熟地（內含有鐵質，滋補血液）。

白芍（養血）。

通草（通乳道，引乳汁）。

王不留行（刺激乳腺，導引乳汁）。

猪蹄（滋養氣血，補充乳汁）。

綜觀以上藥物之功用，可分爲補氣、養血、通乳、健胃，蓋氣血充，胃腑健，則消化良，而營養足，並佐以通乳之藥，故則有乳，誠良方也。

預防鼠疫及急救効方

高一志

今之所謂鼠疫者。即係熱疫症也。西醫所謂百斯篤者是也。其病狀、大概初起、則頭痛如破。昏憒如迷。甚至咽喉乾燥。眼白皆赤。兼或口吐鮮血者。亦有之。本刊第五期有李健頤先生所著之鼠疫之研究、及療治鼠疫之方藥兩則。第九期中之療治鼠疫之略識。述之甚詳。茲不佞再將鼠疫預防法、及臨時急救法。施治屢驗者。列諸於左。

一、預防鼠疫簡易之効方：生萊菔即蘿蔔、不拘多少、切碎、以食鹽拌浸、約二時許、再用眞生蔴油拌、每日早晚餐時、用以代小菜、以解燥熱二毒、取其化痰升氣、使熱不內伏、此法雖貧病者亦易爲事、雖平庸而効力已屢試屢驗、幸勿忽略視之、(又方)金銀花三錢、野菊花四錢、甘草三錢、薄荷二錢、生熟萊菔子各錢半、生白芍二錢、共藥七味、如在疫病傳染地方、或自覺略感不適、即用清水煎服、

二、鼠疫臨時救治方：生石膏一兩至八兩、烏元參四錢至七八錢、野菊花四錢至一兩、射干二錢、金銀花四錢至一兩、連翹四錢、甘草二錢、丹皮四錢、薄荷二錢、川貝母二錢、藥十味、如已染鼠疫、即用清水、不拘多少、服至全愈爲止、但南方人士、因水土淺薄、故生石膏烏元參野菊花三味、似宜小量、至多五錢、以視病者之體格強弱、而定藥量之多少焉、

錫類散于爛喉痧之治驗

高一志

爛喉痧者、身發痧疹、而喉嚨上下潰爛腐敗、疼痛不堪之症也、其傷人最速、乃急性傳染病之一種、經三四日間、喉部腐爛、煩燥不安、口噤痰哮、湯水不能下咽、以至死亡、此乃該症通常現狀、故無論男婦老幼、甚易羅染、而小孩之殞命於此症者、尤居多數、考此爛喉痧之稱、係中醫名之、而西醫則名曰實扶的里亞、據稱係由實扶的里桿菌所發生、其治法祇有注射血清、及以切開之法而已、但照學理血清注射、祇能於預防時期施之、至於已經潰爛決非注射血清所能奏効、即使切開、手術亦屬危險、且効驗未必十分完滿、故求妥善而靈効者、則惟我國中醫家所擬之錫類散一方、錫類散者、乃治爛喉痧之吹藥也、方用牛黃、珍珠、象牙屑、冰片、青黛、指甲、壁錢、七味等分、研極細、待用、詳見喉科專集、而陳繼宣先生疫痧草喉痧輯要、尤在涇之金匱翼等書、無不詳述用之、故此散

無論喉痧非喉痧、凡喉部潰爛而白腐、其痛如火灼者、用此散吹入患處、能化腐爲新、疼痛立止、輕症三日、重症七日、定可全瘳、惟日夜一週、須吹藥數十次、至少亦須七八次、未有不轉危爲安也、去冬揚州鎮江二埠發生此疫、因而致死者甚夥、凡吹此散、無一死亡、可見此散之効驗與價值、望同志廣爲宣傳、以種福田、是所盼企、

雜俎

醫藥鱗爪

沈仲圭

小引

一年來吾於本刊供獻之文字。皆爲一鱗半爪。未有較長之篇幅。足供同道研究之助者。日前以神經性胃痛。商治於王一仁先生。先生勗吾作一有系統之專著。以充實月刊之內容。歸而思之。神經衰弱。文思滯鈍如吾者。欲爲連篇累牘之巨製。實屬大難。惟於診讀餘暇。偶有所得。援手記之。倘爲吾力所能及。亦爲吾心所願爲。乃賡續吾一年來未完之鱗爪。以副一仁先生之雅命。

冷心痛

金石萃編北齊造像記載冷心痛方。『吳茱萸一升。桂心當歸各三兩。搗末。蜜和丸。如梧子大。每服口（圭按此字已糢糊不能辨識。）丸。日再服。漸加至三十丸。以知爲度』。按此方以萸桂之辛熱。定痛開胃。當歸之甘潤。和血益營。則剛柔相濟。久服而無流弊。誠胃陽不振。肝氣橫逆。以致痛楚頻作之良方也。

夢遺

家庭常識七集人體部有夢遺方。『熟地六兩。雲苓二兩。山藥四兩。丹皮二兩。蓮鬚一兩。龍骨（生研。水飛淨。）三錢。芡實二兩。山萸肉四兩。魚鰾（蛤粉炒成珠。）四兩。共研末。蜜爲丸。清晨晚間。淡鹽湯送下三四錢。一料即見功効。』按此方係六味地黃丸去澤瀉。金櫻丸去金櫻子。加魚鰾而成。益陰固精。雙輪並進。蓋治精關不固。虛象叠見之症。若夢遺。宜側重清火。如封髓丹大補陰丸之類。方爲合拍也。

年壽長短

摯友黃君勞逸爲余言。『嘗見某書載。人身細胞之代謝。一生有一定之次數。勞心或勞力太過。及常爲疾病纏繞之人。細胞之死亡甚易。即代謝之次數加速。而生命乃不永矣。試觀

頭腦簡單。勞力不甚之人。往往年登古稀。精力不衰。若埋首試驗室之科學家。或每日工作十時以上之勞工。輒因身心衰憊。不永其年。莊子曰。『毋勞汝形。毋搖汝精。乃可長生』。斯眞養生圭臬。亦與現代科學原理相契合也。』余聞黃君言。恍悟吾早老之由來。并預知「吾年之不永。」蓋余以多病之身。復口事讀書著述不已。全身細胞。受斧斤之伐。宜乎死亡之易。(指細胞)代謝之速矣。

茶話

沈仲圭

吾人之皮膚，在夏令排洩之汗液，較其他三季倍蓰。故飲茶之分量亦特多。爰述茶話四則，以爲講求飲食衛生之借鏡。

I 茶葉宜細。因採摘之時期早，茶葉中硅酸之含量少，而爲害於消化器者亦微。

II 以適量之芽茶，注以沸水，約五分鐘，濾取清汁飲之。如是硅酸溶解於水者不多，自然有益無損。

III 上午八時，下午四時，爲飲茶最適宜之時間，平時如覺口渴，可以開水代之。不慣開水之淡泊者，可加菓子露一匙於水中。

IV 茶葉有興奮神經，及解渴利水之功用。故小溲短赤，精神不振時，飲之尤佳。

雜錄

本草經考

董志仁

本經一書，究竟是否出于神農、傳聞異詞、用爲考證、唯淺學不文，謬誤之處，尙希明哲指正！

帝王世紀曰：『黃帝使歧伯嘗味草木，典醫療疾，今經方本草之書出焉。』

鄭文焯曰：『班固敘言：「黃帝內外經；本草石之寒溫，疾病之淺深，……」今所傳有黃帝內經，乃原疾病之書，則本草其外經與？』

按歧伯爲黃帝之師；相傳黃帝問於歧伯，製立素問，始顯醫源；但素問之名，始見於漢張機傷寒論中：

左傳曰：『不愆於素，並訓素爲法、』

素問者，法問也；猶楊雄著書，謂之法言也。審是則素問之名，當始於漢季，內經尙係僞託，本草當然因之。然或曰：皇甫謐撰世紀，祇言歧伯典醫事，未嘗及於素問，其甲乙經序，始稱今有素問九卷；亦不言所自出；則素問明爲後人託撰，而本草經或始於黃帝也。又據醫學源流，歷代名醫圖考曰：

『皇甫謐；西晉人，字士安，號玄晏先生，博古通今，聚書萬卷，精於醫術，作甲乙經。』

是皇甫謐學博精醫，藏書萬卷，考證當無謬！其甲乙經序，有「伊尹著本草一書」句，則本草尙是伊尹所撰。但據陶宏景云：『軒轅以前，文字未傳，藥性所主，常以纖纖相因，至於桐雷，（桐君，雷公皆黃帝時臣也）。乃著在編簡，草本應與素問同類也。』則梁七錄所謂『本經所載郡縣，有後漢地名，似張華所爲。』鄭文焯曰：『本經所言郡縣，皆合漢名，而以吳郡爲大吳，其藥有禹餘糧，王不留行，徐長卿，石下長卿，亦非周秦之文；其言鉛錫，正合書禮，而與魏晉後反異，然則其書出於張機華陀，同時無疑』云云，皆不然也。又日人中尾萬三云：『漢平帝四年，（西歷紀元五年，）徵召通方術本草者來京師；同時王莽時有樓護者，自云能誦讀醫經本草方術數十萬言，想當時尤係口授；因無本草之名稱，及專書之刊行云云：更屬不當。據不佞愚見推測神農本經之作者，循序如下：

（三皇）神農炎帝——嘗百草。

（三皇）皇帝，岐伯，桐君，雷公，——考徵百草，創本草經。

（殷）伊尹——修傳本草經。

（東漢）張仲景——據本草經，作神農本草經。

（魏）華陀李當之——修改神農本草經。

據淮南修務篇云：『……於是神農乃教民播五穀，相土地；相土地宜燥宜濕，肥墝高下，嘗百草之滋味……，一日而遇七十毒……，』搜神記曰：神農務嘗百草，以赭鞭鞭百草，時盡知其平毒寒溫之性。鄭文焯曰：『蓋金石草木，燦然各別，惟草爲難識，炎黃之傳，惟別草而已，遂本之以分百品。』是神農所傳者，惟百草而已。且神農生長於姜水，都曲阜，其所識之草，當在陝西，山東所特產者居多，金石之品無有也。而文字之創始，尙在神農炎帝五百餘年之後，當時轉相授受，難免訛傳；故黃帝時復使岐伯嘗味草木，以典醫療疾，而黃帝聰明英武，其臣佐如螺妃發明蠶絲，大橈作甲子；餘如貨幣，宮室，衣裳，舟車，弓矢等，無不發明於黃帝之時；即如倉頡始製文字，亦屬黃帝之臣，惟是創造伊始，當頗簡略。不過古代以黃爲中央之色，中央屬土，土爲萬物之母，黃帝之稱號，亦一中央集權之表徵，於是一切古代文化上之傳說，遂集中於黃帝，其臣佐如岐伯桐君雷公等，均能精通醫藥，本草經之誕生於是時，亦屬事實上所當然。嗣至周之伊尹，既發內經素問之蘊，復著湯液之論，必有修正傳述本草經者。皇甫謐有藏書萬卷，故能知之；且時當夏周，神權特盛，一般人頗好煉餌之術，故有輕身不老之語。至東漢張仲景，以發明藥草者神農也，神書立說，是宜祖述神農，故取原有之本草經，增加當時試驗之藥品，共計三百六十五種，以合周天之數，分列上中下三品，以成神農本草經。梁七錄疑神農本經有漢名，斷非前人創作者，或此故也。歷代名醫圖考曰：『張機錄本草藥性，作神農本經三卷』而於魏華陀傳；又謂漢魏以來，名醫益衆，張機華陀輩始因古學附以新說，通爲編述，本章由是見於經錄；然舊經才三卷，藥祇三百六十五品，謂之神農本草經。』又於李當之考曰：『李當之華陀弟子也，修神農舊經作藥錄』，據此：華陀既作神農本草經，則其弟子，不當修改其師之作品。若李當之果有修正舊經之說，所修者，當係張機之神農本草經，華陀必無本經之著作也。否則師生合作修改，亦未可知；人因張機之本經，不具作者姓名，遂致誤疑華陀所撰，而弟子李當之所修改矣。又據醫學大辭典神農本經考曰：『本草之名，僅見於漢書平帝紀及樓護傳，而藝文志不載，或以是疑之；然禮記醫不三世不服其藥，鄭注愼物也。孔疏引舊說云：三世者；一曰黃帝針灸，二曰神農本草，三曰素女脈訣。周禮鄭註：五藥；草，木，虫，石，穀也，其治合之齊，則存神農子儀之術；今漢書藝文志，有神農黃帝食禁七卷，周禮醫師賈疏引作食藥，賈疏引中經薄，又有子儀本草經一卷；則鄭注禮記所謂物齊正，卽其主，周禮所謂治合之齊。藝文志所載食藥，亦正與孔疏所謂神農本草相當；特其書不以神農本草名，則猶之隱括一經，不以黃帝針灸名耳。梁七錄始載神農本草經三卷，隋經籍志亦載神農經三卷，其卷數不與漢志同，當係古今分合之異，或漢志所載食藥，尙兼有黃帝時書耶？陶弘景云：「軒轅以前，文字未傳，藥性所主，織織相因，至於桐雷，乃著簡編，此書當與素問同類。」其說良是；要之述作有本，其傳非妄。觀漢志農兵，五行，雜占經方，神仙諸家，俱有神農書，則可見矣。然是書淵源雖古，而述作則新，新舊淆雜，由來已久；觀北齊顏之推，已謂本草神農所述，而有豫章，朱崖，趙國，常山，奉高，眞定，臨淄，馮翊等郡縣名，皆由後人所羼，非本文。陶弘景亦謂所出郡縣，乃後漢時制，疑係仲景華元化所記；可知是書之今古合簡，正猶儒書之經傳同編，然節目雖不免混淆，而大體則尤存區別，今世所傳之本，皆出於唐愼微所輯，而其書又有二本；一爲陳振孫書錄解題，所謂大觀本草，一則晁公武讀書志；所謂證類本草也。證類本屢經翻刻，體例益以譌舛，大觀本雖亦非愼微之舊，然朱墨文之剔猶存。嘉祐補注序云：所謂神農本經以朱字，名醫因神農舊條，而有增補者，以墨字間於朱字。開寶重定序云：舊經三卷，世所流傳，名醫別錄互爲編纂，至梁貞白先生陶宏景，乃以別錄參其本經，朱墨雜書，時謂明白；則知宋時所傳，正弘景手定之本，別錄與本經合居一簡，實自弘景始；而二者之混淆不可辨，則宋以後始然也。自是之後，治本草者多家，亦皆云以本經爲主，然多意存致用，非爲考古，以意出入，不可據依。其以考古爲主者；惟清孫星衍及顧觀光輯本；孫本在平津館叢書中，顧本在武陵山人遺書中。』據此，不佞在前之考證，尙無謬誤；惟是神農本草經，除孫星衍及顧觀光考古本外，陶氏別錄尙有可考之處；餘如本草崇原，神農本經疏，神農本經序疏要，神農本經疏證，神農本草經便讀，神農本草經贊等，多存本經之意，而非本經之舊矣。神農本草三家合註；（三卷，或作六卷，附洄溪百種錄）。爲清乾隆郭汝驄小陶編集；謂集桂張志聰陳念祖所注，殊有僞託之疑，查醫學大辭典葉天士考，曰葉桂，字天士，號香岩，清吳縣人；祖紫帆，通醫理，父陽生，益精其術，桂少受家學，年十四，父歿，從父門人朱某學，聞人善治某證，卽往師之，自十二至十八九，凡更十七師，性復穎悟，故能淹有衆長，名著朝野，年八十乃卒，生平未嘗著述。臨證指南一書，乃後人所輯，蘇浙人治病多宗之，餘書刊桂名者多僞託也。』是天士旣未著作，何來注釋。其書中計上品九十種，附藥三十七；中品八十七種，附藥十六；下品五十七種，附藥十五；計共二百九十二品。已減去本經上中下三品三百六十五種，以合周天之數者多矣。（徐靈胎本草古今論曰：……本草之始，昉於神農，藥止三百六十品，……誤也。）明盧之頤曰：神農本經三百六十五種，應周天之數，無容去取；但古有今無者，居三之一，因於本經取二百三十四種。……』是神農本草三家合註，祇集藥品二百三十四種，採附五十八種者，迨本此意耶？

中華民國二十二年（黃帝紀元四千六百四十六年）歲次癸酉夏日

董志仁書於杭州新民路祥林醫院

太素脈的研究

董志仁

醫生的檢脈，通常在手掌後部；檢脈的功用，是可以偵查心臟病和循環器的合併症。中醫的診脈，可以得知任何疾患的原因與病所，已經是很奇了！而中國從來檢脈法中，還有一種太素脈法；據說能夠確定人命的壽夭，福秩的崇卑，并，先行母而悉子女之休咎，診子女而知父母之生死的，更屬神乎其技，荒天下之大奇。可是俗語說得好『無風不起浪』，假使這太素脈完全不經，決沒有那麽能自圓其說。現在是太素脈法失傳了，不但悟通太素脈的沒有，就是看過太素脈書的也很少，實在無從稽考研究；所以在過去的拙作『醫腦瑣探』中第一篇太素脈的結論斷語：是「脈之強弱長短，醫經原有壽夭之徵，人之善惡靜躁，有經驗亦可測其富貴貧賤，精於診斷術者，不難預操勝算；吾人苟能究心於診斷，雖未考研太素脈法，亦能得心應手，又何必以太素脈爲奇』？在這種武斷按語中推測，可以明瞭不佞對於太素脈法，已毫無希望再去研究他的餘地，那末現在又來研究，豈非是語無倫次，自相矛盾呢？原來不佞這次整理裘補吉生的藏書，曾在故書籍中發現一部『餒太上天寶太素張神仙脈訣玄微綱領宗統』知道就是太素脈訣，爲了趁着這機會，要明瞭太素脈法內容究竟起見，就不屑費了若干時間，先發生幾個疑問，然後在書中詳細的徵求答案。問題可以作爲要目，預告如下：

(一)太素脈有無研究的價值？

(二)爲什麽稱爲太素脈？

(三)太素脈和看相有什麽分別？

(四)太素脈和中醫的診脈法有什麽同異？　：五藥

(五)太素脈究竟可以應用否？

(一)太素脈法有無研究之價值

要明瞭太素脈有無研究的價值，應先討論曾經研究太素脈，或知悉太素脈的言論。不佞讀書淺少，就腦力所能記憶的，錄在下面：

清錢曾讀書求敏記云：「太素脈法一卷，序名仙翁，不知何地人；相傳隱崆峒山，常帶一箍丸藥，出山救人，更於指下決兆吉凶壽限，時人莫不神之，後不知所終。唐末有樵者於其石室石函中，得此書以傳於後。

印雪軒隨筆云：「醫家太素脈訣之傳，不知始自何人；其法以心脈爲君，肝脈爲臣，君臣相應爲貴脈，又以左右各三部，每部分爲十年，十年之中，分作七十二至，以定人命之壽夭，福祿之崇卑，并有診父母而悉子之休咎者，診子而知父之生死者；如智緣爲王荆公診脈，而知元澤登第之類，其言亦皆成理。吾鄉徐靜園尚書，幼時患瘵幾殆，蘋村宗伯憂之；適石門某來縣，延至診治某一診即曰：「是兒功名富貴，過君遠甚，瘵何患焉」！如某者，殆精太素脈者歟？

蔣超伯氏之南漘楛語錄云：「太素脈始自醫和，至宋時有緣僧者，得其法，與王珪王安石同時，察脈能知富貴壽夭，其術遂大行於世，後人謂傳自崆峒樵者非也。

大清相法太素脈論相云：「楊上善立太素脈法，徵休徵咎，比於神鑑；其斷者如脈形圓淨，至數分明謂之清，脈形散濇，至數模糊謂之濁。質清脈清，富貴而多喜；質濁脈濁，貧賤而多憂；質清脈濁，外富貴而內貧賤，失意處多，而得意處少也；質濁脈清，外貧賤而內富貴，得意多而失意處少也。富貴而壽，脈清而長；貧賤而夭，脈濁而促；清而促者，富貴而夭；濁而長者，貧賤而壽；其要如此，特今所行者，不能得其神妙，故有驗有不驗，恐未可奉為金科玉律也？

醫學大辭典云：「太素脈訣一卷，為明人楊文德所撰」。

依照上面的紀載，這太素脈的始祖，或許就是春秋醫和。楊文德是明人，楊上善却是隋人，相差年代很遠，我想楊文德能撰太素脈書行世，楊上善當然有書在前；否則大清相法又從什麼地方去尋楊上善的學說呢？而且自春秋直到明清，其中經過的，如智緣僧輩，都有很好的聲望，和成績，或許另有若干傳書行世，也未可知？對於太素脈的言論，據上面各家的意見，或者含有神奇的態度，或者存着中立的意見，却沒有確定他究竟，就是日本有一部醫方考繩愆，在末二卷脈訣中太素脈論裏說：

「醫家以岐黃為祖，其所論脈，不過測病情，決生死而已，未有所謂太素也。扁鵲倉公之神，仲景叔和之聖，亦無所謂太素也。何後世有所謂太素者？不推測人之病情，而能占人之窮通；不惟決人之死生，而能知人禍福，豈其術反過於先聖？即是：亦風鑑巫家之教耳。初學之士，先須格致此理，毋為邪說搖惑，則造詣日精，而倉扁張王之堂可闖矣。故太素乃醫之旁門，不得不辨，亦惡紫亂朱，距邪放淫之意。孔子曰：『攻乎異端，斯害也已』正士豈為之？

醫方繩愆考論這太素脈，簡直認為左道旁門，邪說異端，不可信仰的。而同書中又有一段說：

『太素脈中，有謂男尺沉實有力則多子，濇弱則乏嗣，女尺滑實有力則多育，弱濇或偏肥偏瘦，則艱於嗣，此乃有驗者也。』

這樣說來，太素脈或許是由實驗而後理想的；中國的醫學，原來是從實驗中推演闡發的，有許多却和現在的科學暗合，也有許多不能用科學理解，現在這部太素脈，歷來的人，都是疑是疑非，悶葫蘆究有若何妙藥？非要設法把這悶葫蘆，先行打破不可！

或有人說：「這悶葫蘆，在現在這科學昌明的時代，是不需要去打破，卽使把他打破了，也不見得什麽妙藥發現？因爲太素脈確有價値，可以應用的話，到現在決不會這末幽默，幽默到幾乎失傳」！這話果然不錯，可是我們也許想到中國素來的惡習—守祕！—卽有幾個卓見，破祕公開，又深恐社會人士，後來學者，不信仰，而加以毀謗，所以每以僞託神仙遺傳以取信；這種惡習的遺傳，就是中國文化，科學，一切事業等，不能發揚光大的素因。如太素脈這部書，據讀書求敏記，說是得自石室石函，而不佞所發見的，卻是神仙張太素所傳，就是一個確實的例子！所以不佞在前面說過，假使這太素脈完全不經，決沒有那麽能自圓其說，因此之故，不佞就趁着機會來研究一下！

衛生

衛生講話（十三續）

董志仁

公共衛生——防疫

凡是有急性傳染的疾病、都可以稱做疫、疫病的侵襲、是無影無蹤的、疫病的傳播，比電波傳遞還要快，假使不先期預防、等到疾病發作、往往是來不及醫治了、

防疫也可以說做免疫、免疫性有兩種：

1.先天性免疫　在母胎內已得有免疫性的、稱爲先天性免疫、例如人之不染牛疫是也、

2.後天性免疫　是生後所得的免疫性、又分爲病後免疫及人工免疫兩種、

子、病後免疫　如曾經感受某種傳染病治愈後、在一定時期內不會再感生同樣的傳染病、例如天花治愈之後、約二十年裏外、不會再患天花了、

丑、人工免疫　用人工的方法、使體內發生免疫體，以抵抗傳染病原、如以人工的方法減輕病原微生物的毒力、製成免疫苗種、注射人體、使發生免疫性、例如種痘和霍亂預防注射等、又有先將病原微物注射到動物體內、使動物的血中、發生免疫體、然後取其血、提出血淸、就叫做免疫血淸，將此免疫血淸，注射人體、亦得免疫、如白喉血淸注射後、得免白喉是也、

對於人工免疫法須注意的：

(1)血淸的過敏性　用血淸注射、要記着是什麽動物的血淸

、假使前幾年曾在身體上注射過馬血清、那末今年如果需要用血清時、就須掉換羊血清或牛血清了、不應該用同性的血清、方可避免血清過敏性的危險、

文藝

詠蚊蠅

張通謨

笑汝斯文冒。偏能弱食強。羣飛頻網漏。作賊敢聲張。傳瘧彌堪恨。露筋安可當。有時消一擱。輸被血先嘗。(蚊)

蟲豸殊多種。營營最可憎。本從瀦溷出。何遽畫堂升。遺具猶汚壁。趨炎亦逐燈。殲除如不早。疫菌恐紛滕(蠅)

記事

本社第十一次討論會記事

本社第十一次討論會、於七月十五日午後三時、在頭髮巷綢業會館程賓範寓舉行、到者有周子叙高一志阮其煜程賓範董志仁王一仁諸君等、除討論問題外，並繼續研究本草經、所載研究之稿、又多出電話中續成之、玆併錄于下、

一、某婦年二十餘、病喘嗄、胸悶息促、甚痛苦、脈弦滑、舌淡白、不喜飲、迭服旋赭沉澤小青龍三子養親葶藶四磨等、皆無大效、胸悶難堪、請賜治法、(張澤霖)

答、此病痰飲成窠、湯劑所不能效、應製丸服之、有病喘嗄經年、服蝸牛露(蝸化水以糖醃)而愈者、大約每次七八條、可得水一杯、此味有去肺粘膜過多之效、若虛者應服金匱腎氣丸、每次一兩，西法用「麻黃精」皮下注射、恐亦僅獲一時之效、

二、本草之研究

菖蒲

原文　氣味辛溫、無毒、主風寒濕痺、欬逆上氣、開心孔、補五藏、通九竅、明耳目、出音聲、主耳聾、癰瘡、溫腸胃、止小便利、久服輕身、不忘不迷惑、延年益心智、高志不老、

(一)辛溫、因有發散性、故曰辛、因能興奮神經故曰溫、

(二)主風寒濕痺、能主治急性羅麻質斯、

(三)欬逆上氣、氣管炎者可用之、有化痰平氣之效、

(四)開心孔、指能主治神志不清、

(五)補五藏、通九竅、對於身體各部、都有消炎之作用、故曰補五藏通九竅、因發炎性之頭痛症、服之有止頭痛之作用、

(六)明耳目、出聲音、主耳聾、此藥對於五官之神經、有興奮

作用、故曰明耳目、主耳聾、出聲音者、或指其能主治神志不淸、或因其有消散喉頭之發炎、故曰出聲音、然喉頭結核症禁用之、

(七)癰瘡、對於癰瘡有消散之作用、

(八)溫腸胃、腸胃寒者、如腸瀉胃痛等症、此藥能主治之、

(九)止小便利、小便過多者、服之使小便減少、概因能與汗腺之故、

(十)不迷惑、卽神志不淸者、服之有興奮之作用、

(十一)益心智、高志不老、因有興奮精神部之作用、

劑量　五分至錢半

禁忌　(1)汗多者、(2)舌紅者、(3)有內熱者、狀卽煩燥口渴喜飲冰物等、

◎遠志

原文　氣味苦溫、無毒、主欬逆傷中、補不足、除邪氣、利九竅、益智慧、耳目聰明、不忘、強志倍力、久服輕身不老、

(一)苦溫　遠志爲常用之化痰劑、可治風寒咳嗽、對於急性氣管炎之功效小、而於慢性氣管炎有化痰平氣之效、並能安神、故曰苦、因能強壯神經系統、能主治傷中、補不足、除邪氣、利九竅、耳目聰明、不忘、強志倍力、故曰溫、

(二)主欬逆、對於慢性氣管炎有化痰平氣之效、

(三)主傷中、補不足、能恢復交感神經之虛弱、而補其不足、

(四)除邪氣　因能恢復大腦精神部之虛弱、可去除各種奇形怪狀之神經性病狀、故曰除邪氣、

劑量　五分至錢半、

禁忌　熱高者禁用、

◎細辛

原文　氣味辛溫、無毒、主欬逆上氣、頭痛腦動、百節拘攣、風濕痹痛、死肌、久服明目、利九竅、輕身長年、

(一)辛溫　此藥因有發散性、故曰辛溫、

(二)主欬逆上氣　患慢性氣管炎者、服之有化痰平氣之效、

(三)頭痛腦動　感冒性頭痛、細辛爲止頭痛之主要藥、然日射病之頭痛不相宜、頭痛腦動者、卽指活動性之頭痛症、

(四)百節拘攣　此藥有解抽之效、故曰主治百節拘攣、

(五)風濕痹痛　指慢性羅質斯可用之、然不惡寒者不能用、熱高者不能用、

(六)死肌　指肌肉麻木者可用之、

(七)久服明目、利九竅　此藥對於頭部之感冒、特別有效、故

曰利九竅、

劑量　三分至八分、

禁忌　(1)煩燥口渴者、(2)熱高者、(3)舌紅者、(4)大便燥結者、

注意　多服能使人昏迷、概因有麻醉性、

柴胡

原文　氣味苦平、無毒、主心腹腸胃中結氣、飲食積聚、寒熱邪氣、推陳致新、久服輕身、明目益精、

(一)苦平　常用以治瘧、概因有殺滅瘧原蟲之作用、故曰苦、對於腺質病有鎮靜之作用、故曰平、有人以爲「主心腹腸胃中結氣」之一句、或是指「內分泌腺之功用、過於興奮時、而柴胡能整理之、」

(二)主心腹腸胃中結氣、飲食積聚、柴胡雖不能有助消化作用、有時亦有瀉效與流氣之作用、故心腹腸胃中結氣、飲食積聚者、指胸腹部現脹滿之病狀、

(三)寒熱邪氣、指柴胡能主治「先覺寒後覺熱之寒熱病」、然平常感冒熱病、以及惡瘧、不用之、若因「淋巴腺炎、而現惡寒發熱之狀者、亦可用之」。

(四)推陳致新、擬串於未潰時用之、淋巴腺炎者可用之、概因能促進淋巴腺之作用、而能發汗、濾去受染之毒質、又有通經之作用、故曰推陳致新、

(五)明目益精　目紅腫痛、臨風流涙者、柴胡有消炎退腫之效、故曰明目益精、是指目明以後、其目力自然健康、故曰益精、

劑量　五分至三錢、

禁忌　(1)感冒熱症(2)舌紅者、(3)內熱甚者、(內熱卽指有煩燥口渴、喜飲冷諸狀者、)(4)汗多者、

升麻

原文　氣味甘苦平、微寒、無毒、主解百毒、殺百精老物殃鬼、辟瘟疫瘴氣、邪氣、蠱毒、入口皆吐出、中惡腹痛、時氣毒癘、頭痛寒熱、風腫諸毒、喉痛口瘡、久服不夭、輕身延年、

(一)甘苦平微寒　升麻並無滋養性、與強壯性、故所謂「甘」者、或須甚因有「升提」之作用、「升提」者、卽其藥效多行於頭痛之意也、或因升麻有和緩之作用、故曰甘、因有解毒之作用、故曰苦、因有鎮靜神經之作用、故曰平、因略能鎮靜大腦部、故曰微寒、

(二)主解百毒、殺百精老物殃鬼、　升麻之主要作用、卽能解一切之毒、內服外用、均可作爲解毒藥、然升麻之解毒、與甘

草之解毒、是有不同之處、甘草是和緩性之解毒、而升麻是發散性之解毒、凡因受毒而現大腦精神部病狀者、或大腦精神部中毒者、升麻能治之、故曰「殺百精老物殃鬼、」

(三)辟瘟疫瘴氣、邪氣蠱毒、入口皆吐出、瘟疫、指流行病之有頭痛發熱者、此藥有解毒之效、如有患「天花」者、亦可用之、以爲解毒之劑、

瘴氣、指山上不正之氣、因吸山上不正之氣而病者、名曰瘴氣、可用升麻以解毒、

邪氣、指一切不正之氣、

蠱毒、指蟲毒在黔桂一帶、有蛇、蜥蜴、蝦蟆、蜣螂、金蠶、等種、或由自然、或由人造、皆爲利己害人之具、名曰蠱毒、銀器遇蠱毒、則變黑色、概因蠱毒中所含者、汞毒爲必有之毒質、升麻有解除之作用、

中蠱毒者、能使精神錯亂、服升麻能治之、概因升麻能解腸中之毒質、食蠱毒者、服升麻、蠱毒能由口而吐出、

(四)中惡腹痛　中惡卽病後或睡臥間、忽而氣絕者、中惡腹痛、概指因腹痛甚而昏厥者、服升麻可治之、其理或因其腹痛是由於中毒、升麻有解毒之效、故可治之、或因升麻能鎮靜胃腸不正規之蠕動、而能止腹疲痛之作用、

(五)時氣毒癘、頭痛寒熱、因有解毒與鎮靜知覺神經、以及運動神經之作用、故能主治時氣毒癘、而止頭痛、時氣毒癘、指流行性之中毒症、凡因中毒性、而致之頭痛寒熱之流行病、可用升麻以治之。

(六)風腫諸毒、喉痛口瘡、風腫者、感受風邪而腫也、風腫諸毒者、概指因受毒而腫之病、升麻可治之、

凡喉痛之紅腫者、升麻有退炎消腫之效、然白喉症忌用之、

注意。。在中醫言之、升麻之作用、行於頭口等處、而下部之病罕用之、謂其藥性向上、而有升提之作用、故有時可以止腹瀉、故在中醫常說、因其藥性向上、下部之病不能用、

按愚見升麻之作用、其效行於人身之上部、是屬藥之特性、升提二字是藥效、特行於身上部之變換詞耳、其止瀉或須是因能中和胃腸中之毒質、刺激、或因其能鎮靜腸胃之蠕動、

劑量　三分至一錢半、外用、研成粉末或煎湯、

禁忌　(1)氣喘者、凡因心臟虛弱之氣喘、與氣管病之氣喘均不能用、然因感冒性之氣喘、有時可用之、(2)吐血者、肺咳血、胃吐血、均不能用、(3)身體下部之病、

◎桂枝

原文　氣味辛溫、無毒、主上氣欬逆、結氣、喉痹、吐吸、利關節、補中益氣、久服通神、輕身不老、

(一)辛溫　本經之「桂」指肉桂、是有充分之興奮性、故曰辛溫、

(二)主上氣欬逆、此藥有特效於肺氣管、水腫之氣、促服之有平氣之效、

(三)結氣、指因受寒、而有之腹痛、

(四)喉痹、指喉部之閉塞症、凡於起病時、即現喉部閉塞之狀、而無高熱者、可用之、慢性者、不能用之、

(五)吐吸、指吐酸水、而兼呼吸急促者、因此藥有平胃與平氣之效、凡胃寒者、可用之、胃寒即如現吐酸水、胃痛等狀之胃病、

(六)利關節、這是指桂枝能治急性風麻質斯、按桂枝之主要作用、即發汗與通經絡、所謂經絡不通者、現四肢痲木狀、通經絡者、即有興奮知覺神經之作用、

(七)補中益氣、補中、指能興奮交感神經、益氣、指能興奮心臟、肉桂與桂枝、均有此項之作用、

劑量　肉桂一分至錢半、桂枝三分至錢半、

禁忌　肉桂與桂枝同、(1)有內熱者、(2)脈搏速者、(3)大便乾燥者、

◎羌活

原文　氣味苦甘辛、無毒、主風寒所擊、金瘡止痛、奔豚、癇痙、女子疝瘕、久服輕身耐老、

(一)苦、甘、辛　能治金瘡、概因有殺菌消毒之作用、故曰苦、羌活無滋養作用、亦無強壯作用、概因有和緩作用、故曰甘、或因能增加皮膚之禦寒性、而主風寒所擊、故曰甘、因有發散作用、故曰辛、

(二)主風寒所擊　指因風寒所受之病症、此藥能治之、因能發汗而有發散性、此藥對於背部受寒而致之病、特別相宜、

(三)金瘡止痛　對於癰疽、有消炎發散之作用、而止其痛、

(四)奔豚　奔豚二字、是形容詞、形容一種病狀、自下而奔向上、或即指「脚氣衝心」之病、然此藥對於奔豚是不常用者、

(五)癇痙　指角弓反張、四肢痙攣、此藥有鎮靜運動神經之作用、故能治癇痙、

(六)女子疝瘕　疝瘕指小腹硬塊、時聚時散、而痛者、概指腸積氣、而腸之蠕動不按正規之病、

女子疝瘕、或是指子宮之病而作痛者、此藥能治之、概因能鎮靜腸之蠕動、以及鎮靜子宮之作用、故能除疝瘕而止痛、

劑量　六分至三錢、

禁忌　(1)感冒症而不惡寒者、(2)汗多者、(3)有內熱者、(4)氣管支炎不相宜、

注意　羌活常用於感冒風寒所成之病、對於奔豚則罕用之、然因其效用特別行於背部、故角弓反張用之相宜、即金瘡之在背部者、亦宜、而在身前面者、亦不甚妥、

◎防風

原文　氣味甘温、無毒、主大風、頭眩痛、惡風、風邪、目盲無所見、風行周身、骨節疼痛、煩滿、久服輕身、

(一)甘温、蓋防風對於胃腸有止瀉之効、概因能增加腸之吸收性、故曰甘、因有發散性、而能發汗、故曰温、

(二)主大風、頭眩痛、大風、或指大麻瘋、因患大麻瘋者、可用之爲副藥、即有敗毒之作用、

大風或指腦出血、因腦出血者、亦可用之、以作副藥、

防風治頭痛極効、或因能治神經痛之頭痛、故曰主大風頭眩痛

(三)惡風、指怕風之病狀、

(四)風邪、目盲無所見、指眼目紅腫而不能視物者、可用之、

(五)風行周身、骨節疼痛、指周身之關節疼痛、即患急性羅麻質斯者、此藥極有効、

(六)煩滿、指有惡寒不出汗、而覺煩滿者、可用之、有內熱之煩滿不能用、

劑量　五分至三錢、

禁忌　(1)熱高而不惡寒者、(2)汗多者、(3)有內熱者、(4)虛弱者、

◎紫蘇

原文　氣味辛、微温、無毒、主下氣、殺穀除飲食、辟口臭、去邪毒、辟惡氣、久服通神明、輕身耐老、

(一)辛微温、有發散性、與略有興奮性、故曰辛微温、

(二)主下氣、因感冒而咳嗽氣促者、有化痰平氣之効、故曰主下氣、然此藥宜於秋令、不宜於春夏、因發汗性頗強之故、

(三)殺穀除飲食、指能促進胃腸之消化作用、而能助消化、此藥能開胃除氣悶、

(四)辟口臭、去邪氣、辟惡氣、因胃腸消化不良、而有之口臭、此藥可用之、因能去除胃腸不良之物質、而辟胃腸中之惡氣

、然因「胃熱」之口臭禁用之、（胃熱卽現舌紅渴飲之狀者也）。

去邪毒、因受山嵐瘴氣而病者、可用之、亦能解蟹毒、辟惡氣、凡穢濁之氣從口鼻入身、而使其神昏者、可用之、故曰辟惡氣、通神明、

注意　此藥常用爲發汗劑、因感冒而發熱身痛者、服之不但能發汗、同時亦有止痛之効、然作發汗劑時，宜於秋冬、不宜於春夏、亦不可多用、因發汗作用較强之故、

劑量　三分至一錢半、

禁忌　(1)汗多者、(2)有內熱者、(3)有腸熱性便閉者。

附註　腸熱性之狀如下、(1)舌苦膩而黃者、(2)口渴心煩者、(3)有潮熱者、(4)有腹滿痛者、

蘇子

凡患感冒咳嗽、而氣促有痰者、服之有平氣化痰之効、然肺炎禁用之、

劑量　八分至三錢、

蘇枝　(卽蘇梗)、

常用以治胸悶止痛、助消化、

劑量　一錢至一錢半、

橘皮

原文　氣味苦辛溫、無毒、主治胸中瘕熱、逆氣、利水穀、久服去臭、下氣、通神、

(一)苦辛溫、對於胃腸有消毒作用、而去臭、故曰苦、因有發散性、能化痰出汗、驅腸內積氣、故曰辛、因能興奮消化腺、而開胃助消化、故曰溫、

(二)主治胸中瘕熱逆氣、指能驅除胃腸內所積之氣、

(三)利水穀、指有助消化之作用、

(四)去臭、下氣、通神、因能助消化、故能去除因消化不良、而有之口臭、因能化痰出汗、故能平氣促、消化良、氣促平、則其功似有通神之効、

劑量　三分至一錢、

禁忌　(1)有內熱口渴者、因多服能使其發渴、(2)虛弱性汗多者、

靑橘皮、其功効與橘皮相同、惟其力較猛、

劑量　三分至八分、

橘核　概因能主治結核性、睪丸炎、以及因虛弱而有之腰痛、故曰主治腎症腰痛、此藥宜於慢性睪丸炎、而不宜於急性睪丸炎、故曰主治腎冷、

劑量　三錢至四錢、

橘葉、此藥有消腫止痛、與止小腹痛之作用、因能消散神經炎、而止神經痛、故曰入厥陰行肝氣、

劑量　新鮮者、一錢半之三錢、

橘白、常用於濕熱、疏氣利濕、

◎辛夷（又名木筆花）、

原文　氣味辛溫、無毒、主治五藏身體寒熱、風頭、腦痛、面䵟、久服下氣、輕身明目、增年耐老、

（一）辛溫、因有發散性、故曰辛溫、

（二）主治五藏、此藥在經驗上、惟對於呼吸器官之病有治療之効、如能治腦漏、急慢性鼻粘膜炎、鼻塞之頭痛、以及化痰平氣、對於其他各臟之病、並無治療之特効、腦漏亦可用辛夷花、塞鼻有效、

（三）身體寒熱、因感冒之惡寒發熱、可用之、因有發汗之作用、

（四）風頭、腦痛、因感冒而鼻塞頭痛者、可用之、眼紅腫而頭痛者、不但有止痛之效、亦有消炎退腫之作用、

（五）面䵟下氣、面患黑斑者、內服有效、下氣即化痰平氣也、

按患見因其性溫、或因能與腎上腺之內分泌、故能去面䵟而平氣促、

劑量　八分至一錢半、

禁忌　（1）患肺炎症者、（2）患肺結核病者、（3）有內熱者、

◎木香

原文　氣味辛溫、無毒、主治邪氣、辟毒疫瘟鬼、強志、主淋露、久服不夢寤魘寐、

（一）辛溫、因有發散性、故曰辛溫、

（二）主治邪氣、辟毒疫溫鬼、此藥尋常用以止腹痛、利胃腸積氣、並能止腹瀉、●藥中常用之、可作爲霍亂之副藥、瘟鬼、爲精神異常之變換詞、邪氣辟毒疫、概指霍亂等症、

（三）強志、病既去而精神恢復、因其性溫、概因對於心臟有興奮性、故曰強志、

（四）主淋露、泄瀉與白帶症可用之、淋病不能用、尿不暢者、可用之、然尿時疼痛者、不能用、

（五）久服不夢寤魘寐、有時可作安神劑之副藥、

劑量　三分至一錢半、

禁忌　（1）有高熱者、（2）有內熱者、（3）舌紅者、

◎續斷

原文　氣味苦、微溫、無毒、主治傷寒、補不足、金瘡、癰瘍、折跌續筋骨、婦人乳難、久服益氣力、

(一)能主治金瘡、癰瘍、概因有消毒殺菌之作用、故曰苦、因略有興奮性、故曰微溫、

(二)主治傷寒、補不足、此藥重用於衰弱性疾患、故患傷寒而現極虛弱時可用之作副藥、

(三)金瘡、癰瘍、因此藥重用於虛弱性疾患，故膿多而稀薄者、可用之、膿厚時不能用、尚未出膿、以及正在發炎時、均不能用、

(四)折跌續筋骨、因其性微溫、而能促進血液之循環、故可連屬、因折跌而斷之筋骨、

(五)婦人乳難、身體虛弱、而乳少者、可用之、

(六)益氣力、此爲主要作用、因此藥重用於各種衰弱性疾患之故、

劑量　一錢半至三錢

禁忌　(1)有高熱者、(2)有內熱者、

蒺藜

原文　氣味苦溫、無毒、主治惡血、破瘕癥積聚、喉痹乳難、久服長肌肉、明目輕身、

(一)苦溫、因有疏散作用、故曰苦、略有興奮作用、故曰溫、

(二)主治惡血、惡血二字、是精神抑鬱之變換詞、本經之蒺藜、是指有刺之白蒺藜、中醫重用於因精神抑鬱而成之各種疾病、故曰主治惡血、

(三)破瘕癥積聚、指能驅除胃腸內積聚之氣質、或指「能去除精神抑鬱而成之疾患」也、

(四)喉痹、並不是喉炎之腫塞、乃是指吞吐不利之狀、如患希司忒利亞者、其喉部常有一種吞吐不利之精神性病狀也、

(五)乳難、因精神抑鬱而乳少者、可用之、

(六)長肌肉、因精神抑鬱而消瘦者、可用之、

(七)明目、眼有紅腫者、此藥有疏散之作用、

劑量　一錢半至四錢、

禁忌　(1)泄瀉者、(2)外感症而熱高者、(3)神經過分虛弱者、

注意　按愚見此藥之作用、正如西藥中之阿魏與甘杜是也、其煜註

贈書誌謝

醫學雜誌　第七十二册　山西省城精營東二道街北首　每期一角五分

醫界春秋　第八十一期　上海白克路西祥康里七十七號　每期一角六分

實業雜誌　第三期　瓊州海口東門內　每期一角二分

醫藥月刊　二年四期　湖南長沙皇倉坪二十六號每期一角二分

細菌學綱要　杭州缸兒巷四十六號　每期五角

診療醫報　第十一期　上海霞飛路一〇六號　每期一角

拯瘼軒醫學就正錄　蘇州吳趨坊一三七號　全書一册五角

現代醫藥學社月刊第二期　福建福清城內官塘境　每期一角

皇漢醫報第五十七期　臺灣漢醫藥研究室　每期三角

本社代售

中華民國二十二年八月一日出版

醫藥衛生月刊第十三期

主編者　王一仁　杭州上城彩霞嶺十一號

發行者　中國醫藥學社　杭州上城彩霞嶺十一號

月刊定價表

另售每册六分	（郵費）國內日本一分　國外及香港澳門六分
預定全年十二册七角二分郵費在內	
國外預定全年一元五角郵費在內	

本刊寄售處

本市　古今圖書店（保佑坊）

維新書局（湖濱）

上海　國醫學會（西門內石皮弄）

中醫書局（山東路）

千頃堂（三馬路）

蘇州　國醫書局（吳趨坊）

南京　建國書店（成賢街）

衢州　聚秀堂（下街頭）

山西　中醫改進研究會（太原精營東二道街）

醫藥衛生月刊

用賓署 王用賓

第(十四)(十五)期　王一仁主編

民國二十二年十一月一日出版

中國醫藥學社印行

杭州上城彩霞嶺十一號

電話一〇九六號

醫藥衛生月刊　第(十四)(十五)期

學說

仁盦醫說(十二續)

王一仁

●經脈與生理系統(八)

至論少陽之經脈。靈樞經脈篇云、「三焦手少陽之脈。起於小指次指之端。上出兩指之間。循手表腕。出臂外兩骨之間。上貫肘。循臑外、上肩。而交出足少陽之後。入缺盆。布膻中。散絡心包。下膈。循屬三焦。其支者。從膻中、上出缺盆。上項。繫耳後。直上。出耳上角。上屈下頰。至頔。其支者、從耳後、入耳中。出走耳前。過客主人前。交頰。至目銳眥。」三焦即淋巴管腺。其說已見於前。此則撮述淋巴管腺之主要途徑。三焦手少陽經脈。所以外行於側面。如手表腕、臂外、肘外、臑外、等處。皆淋巴腺液蒸發最多之處。此在夏月及溫煖時。執筆操持、每易出汗。可由生活經驗、測驗而知之也。「入缺盆、布膻中、絡心包、下膈、循屬三焦。」此則胸淋巴腺淋巴之部位也。「上項繫耳後、入耳中、直上、出耳上角、過客主人、以屈下頰、至頔、(目下)繫目銳眥。」此即頸項腺、耳下腺、頸下腺、舌下腺、之部位。腺液之來源。出於三焦水氣之蒸發。而三焦水氣之蒸發。則有賴於火溫。及膽汁澄清之力。今以淋巴附屬於循環系統。非無一部分理由。然揆之血液之來源。以及老廢物之排泄。操分泌轉樞之機紐。如三焦（淋巴）者。於其生理學說上、似應有專述之必要也。在靈樞經脈篇三焦手少陽經脈下所述之病。如「耳聾、渾渾焞焞。嗌腫、喉痺。汗出。目銳眥痛。頰腫。耳後、肩、臑、肘、臂外、皆痛。小指次指不用。」淋巴炎腫。固不僅限於此段所述。此則就三焦主要途徑而言。多在身之外側。凡有臨床經驗者。已鑿鑿可據。固無待於贅述也。

足少陽膽經之經脈。靈樞經脈篇云、「膽足少陽之脈。起於目銳眥。上抵頭角。下耳後。循頸、行手少陽之前。至肩上。卻交出手少陽之後。入缺盆。其支者、從耳後入耳中。出走耳前。至目銳眥後。其支者、別銳眥、下大迎。合於手少陽。抵於頔下。加頰車、下頸。合缺盆。以下胸中。貫膈絡肝。屬膽。循脅裏。出氣街。繞毛際。橫入髀厭中。其直者、從缺盆下腋。循胸、過季脅、下合髀厭中。以下循髀陽、出膝外廉。下外輔骨之前。直下抵絕骨之端。下出外踝之前。循足跗上。入小指次指之間。其支者、別跗上、入大指之間。循大指歧骨內、出其端。還貫爪甲、出三毛。」膽汁入腸化物。有澄清之作用。淋巴管腺之不致混淆穢濁。端賴於此。今逆其脈所循之徑。如目銳眥、頭角、耳後、缺盆、頤下、頰車、胸頸、等部位。亦皆三焦手少陽所行之經脈。唯澄清而後能分泌。否則淋巴管腺中、將含有腸中濁質。必致臭不可耐。膽汁澄清。其功効乃見於全部。絡肝、屬膽、循脅裏。出氣街。繞毛際。橫入髀厭中、循髀陽出膝外廉、下外輔骨之前。抵絕骨之端。下出外踝、循足跗入小指次指及大指歧骨內、出三毛。凡此脅腹下肢液汁之澄清。膽汁亦關重要。故其經脈循行如此。非似淋巴腺液之蒸發。以上身外側爲多。而手少陽三焦經脈。亦僅以上身外側、爲其主要途徑也。經脈篇所述膽足少陽爲病。「口苦、善太息。心脅痛。不能轉側。甚則面微有塵、體無膏澤。足外反熱。頭痛、頷痛目銳眥痛。缺盆中腫痛。脅下腫、馬刀、挾癭。汗出振寒。瘧。胸脅肋。髀膝外、至脛絕骨外踝前、及諸節皆痛。」因膽汁之不能澄清。肝臟迴血即失機能。而淋巴腺液之壅礙。其象尤爲顯著。經脈所過之處或結核、或腫痛。實皆血管神經淋巴所發生之病象。唯其源則由膽汁起分泌障礙及變化。以是失於澄清。諸恙所由來也。膽汁之澄清。不僅有裨於三焦淋巴腺液。且於骨髓有甚大之影響。故經脈篇於足少陽病曰、是主骨所生病者。又曰脛絕骨外踝前、及諸節皆痛。可知骨髓之免于混濁。亦賴膽汁之澄清。唯在今日生理學上、無法證明之耳。

鼠疫療法經驗談

李健頤

歷年以來、人命犧牲於鼠疫病者、不知凡幾、中外醫士、議論不一、有謂毒菌內蘊、有謂伏氣化熱、皆無善良療法、後有王孟英先生、謂爲瘟毒醞結成核、發明結核方、施用之後、頗有見效、考其成勣之功、約十人之中、愈者僅一二人而已、是其方、又未盡善、孟英之後、或有議用清瘟敗毒飲、或有議用普濟消毒飲、至於試驗之結果、亦與結核方、無相軒輊、至羅汝蘭先生、研究疫毒在於血管、發明用解毒活血湯加減變化、活人頗多、是此方之用、比前稍有進步矣、然而成勣之功、尚無完全獲效、惟尚待後學者、研究以改良之、庶無錯誤之患也、考解毒活血湯之功用、化瘀解毒、是爲最善、獨惜無通絡殺菌、且因柴葛之辛散、歸朴之溫燥也、是故或者有效、或者無效、蓋鼠疫一症、屬於瘟毒、最忌表散辛溫之藥、如張贊臣氏云、「厚朴柴胡等藥、與鼠疫爲不對之藥」醫論云、「辛溫之藥、陽盛則斃、」鼠疫之發、壯熱脈數、是爲陽盛、陽盛忌用辛溫發散、此理之明也、余每有思以改良之、故遇有鼠疫症者、求治於余、余輒將斯方之柴葛、改用荊芥銀花、歸朴、改用紫草浙貝、以荊芥之成分、含有鹽酸必林、功能直入血管、鼓動血中毒質、變化爲汗、銀花輕清疏表、且有解毒之能、合荊芥以爲用、得相需相濟之功、況王孟英之結核方、重用銀花、此可知也、當歸爲引血歸經之藥、厚朴爲消散化積之藥、用之以治核證、猶冰炭之不相合、故改用紫草、以涼血解毒、浙貝以散結化滯、視紫貝二藥之功效、較歸朴爲優、而且無如歸朴之辛溫燥烈也、板蘭根、解血分之毒、合生地紫草赤芍銀花連翹、卽神犀丹之變化也、神犀丹之功用、專治瘟毒斑疹諸證、瘟毒斑疹、身發黑點、而鼠疫之病、亦有黑點、是神犀丹、正爲吻合、斯方之加紫草蘭根、卽所以仿效神犀丹之意義也、鼠疫之病、多因瘀毒積滯於血管、凝結成核、用桃仁紅花、化瘀散結、若夫瘀散毒解、則血管之新血自生、新血生、則血液清淨、毒菌消滅、而病可愈矣、猶如西醫注射鼠疫菌血清之意也、要西醫之注射藥液、由靜脈直接於血管、服藥則不然、其藥先經腸胃之變化、然後散播於各臟腑、以間接於血管、故服藥之效、比注射爲遲、此方用雄黃腦片、助之引入血管、使諸藥有先登之功、與注射之效、無不相埒、且雄片二藥、殺菌防腐之力最強、故此解毒活血湯爲靈、雖然余心尤爲未妥、臨症用藥、孜孜汲汲、無不檢點考察、如或遇有一二味、尚見不妥、隨時更換、惟求於至善至美而後已、時至於今、閱有十餘載之試驗、歷二十一次之加減、始得成此最良之結果、方成之後、因無以名其方、特由於二十一次之加減試驗、而成斯方者、遂名爲二一解毒湯、茲將二十一次加減試驗之經過、條條附錄於後、幷標明治療之經驗、以作研究、觀此則可知創方之難矣●

第一次之方、(原名加減解毒活血湯、)(方見拙著鼠疫新編、)

卽荊芥三錢、銀花三錢、桃仁八錢、紅花五錢、生地五錢、紫草皮二錢、板蘭根二錢、連翹三錢、甘草錢半、雄黃一錢、腦片八分、赤芍三錢、該方初次試驗二十餘人、查其成效之結果、僅得治愈者十二人、是其方、尚無完善、復研究於下、

第二次之方、照第一次方、銀花改用一兩、桃仁減用五錢、加石膏二兩、試驗十三人、得愈者七人、按此方銀花用至一兩、卽藉其清熱解毒之能、其鼠疫一症、多因毒菌滿積於血管、積極之黏、遂發爲熱、銀花能退熱消毒、熱退毒消、則疫菌自斃、而病可愈矣、王孟英之結核方、用銀花二兩、卽此

之意也、雖然其有退熱解毒之功、但性質過薄、氣味不濃、單用恐難奏效、故增石膏以助其退熱之作用、況鼠疫多見股熱面赤、症屬陽明溫病、既屬陽明、則非石膏重鎮降熱、而其莫彌之熱、蘊蓄之毒、無由泄矣、減輕桃仁、因慮其破血太盛、虛人故當忌之、此卽第二次試驗、雖然如此、尤見未妥、候第三次、再研究之、

第三次之方、其加減並試驗、大概同上、

第四次之方、照第二次方、紫草皮板藍根、各用三錢、石膏改用四兩、重症用六兩、試驗二十餘人、得愈者十六人、按前方各藥、其紫草藍根、增加之後、頗爲相宜、惟石膏其量過輕、日本田東郭氏謂：「石膏非大劑則無效、」時醫不知石膏之功、在於重量、若爲小劑用之、猶之一杯之水、救車薪之火、宜乎無效也、吾以是石膏用至四兩、或六兩、試驗之後、成績比前更見進步、但於二十人之中、治愈者、僅十六人、尙有四人、莫能得之全功、愚心實有不安、復研究於後、

第五次之方、與第六次之方、照前方、浙貝母用四錢、再加皂刺三錢、乳香二錢、試驗八人、得愈者七人、按皂刺之功用、能清血管之毒、消肌肉之腫、乳香之功用、能麻醉神經、散結止痛、用於外核刺痛者、是爲最宜、且夫乳香香馥味厚、性善走竄、爲外科止痛要藥、皂刺氣味微苦、善能消腫、爲散結消炎要藥、此二味相合爲用、可治鼠疫外核刺痛焮腫者、無不靈效、但此方中其善與否、當再詳細試驗爲要、

第七次之方、照前方除雄片、加大青葉五錢、大黃五錢、試驗二十二人、得愈者十八人、按廣州杏林醫學月刊、二十四期、時賢汕頭郭紹九云、「鼠疫非先將核處剖出其毒血、縱有神丹、莫可救藥、治此症、既剖解後、用藥須將李君加減解毒活血湯、加大青葉五七錢、大黃三四錢、或用十兩半斤之多、大瀉其熱毒、百發百中、」考大青葉性質大寒、有瀉心胃熱毒、治傷寒時疫、熱狂陽毒發斑、大黃大瀉血分濕熱、治傷寒時疫發熱譫語、鼠疫是時疫之最重者、且毒多在血分、郭君研究加此二味、誠有至理、實能匡愚所不逮、余曾見數人患核症、連服大黃數斤、而始獲愈者、是可知大黃有療治核症之確證也、古人云「用兵之害、猶豫最大、三軍之災、莫過狐疑、」夫用兵如此、而治病用藥、何莫不然哉、苟當用大黃、猶預而不敢用、則其害與用兵等耳、既然大黃善治鼠疫、因何試驗之效、反不及前者之靈、大爲可疑、姑候研究以補之、

第八次之方、與第九次之方、用藥與前方大同小異、至於試驗

之效果、亦不分上下矣、

第十次之方、照第七次方、生地用一兩、大黃用八錢、甘草用四錢、試驗二十八、得愈者十九人、按朱鉢文君所發明消鼠疫結核之方、（見衷中參西錄第五期、）係川大黃五錢、甘草五錢、生牡蠣六錢、（搗碎）瓜蔞仁四十粒、（搗碎）連翹三錢、煎湯溫服、最效、張錫純先生按語云、「此方用大黃似近猛烈、而與甘草等分並用、其猛烈之性、已化爲和緩矣、所以能穩善建功也、」愚濫竽醫界、歷二十餘載、遇見疫症、有舌黑譫語、狂熱大渴者、常用大黃數兩之多、其效如神、古人有言、大黃有救人之恩、誠哉斯言也、若以第七次之試驗、及第十次之試驗、互相比較、可知大黃當與甘草並用、庶獲有互相扶殖之妙也、

第十一次之方、照前方石膏每劑用六兩、至半斤、試驗十八人、得愈者十四人、按余氏師愚、治疫疹、常用清瘟敗毒飲、每劑之中、石膏六兩、或半斤、效如桴鼓、夫疫疹既然可用石膏、而鼠疫之症、比疫疹爲重、何獨不可用者哉、故余之治鼠疫、其多用石膏者、卽此之意也、試驗之後、果見奇功、則可確定石膏之用於鼠疫者、無不靈矣、

第十二次、第十三次、第十四次、第十五次、各試驗之效、概

同上

第十六次之方、照前方仍如雄片二味、試驗二十八、得愈者十七人、按鼠疫一症、有病在表、有病在裏、惡寒發熱者、表病也、熱渴譫語者、裏病也、愚研究於茲、深知治療此病、屬之於表者、當減雄片、因其辛竄之性、恐有引邪入裏之害、既傳於裏、若無雄片、則無通絡殺菌之能力、是用雄片者、當審查實確、或在表、或在裏、施用無悞、立可見功、

第十七次之方、照前方減荊芥、加元參一兩、試驗十二人、得愈者八人、按核症日久、傳入少陰、熱灼陰耗、血液枯涸、故見舌苔紫絳、煩燥不寐、故當除去荊芥、取換元參、爲因病涉少陰、得元參以育陰、而其疏表之藥、不足用也、觀鼠疫傳至少陰、是熱至極點、證當危急、若十人之中、只可救治一二人而已、今試驗十二人、得愈者八人、此雖不能十二人皆得全功、然其進步之處、則比前者有增而無減矣、但尚有缺點者、當於第十八次再行研究以補之、

第十八次之方、照前方加蒲公英四錢、試驗二十一人、得愈者十八人、按蒲公英之功、用散結解毒、王孟英之結核方、用金銀花爲君、蒲公英爲臣、卽所以藉其散結解毒也、鼠疫一症、固由毒結不散以致之、其加蒲公英者、亦卽一種原因療

法之研究也、

第十九次之方、照第二次方、加石膏四兩、大青五錢、大黃五錢、蒲公英一兩、試驗九人、得愈者八人、按前次之方、蒲公英只用四錢、恐其力薄不能取效、今特加至一兩、則藥力強大、可達病藪、以敵病邪、而得奏效之速、至於試驗之結果、亦見漸漸進步、乃復研究於左、冀可達至良善目的、

第二十次之方、照前方、石膏用八兩、試驗八人、得愈者八人、按陸九芝先生云、温病卽陽明熱病也、夫陽明之表熱、與陽明之裏熱、皆當石膏解之、張壽甫氏曰、温病之用生石膏、勝於金丹、惟煅石膏不堪用、可見生石膏是爲治熱病之良藥、吾謂生石膏之善、在退熱而不使病人發汗不止、以致虛脫之危險、誠有勝於西藥發汗劑也、故無論熱之在表在裏、若連用數兩、皆所不忌、至於退熱之驗、實有不可思議者矣、

第二十一次之方、照前方用鮮蘆根煎湯煎藥、試驗七人、皆愈、按疫毒在於血管、毒菌繁殖、熱度愈高、如專用攻伐之藥、強抑其熱、未免心臟虛脫，不然、毒菌內蝕、血液不清、病必反盛、蔓延日久、禍害立至、顧此失彼、豈不兩難、因此特用蘆根汁煎藥、卽恃其清熱利尿、兼壯心臟之作用、猶西醫治熱病、投退熱劑，而兼服毛地黃酒蒴番斯酒等、壯心利尿劑之意也、

觀以上之試驗、惟第二十第二十一兩次、見有完全獲效之結果、至此則此方便可成一種之結晶品、爲治鼠疫之良方也，重錄於後、以爲考鏡、

二一解毒湯方　金銀花(輕劑五錢至一兩、重劑二兩、)　連翹(輕劑三錢、重劑四錢、)　荊芥穗（三錢、熱甚傳裏者、可除之、)　浙貝母(輕劑三錢、重劑五錢、)　紫草皮(輕劑二錢、重劑三錢至四錢、)　板藍根(輕劑二錢、至四錢、)　生石膏(輕二兩至四兩、重劑六兩至半斤、)　赤芍藥（輕劑三錢、重劑六錢、)　桃仁(輕劑四錢、重劑八錢、)　紅花(輕劑三錢、重劑五錢、)　生地黃(輕劑五錢、重劑一兩、)　大青葉(輕劑三錢至五錢、重劑六錢至八錢、)　正腦片（每劑五分至一錢、)　雄黃精(每劑一錢至錢半、鮮蘆根四兩、熬湯作水煎藥、輕證一日服一劑或二劑、重證一日或三劑至四五劑、尤當急追急服、以熱退爲度、如熱甚不退者、可再加大黃五六錢或至一二兩、大瀉其火毒、必能奏效、

按鼠疫一症、其毒最酷、是以清熱解毒之藥、不可缺也、金銀花善能清熱解毒、爲治核良藥、故以爲君、惟因其性不厚、氣

味淡薄、原方分量、似嫌過輕、莫能深入病藪、搜殺疫菌、故加至一兩之多、又者、銀花芬香黃色、多生枝葉之上、帶有升表發散之性、若一味獨用、未免升提表散過甚、以致熱邪莫遏、所以增加石膏以監製之、即可化散熱氣而變爲汗、以退其熱、時賢張錫純曰、「石膏之原質、爲硫養輕鈣化合而成、其性涼而能散、是以白虎湯證、及白虎人參湯證、往往於服藥後、周身得汗而解者、即使服藥後未即得汗、而石膏所含硫養輕之宣散力、實能排逐內蘊之熱、息息自毛孔透出」(見衷中參西錄第六期、)可知瘟熱之症、與石膏爲對證良藥、又得銀花合用、有相需相濟之功、無論核之初起、以及熱之傳裏者、皆可用之而無礙也、余因之每次之試驗、必加石膏一味、其退熱之靈、覺有立竿見影、大青葉涼血解毒、有血清之功效、可爲諸藥之領袖、又得石膏之助、其功愈著、觀此方自經過加增分量、并得石膏大青之用、則其試驗之效、多多進步、由是即可確定其方之靈、眞是治鼠疫獨一無二之良方也、望世人幸勿輕視、

鼠疫病狀

鼠之傳疫、各隨其因而發生其病狀、亦各有不同之點、大別分爲三種、

一曰核腫鼠疫(Bubonenpest)

二曰血毒性鼠疫(Septischepest)

三曰肺炎性鼠疫(Pneumoniepest)

以上三症、大約皆因感觸鼠疫菌而後發生者、考人之感觸鼠之毒氣之後、毒菌先潛伏於人體之微絲血管、約至二日、或七日、毒菌即漸次傳入血管、血毒蘊結、則障礙血液循環之機能、而影響於全身者、故忽然發生強劇之惡寒、及倦怠嘔氣渾身違和四肢痠痛等前驅證、亦多有于俄頃之際、大發戰慄、後即轉變大熱、但既熱之後、即不再見戰慄惡寒等前驅證、熱度升高、精神散亂、甚覺苦惱、脈搏急疾、而且沉數有力、每分鐘大約有九十至、至一百二十至、或反見遲緩虛弱之脈象、甚至呼吸疾速、喘滿氣急、眼球結膜充血發紅、舌苔乾燥、或紫絳、于第一二日即覺淋巴核腫脹疼痛、尤常侵及兩胯間之鼠蹊核、有時腋窩核、或全身諸淋巴核、亦同時侵及、初發時即甚明顯、大如粟子、間有較粟子尤大者、不旋踵間、核之周圍組織、暨核上皮膚、咸起焮熱而現暗赤色、驟視之、一若癤瘡、或如陽毒癰疽者、以上諸現象、各有特殊之點、如核腫性鼠疫、則有淋巴核腫脹之特徵、血毒性鼠疫、則有渾身發生黑紫斑點之區別、至于呼吸疾速、咯血吐膿、咳嗽胷痛，此獨肺性鼠疫有之、各爲分別于下、

核腫性鼠疫、或名腺性鼠疫、每發於俄頃之間、大發戰慄、旋卽發熱、熱度升至華氏表一百零五度、或一百零六七度不等、頭痛眩暈、煩渴痹痛、脈搏頻數、舌被厚苔、經一二日、其外面之淋巴核、如股核鼠蹊核腋窩核頸核等、咸腫脹疼痛、核之周圍組織、及其附近之皮膚、亦咸熱腫發紅、四面浮腫、

若核腫性鼠疫之輕者、則于六七日之終、或十餘日之始、腫脹之淋巴核、不成化膿、遂漸次消散、大熱亦漸次解退、至于退熱之時、屢見大汗、卽退熱而就愈、且無復發之後患、若屬重症則不然、其核腫發炎、經久不散、核之周圍、焮熱刺痛、屢發眩暈、甚有昏瞶詀語、心胸搏動、唇焦齒枯、舌苦乾燥、熱度升騰、有時反見無熱、熱度下降至九十二三度不等、脈搏急亂、又或平靜如無病者、五六日內、多見心臟麻痹而死亡矣、

此外又有一症、是爲核腫性之最重者、初起之時、不卽見淋巴核之腫脹、及戰慄大熱各症象、乃驟發劇烈之全身疼痛、心脾脹大、頗類昏痧、于一二日內、卽斃命者、此症因其致死之速、如電擊斃者、故又名電擊性鼠疫、(Blitzapfigepest)血毒性鼠疫、或名敗血性鼠疫、初起證狀、如核腺性大約相似、惟是多見嘔吐大熱甚渴、身面現出斑點、大小青紫狀如葡萄、故又名葡萄瘟、皮膚及粘膜有時出血、甚則邪毒攻胃、牙齦腐爛、神識昏沉、二三日卽死、傳染最速、其或一二治愈、而其皮膚之表皮、均如捲心菜、隨指甲脫落、如剝牛皮之狀、其淋巴核之腫脹、反甚輕微、故世之醫生、屢以此症斷非鼠疫、貽誤甚多、獨不知此亦鼠疫之一種也、肺炎性鼠疫、亦有稱之爲肺鼠疫、因其肺炎咯血爲特徵、故又名爲血瘟、初發戰慄、後卽發熱、熱甚咳嗽、脇肋刺痛、呼吸困難、檢其咯痰所帶之血絲、如粉紅色者、其血中必有鼠疫菌最多、病人精神朦朧、時發詀語、二三日間、卽斃于虛脫之下、脾臟腫大、至于淋巴核之腫脹疼痛、亦若血毒性鼠疫之不甚顯者、但此症毒氣最盛、傳染尤易、且其發生之時、略似肺臟傷風咳嗽之症、其淋巴核又無腫脹疼痛之外象可考、致每令人不易覺察、及至危險畢露、死在旦夕、猶迅雷不及掩耳、縱有神丹、恐亦難救、惟于未發之先、愼加預防、是爲最善、

總之無論何種鼠疫、罹之者咸多、死亡最多者、在于五六日之中、亦有就于發熱時斃命者、亦有于熱退後方斃者、此時淋巴核腫脹異常、然未至于化膿耳、亦有重者、經過八九日、核腫柔軟化膿、大熱不退、病人愈益倦怠、若不施手術、則其毒不消、仍不免以斃命矣、或有核腫堅硬不潰、而幸獲免者、亦甚不少、但此症雖能幸免、亦當待核消退、不然、或飲食不愼，

或勞動過甚、皆能復發前證、按核之消散、尚需時日、往往亙及數月之久、故遇見有其症者、則于解毒之藥、不可間斷、當至核消爲度、卽可完全無慮、(參看本刊第五期作者鼠疫之研究、及療治鼠疫之方藥兩篇、)

藥物

國醫淺說（黃蘗）

李乃賢

『學名』Phellodendron amurense, Rupr.

『異名』黃柏、蘗木、山屠、川柏、

『種類』黃蘗屬、芸香科、(亦作秦椒科)

『形態』生於山地、落葉喬木、莖高三四十尺、葉爲奇數羽狀複葉、小葉之下面、帶白色、夏日枝稍開花、花單性、帶黃色、雄花與雌花異株、雄花五雄蕊、與花瓣同數互生、雌花至秋月結圓實、成熟後、呈黑色、大莖之內皮、黃色、供藥用、亦供染料、木材供造器具之料、

『藥用之部』皮、

『鑑別』外皮黃黑色、有深裂痕、內皮作黃色者、爲最佳之上品也、

『性味』味苦寒無毒、

『成分』有效成分爲「祕魯培林」Berberin.與黃連相同、而含有植物樹膠液，約七至八%、

『效能』用作變質強壯健胃藥、

氣味苦寒、入足少陰腎經、爲足太陽膀胱引經藥、(生用則淸實火、熱用則不傷胃、酒制則治上、鹽制則治下、蜜制則治中也、)惡乾漆、伏硫黃、其用有六、瀉膀胱龍火、一也、利小便結、二也、除下焦濕火、三也、治痢疾、先見血、四也、治臍中痛、五也、補腎不足、壯骨髓、六也、乃癱瘓必用之藥也、治口瘡如神、

『驗方』「身黃、發熱、心煩」、黃蘗二錢　甘草一錢　肥梔子三錢　以水煎服、極效(見仲景傷寒論)

「局部發炎、腐灼、紅腫、」黃蘗一錢　研極細末、用冷開水調和、搽炎處、連搽三四次、炎消腫退、靈效非常、編者親自試用、屢試屢效也、

「小兒臍生瘡、不合者、」黃蘗末塗之、有奇效、(見廣益本草大成)、

『禁忌』忌乾漆、

『編者按』本品之主要作用、爲苦味健胃、疎洩肝胆、能消胃腸

內膜皮炎熱、以排除其間之有害物。故能治臍中痛、利小便、痢疾、下焦濕火、膀胱炎等症、皆能奏效也

雜俎

醫藥麟爪

沈仲圭

遺精病人之食單

血氣方剛之青年。處於繁華之都會。耳目之感覺。身體之接觸。在在有衝動性慾。誘起綺夢之可能。故遺精病之發生。往往十中七八。幾成爲普徧之性病。根本治療。厥惟遏止邪念。高尚志向。爲正本清源之計。藥物治療。如臭化鉀、臭化鈉、露密拿爾之平腦是也。理學治療。如冷水灌注陰部。摩擦脊柱。或於早晨爲五分鐘之冷水浴是也。病中攝養。則謹守個人衛生。並注意被褥勿過溫暖。晚餐毋令太飽。清潔龜頭之脂質。厲行適當之運動是也。今本素問『精不足者。補之以味』之旨。擇滋養各品。列成食單。俾遺久體虛。須行營養療法之患者。得有依據云。

早食

銀耳　先置冷水中。漲大其體積。然後和冰糖煮食。

(圭按)據胡澤君之報告。謂銀耳中所含之膠質。類似亞拉伯樹膠。有補血、強身、健腦、開胃、潤腸之效。蓋爲一種易於消化之滋養品也。

中食

清燉甲魚　可加火腿同煮。

(圭按)鱉肉富於脂肪。營養之價甚高。故小泉榮次郎云。『富滋養。病後身神疲勞者最宜。』

山藥燒肉　生山藥、鮮豬肉、切塊。照普通紅燒肉法煮爛。

(圭按)豬肉含脂肪頗富。爲亞於牛肉之貴重肉類。本草稱其性涼。功專滋陰救液。山藥含多量之澱粉。及澱粉消化素。有強壯身體。扶助消化之作用。

菠薐豆腐　以菠薐、豆腐爲原料。烹成美味之蔬肴。

(圭按)豆腐爲植物性蛋白質之代表。營養價之高。他種植物。罕與頡頏。故德培濟博士嘗告其友曰。『汝至亞東後。可一試亞東之食物。如君胃腸常患不健。則尤以食中國之豆腐爲佳。』菠薐含有機性鐵質。及ABCE四種維他命。具補血強身之功。

紅燒蘿蔔　蘿蔔切塊。以普通烹調術燒之。

(圭按)蘿蔔內含澱粉消化素。能消化一切澱粉食物。實爲有益無損之天然消化劑。惟澱粉消化素。專含於本品之液汁中及外皮中。料理時勿將皮棄去爲要。

下午四時茶點

薏苡茶　薏苡仁適量。置於熱水壺中。注以沸水。二三小時後。即可飲用。

(圭按)薏苡仁爲最富滋養。最易消化之穀類。蛋白質含量之豐。他穀罕能匹敵。脂肪亦富。並有利尿健胃之效。

桃棗圓　紅棗肉三份。胡桃仁二份。先將胡桃搗爛。入棗再杵。爲圓。仍如胡桃大。

(圭按)桃棗二物。皆強壯藥。有滋養之效。而大棗更治貧血、萎黃等證。

晚食

蓮肉雞頭粥　蓮子、芡實、和粳米煮成稠粥。鹹甜任便。

(圭按)以上二物。功能滋養。性則固濇。自昔醫人。用以固精治遺。

金鷄納霜之服法與截瘧劑

金鷄納霜之爲瘧疾聖藥。與九一四之於梅毒。白喉清血之於白喉。同爲醫界所公認。病家所謳歌。而五規的瘧型。分寒熱三程。亦爲世人所熟悉。今以功效確實之金鷄納霜。治療毫無疑義之瘧疾。宜乎一劑知。二劑已。然按之事實。亦儘有服金鷄納霜丸而不愈者。此其故雖非一端。而病家不明服法。或購用劣貨。亦重大原因。茲將衛生署傅和平氏在中央廣播電台演講抗瘧中之一節。迻錄如下。

凡瘧疾患者。治療期間。定爲六個星期。第一個星期連服七日。第二個星期完全停服。第三個星期至第六個星期。在這四個星期當中。每星期連服三日。停服四日。成人每日服量。爲一公分。分三次服。兒童則照年齡酌減。假定瘧疾患者。照這個方法吃藥。不但可以治好瘧疾。并且不會再復發的毛病。在此仍擬介紹一點關於采購藥品之條件。金鷄納霜丸當然也是藥品的一種。這種藥的成分。有許多不合規定的。前幾個星期。衛生署化驗金鷄納霜丸。有香港天乙廬大藥房製造的。竟一點金鷄納霜的成分也不含。它如何能治愈瘧疾呢。所以購藥的時候。必須認明商標。並且要經政府化驗給證的。才比較妥當些。

至於中醫之截瘧劑。首推柴胡。如葉遽伯中國經驗良方中之瘧疾驗方(花檳榔五錢煨草果常山柴胡各一錢)仲景傷寒論之小柴胡湯。次爲常山。如香川常山湯。(常山知母檳榔各四●〇)柴胡治瘧。經方家常用之。常山以其有引吐之弊。醫生病家。均畏縮不敢服用。李士材曰。『殊不知常山發吐。惟生用與多用爲然。與甘艸同行亦必吐。若浸之炒透。但用錢許。余每用必建奇功。未見其嘔吐者也』時賢丘啓明曰。『觀察上述所舉六例。(按卽丘氏以獨味常山治愈瘧疾之六個醫案)則常山治瘧之效能。及應用上之分量。(按丘氏所用之分量。成人日服一錢。老幼孕婦酌減。)可以知其梗概矣。但亦有感受性特別不同。有頓服二三錢。絕不嘔吐者。亦有用一錢煎作茶飲。入口卽吐者。此種特異感受性。百人中恆不得一人。未可引以爲例也。』觀二氏之說。可知服本品之小量。本不易吐。其有服之而吐者。乃該病人有常山之特異質也。他如首烏亦截瘧。陸定圃冷廬醫話載一方。用生何首烏八錢。生黃芪佩蘭各四錢。治三陰瘧。按一日瘧間日瘧三日瘧。其病原微生物。皆爲麻拉利亞。故西醫治瘧。概用金雞納霜。此方雖云治三陰瘧。其實一日瘧間日瘧。似亦有相同之功效。惟方中有黃耆之補氣。用時宜以瘧疾延久或體素虛弱爲標準。此固合理之言也。

雜錄

太素脈之研究(二續)

董志仁

(二)爲什麽稱爲太素脈

前面說過，不佞從裘沛吉生的藏書箱內翻出一部『鍥太上天寶太素張神仙脈訣玄微綱領宗統，』知道就是太素脈！該書是神仙張太素所傳，爲明人冰鑑搜正刊行者。那末太素脈的名是因人名而傳稱。又何必去研究他—爲什麽稱爲太素脈—呢？

原來一部書之名，必有一部書的義；太素脈這書如果是因張太素而名的，那末張太素所以名爲太素的，也頗有研究的價值了。

列子曰：『聖人自陰陽以統天地；夫有形者生於無形，則天地安從生？故曰有太易，太初，太始，太素也。太易者，未見氣也；太初者，氣之始也；太始者，形之始也；太素者，質之始也。』這是說明天地未分以前，先有太易後有太初，再有太始太素，氣形質具而未離，所以萬物是混混沌沌，無分彼此的，等到變化究極，乃生太極。易曰：『易有太極是生兩儀』易是變易的意思，由太易數變而爲太素，由無氣而有氣，轉生形質；都在混沌時代，直到太極才分兩儀，這就是表示太素是先知先覺的。列子曰：『太素者本乎五太、』五太就是五行；五行根於陰陽，陰極則陽生，否極則泰來，桑田滄海，滄海桑田，都是自然界物極必反循環不已的大定理。張太素之稱張神仙，張神仙之名張太素者，或者就是這個意義。易曰：『陰陽不測之謂神』天隱子曰：『在天曰天仙，在人曰人仙，…………能通變之曰神仙。』張神仙既能變化莫測，是何往而不用其通變了。因此太素脈之內容，也是完全以陰陽五行變化而出之，其開頭第一篇太素造化脈論後篇曰：

『天地無極之前。陰合陽也、有象之後、陽分陰也、陰爲陽母、陽爲陰父、故陽生於子極於巳、而一陰來姤、陰生於午、極於亥、而一陽來復、陽根於陰、陰根於陽、故震爲長男屬火、火生在寅、巳爲胞胎、巽爲長女屬水、水生在申、亥爲胞胎、巳亥爲天地之門戶、陰陽之根本也、陰陽有變化、千萬化生之心爲化、物極之爲變、不見而不知、其情莫測、其所起莫知、謂之無極、…………』。

觀上篇知是書之根據陰陽五行之說可知，裏面的內容，是神變莫測也可知了。不過這書的命名爲太素脈，是否就是這個意義，倘須有一番考證的必要：

據宋莊季裕所著的雞肋篇說：『太素脈以言診脈，決人吉凶壽命之術也、有太素脈法一卷，序言本唐隱者張威，以授張太素，太素始行其術故名。』

又據醫說云：『宋有張子充善能診脈，知人生死，及生平貴賤禍福吉凶榮辱，尅應如神。』

又據醫學源流說：『張景皋明人，精太素脈，可生則藥，不生則斷以日時，百無一失，窮通壽夭，以脈推驗，無不驗。』

照上面的記載很奇怪，唐隱者姓張，張太素又姓張，張子充姓張，張景皋又姓張，好像太素脈非姓張的不能精，或者非張姓不能傳。這很容易使人懷疑，現在把關於傳著者不同的紀載，彙次如下，始可確定這書的起始名稱了。

一、太素脈傳者春秋醫和(南潯楛語錄)
二、太素脈著者隋人楊上善(醫學正宗萬金一統)
三、太素脈傳者，唐人樵者(讀書求敏記)
四、太素脈傳者唐隱者張威(雞肋篇)
五、太素脈傳者宋張太素(雞肋篇)
六、太素脈傳者宋張子充(醫說)
七、太素脈傳者明楊文德(醫學大辭典)
八、太素脈傳者明李守欽(醫典)

上面所載的，不佞知道有楊上善著的太素脈訣一卷，趙銓著的太素脈訣一卷，楊文德著的太素脈訣一卷，李守欽著的太素脈精要一卷。或在某處見過，惜都未曾注意，現在所研究的是張太素所著的，明人冰鑑所集傳刊行的七卷；此外尚有未見的必多，但是據此也可推測了。

原來楊上善的精於太素脈，知者極多，知道醫和亦精太素脈的，却是極無僅有、明魏延泰說：『太素脈著者會悟叔和脈理之微，貫通岐黃盧扁之祕……』可知太素脈亦是從內經和脈訣內脫化而來，醫和生當春秋時代，先於叔和，當然不能見到脈訣。以不佞的意見，南濟楛語錄說太素脈始自醫和，或是傳聞之誤！楊上善立太素脈法，有傳書可信。到了張太素時，因為善精太素脈，所以人就稱他為張太素，是太素脈這名稱，不是因張太素的出世而有的；換句話說，實是張太素因太素脈而成名的。至於張太素之脈訣，魏序篇說：

『張太素在一診視之間，不特可以知人之虛實寒熱，疾病安危，而人之貴賤貧富，死生禍福，莫不於是決焉。人因其言之驗，異其術之神，即其人之名，傳其世之廣，所以稱之當時曰太素脈所訣也；聞之後世，亦曰太素脈所訣，而太素脈之說，起於此耳。

此說頗屬武斷。所以不佞歸根到底的結論，還是因太素脈這名稱，是因為太素是質之始的緣故；易曰：『原始反終』所以能知生死貴賤了。

醫學參攷書目

民廿一之秋。仲圭執教鞭於中國醫學院。諸同學求學心切。以參考善本見詢者甚多。爰就管見所及。臚列如干種於后。初學得此。不致誤入歧途。是亦「識途老馬」應盡之責也。

(甲)基礎醫學

1 生理學(蔡翹)
2 公衆衛生言論集(胡定安)
3 生命之花(丁惠康)
4 病理發揮(祝味菊)
5 新本草綱目(小泉榮次郎)
6 中藥淺說(丁福保)
7 藥徵(吉益東洞)

(乙)應用醫學

1 診斷提綱(祝味菊)
2 處方學津梁(沈石頑)
3 漢法醫典(野精猛男)
4 漢藥神效方(石原保秀)
5 傷寒今釋(陸淵雷)

6瘍科綱要(張山雷)
7女科輯要疏箋(張山雷)
8錢氏兒科案疏(張山雷)
9通俗喉科學(張若霞)
10喉痧證治要略(曹炳章)

(丙)各病專論

1理虛元鑑(綺石)
2十藥神書(葛乾孫)
3血症論(唐容川)
4溫熱經緯(王孟英)
5痢證隅參(齊氏醫書之一)
6霍亂論(王孟英)
7中風斠詮(張山雷)
8脚氣芻言(曾超然)
9腦膜炎家庭自療法(嚴蒼山)

(主按)吾國醫學。因鮮專科之研究。故專論一病之書。殊不多見。本款所列各書。容有令人不能滿意者。然各書發表個人之心得。堪作他山之借助。其研究學術之苦心。不可沒也。

(丁)課外讀物

1古今醫案按(俞東扶)
2洄溪醫案(徐靈胎)
3冷廬醫話(陸定圃)
4重慶堂隨筆(王學權)
5中醫新論彙編(王愼軒)

傷寒汲古序及其舉例

周岐隱

尾本傷寒雜病論。湖南劉崐湘得之江西張隱君。一十六卷。首古完好。其宗人劉仲邁取世傳最古之宋林億本校讎之。而湘省主席何芸樵氏手寫以付印者也。夫黃石授書。千古傳爲佳話。今張隱君傳經於劉氏二賢。豈非亦有意乎。當其書之未見也。舉以語人。殆莫不譁以爲僞。及得而讀之。則動色驚喜。羣議翕然。藏之名山。傳之其人。使長沙遺文。仍歸之長沙。而發皇之。彼張隱君誠有心人哉。夫傷寒原本。在王叔和時已經散佚。林億校本。非仲景之原書。人莫不知之。宋元以還。注疏傷寒者。不下百數十家。或仍叔和林億之舊。或以平脈傷寒例各篇。爲叔和所補。非仲景原文。或以傷寒金匱本爲一書。自林億校刊。遂分爲二。於是或割裂經文。以方類病。或逞其私智。顛倒竄易。扣盤捫燭。衆難塞胸。叔和林億。並被千古不白之寃。而傷寒真義。日益趨於支離滅裂。夫仲景自序。謂撰用素問九卷八十一難。平脈辨證爲傷寒雜病論合十六卷。可知仲景傷寒。固始於平脈法。且十六卷自有完書。彼註家妄意指摘。皆武斷語也。今得古本。千載疑團。一朝大白。瓦釜雷鳴。都成廢語。豈不大快人心。且仲景撰用內難。向無全書可證。今按各卷佚文。與內經往往若合符節。而奇經八脈之治。五臟臟結之分。又與難經互相闡發。不有古本。何由窺其全豹乎。此可珍者一也。温暑燥濕霍亂各篇。義精而法純。辭約而意賅。凡通行本之佚文。皆有仲聖之心法。通雜病之治。即以窮傷寒之變。其可珍者二也。通行本於大青龍症。一則曰治傷寒脈浮緩。再則曰治中風脈浮緊。致註家望文生義。自作聰明。謂大青龍治傷寒見風脈。中風見寒脈。今得古本。而通行本之僞誤。不攻自破。注家之牽強附會。亦不值識者一笑矣。此可珍者三也。至於服桂枝湯大汗出脈洪大者。通行本謂與桂枝湯如前法。而古本則曰與白虎湯。太陽病發熱惡寒。熱多寒少。若脈微弱者。此無陽也。不可發汗。通行本謂宜桂枝二越婢一湯。而古本則宜桂枝二越婢一湯云云。乃在熱多寒少句下。而無陽不可發汗。則曰宜當歸四逆湯也。傷寒六七日大下後。寸脈沈而遲。手足厥冷。下部脈不至。咽喉不利。唾膿血。泄利不止爲難治。通行本謂麻黃升麻湯主之。而古本則曰宜人參附子乾姜阿膠半夏柏葉湯主之。不差復以鹿茸附子人參乾姜湯救之。此條之後。即爲麻黃升麻湯證。謂傷寒四五日。腹中痛。若轉氣下趨少腹者。此欲自利也。麻黃升麻湯主之。霍亂篇曰。病發熱。頭痛身疼。惡寒吐利者。此屬何病。通行本答曰。此爲霍亂。霍亂自吐下。又利止復更發熱也。面古本則答曰此非霍亂。霍亂自吐下。今惡寒身疼。復更發熱。故知非霍亂也。如此種種。片羽吉光。不勝枚舉。則古本之可珍可貴。蓋可具見矣。余治傷寒二十餘年。曾著有傷寒心解十卷。并製有傷寒圖表。自謂頗有一得之愚。今得古本傷寒。不禁啞焉自失。因歎前乎此者。皆望道而未之見也。爰亟錄佚文及訂誤諸條。別爲一集。名之曰傷寒汲古。計分三卷。共佚文一百六十五條。訂誤七十九條。佚方八十有八。將付印以公之於世。俾吾儕同志。並得先睹爲快焉。玆略舉數例于後。

何謂藏結。答曰。(通行本錯簡、在如結胸狀條、)藏結者。五藏各具。寒熱攸分。宜求血分。血凝結而氣阻。雖有氣結。皆血爲之。假令肝藏結。必在左。左脅下痛而嘔。脈沈弦而結。宜吳茱萸湯。若發熱不嘔。此爲實。脈當沈弦而急。宜桂枝當歸丹皮桃核枳實湯主之。

心藏結。必心中痛。鬱鬱不樂。脈大而濇。宜黃連阿膠半夏赤小豆湯主之。若心中熱痛而煩。脈大而弦急。此為實。宜黃連阿膠半夏桃核茯苓湯主之。

肺藏結。胸中閉塞。喘欬善悲。脈短而濇。宜百合貝母茯苓桔梗湯主之。若咳血胸中痛。此為實。宜葶藶括蔞半夏丹皮大棗湯主之。

脾藏結。腹中痛。按之如覆杯。痛甚則吐黃水。食不化。脈伏而緊。宜白朮枳實桃仁乾姜湯主之。若腹中脹痛不可按。大便初鞕後溏。轉失氣。此為實。宜大黃丹皮厚朴半夏茯苓甘草湯主之。

腎藏結。少腹鞕。隱隱痛。按之有核。小便時清時濁。脈沈細而結。宜桂枝附子茯苓丹皮湯主之。若小腹急痛。小便赤數。此為實。脈當沈緊而急。宜附子桂枝黃柏丹皮茯苓湯主之。

棉丸代食之發明

趙小成

據路透柏林上月通訊、以丸充飢、原屬理想、今將成為事實、此係德國海德爾培之大學教授施米德氏精究五年之結果、棉子中提出豐富之滋養料、以投病人、成績良佳、其提出之質、類似黃粉、含有維他命ABCE所缺者獨維他命D然可加入也、棉子提煉物、含有蛋白質百分之五十、礦質百分之七、五以

食醫院病人、其結果表示實為滋養人類之一種新方法、或將造成養生術上之革命也、據醫士報告、以此質一匙、或加於其他食物中、日投病人三閱月後、不特患營養不足之症者、即患糖尿、腰腎、心臟、膽汁虛癆、等症者、無不增重體量、而其精神亦有非常之進步、醫士現信棉子提煉物且可防杜癌症、蓋醫學界現多診斷癌症之由來、乃出於營養不足也、凡病人之服棉子提煉物、據紀錄觀之、無一曾發生不良之影響、且因係一種粉質、以食病人之不能服藥丸者、尤為便利、此質且為皮膚病治療藥中之要品、其食法甚多、為益滋巨、故產棉諸國今後可增一衛生品偉大之新實業、棉子提煉物可加於乳油乳酪麵包冰淇淋糖菓中、且可加於飲料如酒咖啡牛乳可可中、則增滋養價值百分之二十至三十不等、據化驗所知、發酵物及酵母、稍加棉子提煉質、則發酵更足、發明此物之施米德教授聲稱、日服棉子片二枚、可抵三餐、將來此物可成軍士探險家大洋飛行家、及缺糧時平民之「鐵餐」云、巴黎邦不日將開始以棉子片試食學童而由官醫嚴察其成效、意大利政府亦注意施米德之發明品、而擬開拓其殖民地之棉場、施米德乃在埃及完全成其試驗、施氏之出品、今已售於埃及之市、中日政府亦探詢施氏之發明與試驗之成績云、

衛生

衛生講話（十四續）

董志仁

公共衛生——防疫

關於傳染病預防條例，我們也須仔細攷考，現在附錄如下

傳染病預防條例 十九年九月十八日公布

第一條 本條例所稱傳染病謂左列急性各症：

一、傷寒或類傷寒

二、斑疹傷寒

三、赤痢

四、天花

五、鼠疫

六、霍亂

七、白喉

八、流行性腦脊髓膜炎

九、猩紅熱

前項以外之傳染病，有認爲應依本條例施行預防方法之必要時，得由衛生部臨時指定之。

第二條 地方行政長官認爲有傳染病預防上之必要時，得於一定之區域內指示該區域之住民，施行清潔，及消毒方法，其已辦自治地方，應指示自治機關行之。

前項清潔及消毒方法，由衛生部定之。

第三條 人口稠密各地方，應設立傳染病院或離隔病舍。

前項設置及管理方法，由地方行政長官以單行章程定之。

第四條 當傳染病流行或有流行之虞時，地方行政長官，得置檢疫委員，使任各種檢疫預防事宜。

於舟車執行檢疫時，凡乘客及其執役人等，有患傳染病之疑者，得定相當之時日扣留之。

於舟車執行檢疫時，發見傳染病人，得使就附近各地方設立之傳染病院或隔離病舍治療；其有感染之疑者，亦同住該院，若無正當理由，不得拒絕。

未施行檢疫之舟車，若發見傳染病人，或有感染之疑者，準用前二項之規定，若在監人出獄，患傳染病或疑似傳染者亦同。

檢疫官吏及醫士，得用免票乘坐舟車，但以持有執照者爲憑。

第五條　地方行政長官認爲有傳染病預防上之必要時，得施行左列各款事項之全部或一部：

一、施行健康診斷及檢查屍體之事；

二、隔絕市街村落之全部或一部之交通；

三、集會演劇及一切人民集合之事得限制或禁止之；

四、衣履被服及一切能傳播病毒之物件，得限制或停止其使用授受搬移，或還廢棄其物件；

五、凡能爲傳染病飲食物，或病死禽獸等肉，得禁止其販賣授受，并得廢棄之；

六、凡船舶火車工場及其他多數人集合之處，得命其延聘醫士，及爲其他預防之設備；

七、凡施行清潔及消毒方法時，對於自來水源井泉溝渠河道廁所污物及渣滓堆積場得命其新設或改建，廢棄或停止使用；

八、傳染病流行區域內，得以一定之時日禁止其附近之捕漁游泳汲水等事；

九、施行驅除鼠蠅方法，及關於驅鼠除蠅之設備；

第六條　依前條第七款第八款對於市街村落之全部停止其使用之水，或禁止汲水時，於停止或禁止期間內，須由他處供給其用水。

第七條　醫生診斷傳染病人，或檢查其屍體後，應將消毒方法指示其家屬，并須於十二小時以內，報告於病者或死者所在地之管轄官署。

第八條　患傳染病及疑似傳染病，或因此等病症致死者之家宅及其他處所，應即延聘醫士診斷或檢查，并須於二十四小時以內，報告於其所在地之管轄官署。

前項報告義務人如左：

一、病者或死者之家屬，無家屬時其同居人；

二、旅舍店肆或舟車主人或管理人；

三、學校寺院工場公司及一切公共處所之監督人或管理人；

四、感化院救濟院監獄及與此相類處所之監督人或管理人；

第九條　凡傳染病人之家宅及他處，其病人以外之人，無論已否傳染，均應服從醫士或檢疫防疫官吏之指示，施行清潔並消毒方法。

第十條　凡經該管官署認爲傳染病預防上之必要，得使患傳染病者入傳染病院，或隔離病舍。

第十一條　凡經該管官署認爲傳染病預防上之必要，得以一定期間使患傳染病者或疑似傳染病者之家屬，及其近鄰，隔絕交通。

第十二條　患傳染病者及其屍體，非經該管官署之許可，不得移至他處。

第十三條　對於傳染病人之屍體，所施消毒方法，經醫士檢查，及該管官吏認可後，須於二十四小時內成殮，并埋葬之。

第十四條　死者屍體之埋葬，須於距離城市及人口稠密之處三里以外之地行之，掘土須深至七尺以上，埋葬後非經過三年不得改葬。

屍體受毒較重者，該管官署認爲預防上確有必要時，得命其火葬，其家屬怠於實行時，得代執行之。

第十五條　已殮葬及將殮葬之屍體，如有傳染病嫌疑，該管官吏就其屍體及家宅并一切物件得依本條例之規定執行相當處分。

第十六條　地方行政長官認爲有傳染病預防上之必要時，得將其事由通知第八條之報告義務人，執行檢查，但檢查員須持有執照爲憑。

第十七條　各地方防疫用費，得斟酌情形，分別由地方收入項下或國庫支出之。已辦自治地方之防疫用費，由自治經費中支出之。但由自治會議議決，經地方最高行政長官核准，得由國庫酌予補助。

地方行政長官爲前項之核准後，須函報衛生部及財政部。

第十八條　凡不依本條例所規定，或該管官署所指定之期限內奉行應辦事項者，處五元以下之罰鍰。

第十九條　醫士診斷傳染病人，或檢查其屍體後，不依其條例報告，或報告不實者，處五十元以下五元以上之罰鍰。

第二十條　對於該管官署或醫士依本條例之處分或指示不遵行，或依本條例應行報告事項并不報告，或報告不實，或妨害他人之報告者，處二十元以下二元以上之罰鍰。

第二十一條　邊僻地方因特別情事有必須於本條例規定以外變通其預防方法時，得由各該地方最高行政長官變通辦理，但須函報衛生部備案。

第二十二條　對於由國外入境之舟車，得施行檢疫。

前項檢疫規則另定之。

第二十三條 關於施行本條例之各種規則以部令定之。

第二十四條 本條例施行區域及日期以部令定之。

中外衛生語錄

鄭志成

酒爲無節操者。初與人爲友。終與人爲敵。(英吉利)

午餐之後。小坐始起。晚餐之後。行一英里。(英吉利)

身體偉大之人。必須兼以智慧。不然卽爲愚人。(亞理斯多爾)

年老之人。心境不愉快。好似辣潑萊地方的、不得見太陽。(考兒登)

快活活潑之精神。爲吾人高貴之基。世之成立大功大業者。皆此精神之所賜也。若戀戀於旣往。畏懼其將來。精神鬱鬱不安。必不能成大事。

廣意的笑。等於屋內之日光。(若格雷)

健康與聰明。爲人生之二大幸福。(希臘語)

男女應有天賦之美色。(艾滋深)

早寢及晨起。人能因之健康。且能令人賢明。(英吉利語)

心之所以必須修養。如食物之於身體。(洗賓羅)

種種之惡習。足以妨害作事者。莫飲酒若也。(塞烏坦)

康健卽爲幸福。(英吉利)

病從口入。故食物宜適可而止。(吉福生)

無病者、對於病者易施勸評。(法蘭西)

健康之時。勿忘疾病。(英吉利語)

不忍耐之能催人老。較年齡與憂愁爲甚。(崔賓

古有行道人。陌上見三叟。年各百餘歲。相與鋤禾莠。住車問三叟。何以得此壽。上叟前致辭。內中嫗貌醜。中叟前致辭。量腹節所受。下叟前致辭。夜臥不覆首。要哉三叟言。所以能長久。(應璩)

再實之木。其根必傷。(明德馬皇后)聖人不治已病治未病。(素問)晚飯少喫口。活到九十九。(古樂府)皓齒蛾眉。命曰伐性之斧。甘脆肥膿。命曰腐腸之藥。(枚乘七發)

與其棄身。不如棄酒。(管仲)

健全之精神。宿於健全之身體。(羅庫)

總不使吾之嗜欲、戕害吾之軀命。(曾文公)

余童時孱弱多病。今日健康。皆余所自造者。(羅斯福

有全健之休息。然後有健全之勤勞。(任夫)

以詩書作聲歌。以古人當朋友。以節勞減食當醫藥。此亦應世間修仙之訣矣。(劉蘂詞)

夜半前一時之眠。優於夜半後二時之眠。(斯邁爾)

予無論進何食品。視之全若無關。苟於進膳數時後。卽余所進

何食。不能咎也。(弗蘭克令)

酒極則亂。樂極則悲。(淳于髡)

酒之爲物。能死青年人之意志。鼓奮青年人之情慾。其關係於道德者綦重。(醫士都堯氏)

酒之殺人。甚於最新之兵器。(胡爾塞雷)

酒之爲禍。不止一端。柔弱之人。得酒而暴。恬靜之人。得酒而躁。簡默之人。得酒而譁。事宜密者、酒泄之。事宜急者、酒懈之。事宜記者、酒忘之。有心病者、酒佐之鬪。有癡情者、酒益之狂。甚矣酒之爲禍烈也。(原體集)

絕飲酒。薄滋味。則氣自清。寡思慮。屏嗜欲。則精自明。定心氣、少眠睡。則神自澄。(王陽明)

戒爾勿崇飲。狂藥非佳味。能移謹厚性。化作凶頑類。(范魯公戒子箴)

得康強無他。但能任意自適。不以外物傷和氣。不敢做過當事。酌中恰好卽止。(文潞公)

憂者必瘦。(英諺)

林英引年致仕。身如壯者。或問何術致此。對曰、但生平不會煩惱。明日無飯喫。亦不憂。事至則遣之。適然不留胸中。

人之所以生者。惟精氣神。謂之內三寶。人能寡欲以養精。寡思以養神。寡言以養氣。再能去暴怒以養性。節飲食以和脾胃。避風寒以防感冒。常勞動以堅筋骨。卽可延年矣。(願體集)

文中子曰、能尊生。雖富貴不以養傷身。雖貧賤不以利累形。

陳山人道鑑說曰、治亂、運也。賢否、道也。壽夭、數也。遇不遇、時也。世有才智不相上下。而所遇頓殊。覽此足以自慰。

有問明道先生、神仙之說有諸。曰、白日飛昇之類。則未之見。若言居山林間。保形鍊氣、以延年益壽。則有之。譬如火爐。置之風中、則易過。置之密室、則難過。有此理也。(聰訓齋語)

薛文清公曰、人素羸瘠。乃能兢兢業業。凡酒色傷生之事。皆不敢爲。可以延壽。強壯者恃其強壯。恣意傷生。則禍可立待。豈非命雖在天。而立命在巳歟。(聰訓齋語)

人之斵喪。非止色慾。卽如耳聽、目視、勞神、費力、憂愁、忿怒、思慮之過甚。言語之道多。悉爲斵喪之端。皆宜有節。(願體集)

口中言少。心頭事少。肚夜食少。有此三少。神仙可到。酒宜節飲。忿宜速懲。慾宜力制。依此三宜。疾病自稀。

精神不用則廢。廢則疲。疲則不足。用則振。振則生。生則足。人不可妄役精神。滋沒世無稱之悔。

易言不節之嗟。無所怨咎。言語不節則傷氣。思慮不節則損神。飲酒不節則亂性。縱慾不節則傷生。大抵人能有節。則世界無事不可爲。不節、則事事不可爲。攝生之道。大忌瞋怒。

朝打坐。暮打坐。腹中常忍三分餓。

常默、元氣不傷。思少、慧燭內光。不怒、百神和暢。不惱、心地淸涼。不求、無媚無諂。不執、可圓可方。不貪、便是富貴。不苟、無懼公堂。

安心是藥別無方。(蘇東坡)

治有病、不若治於無方。治身病、不若治此心病。請他人醫治。不如自己醫治。

已病治病病難去。未病治病病不生。

有病不治。常得中醫。

三飧適當其時。不必服藥。一覺直睡到曉。何須坐功。

傷生之事。不一而足。而好色者必死。

口腹不節。致病之因。念慮不正。殺身之本。

爽口味多終作病。快心事過反爲殃。

美味多生疾病。藥石可以延年。

縱酒色、是殺身軀的利刀。弄術數、乃害子孫的毒藥。

神完精足。則能酣睡。東坡詩：「主人勸我洗足眠。倒牀不復聞鍾鼓。明朝門外泥一尺。始悟三更雨如許」。放翁詩：「放翁不管人間事。睡味無窮似蜜甜。」

山谷題玉京軒詩云：「但使心閑自難老。」眞見道之言。

老年欲得胸懷豪暢。乃回思過去。豫計將來。哀樂過情。拘苦憂迫。豈是葆性引年之道。易曰，日昃之離。不鼓缶而歌。則大耋之嗟凶。三復斯言。可悟養生之理。可歎者，一文錢如性命。自己性命，反看得一文錢不値。

治生莫若節用。養生莫若寡慾。

賀陽亨曰、白飯細嚼。嚼致糜爛咽之。滋心液腹。味無窮、益亦無窮。

病從心生。咎皆自取。此皆「聖賢內省不疚、養心莫善於寡欲」之義。

少色慾以養精。少言語以養氣。少思慮以養神。

愼寒暑。節飲食。除煩惱。惜精神。調血氣。遠幃幕。務淸靜。尋歡樂。

飢乃加餐。蔬食美於珍味。倦然後臥。草鋪勝似重裀。

留七分正經以度生。留三分癡獃以防死。

口如啞。心如愚。目如瞽。耳如聾。人能如此。即可保得長生。

靜中所得最多。動時所損不少。

獨寢不觸慾。養精也。獨居不交言。養氣也。愼行不著礙。養神也。獨室不愧衾。養德也。

益州父老曰、凡欲身之無病。必須先正其心。使心不亂求。心不狂思。不貪嗜慾。不著迷惑。則心先無病矣。心若無病。則五臟六腑雖有病。不難療矣。

北宮子曰、衣其短褐。有狐貉之溫。進其茉菽。有稻粱之味。庇其蓬室。若廣廈之蔭。乘其蓽輅。若文軒之飾。終身怡然。不知其爲貧也。

嵇叔夜云、服藥求汗。或有勿獲。愧情一發。盎然流溢。是皆情發於中、而形而外也。因知喜怒哀樂。甯不傷人，故心不撓者神不疲。神不疲、則氣不亂。氣不亂、則身泰壽延矣。

人貪酒色。如雙斧伐孤樹。未有不仆者。(阿沙不花諫元武宗)

天下有害而無利者。莫如酒。(弗蘭克愛地菴)

怒甚偏傷氣。思多太損神。(孫眞人)

酒奪食。色妨寢。不如強飯安眠者、多矣。(哲言)

衛生者、直接保護生命者也。金錢者、間接保護生命者也。(王立才)

省憂愁、戒煩惱。是吾心上却病法。(願體集)

節食以去病。寡慾以延年。(朱晦翁)

酒之爲物。能使具最高人格之基督教徒。有犬彘之行。(高夫)

世人但知身體衛生之緊要。而不知鍛鍊精神之尤爲緊要。(管綠蔭)

古之長壽者。均不嗜酒與烟草。(同上)

不爲酒困。(論語太伯)

塡不滿慾海。攻不破愁城。(勸戒全書)

飲藥以加病。(莊子桑庚楚)

節飲食以養其體。節嗜慾、定心氣、後飲食而宜少。不以脾胃熟生物、煖冷物。不以元氣佐喜怒。

起居以時。飲食以節。則身利而壽長。(管仲)

人之幸福。心神快樂爲上。身體康健次之。資財其下也。(意司運西)

早起有無限好處。於夏日尤宜。(巾涵光)

保生者寡慾。保身者避名。(林和靖)

不能爲自泰之習慣。其身體亦不能強健。(拿破崙)

從口腹欲。不知衛生之道。致疾叢生，不可爲藥。(尹璧鳩魯)

神者、生之本也。形者、生之具也。(太史公)

欲清茹淡。袪疾延齡。(明仁孝文皇后)

人生娛樂。亦不可少。惟勿流於蕩而已。

幽憂傷神。思慮耗神。(施子)

多思之患。甚於好色。(蘇東坡)

心境靜時身亦靜。心生還是病生時。(葆生要覽)

東坡曰、自今日已往。不過一爵一肉。有尊客、盛饌則三之。可損不可增。有召我者。豫以此告之。主人不從而過是。乃止。

一曰安分以養福。二曰寬胃以養氣。三曰省費以養財。(白香山)

病有十可却。靜坐觀空。覺四大原從假合。一也。煩惱現前。以死譬之。二也。常將不如我者、巧自寬解。三也。造物勞我以生。遇病稍閒。反生慶幸。四也。宿孽現逢。不可逃避。歡喜領受。五也。家室和睦。無交謫之言。六也。衆生各有病根。常自觀察克治。七也。風寒謹防。嗜慾淡薄。八也。飲食甯節毋多。起居務適毋強。九也。覓高明親友。講開懷出世之談。十也。(白香山)

病有十不治。縱慾慆淫。不自珍重。一也。窘苦拘囚。無瀟洒趣。二也。怨天尤人。廣生懊惱。三也。今日豫愁明日。一年常計百年。四也。室人噪聒。耳目盡成荊棘。五也。聽信師巫禱賽。廣行殺戮。以重孽緣。六也。寢興不適。飲食無度。七也。諱疾忌醫。使虛實寒熱妄投。八也。多服湯藥。蕩滌脾胃。元氣漸耗。九也。以死爲苦。與六親眷屬、常生難割難捨之想。十也。(白香山)

精神不運、則愚。血脈不運、則病。(陸象山)

吾受氣甚薄。因厚爲保生。至三十而浸盛。四十五十而後完。今生七十二年矣。較其筋骨。於盛年無損也。若人待老而保生。是猶貧而後蓄積。雖勤亦無補矣。(程明道)

記事

本社第十二次討論會記事

本社第十二次討論會、於八月十五日午後三時、假座綢業會館舉行、到者有程賓範施稷香蔡松嵒湯士彥阮其煜高一志陳杏生王心原董志仁王一仁諸君等、開會討論問題、及研究本草，會後舉行聚餐、新秋涼雨、頗爲爽適、茲將問答及研究本草情形錄下、

一、白槿花之形態功用、及其治痢之效率若何(沈仲圭)

答、白槿花以重瓣者爲佳、其葉條有粘性、可洗頭髮、其花鮮者可煮菜食、雖亦可治瀉痢、究無去積之效、時醫利其力輕易用、實無多大功效、

二、本草經之研究(五)

◉沙苑蒺藜、(又名潼蒺藜、)

原文、味甘、主補腎益精、治腰痛虛損、小便遺瀝、

(一)味甘、是一種強壯神經之藥品、故曰甘、

(二)主補腎益精、治腰痛虛損、能強壯神經、興奮生殖腺、

(三)小便遺瀝、可治遺尿症、然遺尿而尿管作痛者禁用、

劑量、三錢至五錢、

禁忌、遺精而有內熱者忌用之、

白蒺藜與潼蒺藜二者、可以合用、一方可以疏通神經、一方可以補益神經也、

◉桑根白皮、

原文、氣味甘寒、無毒、主治傷中五勞、六極羸瘦、崩中絕脈、補虛益氣、

(一)此藥有平補性、故曰甘、平補者、卽無興奮性而能恢復人體之健康、因能消肺熱、故曰寒、所謂清肺熱者、卽能治肺結核病之咳嗽氣促、口渴苦黃而有內熱者、

(二)主治傷中、交感神經因興奮而脈搏速者、此藥能減其興奮、能恢復其健康、故曰甘寒、

(三)五勞六極、五勞者、志勞、思勞、煩勞、憂勞、恚勞也、是指大腦精神部異常而所患之疾病、六極者、是五勞之末路、氣極者、呼吸促、血極者、脈枯、(脈枯指脈細速而無力)、筋極者、拘攣、骨極者、足痿、肌極者、消瘦、精極者、陽痿、凡五勞六極之病、可用桑根白皮作副藥、

(四)羸瘦、指人體瘦弱、

(五)崩中、凡血壓高、而無血崩者、可用之、

(六)絕脈、指一部份之血液循環、失其常態、

(七)補虛、因能去除神經與血液循環之不正規、而保其健康、故曰補虛、

(八)益氣、指強壯心力、因其對於血管與神經有改正之作用、而恢復其健康、故有強壯心力之效、

劑量、錢半至三錢、

禁忌、(1)脈搏遲緩者、(2)血壓低者、(3)腹瀉者、

外用、取桑根白皮之纖維質、可作外科縫線之用、

◉桑葉

普通用以治療「寒熱咳嗆苔黃脈速者、」
體溫過高者、用之無效、體溫過低者、用之不宜、
疹子欲出未出而氣悶者、禁用、
有熱度(不甚高)而無汗者、可用之以出汗、有汗者、可用之以退熱、然傷寒無汗者、忌用、
劑量、一錢至三錢、 禁忌、與桑根白皮同、

◉桑枝、

主要作用、為主治四肢拘攣而作痛者、其藥效多行於四肢、故常用以治四肢之病、上肢病常用酒炒者、下肢病常用生桑枝、
劑量、三錢至五錢 禁忌、百無禁忌

◉桑椹、

主要作用、為生津液養血安神、
生津液者、即對於虛弱性、口渴症、可用之、
養血者、即有鎮靜神經之作用、凡因虛弱而致之抽筋症、與自覺心跳症可以用之、有鎮靜之作用、
劑量、一錢五分至三錢、
禁忌、(1)腹瀉者、(2)消化不良者、

◉桑寄生、

主要作用在能安胎、與主治腰痛、

劑量、三錢至五錢、 禁忌、目翳者忌用、

◉柏子仁、

原文、氣味甘平、無毒、主治驚悸、益氣、除風濕、安五臟、久服令人潤澤美色、耳目聰明、不飢不老、輕身延年、
(一)甘平、因有滋養性、故曰甘、因有鎮靜性、故曰平、
(二)主治驚悸、有鎮靜神經之作用、故曰主治驚悸、
(三)益氣、因能強壯心力、故曰益氣、
(四)除風濕、此藥可治虛弱性慢性之關節炎、
(五)安五臟、因有鎮靜作用、故曰安五臟、
(六)潤澤美色、此藥多含脂肪、故能使皮膚潤澤而色美、
劑量、三錢至五錢、
禁忌、(1)腹瀉者、(2)因外感病之不眠症、
注意、此藥之主要作用、為安神、與通利大便、

◉側柏葉、

原文、氣味苦微溫、無毒、主治吐血、衄血、痢血、崩中、赤白、輕身益氣、令人耐寒暑、去濕痹生肌、
(一)苦微溫、或因有收斂性而能止血、故曰苦、或因能興奮「副甲狀腺」、而能增加血中之鈣、故有止血之效、是曰微溫、
(二)主治吐血、衄血、痢血、崩中、赤白、表示側柏葉有止血

之效、然用爲止血時、須炒成炭、名側柏炭、若生用代茶、亦有止血之效、惟其效力較小於側柏炭、

(三)益氣、或許有強壯心力之效、故曰益氣、

(四)去濕痹、羅麻質斯罕用、或可作爲副藥、若因血熱而關節疼痛者、可用之、

劑量、一錢半至三錢、

禁忌、大便燥結者、因其有收歛性故也、

▲松脂、(俗名松香、入土年深、化成琥珀)、

原文、 氣味苦甘溫、無毒、主治癰疽、惡瘡、頭瘍、白禿、疥瘙、風氣、安五藏、除熱、久服輕身不老延年、此藥時常是外用藥、並非內服、

(一)苦甘溫、 能主治癰疽惡瘡、概因有殺菌消毒之作用、故曰苦、或因能增皮膚之免疫性、故曰甘溫、

(二)癰疽、惡瘡、頭瘍、白禿、疥瘙、可以此藥外用、

(三)風氣、 患羅麻質斯者、亦可用之、作外擦藥、

(四)安五藏除熱、 概指琥珀之內服、不但對於五藏有鎭靜之作用、卽對於神經不安而煩躁者、亦有鎭靜之作用、故曰安五藏除熱、

劑量、 琥珀三分至一錢半、

禁忌、 因外感熱高而神經不安者、禁用琥珀、因琥珀只可用於虛弱性之神經不安、

▲松節、

原文、 氣味苦溫、無毒、主治百邪久風、風虛、脚痹疼痛、釀酒主脚軟骨節風、

(一)苦溫、 概因有殺菌作用、而能治脚痹、故曰苦、因有興奮性、故曰溫、

(二)主治百邪、 因能主治因虛弱而成之各種精神性病症、故曰主治百邪、

(三)久風、 指慢性關節疼痛、

(四)風虛、 中醫謂血虛生風、指因神經虛弱而成之疼痛疾患、

(五)脚痹疼痛、 此藥有特效於「慢性膝關炎」、故曰治脚痹疼痛、

(六)釀酒、主治脚軟骨節風、 釀酒、指用酒浸之松節、可治下肢之關節痛、

劑量、 一錢半至五錢、

▲松花、(別名松黃)、

此藥罕用、在原文中所述諸効、指「松花中之子」、

原文、氣味甘溫、無毒、主潤心肺、益氣、除風、止血、亦可釀酒、

(一)能潤心肺、故曰甘、能益氣、故曰溫、

(二)主潤心肺、中醫以此藥能「養血」、所謂養血卽有鎮靜運動神經之作用也、潤心卽爲鎮靜神經之變換詞、此藥能化痰止乾咳、通利大便、故曰潤肺、

(三)益氣除風、能強壯心力、可治羅麻賀斯、

(四)止血、外用可作止血藥、

(五)亦可釀酒、松花子可以釀酒、或可以酒浸用、

劑量、三錢至五錢、禁忌、泄瀉者、忌用、

▲茯苓、

原文、氣味甘平、無毒、主治胸脅逆氣、憂恚、驚邪、恐悸、心下結氣疼痛、寒熱煩滿、欬逆口焦舌乾、利小便、久服安魂養神、不飢延年、

(一)甘平、能強壯交感神經、故曰甘、因有鎮靜之作用、故曰平、

(二)主治胸脅逆氣、指心臟病之氣促症、能主治之、概因能強壯交感神經、而使心肌之緊張力、得以恢復正常狀態之故、

(三)憂恚驚邪、恐悸、因能鎮靜大腦之精神部、故能主治憂恚、驚邪、恐悸、

(四)心下結氣疼痛、指胃擴張而不舒適者、此藥能治之、概因能強壯交感神經、而使胃肌之緊張力、得以正規、並有止痛之効、

(五)寒熱煩滿、指大腦精神部不安之現狀。

(六)欬逆、指此藥能化痰平氣、

(七)口焦舌乾、能強壯交感神經、而使唾液之分泌增加、故能治口焦舌乾、

(八)利小便、此藥有利尿之作用、

劑量、三錢至一兩、

禁忌、(1)尿量過多者、(2)熱症口焦舌乾者、(3)遺精者、

▲赤茯苓、

劑量、三錢至五錢、

尋常專用以「利尿」、其他功用與茯苓相似、

▲茯神、

其功用與茯苓相似、惟其安神催眠之効較強、

劑量、三錢至五錢、安神多用硃砂拌、

▲茯苓皮、

主要作用是利尿消腫、開腠理、是指此藥有泄汗之作用、

劑量、三錢至五錢、

▲茯神木、

主要作用、是鎮靜運動神經、

劑量、一錢五分至三錢、

▲蔓荊子、

原文、氣味苦微寒、無毒、主治筋骨間寒熱、濕痺、拘攣、明目、堅齒、利九竅、去白虫、久服輕身耐老、

(一)苦微寒、有殺菌、或殺虫作用、故曰苦、有止痛消炎作用、故曰微寒、

(二)主治筋骨間寒熱、指能主治急性羅麻質斯、

(三)濕痺拘攣、指患羅麻質斯時關節不能行動之狀、

(四)堅齒、指能興奮大腦垂體、

注意、其藥効多行於身體之上部、而治血壓高之頭痛甚効、

劑量、二錢至五錢

禁忌 (1)貧血者、(2)精神部衰弱者、

▲槐實、

此藥有殺菌消毒作用、故曰苦、因有消炎作用、故曰寒、

此藥之主要作用、(1)能止腸出血、與痔出血、概因有收斂之作用、然止血須用「槐實炭」、(2)有消毒殺菌收斂之作用、故可治火傷外用、生槐實研末麻油調敷、(3)子藏急痛、指子宮炎之疼痛、然產後忌用、

劑量、三錢至一兩、

注意、槐實即槐花之子、罕用、因普通均用槐花、因其功用相似也、

▲槐花、(又名槐米)

原文、氣味苦平、無毒、主治五痔、心痛眼赤、殺腹藏虫、及皮膚風熱、腸風瀉血、赤白痢、

(一)苦平、因有殺菌殺虫作用、故曰苦、能退炎、減血壓而止血、故曰平、

(二)主治五痔、指此藥對於各種之痔瘡均有止血之效、

(三)心痛、此藥之效常行於胃腸、能減低靜脈之充血、凡胃因充血發炎而痛者、此藥有效、

(四)眼赤、此藥對於眼結合膜炎、有退炎之效、

(五)殺腹藏虫、有殺滅腸寄生虫之作用、然消化不良者、不能用、

(六)皮膚風熱、　卽指皮膚發紅疹、而無咳嗽發熱諸狀者、可用之、按皮膚發無定形之紅疹、多半是因胃腸消化不良、特種毒質、由胃腸吸收入血後、由皮膚排泄時、而顯紅疹也、故此藥能治皮膚風熱者、完全是由於此藥、對於消化器官有消毒作用之故、

(七)腸風瀉血、赤白痢、　腸風瀉血、表示此藥對於腸之出血症、有止血之效、因其對於腸道有殺菌止血作用、故可治赤白痢、

劑量、　三錢至五錢、

禁忌、　(1)腹瀉者、(2)腸胃虛弱而消化不良者、(3)脈搏沉細者、

注意、　此藥在尋常之主要作用、(1)利尿、(2)清血熱、所謂清血熱者、指減低充血、而有止血之效也、

附

槐枝、　尋常不內服、是作外用之洗藥、而有消毒之作用、

槐葉、　尋常亦不內服、是作外用之洗藥、而有消毒之作用、

槐膠、　罕用之、

▲乾漆、

原文、　氣味清溫、無毒、主治絕傷、補中、續筋骨、塡髓腦、安五藏五緩六急、風寒濕痹、

中醫以乾漆能敗瘀血、而生新血、稱爲「飛補」之藥品、能去血之閉塞、而散積血、並能止痛、然罕用之、

按愚見以上之說法、或是指能強壯淋巴腺、能增加淋巴腺濾毒之作用、或是指能解除大腦精神部因憂鬱而成之疾病、

(一)清溫、　清、或指此藥有改正作用、或變質作用、溫或是指能興奮淋巴腺之濾毒作用、

(二)主治絕傷補中、　中指交感神經、絕傷、或指大腦精神部之抑鬱不振之狀、故「絕傷補中」四字聯起來、成爲一句、蓋指此藥、能解除神經部之各種症狀也、

(三)續筋骨塡髓腦、　或指神經性疾患去除以後、體力自然佳良、精神自然充足、故曰續筋骨塡髓腦、

(四)安五藏、　指此藥有鎮靜之作用、

(五)五緩六急、　弛縱曰緩、拘攣曰急、　如能強壯交感神經、則弛縱之不隨意肌得能恢復其緊張力、故能治五緩、又因同時能鎮靜運動神經、故能治六急、凡五藏六府之因神經性而不正規者、此藥能正理之、故曰主治五緩六急、

(六)風寒濕痹、　指患慢性羅麻質斯、此藥有止痛之效、

劑量、五分至一錢五分、

禁忌、(1)發高熱者、(2)便閉者、

▲黃連、

原文、氣味苦寒、無毒、主治熱氣、目痛眥傷泣出、明目、腸澼腹痛下痢、婦人陰中腫痛、久服令人不忘、

(一)苦寒、因有殺菌消毒作用、故曰苦、因有鎮靜作用、與消炎作用、故曰寒、

(二)主治熱氣、發熱者、服之有退熱之效、

(三)目痛眥傷泣出明目、眼現紅腫而疼痛者、不但能退炎、亦有止痛之作用、目病亦可外用、如黃連研末、乳調搽眼部是、

(四)腸澼腹痛下痢、腸澼者、腸內有積聚之意、腸澼腹痛下痢、指患阿米巴痢者、可用之、

(五)婦人陰中腫痛、凡婦人之陰中腫痛而紅腫者、此藥有消腫退炎之作用、

注意、此藥之主要作用、(1)有鎮靜神經之作用、故能止痛、又能安眠、若作為「止嘔藥」其效頗佳、(2)有退腫消炎殺菌之作用、若用酒炒者、其藥效能行於人體之上部、

劑量、三分至一錢、

禁忌、(1)消化作用虛弱而大便泄瀉者、(2)大便過份閉結者、(3)脈搏不速者(4)舌尖不發紅者、(5)有外感而怕冷者、(6)外感發熱初起者、

▲蒲黃、

原文、氣味甘平、無毒、主治心腹膀胱寒熱、利小便、止血、消瘀血、久服輕身益氣力、延年神仙、

(一)甘平、此藥有止血之作用、能治尿道出血、概因增加血中之鈣質，故曰甘，因有消炎之止血作用、故曰平、

(二)主治心腹膀胱寒熱、利小便、若膀胱炎而出血者、不但有退炎止血之效、亦有利尿之作用、

(三)止血消瘀血、瘀血、概指充血性疾患、消瘀血、指有退炎、及減低局部充血之作用、止血消瘀血者、表示凡因充血性之出血、方可用此藥、以止血、若其出血、是因貧血而血液成份淡薄者、禁用、此即所謂「無瘀血者勿用」者、是也、蒲黃之主要作用為止血、如舌上出血、可將蒲黃研末敷於舌上以止血、若尿中含血者、可以內服以止血、

(四)益氣力、或指能增加血中之鈣質，或指因血止而氣力得

以恢復之意、

劑量、　一錢五分至五錢、

禁忌、　(1)虛弱性出血、(2)腹瀉者、(3)尿不利而尿道不通者、(宜於尿黃者、)

本社第十三次討論會記事

本社第十三次討論會於九月十五日午後三時、在高銀巷陳杏生寓舉行、到者有沈仲圭阮其煜陳鼎丞陳杏生王心原王一仁程賓範湯士彥諸君等、玆將問答及研究情形錄下、

一、問鄙人神經肉體。皆甚衰弱。但皮膚五官之排泄廢物。非常旺盛。此種現象。殆屬病理。敢問治法。(沈仲圭)

答、排泄太多、因細胞之代謝太速、所謂飲食不爲肌膚者是、根本辦法、以節食調制之、

二、問韋廉氏紅色補丸。是否祕方。抑與市售鐵丸相類。可治因貧血而發生之各症否。(前人)

答、所謂鉄丸者、其製法原料、不外蘆薈砒鐵等、故多服則瀉、亦有用作通經者、中方以繡鐵煎服、亦可補血、藥房即以鐵絲煎汁、謂之鐵汁、

三、問直接治療失眠。中醫有無効方。(前人)

答、直接治療失眠、除麻醉外、實無方法、但麻醉實有害于心腦神經、亦不宜用、苟置藥物于不言。以黃花菜(卽景針菜)一二兩煎服、頗有安眠之効、惟脾胃弱者、久服致瀉、

四、問飯與粥之消化。孰爲容易。(前人)

答、此當視胃之習慣性、胃酸多者、有時反以飯爲易消化、胃酸少者則不宜、

五、問中醫有所謂截瘧劑者。在藥理上。如何解釋。(前人)

答、如常山、草菓、檳榔、等、皆有効之截瘧藥、其理不外能殺瘧疾蟲菌、以砒砂雄黃砒石貼脊、理亦如是、

六、本草經之研究、(六)

△菊花、

原文、　氣味苦平、無毒、主治諸風頭眩腫痛、目欲脫、淚出、皮膚死肌、惡風濕痹、久服利血氣、輕身耐老延年、

(一)苦平、　中醫以菊花能制火平肝、淸肝熱、而有發散性、乃指菊花有「消炎鎭靜」之作用、故曰平、能治濕痹、概因有殺菌退炎之作用、故曰苦、

(二)諸風頭眩腫痛、目欲脫淚出、　指菊花有退炎止痛之作用、目赤者、可用之、

(三)皮膚死肌、 表示此藥對於外科病、有發散性、

(四)惡風濕痹、 患慢性羅廠質斯者服之、有退炎殺菌止痛之作用、

(五)利血氣、 爲局部之炎消痛止之變換詞也、

劑量、 一錢至一兩、

禁忌、 (1)脈搏不速、舌苔淡白者、(2)消化不良、而腹瀉者、(3)患關節炎而惡寒者、

▲茵陳蒿、

原文、 氣味苦平、微寒無毒、主治風濕寒熱邪氣、熱結黃疸、久服輕身益氣耐老、面白悅長年、兔食之仙、

(一)苦平微寒、 因對於胆管之一部份、有殺菌消炎驅胆之作用、故曰苦平微寒、

(二)主治風濕寒熱邪氣、 此藥對於羅麻質斯無效、故風濕寒熱邪氣、概指胆管病而發之寒熱疾患、此藥有效、

(三)熱結黃疸、 此藥爲治黃疸之特效藥、

按黃疸一症、是因胆管炎而閉塞、以致胆液不能進入小腸、而倒入血液中之病、凡是治黃疸之藥品、即能使胆液通利、對於腫脹閉塞之胆管、有退炎消腫消毒之作用、故茵陳蒿所以能治黃疸者、即因其有驅胆液之作用也、

(四)熱結黃疸、 表示此藥爲驅胆液、治黃疸之特效藥、並不是用以治虛弱之面黃症也、

(五)益氣、 此藥並無直接增加氣力之效、若黃疸去除、則氣力自然恢復、故曰益氣、

劑量、 三錢至五錢、

禁忌、 (1)無黃疸者、(2)汗多惡寒者、(3)大便泄瀉者、

▲天名精、

原文、 氣味甘寒、無毒、主治瘀血、血瘕欲死、下血止血、利小便、久服輕身耐老、

(一)甘寒、 此藥常用以治痞塊而漸消瘦者、似有強壯體力之作用、故曰甘、因有鎮靜與利尿作用、故曰寒、

(二)主治瘀血、血瘕欲死、 瘀血者、指神經部之不舒暢現狀、血瘕者、指因神經虛弱而現之腸蠕動不正規、 瘕者、指腹中聚散無常之塊、腹中聚散無常之塊、是指腸不按正規之蠕動、 血瘕者、指因神經虛弱而腸不按正規之蠕動、

「戍無巳曰、肝者血之源、血聚則肝氣燥」、此處之肝在科學上之說法、是指神經肝氣、燥指神經之虛弱不安、又云、

「肝者血之源」、正以躁動抽筋、是由於「血不養肝、」按愚見中醫之「血」字、決不能完全指科學上之「血」字、有一部是爲「神經缺少節制力、而現虛弱不安之變換詞」也、

(三)下血止血、　下血者、指下其積血也、「下積血」三字、按愚見、是「神經不舒暢、而得解除之變換詞也、」　止血者、是指神經性疾患、得能阻止進行之意、並非「阻止出血」、因患衰弱性咳血、血崩、便血、均禁用此藥之故也、

(四)利小便、　此藥有利尿之作用、

劑量、　一錢五分至三錢、

▲附

天名精之「實」、名鶴蝨、爲驅除腸寄生虫之藥品、

劑量、　八分至三錢、

天名精之根名杜牛膝、　此藥之「藥性下行」、故能主治吐血、牙痛、咽喉腫塞等症、並非直接有止血之效、

藥性下行者、指此藥對於身體下部之炎腫、有退炎消散作用、

劑量、　一錢至三錢、

禁忌、　(1)血崩者、(2)便血者(3)有孕者、

▲石龍芻、　(卽龍鬚席草)

原文、　氣味苦微寒、無毒、主治心腹邪氣、小便不利、淋閉風濕、鬼疰惡毒、久服補虛羸、輕身、耳目聰明、延年、

(一)苦微寒、　因有消炎殺菌之作用、而能治關節炎與淋濁、故曰苦、因有利尿與鎭靜神經之作用、故曰寒、

(二)主治心腹邪氣、　指因小便不利、而所現之煩悶腹脹諸狀、

(三)小便不利淋閉、　此藥利尿之効頗佳、可治淋濁之尿不利、而尿時疼痛者、尿道炎可用之、

(四)風濕、鬼疰、惡毒、　風濕、指關節而小便不利者、可用之、鬼疰、指刺激之精神錯亂而躁動不安者、可用之、以作鎭靜劑、(此卽所謂降熱、)惡毒、非指外症之癰毒、乃指尿不利之自家中毒症、

(五)補虛羸、　此藥之主要作用，是利尿消炎、鎭靜神經、若尿利、則毒質排泄於體外、炎消而病去、神經鎭靜、則身體各部亦得以安舒、故曰補虛羸、

劑量、　一錢五分至三錢、　若獨用、每次可用一兩、

禁忌、　(1)遺尿者、(2)虛弱性之關節炎、

▲車前子、

原文、氣味甘寒、無毒、主治氣癃、止痛、利尿道、通小便、除濕痺、久服輕身耐老、

(一)甘寒、此藥爲常用之利尿劑、故曰寒、病去而身體得以恢復健康、故曰甘

(二)主治氣癃、止痛、利水道、通小便、氣癃、指尿閉、止痛、指尿時尿道疼痛、尿時疼痛、多因尿性過酸、能止痛、蓋因能解尿酸也、凡小便不利者、服此藥能通利小便、

(三)除濕痺、凡關節炎者、服此藥有利尿與解酸之作用、

劑量、三錢至一兩

禁忌、(1)尿過多者、(2)虛弱性小便不利者、

▲冬葵子、

原文、氣味甘寒滑、無毒、主治五臟六腑寒熱、羸瘦、五癃、利小便、久服堅骨、長肌肉、輕身耐老、

(一)此藥之主作用、爲利尿、排除血中之毒質、毒質既去、身體得以恢復健康、故曰甘、此藥能下乳、滑胎、利尿、故曰寒滑、

(二)主治五臟六腑寒熱、羸瘦、或指疏通各種神經鬱積不安之現狀、或因其有利尿之作用、而去除血中之毒質、使身體得以健康、故曰主治五臟六腑寒熱、羸瘦、

(三)五癃利小便、張隱菴曰、膀胱不利爲癃、因此藥之主要作用、爲利尿、故曰五癃、利小便、

劑量、一錢五分至五錢

禁忌、(1)有孕者、(2)尿過多者、(3)腹瀉者、

▲地膚子、

原文、氣味苦寒、無毒、主治膀胱熱、利小便、補中、益精氣、久服耳目聰明、輕身耐老、

(一)苦寒、此藥對於皮膚有解毒作用、能治皮膚病、故曰苦、此藥尋常用爲利尿劑、故曰寒、

(二)主治膀胱熱、利小便、此指解尿酸之利小便、故曰主治膀胱熱、利小便、

(三)補中、益精氣、此藥既有利尿與皮膚解毒之作用、以致能強其神經及體力、故曰補中益精氣、

劑量、一錢至五錢、

禁忌、(1)腹瀉者、(2)小便過多者、(3)體溫過低、或過高者、

▲决明子、

原文、氣味鹹平、無毒、主治青盲、目淫、膚赤、白膜、眼赤、淚出、久服益精光、輕身、

(一)鹹平、此藥爲眼科之主要藥、對於眼目有退炎消腫之作用、並能去除角膜之瘢痕、故曰鹹平、

(二)主治青盲、目淫、膚赤、白膜、眼赤淚出、青盲、指眼有發炎之病、而不能見物、因此藥有退炎之作用、目淫、指眼之四週均紅腫、而眼中之分泌同時加多者、膚赤、指眼胞發炎、白膜、指角膜瘢痕眼赤、指眼結合膜炎、淚出、指眼中之分泌過多、

劑量、一錢五分至五錢、

禁忌、(1)內障無效、(2)虛弱性腹瀉者、

▲茺蔚子、(卽益母草子)

原文、氣味辛甘、微溫、無毒、主明目益精、除水氣、久服輕身、

(一)因有發散性可治眼目充血發炎、而有消散作用、故曰辛、因有興奮生殖腺、而能調經、益精、明目、令人有子、故曰甘、因對於子宮有興奮性、故曰微溫、

(二)主明目益精、因能興奮生殖腺、故曰主明目益精、

(三)除水氣、此藥有利尿作用、而治水腫、故曰除水氣、

劑量、一錢五分至三錢、

禁忌、(1)內障、(2)水腫不是由於靜脈鬱血、而由於虛弱性者、(3)腹瀉、(4)瞳人散大、

附註、

茺蔚莖、茺蔚花、茺蔚穗、均屬罕用、

茺蔚葉、卽益母草、是屬常用、且常用於產後、以去除惡露、在產後、此藥可代茶用、主治隱疹、表示此藥對皮膚發癢之疹子、有止癢消炎之作用、

劑量、一錢五分至五錢、

禁忌、產後腹瀉者、忌用、

▲丹砂、(又名硃砂)、

原文、氣味甘微寒、無毒、主治身體五藏百病、養精神、安魂魄、益氣明目、殺精魅邪惡鬼、久服通神明、不老、能化爲汞、

(一)甘微寒、中醫因其色赤、而有養血之作用、故曰甘、養血者、鎭靜神經也、因有鎭靜神經之作用、故曰寒、

(二)主治身體五藏百病、指此藥對於五藏不安者、均有鎭靜之作用、

(三)養精神、安魂魄、此藥能鎭靜大腦之精神部、而有催眠之作用、

(四)益氣明目、指神經部、既然可得以安靜休養等、亦卽能

恢復神經部之健康、故曰益氣明目、

(五)殺精魅邪惡鬼、　指此藥對於大腦精神部之各種不安現狀、有袪除之作用、並能治癲狂症、

(六)能化為汞、　表示丹砂中、含有水銀、

劑量、　三分至一錢、

禁忌、　(1)腹瀉者、(2)體溫過低者、(3)外感性之神經不安症、

▲雲母、

原文、　氣味甘平、無毒、主治身皮死肌、中風寒熱、如在車船上、除邪氣、安五臟、益子精、明目、久服、輕身延年、

(一)甘平、　頭暈可用之、概因能有強壯心力之作用、故曰甘、

尋常用為平氣藥、咳嗽氣促者、可用之、頭暈氣促者、亦可用之、故曰平、

(二)主治身皮死肌、　此指外用、乃有解毒之作用、

(三)中風寒熱、如在車船上、　中風寒熱、指忽然遇到之神經不安現狀、如在車船上、類似暈車暈船之病、　表示此藥不但有鎮靜神經之作用、亦有強壯心力之効、

(四)除邪氣安五藏、　指能鎮靜五藏不安之疾病、

(五)益精子明目、　張隱菴曰、今時用陽起石者有之、用雲母者甚鮮、此二者、其功用相似、按陽起石、乃有壯陽之作用、故益子精明目、概因此藥有興奮生殖腺之作用、

劑量、　雲母片、　一錢五分至三錢、

禁忌、　外感寒熱而頭痛者、忌用、

注意、　此藥罕用之、

▲石鐘乳(又名鵝管石)

原文、　氣味甘温、無毒、主治欬逆上氣、明目益精、安五藏、通百節、利九竅、下乳汁、

(一)甘温、　此藥功用、概因能奮興交感神經與滋養之作用、故曰甘温、

(二)主治欬逆上氣、　此藥對於心臟虛弱之氣促、可用之、急性氣管炎之氣促、不甚相宜、至於肺炎症、絕對禁用、肺壞疽有時見效、

(三)明目益精、　因對於交感神經、有強壯作用、故曰明目益精、

(四)安五藏　凡因心力虛弱，而現不安之現狀、此藥有效、

(五)通百節利九竅、　因能強壯神經及心力、使人舒暢、故曰通百節、利九竅、

(六)下乳汁、　能與奮乳腺、使多產生乳液、

劑量、　一錢至五錢、

禁忌、　(1)有高熱者、　(2)患肺炎者、

贈書誌謝

書名	期數	地址	價格
中國出版月刊	第二卷 第一期	杭州私立浙江流通圖書館	每期一角五分
皇漢醫報	第五十八期	臺北市永樂町三丁目十四番地	每期一角
現代醫藥月刊	第四期	福建福淸城內官塘墘	每期一角
診療醫報	第五卷 第十二期	上海霞飛路一百〇六號	每期一角
建國月刊	第九卷 第三期	南京成賢街一百〇一號	每期二角
綱目指南		蘇州十全街中國醫學社	每册一元
醫界春秋	第八十二期	上海白克路西祥康里七十七號	每期一角六分

本社代售

中國醫藥問題 每册一角二分
三衢治驗錄 每册一角二分
中國時令病學 每册二角五分
國醫雜誌 每期一角五分
山西醫學雜誌 每期一角五分

本刊第一年彙訂出版精裝一厚册價洋八角

中華民國二十二年十月一日出版
醫藥衛生月刊第(十四)(十五)期
本册售洋一角二分
主編者 王一仁 杭州上城彩霞嶺十一號
發行者 中國醫藥學社 杭州上城彩霞嶺十一號

月刊定價表

另售每册六分	(郵費)	國內日本 一分
		國外及香港澳門 六分
預定全年十二册七角二分郵費在內		
國外預定全年一元五角郵費在內		

本刊寄售處

本市 古今圖書店(保佑坊)
維新書局(湖濱)
上海 國醫學會(西門內石皮弄)
中醫書局(山東路)
千頃堂(三馬路)
蘇州 國醫書局(吳趨坊)
南京 建國書店(成賢街)
衢州 聚秀堂(下街頭)
山西 中醫改進研究會(太原精營東二道街)

醫藥衛生月刊

延卓署

第(十六)(十七)期　王一仁主編
民國二十二年十二月一日出版

中國醫藥學社印行
杭州東坡路湖濱七弄第三號
電話一〇九六號

學說

仁盦醫說（十三續）

王一仁

◉經脈與生理系統（九）

膽與骨髓之關係。在今日生理學雖無所說。而手少陽三焦（淋巴液）與骨髓之關係。則甚昭著。解剖人之脊柱內。如一長河。外爲硬膜。上爲軟膜。界乎中間者、謂爲中膜。當其空間、即充滿脊髓液。（淋巴液）。此項液體。固爲營養脊髓之用。在脊髓中有之。在其他骨髓中亦有之。靈樞五癃津液別篇「五穀之精液。和合而爲膏者。內滲入于骨空。補益腦髓。而下流于陰股」。因膽汁之澄清糟滓。三焦液管、乃有吸收分泌之可能。則骨中之液。亦可謂爲膽之所主。於是、則經脈篇謂膽足少陽是主骨所生病者。乃究其髓液澄清之源。此爲國醫學求因追本之論。西醫之黠者、欲攻擊國醫。每以間接之言。爲直接攻擊之論據。如是則全部內經、反成糟粕。善讀書者、何可爾也。

。。。。。。

太陰經主融化系統　融化有異于消化。融有和合之義。消則消竭而已。如今人言「金融」、不言金消。蓋經濟賴乎融通和

化。壅固不可。竭亦危矣。融化之義既明。於是乃推論太陰經之生理。足太陰脾與手太陰肺。在今日生理學上膵臟則有助消化之胰液。肺則爲司呼吸之器官。截然爲兩個系統。膵臟在國醫無此名。蓋已包括于脾。難經以「脾重二斤三兩。廣扁三寸長五寸。有散膏半斤」。散膏云者、即胰藏與其胰液。脾之于膵。等于肝之于膽。膽汁由肝臟產生。胰汁由脾藏產生。蓋其經脈連繫。頗多由于紅血素分解而來。十二指腸因受酸質刺激。亦促速胰腺分泌之重要原因。謂脾有內分泌腺、及爲造血之臟器。在國醫言脾主思、又言脾統血。固無不可通者。而膵臟之胰汁。產生于脾。雖爲今日。生理學所不言。然一思膵藏之爲「散膏」性質。初無臟器可言。其不能自生胰液。理甚顯然。今考胰液似水而無色。現強鹼性反應。內含有機及無機物。論其作用。則有三種酵精。一、能化生質精（蛋白類）者。謂之胰液生質精。一、能消化澱粉者。謂之胰液澱粉酵。一、能消化脂肪者。謂之脂肪酵。此種消化作用。須入十二指腸、與膽汁腸液混合而始顯。胰液之分泌。一方因腸膜之蠕動。一方亦與神經作用有關。如情感之悲憂憤怒。影響于胰液之分泌者甚大。至因腸膜之刺激。促速胰液之分泌。則與咀嚼吞嚥時、影響于胃液分泌者一般。總之胰液有消化之主要作用。故素問太

中国近现代中医药期刊续编·第二辑

陰陽明論有「脾爲胃行其津液」之說。其言曰、「足太陰者、三陰也。其脈貫胃、屬脾、絡嗌。故太陰爲之行氣于三陰」。因脾臟所生之胰液。有消化蛋白澱粉脂肪之作用。而中焦之乳糜。乃得入門脈而化血。營養雖出于陽明胃腸。而磨化汁液。實賴于脾臟胰液。得胰液之融化液糜。乃得營養之益。故素問陰陽離合論有「太陰爲開」之說。開其營養之源、資生之路也。所謂行氣於三陰者。三陰爲三陽之本。無三陰之血液。則亦無三陽之經氣。故「太陰爲開」與「太陽爲開」。其解釋似異。而其相闢之義則同。太陰主開。在內者也。主本。太陽爲開。在外者也。主標。以經脈之道路言。臟腑皆相連繫。內外每爲一貫。故太陽爲三陽。主開。乃放散體溫者也。太陰爲三陰。亦主開。乃主造血液之源。爲放散體溫之本也。開之字義同。而所以開之之途徑則異也。

手太陰肺之亦屬于「融化」作用。其義則更顯明。肺主呼吸。呼吸空氣中之成分。在春、夏、秋、冬、之間。雖爲輕、養、淡、和合之平氣。然春溫、夏熱、秋涼、冬寒、四時之消長。則風、火、暑、濕、燥、寒、六氣是矣。肺則于此六氣、固無不吸收、無不融化者也。謂肺爲呼炭吸氧。此特言其粗者。實則六氣爲萬物生化之源。臟腑得此以擎生。其轉輸吸收機關。則出于肺。故國醫學謂「肺主氣」。胰液爲融化水穀之主力。肺臟則爲融化空氣之要塞。人身內外氣體之交換。肺臟即司其理化作用。而以血液爲其轉換媒介。血液固通行于臟腑各器官。循環之血。必得肺臟之呼炭吸氧。而後全其用。六氣之消長不同。臟腑之性情非一。於外來之氣體。各有所喜。各有所惡。唯恃肺臟氣管、爲之調節。素問靈蘭祕典論云、「肺者、相傅之官。治節出焉」。心司血液循環。審有君主之號。肺爲呼炭吸氧。固有相傅之義。而其燮理陰陽之責。有遍及臟腑之可能。治節云者。有承上安下之義。固不僅有益于心臟之循環也。唯全體之炭養。皆賴肺以爲交換。則必不勝其勞。于是有皮毛以分行其呼吸。肺與皮毛之呼吸。息息相關。全身炭養之交換。乃無所隔閡。此亦「太陰爲開」之義也。

寒燥同治論

皖婺余氏遺著　張蒔園錄

冬月大地寒冰。若非燥火內濟。萬物均僵凍而死矣。坎卦一陽居二陰之內以成冬。寒雖屬水。冬至初交。溼土之氣尚在地中。極微未著。惟燥氣最旺。燥下乾象。不但草木枯凋。雨化雪。露化霜。水化冰。兩間皆燥氣盤結。人感其邪。治以溫潤最妙。惟張景岳之理陰煎諸柴胡飲。皆用潤藥。再佐辛溫切於時用。潤能勝燥，辛又行水以潤燥。景岳雖未言及。寒與燥之未化熱者適相符合。但辛熱之品。不可多投。六氣皆從火化。寒最易化火者。寒月卽燥火正旺之時也。今時傷寒症極少。吳又可溫疫論云。今之傷寒症。千百人中一人而已。陰症又在千百傷寒中之一症。誠哉至論。葉氏指南亦少寒症之治。二公已窺破傷寒之誤。且論治皆以口鼻吸入。深踞募原。由裏達表方解。論治在裏者。不外三焦立法。全與傷寒治迥別。誠補千古之未發。江白仙溫熱論。治法立論皆妙。治濕諸法最精。但燥邪俱混在熱病門中。未能分別。蓋燥與熱似是而實別。燥邪未辨寒熱之際。但用平潤爲治。兼寒時須用溫潤。及化熱方投涼潤。治濕亦然。但治濕須用燥。治燥須用濕耳。陽邪以燥字爲綱。陰邪以濕字爲領。故曰。六氣以燥濕二氣爲綱領也。疫症卽濕熱之甚者。濕從地升爲濁邪。汗出必臭。濕邪易走營分。故有攻下蕩滌之法。濁由濁解。裏氣一通。清邪仍從汗出。惟今人多陰虧。間有可下之症。必佐養營。以防邪去正空之虞。葉氏用芳香化濁。余用清金化濕最妙。肺在人身爲天。天氣既降。濁邪焉有不解之理。苟可不用攻下。切勿妄投。誅伐無過。致生他變。夫治陽者以陰。治陰以陽。知其要者一言而畢。紛紛議論。反能炫人耳目。故醫家必須返博爲約。既得綱領。胸中自有成見。今世註傷寒者頗多。均未參透仲景心法。是以不切時用。惟柯韻伯能括傷寒雜病爲一家。六經見症與諸病同治。非專爲傷寒而設。其論某方治某證。亦非獨治傷寒。議論高出千古。中間亦有發明燥邪處。論痙症非濕屬燥。實補前人所未及。眞仲師之功臣也。傷寒同燥治。柯氏雖未全體揭出。已露一斑。今補論之。以爲將來之法。

頓欬淺說

張澤霖

(一釋名)頓嗆欬者。咳有間歇。時劇時休也。其聲若鸕鷀。故昔名鸕鷀瘟。俗以其連欬數十聲始止。呼爲連聲欬。或因欬聲深長似鷄鳴。稱爲鷄欬。西醫對於此病。無適當療法。須俟經過百日。自然痊愈。乃名此病爲百日欬。且又有疫欬、痙攣欬等名。蓋以其欬有傳染性與痙攣性也。

(二原因)西醫認本病屬於感染病菌。至菌類與形態。尙無確切表示。仍在研究中也。但既不明爲何菌。則是否屬菌。固一疑問。無怪其用殺菌藥而不效。徒束手待期而已。吾國醫則不然。審其爲感冒風邪。便以散風藥治之。知爲寒飲射肺。則用溫散方。其由燥熱灼肺。及痰邪襲於氣管枝等。皆注重原因治療。輔助肺之能力。以抵抗外物。驅除障礙。使呼吸器暢利。而病自愈。總之本病都由外邪干肺。氣道失於清肅所致。

（三症狀）本病以十歲左右之小兒。爲最易染患。成年人病此者甚鮮。其發生初期。（卽前驅症）鼻塞多涕。目赤流淚。身有微熱。自覺喉癢。卽作咳嗽。夜間較重。繼則咳嗽倏然而作。歷數十秒鐘乃停。靜止時頗似無恙健康之人。一至發作。則其痛苦之狀。難以形容。連欬數十聲。喘促短氣。涕淚交流。甚或二便齊下。面赤眼紅。惡寒戰慄。肩聳頭傾。腰曲脊彎。甚至苦悶聲低若窒息。後乃嘔吐粘涎濁沫方止。過後面色灰白。略現浮腫。遍體冷汗。氣機不調。惟談笑食慾均如常。約隔半小時或三四句鐘。則又發。輕者反覆數次。重症則每日有五六十次之多。

（四豫後）本病發勢雖險惡。不知者幾疑爲重篤肺病。但身不羸瘦。嬉笑自若。如不在發作時。則飲食睡眠皆安好。苟無其他合併症。及調養得宜。則豫後佳良。均可恢復健康。死亡者絕少。但治不得法。或妄服劇烈藥者。每易續起吐血、哮喘、肺腫、音啞等症。須當注意也。

（五治療）脈數舌赤。痰涎中夾有血絲。口渴喉痛。此乃風熱爲病。肺經有伏火也。治宜辛涼之品。淸金散邪。如麻杏石甘湯。或桑貝蒡桔款冬紫菀遠志等類。若肺傷聲啞。及欬久肺陰不足者。宜淸燥湯。及沙參兜鈴冬地等。如苔白脈浮緊。惡寒頭痛。鼻流淸涕。目不赤而多淚。嘔吐涎沫。喉有水雞聲者。此寒邪襲肺。水飲內踞也。治應以辛溫之劑。散其寒而化其飲。輕則金沸草散或定喘湯。重則小靑龍及羌防荊薄前桔夏陳之類。

（六特效方）1天師窠與文冰煎湯頻飲。2杏仁貝母各二錢研末。開水調服。3銀杏（去売）生姜等分。紋汁加文冰冲飲。

筆記

植林醫廬筆記

張蒔園

王右年二十餘歲。夏間患温邪。前醫皆用辛散病日增劇。且口中流涎不止。數分鐘已有一碗。諸醫以爲寒象。議施温補。擧家驚惶。來延余診。按脈細數。苔黃舌赤。小溲短濇。夜時煩躁。余斷爲熱極則廉泉開所致。須以大劑若寒甘涼兼淸肺豁之品。庶能保津泄熱。爰處鮮生地大麥冬連翹花粉象貝沙參甕霜丹皮通艸竹葉葦莖等。服後安眠四小時。翌晨復診。各恙均減。仍擬前方出入續後育陰滋腎。調理兩星期而痊。

西橋鎭曹姓之女。年將及笄素病肝陽。近因感冒風邪。身熱頭痛。惡寒無汗。服辛涼透解劑。表症已愈。一日偶以惱怒。突然頭搖不甯。餘無他苦。祇因搖極而引起嘔吐。按脈絃勁。苦淡微燥。知屬肝風鴟張。木火上沖。處方用石決明一兩。靈磁石六錢。牡蠣石斛茯神各四錢。浙菊鈎籐丹皮山梔白芍蒺藜各二錢。甘草一錢。青黛染燈芯二分。金器一具。蔗漿一杯為引。服後至夜間。頭搖始漸止。繼照原方再進一劑而安。以上兩案。頗屬尠見。特從診餘筆記中錄出。用備同道參攷。

蒔園附識

調養法之利弊談

張治河

衣食住為人生之三大要題、三者之中、尤以飲食關係為最大、俗云、「禍從口出、病從口入」、此誠千古之格言、健康之人、消化力強、小有不慎、為害尚淺、若病中病後、脾胃衰弱之時、一食失宜之物、則害莫大焉、考中醫書籍、間有論及飲食宜忌、但多略而不詳、西醫雖較詳細、惜又偏於西人習慣、施諸華人、每多不合、治河早思及此、故於拙著「中西醫學合纂中」、敘述「病源」「病竈」「病狀」「病理」「治療」外、每病加入調攝之法、除起居運動、採取新法外、對於飲食之宜忌、悉本古人之經驗、依華人之習慣、本年六月間、本縣教育局長周中輔君染患傷寒、經西醫治愈病後調養、遂亦盡遵西法、詎知卽因習慣不同、病乃復反、且較前尤甚、幾瀕於危、茲將經過詳情敘出、以供研究、

周君體質素來薄弱、對於衛生事宜、異常注意、惟以局中公務紛繁、周君操持過甚、所謂勞心甚於勞力、終見孱弱日甚、前於六月間染患傷寒、帶病辦公、又經數日、直至十分沈重、方請假就醫、初至泰縣福音醫院、經西醫診斷、認為腸窒扶斯、注射沃母納丁、兼用灌腸之法、諸證遞減、熱度降低、未數日、精神漸振胃口亦開、乃請示西醫、宜食何物、醫云、病後調養、以半熟鷄卵雞汁肉汁等、流質為妙、周君依法而行、甫經兩日、忽然熱度又高、頭疼不寐、復請西醫診治、西醫先予規甯兩粒、次日灌腸一次、身熱大退、頭疼亦輕、二三日後、恢復常態、食慾又漸亢進、西醫仍命日食雞汁肉汁魚湯等物、不料數日後、症情突變、身熱如熾煩躁不安、頭疼氣喘、晝夜不眠、服規甯兩粒、更覺灼熱通下大便、亦無效果危險情狀、達於極點、嗣經友人紹介、來舍就診、余見其形容消瘦、神情委靡、身熱無汗、舌亦斷津、唇焦齒槁、呼吸不平、診其脈弦細而數、問其經過、知為溫邪食復之重症也、先予阿司匹靈一粒、未片刻、周身大汗、繼進梔豉湯加芩葛銀翹青蒿地骨石斛蘇荷等藥一劑、熱卽減輕其半、安睡兩小時、第二日、仍用原法、又服一劑、身熱更減、安眠一夜、呼吸較平、脈轉和緩

、惟大便數日未解、小便猶赤、乃於前方、加入瀉葉二錢、服後六小時、大便㕶下兩次、初次係糞、夾帶黃沫、後則純係穢濁、黃沫下後兩小時、腹中輕快、脈靜身涼、舌上津生、面赤大退、但因反復數次、受戕太甚、以致精神疲憊、飲食不思、第四次方、去瀉葉、加入神麯麥芽、補助消化、以善其後、周君數次病變、純屬飲食失宜關係、夫西法調養、非爲不善、實因中西人士、飲食習慣不同之故、竊思飲食習慣、不獨中西不同、卽一國之中、亦南北互異、一區之內、亦膏粱與藜藿懸殊、可見飲食習慣、於人大有關係、常見膏粱之士、染患感冒、不忌葷腥、並無大害、若在藜藿之家、偶有傷風咳嗽、誤認爲虛、而食猪肺雞鴨、則多牽延成勞、所謂「傷風不省變成勞」者是也、又凡有芙蓉癖者患痢、烟量苟不因病增加、亦不見其爲害、若無癮者、因痢而誤吸雅片、則爲害莫大、或纏綿不愈、變成休息、或腹中結塊、發脹發腫、此無他、卽內臟組織常與其質接觸、成爲習慣、故無害也、西人平時、以肉食爲主、病後食以雞肉汁之流質、則易於消化、華人平時、以穀食爲主、病後若亦進以葷膩之物、則停滯不化矣、周君華人也、固以穀食爲主、加之體質素弱、且有胃病、（西醫謂之慢性胃炎、中醫謂之胃寒）當此重病之後、消化力愈形式微、復進以葷膩之品、宜乎停積不化、醞釀發腐也、此卽古人所謂「肥甘生內熱」亦卽日醫所謂「飲食醞釀之內中毒也」腸胃中之食毒、流入血中、則全體內外、發生燃燒亢進之變化、於是周身炕熱、諸症疊起、余之療法、先用阿司匹靈、從汗液排去在表之毒、同時鎮靜溫腦中樞、使不助紂爲虐、繼用清涼之劑、制止燃燒、第三次所診之方、加入瀉葉、通下腸胃中之積糞、以去禍胎爲釜底抽薪之計、同時兼消腸胃內膜之炎、表裏雙解之後、乃以蔻仁雅連神麯麥芽煎湯一茶杯、每餐一小時前冲服兩茶匙、以與奮腸胃細胞、誘其食慾食後兩小時、服蘇打一粒、防其發腐、兼用腹呼吸法、凝聚氣力於腸胃運動、飲食方面、在邪熱未清之時、僅使日食粥湯三小碗、梨汁數小匙、熱清數日、始進稀粥半碗（粥係大麥和米各半同煮）一日四次、菜蔬係用冬瓜、羅蔔醬瓜青菜鹽筍等物、生梨熟梨日食數次、藉以消遣、且可清熱養陰、統計旬餘、已入常人狀態、周君病變、誤於西法調養，其他誤於西藥治療者、則紀不勝紀、此並非西法不良、實因中西人習慣不同之故也。

方藥

濕痺腰痛之特效藥

俞慎初

引言：斯方蓋本諸家君之昭示，而對勞力感濕，腰痺痠痛，四肢乏力，甚為效驗，往往一劑知，二劑巳。下走不敏，然對於特效方藥，素甚注意，每有所得，必加之研究，茲就醫療效用，略述於下。

藥品：生杜仲　金扶筋　雲茯苓　木防巳　桂枝木

北沙苑　原蠶沙　薏苡仁

按痹症西稱關節僂麻質斯（Wandelnd Rheumatism）與筋肉僂麻質斯（Mnscular Rheumalism）其治法如溫罨法、按摩法、微溫浴、蒸氣浴、塗擦麻醉藥等，然尚無特效之方劑，

醫療效用：杜仲（促進血液進行，亢奮神經脈管，及淋巴管使筋骨強健。）

扶筋（亢奮心臟機能，促進血液增加，有溫養氣血，療治脚弱，腰痛之功）。

茯苓（由腸壁吸入血中，能增高血壓，使腎臟之分泌抗進）。

防巳（入血中令全身粘膜充血，而腎臟為尤顯，全身之過量水分，即被驅向腎臟，而腎臟之工作，亦就此迅速）。

桂枝（亢奮血液，使血管呈充血，刺激腎上皮，擴張腎動脈，以呈利水作用，功能調和氣血，溫筋通脈，疎腠理，除風濕）。

沙苑（溫血燥濕，且助長血液，為治腰痹痠痛，手足無力之要藥）。

蠶沙（逐風祛濕，溫煖腰膝）。

薏苡（刺激腎臟，使促進其利尿機能）。

本方之主藥，則為杜仲，杜仲功能強健筋骨，筋骨強健，則邪無所作祟，防巳為除風濕之要藥，蓋痹痛之作，皆由於風濕，風濕既除，則痹痛自息。薏苡茯苓助防巳以瀉下焦鬱濕。桂枝蠶沙之祛風濕，煖腰膝。沙苑扶筋溫氣血，而治腰痛肢弱，故用之效如桴鼓。

衄血驗方

俞慎初

主治：大衄久衄不止。

藥品：人中白三錢。

服法：開水一杯，將人中白溶化，候和服。

方解：本藥性味鹹涼，功能降火清瘀，故對於大衄久衄甚效。

雜　組

醫藥鱗爪

沈仲圭

更正

上期(即十四十五期合刊)第十二頁。有金雞納霜之服法與截瘧劑一篇。本屬鱗爪中之一節。今標題誤植四號字。遂似另一文稿。恐讀者不知。特爲更正於此。

失眠

譚次仲先生云。『余個人經驗。棗仁之安眠作用。於輕度之失眠證甚可靠。且每服三四錢至兩餘。不覺有絲毫使腦際發生不快之副作用。誠中藥最良善之安眠劑也。』圭按譚先生乃一有學問之臨床醫家。其言當非妄誕。故吾人治神經衰弱之失眠症。允以酸棗仁湯爲主。

喘欬

感冒欬嗽。宜毛達可欬嗽方。(桔梗、荊芥、甘草、陳皮、紫苑、白前、百部、)欬而且喘者。宜麻杏石甘湯(方中麻、杏乃主要藥。分量不能太輕。)前方爲余雲岫先生經驗。後方經方家頗賞用之。

霍亂

霍亂用灸法有特效。法用雷公散五厘。或肉桂粉少許。置臍眼中。上蓋生薑一片。用大艾圓灸之。以病人知痛爲度。

痢疾

近治一痢疾。證見腹痛。下痢赤白。嘔吐清水。胃納不旺。余以傅青主痢疾方(見本刊十一期八頁)去甘草。加生薑半夏。二劑而腹痛下痢俱止。惟餘嘔惡。因以他藥善其后。可見古人成方。用之對證。誠有桴鼓之效也。

胡桃之功用

胡桃之功用有三：

(一)治白喉——用本品之肉，搗碎煎服，見徐衡之譯漢藥之分析。

(二)治痰喘——本品連皮用，合人參煎服，見本草。

(三)治遺精——本品二十兩，研爛，補骨脂十兩，酒浸蒸，爲末，蜜調加飴，常服，此唐鄭相國方也。

說豬肉

沈仲圭

豬肉爲動物性食品獸肉類之一。有修補細胞。滋養人體之功。歐洲各國。每人每日之平均消費額。在二十八錢以上。吾國人士。亦向以此爲恆食。惜世人僅以供肴饌。快朵頤。不知其在治療上。有甚大之價值。爰舉古人臨床筆記一則。並贅管見如左：

續名醫類案載。汪亦厓治張姓。夏月途行受暑。醫藥半月。水漿不入。大便不通。唇焦舌黑。骨立皮乾。目合肢冷。診脈模糊。此因邪熱薰灼。津血巳枯。形肉將脫。亡可立待。若僅以草根樹皮。滋養氣血。何能速生。囑市猪肉四兩。粳米三合。煮汁一碗。另以梨汁一杯。蜜半杯。與米肉汁和勻。一晝夜呷盡。目微開。手足微動。喉間微作呻吟。如是者三日。唇舌轉潤。退去黑殼一層。始開日能言。是夜下燥屎。脈稍應指。再與養陰。匝月而愈。

(仲圭按)王孟英言猪肉之功用曰。「補腎液。充胃汁。滋肝陰。潤肌膚。利二便。止消渴。起尩羸。」又曰。「液乾難產。津枯血奪。火灼燥渴。乾嗽便祕。並以猪肉煮湯。吹去油飲。」蓋豚肉含脂肪頗富。(百分之二十八)爲惡於牛肉之資重肉類。專滋肝腎之陰。熱性病後。津血不復。以致胃呆便閉。骨立皮乾者。乃極適應之食餌療法。豈可狃於時令病後。忌食魚肉之戒。而坐視病體之衰羸於不顧哉。

仲景治少陰病。下利咽痛。胸滿心煩。有猪膚湯。猪膚一斤。白蜜一升。白粉五合。山田氏云。「猪膚即猪肉。本草明稱性平。解熱毒。」據此。是物不但津枯液涸者。依爲甘寒膏澤。即陰虛而上焦有熱者。亦可用之以治標也。

陸淵雷氏云。「猪膚湯。即肉湯拌炒米粉。和以白蜜。」斯言信然。(圭按以肉湯冲打鬆之鷄卵黃尤妙)余謂是法等於西醫之用鷄牛肉汁。對於易於分解蛋白質之熱性病。(飯可代用點心。固非專爲「少陰下利」一症而設也。

旋毛虫條虫。常以牛羊豕爲第一宿主。故猪肉非煮至華氏一六〇度。恐有傳染寄生虫之危險。但肉中蛋白。一遇高熱。又易凝固而礙消化。折衷之法。可先以猛火煮五分鐘。然後以文火緩緩煮之。

世俗煮肉。多用冷水。此大謬也。投肉於冷水中而漸次熟之。則肉中所含之滋養分。將與水溶化而散溢。養生之功。豈非大減。故欲保全養分。宜先將生水煮沸。然後入肉。

猪肉富於脂肪。消化時間。比較的延長(約須四時)故與脂肪較多之鵝、鴨、雉肉。及不易消化之蕎麥、炒豆。不宜同時飽啖。惟以葱山藥萊菔等爲配合料。則極適宜。

肉中滋養分之豐歉。恆視猪之生活食料等不同而生差異。吾浙所產之猪。以義烏爲最。皮薄而肉嫩。余嘗出診其地。病家特製肉圓饗余。肥嫩鮮美。迥異凡品。此即該處飼猪。以大麥爲主之故。非有他謬巧也。

時賢徐究仁嘗治久痢。夜熱昏譫口噤唇硃。現陰竭陽浮之狀。治以猪膚湯。用火腿皮濃煎如膠汁。兩日而痢減。輔以他方。匝月全愈。是亦足證猪肉養胃滋陰清熱之偉功矣。

友人吳去疾言西林某巨公。本貴介公子也。當其未發達時。意氣豪縱。不可一世。家居常張筵演劇。夜以繼日。從者苦之。然每至天明之時。某輒進精猪肉粥一甌。從者亦皆得食。以此雖日夜辛勞。而虛火不致上炎。圭按吳君記此事。亦以證猪肉滋陰之效也。

雜錄

太素脈之研究（二續）

董志仁

（二）太素脈和看相有什麽分別？

袁柳莊說：『相乃仙傳，要人眼力』。是看相的優劣，全在乎兩眼。太素脈是用手按三關，完全靠着指下的分明；指生於上肢，除了特殊的少數的，或以左手爲習慣的人，當然是用着右手的力量。右手和兩眼，根本是不同；這是關於診按與觀看的分別。

關於內容的分別，現在把牠逐段對照如下：

甲、太素綱領金口通玄洞中賦：

『混沌未判，陰陽肇分；凡八六脈之中，盡屬五行之內』。

按易曰：太極生兩儀，朱子謂萬物各具一太極。所以先天一炁未分的時候，混混沌沌，等到混沌一開，乾坤始奠，陰陽始分，於是五行的金木水火土，就成了萬物最高無上的原子。六脈者，是說兩手六部的脈候—左寸候心，左關候肝，左尺候腎，右寸候肺，右關候脾，右尺候命脈—六部之屬五行的—心屬火，肝屬木，脾屬土，肺屬金，腎屬水，命門爲心之相火—這種的說法，尤之相法的五星—左耳爲金星，右耳爲木星，額爲火星，口爲水星，鼻爲土星—

『欲知貴賤，先明部位爲真；次斷吉凶，專以表裏候用』。

按麻衣道人說：『未觀形貌，先相心田。』這是說貌爲其表，而心爲裏也；表裏分明，然後吉凶可定。太素的表裏，是有七表八裏的。如浮金、芤火、滑水、實火、弦木、緊木、洪火、是爲七表；微金、沉水、緩土、澀金、遲土、伏水、濡水、弱金、爲八裏。至於部位的認定，太素是六脈；看似簡單，然而也有六脈的表裏—心與小腸相表裏爲子息，肝與膽相表裏爲父息，腎與膀胱相表裏爲財帛，肺與大腸相表裏爲父身，脾與胃相表裏爲妻宮，命門與三焦同度，爲車馬奴僕宮—在面部的相法，雖有一百二十部位，却是可以用天中、天庭、司空，中正，印堂、山根、年上、壽上、準頭、承漿、地閣、頰、十三總位，和十二宮來包括，似難而實易；似易而實難，又是俗語所說的難者不會，會者不難了。

『肺與大腸爲父母妻子之宮，脾與胃經爲田宅財帛之位，』

按十二經和左右臟府分配之說，起於王叔和。辛金和庚金的陰陽，配合了肺腸的表裏。據太素的說法：『肺脈浮緩而微，六親具慶；大腸微緩而短，妻主賢良。』在相法的十二宮中妻妾宮，有詩曰：『奸門光潤保妻宮，財帛盈箱見始終；若是奸門生黲黯，斜紋暗滯子偏生。』奸門是在外眼角魚尾處，因爲魚尾紋路的表現，能曉得他妻的德操，惡死，生離，是很驗確；若說診肺與大腸脈之浮緩而微，微緩而短，卽此可以得知親慶妻賢，也許不容易吧？至如脾胃爲財帛田宅之宮，當是根據了土爲萬物之母而發生的。內經陰陽應象大論曰：『中央生濕；濕生土；土生甘；甘生脾。』脾陰胃陽，戊已同源，所以相法上的財帛宮，也在中嶽部位；中嶽在鼻上，如果鼻居中正，發直豐隆，必定富貴福祿；否則鶯小尖峯，到老是貧寒下賤的；鼻空仰露，終是無財無粟的。這樣說法，豈不是與太素脈法，可以融會貫通？然而田宅之宮，候於脾胃者，又令人不可捉摸了！田宅宮在相法上位居兩眼，袁柳莊詩曰：『眼爲田宅主其宮，晴秀分明一樣同；若是陰陽枯再露，父母家財總是空。』這又與太素脈相差過遠咧！

古本傷寒方之研究

周岐隱

傷寒一百十三方、早已印入讀者腦海、近見湖南省主席何芸樵(鍵)寫印之古本傷寒雜病論、一十六卷、首尾完好、中有佚方八十有八、皆治傷寒者所未經見、吾得此書、不禁狂喜、細加探討、別成爲傷寒汲古一書、業經付印、至於佚方、用以治病、借用活用、莫不應手取效、不敢自祕、略舉數條、以公同好、欲窺全豹、則當於傷寒汲古全書中求之、

(一)大青龍加附子湯　卽大青龍湯加附子一枚炮去皮破八片』

此方原書主治太陽與少陰兩感之症、方中附子與石膏並用、與金匱越婢加附子湯、法相似而主治不同、凡房室感寒、壯熱煩躁汗不出者、宜以此方汗之、急性之腦膜炎、頭痛項強、大熱無汗、痙厥昏沈者、投此立應、眞奇方也、

(二)小柴胡加黃連丹皮湯　卽小柴胡湯去半夏加栝蔞根四兩、、黃連三兩丹皮四兩、

此方原書主治『病春溫、其氣在上、頭痛咽乾、發熱目眩、甚則譫語、脈弦而急、』吾嘗借用以治婦人倒經、極有效、而肝膽火盛、心煩不得臥者、亦輒用之、

(三)防風黃芩梔子丹皮芍藥湯　方卽五味

此方原書主治『病溫頭痛面赤發熱、手足拘急、脈浮弦而數』吾每以之治腸風便血、無不取效、

（四）梔子湯

梔子（十二枚）　黃芩（三兩）　半夏（半升）　甘草（二兩）

此方原書主治『溫病治不得法、留久移於上焦、則舌蹇神昏』吾近治胸中煩熱不解者、每以此方投之兼療膈上有痰熱、胸中結痛亦驗、蓋藥性與病理相切合也、

（五）竹茹栝蔞根茯苓半夏湯　方即四味

此方原書之治『傷暑發熱無汗、脈浮而滑』吾每借用以清痰熱止嘔吐、無不應手、發熱口渴、脅下欬喻引痛者、亦輒用之、

（六）黃連黃芩半夏猪膽汁湯　方即四味

此方原書主治『熱病、身熱左脅痛、甚則狂言亂語、脈弦而數』鄙意以為此方治熱霍亂嘔吐不止者、必有偉效、蓋寒霍亂用通脈四逆加猪膽汁、熱霍亂用此方、極寒極熱之藥、並以膽汁為引使、以安胃平嘔逆也、

（七）禹餘糧丸（即通行本所佚之方）

禹餘糧（四兩）人參（三兩）附子（二枚）五味子（五合）茯苓（三兩）乾姜（三兩）右六味、蜜為丸、如梧子大、每服二十丸、

此方原書主治『汗家重發汗、必恍惚心亂、小便已陰疼』方中之意、以溫濇為主、鄙意以為脾腎虛寒、大便溏瀉滑脫不禁者、服之必能取效、

（八）人參乾地黃麻仁白蜜湯　方即四味

此方原書主治『陽明病津液竭者、雖不大便不可下』吾嘗以之借治血虛之怔忡失眠、胃熱之嘈雜善飢、並效、亦可治肺有虛熱、燥欬胸中隱隱作痛者、惟便溏者不宜用耳、

（九）黃耆五物加乾姜半夏湯、

黃耆　芍藥　桂枝　生姜（各三兩）大棗（十二枚）乾姜（三兩）半夏（半升）

此方原書主治『太陰病、大便鞭、不脹滿短氣、此乃脾氣陷』而吾則借用以治小兒慢脾風、上嘔下泄、虛熱盜汗者、輒應手取效、

（十）乾姜附子麻黃薤白湯　方即四味

此方原書主治『太陰病、惡寒吐逆、腹中冷痛、雷鳴下利』吾每遇胸中有久寒作痛者、一劑即愈、不必更服、可知古方果能觸類旁通、運用得法、無不頭頭是道也、

（待續）

衛生

中外衛生語錄（續）

鄭志成

昔人論致壽之道。曰慈。曰儉。曰和。曰靜。人能慈於物。不為一切害人之事。即一言而損於人。亦不輕發。推之、戒殺生以惜物命。愼剪伐以養天和。無論冥報不爽。即胸中一段吉祥愷悌之氣。自然災沴不干。可以長齡矣。人生福享。皆有分數。惜福之人。福常有餘。暴殄之人。易至罄竭。老氏以儉為寶。不止財用當儉。一切事常思節嗇省約之義。方有餘地。（聰訓齋語）

戰事、荒歲、瘟疫、三大災禍。為相連之痛苦。然尙不若飲酒之可懼也。（葛雷斯敦氏）

酒是反側子。初為朋友。終為讎敵。（英諺）

愛暖無失適。饑飽無失平。（董仲舒）

酒之溺人甚於海。（西諺）

酒似穿腸毒藥。色如刮骨鋼刀。（古訓）

行性情之所宜。而合養生之正。（嵇康）

康健生快樂。快樂生康健。（司派克提他）

能尊生。雖富貴不以養傷身。雖貧賤不以利累形。（文中子）

貶酒缺色。所以無汚。彈惡斥讒。所以止亂（黃石公）

稟氣虛弱之人。最要調養。猶如器物之脆薄者。若不存心愛護。自難免於破財矣。調養之法雖多。而約其要者五。第一要戒煩惱。第二要節色慾。第三要調飲食。第四要愼風寒。第五要少言語。信能行此五事。眞却病延年之祕法也。（先正語）

不潔之空氣。殺人甚於刀劍。（司美士）

無勞汝形。無搖汝精。乃可長生。（廣成子）

人之衛生也。勞苦不怕。拂鬱可怕。事實可怕。空想可怕。（韓瑞芝）

吾人由天然界中、得承受其所畀與者。（哈迦）

主敬者、外而整齊嚴肅。內而專靜純一。齊莊不懈。故身強。（曾滌生）

寒暑不時則疾。（周禮）

人之飢、所以不食烏喙者。以為雖充腸、而與死同患。（戰國策）

良醫知病人之死生。（戰國策）

厚味實腊毒。（國語周語）

酒極則亂。（史記淳于）

神大用則竭。形大勞則敝。(漢書)
療飢於附子。止渴於酖毒。未入腸胃。已絕咽喉。(後漢書)
服藥求汗。或有不獲。愧情一集。渙然流離。(晉嵇康)
神氣淡、則血氣和。嗜慾勝、則疾疹作。(唐書)
醫門多疾。(莊子養生)
冬日之不濫、非愛冰也、爲不適於身、便於體也。(管子)
養生者、莫若知本。(呂氏春秋)
善養者、不必芻豢也。(鹽鐵論)
病加於小愈。(韓詩外傳)
雖有神藥。不如少年。(梁任公述異記)
養生以不傷爲本。(抱朴子)
匿病者、不得良醫。(繁露執贄)
良醫常治無病之病。故無病。(淮南子)
無以嗜欲妨生。(說苑說叢)
待扁鵲乃治病。終身不愈。(魏子)
人之將疾。必先不甘粱肉之味。(文子徵明)
飢而食之以毒。適所以害之也。(後漢書)
知好生而不知有養生之道。知飲食過度之畜疾病。而不能節肥甘於其口也。知極情縱欲之致枯損。而不知割懷於所欲也。(抱朴子)

有以用藥而死者、而禁天下之醫。非也。(元倉子兵道)
貶酒闕色。所以勿汚。(素書二)
救寒莫如重裘。療暑莫如親冰。(中論虛道)
食甘者、益於肉。而骨不利也。(公孫尼子)
善醫者、先寢食而後醫藥。(文中子)
聖人不治已病治未病。(素問四氣調神大論)
行坦途者肆而忽。故疾走則蹶。行險途者畏而慎。故徐步則不跌。(勸戒全書)
病從口入。(傅弈口銘)
多欲則傷生。(呂邦獻)
保生者寡欲(林逋)
養生者、戒傷生。(陸樹聲)
常親小勞則身健。(荊園小語)
好勝者必敗。恃壯者易疾。(荊園小語)
久逸則筋脈皆弛。心膽亦怯。(胡林翼)
酒與女子。均能愚人。(德意志)
欲常保健康。宜慎飽食。且深夜不可食物。(西班牙)
從五更枕席上。參勘心體。氣未動。情未萌。纔見本來面目。

向三時飲食中。習練世味。濃不欣、淡不厭。方爲切實工夫。(菜根談)

康健爲人生第一好產業。(哀姆遜)

快樂者、增長康健之良劑也。(阿狄生)

康強之精神。必寓於康健之身體中。(蘇格拉底)

後世必有以酒亡其國者。(大禹)

人生起居動作。每日宜有定時。(梨痕女士)

人生欲求安全。當有五要。一清潔空氣。二澄清飲水。三流通溝渠。四掃除屋宇。五日光充足。(來廷革兒)

善養生者。食不過飽。飲不過多。冬不及溫。夏不及涼。(葛洪)

詩書「性亂」之戒。其原皆在於酒。(班伯)

人待老而求保生。是猶貧而蓄積。雖勤亦無補矣。(程子)

行步常勤。筋骨常勤。養身之道也。(曾文正)

日間無勞苦之動作。夜間不能安眠(德諺)

衛生講話(十五續)

董志仁

公共衛生——種痘

痘疹又名天花。是一種急性傳染病。就時令而言。以春秋兩季發現爲最多。就年齡而言。以小兒最易感染。我們爲預防起見。就應該種痘。但是種痘何以能預防天花。種痘的效力如何。以及關於種痘的種種常識。想爲讀者所樂聞。

(一)種痘的歷史

天花在我國發現很早。所以種痘的法子。也應運而生。考史書所載。王旦子種痘而愈。可知宋真宗的時候。種痘的效力。已大有可觀。到十六世紀中葉。天花肆毒於歐洲。死亡遍野。十八世紀初。我國痘苗(人痘苗)及種的方法。由土耳其傳至英國。死亡率因之減低不少。至一千七百九十六年。(嘉慶元年)英人審那氏。始改用牛痘。於是成效大著。百年以來。德國每年死於疫痘者。竟四十萬而減至一二。現在各國政府。視爲這天花關係於國家人口。莫不當作要政頒佈。強制種痘的條例。我國也於民國十八年七月公布種痘條例如下。

種痘條例

第一條　凡施行種痘依本條例行之。

第二條　種痘分兩期如左：

第一期　出生滿三月後一年以內；

第二期　六歲至七歲

第三條　每年三月至五月至十一月爲施行種痘時間。但遇必要時，得於其他時期內施行之。

第四條　逾期未種痘者得限期令其補種，種痘未出者亦同。

第五條　每屆種痘時期，由各市縣主管衛生行政之機關，依其管轄區域之廣狹，人口之多寡，分設種痘局，並應將關於種痘之必要事項，於定期十日前公布之。

第六條　因防止天花，應行特別種痘時，得由各市縣主管衛生行政機關指定受種者之範圍及日期施行之。

第七條　種痘局對於受種痘者，應填給種痘證書。

第八條　業經醫師種痘者，由醫師填給種痘證書。領有前項種痘證書者，與已受種痘局之種痘同。

第九條　非因疾病或其他正當事由，不於種痘期內種痘者，除依第四條補種外，得科其父母或監護人或其他有保育責任之人以十元以下之罰金。

第十條　種痘局及醫師，應備種痘紀錄簿，詳載種痘情形，以便參考。

第十一條　種痘局及醫師，應於每年六月及十二月，將其種痘之人名，性別，年齡，籍貫，住址，及其他關係事項，報告於各市縣主管衛生行政機關查核，並由該行政機關彙報民政廳及衛生部備案。

第十二條　種痘證書及種痘報告表等格式，由衛生部另定之。

第十三條　本條例自公布日施行。

（二）種痘何以能免天花

據近世醫學家的研究。人體內具有一種易於感染天花的素。若是在未種之先。感染了天花。就會得很兇惡的天花病。但是患了天花病。僥倖治愈以後。終其身即無再染天花的危險。此種不能再染天花的能力。稱曰免疫性。於是根據這種理由。在未感染以前。先行種痘。使身體內具有天花免疫性以後。雖遇天花流行。就不會被其傳染了。

（三）種痘免疫的時間

據上面所說。患了天花治愈以後的。可以終身免疫。但是種免的時間。就不能這樣長久。多者十年。少者三年。免疫的能力。就逐漸消失。所以嬰孩生後三月至一年之內。就應該種痘一次。以後每隔三年。必須繼續復種。倘可種了不發。不可忽略不種。

（四）痘苗的種類及選擇

種痘所用的痘漿。就名曰痘苗。我國最初發明的。是人痘苗。將患了天花或種痘後所結的痂皮。研爲細末。吸入鼻內。或用人乳調和點種。但是這種痘苗。往往能傳染眞正天花病。

殊爲危險。後來傳到歐洲。改爲牛痘苗。牛痘苗亦有種種。一曰原牛痘苗。二曰人化牛痘苗。三曰遺種牛痘苗。四曰動物性牛痘苗。前三種不是毒力頗猛。就是效力不大。且有傳染梅毒、結核、皮膚病等等危險。現在適用的。就是第四種。其法將原牛痘苗接種於生後五星期。確無疾病的犢牛。採取其痘疱漿。再滲和些賦形藥。裝入玻璃管內。即成今日普通所用的痘苗。痘苗製成以後。須藏於冷暗處。其效力有一定的時期。(痘苗管上印有效力起止的日期)效力期一過。即不堪應用。故痘苗以新鮮者最好。若是痘苗色澤有變動。及漿苗曝於空氣中過久者。均不適用。

(五)種痘的方法

種痘的方法。分刺種法及切種法兩種。現在通用者爲切種法。其法先將接種部(以上膊外側爲宜)用酒精清拭消毒。種痘刀亦須消毒。待皮膚乾燥後。用刀尖沾痘苗少許。塗佈於已經消毒的皮膚上。用刀尖輕輕切劃作叉形。以微見血絲爲度。待痘漿乾燥後。用消毒的棉紗棉花。被覆在上。外加繃帶。

(六)種痘時應注意的事項

(一)痘苗須用新鮮。並檢視其有效期。過期者勿用。種痘的分量。依製造所的規定。臨種的時候。須將痘苗吹於漿盤上。徐徐攪拌。調和均勻。

(二)所有種痘器械。種痘者手指。被種者接種部的皮膚。須酒精消毒。待乾燥後。方可施種。

(三)種痘時期。以不寒不熱的春秋季爲最好。夏天太熱。容易發汗而生皮膚炎。冬天太冷。容易感冒。但當天花流行的時候。任何時期。均須點種。冷用火盆。不限定春秋二季了。

(四)被種痘的人。若是有下列各種情形之一的。應當暫時禁止種痘。

1生後未滿一月者。

2有著明營養障礙者。

3患蔓延性皮膚病者。

4患熱性病及重病者。

以上四項。雖當禁種。可是遇着天花流行的時候。亦須破格點種。不可遲疑的。

(七)種痘後的經過

種痘的經過。可分四個時期。

(一)潛伏期　大約二日。並無若何的症狀。

(二)水疱期　約在接種後二日至四日。接種部現輕度的紅色浸潤。經一日變爲丘疹。到第五日丘疹中心生小水疱。第六日水疱周圍。現一紅疱。內容爲透明黃色。至第七日水疱中央陷凹。變爲痘臍。至第八日以後。成爲黃色膿疱。

(三)膿疱期　約在接種後第九日。膿疱增大。體溫上升。睡眠不安。食慾減少。經過三日。諸症皆退。

(四)結痂期　膿疱發育停止。遂漸成硬褐色痂皮。約經十日即脫落。殘留種痘的疤痕。

(八)種痘後的禁忌

(一)痘疳發出時所生的癢感。須禁手搔。若已搔破。須用適當的療法。

(二)發熱時應守安靜。

(三)衣服須常換。保持清潔。

(四)種痘後四週內。種痘部禁止沐浴。

紀事

本社第十四次討論會記事

本社第十四次討論會、於十月十五日午後三時、在東坡路王心原寓舉行、到者有施稷香、沈仲圭、陳杏生、阮其煜、王一仁、王心原、程賓綺、董志仁、諸君、除討論問題及研究本草經外、並審閱社友董志仁君所著肺病特殊療養法、其法以運氣及改善空氣爲主、僉稱頗合學理、應與宣揚、茲將是日討論問答、及本經研究錄于下、

一、問羌活魚有治脘痛之特效、請示其性質、及載於何書、(王聘賢)

答、據王君函詳友人在漢口及渝城購獲羌活魚十餘枚、價每枚約數角、聞產於西羌生羌活之處、其魚長三四寸、身灰白、有紋四足、形如壁虎。以治婦女胸脘痛有特效。屢試屢驗。此魚方書雖未載、然方書未載之藥、亦甚多矣、揣其藥力之佳。或內含揮發性、及麻醉性。故有利氣止痛之効。如河豚能死人、內含毒素、日人研究十餘年而始明。此魚能治脘痛。其形固已異矣。意其氣味必含芳烈。有異于常魚者。能取而辨之則甚善。其効既彰。又何必載于書而始用。動植礦類可爲治病用、而有待于研究者、固甚多也。

二問、溲長而多、移時上有尿液如洋油、上結彩色、下起沉澱、敢問病源、(傅仲華)

答、尿之異狀甚多、有脂肪尿、蛋白尿、米泔尿等症。此與脺臟胰液消化、大有關係。臟器療法。可以豬脾、俗名豬時條者食之。可愈。

三問、治疳熱之簡効法、(前人)

答、俗以小兒身熱羸瘦、不知識爲疳熱。其法可以瓦松三四兩晒乾研碎、以麵粉雞蛋清攪和。敷頭頂。果屬疳熱。逾時卽乾。數敷可愈。無疳熱者、則濕而不乾。當論症治之。

四問、有人年四旬餘、每至秋冬便結舌絳、唇發小瘡、服洋參等無効、至立春則漸愈、已有數年。請問原因及治法、(前人)

答、此必在春夏時、散温太少、秋冬寒凉外襲。內熱自熾。養陰生津之品。如西洋石斛生地麥冬花粉等藥。應在夏令服之。以增液。並作適宜運動。病不起于有病之時。臨渴掘井。見病治病。以言外感症則可。非所語于生理之調復也。

五、本草經之研究、(七)

△禹餘糧

原文、　氣味甘寒、無毒、主治欬逆寒熱、煩滿、下痢赤白、血閉癥瘕、大熱、煉餌服之、輕身延年、

(一)甘寒、　此爲常用之藥品、常用以治日久之痢疾、有收歛性與退炎之作用、故曰寒、在荒年時可代糧食、有滋養作用、故曰甘、

(二)欬逆寒熱、　此藥有強壯心力之作用、故因心力虛弱之氣促、有平氣之效、　寒熱指不安之現狀、並非指惡寒發熱、

(三)煩滿下痢赤白、　此藥常用以主治慢性痢疾、

(四)血閉癥瘕、　癥瘕指腹中之塊、有聚散無定者、有堅硬而固定者、血閉癥瘕者、指因神經或內臟虛弱、不能行其正規之作用、而成之癥瘕也、亦可表示此藥有疏散胃腸積氣之作用、所謂血閉者、因久痢而虛弱、以致現經閉之狀者是、

(五)大熱、指腸內不安之現狀、並非指體温之增高、

劑量、　三錢至一兩、

禁忌、　(1)外感寒熱頭痛者、(2)急性大腸炎、

△太一餘糧

原文、　氣味甘平、無毒、　主治欬逆上氣、癥瘕血閉、漏下除邪氣、肢節不利、久服耐寒暑、不飢、輕身、飛行千里神仙、

陶宏景曰、本草有太一餘糧與禹餘糧之兩種、治體相同而今世惟有「禹餘糧」、不復識「太一餘糧」矣、

赤石脂

原文、　氣味甘平、無毒、主治黃疸洩痢、腸澼膿血、陰蝕下血、赤白邪氣、癰腫疽痔、惡瘡、頭瘍疥瘙、久服補

髓益氣、肥健不飢、輕身延年、五色石脂、各隨五色補五藏、

(一)甘平、 此藥在荒年時、可代乾糧、而有滋養作用、故曰甘、

此藥能止血止瀉、故曰平、

(二)黃疸 指虛弱性而致之皮膚倉黃色、可用之、乃因此藥有滋養性，至於胆液入血之黃疸病、禁用、

(三)洩痢 指下痢不止、可用之、因此藥有收斂性、

(四)腸澼 指久痢腸瀉、含水泡而腸出血者、可用之、此藥特效於腸出血症、

(五)膿血 指大便中含膿血、因此藥在腸部、有止血防腐收斂性之作用、

(六)陰蝕 指陰部潰瘍可外用、亦可作內服、

(七)下血赤白 指子宮出血、以及赤白帶、可內服之、

(八)邪氣癰腫疽痔惡瘡、頭瘍疥瘙等症、是外用有消炎解毒之作用、亦可內服、

劑量 三錢至八錢

禁忌 (1)初起之痢疾、(2)大便過燥者、(3)急性之大腸病、(4)有高熱者、(5)有孕者忌服、

▲滑石、

原文、 氣味甘寒、無毒、主治身熱洩澼、女子乳難、癃閉、利小便、蕩胃中積聚寒熱、益精氣、久服輕身、耐飢長年、

(一)甘寒、 滑石有滋養性、故曰甘、因有退炎之作用、可治皮膚病、故曰寒、

(二)主治身熱、 宜於夏天之發熱心煩口渴者、不宜於冬天之發熱、凡惡寒發熱、小便自利、而無汗者、不能用、

(三)洩澼、 指腸炎性之瀉痢、可用之、

(四)女子乳難、 此藥有通乳之作用、

(五)癃閉利小便、 此藥之主要作用、爲利尿、在夏季作利尿劑、則更好、

(六)蕩胃中積聚寒熱、 凡因胃腸炎而大便閉結者、不但有退炎之作用、亦有利大便之作用、

(七)益精氣、 病去而體力得以恢復、故曰益精氣、

劑量、 三錢至一兩、

禁忌、 (1)虛弱性腹瀉、(2)惡寒發熱無汗者、(3)尿過多者、(4)有孕者忌服、

▲硝石、 (古文作消石)

原文、氣味苦寒、無毒、主治五臟積熱、胃脹閉、滌去蓄結飲食、推陳致新、除邪氣、煉之如膏、久服輕身、

按本草從新之硝、能柔五金、化七十二石爲水、產於鹵地者、刮而煎煉後、其在底者爲朴硝、在上者芒硝、如有牙者爲馬牙硝、置於風日中、消盡水氣、淸白如粉者、爲風化硝、

李時珍曰、神農本草經、朴硝與硝石雖分兩種、而其氣味主治略同、後辯論紛然、無所主定、其實朴硝下降、屬水性寒、硝石製炮用、焰硝上升、屬火性溫　然按近代之說法、硝可分爲水硝與火硝之二種、硝石指火硝、水硝指朴硝、火硝製火藥之用、外科病亦可作爲退炎消毒之劑、至於內服、近今無有用之者、

▲朴硝、

原文、氣味苦寒、無毒、主治百病、除寒熱邪氣、逐六腑積聚、結固留癖、能化七十二積石、煉餌服之、輕身神仙、

(一)苦寒　此藥之主要作用、是通利大便、故曰寒、對於胃腸有退炎作用、故曰苦　按苦寒一作鹹寒、表示能通利大便、亦能使堅硬之大便變爲軟、

(二)主治百病、除寒熱邪氣、逐六腑積聚、結固留癖、能化七十二積石、表示朴硝能主腸胃因大便閉積而成之各種疾病、不但能通利大便、更能使硬糞變爲軟糞、常有外用敷腹、以消小兒食積等病、

劑量、一錢至四錢

禁忌、(1)腹瀉者、(2)虛弱者

附

元明粉、是由朴硝煉製而成、性稍和緩、用代朴硝、

製法、即將朴硝並化、加萊服子與甘草、入罐鍛煉、去其鹹寒之性、

劑量、一錢半至五錢、

禁忌、(1)與朴硝同、(2)胃虛無大熱者、

▲礬石、(即尋常的明礬)

原文、氣味酸寒、無毒、主治寒熱洩痢、白沃、陰蝕惡瘡、目痛、堅骨齒、煉而服之、輕身不老、增年、

(一)酸寒、因有收斂性、故曰酸、因有消炎性、故曰寒、

(二)主治寒熱洩痢、此寒熱二字、非指感冒之惡寒發熱、是指腸中因刺激而有之不安現狀、此藥因有收斂性、可治慢性痢疾、

(三)白沃、指白帶可用此藥、內服或外用、

(四)陰蝕惡瘡目痛　可以此藥外用、有收斂消炎解毒之作用、

(五)堅骨齒　指外用而製牙粉、

劑量、　五分至三錢、

禁忌、　(1)胃腸不清而有積滯現狀者、　(2)感冒之惡寒發熱、

▲石胆、　(又名膽礬)

原文、　氣味酸辛寒、有微毒、主明目治目痛、金瘡諸癇痙、女子陰蝕痛、石淋寒熱、崩中下血、諸邪毒氣、令人有子、煉餌服之、不老、久服增壽神仙、

(一)酸辛寒、　有鎮靜運動神經之作用、並有鎮靜知覺神經之作用、而止痛、故曰酸、有發散性、故曰辛、有消炎性、故曰寒、

(二)主明目治目痛、　對於眼部發炎之病症、外用有消炎殺菌之作用、炎既消、則痛止而目自明矣、

(三)金瘡、　外用有收斂性、而有消炎殺菌之作用、

(四)諸癇痙、　內服有鎮靜運動神經之作用、然此藥除作催吐劑外、內科罕用之、

(五)女子陰蝕痛、　女子陰部潰瘍、可外用作洗滌藥、有消炎殺菌止痛之作用、

(六)石淋　近今對於石淋症、無有用此藥者、

(七)寒熱崩中下血、　患血崩而兼神經現不安之狀者、可用之、因此藥有收斂之作用、能減低子宮粘膜過份之充血、寒熱二字、非指因感冒之惡寒發熱、乃是指神經不安之現狀、

(八)諸邪毒氣、　內服毒物時、可用此藥作催吐劑、

(九)令人有子、　此藥能退子宮粘膜之發炎、能減少子宮粘膜之分泌過多、故云令人有子、

劑量、　三分至一錢五分、

禁忌、　(1)感冒惡寒發熱之病症、　(2)因神經衰弱而患之羊癇病、

▲空青、

原文、　氣味甘酸寒、無毒、主治青盲耳聾、明目、利九竅、通血脈、養精神、益肝氣、久服輕身延年、

據云　空青卽爲石卵中之液體、舊有「山內有空青、十里無瞎子、」之諺、其名貴可知、又云、是銅綠、　然近今藥店已無此藥、故不再註釋、

▲紫石英、

原文、　氣味甘溫、無毒、主治心腹欬逆邪氣、補不足、女子

風寒在子宮、絕孕十年無子、久服温中、輕身延年、

(一)甘温、因能補不足、故曰甘、因對於性慾心臟子宮粘膜、有興奮作用、故曰温、

(二)主治心腹欬逆邪氣、指心臟虛弱之氣促症、可用之、因有強壯心力之作用、手足冷、脈伏而喘息者、可用之、表示不但對於心臟、有強壯之作用、即對於大腦精神部、亦有強壯之作用、故曰主治心腹邪氣、

(三)女子風寒在子宮、指衰弱性經閉、而腹不滿痛者、此藥有行經之作用、

(四)絕孕十年無子久服温中、此藥對於性慾弱而不孕者、頗有效、蓋因能興奮卵巢之內分泌、

劑量、三錢至一兩、

禁忌、(1)脈大而速者、禁用之、惟宜於脈沉細者、

(2)有高熱者禁用之、(3)經閉而腹滿痛者、

(4)急性肺炎、

附白石英、其功用等與紫石英略同、罕用之、

▲龍骨、

原文、氣味甘平、無毒、主治心腹鬼疰、精物老魅、欬逆、洩痢膿血、女子漏下、癥瘕堅結、小兒熱氣驚癇、

(一)甘平、有強壯作用、故曰甘、有鎮靜作用、故曰平、

(二)主治心腹鬼疰精物老魅、大腦精神部、現不正規之狀態者、此藥能改正之、故曰主治心腹鬼疰精物老魅、

(三)欬逆、概因其有鎮靜之作用、故能平氣、

(四)洩痢膿血、虛弱性之久痢症可用之、乃有止瀉之効、

(五)女子漏下、此藥有收斂性、其主要之作用、爲止汗止血止瀉、然而止帶之効甚微、女子漏下者、指女子之虛弱性帶下、可用之、

(六)癥瘕堅結、指此藥能鎮靜腸不正規之蠕動、然罕用之作爲主藥者、因其有收斂性、故其大便閉結、以致腸現不正規之蠕動者、禁用之、

(七)小兒熱氣驚癇、對於小兒精神不安者、可用之、以作鎮靜劑、或小兒因受驚而精神部不安而發熱者、可用之、尋常外感之發熱、以及高熱者、禁用之、

注意、此藥常用爲止汗止血止瀉之藥品、凡虛弱性之出汗不止者、不但可以內服、亦可外用作爲撲劑、外用止血極効、外科潰瘍症用之、能促進傷口之愈期、

劑量、三錢至一兩、

禁忌、（1）脈速者、（2）高熱汗多者、（3）急性下痢、（4）腹滿痛者、

▲鹿茸、

原文、氣味甘溫、無毒、主治漏下惡血、寒熱驚癇、益氣強志、生齒不老、

（一）甘溫、因能強壯神經、故曰甘、因能與奮生殖腺與性慾、故曰溫、此藥對於手發顫、四肢常覺寒冷陽痿者、頗効、惜乎此藥之價甚昂、故罕用之、

（二）主治漏下惡血、女子之虛弱性帶下、以及患虛弱性日久之子宮下血者、可用之、

（三）寒熱驚癇、寒熱二字、指神經不安之現狀、凡因神經虛弱而驚癇者、可用之、

（四）益氣強志、比如患天花症者、在現四肢寒冷、顏面蒼白、膿泡凹陷者、服此藥後、即能恢復其體力、而上述諸敗、或可得以完全消散也、

劑量、三分至一錢、

禁忌、（1）有高熱者、（2）脈洪速者、（3）有外感之惡寒發熱者、

第十五次討論會紀事

本社第十五次討論會。于十一月十五日午後三時在東坡路王一仁寓舉行、到者、有阮其煜、沈仲圭、陳杏生、施稷香、程賓範、陳鼎丞、董志仁、王心原、王一仁諸君等、玆將討論情形錄下。

一、問、菊花瓣能粘損肺膜、確否、（趙成亭）

答、花瓣有粘附性。固不僅菊花爲然。若不混入氣管。當無此弊。

二、問、血瘤症中西醫皆無治法、請研究病由、及較有効之療法、（前人）

答、血瘤之成。蓋由動脈成囊。苟用手術。必血出不止。果欲圖治。必先察驗氣體。以何種原因而致動脈成囊。有血者破血。不足者補之。因一處動脈成囊。他處未必有餘。故補法可助血行之平衡。其法亦不可廢。

三問、某女十九歲、未嫁、月經不行潮熱、胃呆腹脹、肢痠、破血注射、歷試無効、近且腹脹氣升、作猪鳴、譫語詈人、逾時而發、肌肉削瘦脈細弱、請問原因治法（傅仲華）

答、初由肝鬱血虛。繼則瘀凝氣滯。大腦精神部發生障礙。擬

逍遙散、四物湯、兼以鎮靜神經之藥。後先參酌用之。

四、本草經之研究(八)

◉鹿角膠(是用鹿角煎成膠)

原文　氣味甘平、無毒、主治傷中勞絕、腰痛羸瘦、補中益氣、婦人血閉無子、止痛安胎、久服輕身延年、

(一)甘平　因有滋補性、故曰甘、能增加體溫。使體溫不足者、而使之升高、以至於平、故曰平、

(二)主治傷中勞絕　凡神經系統一切不足之症、此膠有滋補之作用、而恢復其不足、故曰主治傷中勞絕、

(三)腰痛羸瘦　此膠不但能強壯神經、亦能強壯肌力、故能主治腰痛、然對於體溫不足之羸瘦、可用之、若爲肺勞之羸瘦、是不相宜、

(四)補中益氣　能強壯交感神經、故曰補中、能強壯心力、故曰益氣、

(五)婦人血閉無子　若因卵巢缺乏、而經閉無子者、此膠因有滋補性、故能恢復卵巢之作用、而治婦人血閉無子、

六)止痛安胎　凡受寒而痛可用之、安胎罕用之、

劑量　一錢至三錢、

禁忌(1)脈搏速者、(2)體溫高者、(3)舌發紅及黃色者、(4)肺勞吐血者、

附　麋角膠之用法等、與鹿角膠相同、惟其熱性較緩耳、(麋角在藥肆中、多用小鹿之角…)

◉鹿角

原文　氣味鹹溫、無毒、主治惡瘡癰腫、逐邪惡氣、留血在陰中、除少腹血痛、腰脊痛、折傷、惡血益氣、

(一)鹹溫　因有消炎作用、故曰鹹、因有發散性、故曰溫、

(二)主治惡瘡癰腫　此藥在尋常外症罕用之、體溫增高者、乃屬禁用、只可用於日久之外科症、而膿水稀薄者、

(三)逐邪惡氣　凡溫度低之神經衰弱症、而常見鬼怪諸狀者、可用此藥以治之、故曰逐「邪惡氣」

(四)留血在陰中除少腹血痛　留血在陰中、指體溫較低之經閉症、可用之、子宮痛因起於受寒者、可用之、

(五)腰脊痛　因有強壯性、故能止腰脊痛、

(六)折傷惡血　因有退炎性與發散性、故能促進外傷部之血液循環、增其新陳代謝之作用、而治其折傷、故曰主治折傷惡血、

(七)益氣　因有強壯心力之作用、故曰益氣、

禁忌　與鹿角膠同。　劑量　三分至一錢、

常用者為「鹿角霜、」即將鹿角煎膠之渣、再研成粉是也、

劑量　一錢至三錢、

◉牛黃

原文　氣味苦平、有小毒、主治驚癇寒熱、熱盛狂痓、除邪逐鬼、

(一)苦平　此藥有解毒消炎之作用、對於腦膜炎、有治療之效、故曰苦、對於神經系統有鎮靜之作用、故曰平、

(二)主治驚癇寒熱　驚癇指羊癲病一類之抽筋症、寒熱指神不安之現狀、因此藥有鎮靜神經之作用、

(三)熱盛狂痓　凡體溫增高、而現抽筋與角弓反張之狀、有退熱解抽之作用、

(四)除邪逐鬼　凡大腦精神部、有異常之病狀者、此藥不但有安神之効、亦能改正各種精神錯亂之狀、

劑量　五厘至三分

禁忌(1)脈搏不速者、(2)舌不發紅者、(3)虛弱性下痢者、(4)體溫低者、

注意　尋常所用者、爲西牛黃、簡稱「西黃、」

◉阿膠　(以山東阿井之水、入黑驢皮煎煉成膠也、)

原文　氣味甘平無毒、主治心腹內崩、勞極洒洒如瘧狀、腰腹痛、四肢痠疼、女子下血安胎、久服輕身益氣、

(一)甘平　對於神經系統、有滋補之作用、故曰甘、有止血止痛安胎之作用、故曰平、

(二)主治心腹內崩　崩者、血妄行也、如女子血崩、或男子之便血等、心腹指全部神經系統、凡因神經系統虛弱、而見血妄行者、即可謂「心腹內崩、」

(三)勞經洒洒如瘧狀　指因神經虛弱、而現惡寒、以及乍寒乍熱諸狀者、

(四)腰腹痛四肢痠疼　指因身體虛弱、而現腰腹痛與四肢痠疼之狀者、此藥不但強壯體力、亦有止痛之作用、

(五)女子下血安胎　此藥對於子宮、不但有鎮靜之作用、而安胎、亦能減低子宮粘膜之過份充血、而治療血崩、以及月經過多之病症、

劑量一錢五分至三錢、

禁忌(1)因受寒而腰腹痛者、(2)腹痛是因胃腸內有刺激物者、(3)有外感之寒熱症者、(4)舌苔厚膩、而消化不良者、

注意　阿膠爲產婦科之常用藥、

阿井現已封閉、各處煎阿膠者、均採用本地清潔山泉或湖水

、是名杜煎阿膠、

▲麝香

原文、 氣味辛温無毒、主辟惡氣、殺鬼精物、去三虫蠱毒、
温瘧驚癇、久服除邪、不夢寤魘寐、

(一)辛温、 是一種「易散興奮劑」、故曰辛、因有發散性、故
曰温、

(二)主辟惡氣、 殺鬼精物、 如因中毒性之昏迷、此藥能使
其清醒、俗名之曰「開竅藥」、此即所謂辟惡氣殺鬼精物、

(三)去三虫蠱毒、 此藥有殺虫與解毒之作用、

(四)温瘧、 先熱後寒者温瘧、——凡寒熱纏綿日久而汗少者
、可用之、

(五)驚癇、 此藥對於運動神經、有鎮靜之作用、故可治辛癲
病一類之病、

(六)除邪不夢寤魘寐、 此藥對於大腦精神部、有鎮靜之作用
、故能去除因精神錯亂之病狀、並有安神之效、

劑量、 五釐至三分、

禁忌、 (1)汗多者、(2)熱高者、(3)神經過度虛弱者
、(4)孕婦、

▲龜甲

原文、 氣味甘平、無毒、主治漏下赤白、破癥瘕、痎瘧、五
痔、陰蝕、濕痺、四肢重弱、小兒顖不合、久服輕身
不飢、

(一)甘平、 因有滋補性、故曰甘、因有止血消散鎮靜之作用
、故曰平、

(二)主治漏下赤白、 凡子宮出血、月經過多、以及白帶等、
此藥有治療之效、

(三)破癥瘕、 因胃腸消化不良而起之不正規蠕動、此即所謂
聚散無定之塊也、可用此藥、因對於腸有鎮靜之作用故也
、因能治痎瘧、故因瘧而成之脾變大、此藥能消散之、

(四)痎瘧、 隔一日發一次之瘧疾、名痎瘧、此藥有治療之效
、

(五)五痔、 各種出血之痔、而身體虛弱者、此藥有效、

(六)陰蝕、 陰部日久之潰瘍症、可用之、

(七)濕痺、 尋常之羅麻質斯不能用、凡因虛弱而患之疼痛疾
患、可用之、

(八)四肢重弱、 因有滋補性、故可治四肢重弱、

(九)小兒顖不合、 此藥對於顖門日久不合、有特効、概因富
含維他命丁之故、

劑量、三錢至一兩五錢、

禁忌、(1)有高熱者、(2)消化不良者、(3)舌不發紅者、(4)脈沉細而遲者、

▲牡礪

原文、氣味鹹平、微寒、無毒、主治傷寒寒熱、温瘧洒洒、驚恚怒氣、除拘緩鼠瘻、女子帶下赤白、久服強骨節、殺邪鬼、延年、

(一)鹹平微寒、因有消炎作用、故曰鹹、然此藥非有直接之消炎作用、乃因能平血壓、故能消炎、因有鎮靜神經之作用、故曰平、因略有收斂性與退炎性、故曰微寒、

(二)主治傷寒寒熱、指患稽留熱者、汗出很多、而熱仍不退者、可用之、然稽留熱汗出不多、而大便閉結者、亦不能用、

(三)温瘧洒洒、皮毛微寒、謂之洒洒、先熱後寒、謂之温瘧、此藥可用之、

(四)驚恚怒氣、此藥對於大腦精神部、有鎮靜之作用、

(五)除拘緩、拘者筋急、緩者筋緩、此藥對於運動神經、有鎮靜之作用、故能除四肢之拘緩、

(六)鼠瘻、即瘰癧之別名、此藥可治淋巴腺結核病、

(七)女子帶下赤白、慢性與虛弱性、以及無氣味之帶下赤白、可用之、若爲子宮急性炎之帶下赤白、而有惡性氣味者、不可用、

(八)強骨節、此藥爲蚧類、多含礦物質、可治軟骨病、

(九)殺邪鬼、對於精神錯亂之病症、有改正之效、

劑量、三錢至一兩、

禁忌、(1)脈搏遲緩者、(2)舌發白者、(3)大便閉結者、因久瀉症可服煅牡礪故也、

▲桑螵蛸(桑樹上螳螂之子也)

原文、氣味鹹甘平、無毒、主治傷中疝瘕、陰痿、益精、生子、女子血閉、腰痛、通五淋、利小便水道、

(一)鹹甘平、能通五淋、而有消炎作用、故曰鹹、因有強壯作用、故曰甘、因能治疝瘕、而對於腸胃、有鎮靜作用、故曰平、

(二)主治傷中、交感神經有病傷者、此藥能主治之、

(三)疝瘕、胃腸因不正規之蠕動、有聚散無常之塊者、此藥可治之、概因能鎮靜腸之蠕動、

(四)陰痿益精生子、能興奮生殖腺、而有壯陽固精之作用、

(五)女子血閉腰痛、虛弱性之經閉、此藥有通經之効、經旣

通、則因經閉而致之腰痛、可愈矣、

(六)通五淋利小便水道、慢性淋病可用之、凡腎臟虛弱、而小便不利者、可用之、膀胱者炎、不能用之、

劑量、一錢五分至三錢、

禁忌、陽強者禁用、

▲蜂蜜

原文、氣味甘平、無毒、主治心腹邪氣、諸驚癇痓、安五藏諸不足、益氣補中、止痛解毒、除衆病、和百藥、久服強志輕身、不飢不老、延年神仙、

(一)甘平、因有滋養性、故曰甘、因有鎮靜性、故曰平、

(二)主治心腹邪氣、指能主治各種神經不安之現狀、

(三)諸驚癇痓安五藏、因有鎮靜性、常作副藥製丸用、然罕用之、

(四)諸不足益氣補中、因有滋養性、故能主治諸不足、益氣補中、然多食則現腹瀉、

(五)止痛解毒、因中毒性之疼痛可用之、以中和其毒素、而止其痛、

(六)除衆病和百藥、此指製造各種丸劑而言、外用可調作各種消炎解毒性之調揆藥、或可作凡士林之代替品、

劑量、三錢至五錢、

禁忌、(1)腹瀉者、(2)有外感者、

注意、此藥尋常可作潤腸劑、外用有蜜煎導法、卽與肛門坐藥同、

▲蜜蠟

原文、氣味甘微溫、無毒、主治下痢膿血、補中、續絕傷、金瘡、益氣不飢、耐老、

(一)甘微溫、因能補中益氣、而有滋養性、故曰甘、然內服罕用之、外用有消散性、故曰微溫、

(二)主治下痢膿血、補中益氣、內服罕有用之者、

(三)續絕傷金瘡、外用有解毒消炎之效、故能治絕傷金瘡、

注意、蜜蠟有黃白之二種、

▲元參

原文、氣味苦微寒、無毒、主治腹中寒熱積聚、女子產乳餘疾、補腎氣、令人明目、

(一)苦微寒、葉天士曰、味苦清心、故苦、微寒是指能平血壓、而有消炎之作用、

(二)主治腹中寒熱積聚、因血壓過高、而現神經不安之現狀者、此藥能主治之、

(三)女子產乳餘疾、 陳修園曰、元參清而帶微補、故爲產後要藥、凡產後與乳後之炎性疾患、此藥有特効、因有消炎與解毒之作用、

(四)補腎氣令人明目、 所謂補腎氣、令人明目者、乃因此藥能中和結核菌之毒素、解除毒素之刺激、使神經之作用、恢復健康、故曰補腎氣明目、補腎氣者、並非壯陽也、

劑量、 一錢至三錢、

禁忌、 (1)腹瀉者、(2)有惡寒之熱症、(3)脈遲苦白者、

▲丹參

原文、 氣味苦寒、無毒、主心腹邪氣、腸鳴幽幽如走水、寒熱積聚、破癥除瘕、止煩滿、益氣、

(一)苦寒、 因其有收斂性解毒性、熱油火灼可用之以外敷、故曰苦、因其有消炎性、故曰寒、

(二)主心腹邪氣、 指腹中不安之現狀、如因消化不良時、而現積氣腹痛不安諸狀者、可用之、然此藥並無「扶助消化之作用」。

(三)腸鳴幽幽如走水、 此狀是因腸內多氣多水之故、其氣經過水份時、則成腸鳴、其多氣之故、是因腸內消化作用不良、食物因不消化而發酵作氣、其多水之故、是因腸吸收水份之力量缺乏、此藥味苦而有收斂性、能增加腸吸收水份之力量、此藥味寒、而能去腸內之積氣、故能主治腸鳴幽幽如走水、

(四)寒熱積聚、 因胃腸之有積聚而現之寒熱、可用之、然外感性寒熱、不能用、

(五)破癥除瘕、 因其消炎性、故婦人乳癌、可與白芷芍藥等份同用、作外敷藥、因其能去腸中之積氣、故能去除腹中聚散、無定之氣塊、

(普通所謂肝胃氣塊、卽因腸內積氣、以致不易感覺之腸蠕動、而成爲易於感覺之腸蠕動、此卽所謂氣塊也)、

(六)止煩滿益氣、 胃腸積氣不安之病已去、則煩滿自除、煩滿既除、則氣力自增也、

劑量、 一錢五分至三錢、

禁忌、(1)外感性寒熱、(2)孕婦有時忌服、

▲紫參 (古方所用牡蒙多是紫參也)

原文、 氣味苦寒、無毒、主治心腹積聚、寒熱邪氣、通九竅、利大小便、

此藥在金匱澤漆湯中有之、概有消肺炎止乾咳之效、然於近今罕用之、

劑量、 一錢五分至三錢、

禁忌、 (1)腹瀉者、(2)食慾不食者、

贈書誌謝

醫界春秋　第八十三期　上海白克路西祥康里七十七號醫界春秋社　每期三角

國醫雜誌　第七期　上海西門內石皮弄國醫學會　每期三角

現代醫藥月刊　第五期　福建福清城內官塘境　每期一角

廣濟醫刊　第十期　杭州缸兒巷四十六號　每期二角

校友會會刊　第六期　杭州浙江中醫專門學校出版

醫藥月刊　二年第五期　湖南長沙沙河街五十六號醫藥月刊社　每期一角

醫藥雜誌　第七十三期　山西太原中醫改進研究會　每期一角五分

診療醫報　第五卷第十四期　上海霞飛路一百〇六號　每期一角

秦氏同門學　上海小西門內尚文路　每期二角

中醫新論彙編　四册　蘇州吳趨坊一三七號　五元

在醫言醫　上海北京路永康里十七號　定價一元

國醫開業術　上海虹口周家嘴路仁初里廿一號　定價五角

中國急性傳染病學(全上册)　山西太原中醫改進研究會　定價一元

中國歷代醫學史略　上海白克路西祥康里七十七號中國醫藥書局　定價六角

本社代售

中國醫藥問題　每册一角二分

三衞治驗錄　每册一角二分

中國時令病學　每册二角五分

國醫雜誌　每期一角五分

山西醫學雜誌　每期一角五分

中國急性傳染病學　每册七角

中醫新論彙編　每部四元

本刊第一年彙訂出版精裝一厚册價洋八角

三二

中華民國二十二年十二月一日出版

醫藥衛生月刊第(十六)(十七)期

本册售洋一角二分

主編者　王一仁　杭州東坡路湖濱七弄

發行者　中國醫藥學社　杭州東坡路湖濱七弄

月刊定價表

另售每册六分　(郵費)　國內日本一分　國外及香港澳門六分

預定全年十二期七角二分郵費在內

國外預定全年一元五角郵費在內

本刊寄售處

本市　古今圖書店(保佑坊)　維新書局(湖濱)

上海　國醫學會(西門內石皮弄)　中醫書局(山東路)　千頃堂(三馬路)

蘇州　國醫書局(吳趨坊)

南京　建國書店(成賢街)

衢州　聚秀堂(下街頭)

山西　中醫改進研究會(太原精營東二道街)

醫藥衛生月刊

第（十八）（十九）（二十）期合刊　王一仁主編

民國二十三年三月一日出版

中國醫藥學社印行

杭州東坡路湖濱七弄第三號

電話一〇九六號

學說

仁盦醫說(十四續)

王一仁

◉經脈與生理系統(十)

靈樞五味篇云，「穀始入於胃。其精微者，先出於胃之兩焦。以漑五藏。別出兩行榮衛之道。其大氣之搏而不行者。積於胸中。命曰氣海。出於肺。循喉咽。故呼則出，吸則入。天地之精氣。其大數常出三入一。故穀不入。半日則氣衰。一日則氣少矣」。胃藏祇是容納大部水穀機關。消化之主動力。乃出於脾臟所產生之膵汁。其精微由乳糜管入淋巴管而化血。此卽營衛之道所由開始。積於胸中之大氣。以肺為之橐籥。喉咽出入。完成其新陳代謝之機能。故脾肺兩經。實為生理融和之主要臟器。脾主融化穀液。肺主交換炭養。人非空氣不能生活。非飲食亦不能生活。飲食所以化精微。精微所以化營血。空氣所以助營養。營養而後有生機。論人身活動。實有恃於熱力。以食物為人身之燃料。固為確切。然此項燃料，所以能變化而為生活之所自者。則出於脾肺兩臟之功為多。體熱產生。每隨生理氧化之增減而多寡。生理氧化之增減。又因肌肉運動及飲食而不同。運動時產熱多。休靜時產熱少。又如皮膚過冷。或冬寒作冷水浴。或衣單傈動之後。肌肉起收縮反應。結果熱量增加。又如夏日多食菜菓。則覺清涼。冬日多食肉類。則增熱量。脂肪蛋白得氧化而生熱。故冬日食量。多於夏季。太陽之腦紋體。固屬熱中樞。而太陰經之脾肺兩臟。尤為造溫散溫之要器。太陽主開。太陰亦主開。可以得其相關之義也。

抑尤有進者。肺氣通於周身之皮毛。脾主全身之肌肉。肺司治節。脾主四肢。早為國醫學上一成不變之論。熱量因運動食慾之多寡而增減。故肺脾兩臟。實可謂為造溫中樞。所以能造溫。則出於融化之力。三陽以三陰為本。非太陰之造溫。則太陽之體溫。將無根據。病在三陽。體溫未有不高。傳至太陰。則肢滿泄瀉之症作矣。傷寒論「太陰之為病。腹滿而吐。食不下。自利益甚。時腹自痛。若下之。必胸下結鞕。」生理氧化之減退。卽脾肺之機能為病。吐，食不下。腹滿時痛。驟視之，似為胃腸之病。究本窮原。當知胰液之不能融化食糜。肺臟之不能融化氧氣。病似胃腸。而實屬於脾肺。在太陰病主溫法。宜理中湯。恢復其生理氧化之功能。則痛利自止。若在大實痛者，有桂枝加大黃法。寒格吐下。有乾姜黃連黃芩人參湯法。去其實痛，通其寒格。總不外於恢復生理氧化。以促進脾肺之健運機能而已。

論太陰經脈。靈樞經脈篇云，「脾，足太陰之脈。起於足大指之端。循指內側白肉際。過核骨後。上內踝前廉。上踹內，循脛骨後。交出厥陰之前。上膝股內前廉。入腹。屬脾。絡胃。上膈，挾咽。連舌本。散舌下。其支者，復從胃別上膈，注心中。」脾脈起足大指。此接足陽明胃脈而來。唯其部位則行於指內側白肉際。過核骨後。上內踝前廉。上踹內。循脛骨後。交出厥陰之前。上膝股內前廉。以太陰陽明相為表裏。故與足陽明脈，「抵伏兔。下膝臏中。下循脛外廉。下足跗。入中指大指」。皆不甚相遠。唯足太陰從足上行。走於內側。陽明自上而下。行於外廉。一為陰之開。一為陽之闔。此其不同也。至足太陰脈之「入腹，屬脾，絡胃，上膈，挾咽，連舌本，散舌下。」則已繪明消化系之路徑。更不費解。「復從胃別上膈，注心中」。則消化液糜。入心化血。國醫學以脾為生營血之源。即以其能有融化液糜之功。而其經脈道路。亦原本如是也。經脈篇謂脾脈所生病。為「舌本強痛。食則嘔。胃脘痛。腹脹善噫。得後與氣。則快然如衰。身體皆重。體不能動搖。食不下。煩心。心下急痛。溏、瘕、泄。水閉。黃疸。不能臥。強立股膝內腫厥，足大指不用」。其經脈之生理機轉。較傷寒論太陰篇所述為詳。然仲景頗能扼要言之。古人之善讀內經者。莫如張仲景。今人知尊傷寒論。而無肯讀內經者。其執蔽之損失。何可量耶。

靈樞經脈篇云，「肺，手太陰之脈。起於中焦。下絡大腸。還循胃口。上膈，屬肺。從肺系橫出腋下。下循臑內。行少陰心主之前。下肘中。循臂內。上骨下廉。入寸口。上魚。循魚際。出大指之端。其支者，從腕後直出次指內廉，出其端」。肺脈起於中焦。實為生理氧化之重要原因。蓋以肺之呼炭吸氧。原非出於本來之自然。因心臟之大靜脈血液，傳入肺靜脈。二氧化炭多，即不能不呼。既呼矣。胸腔動脈之氧體少。即不能不吸。吸而氧化。血液轉鮮轉紅。其效力因非夷所思。實有迫之使不得不然者。或謂呼吸輪迴。果屬何先何後。余將直截斷言之曰，先呼而後吸。正如俗所謂「先註死，後註生」也。何以必呼先吸後。蓋以肺之呼吸。無非為血液交換炭氧之作用。而血液之來源。則出於中焦之乳糜管。乳糜管未充實之時。大動脈大靜脈。更無自而充實。心臟於肺之壓迫力既微。則呼吸之量。亦必減少。初生兒之呼吸，與成人之呼吸。其高低可比類而明也。乳糜管之淋巴。即使和入血管。苟非先去二氧化炭。何能吸氧而化動脈血乎。舊法小兒初生。不急急進乳。先以大黃甘草。稍清其腸胃者。蓋亦默喻先呼後吸之義也。謂肺能呼炭吸氧，似矣。其實週身皮毛。皆能呼炭吸氧。肺呼而皮毛闔。肺吸而皮毛開。呼炭吸氧。不僅在於肺臟。尤有係於皮毛。此德人之裸體運動。原有其衛生學理上之根據也。且也，呼炭吸氧之職司。於肺及皮毛外。其大部分之炭酸水分。沉凝於大腸而為糟糞。分濾於腎臟而為尿溺。是以肺手太陰經脈雖起於中焦。必「下絡大腸，還循胃口，上膈，屬肺」也。素問經脈別論云，「食氣入胃。濁氣歸心。淫精於脈。脈氣流經。經氣歸於肺。肺朝百脈。輸精於皮毛。毛脈合精。行氣於府。府精神明。留於四藏。氣歸於權衡。權衡以平。氣口成寸。以決死生」。又云，「飲入於胃。遊溢精氣。上輸於脾。脾氣散精。上歸於肺。通調水道。下輸膀胱。水精四布。五經並行」。肺司血液之炭養交換。又司通調水道之職。肺絡大腸。又下連腎。是其週身之炭養交換。皆由呼吸輪迴之力。今考手太陰脈。有「從肺系橫出腋下。下循臑內。行少陰心主之前。下肘中。循臂內。上骨下廉。入寸口。上魚。循魚際。出大指之端。其支者。從腕後直出次指內廉，出其端」。此則論肺脈之最要途徑。凡肺氣虛薄者。最易感覺腋下，臑內，肘中，臂內，等處之怯弱。入於寸口。則以肺朝百脈之故。可由此以候臟府百病。至今奉為準則。固不僅取其簡便易按而已。經脈篇論肺所生病云。「肺脹滿，膨膨而喘咳。缺盆中痛。甚則交兩手而瞀。此為臂厥」。又云，「欬，上氣，喘，渴，煩心，胸滿。臑臂內前廉痛厥。掌中熱。氣盛有餘，則肩臂痛。風寒，汗出，中風。小便數而欠。氣虛則肩背痛寒。少氣不足以息。溺色變」，肺之為病。或在臟。或在經脈。或由其氣化。實為病變最多者。但或影響於他經。則為他經之症。或影響於他臟。則為他臟之症。或由他經他臟之原因。而影響於肺經肺臟者。則為本經本臟之症。是經脈篇所述之病。亦僅道其見症。而未及其原由。能知肺為生理氣化之主司。因以認清其經脈。則於肺臟之病。思過半矣。

六經與營衛氣血

時逸人

「導言」清代醫家所持之論調。謂傷寒病在六經。溫熱病在營衛氣血。據此劃然分界。判若鴻溝。余不敏。竊嘗疑之。斯二證。病機雖有不同之點。而其為感症則一。考據古代醫學家言。傷寒溫病。在臨床上之鑑別。惟惡寒與不惡寒。渴與不渴之不同耳。其餘證候。則大略相同。故欲知前代醫者。謂六經與營衛分別之非。必當作下列之研究。

「一、六經」六經總名也。詳細言之。有三陰三陽之異。陽以功用言。陰以實質言。此近今一般學者之論調。咸證上六經病證之異同。以余所知。體溫功用變化。古稱三陽經證。謂之傳經。臟腑功用自起之變化。古稱三陰臟證。謂之入裏。其有高溫鬱滯。內熱充斥。與腸中糟粕。發生合病之現證者。古名熱邪入裏。又名陽明腑證。實則熱性病之經過中。最易與腸中糟粕合病。或為協熱之下利。或為停積之脹滿。在治療上。皆適用於通下之劑。方能合格。六經以太陽為首。太陽經病之定義。為體溫變化成病之代名詞。(昔之註釋家。指上額、交巔、下項、挾脊、抵腰、下至足大指端之膀胱經脈者。或指本寒標熱中見少陰、皆言其體溫主要途徑及其變化。)少陽病。為體溫鬱滯、淋巴停積之謂。陽明病。為體溫亢進。內熱充斥之謂。太陰病。為吐瀉腹痛之腸胃虛寒證。少陰病。為脈細神疲之心臟衰弱證。厥陰病。為消渴、吐蚘、氣上衝、心疼熱、之寒熱互結證。此論六經症狀之大概。

「二、營衛氣血」衛之後方言氣。營之後言血。在衛汗之可也。到氣纔宜清氣。入營猶可透熱。仍轉氣分而解。至入於血。則恐耗血動血。直須涼血散血云云。此顧景文氏於溫熱論中。託葉香岩之名。而立說也。後世治溫熱病者。以營衛氣血之分別。足可與傷寒六經之名義。分道揚鑣。喜其新奇。類多引用。余意。體溫即衛氣之作用。古稱剽悍滑利。充膚熱肉是也。血液循環。與體溫有絕大關係。古稱營衛運行。如環無端以此。其所謂衛分受邪。指體溫功用之變化。傳入營分。即體溫變化。因而障礙循環之謂。衛之後方言氣。即體溫鬱結。汗液停滯。波及於淋巴液之運行。營之後方言血。指循環障礙。血液瘀結。恐成血栓塞等證。時令病及新感伏邪各證候。其診斷之標準。均適用此四項之分辨。

「三、太陽與營衛氣血之關係」太陽即體溫之代名詞。體溫即衛氣之作用。血液循環。與體溫有絕大關係。古稱太陽統轄營衛之運行者以此。其實營衛運行自然之常態。即為太陽之實際。並非於營衛之外。另有一種特殊重要之物。名為太陽。所以傷寒太陽篇中。除傷營傷衛、及兩傷營衛之證治外。接以氣滯之停飲、蓄水、結胸、痞滿、痓。血凝之失血、蓄血、發黃、瘀血、發狂、證。是營衛以運行之功用言。氣血以具體之實質言。營衛氣血深淺界限分別。適用於太陽病證之診察。後人不明此理。疑營衛氣血之外。另有太陽。彼為傷寒。則病在太陽。此為溫熱。則病在營衛氣血。據此劃然分界。以自標卓識。反覺自呈淺陋矣。

四、結論」　近代言感症者。莫不先以傷寒溫熱之病證。六經與營衛氣血之分辨。橫互胸中。無識之輩。且有將營衛氣血辨證之方法。劃出太陽範圍之外者。余不敏。不敢阿好肯從。謹伸管見。以質諸近代傷寒溫熱之名家。

水腫病理之研究

時逸人

液體蓄積於組織。或體腔內。通稱爲水腫。滲潤于皮下結締組織者。則呼爲浮腫。從其所在部位。有種名稱。如心囊水腫。腦水腫。胸水腫。腹水腫等類。其發生之原因。以生理上毛細管內皮細胞。分泌液狀成分。名淋巴液。滲潤組織。以供給組織之營養物。更能吸收組織代謝產物之老廢成分。自組織腔輸入淋巴管。經淋巴幹。而入大靜脈。設淋巴液分泌太多。淋巴管不能盡量吸收者。停滯於組織內。則成水腫。據醫家之考察。其種類有五。分述於下。

(一)毛細管分泌亢進之水腫。此項又分三種。

(甲)血管神經性水腫。及麻痺性水腫。

(1)血管運動神經麻痺。或興奮。致毛細管分泌增多。而成之水腫。吾國通稱氣腫。內經謂之膚脹。

(2)麻痺性水腫。多生於組織液缺乏。運動不良。神經起救濟作用。筋肉援助太過。或半側麻痺。或四肢全麻。古醫謂之痛風身腫。

(乙)炎症性水腫。乃由於高熱劇冷。外傷中毒傳染病等。致血管壁起變化。而分泌增加。富於蛋白質。又多白血球。且有凝固性。其症狀爲寒戰發熱。頭痛惡心。皮色亦濁。溺短亦爛。

(丙)惡液性水腫。及腎臟性之水種。

(1)惡液性水腫一定名淡血性水腫。乃因血液之水分太多。或蛋白質減少。而爲淡薄之血。同時其血管壁亦起變化。血液之水分。乃滲出血管。而爲水腫。其症狀。先腫於眼。臉、唇、鼻、頰、頸。後及於腰腹四肢。用手壓之。皮不凹陷。

(2)腎臟性水腫。亦稱腎炎性水腫。因心臟衰弱。全身鬱血。致腎盂生局部炎症。不能盡其輸尿之功用。血中水分。因鬱滯而增加。同時排出蛋白質。故血中蛋白質減少。其症狀顏面先腫。而周身之腫繼之。其辨別以心臟病。先腫足踝。腎臟炎。則先腫于顏面四肢。

(二)充血性水腫　又名局部性水腫。身體某部份、如皮膚、鼻粘膜、喉頭、氣管、左側、右側、上肢、下肢、顏面、腎囊等。局部之水腫。實亦含有神經性水質。蓋其原因。亦爲血管運動神經障礙。故或偏腫在左。或偏腫在右。或但顏面腫。或但腎囊腫。如痲疹結節性紅斑、匐行疹等。皆屬之。

(三)心臟性水腫　又名鬱血性水腫。因心臟瓣膜病。或代償機能障礙。全身鬱血。血壓停滯。其液狀成分。自小靜脈、毛細管壁、漏出於體外諸組織。則成水腫。因鬱血故。所以皮見青色。呼吸困難。

(四)因還流障礙之水腫　身體中之淋巴管。有多數連合枝。故雖一部份障礙決不發生變化。惟胸部之大淋巴幹等。苟有病變時。凝結在上。則爲傷寒論中之結胸病。凝結在下。則爲腹水。(西名乳糜性腹水。吾國通稱爲單腹脹。)又淋巴液滲透於膀胱之內。則發現乳糜尿。

(五)塡充性水腫　由組織缺損。壓迫消失而生。其主要症。見於頭蓋腔及脊柱管內。如腦髓之一部萎縮消耗。其腦汁髓液增加。而塡充其萎縮消耗之處。故名。

根據上述之考察。除第五項無治法外。第四項。屬於單腹脹。與水腫症不同。其血管神經性水腫。爲腐脹。痲痺性水腫。爲痛風身腫。治法處方。皆與水腫有別。至中國醫書。所謂之陽水腫。包括炎症性及充血性水腫。因六淫外客。飲食內傷。症雖屬實。而有風熱、濕熱、積熱、瘀熱、之辨別。所謂三陰水腫。包括心臟性、腎臟性、及惡液性之水腫。因情志操勞。色慾過度。症雖屬虛。而有虛寒、虛熱、之不同。及腹水有水之各異。所當分別論之。

筆記

鼠疫治驗談

李健頤

余十六七歲時、鄰居有一婦、傳染温疫、延醫醫治、五六日不愈、時所延諸醫、議論不一、或斷爲熱症、或指爲寒病、藥石雜投、幾至命殞、又數日、近村有老翁、又發生前症、醫生聞之、皆謂此症未之前聞、亦不知治法、時有人云、家父醫理精明、治病多奇効、盍往請之、時家父經商、不暇爲人治病、所以醫名未著、其病家將信將疑、致未敢延、越二日、病勢愈危、不得已試延一診、家父診畢、斷爲鼠疫、即投解毒活血湯、立起沉疴、舉家皆感激、諸醫聞之、莫不咋舌稱奇、咸稱盧扁後身、從此醫生始知此病、即鼠疫也、競向家父借鼠疫彙篇各書研究、始有方針、至民國初元、平潭鼠疫又大作、各醫診治、效者少、而不效者多、半由認症未眞、半由治未得法、余蒙家父傳授、悉心研究、幾至寢食俱廢、遇有是症、他醫恐傳染不敢往、予獨往治、雖妻子勸阻、亦不聽也、蓋欲親見是症、投是藥、以觀能效驗否、

民國十年、潭街有陳姓者、一家十餘人、俱染是病、余日診六七次、煩腦過度、竟被傳染、幸早服解毒藥遂愈、陳家十餘人、愈者九人、死者二人、乃將其治愈之方、及其死者服過之藥、細心研究、方知解毒活血湯、內有可用、亦有不可用、專在醫師知所加減也、蓋鼠疫之症、因疫毒直中人之心肺、及脈絡之深藪、心爲行血之機關、肺爲呼吸之要區、若瘀毒苑結於脈絡、則必影響於心肺、心肺有所障礙、則血失所司、氣無所通、神經卽爲麻醉而損害於生命者也、內經云、「膈膜之上、中有父母、」心肺爲人身之父母、毒入心肺、故易損生、前賢羅汝蘭先生、深知此病、爲瘀毒結在血管、特取王淸任先生發明之解毒活血湯、能解毒散瘀、以治鼠疫、是最有效、卽著鼠疫約篇等書行世、時醫皆奉爲圭臬也、雖然、此方有解毒活血、惜無通絡殺菌、及淸熱瀉火之能、故或效、或不效也、鄙人臨床診病、孜孜研究、每將方中有礙之柴葛歸樸減棄、加通絡殺菌瀉火淸熱之藥、另立一方、試驗有效、則揭櫫病情、以爲參考、如無效、則說明恨點、以作鑑戒、由是經過二十一次之加減、試驗數百病人、始得此良善之方、因名爲二一解毒湯、私心自詡、以爲此後鼠疫再有發生、當以此方爲勁敵、又恐盡美而未盡善、遂購西醫各書籍、一再研究、冀助此方所不及、執料該書、只重預防注射核苗血淸、餘無良藥、亦無妙法、致治此病、愈者百無二三、良可慨也、吁、西醫之治斯疫、實無良術、惟吾此方、可以治之、因撰鼠疫治療全書、原爲救治鼠疫起見、故運筆淺顯、分別章節、朗若列眉、按圖索驥、頗足供吾人考鏡之資、學者幸勿以其淺近、而忽之也、（二一二方、荊芥，桃仁、紅花、地黃、銀花、紫草、貝母、板藍根、連翹、甘草、雄黃、腦片、赤芍、石膏、大靑葉、鮮蘆根、）

鼠疫病之善後法

李健頤

患鼠疫病、須至熱平身涼、方爲無慮、故病後最宜調養、不然再感重邪、熱必加甚、治法尤難、蓋初起之時、身體尤健、尚堪背城一戰、而病後體羸、何堪再犯重邪、况又病過羸?損、豈可不愼哉、誠夫病後調養、更要小心於病前、切勿爲熱巳退、而忽於調養、且恣嗜厚味、貪涼好色、以是反生巨禍、爲害之烈、奚可言宣、故特再錄其調養之法於後、俾病家知所遵守矣、

(一)疫病輕症、熱退邪解、脈靜身涼、宜服清絡飲、(即金銀花竹葉扁豆花西瓜皮絲瓜絡荷葉邊)以清餘熱、兼帶育陰、宜食綠豆粳米粥二星期後、方可食乾飯、忌食辛熱油膩、并一切不易消化食物、及戒房事二個月、

(二)疫病重症、熱退身涼、脈平、但口渴者、宜服清燥湯、(即知母麥冬生地元參中黃丹皮)或增液白虎湯、(即元參生地麥冬石膏知母甘草粳米)口不渴者、宜服甘露飲、大便燥結者、加瓜蔞仁、火麻仁、微潤之、惟當調養一星期、方可漸止服藥、凡患疫病、胃液最傷、食物入胃、礙難消化、可先服藕粉茹粉冲湯、或用番茹煑爛、徐徐服之、不可貪饕無饜、惟少食以常、不可一次連食數碗、恐病後胃弱、消化不及、變生食復、至二星期後、可進稀粳米粥、切忌肉類、又不宜久坐觀書、勞動行走、及憂愁思苦、驚懼、防生勞復、但須寬懐珍重、靜養絕慾、愼風寒、節飲食、為要、不然、發生病復、禍之旋踵、愼哉愼哉、茲分列善後方如下。

(一)病人之痰、及唾涎、鼻涕、附着衣服器具、及地上壁上、乾燥後飛揚、傳染、既能傳染他人、又能貽害自己、故為他人預防計、為自己善後計、吐痰擤鼻涕、咯涎等、必向痰盂、盂內放些消毒藥、如石炭酸昇汞水等、日換三次、

(二)初愈之後、不宜行房事、若淫慾不遏、強為交媾、則細菌由陰戶互相傳染、為害最烈、惟當禁絕一百日外為妥、

(三)病愈後、宜獨睡、不宜共睡、共睡則病身之菌毒、必為傳染他人、獨睡不特無傳染之害、且病人心靜神安、而易恢復康健、

(四)器具、宜消毒、患者所用之碗箸衣服、用鼎、須以開水調硼砂粉少許、以洗滌之、俾一切塵埃毒菌、不至傳染、

(五)病人若愈、可先遷移一室、舊之病室、當四面窗門揭開、通入空氣、并用硫黃蒼朮雄黃等燒薰、甚為有益、

(六)親友若到病人之床前、可食飽、并飲些白蘭地酒、或吞八寶萬應丹數枚、則無傳染之慮、

(七)病人排泄屎尿、當用石灰水調入、倩人放於大海之內、切勿作為肥料、若用作肥料、則有傳染之害、

(八)愼飲食、與他人共食、恐病菌由食物傳染、隔日之物、亦不宜食、凡此種、皆預防及善後之法、病者其注意乎、

方藥

癲狗毒蛇咬傷方藥研究

王馨遠

癲狗毒蛇咬傷、在現代公共衛生進步之都會中、雖巳鮮見、但在鄉區農村、野犬毒蛇、遍於原野、仍屬時有所聞、一經被咬、毒素即由傷部淋巴管吸收、輸入血液、運行全身、潛伏體內、以戕害吾人之身命、惟毒蛇咬傷、其毒發速、局部頃刻發炎、潮紅腫痛、身熱嘔吐、氣促昏瞶、有著明之全身症狀、往往數小時或一二日、即可殞命、而癲狗咬傷、其毒發遲、傷部祇現輕微之傷痕或齒印、全身症象、有經過七日或半月一月、甚至潛伏至半年始發作者、患者每多大意、迨至毒發、神經錯亂、狂躁不安、見人欲噬、不可救治、死狀之慘、目不忍睹、中西醫藥方書、殊尠特效治法、惟蕭山義橋鎮韓氏施送之五聖丹、確有靈效、予曾目睹救人甚夥、惜乎韓氏祇製藥施送、其方祕不肯傳、會於民國十七年春、該鎮韓大來過塘行主人韓氏之壻張幼岩君、因病邀診、診治多次、遂頗莫逆、便詢此丹、得將方藥鈔傳、不敢自祕、茲特分別說明、以廣其傳、並附歷年各醫友實驗各方於後、

(方名)五聖丹

(主治)專治癲狗毒蛇咬傷、

(兼治)傷寒時疫、急痧疹癍、宣發不透、胸悶煩躁、

(藥方)上腰黃　提淨火硝　九製爐甘石　當門子　梅花冰片

以上各一錢

(製法)各研極細末、和勻、再研、過篩、須研至細滑無渣、如眼藥一樣、貯瓶緊塞、不可洩氣、

(用法)以竹挖耳、或骨簪、醮藥少許、點入大眼角內、(即近鼻處之上眼角、)男左女右、一次隔數分鐘、再點一次、前後共點七次、隔一日、再依上法點七次、再隔一日再點七次、

(禁忌)點藥後、宜忌房事、及羊肉等發物四十九天、若誤食羊肉等發物、須照法再點、方可無虞、

(失效)如癲狗咬傷後、巳過二十日外者、雖照法點藥、恐難收確效、故須愈早愈妙、其理論與德國細菌學專家派司泰爾氏、發明狂犬病預防接種法、宜早期注射者同、(上海英工部局衛生處注射之狂犬病苗漿、即根據派司泰耳氏法製造、)

(方藥說明)依藥物學之原理、此方以腰黃爲君、專解百毒、辟鬼魅、消炎殺菌、善治蛇毒、臣以提淨火硝、破結散堅、清臟腑鬱熱、消炎利尿、佐以麝香冰片、開經絡、通諸竅、透肌腐、辟邪解毒、殺毒菌、更能刺戟延髓、與奮心臟、爲救急之要藥、領導硝黃、直達病所、中和毒素、妙在使以爐甘石、本爲眼科之良藥、緩和硝黃冰麝之刺戟、不致損及角膜、合而爲方

、點入眼角、由淚管吸收滲流透於鼻腔咽頭粘膜、分佈於血液神經、而奏解毒殺菌、防腐消炎、強心利尿之作用、非獨對於癲狗毒蛇咬傷、有預防治療之特效、卽四時流行之傳染病、亦有相當之效果、先哲配方之精、用藥之妙、誠為吾儕後學所崇拜者也。

附錄各醫友所述治療癲狗蛇咬之經驗方、

一、萬靈丹　專治癲狗毒蛇咬傷、

當門子三錢七分五厘　頂上雄精一兩五錢九分六釐　頭梅冰片三錢三分　眞西牛黃五錢五分　製西月石三錢四分五厘　貴州山慈菇六錢　製西瓜霜四錢九分八厘　製浮水甘石五錢四分

右藥八味、分兩務須秤準、不可稍有輕重、各研極細末、拌勻後、合研、至細、裝入磁瓶、勿令泄氣、遇被蛇狗咬傷者、用藥點大眼角、(用竹簽醮淸水點、)一日點十四次、約半點鐘點一次、以點三日為度、傷輕者、內服五厘、厚朴煎湯送下、重者服一分、至重者服二分、咬傷處再用藥敷、均奏效如神、惟七日後、對太陽光於髮際尋覓紅髮、隨卽拔去、切記切記、尤忌房事、及發物一百廿天、

(遠按)此方為周錫筠君所傳、對於癲狗毒蛇咬傷、確有特效、前有人祕以斂錢、獲利甚厚、近見紹興慈善家製藥施送、醫愈甚多、

二、追毒丹　專治蛇傷狗咬、

上明雄精一兩　馬牙硝一兩　龍腦冰片一錢　當門子三錢

上藥須於五月五日端午節正午時另闢淨室、虔誠修合、研至極細無聲為度、過篩貯瓶收藏、不可走氣、用時以骨簪醮藥、點入大眼角、卽目內眥、男左女右、每日祗點二次、不宜過多、至愈為度、點藥後、宜閉目靜坐片時、傷處卽能自流毒水、痛止腫消、並忌食赤豆一百天、(遠按)此丹為湖州陳昌順布莊施送、

三、瘋犬咬傷祕方　並治毒蛇咬傷、尤能兼治重痧、

當門子七錢半　上梅冰一兩零五分　明雄黃五兩三錢二分　飛牙硝二兩一錢六分　飛月石一兩八錢　製甘石二兩二錢半　以上各藥、俱要道地、研極細末、勿令泄氣、此方專治瘋狗毒蛇咬傷、兼治重痧、用銀針挑藥少許、點兩眼角、如敷眼藥狀、約半炷香時候、點一次、共點十二次、

(遠按)據醫友曹炳章君所述、此方係蕭山陸學師所傳、據陸氏云、此方甚祕、以番佛五百尊換來、故未嘗輕易示人、雖贈藥救世、全活甚衆、而原方終不肯洩漏、至卸篆之

日、臨行箋別、當筵傳於金君蕙屏、眞可謂極大之人情也、閱管照方配製施送鄉里、靈驗異常、現在紹興城內和濟藥局有此藥製售、

四、瘋狗咬經驗方

鮮萬年青、連根葉、不拘多少、洗淨搗汁服、卽愈、効驗如神、如患者頭上有紅髮、須尋覓拔去、

附辯瘋狗咬試毒法、 凡被咬者、嚼生黃豆食下、如食之豆香、卽是瘋狗毒、卽用上法搗汁服之、一二日後、再令患者嚼生黃豆、如嚼食時、尚有豆之香味、是毒未淨、仍用萬年青搗汁服、二三日後、再令嚼生黃豆試之、如口中作生豆腥氣、入咽欲嘔、爲毒已盡、不必再服、卽爲全愈矣、(遠按)此方爲九江王理堂高踏市二醫友所傳、

五、人參敗毒散

眞紋黨參三錢 桔梗二錢 羌活二錢 獨活三錢 茯苓三錢 生甘草三錢 前胡三錢 撫芎二錢 紅柴胡三錢 枳殼二錢 生地榆一錢 生姜三錢

引用紫竹根一大握濃煎溫服、每日一帖、連服三帖、(遠按)民國十年時、上海租界當局、大捕野狗、捉者工役被瘋狗咬傷、毒發致命者甚多、工部局醫院、亦無善法可救、中新兩報、刊布新聞、嗣有松江某善士見而憫之、乃以此方救治、得慶更生者甚衆、

六、仲景下瘀血湯

瘋狗咬傷、自古無善治法、世傳所出靈符、及加味人參敗毒散爲最妙、然毒輕或有效、毒重者不足恃、此外單方不可勝計、而禁忌甚多、如百日內不可聞鑼鼓聲、一年內不得食肉之類、守之頗難、殊未盡善、歲巳丑象邑多瘋犬、遭此害者、十有八九、諸方無效、適有耕牛、亦遭此患、而斃、剖其腹、獲血塊大如斗、色紫褐、攪之蠕蠕動、一方驚傳異事、有張君者曉醫術、聞之、悟曰、仲景云、瘀熱在裏、其人發狂、又云、見人如狂者、下血乃愈、今犯此症者、大都如癲如狂、非瘀血爲之乎、不然、牛腹中何以有此怪物耶、吾今得其要矣、於是用仲景下瘀血湯治之、不論毒之輕重、症之發與未發、莫不應手而愈、轉告與人、百不失一、乃知此方實此症之要藥也：

錦紋生軍四錢 桃仁去皮烘七粒 地鱉蟲去足炒七只 白蜜糖三錢

右三味、共研細末、加白蜜糖和酒一碗、煎至七分、連渣服、如不能飲酒者、用水對和亦可、小兒減半、孕婦不忌、

(一)空心服此藥後、別設糞桶一只、以驗大小便、必有惡物、如魚腸猪肝之形、小便如蘇木汁、藥力盡、大小便如常、再服、則惡物又下、不拘帖數、總要大小便無纖毫惡物爲度、不可中止、留遺物於腹中、以致毒發、切切牢記、

(一)遇此患、不論輕重、急宜服藥、以早爲貴、倘毒發未過週時者、尙可治、然於進藥速、可日服二三劑、愼勿迷滯誤事、

(一)此症旣發、切不可吃斑蝥等毒藥、蓋此時腹中惡塊已積大如斗、不化其血、而反以毒攻毒、必致悶亂而死、戒之戒之、

(一)發患之期、大都四十九日爲多、近則二三十日、遠則五七十日、百餘日不等、蓋有輕重故、

(一)此症最毒、不必肌膚骨肉受傷、卽衣服鞋襪、一被咬過、雖毫無損傷、毒亦能傳染、余嘗遇此患、不過衣服略有齒痕、次日下藥、下惡物無算、三劑方盡、可知其毒之厲也、倘因毒淺而忽之、害可勝言哉、

(一)被咬者，不必問其狗之癲與不癲、不妨服藥以驗之、果是癲狗、必下惡物、卽如好狗、則大便略溏而巳、藥性平和、必無妨礙、

(一)仁人貴弭患於無形、倘有家狗被癲狗所咬、卽以此藥灌之、亦可救一狗之命、且可免數十人之患、其陰德更大矣、

(一)此藥較他方靈便、服者但忌房事而巳、如鑼聲等、可一概不忌、

(遠按)此方曾試用於人，照方服之、結然奏效、醫友胡天宗阮其煜二君試用數人、莫不應手而愈、

✓ 莖腫癃閉之特效藥

俞愼才

時賢王吉民氏曰、『自唐至明、由葱葉口吹、(見千金外台)而至猪脬翎管、(見衛生寶鑑杏林摘要雜證漢方)自明迄今、垂六百年矣、其中不但無進步可言、乃並此法亦廢置而不用、古人不作、斯道淪亡、可勝浩嘆、』余讀至此、不禁有感焉、夫小便不通、內服不愈、宜外用探尿法、法醫拿力敎於一千八百六〇年發明導尿管、以補助藥力所不逮、用手術方法、引尿外出、蓋此法中醫早巳發明矣、然莖腫尿道狹窄之小便不通、內投藥石罔效、外施導引不靈、應用何法爲驗、此古來醫籍未見紀載、家君廿年前、曾治此症、覺病者之痛苦、而無他法所可施治、臨機應變、發明一方、試之果驗、後遇此症、應手奏效、玆特表彰之、

治一族紳武榜、年逾花甲、患癃閉症、經延數醫、投以利

尿滋陰通關等方、愈通愈閉、每日出溲、約有百次、每次祇通數滴、甚至點滴俱無、始延家嚴診視、兼請西醫外透、因西醫未到、當診脈時、脈息診未一二動、病者遽起出溲、診有一時之久、約起出溲數十次、未能診其精確脈息、據病者云『有兩日之久、』見其尿道極急、殊恐漏洩身中、遽行出溺、迨至出時、點滴俱無、每思忍緩、待其自然排洩、因急無可忍、使日夜坐臥不安、詢渠外莖有腫否？據云『比常腫有數倍之大、』細揣莖腫竅閉、雖有小便、亦不得通、非施外治手續、縱有效方、亦難濟病、知西藥治外腫病極効驗、因在居鄉、無從購用、再四籌思、中藥有何品、可能消腫、忽悟白礬一味、凡物經礬、皆能消縮、教病者用小便和礬磨濃汁、將陰莖浸其中、取其同氣相求、以溺引溺之義、凡癃閉多由火、小便又能引火下行、約浸半點之久、溲出盈盌、再浸許久、又通盈盆、莖腫亦消、從此病除、西醫到時、詢其病因、家嚴與談、頃施外治法、溺已通矣、西醫極贊治病巧思靈妙、又云『西法遇外腫溺癃、亦須先消其腫、而後透溺、如腫未消、亦難驟用透溺器械、』參所陳治法、如用西藥消腫、溺通未必如許之速、因用小便磨礬、消中兼引、所以效如桴鼓、可知治病在於臨時變通、此亦是法外之法、中醫歷來治病、活法甚多、因祕弗傳、後人無所仿效、惜哉、諺云：『刊方濟世是良醫之苦心、祕而不傳迺庸醫之窄量、』洵不誣也、

衛生

衛生講話　第十六續

董志仁

公共衛生(四)——吐痰——

中國人根本沒有公共衛生的常識、所以吐痰和便溺、隨時隨地都可以看到不衛生的現象、

痰是呼吸器官的排泄物、凡是氣管或肺有刺激、或有細菌侵入肺氣管等、就會發生粘膜過多的分泌、在鼻前段分泌出來者稱鼻涕、鼻後段或咽喉氣管等出來者就是痰、痰涕既是病的現象、則痰裏面自然包含許多細菌、如果隨便咯吐、豈不是就把疾病隨意散播呢、

肺病是最可怕的、肺病人所喀吐的痰、或其分泌物唾在地上、一經乾燥、就有結核毒菌跟着塵埃飛散、而且此菌在塵埃中乾燥處、或空氣不流通的密室中、能得長時間之生存、所以人往往在莫明其妙中、會傳染肺病、而一般患肺病的痰、既不肯很注意的唾入消毒水的痰盂內、而接近肺病的人、又不注意

病者的咯痰、於是肺病愈傳愈廣、愈播愈多了、

為了公共衛生的關係、患病的與不患病的都應該嚴厲注意吐痰、

1.須把痰吐在有消毒水的痰盂內、（痰盂內加入濃石炭酸水或大量石灰、）

2.痰吐在紙盒內、加些洋油鐵士林之類燒化、

3.有痰涕的人出外、至少須攜帶數塊手帕、以便於偶然咯吐痰唾、即可吐入帕內、攜歸煮晒或燒燬、

公共衛生(五)——學校衛生

學校聚集多數有為的青年或幼童、生活於共同環境之下、他的設備和環境、如與合於衛生條件之健康要求、則各個師生在保健方面、都受其賜、反之其貽害亦不堪言狀、而且青年幼童均富於摹仿性、如果學校內有良好的衛生設施、給他們耳濡目染、養成習慣、那末他們將來出為社會服務時、便可藉他們的素養、移風易俗、影響於其他公共衛生、也非淺鮮、不過學校也有程度的不同、性質的差異、在尚未成年的幼童小學、更應該注意、常見現代小學生多患肺病、砂眼、近視、畸形、寄生蟲病等、致活潑青年、形同殘廢、負有責任的學校當局、是宜設法注意改善的、

一、教室和桌椅

教室的光綫要充足、空氣須流通、黑板以無光澤純黑者為良、黑板的位置勿太高、離第一排座桌距離莫過近、拭黑板的器具、須微溼不使粉屑飛揚、教室中多置痰盂、冬天生火爐時、當注意煤氣蓄積的危險、

坐椅須有靠座、且以後仰式為最合適。桌椅的高差距離須合度、否則易使學生形成近視駝背等病症、

桌椅適合的條件、以不妨礙學童各部關節運動為主、當坐立或諳寫的時候、教導其姿勢、使呼吸血行不受障礙、胸部不受壓迫為要、

二、授課訓練

小學每課之時間、不得過長、否則學童就易感疲勞、記憶力易受損傷、休息時間、宜逐班加長、如第一班課後休息十分、第二次為二十分鐘、第三次則為半小時、每課時間、小學以三十分至四十分為宜、

小學禁用有色鉛筆、若藍色鉛筆、尤須禁止、以防中毒、筆頭放入口中的惡習慣、亦須避除、

三、保健方法

學校中應聘有校醫、如每校不能單獨聘請時、則聯合各校

合聘之、或請地方醫生義務担任亦可、其任務權限如左、

1.促進及改良校中一切事項、如教室宿舍空氣之良否、光綫充足否、桌椅合於衛生否、一切設備合於衛生否、

2.指導學校清潔處置之實行、及廚房飲食器皿等之合於衛生的條件、

3.預防傳染病及衛生教育、

4.治病、如學生有患病者、不論輕重須行醫治、並視其病之程度、准其請假休養、患傳染病的、尤須嚴行隔離、

5.健康檢查、每年施行二次、如發覺有畸行者、矯正之、並測驗學生之衛生常識、

紀 事

本社第十六次討論會記事

本社同人、於十二月十五日、在扇子巷陳寓舉行第十六次討論會、到者有阮其煜董志仁施稷香陳鼎丞王心原程賓範王一仁諸君等、除討論問題外、並自述個人生理之經驗一節、旋復研究本草經、玆將情形錄下、

一、傷寒與温病、是否有對立之可能?(現代中醫社)

答、傷寒有廣義、如張仲景傷寒論、及關於時氣發病者是、傷寒有狹義、即如中風、傷寒、風温、暑病、濕温、隨指一症、皆可謂之傷寒、即今日以「腸窒扶斯」名傷寒者、亦僅可指濕温症爲近、或以爲普遍傷寒之稱、但此中宜分晰者甚多、何能混統、中醫分六經、眞正之傷寒症、蓋無不起於太陽經者、温病則不限於太陽、秦越人所謂「行在諸經、不知何經之動、」温病發於陽明少陽者較多、他經亦易波及、傷寒傳經緩、温病傳變速、至其定名對立之義、可以比之、如太極、兩儀、四象、八卦、欲加分晰、其條序固甚多也。

二、温病是否有外感伏氣之分別?(現代中醫社)

答、温病有隨感而發病者、謂之外感、有潛伏期而發病者、謂之伏氣、天時氣候、由口鼻傳入血液臟腑、潛伏一處、不即發病、至不能再伏而發病者、所在多有、但於未發之先、病者必有所感覺、而爲醫者所不及察者、至其治療、當視症候、應分別而不能分別、然伏氣病較奄纏也。

三、自述個人生理之經驗、(本社同人)

甲、一次因急足遠行十餘里後、即覺全身血管、自四肢背部輪走循環、異常通快、後亦無他異狀、此或爲經脈流動最顯著之徵象、(王一仁)

乙、每因竹戲過久、睡後忽全體躍跳、離床數寸。且怪夢飛揚、或是陰血虛而腦氣神經之亢奮也。(陳鼎丞)

丙、幼時喜食瘦肉、長則嗜肥、在未娶前遺精、婚後即瘥減、三十後全愈、青年時喜服涼劑、十年後喜服熱藥、生理之轉變、有如此者。(施稷香)

丁、睡時目暈如身起床、感覺則定靜、試爲運氣法、吸氣從鼻入腦而下腹部、烘熱異常爽適、(董志仁)

戊、足部偏傷、行走無力、灸足三里穴多次、健步甚捷、(程賓範)

四、問、尾尻部被傷、第五腰椎斷損、翌日即小便閉塞、利尿藥無效、有無危險、並問治法、(傅仲華)

答、此症但能神識不昏、即無尿毒瘀熱攻腦之險、擬去瘀導尿法、如大小薊、澤蘭、劉寄奴、淮牛膝、加滋腎通關法、同用、並宜外用治傷法、或可有効、

五、本草經之研究、(九)

▲白前根

原文：氣味甘微溫無毒、主治胸脅逆氣、欬嗽上氣、呼吸欲絕、

(一)甘、微溫：　此藥之主要作用、是能平氣促而有和緩欬嗽氣促之效、故曰甘、因能化痰而有消散性、故曰溫、

(二)主治胸脅逆氣：　患氣促者、此藥有平氣之作用、

(三)欬嗽上氣：　指此藥不但能平氣促、亦有化痰之作用、

(四)呼吸欲絕：　是呼吸困難之變換詞、

劑量　一錢五分至三錢、

禁忌　腹瀉者、

▲當歸

原文：氣味苦溫無毒、主治欬逆上氣、溫瘧、寒熱洗洗在皮膚中、婦人漏下絕子、諸惡瘡、瘡瘍、金瘡、煮汁飲之、

(一)苦溫、　此藥有殺菌、解毒之作用、而能治溫瘧、及瘡瘍、故曰苦、因有興奮性、能興奮卵巢之作用、而爲調經之特效藥、故曰溫、

(二)主治欬逆上氣：　慢性氣管炎可用之、急性氣管炎不能用、

(三)溫瘧、寒熱洗洗在皮膚中：　但熱不寒者爲溫瘧、虛弱性者可用之、患久瘧者常用之、然急性者、不能用。

(四)婦人漏下無子：　此藥能興奮卵巢、故爲調經之特効藥、並有止痛之作用、故亦可用以治痛經、

(五)諸惡瘡、疥瘍、金瘡、煮汁飲之、

此藥對於以上諸症、頗效、蓋因有解毒作用、與興奮局部血液循環之作用、並有止痛之作用、

劑量　一錢五分至五錢

禁忌　(1)體溫高者、(2)腹瀉者、(3)血壓高者。(4)脈搏速者。

▲芍藥、

原文、氣味苦平無毒、主治邪氣腹痛、除血痺、破堅積、寒熱疝瘕、止痛、利小便益氣、

(一)苦平、有殺菌止痛作用、可治金瘡血出、癰疥腫痛、故曰苦。能解痙攣性之疼痛、故曰平、

(二)主治邪氣腹痛、此藥有止痛之作用、特別的有效於痙攣性疼痛、與神經痛、

(三)除血痺、中國醫學大辭典云、『血痺症是痺之屬於血分者、外證身體不仁、如風痺狀、』按愚見『血痺』是指神經痛、

(四)破堅積、寒熱疝瘕、寒熱或指痙攣性不安之現狀、對於腹部肌肉之痙攣、有解除之作用、即對於胃腸肌之痙攣、也有解除之作用、患癰疽等症者、亦有消散之作用、故曰破堅積、寒熱疝瘕、

(五)止痛、特效於肌肉痙攣之疼痛、與神經痛、

(六)利小便：尿量少者、生白芍有利尿之作用；若尿過多者則、用炒白芍、乃能使尿量減少也、亦芍消散力多、

(七)益氣、以上諸病既去、則其氣力自增也、

劑量　一錢半至三錢

禁忌1腹瀉者、2外感寒熱而無汗者、3外感寒熱、有汗而胸口氣悶者、

▲芎藭(近來所用者爲川芎)

原文、氣味辛溫無毒、主治中風入腦頭痛、寒痺筋攣緩急、金瘡、婦人血閉無子、

(一)辛溫、因有發散性、故曰辛、因有興奮性、故曰溫

(二)主治中風入腦頭痛、指因外感而發生之頭痛、或第五對腦神經痛之頭痛、均可用之、

(三)寒痺、筋攣緩急、寒痺、指有惡寒狀之羅麻質斯與天氣寒冷時所發生之羅麻質斯、筋攣、指因寒而發生者、緩急指或緩或急之病狀、

(四)金瘡、此藥對於金瘡有解毒作用、並能促進局部之血液循環、或能增加皮膚之免疫性、

(五)婦人血閉無子、有通經之作用、凡虛弱性、以及體溫低者可用之、

若用八分川芎、與五分艾葉同煎內服、可作驗胎之用、

劑量 八分至三錢

禁忌1血壓高者、2汗多者、

▲牡丹(今名粉丹皮)

原文、氣味辛寒無毒、主治寒熱中風、瘈瘲驚癇邪氣、除癥堅、瘀血留舍腸胃、安五藏、療癰瘡、

(一)辛寒、因有發散性、故曰辛、因有消炎性、故曰寒、中醫云:此藥瀉命門火甚效、所謂『瀉命門火者、即鎮靜性慾也、此藥對於午熱、亦甚有效』

(二)寒熱中風、指於春夏季、因外感而現之寒熱可用之、

(三)瘈瘲驚癇邪氣、指此藥不但能鎮靜運動神經、亦能鎮靜大腦精神部、

(四)除癥堅、瘀血留舍腸胃、患胃癰腸炎、以及盲腸炎、此藥有消炎之作用、

(五)安五藏、因有鎮靜作用、故能安五藏、

(六)療癰瘡、有殺菌、消炎之作用、凡紅腫發熱之癰瘡、內服外敷、均可用之、

劑量 一錢五分至三錢

禁忌1腸胃虛弱而瀉者、若胃腸虛弱者、服之易於腹瀉、2虛弱性腹痛、3體溫低者、4汗過多者、

▲地榆、

原文、氣味苦微寒無毒、主治婦人産乳、痙病、七傷、帶下五漏、止痛、止汗、除惡肉、療金瘡、

(一)苦、微寒、因有殺菌作用、故曰苦、因有消炎與止血作用、故曰寒、無論腸出血、膀胱出血、均可用之、

(二)婦人産乳、指乳腺炎者可用之、

(三)痙病、近今罕有用此藥、以治痙病者、

(四)七傷、藏府因傷而出血者可用之、

(五)帶下五漏、此藥有特效於子宮粘膜炎與出血、

(六)止痛、腸炎而痛者、子宮炎而痛者、可用之、有止痛之效、

(七)止汗、因高熱而汗出過多者可用之、

(八)除惡肉、療金瘡、外用地榆炭研末、有殺菌、消炎、止痛之作用、若患火燙傷者、地榆炭研末與麻油等份調和、塗敷之、乃有特效、

劑量 三錢五分至五錢

禁忌1體溫低者、2腹瀉者、3脈搏遲緩者、4舌苔淡白者、

▲紫草、

原文、氣味苦寒無毒、主治心腹邪氣、五疳、補中益氣、利九竅、

(一)苦寒、因有解毒作用、故曰苦、因有消炎性、故曰寒、

(二)主治心腹邪氣、小孩患天花、現紫黑時可用之、即表示天花之毒質在血中極濃厚時、此藥有解毒之作用、故曰主治心腹邪氣、

(五)五疳、此藥在小兒疳積藥中常用之、乃能驅除蛔虫、對於皮膚病、外用能殺皮膚病之寄生虫

(六)補中益氣、利九竅、此藥並無滋養作用、概因其能消炎殺菌、解毒而去除其病、以致得以恢復其健康之意也、

劑量　天花現紫黑色時、每次可用一錢至三錢、

禁忌1腹瀉者、2體溫低者、3天花灰白色者、

▲澤蘭(常用者爲澤蘭葉)

原文、氣味苦微溫無毒、主治金瘡癰腫瘡膿、

(一)苦、有殺菌作用、能治金瘡癰腫瘡膿、故曰苦、然近今罕有用之以治金瘡癰腫等症者、

(二)微溫、有興奮性、作通經藥、是屬常用而有效、或許是因能與奮卵巢之作用、

產後因惡露不清而發熱常用之、能助惡露之排泄、蓋因有殺菌作用與增加子宮肌之收縮力故也、

劑量　一錢五分至三錢

禁忌1患貧血者、

▲茜草根

原文、氣味苦寒無毒、主治寒濕風痹、黃疸、補中、

(一)苦寒、因有殺菌作用、故曰苦、因有消炎止血作用、故曰寒、

(二)主治寒濕風痹、凡羅麻質斯之兼有咳血者、可用之、否則不相宜、

然按愚見、羅麻質斯可用之、因羅麻質斯、是因特種細菌、而成急性關節炎、此藥既有殺菌消炎作用、羅麻質斯、當然可用之、未知高明以爲如何?

(三)黃疸、黃疸是因膽管閉塞、膽汁不入小腸而入血中、此藥對於膽管有消炎殺菌之作用、故能治黃疸、

(四)補中、近今罕有用之、以作『補中』之藥品者、或許因以上諸病既去、而神經之健康得以恢復、故曰補中、

劑量　一錢至三錢

禁忌、腹瀉者

▲秦艽

原文、氣味苦平無毒、主寒熱邪氣、寒濕風痹肢節痛、下水利小便、

(一)苦平、此藥常用以治急慢性羅麻質斯、爲主治急慢性羅麻質斯之主要藥、因對於關節炎、有殺菌、消炎之作用、故曰苦平、

(二)主寒熱邪氣、邪氣是病的變換詞、指對於羅麻質斯之寒熱有效、

(三)寒濕風痹、肢節痛、指不論急性或慢性之羅麻質斯、均可用之、

(四)下水利小便、此藥除有特效於羅麻質斯外、且有利尿之作用、尿不利者可用之、

劑量　一錢五分至三錢

禁忌1腹瀉者、2體溫低者、

▲防己

原文、氣味辛平無毒、主治風寒溫瘧、熱氣諸癇、除邪、利大小便、

(一)辛平、因有發散性故曰辛、因消炎性而有鎮靜作用、故曰平、

(二)主治風寒溫瘧、但熱而不寒之瘧、是曰風寒溫瘧、可用此藥以作副藥、

傳云、治瘧甚效、尋常可用三四錢、野者更靈、一次服後即愈、

(三)熱氣諸癇諸邪、凡因熱高而現抽筋狀者可用之、其主要功用、並不是在乎直接有鎮靜神經、乃因有消炎之効、故有間接之鎮靜作用、

(四)利大小便、這是此藥之主要作用、然尋常用之以利尿、

劑量　一錢至五錢

禁忌1腹瀉者、2體溫低者3脈慢者、4因虛弱而消化不良者、

注意　防己、有漢防己與木防己之二種、漢防己性質柔和、而木防己較有刺激性、

木通(近今所用者爲漳木通)

原文、氣味辛平無毒、主除脾胃寒熱、通利九竅之血脈關節、令人不忘、去惡虫、

(一)辛平、此藥辛而帶苦、有殺菌消炎作用、故曰苦辛、因有

鎮靜作用、而能除脾胃寒熱、故曰平、

(二)主除脾胃寒熱、寒熱二字、並不是指外感性之惡寒發熱、是指因吃酒而引起之胃腸不安之現狀、

(三)通利九竅、此藥並無強壯作用、亦無興奮作用、故此藥決不能直接有使人耳聰目明之效、然此藥之主作用、即化濕熱、所謂『化濕熱』者、即利尿與消炎、殺菌之作用也、此藥之利尿作用甚強、至於通利大便、非其主要作用、有人以其爲有『通乳』之效者、不宜用之、因此藥是苦性、並無與奮乳腺作用之故也、有人、以其爲『通經』藥者、更不相宜、

(四)血脈關節、治酒風之關節痛甚效、

(五)去惡虫、此藥有殺滅寄生虫之作用、

劑量　一錢五分至三錢

禁忌1腹瀉者、2經閉者、多食可以絕孕、

▲葛根

原文、氣味甘辛平無毒、主治消渴、身大熱、嘔吐、諸痹、起陰氣、解諸毒、

(一)甘辛平、葛根粉、有滋養作用、故曰甘、因有發散性可治諸痹、故曰辛、因有退熱之效而能鎮靜作用、故曰平、

(二)主治消渴、可治糖尿病、或水尿症、

(三)身大熱、發熱而不惡寒者、可用之以退熱、因有出汗之效、然發熱而惡寒不可用、汗多熱高而煩渴者不可用、退熱當用生葛根、

(四)嘔吐、尋常嘔吐、以及胃腸炎之嘔吐、不可用、惟因不惡寒、無汗之發熱而嘔吐者可用之、

(五)諸痹、可作治療經麻質斯之副藥、

(六)起陰氣、腰以上爲陽、腰以下爲陰、起陰氣、指虛弱性之腹瀉、服之有止瀉之效、正如此藥能上提陰部氣力之意也、止瀉須用煨葛根、

(七)解諸毒、能中和毒素、如內服各種毒藥以後、此藥有中和毒素之作用、

劑量　一錢至三錢

禁忌1發熱而惡寒者、2胃炎而嘔吐者、3大便閉結而嘔吐者、

附

葛榖　罕用、

葛花　常用以解酒之用、劑量一錢五分至三錢、

葛葉　外用止血、未有用之以內服者、

蔓蒿　罕用、

▲麻黄

原文、氣味苦温無毒、主治中風傷寒頭痛、温瘧、發表出汗、去邪熱氣、止欬逆上氣、除寒熱、破癥堅積聚、

(一)苦温、因有殺菌作用、故曰苦、因有發散性、故曰温、

(二)主治中風傷寒頭痛、外感之輕者、可名爲風、外感之重者可名爲寒、

凡外感症、惡寒發熱頭痛者可用之、

(三)温瘧、發熱無汗者可用之、

(四)發表出汗、去邪熱氣、去邪熱氣、指麻黄有出汗之作用、而發表出汗、是此藥之主要作用、

(五)止欬逆上氣、除寒熱、此藥有化痰平氣之作用、爲平氣促之主要藥、有特效於急性氣管炎而有寒熱無汗者、若爲肺結核病之氣促、不能用之、

(六)破癥堅積聚、此藥之主要作用、爲發表、化痰平氣而有發散性、故曰破癥堅積聚、

劑量　三分至一錢五分

禁忌1汗多者、2發熱而不惡寒者、

▲白芷

原文、氣味辛温無毒、主治女人漏下赤白、血閉陰腫、寒熱頭痛、侵目淚出、長肌膚、潤澤顏色、可作面脂、

(一)辛温、爲芳香劑、有發散作用、故曰辛、因能開胃而興奮消化腺之作用、故曰温、

(二)主治女人漏下赤白、子宮粘膜炎而下赤白帶者、極效、

(三)血閉、可作通經之副藥、

(四)陰腫、可作消炎之副藥、

(五)寒熱頭痛、侵目淚出、若惡寒發熱而額部頭痛、甚致因頭痛而淚出者、此爲主要藥、有退熱止痛之效、

(六)長肌膚、潤澤顏色、可作面脂、此指外用、

劑量　六分至三錢

禁忌1發熱汗多者、2有高熱者、3口渴心煩者、

▲荆芥

原文、氣味辛温無毒、主治寒熱鼠瘻瘰癧、生瘡破結聚氣、下瘀血除濕疸、

(一)辛温、因有發散性而發表之主要作用、故曰辛、對於淋巴腺炎、具有發散作用、亦能興奮淋巴腺、使其恢復原有之健康而能治鼠瘻、瘰癧、故曰温、

(二)主治寒熱鼠瘻瘰癧、惡寒發熱者、此藥有發汗退熱之效、

亦爲此藥之主要作用、

鼠瘻者、卽淋巴腺病、是由於吃了老鼠吃過之食物而受染者、凡淋巴腺炎而有寒熱之病狀者、此藥有發散之作用、瘰癧、指結核性淋巴腺病亦可用之、

(三)生瘡、破結聚氣、指此藥對於未出膿之瘡毒而惡寒發熱者、有消散之作用、

(四)下瘀血、近今罕用、卽使用之、亦非主要藥、

(五)除濕疸、患黃疸病而有惡寒發熱者、可用之有出汗之作用、故能去除入血之膽液、而有治療黃疸之效、

劑量　八分至三錢

禁忌、汗多者、

▲貝母、(本經指象貝母)

原文、氣味辛平無毒、主治傷寒煩熱、淋瀝、邪氣、疝瘕、喉痹、乳難金瘡風痙、

(一)辛平、因有發散性、故曰辛、因有鎮靜作用、故曰平、

(二)主治傷寒煩熱、發熱而煩悶者、可用之、寒多者不能用、

(三)淋瀝、此藥對於膀胱有鎮靜與利尿之作用、故能治淋瀝、

(四)邪氣疝瘕、指此藥有消炎作用、凡外感咳嗽、用之有化痰止咳之效、

(五)喉痹、指喉中有發炎閉塞之病者、可用之

(六)乳難、指有通乳之作用、

(七)金瘡、外用、內服、均有消炎之作用、

(八)風痙、此藥可作解抽之副藥、

劑量　川貝母、八分至一錢五分、象貝母、三錢至一兩、

禁忌、喉頭炎痰濃者可用之、痰淡薄者不用之、

▲蒼耳子、

原文、氣味甘溫有小毒、主治風寒頭痛、風濕周痹、四肢拘攣痛、惡肉死肌、膝痛、久服益氣、

(一)甘溫、因能解拘攣而有和緩性、故曰甘、因有發散性、故曰溫、

(二)主治風寒頭痛、此藥常用以治頭痛、因傷風而有之頭痛、因受寒而有之頭痛、可用之、然貧血性之頭痛禁用、

(三)風濕、周痹、四肢拘攣痛、膝痛、此爲第二種之主作用、卽主治各種經痲質斯、

風濕、指急性經痲質斯、周痹、指多數之關節炎而有周流狀之疼痛者、四肢拘攣痛、指四肢因關節痛而拘攣者、膝痛、指膝關節單獨疼痛者、均可用之、

(四)惡肉、死肌、此爲主治大痲瘋之特效藥、惡肉、死肌、概

指能治大痲瘋而言、

(五)久服益氣、此藥之主要作用、爲主治頭痛與羅麻質斯、未有用之以益氣者、

劑量　一錢五分至三錢

▲款冬花、

原文、氣味辛溫無毒、主治欬逆上氣、善喘、喉痹、諸驚癇、寒熱邪氣、

(一)辛溫、因有發散性而有化痰作用、故曰辛溫、

(二)主治欬逆上氣、善喘、有平氣化痰之作用、此藥爲止咳常用之藥品、氣管支炎可用之、

無論外感咳嗽、虛勞咳嗽、均可用之、

(三)喉痹、指咳久而喉部作痛者、

(四)諸驚癇、並非指羊癲病等症、因咳嗽而有痙攣現狀者可用之、是指氣管痙攣、如患哮喘或鶯鷥咳者、服之、能解除氣管之痙攣、而有化痰平氣之作用、

(五)寒熱邪氣、指因外感咳嗆而現之不安現狀、

劑量　一錢五分至三錢

禁忌、腹瀉者、

▲紫菀、

原文、氣味苦溫無毒、主治欬逆上氣、胸中寒熱結氣、去蠱毒、痿躄、安五藏、

(一)苦溫、因有消毒作用、故曰苦、因有發散作用、故曰溫、

(二)欬逆上氣、此爲咳嗆要藥、常可與款冬花同用、對於胸口氣悶之咳嗆、其功效頗佳、此藥有化痰平氣之作用、可治氣管支炎、

(三)胸中寒熱結氣、胸中是指肺部之特效藥、寒熱指急性氣管支炎而有寒熱者、結氣指此藥有化痰平氣之作用、

(四)去蠱毒、近今罕用之、或指其對於肺部有殺菌之作用、

(五)痿躄、指因咳久而腳軟無力者、並無直接治療腳軟無力之效、

(六)安五藏、指因咳嗆而不安、並無直接安五藏之效、

劑量　一錢五分至三錢

禁忌、腹瀉者、

▲知母、

原文、氣味苦寒無毒、主治消渴熱中、除邪氣、肢體浮腫、下水、補不足、益氣、

(一)苦寒、因有殺菌作用、故曰苦、因有消炎、利尿作用、故曰寒、

(二)主治消渴熱中除邪氣、消渴指口渴而消瘦者、熱中、是形容口渴之原因、必是因內部有熱、邪氣、是病的變換詞、故可治糖尿病、

(三)肢體浮腫、下水、有利尿作用、可治腎炎性水腫、

(四)補不足、益氣、此藥並無直接之強壯作用、乃指病既去、而健康得以恢復之意、

劑量　一錢至三錢

禁忌1體溫低者、2脈慢者、3舌白者、4腹瀉者、5因外感症發熱而口渴者、

本社第十七次討論會紀事

本社第十七次討論會、於二十三年一月十五日午後三時、假座新市場宴賓樓舉行、三時開會、天大雪、到者有阮其煜、董志仁、王心原、王一仁、周子叙、程賓範、諸君、開會後、六時聚餐、茲將討論情形錄下、

一、問銀耳有養肺功力、今有金耳上市、其效若何、(傅仲華)

答、銀耳雖能養肺。縱有滋補之功、不免膩滯之害。服食者不可不慎。金耳內含水分、總固體、脂肪、蛋白質、粗纖維、含水炭素、等成分。養肺止咳、滋腎補陰、其效亦略同於銀耳也。價或較廉。

二、本草經之研究、(十)

△栝樓根、(又名天花粉)

原文、氣味苦寒無毒、主治消渴、身熱煩滿、大熱、補虛安中、續絕傷、

(一)苦寒、因有殺菌消炎作用、如折傷腫痛者、外敷、則熱除痛止、如癰腫初起時、可作外敷藥、

(二)主治消渴、各種口渴症、均可用之、特効於肺炎之口渴、糖尿病之口渴者亦可用之、然口渴而喜飲熱物者不能用、

(三)身熱煩滿、煩滿指氣悶狀、身熱、指不惡寒之發熱、凡不惡寒之發熱而氣悶者可用之、

(四)大熱、因肺炎而有大熱者可用之、不但能止口渴、亦有化痰之作用、然惡寒無汗之發熱、不宜用、故無汗者不可用、舌紅者可用之、

(五)補虛、安中、此藥罕有用之作強壯劑者、

(六)續絕傷、罕用之、

劑量　三錢至一兩、

禁忌1腸胃虛弱而腹瀉者、2舌白者、3惡寒無汗而發熱者、4口不渴者、5口雖渴而喜飲熱物者、

△瞿麥、

原文、氣味苦寒無毒、主治關格諸癃結、小便不通、出刺、决癰腫、明目去翳、破胎墮子下閉血、

(一)苦寒、因有殺菌與消炎之作用、可外用以治刺傷、癰腫、以及患結合膜炎者、可作洗眼劑、

(二)主治關格諸癃結、小便不通、關格者、上關下格、卽上不能進、下不能出、此藥之主要作用、是利尿、

(三)出刺、决癰腫、刺傷與患癰腫者、可外用、有退炎、止痛、消腫之作用、

(四)明目、去翳、外用、

(五)破胎、墮子、此藥可下死胎、故孕婦忌服、

(六)下閉血、指此藥有通經之作用、

劑量　一錢五分至三錢

禁忌1尿多者、2腹瀉者、3孕婦、

▲苦參、

原文、氣味苦寒無毒、主治心腹結氣、癥瘕積聚、黃疸、溺有餘瀝、逐水、除癰腫、補中、明目、止淚、

(一)苦寒、因有殺菌作用、而能解血毒、故曰苦、因有消炎退熱之作用、故曰寒、

(二)主治心腹結氣、癥瘕積聚、此藥有用之以治熱病狂邪、不避水火、欲殺人者、概因其有退熱而能鎮靜神經之作用也

(三)黃疸、能治黃疸、極有效、可作副藥、

(四)溺有餘瀝、逐水、凡尿不暢快者、可用之以作利尿劑、

(五)除癰腫、外用、有殺菌消炎之作用、亦可治溼疹、

(六)補中、近今罕有用之以補中者、

(七)明目止淚、因此藥有消炎之作用、

劑量　一錢五分至三錢

禁忌1惡寒者、2孕婦、3腹瀉、4體溫低5尿多而清白者、

注意　苦參子、又名鴉膽子、有常用以治赤痢者、蓋因有消炎、殺菌之作用、其服法、每次服七粒、盛於藥殼內、一日二次、

▲青蒿、

原文、氣味苦寒無毒、主治疥瘙痂痒、惡瘡殺蚤、治留熱在骨節間、明目、

(一)苦寒、因有殺菌作用、故曰苦、因有消炎退熱作用、故曰寒、

(二)主治疥瘙痂痒、惡瘡殺蚤、外用、內服均可、因有殺滅寄生虫之作用、

然宜於六七月、不宜於冬季、因青蒿爲夏季之時令藥也、

(三)留熱在骨節間、在本草綱目云、治骨蒸熱勞爲最、古方單用之、虛勞寒熱，瘧疾寒熱、均可用之、然惡寒甚者、不相宜、

(四)明目、罕用、然在夏季之結合膜炎、可用之、

注意　骨蒸、指結核病之發熱、外按不甚熱、而自覺甚熱者、亦卽留熱在骨節間之謂也、常與銀柴胡同用、功效更爲顯著、

劑量　八分至三錢

禁忌1汗過多者、2氣急者、3胃腸虛弱而腹瀉者、

▲石韋、

原文、氣味苦平無毒、主治勞熱邪氣、五癃閉不通、利小便尿道、

(一)苦平、此藥常用以治淋濁病、患淋病者服之、不但有利尿之作用、尿時作痛亦可減、其病亦可愈、蓋因有殺淋菌之作用、故曰苦、因有利尿之作用、而能減少尿道刺激性之疼痛、故曰平、

(二)勞熱邪氣、勞熱乃指不正常之性交而成之淋病、邪氣二字、乃病之變換詞也、

(三)五癃閉不通、利小便尿道、乃言此藥有利尿之作用、

劑量　一錢五分至三錢

禁忌1尿多者、2體溫低者、

▲海藻、

原文、氣味苦鹹寒無毒、主治癭瘤結氣、散頸下硬核痛、癰腫癥瘕、堅氣、腹中上下雷鳴、治十二經水腫、

(一)因有殺菌作用、故曰苦、因有改症或變質作用、故曰鹹、因有消炎作用、故曰寒、

(二)主治癭瘤結氣、散頸下硬核痛、癰腫癥瘕、堅氣、此藥常用以治頸與腋下之淋巴腺結核病、癰字指淋巴腺病之色紅而高腫者、

(三)腹中上下雷鳴、罕用之、

(四)治十二經水腫、指此藥有利尿作用、

劑量　一錢五分至三錢

禁忌1腹瀉者、2變大之淋巴腫、軟性高腫而無硬塊者、3淋巴腺已作膿者、

注意　此藥常用以治『結核性淋巴腺病』、或因此藥中多含礦物質、如碘等、概能增加淋巴腺之抗病能力、而有消炎、殺菌之作用故也、

▲水萍、

原文、氣味辛寒無氣、主治暴熱身癢、下水氣勝酒、長鬚髮、止消渴、久服身輕、

(一)辛寒、因有發散性而有出汗之作用、故曰辛、因有消炎、解血氣而能鎮因刺激性之皮膚癢、故曰寒、

(二)主治暴熱身癢、指一時皮膚發熱而癢者可用此藥、因有『排除血中毒質之出汗性』、因其性寒、表示排除之毒質、由皮膚而透出時、並無發癢等之刺激性、即皮膚有癢者、服此藥後、亦可有止癢作用、

(三)下水氣勝酒、指水萍之發散性而出汗、是優美於酒之發散性而出汗、

因酒是辛溫、表示其有發散作用而對於皮膚有興奮性、然水萍是辛寒、表示此藥雖有發散作用、而對於皮膚是有鎮靜性、故雖有出汗之作用、而能止皮癢、

(四)長鬚髮、止消渴、近今未見有用此藥以治此二種病症者、長鬚髮或是外用、止消渴罕用、

劑量　五分至一錢

禁忌1汗多者、2惡寒甚者、

注意　震亨曰、浮萍發汗、勝於麻黃、小便不利者亦可用

之、

▲萆薢、

原文、氣味苦平無毒、主治腰脊痛強、骨節風寒溼周痹、惡瘡不瘳熱氣、

(一)苦平、此藥有解酸性之利尿作用、故可治羅麻質斯、與淋病之尿時疼痛、

患羅麻質斯者、其血之酸性常較強、故西醫治羅麻質斯、亦常用兼解酸與利尿劑、

患淋病而尿時作痛者、乃因尿性過酸、若用解尿酸性之藥品、與利尿同法、

時珍曰、萆薢之功、長於去風濕、按風濕即西醫之羅麻質斯、其病原是因特種之細菌、萆薢既長於治羅麻質斯、即指其有殺菌作用、故曰苦、

患淋病而尿時疼痛者、服之有效、表示對於尿道之酸性刺激、有鎮靜之作用、故曰平、

(二)主治風寒濕周痹、骨節風寒溼周痹治腰部以下之關節痛、即羅麻質斯之特現於下肢者、此藥有治療之特效、並有利尿之作用、亦爲常用之藥品、

(三)惡瘡不瘳、熱氣、罕用之、概因其有清血毒與利尿之作用

、故有時用之、

劑量　三錢至五錢

禁忌1尿多者、2陽痿者、

注意　此藥之主要作用、(一)治腰部以下之關節痛(二)淋濁病、常用之、

▲白茅根、

原文、氣味甘寒無毒、主治勞傷虛羸、補中益氣、除瘀血血閉、寒熱利小便、

(一)甘寒、此藥常用爲止血劑、特別用於鼻出血與肺出血、因常可用於肺結核病出血、似乎有補效、故曰甘、因其對於呼吸器官、有減退充血之作用、而能止血、故曰寒、

(二)主治勞傷虛羸、補中益氣、並無直接之強壯作用、或因其能治療由於勞傷虛羸等、而成之出血症、故曰、治勞傷虛羸、補中益氣、

(三)除瘀血血閉、此藥不能作爲通經藥、若因呼吸器官之充血而現倒經之病者、可用此藥以治之、

(四)寒熱利小便、此藥能清肺熱而利小便、故曰寒熱利小便、清肺熱者、即能減肺氣管之充血是也、

劑量　一錢五分至五錢

禁忌1慢性氣管炎(即中醫所謂痰飲咳嗽)、2腹瀉者、3經閉而腹痛者、4脈沉細者、

▲狗脊(常用者爲『金毛狗脊』)

原文、氣味苦平無毒、主治腰脊強、機關緩急、周痺寒濕膝痛、頗利老人、

(一)苦平、因有殺菌作用、而能治羅麻質斯、故曰苦、因能解除由關節痛而現之拘攣、故曰平、

(二)主治腰脊強、機關緩急、周痺寒濕膝痛、此藥能治羅麻質斯、特效於腰部關節之疼痛、

(三)頗利老人、大概年老人患關節痛者較多、故曰頗利老人、

劑量　二錢至五錢

禁忌　(一)腎炎腰痛、(二)脊背病疼痛、

▲淫羊藿(又名仙靈脾)

原文、氣味辛寒無毒、主治陰痿絕傷莖中痛、利小便、益氣力強志、

(一)辛寒、因性慾過度而致陰痿莖中痛者、每致前列腺充血與變大、

此藥對於前列腺之充血、有發散性與消炎性、故曰辛寒、

(二)主治陰痿絕傷莖中痛、葉天士曰、性寒能制火、而痿自愈

、表示此藥對前列腺有消炎作用、而使性慾得能恢復其常態也、

陳修園曰、火鬱於中、則痛熱者、清之以寒、鬱者散之以辛、所以主莖中痛也、火鬱表示前列腺之充血、清熱與散鬱、表示此藥消退前列腺之充血、充血既退、則性慾自然得以恢復正規之狀態也、

(三)利小便、這是論到消退充血之方法、即由於利小便、

(四)益氣力、强志、此指病既去而氣力增加、志亦强也、

注意　近今醫家、多用之爲壯陽藥、且謂是極有功效者、亦有特效於腰痛症、

劑量　一錢五分至一兩、

禁忌　(1)陽易舉者、(2)有夢而遺精者、

▲紫葳(又名凌霄花)

原文、氣味酸微寒無毒、主治婦人產乳餘疾、崩中、癥瘕血閉、寒熱羸瘦、養胎、

(一)酸微寒、因有消炎止血作用、而能主治產乳崩漏，婦人血崩、糞後下血、故曰寒、

因能鎮靜不隨意肌之痙攣而能安胎、能鎮靜運動神經而能治久近風癇、大風癘疾、故曰酸、

(二)主治婦人產乳餘疾、能治產後之疾病、及通乳、然罕用之、

(三)崩中、此藥能治婦人血崩、

(四)癥瘕血閉、癥瘕或指胃腸病、而有積聚之狀態者、

在徐氏胎產方、有用凌霄花爲末、每服二錢食前溫酒下、以治女經不行者、似乎有通經之效、而近今醫家、亦多以此爲通經藥、然按其煜之愚見、通經藥、決不能治血崩帶下、若能治血崩帶下、決不能通經、所謂能治『癥瘕血閉』者、必是因子宮粘膜炎之痊癒後、而有之自然行經狀態也、

(五)寒熱羸瘦　寒熱指神經不安之現狀、因外感寒熱是忌用之藥、若羸瘦而現神經不安之狀者，此藥有鎮靜作用，故能治寒熱羸瘦、

(六)養胎　能清子宮熱、故能安胎、清子宮熱者、即對於子宮有安撫與消炎之作用、故能安胎、此藥之藥性和平，並無墮胎之力、亦未見有用此藥以下胎者、

劑量　一錢五分至三錢

禁忌　(1)久崩而脈細者、(2)有外感寒熱者(3)腹瀉者

▲雞白

原文、氣味辛苦、溫滑無毒、主治金瘡瘡敗、輕身不飢耐老、

(一)辛苦　因有發散性可治胸痺刺痛、尋常可作爲化痰藥、此藥對於『胸痺』爲最常用、胸痺者卽胸痛徹背、此藥頗效、因其常用於胸痺刺痛、呼吸喘息而有發散性、故曰辛、因有解毒作用、內服可治赤白痢、外用可治炎瘡腫痛、手足瘍瘡、毒蛇螫傷、虎犬咬傷、咽喉腫痛等、故曰苦、若與蜜調治火傷頗效、

(二)溫滑　此藥外用對於瘡口不易愈者、有興奮局部之作用、而使其易於收口、故曰溫、然罕用之、

諸魚骨哽、誤呑釵環、食之可出、乃有潤滑之性故曰滑、

(三)金瘡瘡敗　指外傷之傷口、不易收口者、此藥外用能促進局部之血液循環、而使其易於收口、然罕用之、

劑量　一錢五分至三錢

禁忌　(1)汗多者、(2)頭暈者、

注意　現今醫家、常用於胸痺刺痛與呼吸喘息、而罕用於其他各症也、

▲龍膽

原文、氣味苦濇大寒無毒、主治骨間寒熱驚癇邪氣、續絕傷、定五臟、殺蠱毒、

(一)苦濇大寒　因有解毒作用、而能殺蠱毒、亦可治淋濁、故曰苦、因能治一切盜汗故曰濇、又因濇類酸而有鎮靜神經之作用、故曰濇、因有消炎、退熱之作用、而能治傷寒發狂、咽喉熱痛、故曰大寒、

(二)主治骨間寒熱驚癇邪氣、指此藥能治因熱高而現之驚癇、初起之寒熱、不相宜、發熱日久、熱多寒少者可用之、

(三)續絕傷　罕有用之者、

(四)定五臟　因有鎮靜作用、

(五)殺蠱毒　罕用之、

劑量　八分至三錢

禁忌　(1)無高熱者、熱多冷少者可用、(2)腹瀉者、(3)脈不速者

注意　中醫以此藥之主要作用爲『清肝熱』、所謂清肝熱者、卽有鎮靜運動神經之作用也、

本社第十八次討論會記事

本社第十八次討論會於二月十五日午後三時、在東坡路王心原寓舉行、到者有陳鼎丞、施稷香、程省範、阮其煜、沈仲圭、王一仁、王心原、董志仁、諸君、茲將討論情形錄下、

一、問胃病愈後、身體激刺痛楚、體增肥而畏寒、是何原因、

並問治法、(沈仲圭)

答、脂肪增多、血脈反形不足、痰濕入絡、刺激神經作痛、畏寒亦營衛氣虛之象、擬耆桂五物湯、加二陳、指迷茯苓丸、一月後當有效、

二、本草經之研究、(十一)

▲黃芩

原文、氣味苦寒無毒、主治諸熱黃疸、腸澼洩痢、逐水下血閉、惡瘡疽蝕火瘍、

(一)苦寒 因有殺菌、可治惡瘡疽蝕火瘍、以及痢疾、故曰苦、因有消炎退熱之作用、故曰寒、

(二)主治諸熱黃疸 黃芩爲胃腸有發炎之病而口苦心煩之要藥、能退膽管之炎、而能治黃疸、

(三)腸澼、洩痢 痢疾之不暢者曰腸澼、暢者曰洩痢、此藥對於大腸有消炎殺菌之作用、故能治腸澼、洩利、

(四)逐水 此藥無利尿之作用、逐水者、蓋指能增加腸粘膜之吸收水份之作用、

(五)下血閉、此藥無通經之作用、或因胃腸炎而經閉者、可用以治胃腸病、待胃腸病痊愈後/而月經得以通流之意也、

(六)惡瘡、疽蝕、火瘍 凡紅腫而發熱之瘡瘍、內服外用均可

劑量 八分至三錢

禁忌 (1)胃腸虛弱而消化不良者、(2)脈沉細者、(3)無口苦煩咳者、

▲藁本

原文、辛溫無毒、主治婦人疝瘕、陰中寒腫痛、腹中急、除風頭痛、長肌膚、悅顏色。

(一)辛溫、因有發散性、故曰辛、因有興奮性而能悅顏色、故曰溫、

(二)主治婦人疝瘕、近今罕有用之者、

(三)陰中寒腫痛、近今罕有用之者、

(四)腹中急、此藥能治痙攣性之腹痛、

(五)除風頭痛、除貧血性頭痛外、此外各種頭痛均可用之、外用內服均可、且是常用者、

(六)長肌膚，悅顏色 外用、能悅顏色、而對於皮膚有興奮之作用、故曰溫、

劑量 六分至一錢五分

禁忌 (1)汗多者、(2)貧血性頭痛、

▲百合(野百合)

原文、氣味甘平無毒、主治邪氣、腹脹心痛、利大小便、補中益氣、

(一)甘平　因有滋養性、能補中益氣、故曰甘、因能鎮靜大腦精神部、故曰平、

(二)主治邪氣　邪氣、指大腦精神部之病症、

(三)腹脹心痛、胃潰瘍者、內服能保護胃之粘膜面、故能治胃痛、又因其利大便、而能疏通胃腸內積聚之氣質、故能治腹脹、然罕用之、

(四)利大小便、此藥有潤腸利尿之作用、然罕用之、

注意　近今醫家、多用之以治肺病、久咳無痰可用、痰多者不宜用、

劑量　三錢至一兩

禁忌　(1)痰多者、(2)有外感惡寒者、

△乾薑

原文、氣味辛溫無毒、主治胸滿欬逆上氣、溫中止血、出汗逐風濕痹、腸澼下痢、生者尤良、

(一)辛溫　因有發散性、故曰辛、因有興奮性、故曰溫、

(二)胸滿欬逆上氣　咳嗽氣喘而吐泡沫狀之痰者可用之、若有濃痰者不能用、

(三)溫中　有興奮胃臟之作用、故可作健胃劑、

(四)止血　薑炭有止血之效、

(五)出汗逐風濕痹　患羅麻質斯者、服之有出汗之作用、而治羅麻質斯、其出汗之效，是因此藥能興奮汗腺、故於虛弱時而汗腺麻痹、以致汗多者、亦有止汗之效、

(六)腸澼下痢　指日久之白痢、可作副藥、

劑量　三分至一錢五分

禁忌　外感高熱而口渴者、

△赤小豆

原文、氣味甘酸平無毒、主下水腫、排癰膿血、

(一)甘酸平　因有滋養性、故曰甘、因有收斂性、內服可治腸痔下血、舌上出血、熱淋血淋、外用、可治一切癰疽瘡疥及赤腫、不拘善惡、均可用水調塗、故曰酸、因能止吐而治下痢腸澼、是對於胃腸有鎮靜之作用、故曰平、

(二)主下水腫　此是主要作用、即能利尿消脹除腫、

(三)排癰膿血　外用能消腫退炎、如丹毒如火、可用雞蛋白調塗、癰疽初作、可用水調塗敷、毒即消散、

劑量　三錢至一兩

禁忌　(1)有外感惡寒者、(2)尿多者、

▲大豆黃卷

原文、氣味甘平無毒、主治濕痺、筋攣膝痛、不可屈伸、

(一)甘平　因有滋養性、故曰甘、因能解筋攣、故曰平、

(二)濕痺、筋攣膝痛　現今所用之『大豆黃卷』是用麻黃浸潤、故有出汗之作用、能治羅麻質斯、然罕用之、近今醫家、常用以治四五月間熱病而作發汗劑也、

劑量　三錢至五錢

禁忌　汗多者、

▲白微

原文：氣味苦鹹平無毒；主治暴中風；身熱肢滿；忽忽不知人、狂惑邪氣；寒熱酸疼、温瘧洗洗、發作有時。

(一)因有殺菌作用、故曰苦；因有消炎性而能治血淋熱淋；外用、可治金瘡出血、故曰鹹；因有平血壓之作用、並能鎮靜神經、故曰平、

(二)暴中風：指腦出血；然須有熱、有汗、脈速者可用；無汗者不能用。然治腦出血、罕用之。

(三)身熱肢滿　指發熱而四肢發脹者。可用之。

(四)忽忽不知人：指對於腦出血症有平血壓之作用；然罕用之。

(五)狂惑邪氣：對於大腦精神部、有鎮靜之作用。

(六)寒熱酸疼：發熱日久、而有酸疼者可用之；然至少發熱一禮拜之後、才可用。

(七)温瘧洗洗、發作有時：此藥特用於熱多寒少之瘧疾、

注意　近今醫家、常用嫩白微、以退日久之熱症；且常用於夏季有汗之熱症。

劑量　一錢五分至三錢

禁忌　(1)發熱初起、無汗、惡寒者。(2)脈緩者。

▲敗醬(又名敗醬草)

原文：氣味苦平無毒；主治暴熱、火瘡赤氣、疥瘙疽痔、馬鞍熱氣。

(一)苦平　因有殺菌作用、故曰苦；平或作寒、因有消炎作用、故曰寒。

(二)暴熱火瘡赤氣：紅腫之瘡毒初起時、內服外用均可。研末作火傷藥頗佳；赤氣、俗名赤遊風、可用之。

(三)疥瘙：外用；近今罕用之。

(四)疽痔：罕用；然盲腸炎常用之。

(五)馬鞍熱氣：指前列腺炎可用之。急性淋病、尿時疼痛者、常用之。

劑量　一錢五分至三錢

禁忌　(1)外感惡寒發熱(2)腹瀉者。

注意　此藥近今醫家罕用之；其功效特別行於身體之下部、有解毒敗膿之作用、故可用於紅腫的瘡毒初起時、

△白鮮根皮

原文：氣味苦寒無毒；主治頭風、黃疸、欬、逆、淋瀝、女子陰中腫痛、濕痺死肌、不可屈伸、起止行步。

(一)苦寒：因有殺菌作用、故曰苦；因有消炎作用、故曰寒。

(二)頭風：指因胃腸消化不良之頭痛；外感頭痛不用之。

(三)黃疸：可治黃疸、然罕用之。

(四)欬逆：風寒欬嗽、罕有用此藥者。

(五)淋瀝：此藥有利尿作用、常用之。

(六)女子陰中腫痛：常用之乃有解毒消炎之作用。

(七)溼痺死肌：可用之治癩麻質斯；然最常用者卽爲治療皮膚病以及瘡毒之特效藥、此卽中醫所謂治濕瘡之特效藥也。尋常之皮膚病、內服外用均可。

劑量　一錢五分至五錢

禁忌　(1)因外感惡寒而頭痛者。(2)舌發紅、人體瘦削者。(3)腹瀉者。

△蓼實

原文：氣味辛溫無毒；主治明目、溫中、耐風寒下水氣、面浮腫癰瘍。

此是水蓼之子、然近今罕用之、故不贅。

△薇銜

原文：氣味苦平無毒；主治風濕痺、歷節痛；驚癇吐舌、悸氣賊風；鼠瘻；癰腫。

(一)苦平　因有殺菌作用、故曰苦；因有鎭靜神經作用、故曰平。

(二)主治風濕痺、歷節痛：此藥對於酒風之關節痛、有特效；且是常用者。

(三)驚癇：此藥有鎭靜神經之作用、然罕用之。

(四)吐舌：吐舌者、卽舌變長吐出口外者、服此藥後、舌自能收縮、大約是因退炎消腫之作用、

(五)悸氣賊風：對於心臟與神經、有鎭靜之作用。

(六)鼠瘻：卽淋巴腺結核病可用之。

(七)癰腫：因此藥有殺菌消炎之作用，故曰治癰腫。

注意　此藥之主要作用、是治酒風。

劑量 一錢五分至三錢

禁忌 (1)關節炎痛甚、而惡寒者。(2)胃腸虛弱而腹瀉者。

▲土瓜根

昔用『土瓜根節』入肛門內、以作通利大便之用；特近今罕用之。

▲厚朴

原文、氣味苦溫無毒、主治中風傷寒、頭痛、寒熱、驚悸、氣血痺、死肌、去三虫、

(一)苦溫、因有殺菌之作用、故曰苦、對於胃腸之消化腺、有興奮之作用、而能助消化、消除腹內氣脹、故曰溫、

(二)主治中風傷寒、因有胃腸病而發熱者可用之、

(三)頭痛、寒熱、因胃腸病而頭痛寒熱者可用之、單獨之外感性頭痛、不相宜、

(四)驚悸、罕用、

(五)氣血痺、可治羅麻質斯、亦有平氣之作用而治氣管支炎之氣逆、

(六)死肌、罕用之、

(七)去三虫、有時用之、

劑量 五分至二錢

禁忌 (1)外感而無胃腸病者、(2)紅舌絳色者、(3)因貧血而驚悸者、

注意 元素曰、厚朴之用有三、(1)平胃、(2)去腹脹、(3)孕婦忌服、

▲黃蘗 又名黃柏

原文、氣味苦寒無毒、主治五臟腸胃中結熱、黃疸、腸痔、止泄痢、女子漏下赤白、陰傷蝕瘡、

(一)苦寒、因有殺菌作用、故曰苦、因有消炎作用、故曰寒。

(二)主治五臟腸胃中結熱、五藏之各種炎症均可用之、對於腎臟尤有利尿之作用、

(三)黃疸：能治黃疸。概因其有利尿作用故也。

(四)腸痔、此藥之功效、多行於軀幹下部、故肛部之紅腫疼痛、用之、有殺菌消炎之作用、

(五)止泄痢、肛部疼痛者、與赤痢均可用之、若爲虛弱性下痢不相宜、

(六)女子漏下赤白、患子宮粘膜炎者、常用之、

(七)陰傷蝕瘡、有殺菌消炎之作用、

劑量　八分至三錢

禁忌　(1)腸胃虛弱而腹瀉者、(2)尿多者、

注意　近今醫家、多用之、以作利尿劑、對於尿赤色者爲最相宜、其次卽用之以治皮膚瘡、乃有殺菌消炎之作用、

▲梔子

原文、氣味苦寒無毒、主治五內邪氣、胃中熱氣、面赤酒皰、炎鼻、白癩、赤癩、瘡瘍、

(一)苦寒、因有殺菌、解毒之作用、故曰苦、因有利尿消炎、退熱之作用、故曰寒、

(二)五內邪氣、此藥有解血毒、消炎、退熱之作用、能治體內各種發炎之病症、故曰、主治五內邪氣、

(三)胃中熱氣、此藥之消炎作用、特別行於胃中、

(四)面赤、酒皰、皶鼻、炒研內服有效、

(五)白癩、赤癩、概是外用、

(六)瘡瘍:尋常皮膚病不常用之;多用於胃腸病有關係之皮膚病、

夏季熱瘡、同時有發熱者、可用之、

注意　此藥能治小便不通、血淋濇痛、下利鮮血、酒毒下血、然近今醫家、多用之以治有汗之熱症而有退熱之效、其主要之用爲利尿、消炎、解毒、退熱、

劑量　一錢五分至三錢

禁忌　(1)胃腸虛弱而腹瀉者、(2)素來大便溏薄者、(3)尿多者。(4)有嘔吐者、

▲杏仁(杏核之仁)

原文、氣味甘、苦、溫、冷利、有小毒、主治欬逆上氣、雷鳴、喉痺、下氣、產乳、金瘡、寒心奔豚、

(一)甘、苦、溫、冷利、因有滋養性、故曰甘;因有殺菌作用、而能治金瘡、故曰苦、因有興奮性、而興奮乳腺、增加乳之分泌、故曰溫、因能使人腹瀉、凡腹瀉者不能用、故曰冷利。

(二)主治欬逆上氣、雷鳴、喉痺、下氣、此藥對於一切之咳嗆均可用之、故能化痰平氣而消散喉頭、氣管粘膜炎。

(三)產乳、此藥有通乳之作用。

(四)金瘡、外用、初起時可用、出膿時不相宜、

(五)寒心奔豚、未見有用此藥以治奔豚者、此『寒心奔豚』四字、概指久服此藥後、心神慌忽、氣促增加、體溫減低諸狀也、

劑量　三錢至五錢

禁忌　腹瀉者、

注意　元素曰：杏仁之用有三、(1)潤肺(卽止乾咳)、(2)消食積(蓋指通利大便之作用)、(3)散滯氣(蓋指此藥能潤腸、故能驅胃腸積氣、對於氣管粘膜、有退炎之作用、故能化痰平氣也)、

▲桃仁

原文：氣味苦平甘無毒、主治瘀血、血閉、癥瘕邪氣、殺小虫、

(一)苦平甘、因有殺菌作用、是曰苦、故在本草綱目云、可治風勞毒腫、瘧疾寒熱、骨蒸作熱、尸疰鬼疰、傳尸、鬼氣、因對於呼吸器官有鎮靜作用、而能平氣止咳、可治七氣喘息、上氣咳嗽等症、故曰平、因有滋養性、故曰甘、

(二)主治瘀血、血閉、此藥常用於通經藥、並有利大便之作用、偏風不遂可用之、蓋因能去栓塞、而治腦血管栓塞性之半身不遂也、

(三)癥瘕邪氣、能散腹中之硬塊、或能消散變大之淋巴腺腫炎。

(四)殺小虫、指腸中之小虫、如寸白虫等、外用亦可治小兒爛瘡、小兒聤耳、唇乾裂痛等症、

劑量　一錢五分至三錢

禁忌　(1)腹瀉者、(2)貧血者、

注意　此藥中醫稱爲破血藥；其主要作用爲通經；亦有通利大便之作用、按愚見『破血』二字、不但含有通經、並能助淋巴系統排泄之作用、亦有去除血管栓塞之作用也、

附　桃膠、罕用之、

▲烏梅

原文：氣味酸溫平濇無毒、主治下氣、除熱、煩滿安心、止肢體痛、偏枯不仁、死肌、去青黑痣、蝕惡肉、

(一)酸、溫、平、濇、因有鎮靜作用、而能平氣促故曰酸、因能興奮唾腺而使其發生唾液故曰溫、因能鎮靜大腦精神部、而除熱煩滿安心、故曰平、因有收斂性而能止汗止久痢、故曰濇、

(二)下氣、汗多氣促者可用之、無汗者不能用、此藥對於心臟或有興奮、而治心臟虛弱之氣促也、

(三)除熱、概指能鎮靜大腦精神部之不安現狀、外感發熱不能用、因能止汗之故、

(四)止肢體痛、罕有用之以止痛者、蓋指患虛勞症而肢痛者可用之、然羅麻質斯不能用、

中国近现代中医药期刊续编·第二辑

(五)偏枯不仁、罕用之、

(六)死肌、去靑黑痣、蝕惡肉、外用、若用烏梅炭研末、能去腐肉與惡肉、

劑量 五分至二錢

禁忌 (1)外感惡寒無汗者、(2)羅痲質斯、

注意 尋常用以止汗、止久痢，殺蟲、能殺痢阿米巴、亦能殺蛔蟲、

附載

中醫條例 十二月十五日立法院通過

第一條 在考試院舉行中醫考試以前、凡年滿二十五歲、具有左列資格之一者、經內部審查合格、給予證書後、得執行中醫業務、一、曾經[illegible]政府中醫考試或甄別合格、得有證書者、二、曾經[illegible]發給行醫執照者、三、在中醫學校畢業得有證書者、四、曾執行中醫業務五年以上者、前項審查規則、由內政部定之、

第二條 凡現在執行業務之中醫、在未經內部審查前、得暫行繼續執行業務、

第三條 凡經審查合格之中醫、欲在某處執行業務、應向該管當地官署呈驗證書、請求登記、

第四條 中醫非親自診察、不得施行治療開方、或交付診斷書、非親自檢驗屍體、不得交付死亡診斷書、或死亡證明書、前項死亡診斷書及死亡證明書之程式、由內部定之、

第五條 中醫如診斷傳染病人、或檢驗合格病之死體時、應指示消毒方法、並應向該管當地官署或自治機關、據實報告、

第六條 中醫關於審判上公安上及預防疾病等事有接受該管法院公安局所及其他行政官署或自治機關委託、負責協助之義務、

第七條 西醫條例第四條六條第七條第十條第十一條第十三條第十五條及第十七條之規定、於中醫準用之、

第八條 受停止執行業務處分之中醫、擅自執行業務者、該管當地官署得處以一百元以下之罰鍰、

第九條 中醫違反本條例之規定時、除已定有制裁者外、該管

當地官署、得處以五十元以下之罰鍰、其因業務觸犯刑法時、應交法院辦理、

第十條　本條例自公布日施行、

按中醫條例第七條關於引用西醫條例各條條文、茲特節錄於後、以資參考、

第四條　西醫之開業歇業復業、或移轉死亡等事、應於十日內、由本人或其關係人、向該管官署報告、

第六條　西醫執行業務時、應備治療記錄、記載病人姓名年齡性別職業病名病歷及醫法、

前項治療記錄、應保存三年、

第七條　西醫處方時、應記明左列事項、

一、自己姓名地址並蓋章或簽字、

二、病人姓名年齡藥名藥量用法、及年月日、

第十條　西醫當檢查死體或死產、認為有犯罪嫌疑之情形時、應於四十八小時內、向該管官署報告、

第十一條　西醫應負填具診斷書檢定書或死產證明書之義務、但有正當理由、得拒絕之。

第十三條　西醫除關於正當治療外、不得濫用鴉片嗎啡等毒質藥品、

第十五條　西醫於業務上行為不正當、或精神有異狀時、該管官署得停止其執行業務、

第十七條　西醫受停止執行業務之處分者、應將證書送由該管官署記載停止理由、及期限於該證書背面、

● 從舊經驗創造新學術

贈書誌謝

國醫雜誌 第七期 上海西門內石皮弄 每期三角

衛生雜誌 第十四期 上海愷自爾路嵩山路口瑞康里二六二號 每期一角

醫藥月刊 第六期 長沙南門外沙河街五十六號 每期一角

現代中醫月刊、第三期 上海西門石皮弄亦仁里一號 每期一角

臺灣皇漢醫藥 第六十三期 臺北市永樂町三丁目十四番地 每期一角五分

國醫圖書專號 第二卷 杭州鼓樓私立浙江流通圖書館 每期三角

醫藥雜誌 第七十五期 山西省城精營東二道街北首 每期一角五分

診療醫報 第六卷五期 上海法租界霞飛路一〇六號 一角

生機 第三期 廣州紙行街福地巷中醫公會 五分

醫界春秋 第八十六期 上海白克路西祥康里 每期一角六分

傷寒汲古 四明怡怡書屋出版 一元

重訂中風斠詮 蘭溪中醫專校 每部二册二元五角

本社代售

中國醫藥問題 每册一角二分

三衢治驗錄 每册一角二分

中國時令病學 每册二角五分

國醫雜誌 每期一角五分

山西醫學雜誌 每期一角五分

中國急性傳染病學 每册七角

中醫新論彙編 每部四元

本刊第一年彙訂一大厚册價洋八角郵費不加

月刊定價表

另售每册六分	(郵費) 國內日本 一分 / 國外及香港澳門 六分
預定全年十二期七角二分郵費在內	
國外預定全年一元五角郵費在內	

本刊寄售處

本市 古今圖書店(保佑坊) 維新書局(湖濱)

上海 國醫學會(西門內石皮弄) 中醫書局(山東路) 千頃堂(三馬路)

蘇州 國醫書局(吳趨坊)

南京 建國書店(成賢街)

衢州 聚秀堂(下街頭)

山西 中醫改進研究會(太原精營東二道街)

中華民國二十三年三月一日出版
醫藥衛生月刊第(十八)(十九)(二十)合刊
本册售洋一角八分

主編者 王一仁 杭州東坡路湖濱七弄
發行者 中國醫藥學社 杭州東坡路湖濱七弄

醫藥衛生月刊

朱孔彝題

第(二十一)(二十二)期合刊　王一仁主編

民國二十三年五月一日出版

中國醫藥學社印行

杭州東坡路湖濱七弄第三號

電話一〇九六號

學說

仁盦醫說(十五續)

王一仁

●經脈與生理系統(十一)

人之精力。由營養消化而後顯。必先製造營養料以供發生精力之用。復由分解作用而使精力散出。誰能製造營養料以化成精力。首有賴於脾臟所產生之胰汁。胰汁中之酵精。能消化脂肪蛋白及澱粉各類。實爲酵精中之主要者。胃液腸液皆有生質酵。但不似胰液之重要。因脾腸之汁液。有製造營養料之功用。國醫學以脾胃爲土。實有深義。素問太陰陽明論云。「脾藏者，常著胃土之精也。土者，生萬物而法天地。故上下至頭足。不得主時也。脾與胃，以膜相連耳。而能爲之行其津液，何也。足太陰者，三陰也。其脈貫胃，屬脾，絡嗌。故太陰爲之行氣於三陰。陽明者表也。五藏六府之海也。亦爲之行氣於三陽。藏府各因其經。而受氣於陽明。故爲胃行其津液。四肢不得稟水穀氣。日以益衰。陰道不利。筋骨肌肉，無氣以生。故不用焉。」脾藏於精力之產生。如此其重要者。蓋由酵精能製造營養料。使之分解而精力散出也。脾主四肢之說。原有邏輯上之根據。國醫又以脾主肌肉。胰液之多少。影響於製造營養料者甚大。營養充分。則肌肉豐碩。反是則形瘦乏力。陽明胃腸雖屬於營養系統。而脾臟之胰液。實爲融化主要原因。故曰「陽予之正。陰爲之主」。

國醫學上以胃主納穀。脾主磨化。凡能納而不能化者。病在脾。能化知饑，而不思納穀者。病在胃。此類陳陳相因之經驗。至今奉爲準則。就今日生理學言。胃中亦有胃液生質酵，酪腈生質酵。固非絕無消化作用。但不如胰液腸液之消化爲尤有力。故素問靈蘭祕典論，以「脾胃者，倉廩之官。五味出焉。小腸者，受盛之官。化物出焉。」曰五味出焉。曰化物出焉。其所用字義。非苟焉而已。胰液雖由脾所產生。若非胃氣之蠕動，及肺肝腸腎血脈之流行。非僅水穀渣滓，不能沉澱。即胰液亦無自而生。故靈樞陰陽淸濁篇有「足太陰獨受其濁」之說。人之內部生理。雖分晰至極精極細。而其遠因來源。每牽涉於他一臟或數臟。苟能稍明此義。則必不以國醫五行學說之全屬玄虛。運用得宜。其收效固勝拘拘於科學也。余絕無輕視科學之意。當知科學爲分晰方面所必要。陰陽五行爲合綜學說而成立。兩者原有可合之端。而無必離之勢也。

以太陰經之氣化言。所謂「脾胃爲土。所謂「太陰之上。濕氣治之。」土也，濕也。萬物之所由生。其氣化蓋因醞釀融化而成。若僅就濕爲液汁言。則以脾臟所生之胰液。最爲近似。若從融化之義言之。則手太陰肺爲呼吸空氣之要塞。其爲融化之重要。初不下於胰液。太陰爲濕氣所治。此爲融化中和之生理意義。在空間之濕度中和，及飲食液汁之適當。原有裨於太陰經之生理。反是空間濕度彌滿。及胃腸之液汁過多。肺臟與肌肉之氧化酵。受其窒礙。此太陰病之「腹滿而吐。食不下。自利益甚。時腹自痛。」諸症所由作也。如此則「濕」之云者。又爲病理之抽象詞矣。今試繹傷寒論太陰篇諸方。如理中湯四逆湯厚朴半夏甘草人參湯乾薑黃連黃芩人參湯桂枝加芍藥湯桂枝加大黃湯等。或溫其寒濕。以復其氧化。或溫化其濕滯。以復其氧化。治療之方。皆以「濕」爲對象。明於生理之當然。以推究病理所以然。國醫學之一元哲學。於此可見一般。

痢疾論

余公俠

(甲)原因　吾國素問靈樞難經等書。關於痢疾之學說甚多。素問太陰陽明論曰。飲食不節。起居不時者。陰受之。陰受之則入五藏。入五藏則䐜滿閉塞。下爲飧泄。久爲腸澼。靈樞論病診尺篇曰。春風於風。夏生後泄腸澼。難經五十七難有大瘕泄者。裏急後重。數至圊而不能便之說。曰腸澼。曰大瘕泄者。蓋皆痢疾之證也。隋唐以下。名曰滯下。或曰便膿血。傷寒論謂之下痢。金匱則泄瀉與下痢混淆。故後世稱之曰痢疾，除此而外。有種種異名。所謂天行痢。休息痢，久痢，熱痢，奇恆痢，赤白痢，膿血痢，魚腦痢，刮腸痢噤口痢，疫毒痢等。或因其原因而命名。或依其證候而命名。其致病之由。不外風寒暑濕燥火與夫飲食等之不節。此我國古來論痢疾之概況也。至近世流行之遠西學說。則異於斯。西醫論痢疾之名稱。祇有赤痢一種。其原因有二。一爲阿米巴mobe)原蟲。一爲赤痢菌。(Dysenteriebcillen) 前者屬於地方性疾病。發見於熱帶地方。後者屬於流行性赤痢。爲一八九八年日本志賀氏所發見。凡痢疾之原因。以此菌爲最多。亦以此菌之毒力爲最強。其傳染徑路。或飲水不潔。或食物腐敗。或常與病者相接近。於是病菌遂乘機侵入而肆虐矣。總之其立場完全根據於細菌學說。

觀以上兩種學說。痢疾之原因。可得而言之矣。痢爲腸胃之病。其原多出於飲食不節。是以古人有無積不成痢之說。惟西說以飲食爲誘因。以細菌爲主因。中土則以飲食六氣爲主因。此其異點也。古人不知有細菌。見痢疾之發生也。皆原於飲食不節。或氣候不調。故誤認爲主因耳。要之，無論原因。無論誘因。假令僅有一因。其體質壯實者。則天賦之抵抗力自能應付。不致遂成疾病。若既染細菌。又受感冒。或更有食積雜於其間。其人體質復不甚壯實者。則不免於病矣。蓋感冒與食積最易發生腸炎。而腸炎又最易誘起痢疾。然則痢疾與腸炎之分。其癥結在赤痢菌之有無。而赤痢菌之致病。則又非單純之本身所能操縱也明矣。

(乙)證狀　赤痢病侵入腸內後。經過二日至八日之潛伏期。卽發症候。初期常數次下痢。呈單純性腸粘膜炎之證候。數至圊而不能便。漸漸混有粘液血便。腹痛雷鳴。裏急後重。大便回數。一晝夜自數十次。所下不外粘液血液膿汁等。混多量血液者。其色赤。因名赤痢。混多量粘液膿汁者。其色白。因名白痢。(前人謂白痢屬寒。赤痢屬熱。正未可一概而論。大致赤痢多在白痢之後。)在重症痢疾。有以惡寒發熱食慾不振嘔吐倦怠噦噫而起者。總之便意窘迫。便量極少。裏急後重。腹部疝痛雷鳴。搐約筋攣急。是爲痢疾之特徵。普通腸炎縱有一二相似之點。但極不多見也。

痢疾之病變。就其經過言之。約分二期。第一期爲粘膜炎性期。此期中體溫不高。舌薄潤。口不渴。裏急後重。腹部微脹滿。呈單純下痢。或血樣粘液便。第二期爲潰瘍性期。此期中壯熱煩渴。舌苔厚而乾。帶老黃色或暗赤色。食慾缺乏。或嘔吐。全身苦悶。胸部心部尤著。裏急後重甚劇。腹壁攣急而陷沒。便帶膿性。混有粘液血液或穢汚暗赤色腐肉樣之惡臭物。此仲景所謂下痢脈數而渴者。令自愈。設不差必清膿血之時也。再進則爲壞疽期。便呈煤色。或汚穢褐色。混有壞疽組織。有惡臭。病羸瘦脫力，脈搏幽微或細數。大便失禁。或腸出血不止。此死期也。

噤口痢，奇恆痢，剤腸痢，皆屬於潰瘍性期中。特爲重症之痢疾。痢不納食謂之噤口。古人以初起爲邪留胃中。日久爲胃氣虛敗。故不能食。愚意邪留胃中。卽胃內有宿食不化。胃氣虛敗卽午飛耳曼 Uffilmann 氏所謂重症發熱者。其胃液呈鹹性膽汁流出中止之說也。奇恆痢爲嗌塞咽乾。下痢如見鬼狀。古人認爲火逆攻肺。有立時敗絕之危。愚意既見鬼狀。此乃陽明實熱。病涉神經系統。證之西說。於焉益信。小腸赤痢。西說神經常受影響。或昏睡譫語。或發噪狂。是由赤痢毒素中毒所致。剤腸痢便下膿血。如死猪肝色。頻下無禁。痛不可支。此爲壞疽性痢疾。有穿潰腸壁之險。至於休息痢。時作時止。經年累月而不愈。此屬慢性下痢。其便中痢菌早已消失。惟見多數大腸菌及化膿菌而已。故西醫則認爲痢疾貽後症。

（丙）經過及預後　本病經過。輕症不出一星期。中等症以一星期至三星期爲常。重症及慢性有延至一兩月者。壞疽性赤痢。大都陷於虛脫衰耗而速死。慢性而泄黏泄血便或膿血便者。大都發種種中毒症候。營養日漸不良。陷於衰弱而死。至其預後。以症候論之。數至而不能便。裏急後重身無大熱者。此病在直腸。預後佳良。病在小腸及大腸上部者。便數少便量多。無裏急後重症。（因直腸無病）右腸骨窩有壓痛及自覺痛。身熱嘔吐。食慾缺乏。有中毒症候。如是者。預後多不良。以便性論之。病在直腸或結腸下端者。粘液血液每不與糞便相混。病在深部者善相混和。要言之。預後佳良。與病灶之部位。大有關係也。此外尿量減少者。亦預後不良之徵。尿量增加者。乃病有轉機之佳兆也。

治療。　痢疾療法。中西略有異同。亦各有長短。西說痢疾第一期（即粘膜炎性期）萬不可用收斂劑及止瀉劑。不但無效。而反有害。當用甘汞蓖蔴油。力謀疏通。（西醫藥物學治療學。常言炎症忌用下劑。謂下劑入腸胃後之作用。與炎性症狀相似而此處却能用下劑。故其治痢倘有相當成績。從可知炎症忌下劑之說不確。）此與國醫所謂痢無止法宜於蕩滌之說。不謀而合。又謂第二期（即潰瘍期）炎症已去。貽留慢性瀉泄者。可用收斂劑。如吐根，阿片，石榴皮之類。此又與國醫久瀉痢冷滑脫脈細者宜用溫補止澀之說。不謀而合。此其同點也。他如飲食之注意流動性也。衣服器皿之刻意消毒也。顯微鏡之檢查病菌也。血清療法之驅除病毒也。凡西醫視爲盡醫藥之能事可以傲天下誇妙巧者。在國醫則輕視之揹棄之而莫之或同也。國醫之治痢疾也。初不知細菌爲何物。祇知憑症用藥。辨寒熱。審虛實。因其輕而揚之。因其重而減之。因其衰而張之。但求生活機轉旺盛。抗毒素不產生不受障礙而已。較之厲行檢菌消毒血清注射種種手續者。效果未嘗不若也。成績未嘗瞠乎其後也。此中西療法之異點。亦國醫之特長也。至於本證治療步趨。國醫實多有缺憾。如病勢輕重。方劑先後。皆少嚴格之界限。甚或拘執時令節氣以用藥。或憑不實不盡之理論以用藥。視西醫之分期療治。循序漸進。似不無減色也。愚不敏。玆選擇古今各家痢疾效方。詳其症狀。順其次序。間或釋其藥理。臚列於後。至於前人風痢寒痢暑痢濕痢諸說。則一掃而空之。遺誤之處。自知不免。諸同學能補我不逮。則幸甚矣。

（一）輕症　單純性下痢。日數十行。腹痛。裏急後重。脈滑舌潤。身無大熱者。用小承氣加黃芩白芍甘草桔梗等爲或用枳實導滯丸或黃芩湯加黃連木香枳實（黃芩白芍甘草大棗黃連枳實木香)。

(二)稍重症　身熱。脈滑數。食欲不振。腹攣急。裏急後重。便粘液血液或帶膿便者。用潔古芍藥湯。(芍藥當歸黃連木香檳榔甘草大黃黃芩桂枝)或白頭翁湯。熱甚者用葛根芩連湯。(葛根甘草黃芩黃連)按之心下堅者。(心下指橫隔膜以下直至少腹部而言。)用大承氣湯。

(三)重症　壯熱煩湯。舌黃。嘔噁不食，便痢膿血臭。肛門灼熱者。用黃芩芍藥湯。熱痢下重者。宜白頭翁湯(白頭翁黃柏黃連秦皮)下血不止。身熱神昏者。用犀角地黃湯(犀角地黃丹皮白芍)下墜血色紫黑而痛者。用赤白芍當歸黃連黃芩桃仁之類。

以上治法。皆屬陽性下痢。茲再就陰性言之。痢疾初起。本無所謂陰陽。總以盪滌為惟一目的。用藥不誤。愈病不出一候。所謂陰症下痢。或誤於藥。或遷延不治。以致日久體虛。諸呈不足之象。傷寒少陰篇云。下痢便膿血者。桃花湯主之。(赤石脂乾姜糯米)方與輗本方條曰此方用於膿血痢之久不止者。……此時熱勢大衰。不渴。惟膿甚者宜之。其利膿血不甚。而下利尚不止者。宜赤石脂禹餘糧湯。類聚方廣義云。痢疾累日之後。熱已退或遲弱或細微。腹痛下利不止。便膿血者宜此方。若身熱脈實嘔渴裏急後重等症猶存者。當先隨症。用疏利之劑驅逐熱毒。蕩滌腸胃。(公俠按白頭翁湯與桃花湯應用法。觀此可不煩言而解。)湯本氏云此方以粘血便為目的。非以膿血為主。又大論下痢清白。手足厥冷。腹痛不已者。用附子理中湯。若腸胃積寒。久痢純白。或有青黑。日夜無度者。用局方訶梨勒丸(肉頭蔻木香砂仁乾姜訶梨勒皮川烏頭白礬龍骨赤石脂)久痢脫肛陽虛自汗者。用補中益氣湯。(人參黃耆白朮炙草陳皮歸身柴胡升麻生薑大棗)久痢脫肛完穀不化者。宜眞人養臟湯。(人參白朮白芍木香炙草罌粟殼訶子豆蔻肉桂)凡下利如猪肝色。或如屋漏水。或純下鮮血。或如赤豆汁。肛門全無約束。淋漓不休。唇如硃紅。脈細數。身燥熱者。皆不可治。

以上皆陰症痢疾方。此時急性炎症已過。而腸之潰瘍。陷於化膿。與常便混雜而下。或腸壁血管破壞。純下鮮血。或痢後僅貽泄瀉。(西醫名腸過敏症。國醫認為氣虛)要皆無裏急後重。口不渴。身無大熱。(亦有假性發熱者)肢倦神疲脈遲弱或細微諸種。退行性症狀。始得用溫補止澀之劑。若僅執腹痛下痢便膿血之症。而遽用以上諸方。鮮有不誤事者。

或曰。痢疾一症。後期療法。國醫誠比西醫爲周詳。然與其焦頭以救療。何如曲突而徙薪。西醫前期療法。除用下劑外。尚有原因療法之血清注射。掃毒殺菌。同時並行。可謂萬全而無一失。今子云初起以盪滌爲惟一目的。豈盪滌一法。即可盡醫療之能事耶。答曰。西醫用下劑。根本與國醫不同。甘汞蓖麻子油。單味下劑也。專恃單味主藥之效力。而不復顧慮其副症。縱有血清。亦非萬全之策。痢疾發生之合併症及貽後症。如關節炎，耳下腺炎，腸嵌頓，皮下氣腫，腸過敏，腸管狹窄等症。未始非單味下劑所造成。至於國醫用下劑則不然。以枳實大黃黃芩黃連白芍甘草白頭翁厚朴等爲治痢主藥。通結毒。消腸炎。隨症之輕重配合而用之。若遇副症。則加治副症之藥。（例如有表症兼由解表約。壯熱煩渴。兼用清熱生津藥。）苟配合得宜。則主症副症用時消滅。無西醫所謂合併症復病等後顧之憂。故雖同爲下劑。豈可相提並論哉。予僅知西醫有血清殺菌。殊不知國醫殺菌藥甚多。其用於痢疾者。尤有特效焉。太炎先生謂黃連性能解毒厚腸胃。服之無下血出血之患。又曰「……苦參據本草別錄主治心腹結氣黃疸溺有餘瀝。逐水除伏熱。腸澼癰癘瘰惡瘡下部䘌。則殺菌除熱利水之效過於黃連也。」此說見先生論濕溫台法篇。愚今移之治痢。深信其有特效。黃連治痢。人所共知。然殺菌止血之功。從未經人道。苦參雖未親試。別錄業已言之。且有事實可證。決非徒托空言。茲錄近賢張錫純醫學衷中參西錄論痢症治法一節於下。

鴉胆子一名鴨蛋子。爲其形橢圓若鴨卵也。大如梧桐子。外有黑硬皮。其味極苦。實爲苦參所結之子。藥行中亦有名爲苦參子者。服時須去其硬皮。若去皮時其中仁破者。即不宜服。因破者服後易消。其苦味遽出。恆令人嘔吐。是以治痢成方。有用龍眼肉包鴉胆子仁囫圇吞服者。藥房中祕方。有將鴉胆子仁用益元散爲衣。名之爲菩提丹者。是皆防其入胃即化出其苦味也。若以西藥房中膠囊盛之吞服。雖破者亦可用。其性善涼血止血。兼能化瘀生新。凡痢之偏於熱者。用之皆有捷效。而以治下鮮血之痢，瀉血水之痢則尤效。歲在壬寅。有滄洲友人滕玉可。設教於鄰村。其年過五旬。當中秋時下赤痢甚劇。且多鮮血。服藥二十餘日無效。適愚他出新歸。過訪之。求爲診治。其脈象洪滑。知其純係熱痢。彼時愚雖深知鴉胆子之功效。而猶以爲苦參子係通行共知之名。因謂之曰。此易治。買苦參子百餘粒。去皮，揀其仁之成實者。每服六十粒。白糖水送下兩次即愈矣。翌日，愚復他出。二十餘日始歸。又訪之。言偏詢藥房。皆無苦參子。

後病益劇。遣人至歙州購來。果如法服之兩次全愈。冀仙方也。愚曰。前因粗言之。未詳苦參子即鴉胆子。藥房中又名為鴨蛋子。各藥房中皆有。特其見聞甚陋。不知其為苦參子耳。後玉可旋里。其族人有自奉天病重歸來者。大便下血年餘。一身悉腫。百藥不效。玉可授以此方。如法服之。三次全愈。……

衷中參西錄中被苦參子治痢之方案甚多。嘗言三七苦參有化瘀生新之妙。痢之偏熱者。以苦參為最要之藥。其味至苦。且有消除之力。(搗膏能點痣)又可除痢證傳染之毒菌云云。據此足見余言不謬。而太炎先生之說益確實有力矣。

痢疾之在小腸者。(症狀已如前述)其病重。其醫難。止濇固不可。攻下亦匪易。祝味菊先生謂用(羊脂熔化和粥。再拌入血炭粉(用鷄血製成。西藥房有之。)食之。)頗見功效。(分量多寡。可酌量用之。)愚按此法由千金羊脂煎脫貽得來。羊脂煎主治久痢不瘥。津血枯槁。雖所下不多。而肛門濇滯者。本經云。羊脂專主下痢脫肛。腹中絞痛。觀此知羊脂有潤導之功。加血炭粉者。取其能止血護腸壁也。然此方祇可用於後期下痢。血多膿少之症。若在初期。愚意去血炭粉。用羊脂一杯。加苦參子三十粒。桔梗三錢。煮薄粥食之。當有奇效。陸淵雷先生嘗謂人體內不當有而有之半流動體。上至空氣管。下至大腸。皆得用桔梗排去之。故其治痢。常於黃芩白芍枳實等藥中重用桔梗。功效頗著。余見之屢矣。此處用桔梗伴同羊脂苦參。蓋師此意也。

(戊)攝生及預防　夏秋間不可貪涼取快或恣啖瓜果。尤忌生冷與油膩並進。宿物同腐物雜食。苟一不慎。則腸胃的機能衰弱而有停滯之患。停滯，則病菌得培養料而繁殖為害矣。故飲食衛生。實為本病最要之攝生。若既生病。尤宜節食茹素。倘泥於世俗「吃不煞的痢疾」語。健啖如故。其危險有不可勝言者。

病菌之侵入人體而肆虐。端賴飲食為媒介。吾人平時苟能保持腸胃之健全。注意食物之清潔。凡肥膿炙煿之不易消化者。宿食生水之附帶病菌者。一概勿令入口。而又避身心之過勞。防腹背之受寒。則病魔雖張牙舞爪以向人。固不能犯我絲毫也。他如蒼蠅之撲滅。住宅之清潔。亦宜注意。蓋蒼蠅傳播痢疾之媒介。而污穢為病原菌繁殖之淵藪也。

論王叔和傷寒叙例

趙志成

陰陽大論云，春氣溫和。夏氣暑熱。秋氣清涼。冬氣冷冽。此則四時正氣之序也。冬時嚴寒。萬類深藏。君子固密。則不傷於寒。觸冒之者。乃名傷寒耳。其傷於四時之氣。皆能爲病。以傷寒爲毒者。以其最成殺厲之氣也。中而卽病者。名曰傷寒。不卽病者。寒毒藏於肌膚。至春變爲溫病。至夏變爲暑病。暑病者，熱極重於溫也。是以辛苦之人。春夏多溫熱病。皆由冬時觸寒所致。非時行之氣也。凡時行者。春時應暖而復大寒。夏時應大熱而反大涼。秋時應涼而反大熱。冬時應寒而反大溫。此非其時而有其氣。是以一歲之中。長幼之病，多相似者。此則時行之氣也。夫欲候知四時正氣爲病，及時行疫氣之法。皆當按斗曆占之。九月霜降節後，宜漸寒。向冬大寒。至正月雨水節後宜解也。所以謂之雨水者。以冰雪解而爲雨水故也。至驚蟄二月節後。氣漸和暖。向夏大熱。至秋便涼。從霜降以後，至春分以前。凡有觸冒霜露。體中寒卽病者。謂之傷寒也。其冬有非節之暖者。名曰冬溫。冬溫之毒，與傷寒大異。冬溫便有先後更相重沓。亦有輕重。爲治不同。從立春節後。其中無暴大寒。又不冰雪。而有人壯熱爲病者。此屬春時陽氣發於冬時。伏寒變爲溫病。從春分以後，至秋分節前。天有暴寒者。皆爲時行寒疫也。三月四月，或有暴寒。其時陽氣尚弱。爲寒所折。病熱猶輕。五月，六月。陽氣已盛。爲寒所折。病熱則重。七月，八月。陽氣已衰。爲寒所折。病熱亦微。其病與溫及暑病相似。但治有殊耳。十五日得一氣。於四時之中。一時有六氣。四六名爲二十四氣也。然氣候亦有應至而不至。或有至而不去。或有未應至而至者。或有至而太過者。皆成病氣也。但天地動靜，陰陽鼓擊者。各正一氣耳。是以彼春之暖。爲夏之暑。彼秋之忿。爲冬之怒。是故冬至之後。一陽爻叔。一陰爻降者。夏至之後。一陽氣下，一陰氣上也。斯則冬夏二至。陰陽合也。春秋二分。陰陽離也。陰陽交易。人變病焉。此君子春夏養陽。秋冬養陰。順天地之剛柔也。小人觸冒。必嬰暴疹。須知毒烈之氣。留在何經，而發何病。詳而取之。是以春傷於風。夏必飧泄。夏傷於暑。秋必病瘧。秋傷於濕。冬必咳嗽。冬傷於寒。春必病溫。此必然之道。可不審明之。傷寒之病。逐日淺深。以施方治。今世人傷寒。或始不早治。或治不對病。或日數久淹。困乃告醫。醫人又不依次第而治之。則不中病。皆宜臨時消息制方。無不效也。今搜採仲景舊論。錄其證候，診脈，聲色對病眞方，有神驗者。擬防世急也。又土地溫涼。高下不同。物性剛柔。飧居亦異。是黃帝與四方之問。岐伯舉四治之能。以訓後賢。開其未悟。臨病之工。宜須兩審也。」

按叔和敘例。完全着眼於時氣之變遷。以肯定六氣之爲病。能舉傷寒論之大綱。而鳶飛魚躍。又有其活潑之天機。讀傷寒論者。必先熟於此。而後知六氣之變病無窮。不致爲六經之定法所誤。雖於六經之說。尚欠闡發。但於六氣之論。大旨無訛。喻嘉言攻斥之不遺餘力。後人亦不肯深究。特表而出之。庶幾六氣之說。如日中天。叔和亦果不愧仲景之功臣也。

筆記

針灸認穴概要

趙志成

一、腦神經系病

腦充血　臍中、百會、前頭側、腦後頭、延髓、上脘、

腦貧血　臍中、百會、前頭側、腦後頭、延髓、上脘、

坐骨神經痛　臍中、身柱、尾閭、湧泉、命門、腿側、

肋間神經痛　前胸、胸腋、肩腋、臍中、局部痛所、

撓骨神經痲痺　臍中、肩顒、內膊、外膊、肘膊、肘孔、前膊、後膊、

神經衰弱症　臍中、頭頂、前頭側腦、後腦、延髓、上脘、

小兒急癇　臍中、後頂、前胸、大椎、上脘、

二、消化器病

咽頭加答兒　臍中、喉側、前胸、大椎、上脘、

胃加答兒　臍中、上脘、下脘、

胃擴張　臍中、上脘、下脘、

胃下垂　臍中、上脘、下脘、

胃潰瘍　臍中、上脘、下脘、

胃阿篤尼症　臍中、上脘、下脘、

胃痙攣　臍中、上脘、下脘、

胃酸過多症　臍中、上脘、下脘、

腸加答兒　臍中、腰椎、尾骶、上脘、下脘、脊中、

直腸炎　臍中、尾骶、腰椎、中脘、脊中、湧泉、

便秘　臍中、中脘、脊中、後頭、腰椎、

肝臟硬化　臍中、上脘、中脘、下脘、腰椎、

痔核　臍中、尾骶、腰柱、命門、中脘、脊中、湧泉、

痔瘻　臍中、命門、湧泉、腰柱、中脘、腿側、

三、呼吸氣病

喘息　臍中、前胸、喉側、肩胛、肩腋、後頭、延髓、胸腋、脊中、腰椎、上脘、中脘、下脘、

肺炎　前胸、胸腋、肩腋、膈兪、上脘、中脘、

肺結核 臍中、喉側、前胸、胸腋、肩腋、肩中、中脘、腰椎、

肋膜炎 前胸、胸腋、肩腋、臍中、上脘、中脘、

四、血行器病

心臟瓣膜病 臍中、中脘、下脘、腰柱、上脘、肩腋、前胸、胸腋、

動脈硬化症 百會、後頭、側腦、臍中、腰柱、下脘、上脘、

五、泌尿及生殖器病

腎臟炎 臍中、上脘、脊中、中脘、腿側、命門、腰柱、上髎、中髎、

膀胱炎 臍中、命門、腰柱、中脘、腎兪、

淋病 臍中、尾骶、腰柱、命門、中脘、腎兪、湧泉、

遺精 臍中、上脘、命門、足三里、

遺尿 臍中、腰椎、中脘、

陰痿 臍中、命門、尾骶、湧泉、上脘、中脘、

六、運動器具

關節僂麻質斯 臍中、局部痛所、

關節強直及攣曲 臍中、局部痛所、

筋肉僂麻質斯 臍中、局部痛所、

腓筋痙 臍中、足三里、

七、婦人科病

子宮內膜炎 臍中、中脘、腰柱、腰椎、腎兪、

子宮外膜炎 臍中、中脘、腰柱、腰椎、腎兪、

月經困難 臍中、中脘、腰柱、腰椎、腎兪、

白帶下 臍中、中脘、腰柱、腰椎、腎兪、

八、雜病

糖尿病 臍中、後頂、上脘、腰柱、中脘、腎兪、

脚氣 臍中、足三里、上脘、

藥物

琥珀之研究

俞愼初

種類：屬松柏科植物之樹脂、埋入土中、年久而化爲石、遂名爲琥珀、

別名：紅珠 江珠 丹珀 南珀 明珀 蠟珀 香珀等、

產地：產於東洋之海岸各地、及俄德波蘭瑞典丹麥等之砂石中或海水中、漢書西域傳所載、謂琥珀從外國來、

形態：扁平或不正圓形之塊塊、色淡黃或淡紅、質透明似松脂有光澤、遇酒精松脂油稍溶解、加熱則化、

性味：甘平

採製：常在地下第三第四兩地層、散布與砂粘土石灰之小石塊間、其海濱者、常自由地層來也、琥珀酸即由琥珀中抽出、

成分：樹脂、揮發油、琥珀酸、斯可企涅及硫黃等、

功效：安五臟、定魂魄、殺精魅邪鬼、止血生肌肉、清肺利便、壯心、明目、磨翳、對於局部痲痺及慢性關節風濕痛尤爲特效、

主治：五淋心痛、結癥、金瘡、癲、癰、

處方：配沒藥、海金砂、蒲黃、治五淋、配鼈甲、大黃、治瘀血積滯腹內作痛、老人及虛弱者小便不通、用琥珀末一錢、以人參、茯苓、煎湯空心服、

(按)：琥珀眞的甚鮮、藥舖所售皆僞品、因尋求不易得、日用藥品考云『琥珀品類極多、雷斆謂紅如血色、以布拭熱、吸得芥子者爲眞、日本進口之琥珀、皆透明作深紅色、國人稱爲血珀、亦名金珀、此爲上品、其色稍淡者名銀珀次之、淡黃者名蠟珀又次之、帶黑者爲下品、凡日本產皆重濁不透明、不堪入藥。

記事

本社第十九次討論會記事

本社於三月十五日午後三時，在東街路施寓舉行第十九次討論會，到者有施稷香王心原阮其煜程資範王一仁陳鼎丞董志仁諸君，除討論問題外，並研究本經，茲將情形錄下。

一、問頭痛向後退。多食腹脹向前行。每易見效。請釋其理。(趙志成)

答、肌肉神經緊張之極。則痛脹作。頭痛向後，腹脹前行。蓋因鬆肌作用。而減緩肌肉血脈之緊張。故能愈。再太陽經脈行於背後。陽明經脈行其身前。前者能鬆緩大腦延髓之血脈。後者能鬆緩胃腸之血脈。故於如響斯應之效也。

二、問牙齒痛之特效方藥。(前人)

答、北細辛川椒防風白芷等分。泡水漱口。每有奇效。蓋有散風殺蟲。消散充血。弛緩神經之力故也。又方淮山藥一兩。生石膏一兩。青鹽炒茴香一錢。煎服屢效。針灸合谷穴。有立止牙痛之效。

三、本草經之研究(十二)本社同人

枳實

原文：氣味苦寒無毒；主治大風在皮膚中，如麻豆苦癢，除寒

熱結，止痢，長肌肉，利五臟，益氣輕身。

（一）苦寒：因有殺菌作用而能治痢及皮膚病，故曰苦。因有消炎及清理胃腸之作用，故曰寒。

（二）主治大風在皮膚中，如麻豆苦瘙：因胃腸不清潔而致之皮膚病；如胃腸病，大便閉結而現風塊等症，均可用之。

（三）除寒熱結：對於胃腸發炎之疾患，有退炎之作用。

（四）止痢：對於痢疾，有殺菌，消炎，通利之作用。

（五）長肌肉，利五臟：因有清理胃腸之作用故也。

劑量　八分至三錢

禁忌　（1）胃腸虛弱性腹瀉。（2）心臟虛弱性氣促。

注意　尋常用以治痢疾，與通利大便。

（附）枳殼主要作用，能治胸口氣悶；此所謂只能通利胸膈一部份，其功效不能達於大小腸，故無通利大便之作用也。

※山茱萸

原文：氣味酸平無毒；主治心下邪氣寒熱溫中；逐寒熱痺，去三虫久服輕身。

（一）酸平：因有收斂性而能止虛汗，故曰酸。因能鎮靜大腦精神部，故曰平。

（二）主治心下邪氣，寒熱，溫中：寒熱指神經不安之現狀；溫中指能使不安之神經現狀，得以正規；心下邪氣，指其不安現狀，特別現於心下部者。

（三）逐寒熱痺：此或指虛弱性之臟腑不安現狀，而羅麻質斯不能用之。

（四）去三蟲：罕用之。

劑量　三錢至五錢

禁忌　（1）腹瀉者。（2）外感寒熱。（3）熱病之汗多者。

注意　此藥尋常多用之，以止虛汗。

※吳茱萸

原文：氣味辛溫有小毒；溫中下氣，止痛，除濕血痺；逐風邪，開腠理；欬逆寒熱。

（一）辛溫：因有發散作用，故曰辛。因有興奮性，故曰溫。

（二）溫中，下氣：因能興奮交感神經而強壯心力，故曰溫中；因能強壯心力，而平心臟虛弱之氣促，故曰下氣。

（三）止痛，除濕血痺，逐風邪，開腠理：因有發散性而能出汗，故能止痛，除濕血痺，逐風邪，開腠理。

凡溫度較低，而同時現嘔吐狀者可用之。

（四）欬逆：慢性氣管炎可用之。

(五)寒熱：寒多熱少，口不渴者，可用之。

劑量 八分至一錢五分

禁忌 (1)有內熱口渴者。(2)便閉者。

注意 此藥尋常用爲止吐止痛劑。

◎猪苓

原文：氣味甘平無毒；主治痎瘧；解毒蠱疰不祥；利水道；久服輕身耐老。

(一)甘平：因能增加尿之排泄力，特別的能增加膀胱之收縮力，故曰甘。因其性下行而能利尿，故曰平。

(二)主治痎瘧：痎瘧，是隔一日發作一次之瘧疾；罕用。

(三)解毒，蠱疰不祥：概因有利尿之作用。

(四)利水道：此藥常用爲利尿劑。

劑量 三錢至六錢

禁忌 尿過多者。

◎蕪荑

原文：氣味辛平無毒；主治五內邪氣，散皮膚骨節中，淫淫溫行毒，去三蟲，化食。

注意 蕪荑爲殺蟲藥；可用以去蛔蟲，條蟲，罕有用之以治他症者。

劑量 二錢至三錢

禁忌 (1)身體虛弱者。(2)胃納不佳者。

◎皂莢

原文：氣味辛鹹溫，有小毒；主治風痺死肌邪氣，頭風淚出；利九竅，殺精物。

注意 皂莢形長，在近今之醫家，其主要作用有二：

(1)用皂莢煎水洗瘡，頗佳；其份量，即二兩皂莢加入一面盆之水中。

(2)皂莢研末，內服有化痰之作用，可治痰喘氣促；劑量一錢至三錢。

(附)皂角刺外用可治發背不潰，瘡腫無頭；內服亦可使瘡口易於破裂；劑量一錢至三錢。

皂莢子 可內服以治瘰癧，硬性下疳等症；

劑量 七至十四粒。

肥皂莢 其形圓，多外用；可用火煅存性以治癬瘡。

◎秦皮

原文：氣味苦微寒無毒；主治風寒濕痺，洗洗寒氣，除熱，目中青翳白膜；久服頭不白輕身。

(一)苦微寒：因爲解毒，殺蟲作用，故曰苦。因有消炎清熱作用，故曰微寒。

(二)主治風寒濕痺，洗洗寒氣：關節痛甚而有惡寒之現狀者可用之。此洗洗寒氣，非指外感性惡寒，因外感風寒不能用之。

(三)除熱：概因有消炎作用。

(四)目中青翳白膜：概因有消炎之作用；然內科醫家罕用之。

(五)久服頭不白，輕身：此說不可靠，因此藥無滋養之作用。

注意　近來醫家，多用之以治赤痢，與極癢之皮膚疥；罕有用之以治他症者。

禁忌　(1)腹瀉者。(2)有外感惡寒者。

箽竹葉

原文：氣味苦寒無毒；主治欬逆，上氣溢，筋急；消惡瘍，殺小蟲。

(一)苦寒：因有殺菌作用，故曰苦。因有消炎作用，故曰寒。

(二)主治欬逆，上氣溢，筋急；此藥之葉在方藥中罕用之。有因箽竹桿作單方，每次用二兩，乃有化痰，平氣之作用，可治日久之咳嗆，與百日咳甚效。上氣溢，指氣促而有痰滴之狀；筋急指氣管痙攣性之欬逆上氣。

(三)消惡瘍：罕用之。

(四)殺小蟲：罕用之，

剤量　葉；每次可用三錢

禁忌　胃腸虛弱性腹瀉。

竹瀝

原文：氣味甘大寒無毒；主治暴中風；風痺；胸中，大熱止煩悶；消渴；勞復。

(一)甘大寒：因有滋養性，能助生唾液而止渴，故曰甘。因有消炎，平血壓之作用，故曰大寒。

(二)主治暴中風：凡腦出血而昏迷者。是爲常用之藥。

(三)風痙：患羅麻質斯，關節痛甚，發高而昏迷者，可用之。

(四)胸中，大熱，止煩悶：指胸中煩悶，熱高而昏迷者可用之。

(五)消渴：有止口渴之作用。

(六)勞復：罕用之：無內熱者不用之。

剤量　一兩至三兩

禁忌　腹瀉者。

◎竹茹

原文：氣味甘微寒無毒；主治嘔啘；温氣寒熱；吐血；崩中。

(一)甘，微寒：因能助生唾液，而止渴，故曰甘。因有消炎之作用，故曰寒。

(二)主治嘔啘：此藥尋常作爲止嘔藥；胃因充血或炎之嘔吐可用之；若爲胃寒之嘔吐不能用之。

胃寒者，即指胃潰瘍之嘔吐，或胃有貧血狀之嘔吐。

(三)温氣，寒熱：胃炎症可用之；初起時惡寒而後發熱者可用之。

(四)吐血：胃充血狀，吐血胃症，可用之。

(五)崩中：子宮炎之崩中可用之。

劑量　一錢五分至三錢

禁忌　(1)腹瀉者。(2)消化不良者。(3)胃寒而嘔吐者。

◎石膏

原文：氣味辛微寒無毒；主治中風寒熱；心下逆氣驚喘；口乾舌焦不能息；腹中堅痛；除邪鬼；產乳；金瘡。

(一)辛微寒：因有發散作用，故曰辛。因有退熱消炎作用，故曰微寒。

(二)中風寒熱：凡腦出血爲高者可用之。

(三)心下逆氣，驚喘：因胃腸病，以致神經不安而有驚狂現狀，兼有熱高氣促者可用之。

(四)口乾舌焦：因此有退熱之效；此藥止煩渴特效，生用爲清涼解熱劑。

(五)不能息：能減肺之充血而平氣促。

(六)腹中堅痛：因胃腸炎而大便閉結者可用之。

(七)除邪鬼：因熱高而精神不安者，有鎮靜精神之作用。

(八)產乳：產前後之乳腺炎，外用能消炎退腫；然不能增加乳液。

(九)金瘡：金瘡紅腫者可外用，而有消炎退腫之作用；煅石膏外用，亦可止血。

劑量　三錢至一兩

禁忌　(一)體温低者，脈緩者。(二)胃腸虛弱而腹瀉者。(三)熱不壯不渴者。

注意　生石膏治熱，是無上良品；尋常多用以退熱與治牙痛。生石膏宜於內服，煅石膏宜於外用。煅者失原有之性而無清熱之效；熱必反燥，止煩渴特效。

◎慈石

原文：氣味辛寒無毒；主治周痺風濕，肢節中痛，不可持物，洗洗酸：消除大熱煩滿：及耳聾。

(一)辛寒：因有發散性而能治周痺風濕等症，故曰辛。因有鎮靜大腦精神部之作用，故曰寒。

(二)主治周痺，風濕，肢節中痛，不可持物，洗洗酸：指患虛勞症而有周痺，風濕，肢節中痛，不可持物，洗洗酸者可用之。

(三)消除大熱煩滿：大熱指虛勞症之熱；外感之熱不相宜。煩滿指血壓高而煩躁不安者，可用之。

(四)耳聾：神經虛弱性之耳聾可用之。

注意　近今此藥常作為鎮靜劑；為患虛勞症者，以及耳鳴頭暈者，所常用之藥。

劑量　三錢至一兩

禁忌　(1)外，感性寒熱症。(2)急性羅麻質斯。(3)熱病之耳聾。

※石硫黃

原文：氣味酸溫有毒；主治婦人陰蝕疽痔頭惡血；堅筋骨；除禿；能化金銀銅鐵奇物。

(一)酸溫：因製成丸劑而能平氣促者，表示能解氣管之痙攣，故曰酸。因有興奮性，故曰溫。

(二)婦人陰蝕，疽痔，惡血；外用有殺菌作用。

(三)堅筋骨：有時可內服，為神經骨骼之強壯劑；用是須照古法炮製，然罕用以內服者。

(四)除頭禿：外用有殺菌作用，與興奮之作用；可治頭上癩瘡。

(五)能化金銀銅鐵奇物：治金家用之。

劑量　作湯劑內服者罕有用之：如通大便平氣促，概於丸劑中用之。劑量，約五分。

禁忌　(1)外瘡紅腫者。(2)有內熱便閉者。

※陽起石

原文：氣味鹹微溫無毒；主治崩中漏下；破子腸中血，癥瘕結氣，寒熱腸痛；無子陰痿不起，補不足。

(一)鹹，微溫：或因能增加血中之礦物質，如燐鈣等，故曰鹹。對於生殖腺有興奮性，故曰溫。

(二)崩中漏下：虛弱性者可用之；或因能強壯體力，或因能增加血中之鈣質而有止血之效，故能治崩中漏下。

(三)破子腸中血；癥瘕結氣：指虛弱性，腹部作痛而有硬塊者可用之。

(四)寒熱腹痛：此寒熱指精神不安之現狀，非指外感寒熱；凡腹痛而精神不安者可用之。

(五)無子，陰痿不起補足：指此藥能與奮生殖腺。

注意　近代醫家，常用壯陽劑；罕有作他用者。

劑量　三錢至一兩

禁忌　(1)性慾過強者。(2)有外感寒熱者。(3)有內熱脈速者。

▣雄黃

原文：氣味苦，平，寒有毒；主治寒熱鼠瘻；惡瘡疽痔，死肌；殺精物惡鬼邪氣；百蟲毒；勝五兵；鍊食之輕身神仙。

(一)因有殺蟲解毒之作用，故曰苦。因內服能鎮靜大腦精神部，故曰平。因有消炎作用，故曰寒。

(二)寒熱鼠瘻：　第一：指淋巴腺之鼠疫，內服外用均可。第二：結核性淋巴腺病而紅腫者可作外用藥。

(三)惡瘡疽痔，死肌：　死肌指日久潰爛不收口者；外用治瘡瘍頗效，乃治瘡殺毒之要藥也。若製成『飛黃散』，可治緩一惡瘡；蝕惡肉。

(四)殺精物惡鬼邪氣：　內服，可作胃腸解毒劑；然思邈曰，凡服食用『武都雄黃』，須油煎九日九夜，乃可入藥，不爾有毒，愼勿生用。

(五)百蟲毒：　有殺蟲與解毒之作用；蛇咬後可用之以外敷。腹中有蟲者，亦可內服。

(六)勝五兵：　能化五金，治金家用之。

劑量　三分至一錢。

禁忌　尋常之外感寒熱。

(附)雌黃　主要作用，爲殺蟲解毒。外用可治瘌頭；亦可煎湯用作洗劑，以治疥癬，與蟲咬傷等。近今罕用之

▣水銀

原文：氣味辛寒有毒；主治疥瘻痂瘍白禿；殺皮膚中蝨；墮胎，除熱；殺金銀銅錫毒；鎔化還復爲丹；久服神仙不死。

此藥除製昇丹，降丹以外用於皮膚病外，罕見內服；鎔化還復爲丹，概指可製成昇降丹。

▣鐵落

原文：氣味辛平無毒；主治風熱惡瘡瘍疽瘡，痂疥氣在皮膚中。

近今醫家，尋常作爲鎮靜神經之藥品；爲治狂之特效藥；

罕有內服以治他症；然有銹鐵與醋調合，外用以治疥毒症者。

劑量　一兩至三兩

禁忌　(1)熱病之發狂。(2)腸胃虛弱而腹瀉者。(3)胃弱者。

犀角

原文：氣味苦酸鹹寒無毒；主治百毒蠱疰邪鬼瘴氣，殺鉤吻，鴆羽，蛇毒；除邪不迷惑魘寐；久服輕身。

(一)苦酸鹹寒：因有殺菌，解毒以及解除血中毒質之作用，故曰苦。因能鎮靜大腦精神部，故曰酸。因能平血壓而止血，(卽涼處)故曰鹹。因有消炎作用，故曰寒。

(二)主治百毒蠱疰，邪鬼瘴氣，殺鉤吻，鴆羽，蛇毒：表示此藥能解除各種之毒質。

(三)除邪不迷惑魘寐：表示此藥能鎮靜大腦之精神部。

劑量　三分至三錢(磨汁或挫末呑用)

禁忌　(1)熱病初起而惡寒者。(2)神經衰弱者。(3)血壓與體溫低者。(4)胃腸虛弱者。

注意　近來多用於高熱症；用水磨者爲佳；若用犀角以解尚香毒甚效，然其劑量，當用一錢至三錢。

又有時升麻可代犀角；因升麻也能解一切之毒。

羚羊角

原文：氣味鹹寒無毒；主明目益氣；起陰；主惡血注下；辟蠱毒；惡鬼不祥，常不魘寐。

(一)鹹寒：因有平血壓之作用而能止血，故曰鹹。因能消炎清熱，故曰寒。

(二)明目益氣：此藥對於眼部之發炎病症，是有消炎之特效，故曰明目；按尋常之說法，目明爲健康標記之一，乃有『明目益氣』聯絡之用法；蓋因能明目，故曰益氣。

(三)起陰：起陰二字，是指此藥有『平陽』之作用；平陽者卽平性慾也。

(四)主惡血注下：表示此藥能治子宮粘膜炎之血崩；然衰弱性者不宜用之。

(五)辟蠱毒：表示此藥有解毒之作用。

(六)惡鬼不祥，常不魘寐：此藥對於大腦精神部，有鎮靜之作用。

劑量　三分至三錢(用法與犀角同)

禁忌　與犀角同。

羖羊角

原文：氣味鹹溫無毒；主治青盲明日；止驚悸寒洩；久服安心

;益氣輕身;殺疥蟲;入山燒之,辟惡鬼虎狼。

此藥近今醫家罕用之。

◎蝟皮(常用者爲『蝟皮炭』)。

原文:氣味苦平無毒;主治五痔陰蝕,下血赤白五色,血汁不止,陰腫痛引腰背。

(一)因有殺菌消毒之作用,故曰苦。因能平血壓而止痛止血,故曰平。

(二)五痔陰蝕: 肛門管瘺症,用蝟皮炭,內服外用,均甚效。

(三)下血赤白五色,血汁不止: 表示此藥對於大腸下段,是有止血之特效。

(四)陰腫痛引腰背: 表示因陰腫痛而延及於子宮炎,以致腰背痛者,不但有殺菌消炎之作用,亦有止痛之作用。

劑量 蝟皮炭一錢五分至三錢。

禁忌 外感性之疾病不宜用之。

◎鼈甲

原文:氣味鹹平無毒;主治心腹癥瘕堅積寒熱;去痞疾,息肉,陰蝕,痔核,惡肉。

(一)鹹平: 因有變質作用而能消硬塊,故曰鹹。此藥在中醫,尋常作爲養陰藥;所謂陰不足者,即現不能安眠與煩躁等狀者是也,故所謂養陰者,即鎮靜神經是也。因有鎮靜神經之作用,故曰平。

(二)心腹癥瘕,堅積寒熱: 指精神不安之現狀,似乎有癥瘕積聚。寒熱二字,非指惡寒發熱,乃指不安之現狀。除久瘧外,外感性之惡寒發熱,不能用之。

(三)去痞疾: 因瘧久而脾變大者,可用之。

(四)息肉,陰蝕,痔核,惡肉: 均煅成炭外用;能使硬性之瘡瘍,變爲柔軟。

劑量 二錢至一兩

禁忌 (1)外感性之惡寒發熱。(2)體溫過低者。(3)腹瀉者。

◎蟹

原文:氣味鹹寒有小毒;主治胸中邪氣,熱結痛喎辟面腫;能敗漆;殺之制鼠。

按張隱菴曰,今人以蟹爲餚饌,未嘗以之治病;有云:痰咳喉燥,胸口氣悶而隱痛者,食蟹能愈;正如原文上云,主治胸中邪氣,熱結痛者相似,然時間須在中秋節至重陽節時可用之,其餘時間不宜用。

近今醫家，僅用蟹黃外敷，以治漆瘡用蟹殼煅存性，調塗凍瘡及蜂螫傷。外科敷藥兼有用之，概因有消炎，解毒性也。

※蚱蟬

原文：氣味鹹甘寒無毒；主治小兒驚癇夜啼，癲病寒熱。

近今醫家，罕有用之者。

※蟬蛻

原文：氣味鹹甘寒無毒；主治小兒驚癇；婦人生子不下；燒灰水服治久痢。近今醫家，有用之以治五六月間，肺充血性之咳嗆；慢性氣管炎，虛弱性咳嗆，均不相宜。眼膜翳障可用之；蟬蛻炭以治久痢有效。因能清熱，故能治小兒驚癇。外感性喉啞頗効。概有消炎解毒之作用。

劑量　六分至一錢

禁忌　(1)禿髮。(2)虛弱性肺炎。(3)氣管支炎。

※白殭蠶

原文：氣味鹹辛平無毒；主治小兒驚癇夜啼；去三蟲；滅黑䵟，令人面色好；男子陰瘍病。

(一)鹹辛平：概因有變質作用，故曰鹹。因有發散作用，而能鎮靜神經，故曰辛平。

(二)主治小兒驚癇夜啼：此藥有鎮靜神經之作用。

(三)去三蟲：罕用之。

(四)滅黑䵟，令人面色好；男子陰瘍病：此是外用，煎水洗。

注意　該常用作解抽藥，不但可以鎮靜神經，亦能鎮靜氣管之痙攣；發熱之咳嗆可用之，能化痰止咳。

劑量　三錢至五錢

禁忌　風寒不可用，風熱可用。風寒，即舌苔白色而惡寒甚者；風熱，即舌苔黃色而熱多寒少者。

※原蠶沙

原文：氣味甘辛溫無毒；主治腸鳴；熱中消渴；風痹隱疹。

(一)此藥常用於夏天有汗之熱症；夏季腹瀉，可用之以疏胃腸積氣，故可治腸鳴。

(二)能興奮汗腺而增加皮膚之排泄量，可治暑天之四肢酸疼而發疹子者，故曰辛溫。

(三)熱中消渴：心煩口渴者，可用之。

劑量　三錢至五錢

禁忌　(1)胃腸虛弱性腹瀉。(2)惡寒之狀較多者。

※樗雞

原文：氣味苦平有小毒：主治心腹邪氣，陰痿益精強志，生子好色，補中輕身。

此藥近今醫家罕用之，故不贅。

本社第二十次討論會記事

本社於四月十五日，舉行第二十次討論會，於午後三時在竹竿巷周寓開會。到者有陳鼎丞施稷香王心原阮其煜周子敍王一仁諸君。討論問題。並研究本經。茲將情形錄下。

一、問刀刺傷脈致死。解割斷肢不致死。其理何居。(俞建正)

答、刀刺傷刺。或因血出過多，經脈無再生之力。或因瘀凝經絡。氣脈失條暢之常。致妨內臟之生機。故致於死。若解割斷肢。必用止血包紮手術。經脈再生。循環依舊。故不死。

二、問傷寒病有動氣者。所以不能汗吐下之原理。(趙志成)

答、動氣有在臍上臍下左乳等。臍上下皆指腹動脈之跳動。左乳則指心臟跳動。此皆心臟虛弱氣脈衰脫而妄動之現象。汗吐下皆傷心胃之液汁。氣血更無滋化之源。故忌之。

三、本草經之研究(十三)本社同人

※䗪蟲

原文：氣味鹹寒有毒；主治心腹寒熱洗洗；血積，癥瘕，破堅，下血閉；生子大良。

此藥之主要作用：(1)可作通經劑。(2)能消散硬塊，概因其有變質作用，故曰鹹。(3)因瘧疾脾變大，可用之，作為消散劑。

主治心腹寒熱洗洗者，指自覺之寒熱或神經不安之狀；並非指外感性之惡寒發熱。

劑量　八分至三錢

禁忌　(1)貧血者。(2)腹瀉者。(3)有外感寒熱者。

※蝱蟲

原文：氣味苦微寒有毒；主逐瘀血，破積血堅痞，癥瘕寒熱，通利血脈及九竅。

此藥常用以排除積血。1.如外傷而有積血之狀者，可用之以去積血。2.經閉症，可用以作通經藥。

按其煜之意見，中醫之所謂『破血藥』者，概指對於神經系統有解毒退炎之作用，同時亦有通經之作用者也。

劑量　八分至一錢五分

禁忌　(1)貧血者。(2)腹瀉者。

※蛞蝓(音闊俞)

原文：氣味鹹寒無毒；主治賊風喎僻跌筋；及脫肛：驚癎攣縮。

(一)鹹寒：概因有變質與消炎作用。故曰鹹寒。

(二)賊風喎僻跌筋：罕用之。

(三)脫肛：痔熱腫痛者，可用大蛞蝓，京墨研塗。

(四)驚癎攣縮：蟲類概因多有鎮靜運動神經之作用。然近今罕用之。

注意　此藥近今在藥方中罕用之，多作單方：其主要之作用：1.有化痰作用；此『化痰』，指能消散腦出血之血液，故可治賊風喎僻。2.喉部腫痛，可外用內服，有退腫消炎之作用；外用可搗爛塗敷。內服者，加鹽卽可化爲黏水而服之。3.解蜈蚣毒，蜈蚣觸蛞蝓卽死，故人以蛞蝓生搗，塗蜈蚣傷，疼痛立時可止。

總之，蛞蝓內服罕用；外用乃有解毒，退腫消炎之作用。

劑量　三條至二十條

禁忌　(1)胃弱者。(2)腹瀉者。

蝸牛

原文：氣味鹹寒有小毒：主治賊風蝸僻踠跌；大腸脫肛；筋急及驚癎。

功用與蛞蝓相同，罕用之。

大便脫肛者，可用蝸牛一錢燒灰，猪脂和傅立縮。痢後脫肛者，用乾蝸牛一百枚炒研，每用一錢，以飛過赤汁磁石末五錢，水一盞，煎半盞調服，日三次。

痔瘡腫痛。可用蝸牛浸油塗之，或燒研敷之。

露蜂房

原文：氣味甘平有毒；主治驚癎瘈瘲，寒熱邪氣，癲疾鬼精蠱毒，腸痔火熬之良。

此藥於近今醫家，罕有內服者；多用於外科藥中，有解毒退腫，消炎之作用。用時煅成粉末外敷。

內服有鎮靜運動神經之作用，故可治驚癎，瘈瘲，寒熱邪氣，癲疾；然近今罕用之，實甚可惜。

患牙齒痛者內服有效，概因有止神經痛之作用。

劑量　一個至三個

烏賊魚骨(又名海螵蛸)

原文：氣味鹹微溫無毒；主治女子赤白漏下，經汁血閉，陰蝕腫痛，寒熱癥瘕無子。

(一)鹹，微溫：概因有變質作用，故曰鹹。概因有興奮卵巢之作用，故曰微溫。

(二)主治女子亦白漏下：此藥治白帶與崩漏爲常用之藥品。

(三)經汁血閉：概因有興奮卵巢之作用，故能通經；然罕有用之，以作通經劑者。

(四)陰蝕，腫痛：此藥煅末摻敷。

(五)寒熱癥瘕：腹中有硬塊而虛寒者可用之。

(六)無子：或因能止白帶崩漏，或因能興奮卵巢而通經，故能治無子之病。

劑量　三錢至五錢。

禁忌　(1)外感性寒熱。(2)血崩因子宮炎，或子宮癌者。

注意　此藥多用於虛弱性之病症。

文蛤(一名五倍子)

原文：氣味鹹平無毒；主治惡瘡蝕五痔。

(一)鹹平：因有變質作用，故曰鹹；因有鎮靜作用，研末敷臍上，可治遺精，故曰平。

(二)惡瘡，蝕五痔：此藥尋常作爲外科藥，有殺菌作用與收斂作用。

注意　有醫家用之內服以治水腫；乃有利尿消腫之作用，其劑量可用至二錢。

劑量　一錢五分至五錢。

禁忌　(1)便閉者。(2)胸口覺氣悶者。

髮髲

原文：氣味苦溫無毒；主治五癃，關格不通；利小便水道：小兒驚，大人痓仍自還神化。

此藥能增加尿之排泄量，然近今醫家罕見有用此藥者。

劑量　三分至五分

附子(附川烏頭而生者爲附子；俗名黑附子)

原文：氣味辛溫有大毒；主治風寒欬逆，邪氣，寒溫踒躄拘攣膝痛，不能行步；破癥堅積聚，血瘕金瘡。

(一)辛溫：因有發散性，故曰辛。因有興奮性，故曰溫。

(二)風寒欬逆，邪氣：尋常風寒欬逆，不宜用；可用於慢性支氣炎，而有化痰平氣之效。

(三)寒溫，……，拘攣，膝痛，不能行步：可用以治慢性羅膩質斯。

(四)破癥堅積聚血瘕：此藥之主要作用，是振起器官機能之衰弱；特效於生殖腺而有興奮之作用，故以附子爲『補命門』要藥；若器官機能之衰弱，得以恢復健康，則各種虛弱性現狀，均可消退，此即所謂破癥堅積聚血瘕也。

(五)金瘡：若慢性潰瘍，流膿之日期過久，以致身體現衰弱現狀而體溫減低者，可用之。

劑量　三分至三錢。

禁忌　(1)有孕者。(2)脈洪速者。(3)舌紅，心煩口渴者。(4)體溫高者。(5)便閉者。

注意　(1)患霍亂者在脈沉細而手足冷時，生附子可作主藥，而有特效；不但有強壯心力之作用，亦有興奮內分泌腺之作用；故中醫云，生附回陽，能治脫陽之症也。故中醫以附子爲陰證要藥；凡厥冷腹痛，脈沉細，甚則唇青囊縮者，急須用之，有起死回生之功，傷寒陰盛格陽者當用之所謂陰盛格陽，卽人覺躁熱而不飲水，脈沉，手足厥冷者是也。(2)製附子能治胃潰瘍性之疼痛，故中醫有熱附溫中之說也。(3)近來醫家，亦有作爲強心逐劑，下肢水腫，多用之者。(4)此外有淡附片與淡附塊，是被常用。誤藥，大汗不止者，爲亡陽，吐利厥冷爲亡陽，均可用之。稱爲回陽救逆爲第一品藥也。(5)附子得生薑而有發散作用；生附配乾薑，則補中有發；附子無乾薑則不熱，得甘草則性緩，得桂則補命門。(6)烏頭如芋魁，附子如芋子。(7)正者爲烏頭，兩岐者爲烏喙，細長三四寸者爲天雄，根旁如芋散散生者爲附子，旁連生者爲側子，五物同出而異名。(8)補寒虛多用附子，風家多用天雄；寒疾用附子，風疾用川烏頭。

◎天雄

原文：氣味辛溫有大毒；主治大風，寒濕痺，歷節痛，拘攣緩急，破積聚邪氣，金瘡，強筋骨，輕健行。

(一)辛溫：　因有發散作用，故曰辛。因對於皮膚之血管有興奮性，而有惡寒之狀者可用之，故曰溫。

(二)大風寒濕痺，歷節痛：　此藥尋常用於急性羅麻質斯而能止關節疼痛。發熱而同時惡寒甚者可用之，發熱而不惡寒者不能用。

(三)拘攣，緩急，破積聚邪氣：　若有劇烈之惡寒，以致拘攣緩急而現不安之狀者，可用之。

(四)金瘡：　外用有消散之作用；然金瘡之外現紅腫者不能用；已出膿者亦不能用。

(五)強筋骨，輕健行：　急性羅麻質斯之病既去，則筋骨自強，行動亦自行輕健也。

劑量　八分至一錢五分

禁忌　(1)發熱汗多者。(2)心煩口渴者。(3)大小便閉結者。

注意　如用此藥者必須遵照古法泡製，因生者有毒也。

◉烏頭

原文：氣辛溫有毒；主治諸風，風痺，血痺，半身不遂，除寒冷，溫養臟腑，去心下堅痞，感寒痠痛。

(一)辛溫：　因有發散作用，而可用以治羅麻質斯，故曰辛，因有興奮作用，而能除寒冷，溫養藏府，故曰溫。

(二)諸風，風痺，血痺　此藥常用以治羅麻質斯；亦可作麻藥。

在本經所述其他諸作用，近今罕用之；即欲用之亦必是作他藥之扶助品耳。

劑量　八分至一錢

禁忌　(1)脈速，體溫高者。(2)心煩口渴者。

注意　如用此藥者，必須遵照古法泡製，因生者有毒也。

◉烏喙

原文：氣味辛溫有大毒；主治中風惡風，洗洗出汗，除寒濕痺；欬逆上氣；破積聚寒熱；其汁煎，名射罔，殺禽獸。

此藥在近今醫家，在方藥中罕用之。

◉大黃

原文：氣味苦寒無毒；主下瘀血，血閉寒熱；破癥瘕積聚；留飲宿食，蕩滌腸胃，推陳致新；通利水穀，調中化食；安和五藏。

(一)苦寒：　因有解毒作用，故曰苦；因有消炎，與通利大便之作用，故曰寒。

(二)主下瘀血，血閉寒熱，破癥瘕積聚：　按愚見此藥對於神經系統有解毒之作用，故被風狗咬之內服方中，有用此藥者；其『下瘀血』三字，指能解除神經之毒質。　血閉寒熱，概指因月經閉而有不安之現狀；此藥有通經之作用，故曰主治血閉寒熱。

破癥瘕積聚，概指能去除神經性之各種不安現狀也。

(三)留飲宿食：　因胃腸炎而消化不良者可用之，因對於胃腸有消炎之作用故也。

(四)蕩滌腸胃，推陳致新：　指大黃有通利大便之作用。若大便閉結，而有胃腸炎，腹滿痛，煩躁口渴者，可用之以作通利大便之劑。

(五)通利水穀，調中化食：　(1)因對於胃腸有消炎之作用，(2)因能去除胃腸內之不潔物，則其正規之消化作用，得以恢復其常態；則水穀自然通利，食物亦自化，而胃腸亦自然調和矣。

(六)安和五藏：大黃既能行其以上所述之作用，則五藏自能安和也。

劑量　三分至八分　可作開胃劑。
　　　八分至三錢　可作通便劑。

禁忌　(1)因腸胃虛弱而消化不良者。(2)脈細弱而體溫低者。(3)舌發白色者。

注意　(1)大黃之最佳者，名錦紋。
　　　(2)大黃炭內服，可有止血之效。

◎半夏

原文：氣味辛平有毒；主治傷寒寒熱，心下堅，胸脹，欬逆頭眩，咽喉腫痛，腸鳴下氣，止汗。

(一)辛平：因有消散作用，故曰辛。因能平胃而止嘔吐；又能鎮靜汗腺而止汗，故曰平。

(二)主治傷寒寒熱：熱病初時不能用；若見胸口氣悶，脇下疼痛而作嘔吐，以及有寒熱往來之狀者，才可用之。

(三)心下堅：姜半夏止嘔吐甚效；心下堅，或指其平胃之作用。

(四)胸脹欬逆：對於咳嗽氣逆者，有化痰平氣之作用。

(五)頭眩：因其化痰平氣之作用，故能治因胸脹咳逆而致之頭眩。

(六)咽喉腫痛：因有退腫化痰之作用，故能治咽喉腫痛：腫痛痰多者可用之。

(七)腸鳴下氣：腸鳴之故：(1)是因消化不良食物發酵作氣，以致腸內多氣質。(2)因腸粘膜吸收水份之作用缺乏；以致腸內之水份與氣質較多：其氣質經過水份時，則現『腸鳴』之狀。其能治腸鳴下氣者，因能增加腸吸收水份之作用，並能去除腸內積聚之氣質故也。

(八)止汗：此藥有止汗之作用。

劑量　一錢五分至三錢

禁忌　(1)有心煩口渴狀者。(2)喉癢而乾咳者。(3)舌現乾焦狀者。

注意　(1)常用者爲仙半夏；姜半夏止嘔甚效；生半夏，其刺激性甚強。(2)尋常用爲化痰劑；亦能消散變大之淋巴腺，內服外用均可。(3)生半夏有麻醉作用。

文藝

讀醫書

王一仁

醫能起死病。吾斯之未信。或者盡人謀。天聽自人聽。人事苟無乖。天事豈難定。譬如名將軍。臨戰先列陣。指揮有制度。百戰百回勝。統制非其人。倒戈翻[illegible]釁。醫胡獨不然。投藥須明證。斟酌去取間。心手交相應。瀉實而益虛。去邪以安正。見病淪靈機。回春功可竟。市上懸壺盛。刀錐日奔競。醫理竟茫然。行路不知徑。曾無濟世心。殺人安用刃。藥性本神農。湯液自伊尹。列國秦越人。漢時張仲景。遺經都在眼。嘉謨久垂訓。黽勉日精求。提綱兼挈領。熟辨是非途。假古作明鏡。服膺諸葛才。小心而謹慎。懷茲診病情。庶幾少遺恨。此事本難知。動關人性命。

探討意難窮。學術紛萬彙。哲理本一元。天心豈隱秘。推其所由來。自然有眞識。彝塊天地間。生物不可既。春夏萬嫩苗。秋冬傷百卉。生殺皆以漸。積因誰能避。風寒濕燥火。萬物成以類。若非造化功。原質何由致。冶煉炮製後。生民用攸利。人爲動植靈。同歸氣運使。弱者有衰亡。身強豈無累。偏勝初何有。醞釀自恣肆。病菌與原蟲。雜沓相侵試。往古謂之邪。其理原非二。或謂顯微鏡。不能窺六氣。我道見有形。正可樹一幟。氣聚以成質。推象能類比。果得相參同。醲醇有餘味。

贈書誌謝

蘭蕙軒丸散膏方彙錄	天津法租界同善里張柏臣施診所
蘭蕙軒年譜述略	同上
白喉忌表駁議	同上
皇漢醫報　第六十五期	臺灣漢醫藥研究室
最新婦科學全書	汕頭永泰路六十四號
江都國醫報　十三期	楊州古旗亭三十六號
國醫雜誌　第一期	蘇州閶門吳趨坊一三七號
醫界春秋　八十八期	上海白克路西祥康里

中華民國二十三年五月一日出版

醫藥衛生月刊第(二十一)(二十二)合刊

本册售洋一角二分

主編者　王一仁　杭州東坡路湖濱七弄

發行者　中國醫藥學社　杭州東坡路湖濱七弄

月刊定價表

另售每册六分	(郵費)	國內日本一分	國外及香港澳門六分
預定全年十二期七角二分郵費在內			
國外預定全年一元五角郵費在內			

本刊寄售處

本市　古今圖書店(保佑坊)

維新書局(湖濱)

國醫學會(西門內石皮弄)

上海　中醫書局(山東路)

千頃堂(三馬路)

蘇州　國醫書局(吳趨坊)

衢州　聚秀堂(下街頭)

山西　中醫改進研究會(太原精營東二道街)

醫藥衛生月刊

穆之
[seal]

第(二十三)(二十四)期合刊　王一仁主編
民國二十三年七月一日出版

中國醫藥學社印行
杭州東坡路湖濱七弄第三號
電話一〇九六號

學說

仁盦醫說(十六續)

王一仁

●經脈與生理系統(十二)

少陰經爲代謝系統　足少陰經脈屬於腎。手少陰經脈屬於心。謂腎司排泄。而代謝有異於排泄。謂心主循環。而代謝有異於循環。排泄者，謂去其老廢物。而代謝則有提精汰粗之意。循環者，謂過而復始。而代謝則有由舊更新之義。在生理學有排泄循環之說。而國醫學亦有腎主精而心主血之談。故少陰腎心兩經。實爲生理最精粹之一段。人之生命。所以能繼續延緜。於五官百體，塊然形骸之外。苟非精血以充實其間。則奄奄待斃而已。行屍走肉而已。若以今日之生理學言。則外腎爲藏精之地。內腎僅司排泄尿便之能。此類粗淺之見解不除。決不能探人身生命之根蒂。故必推知足少陰腎爲內部造精之主要臟器。而後能溝通中西醫之學理。而後能瞭解先後天之生理現象。而後能知一部份之沉疴痼疾，所以不治之理。論精之一字。原有廣狹二義。狹義之精。則因交媾而施泄者是。廣義之精。所謂「精神」、「精力」、「五臟之精」、「水穀之精」、凡能顯其精微作用者。皆謂之精。雖廣狹之義不同。要無不有關於腎。腎者，固謂之天一之精。根於有生之前。而形於有生之後。曩以腎爲水臟。設坎卦(☵)以象其形。水之來源甚遠。謂泉澗江河爲水所生之地。個屬片面之談。不若謂爲蒸氣爲雲。遇冷而化爲雨。雨降爲水。較能盡其源也。國醫學上之腎。於包舉生殖系統之外。並述其精粗之理。在上古天眞論云，「腎者主水。受五臟六府之精而藏之。故五藏盛乃能寫。」人有生殖能力。必待整個生理發育之後。就今日之生殖器生理言之。在男子爲陽莖、陽囊、睪丸、輸精管等。在女子爲陰道、子宮、卵巢、輸卵管等。其形固屬如此。因其理有未盡。乃益以內分泌之學說。如腎旁腺皮部、腎旁腺髓部、性腺、睪丸、卵巢、皆能分泌激動素。而有裨於生理之健康與發育。藥房所售腎旁腺精。乃是從腎旁腺抽出，或腎旁腺靜脈血裏所分晰而出。其効力能收縮血管。使心動及胃動變慢。頗有合於舊說「腎主閉藏」之義。凡注射較濃度之腎旁腺精溶液。能使血壓升高。若用稀薄溶液。則使血壓低降。又能使懷孕之子宮收縮，及未懷孕之子宮寬息。腎旁腺精既可有此微妙之作用。可知腎臟生理。決非僅僅「濾尿」「泌尿」所能盡其蘊奧。故今日生理學，以腎歸於排泄系統。似非通論。雖然，血液經過腎靜脈。而化爲純潔。復因髓部之跡象。可以推知腎與骨髓之關係。亦卽可證國醫學「腎主藏精」「腎生骨髓」之說。原非空論。但觀房勞奪精之輩。易患脊髓勞及腰痛傴僂。可知耗精傷氣。不僅爲生殖器之疾病。內外腎固有其密切之關係也。苟非內腎之提精攝華。濾去混濁之尿水。完成純淨之血液。則精髓將何自而生。骨骼腦氣，皆失其營養。外腎睪丸，更無精液可藏。論陽囊在外。溫度較平。固宜於精液之保藏，及精蟲之發育。究非產生精液之根本所在。卽以女子之卵巢子宮而言。其生機亦有賴於腎臟之提精攝華。因內分泌之作用。以完成其生殖機構。以健全其生理官能。據應用腎旁腺精者之經驗。其影響多及於平滑肌肉。蓋能刺激交感神經之故。凡感情及運動。皆能刺激腎旁腺精之分泌。而腎旁腺精之分泌。又影響於平滑肌肉之活動。更因皮膚汗腺之清潔。可以促進腎臟之健全。故素問陰陽應象大論有「皮毛生腎」之說。循環代謝之關係。固彰彰可見也。人之臟腑。皆連繫於大動脈。而腎臟實執其「揚清泌濁」之樞紐。靈樞逆順肥瘦篇云、「少陰之脈獨下行。何也。曰，不然。夫衝脈者，五臟六府之海也。五臟六府皆稟焉。其上者，出於頏顙。滲諸陽。灌諸精。其下者，注少陰之大絡。出於氣街。循陰股內廉。入膕中。伏行骭骨內。下至內踝之後。屬而別。其下者，並於少陰之經。滲三陰。其前者，伏行出跗。屬下循跗。入大指間。滲諸絡而溫肌肉。」此與靈樞經脈篇所述：「腎，足少陰之脈。起於小指之下。邪趨足心。出於然谷之下。循內踝之後。別入跟中，以上踹內。出膕內廉。上股內後廉。貫脊，屬腎，絡膀胱。其直者，從腎上貫肝膈。入肺中。循喉嚨。挾舌本。其支者，從肺出絡心。注胸中。」其道路相近。其意義可通。腎，足少陰之脈。所以必行於足小指之下，邪趨足心（湧泉穴）者。蓋接膀胱足太陽經脈而來。陰脈起於足。所以調節內臟之氣溫。每見腎虛髓乏之症。足跟痛，足心熱。大劑滋養腎液。多有愈者。固不待生理學之印證，而始信也。至於貫肝膈，入肺中，循喉嚨。以及屬於腎，絡膀胱。尤爲呼吸排泄之道路。與腎臟之機構。息息相關。肺與腎之關係。在中醫素爲重視。所謂「肺主呼氣，腎主吸氣。」以呼吸一事。而分爲肺腎兩臟。若以今日「肺司呼吸，腎司排泄。」而言。似不可通。其實不可通之中。有可通者在。苟非腎臟之分清泄濁，提精攝華。肺臟更何能呼炭吸養，清利經脈乎。且以腎臟濾清血液之故。腸胃肝心之血管。以及神經系統。皆間接直接之受有影響。經脈篇於腎足少陰經之爲病。之「是動，則病饑不飲食。面如漆柴。欬唾則有血。喝喝而喘。坐而欲起。目䀮䀮如無所見。

心如懸。若饑狀。氣不足則善恐。心惕惕如人將捕之。是爲骨厥。是主腎所生病者。口熱，舌乾。咽腫，上氣。嗌乾及痛。煩心，心痛。黃疸，腸澼。脊股內後廉痛。痿，厥，嗜臥。足下熱而痛。」凡此所言之症。雖不必直接出於腎臟。而推原究本。腎臟可以爲此諸症。且腎臟最著明顯見之病。如腰痛，溲閉，浮腫等。反不列入。內經之書不盡言，言難盡意。固不僅本篇爲然也。

藥劑

救饑辟穀方錄

馮起袞

諸葛乾糧方用白茯苓二斤，白麵二斤，乾薑一兩，米二升，山藥一斤，麻油半斤，芡蕒三斤，各味蒸熟，焙乾爲末，遇軍情緊急，每服一匙，新汲水下，日進一服，可免飢渴，氣力倍充，相傳方出武侯，又方取米之無穀者淨淘，炊熟，下漿水中，和水曬乾，淘去塵，又蒸曬之，經十遍，如米一石，只得二斗，每食只取一大合，先以熱水浸之，待濕透，然後煮食之，取其易熟而便攜帶也，(武備志)

行軍辟穀不飢法用黃蓍　赤石脂　龍骨各三錢，防風五分，烏頭一錢，焙乾，於石臼內，搗一千杵，煉蜜爲丸，如彈子大，遇急行遠不暇作食，先飽吃飯一頓，服藥一丸，可行五百里，服二丸，可行一千里，(靜耘齋)　又方，用鐵腳鳳尾草，同黑豆蒸熟，揀去草，不用，每食黑豆五七粒，終日不飢，

又方，用糯米二三合，炒過，以黃蠟二兩，於銚內化開，再入米同炒，令蠟透入米內，以乾爲度，遇緊急時，取米隨便食之，可數日不飢，俟事平，以胡桃肉二個嚼下，可照常飲食，

又方用黑大豆五斗，淘淨，蒸三遍，去皮，大麻子三斗，漬一宿，亦蒸三遍，令口開，取仁各擣爲末，又合擣作團，如拳大，入甑內蒸，從戌至子時止，寅時出甑，午時曬乾，爲末，用時乾食之，以飽爲度，不得食一切物，食一頓可七日不飢，二頓，可兩週不飢，三頓可三週不飢，四頓，可四週不飢，能續命八年，口渴時研大麻子湯飲之，如要仍用飲食，以葵子研末，煎湯，飲服，取下藥如金色，任吃諸物，並無所損，此法大可救荒，方見漢陽大別山太平興國寺勒石，　又方，用黑豆一升，淘揀極淨，貫衆一斤，細剉如豆一般，攙和黑豆中，量水多少，慢火煮豆香熟，晒乾翻覆，令展盡豆餘汁，去貫衆，瓦器收貯，每日空心啖五七粒，則食草木枝葉，皆有味可飽（南村輟耕錄）

李衛公行軍辟穀方用，大黃豆五升，淘三遍，極淨，去皮為末，另用麻子仁三斤，綿包，用沸湯，浸至冷，取懸井中，勿令著水，次日晒乾，取粒粒完整者，蒸三遍為末，白茯苓六兩，糯米五升，淘淨，與茯苓同蒸為末，先將麻仁糯米茯苓，共搗極爛，漸加豆末，和勻，揑如拳大，復入甑蒸之，約三個時辰，冷定，取出晒乾為末，用時麻子汁調服，以飽為度，不得吃一切物，初服一頓，一日不飢，再服遞增，顏色日增，氣力加倍，口渴，取麻子汁飲之，或芝麻汁亦可，如仍欲飲食，用葵菜子三合，為末，煎湯，冷定服之下其藥，吃稀粥一二日，再吃稠粥一二日，可照常飲食，但吃藥後，大忌房事，慎之，（又方）用稻米淘汰極淨，百蒸百晒，搗末，日食一餐，以水調下，服至三十日，可三月不飢（肘後方）（又方）青粱米以純苦酒浸三日，百蒸百晒，藏之，遠行日一餐，可度十日，若重餐之，可九十日不飢，（食療本草）（又方）用白麵四斤，白茯苓去皮一斤，黃蠟四兩，化開，三味，共為細末，打糊為餅，用時先清齋一日，食一頓七日不飢，二頓一月不飢，要照常飲食，服葵菜湯一杯，或茯苓湯亦可，（王氏農書）（又方）八月內採取榆樹生耳，以美酒漬曝，同青粱米，紫芡實，蒸熟為末，每服少許，酒下，能令人終日不飢，（淮南萬畢術）（又方）用杜仲 茯苓 甘草 荊芥各等分為末，糊丸，如桐子大，每服數丸，即吃草木，可以充飢，止有竹葉甘草，不可同食，若食草木葉有毒，以鹽解之，（山居四要）

煮石充飢方取溪澗中白石子，用胡葱汁，或地榆根等，煮之，即熟如芋，可以充飢，謂之石羹，（本草綱目）又方，七月七日，取地榆根，不拘多少，陰乾，百日，燒灰，復取生者，與灰合搗萬下，灰三分，生末一分，共合一處，如石二三斗以水浸過三寸，以藥入水攪之，煮至石爛可食，乃已，（臞仙神隱書）

乾鹽方隨用鹽多少，以水和入鍋中，炭火燒之，以水乾為度，鹽即堅縮不消，夏月更宜，（武備志）

乾醋方用烏梅一斤，以好醋五斗，浸一週時，晒乾，再浸再晒，以醋盡為度，搗為末，醋浸蒸餅，和為丸，如芡實大，食時投一二丸於湯中，即成好醋，（齊民要術）又方，用粗布一尺，以釅醋一升浸之，以醋盡為度，晒乾備用，每食以方寸煮之，（武備志）又方，取小麥麵作蒸餅一枚，浸醋一升，（或作斗）以醋盡為度、晒乾備用，每食用少許煮之，

乾醬方如用豆豉三斗，搗如膏，加鹽五升，捻作餅，晒乾，每食用少許，可代醬菜，（同上）

乾茶方用白糖　薄荷各四兩，白茯苓三兩，甘草一兩，共為細末，煉蜜為丸，如棗大，每含一丸，可行千里之程，曰千里茶，（古今祕苑）又方，用白蜜一兩二錢，甘草　薄荷　烏梅肉　鹽白梅　乾粉葛各一兩，何首烏蒸二兩五錢，白茯苓三兩五錢，共研末，煉丸，如芡實大，服之不渴，（海外三珠）又方，每人帶油麻半升，如渴，取三十粒含之，立止，或烏梅乾酪亦可，

求泉水法凡地生葭葦蒲菰，並有蟻壤、其下皆有伏泉，一說駱駝能知水，若行渴，以足跑沙，其下當有泉，（武備志）又法，如兵屯山阜，被賊圍困，無處汲水，夜間用磁碗覆地，將士經碗口，候天曉，揭碗視之，碗底有水珠，其下有泉脈也，掘地數尺，可以得水，（奇門大全）

諸葛種菜法行軍所止，令軍士皆種蔓菁，有六利，纔出甲可生啖，一也，舒葉可煮食，二也，久住則隨以滋長，三也，棄不足惜，四也，回易尋采，五也，冬有根可劚食，六也，蜀人呼蔓菁為諸葛菜云，（劉禹錫嘉話錄）

外科要方

趙志成

（A）膏藥類

硇砂膏　專治一切無名腫毒、有名硬腫大毒、未成者消、已成者潰、已潰者拔毒收口、洵良方也。（按）此膏疔毒不可用、恐其走黃、宜辨之、

麻油（拾斤）槐杏桑柳桃嫩枝（各三尺）浸三日後、再入後藥、山枝子（六百個）穿山甲（六兩）童子髮（四兩）鹽水洗、煎枯、去渣、納飛黃丹（百兩）收成膏、候微溫、入後細料。

沉香（二兩）（身上護蝶不能見火）兒茶（二兩）血竭（三兩）梅片（五錢）琥珀（一兩）微炒象皮（一兩切片）硇砂（四兩）射香（五錢）各研極細末、和透、候膏微溫，不住手攪勻、用時、隔水燉化、忌火、硇砂見火力薄、

煎膏藥總訣

乾藥一斤、用油三斤、鮮藥一斤、用油一斤零、每淨油一斤、用炒丹六七兩收、藥多須分兩起下丹、免火旺走丹、凡用牛膠、須用酒蒸化、俟丹收後、攪至溫溫、以一滴試之、不爆方下，再攪千餘遍、令勻、愈多愈妙、勿炒珠、珠無力、且不粘也、

太紅膏　專治一切癰疽瘡瘤、未成能消、已成能潰、已潰能拔毒提膿、凡紅色瘍癤疔毒用之、提膿消毒、

麻肉（五兩）嫩松香（十兩）杏仁霜（二兩）飛銀硃（二兩）飛廣丹（二兩）飛擶盆（一兩）茶油（二兩）先將萆麻肉打爛、松香杏仁、

緩緩加入、打勻、續入銀硃廣丹掃盆茶油、搗透成膏、不可太老、

陽和膏　治痰毒痰核、瘰癧、乳疽、陰毒流注、以及一切瘡瘍之色不紅活高腫者、

鮮紫蘇　鮮牛蒡　鮮茵蔯　鮮薄荷　鮮蒼耳(俱連根葉各八兩)鮮白鳳仙(亦連根葉採用四兩)青葱(連根八兩)以上七味、洗淨。陰乾。

用麻油(十斤)浸七日、煎枯去渣、待冷、再入後藥、荊芥　防風　水紅花子　川附子　廣木香　當歸　川烏　草烏　青皮　天麻　穿山甲　蒲公英　連翹　殭蠶　陳皮　芥子　官桂　桂枝　天南星　白芷　烏藥　生半夏　大黃　白歛　青木香　赤芍　川芎　以上各壹兩、入前油，浸三日、煎枯去渣濾清、每淨油一斤、入炒桃丹(七兩)文火收膏、後入細料、於微溫時入、上肉桂(二兩)乳香沒藥(各一兩)丁香油(四兩)蘇合油(四兩)芸香琥珀(各二兩)當門子(三錢)共研極細末、緩緩攪入和透、貯磁器內、用時隔水燉烊、攤膏、修合宜於夏冬、必須熬老、若太老、再加蘇合油、不拘多少、攪勻、

三妙膏　專治一切癰疽大症。未成者即消。已成者即潰。已潰者即斂。故名三妙。尤有功於生肌。眞神方也。

紫荊皮　獨活　白芷　赤芍　石菖蒲　大黃　川柏　黃芩　黃連　千金子　當歸　桃仁　紅花　桂心　蘇木　荊芥　防風　羌活　麻黃　細辛　生半夏　牙皂　烏藥　大貝　牛蒡　花粉　黃耆　銀花　姜蠶　生山甲　柴胡　苦參　猬皮　白附　生鱉甲　全蝎　巴豆　草烏　大戟　天麻　良姜　萆麻子　牛膝　白歛　生艸　海風屯　白芨　連翹　血餘　(以上各五錢)蛇蛻(一條)大蜈蚣(三條)桃柳桑槐樹枝(各廿一寸)用眞麻油二百兩、將前藥浸七日夜，後入鍋內、熬至藥枯、去渣滓、將鍋拭淨、再以細絹濾入鍋內、文武火熬至滴水成珠、大約淨油一百六十兩爲準、離火，入飛丹八兩、以手持楊木棍攪之、老嫩須要得法、再入後藥、乳香　沒藥(各八錢)　血竭　雄黃　木香　沉香　檀香　降香　楓香　丁香　藿香(各五錢)射香　珠粉　大梅(五錢)再入樟冰五錢收膏、入清水內浸之、拔去火毒、爲妙、

太乙膏　治一切癰疽。不論已潰未潰者。內摻末藥。外以此膏蓋之。此膏力最和平。

蔴油　桐油(各一斤)血餘(一兩)先將蔴油入鍋、煎數沸、再入桐油血餘烊化、下淨飛黃丹(十二兩)以柳木棍不住手攪之、文火收成膏須老嫩得中、置冷水內、出火毒、貯磁器內、用時隔

水燉烊、攤膏、

玉紅膏　治一切癰疽潰爛。腐不去。新不生。此藥搽之。新肉即生。瘡口自斂。此外症藥中之神方。

當歸(二兩)白芷(五錢)甘艸(一兩二錢)紫艸(二錢)用蔴油(一斤)入藥浸三日、熬枯、去渣、下白蠟(二錢)烊化、再入血竭搗研細粉各(四錢)攪透，磁器收貯、

化毒膏　治一切無名腫毒。癰疽大症。及久年瘰癧、楊梅結毒症、其效如神、濕毒作癢、出脂水者、宜、

黃柏(三兩)當歸(二兩四錢)白芷(二兩四錢)紅花(三兩)生地(二兩四錢)乳香(三兩)沒藥(三兩)赤芍(三兩)萆蔴子(一兩二錢)馬前子(四十二個)蛇蜕(四條)蟬蜕(一兩八錢)全蝎(九十隻)蜈蚣(六十二條)男子髮(大團如蛋大)用眞蔴油(九斤)浸七日熬去渣、入炒黃鉛粉一百另八兩、收膏、用冷水浸始則三日一換、後則旬日一換以去火毒、用時隔湯燉烊攤膏、

猪胆膏　專治疔瘡痛腫、及一切惡瘡、如陰症皮色不變不高腫者忌之、

製嫩松香(二兩)製乳沒(二兩)眞廣膠(三兩)用葱汁燉化再入雄豬胆一百二十枚緩緩加入、揀大伏天將藥末置磁鉢內、先將胆汁二三十枚將藥和透、又加膏葱汁一斤、烈日中晒之、次日再入姜汁一斤、將胆汁漸漸加入、切勿打入雨露生水、軟硬得中、則晒成矣、用時隔水烊化攤膏、

黃連膏　治一切疔瘡瘍毒破潰焮痛、及火燙與潰後熱瘍等症。

川連(三錢)歸尾(五錢)細生地(一兩)黃柏(三錢)薑黃(三錢)用香油(十二兩)全煎枯、去渣、濾清、下淨黃占(四兩)、烊化收成膏、薄紙攤膏。

摩風膏　治一切肌膚燥裂。遊風白屑等症、此膏能去風潤肌。

麻黃(四錢)羌活(八錢)防風(三錢)白芨(三錢)升麻(三錢)當歸(三錢)用香油(十兩)入藥、煎枯、去渣、下淨黃占一兩、烊化、傾入盆中、候冷用之、

烏雲膏　治一切濕瘡浸淫、脂水癢痛、並治胎臉風。

硫黃(二兩)松香(二兩)研末、用青布一塊、將藥鋪上、捲緊扎好、入香油內浸一宿、取起、用火燃着、滴下之油、以磁器收貯、

消核膏　治皮裏膜外之痰核、此膏代敷、甚有功效、

製甘遂(二兩)紅芽大戟(二兩)芥子(八錢)麻黃(四錢)生南星(一兩六錢)半夏姜炒(一兩八錢)姜蠶(一兩六錢)藤黃(一兩六錢

）朴硝（一兩六錢）用麻油一斤、先投甘遂南星半夏熬枯、撈出、次下姜蠶、三下大戟、四下白芥子、五下藤黃、逐次熬枯、先後撈出、六下朴硝、熬至不爆、用細絹將油濾淨、再下鍋熬滾徐徐投入炒透東丹、隨熬隨攪、下丹之多少、以膏之老嫩得中爲度、夏宜稍老、冬宜稍嫩、膏成、趁熱傾入冷水中、抽拔數十次、以去火毒、即可攤貼、宜厚勿薄、此膏妙在不用毒烈之藥、好肉貼之亦無損、

凍瘡膏　治冬令嚴寒、皮膚燥烈、死血凍瘡、蔴油（三兩）松香（一錢）入黃占（一兩八錢）烊化攪勻、

醋膏　治一切癰疽大症、以此膏調敷箍瘡藥、收束根脚散漫奇効。用鎮江醋、不拘多少、熬至三分之一爲度、

釜墨膏　能消腫止痛、疔走黃、亦可回生、松香（一斤）以桑柴灰煎汁、澄清、入松香煮爛、取出、納冷水中、少待一二時、再入灰汁內、煮、以色白如玉爲度、再以白蠟（二兩）黃蠟（十兩）剎粗片明乳香（三兩）沒藥（三兩）銅綠（五兩）各研極細末、無聲爲度、再加、百草霜（五兩）、先將鍋底括淨、專燒芳柴取烟煤、如用別柴、則不靈矣、亦研極細末、用篩二過、至研無聲者方佳、或再加蟾酥（一兩五錢）　先擇吉日、忌婦人雞犬孝服人見、須淨室焚香、然後用桑柴煎麻油（十六兩）俟滾、下松香、待少滾、下白臘、三下黃臘、四下乳香、五下沒藥、六下銅綠、七下百草霜、每次皆俟稍滾時下、待冷稔成條、做丸如桂元大、入瓷瓶、淸水浸、臨用之時取一丸置熱茶壺上烘軟、忌火、看腫處大小稔成膏藥貼之、痛痒即止、腫勢卽消、病者當忌葷腥辛辣沸湯生冷發物麵食豆腐茄子黃瓜、並忌水洗暴怒房事、凡生疔毒、其勢甚凶、動易致命、切勿輕忽、宜服菊花湯或菊花汁草節等煎湯、時服、或有誤食豬肉走黃、急搗巴豆根汁、（或塗或服宜酌）誤食羊肉、急廟栗子殼湯服、如倉卒外治無藥、可用山藥白糖搗塗、誠濟世之良方也、切勿視爲河漢、

附錄疔瘡方　此方專治惡疔、如貼上發痒者、方合、倘或作痛、卽非疔矣、則不可用、生疔瘡者、貼此藥、無忌葷腥、淡黃昇藥（二錢五分）眞雄黃（三錢）蛇殼（一條）全蝎（七只）大蜈蚣（七條）班蝥（一只）輕粉（一分）耳垢（俗名耳麻一分）焙黃存性、研細末、貯磁瓶、勿洩氣、用時放淸涼膏上、貼患處、無論初起巳潰、均極奏効、可貼至收口爲止、但藥性毒烈、切勿入口、忌食荳腐青菜、

神效傷膏　治跌打損傷、瘀血停注作痛、難忍者、無不效

松香(二兩葱汁製)乳香　沒藥　兒茶　阿魏　龍骨　洋庄掃盆(各四兩)黃蠟　白蠟(各一兩半)降香(三兩)右藥、研細末、將板油(一斤)熬、去渣、入黃蠟白蠟烊化、再入餘藥、攪勻、俟凝攤貼、

結毒靈膏　治結毒日久腐爛等症、

葱頭(七個)麻油(四兩)熬去渣、入黃丹(一兩)攪勻、又入黃蠟白蠟(各五錢)熔化、再加乳香　沒藥(各二錢)輕粉(三錢)牛黃(一分)珠粉(二分)攪成膏攤貼、

▲敷藥類

金黃散　治癰疽發背、諸般疔毒、跌撲損傷、濕痰流毒、大頭時腫、漆瘡火丹、風熱、天泡肌膚赤腫、乾濕脚氣、婦女乳癰、小兒丹毒、凡一切諸般頑惡熱瘡無不應效、誠瘡科之要藥也、南星　陳皮　蒼朮(各二斤)黃柏　姜黃(各五斤)甘草(二斤)白芷(五斤)上白天花粉(十斤)厚朴(二斤)大黃(五斤)共爲咀片、晒乾、磨三次、用細羅篩篩過、貯磁罐內、勿泄氣、凡遇紅赤腫痛、發熱未成膿者、及夏冬之時、俱用茶清同蜜調敷、如欲作膿者、用葱汁同蜜調敷、如漫腫無形、皮色不變者、及濕痰流毒、附骨癰鶴膝風等症、俱用葱酒調敷、如風熱所生、皮膚亢熱色亮、遊走不定、蜜水調敷、天泡火丹赤遊丹、黃水瘡、濕瘡、瘀血、攻注等症、俱用大藍根汁、搗汁調敷、加蜜亦可、湯潑火燒、皮膚破爛、麻油調敷、以上諸種調法、乃辨別寒熱溫涼之治法也、

金箍散　箍瘡不使四散、

五倍子(四兩)川草烏(各二兩)天南星　生半夏　川柏(各二兩)白芷(四兩)甘草(二兩)狼毒(二兩)陳小黃粉(一斤)右藥各研細末、和勻、未破者、醋膏調敷、已破者、用麻油調敷、

皮脂散　治濕瘡浸淫脂水痒痛、

青黛(二錢)黃柏(二錢)熟石膏(二兩)烟膏(二兩四錢)研細末、麻油調敷、

玉露散　治流火、疔毒丹毒瘡癰、諸毒、紫赤腐爛、及一切熱毒之證、

芙蓉葉不拘多少、磨末、菜油調敷、

□黃散　治學板瘡作痛、

綠豆粉(一兩)輕粉　黃柏(各三錢)陳松花粉(五錢)滑石(五錢)研爲末、麻油調擦、乾摻亦可、

黛鵝黃散　治濕瘡作痛、

青黛(五錢)黃柏(二錢)熟石膏(二錢)六一散(二兩二錢)研末、麻油調敷、

冲和膏 治癰疽發背、陰陽不和、冷熱瘀凝者、用此膏敷之、能行氣踈風活血、定痛、散瘀、消腫、袪冷、軟堅、誠良藥也、紫荆皮(五兩)獨活(三兩)白芷(三兩)赤芍(二兩)石菖蒲(一兩五錢) 右藥晒乾、磨末、葱酒搗汁、燉熱調敷、

鐵桶膏 治一切癰疽大毒、未潰已潰、根脚走散、瘡不收束者、用之、

銅綠(五錢)胆礬(三錢)明礬(四錢)白芨(五錢)輕粉(二錢)鬱金(二錢)五倍子(一兩)麝香(三分)右藥研末、用醋調敷、

二味敗毒散 治風濕諸瘡、紅腫痒痛、疥癬等、

雄黃 生白礬 二味、等分、爲細末搽之、

解毒丹 治濕瘡痒痛紅腫、洵良方也、

青黛 黃柏 熟石膏(二錢)研末、麻油調敷、

五美散 膿窠疥瘡作癢者、用之、

黃丹(三錢)枯礬(三錢)黃柏(三錢)熟石膏一兩研細末、麻油調敷、

肥瘡藥 治肥瘡浸淫、及鯽蝌頭等症、

即五美散料、去石膏、加嫩松香(一兩)研細麻油調敷、

青蛤散 治風温浸淫、鼻䘌瘡癢痛、等症、

揺盃(五錢)熟石膏(一兩)青黛(三錢)蛤粉(一兩)黃柏(五錢)研末、麻油調敷、

△消散類

八將丹 治一切癰疽大毒、未潰即消、初潰未曾得膿者。亦能提膿拔毒、潰者禁用、

五倍子(瓦上炙八錢)炙甲片(三錢)腰黃(飛四錢)蝎尾(炙十支)蜈蚣(炙十條)蟬蜕(去翅足二錢)冰片(四分)射香(三分)研細末、貯瓶中、勿泄氣、

十將丹 即八將料中、加半夏南星(各四錢)製法同上、功效較八將尤勝、

平安散 外用消腫軟堅、內服逐穢辟疫、

月石(一兩)硃砂(一兩)雄黃(一兩)火硝(三錢)西黃(五分)射香(五分)梅片(八分)

蟾酥散 治癰疽初起、木腫作痛、皮色不紅者。

酥片(一錢)蝎尾(四錢)甲片(二錢)蜈蚣(二錢)藤黃(二錢)雄黃(二錢)乳香(二錢)沒藥(二錢)川烏(二錢)草烏(一錢)銀硃(二錢) 射香(三分)製爲細末

陽消散 治一切癰疽紅腫焮痛、

乳香(五分)沒藥(五分)白芷(五分)姜蠶(五分)方八(一錢)青黛(五分)冰片(二分)銀硃(二錢)大黃(一錢)研爲細末、

流氣散　治氣滯胸腹、經絡中痛、

廣木香　晒研、

桂射散　治一切陰症流注等症、

麻黃（五錢）生半夏（八錢）細辛（五錢）肉桂（一兩）牙皂（三錢）丁香（一兩）南星（八錢）射香（六分）冰片（四分）研爲細末、

丁桂散　治腹痛泄瀉、陰痰流注、

丁香（六錢）肉桂（四錢）研細末、

七釐散　治跌打損傷、瘀血停滯、遍身疼痛、神效、

血竭（一兩）乳香（錢半）沒藥（錢半）紅花（錢半）兒茶（二錢四分）硃砂（一錢二分）射香（三分）冰片（三分）研細末、每服一分、陳酒送下、奇效、

一筆消　治癰疽疔毒、發背、惡瘡、等症、

生川軍（一兩）蟾酥　明礬各（三錢）乳香　沒藥各（二錢）藤黃（四錢）雄黃（五錢）冰片（四分）射香（二分）研末、蝸牛打爛四十九條成錠、重二分爲度、

四虎散　治陰疽皮色不變、頑而不痛、項間痰核症、

首烏（二兩）狼毒（二兩）生半夏（二兩）生南星（二兩）右藥、研細、生晒、不經火爲佳、

消核錠　專治瘰癧痰核等症、

山慈菇（二兩）射香（三分）研細末、以糯米漿打糊成錠、用醋塗極效、

廣靈丹　治陰分癰疽大症、

姜蠶　洋庄　半夏　細辛　白芷　生大黃　木鱉　牙皂　蒼朮　木香各（五錢）研細末、

拔毒消腫散　赤小豆一味、研細末、蜜調、

▲提毒類

九黃丹　提膿拔毒、去瘀化腐、

乳香（二錢）沒藥（二錢）川貝（二錢）雄黃（二錢）升丹（三錢）辰砂（一錢）月石（二錢）梅片（三分）煅石膏（六錢）研細末、

九寶丹　呼膿定痛、收口生肌、

帶子蜂房煅（三錢）大黃（三錢）白螺絲殼煅（二錢）辰砂（二錢）血竭（一錢）乳香（二錢）沒藥（二錢）兒茶（一錢）冰片（二分）研細末摻上、膏藥貼之、

九仙丹　拔毒收濕、生肌收口、

升丹（一錢）熟石膏（九錢）研細末、

海浮散　祛腐定痛、生肌收口、

乳香　沒藥等分、研細末、

呼膿散　去腐定痛、提毒呼膿、

乳香　沒藥（各五錢）姜蠶（四錢）雄黃（五錢）大黃（一兩）研細末、

桃花散　提膿生肌、主治熱瘡潰久不歛、

煅石膏（二兩）輕粉（一兩）桃丹（五錢）冰片（五分）研細末、

去腐散　治潰爛、紅熱、腫痛、卽腐者、此散能化腐定痛、生肌收口、

生石膏（一兩）甘草水飛七次、硼砂（五錢）辰砂（三錢）冰片（二分）研細末、

補天丹　功專提毒長肉、惟不可早用、

麥飯石（六兩）醋煅七次鹿角（四兩）煅存性白歛（二兩）研細末、

二寶丹　提膿生肌、捲于紙撚上、

升藥　熟石膏　等分、研細、

平翁丹　治痔瘻有胬肉突出者、

烏梅肉（五錢）煅存性月石（五錢）掃盆（五分）冰片（三分）研細、一方、輕粉配一半、冰片八分之一、平安餅卽烏梅（一錢）、輕粉（五分）研極細、如硬、用津調之、不可用水、

七仙條　治一切痔毒陰疽、日久成漏、膿水淋漓不斷、用此拔出漏管、

白降丹（一兩）熟石膏（六錢）紅昇丹（或各等分）（一兩）冰片少許研細末、糊爲條、陰乾聽用、又加乳沒香各（三錢）血竭（三錢）共研末糊條、

銀壽散　治男子疳瘡痛癢、女子陰戶兩旁、濕瘡浸淫、膿水淋漓、紅爛腫痛、並治小兒痘疤潰爛、及餘毒不淸、滿頭發泡、又梅毒玉莖腐瀾、等瘡、用此皆効、

白螺殼取牆上白色者佳煅（一兩）寒水石另研細末、（二錢）橄欖核煅存性（一錢）冰片臨用時每藥（二錢）加片（一分）右藥共研細、貯瓶勿洩氣、用時以麻油調搽、濕處乾滲、神効無比、

推車散　專治多骨、

推車蟲炙研末（一錢）淡干姜煅（一錢）二味和透、將藥吹瘡孔內、次日不痛、多骨自出、如無多骨出則無也、如遇瘡有管、糊條使用、推車蟲卽蜣螂蟲、又名簏屎蟲、

△生肌類

八寶生肌丹　治腐脫肌生、不收歛者、

熟石膏（一兩）赤石脂（一兩）輕粉（一兩）黃丹（三錢）龍骨（三錢）血竭（三錢）乳香（三錢）沒藥（三錢）研極細、方合用、輕粉似宜減半、

珍珠生肌散　平口收功神効、疳症亦可用、

珍珠人乳浸、夏天須日換乳珠質最堅、尤宜研細如飛麵、方可

用、(一錢)血竭(五分)兒茶(五分)石羔(一錢)煅陳年絲吐頭(五分)煅存性　爐甘石(一錢)用黃連(五分)煎汁煅研極細末、水飛淨、赤石煅脂(一錢)冰片(一分二厘)須研極細、

止血丹　血出不止者、用之、

蒲黃煅存性研細、

豚合散　治金瘡出血不止、

五倍子炒　紫降香　等分、研細、

歛瘡止痛散　行血止痛、治湯火瘡尤効、劉寄奴一味，研細末、先以糯米漿、用鷄翎掃傷着處、後摻藥末在上、並不痛、亦無痕、大凡湯火燙着急以鹽末摻之、護肉不壞、然後傅藥、

▲吹藥類

冰硼散　治小兒鵝口白斑、腫連咽喉、及一切喉癰乳蛾、喉風腫痛等症、

月石　元明粉(各五錢)硃砂(六分)冰片(五分)研細、

玉鑰匙　治一切喉症、腫痛白腐、

元明粉　硼砂(各五錢)炙姜蠶(五分)硃砂(六分)冰片(五分)研細、

金不換　即前方加人中白(三錢)青黛(六錢)西黃(三分)珍珠(三分)其功效、較玉鑰匙尤勝、並治疫喉生肌生肉、

柳花散　治一切口碎諸瘡、

黃柏(一兩)青黛(一兩)冰片(二分)研細、

中白散　治小兒口疳、走馬牙疳、及牙齦黑臭等症神效、

人中白(煅二兩)兒茶(一兩)黃柏(三錢)青黛(三錢)薄荷(二錢)冰片(五分)研細、

先天青龍散　治喉症初起、腫紅焮痛、並不腐爛、

燈草灰(五分)兒茶(五分)冰片(五分)紫雪丹(五分)風化硝(二錢)硼砂(二錢)青黛(三錢)人中白(三錢)薄荷(五分)蒲黃(五分)研細、

後天青龍散　治一切喉症、腫紅腐爛、口疳糜爛、即先天青龍方去薄荷蒲黃加西黃(二分)珍珠(二分)研細、

牛黃口疳丹　治口疳、舌疳、喉疳、牙嚴、舌巖等、

牛黃(一錢)冰片(一錢)硃砂(一錢)月石(一錢)鉛銷(一錢五分)明黃(八錢)青黛(六錢)黃連(八錢)黃柏(八錢)研細、

吹喉結毒靈藥　治結毒喉疳、

靈藥(五錢)人中白(一錢)研細、

貼喉異功散　治喉症腫痛用之、可拔去火毒、

斑蝥(四錢)眞血竭(六分)乳香沒藥(各六分)全蝎(六分)元參(六分)麝香(三分)冰片(三分)將斑蝥去頭翅足、用糯米拌炒、

以米色微黃爲度、除血竭外、合諸藥、共研細末、另研血竭、拌勻、磁瓶收貯、勿令泄氣、

凡研血竭、須另研、試其眞僞、以紅透指甲爲佳、

過街笑　治風火牙痛等症、

月石　青鹽　火硝(各一錢)冰片(二分)研細

喉科回春錠　專治喉風急閉、痰如潮湧、(命在頃刻者)

牙皂(一百四十莢煨切片研)延胡索(生曬研二兩)青黛(一錢二分)射香(一錢)研極細末、和勻、用大麥粉煮成漿、杵拌、打成錠、每塊重三分、晾乾、收入磁瓶、勿令泄氣、每服一塊、重症加服、用冷水磨汁、將冷開水沖服、不論喉風喉痧爛喉單雙乳蛾諸險症、立即見效、如遇牙關緊閉、即從鼻孔灌入、即開、再服立效、再有斑痧症、不能發出者、服此即效、兼治小兒驚風、方雖平常、而應驗已久、屢見奇效、幸勿泛視、用薬服汁沖服、更妙、

金棗丹　治走馬牙疳、穿腮落齒、臭穢不堪者、

紅棗(一枚去核)納紅信如黃豆大一粒、煅存性、研細末、加冰片少許、搽之、

雄棗丹　治走馬牙疳腐爛、臭穢滲血者。

紅棗(一枚去核)納雄黃如豆大一粒、煅存性、研細末、加冰片少許、搽之、

碧雲散　治腦漏常流濁涕、

川芎(五錢)鵝不食草(一兩)細辛(二錢)辛夷(二錢)青黛(一錢)研細、口中含水、搐鼻、

錫類散　治一切喉痧、喉疳、口疳、腐爛作痛。痰涎甚多、湯飲難下。此散吹入、能豁痰開肺、祛腐生新、

象牙屑(四分半)壁錢(三十個)西黃(七厘)梅片(五厘)青黛(七分)人指甲(七厘)珠粉(四分)研細末、貯瓶、勿泄氣、

吹耳射陳散　治耳聤流水不止、或耳中流膿、

陳皮(五錢)射香(一分)研末、和勻、吹入耳中、

螵蛸散　治濕熱諸瘡、耳內出膿、耳中作癢。此散吹入效、

海螵蛸　硃砂　梅片　各等分、爲末、或香油調搽耳外、

(四)疔科類

疔發散　治疔毒漫腫、麻木疼痛、

立春前桑螵蛸炙(一百個)小暑前益母草煅存性等分、研細末、(毎一兩)加射香(五分)按膏貼之、

七消疔散　功專消疔、潰者禁用、

蒼耳蟲(三十條)人指甲(一撮)蜘蛛(五只)耳內屑(一撮)姜蟲(一錢)蟾酥(一錢)倒掛塵灰(一把)研細、和勻、

立馬廻疔丹　治疔瘡初起，頂不高突、根不收者、

砵砂(二錢)雄黃(二錢)蟾酥(一錢)硇砂(一錢)白丁香(一錢)輕粉(一錢)射香(五分)蜈蚣(一條煅)乳香(六分)金頂(五分)爲末、糊丸、如小麥子大、凡遇疔瘡、用針挑破、以此丹一粒插入孔中、太乙膏蓋之、拔出膿血疔根爲度、

酥料　治瘡瘍疔毒、頂不高突、根脚不收、㾗腫走黃、精神不爽、時或昏悶、兼治癰疽大毒、麻木疼痛、外敷神効、

蟾酥(四錢)雄黃(四錢)乳香沒藥各(三錢)枯礬(三錢)寒水石(三錢)銅綠(三錢)胆礬(三錢)射香(三錢)砵砂(三錢)輕粉(五分)蝸牛(三十個)各藥製爲細末、秤準、將蝸牛打爛入藥、俟乾杵細、

雄酥散　治疔毒、消癰腫、

蟾酥(五分)雄黃(一錢)冰片(二分五厘)擂盆(一錢五分)研細末、

離宮錠　治疔毒腫痛、一切皮肉不變、漫腫無頭、

血竭(三錢)蟾酥(三錢)胆礬(三錢)射香(一錢五分)金墨(一兩)砵砂(二錢)冷水和成錠、水磨塗効、

珠峯治疔散

墻丁(四錢)川貝　銀珠(一錢五分)冰片(五分)先將墻丁拷爛、晒乾後、將藥研細末、

蚤休散　治一切疔毒、熱毒、以及瘡癰等症、

草河車　不拘多少、研末、

祕製流火散　治一切流火、以米粥湯調敷、功効如神、

山木炭　不拘多少、煅灰、存性、研末、

△疽瘡類

八寶月華丹　眼科要藥、亦可治痔瘡、

爐甘石(一兩)羌活　荊芥　防風　細辛　薄荷　麻黃　白芷　赤芎　大黃　黃芩　黃柏　當歸　木賊草　龍胆草　蜜蒙花　蟬衣　菊花　蔓荊草各(一錢)用泉水濃煎、將甘石煅令汁盡、再用上川連(五分)煎汁、煅如前法、研細、加辰砂(三錢)、每丹(一錢)、加冰片(一分)、

乾眼藥　退翳明目、

爐甘石(製)地栗粉各(四兩)冰片(八錢)研爲極細末、每用少許、點眼角、神効、但必靜坐、勿勞、

珍珠下疳散　生肌收口、清熱化毒、

珍珠　黃連　黃柏　五倍子　象牙屑　兒茶　定粉　輕粉　乳沒藥　乳香　等分、研細、

月白珍珠散　清熱生肌、

青黛(五厘)輕粉(一錢)珠粉(一分)研細末、

黑靈丹　清熱消腫、治耳疳流膿水、

橄欖核煅存性(一兩)加冰片(二分)、

鳳衣散　拔毒生肌、止痒止痛、

鳳凰衣焙(一錢)黄丹飛(一錢)擂盆(四分)冰片(二分)研細、

三仙丹　治下疳腐爛、

升丹(三分)橄欖炭(三分)梅片(一分)研細末、

結毒靈藥　結毒腐爛、用之神効、

水銀(一兩)硃砂(三錢)硫黄(三錢)雄黄(三錢)共研細末、入陽城漈內、泥固、跌盞緊封口、其火候俱按紅昇丹之法、鍊畢、次日取出、盞底有靈藥(一兩五六錢)、

治疳結毒靈藥　治尋常結毒、

靈藥(五錢)擂盆(五錢)研細末、

琥珀如意散　下疳腫痛、

爐甘石(二錢五分)赤石脂(二錢)龍骨(一錢五分)石膏(一錢五分)沒藥(一錢五分)乳香(一錢)甘草(二錢)炙鼈甲(三錢)生大黄(二錢)白芷(一錢五分)擂盆(二錢)白臘(二錢)地榆炭(三錢)青黛(一錢五分)赤小豆(四錢)姜蠶(三錢)琥珀(三錢)研細末、每用藥(一兩)加西黄(六厘)、冰片(一分)射香(五厘)、

八寶化毒丹　專治下疳結毒、腐爛、等症、並能生肌收口、

西黄(五分)珍珠(一錢)中黄　中白　琥珀　硃砂各(三錢)乳石(五錢)冰片(五分)共爲細末、摻之神効、亦可服之、土茯苓湯下、

五寶丹　治楊梅結毒、筋骨疼痛、口鼻腐爛、等症、內服神効、外摻亦可、

滴乳石、如乳頭下垂、研之易碎、明如水晶者佳、(三錢)琥珀辰砂各(二錢)珍珠(五分)冰片(二分)研極細、每藥(五分)、加炒飛麵粉(五分)、每服(五分)用土茯苓湯送下、

十寶化毒丹　治下疳腐爛消腫提毒、兼能收口、

蚌殼粉(一錢)琥珀(五分)雄精(五分)硃砂飛(三分)人中白　人中黄各(一錢)西黄(二分)海浮散(五分)乾眼藥(五分)珠粉(一分)梅片(一分)各研細末、和勻、用麻油調、或乾摻之亦可、

靈砂黑虎丹　治梅毒愈後、頭痛如破、筋骨拘攣、不可忍、或起疱泡、膿水淋漓滴瀝、兼治陰結毒、一切濕瘡久延、陰寒不收口、

白砒(三錢)用綠豆水煮過、入罐內升五柱香、取出以白蘿蔔同煮連入煎、寒水石　百草霜各(三錢)大黑豆(一百二十粒)金頭蜈蚣(三條)煨、射香(一分)冰片(一分)右藥研極細末、和勻、

用紅棗(四兩)煮熟去皮核、同搗爲丸、如菀豆大、每服二丸、冷水或茶下、口服起泡而腫、則藥力到矣、緩一日再服、忌飲熱湯、食大暈腥、黑豆生用冷水泡軟、去皮、同紅棗肉搗爛爲丸、更加西黃(三分)尤妙、

結毒紫金丹　結毒腐爛、毒𥁕經絡等症、

炙龜板(十兩白酒釀塗炙十二次爲度)硃砂(三兩)煅石決(三兩童便漂)研細末、爲丸、如麻子大、每服一錢、陳酒送下、或土茯苓湯亦可、

記事

本社第二十一次討論會記事

本社第二十一次討論會，於五月十五日午後三時在缸兒巷阮寓舉行。到者有阮其煜王一仁黃志仁王心原陳鼎丞程竹𥳑湯士彥劉瑤栽諸君。討論問題，併研究本草、茲將情形錄下。

一、問中醫藥療病處方之規則，(現代中醫社)

答、原不外於診斷。當注意空間時間。從神色脈理，見症，合綜而診斷之。以𣪺個之方法而決定之。若機械的處方。此普通中西醫之所擅。實無足言。

二、本草經之研究(十四)本社同人

▲連翹

原文：氣味苦平無毒；主治寒熱，鼠瘻瘰癧；癰腫惡瘡；癭瘤結熱；蠱毒。

(一)苦平：因有殺菌解毒作用，故曰苦。本草綱目云，能瀉心經客熱，指心煩不能安眠者，此藥有清熱安神之效：因有安神與清熱之作用，故曰平。

(二)主治寒熱鼠瘻瘰癧：指思頸淋巴腺結核病，無論已潰未潰，而有寒熱之狀者，均可用之。此藥有殺菌消散之作用。(尋常用爲退熱藥：然汗多者不宜用，惡寒者，亦不宜用。)

(三)癰腫，惡瘡：此爲瘡家聖藥，對於瘡瘍不但有殺菌解毒，與消炎之作用；亦有止痛止癢之作用。

(四)癭瘤結熱：對於淋巴腺變大之疾患，以及瘡癰諸症，不但有清散之作用；亦有清熱之作用。特別對於因身體上部份之病症而所發之熱，更效；故本草綱目上，有『瀉上焦之熱』，爲主要功用之一也。

(五)蠱毒：因有消炎解毒之作用。

劑量：五分至三錢

禁忌　(1)熱病汗多者。(2)瘡毒色不紅者。(3)腹瀉者

。(4)體溫低者。

注意　尋常所用之『連翹』，是連翹殼；翹根罕用之，故不贅述。

▲桔梗

原文：氣味辛微溫有小毒；主治胸脇痛如刀刺；腹滿腸鳴幽幽；驚恐悸氣。

(一)辛，微溫：因有消散性，故曰辛；近今醫家，多用之以治感冒咳嗽，對於氣管有化痰消炎之作用。尋常之感冒咳嗆而有寒熱者可用之。此藥在中醫，認爲有升提之作用，其藥效多行於身體之上部，故曰微溫。

(二)胸脇痛如刀刺：因其有消散性，或能止肋間神經痛。

(三)腹滿，腸鳴幽幽：對於胃腸，或略有興奮之作用，而能去腸中之積氣，故能治腹滿腹鳴。

(四)驚恐悸氣：中醫云，心虛則驚，腎虛則恐，心腎皆虛則悸；此均指對於大腦精神部有鎮靜之作用。或同時有寒熱者，可用之，然罕用。

劑量　五分至二錢

禁忌　(1)白喉症忌用，而尋常之喉痛，現紅腫狀者有時可用之，因有消散性。(2)汗多者。(3)虛弱性咳嗽。(4)服桔梗時，食豬油者，每現喉啞之狀。

注意　近今醫家，用以治感冒咳嗽或下痢者外，罕有用以治其他病症者也。

▲白頭翁根

原文：氣味苦溫無毒；主治溫瘧狂猲寒熱；癥瘕積聚；癭氣；逐血，止腹痛；療金瘡。

(一)苦溫：因有殺菌作用，故曰苦。因有消散作用，故曰溫。

(二)溫瘧，狂猲，寒熱：熱多寒少者，爲溫瘧；熱高口渴者，可作副藥。

(三)癥瘕積聚：概指胃腸有積滯之病；中醫以赤痢爲積滯之病，故近今醫家，常用之治熱痢。張仲景治熱下重，用白頭翁湯主之。吳綬曰，熱毒下痢，紫血鮮血者宜之。熱痢，即指有發熱，口渴，煩躁，肛門覺熱，並有血之痢疾也。

(四)癭氣：指能消散變大之淋巴腺。

(五)逐血，止腹痛：指患赤痢而其肛門有灼熱之感覺，以及腹痛者，可用之。

患外痔腫痛者，以白頭翁根，搗塗之，能逐血止痛。　逐血者，減其充血之現狀而有退炎之作用也。

(六)療金瘡：外用。

劑量　一錢五分至三錢

禁忌　(1)虛弱性胃腸炎。(2)白痢而不見血者。(3)體溫較低者。(4)脈緩者。

▲甘遂

原文：氣味苦寒有毒；主治大腹疝瘕腹滿；面目浮腫，留飲宿食，破癥堅積聚，利水穀道。

(一)苦寒：因有殺菌解毒作用，故曰苦。因能通利大小便而消炎，故曰寒。

(二)主治大腹疝瘕，面目浮腫：宗奭曰，此藥專於行水。元素曰，此乃泄水之聖藥；水結胸中，非此不能除。凡是水腫之病症，可用之以作利水。不但能使身體中之水份，由尿而排泄，亦能由大便而排泄之。氣管水腫者，此藥有特效。

(三)留飲宿食：指不但能排泄腸道之水份，亦能通利大便也。

(四)破癥堅積聚：有消塊之作用：淋巴腺變大者，亦可用之。時珍曰，一切腫毒，可用甘遂末水調，敷腫處。

(五)利水穀道：表示有清理胃腸之作用。

劑量：三分至一錢五分

禁忌：(1)虛弱性大小便利者。(2)大小便較多者。

▲天南星　(又名虎掌)

原文：氣味苦溫，有大毒；主治心痛寒熱結氣，積聚伏梁，傷筋痿拘攣，利水道。

近來此藥常入牛膽中調製之，有解毒之意，是名『陳膽星』；其主要作用即『化風痰』。所謂『風痰』，即指神經不安，以及昏迷諸狀者是也，故患昏迷者可用之，有抽筋狀者可用之；若外感寒熱而現昏迷狀者，亦可用之，其他疾病罕用。

劑量　八分至一錢五分

禁忌　(1)心煩口渴者。(2)脈速，體溫高者，不宜多用。

▲大戟

原文：氣味苦寒有小毒；主治蠱毒；十二水；腹滿急痛，積聚；中風，皮膚痛；吐逆。

大戟為泄水之藥，身體之水腫，可由小便而排泄之；然近今醫家僅用之以利水，罕有用之以治其他疾病者。

(一)苦寒：概因有殺菌解毒，而能主治蠱毒，故曰苦。因有利水之作用，故曰寒。

(二)十二水腹滿：指各種積水之水腫，以及患膨脹者，可用之。

(三)積痛積聚：因能排泄水份，故能消除因積水而致之疼痛。

(四)中風，皮膚疼痛：指面與上肢水腫而疼痛，可用之，因能利水故也。

(五)吐逆：指胃部因水腫而吐逆者可用之，其因有利水之作用。

劑量　五分至一錢五分

禁忌　(1)虛弱性臌脹。(2)大小便較多者。

▲澤漆

原文：氣味苦微寒無毒；主治皮膚熱，大腹水氣，四肢面目浮腫，丈夫陰氣不足。

(一)金匱有澤漆湯，治欬逆上氣，欬而脈沉者。

(二)此藥之主要作用爲利水，惟近今醫家罕用之。

(三)草藥醫稱爲『奶奶草』，有利水功用，有用至一兩者。

劑量　一錢五分至三錢

禁忌(1)脈沉細者。(2)大小便通利者。

▲常山

原文：氣味苦寒有毒；主治傷寒寒熱，熱發溫瘧鬼毒，胸中痰結吐逆。

葛稚川，王燾，孫思邈諸大家，治瘧藥方，十分之九，以常山爲主藥；故近今醫家用之以治瘧甚效，其他疾病罕用。

劑量　七分至一錢五分；一日一次，可煎作茶飲。三個月之小孩，每日可用一分，煎湯代茶。

禁忌　(1)瘧初起時罕用之。(2)消化不良者(3)舌光絳者。

注意　生者有涌吐黏痰之功用；炒者用以治瘧。

▲蜀漆

原文：氣味辛平有毒；主治瘧及欬逆寒熱，腹中堅癥，痞結積聚，邪氣蠱毒，鬼疰。

(一)辛平：因有消散性，能消散因瘧疾而變大之脾，故曰辛。因其性下降，有化痰平氣之作用，故曰平。

(二)寒多熱少之瘧疾，可用之，亦有醫家以此藥爲治瘧之要藥與良藥也。

(三)腹中堅癥：指因瘧疾而變大之脾，可用此藥以治之。

(四)邪氣，蠱鬼，鬼疰：凡因瘧疾而現神經不安之現狀者可用之。

劑量　八分至錢半。

禁忌　蜀漆爲常山之苗，故禁忌與常山同。

▲葶藶子

原文：氣味辛寒無毒；主治癥瘕積聚結氣飲食寒熱，破堅逐邪，通利水道。

此藥是一種利水劑；身體中之水份，能由大便而排泄，亦能由尿道而排泄。其利水之效，特別行於身體之上部，故氣管水腫，而氣促咳嗽者，是有特效，因能利水之故。

劑量　八分至一錢五分

禁忌　(1)大小便通利者。(2)尋常之氣喘(3)慢性氣管炎。

▲蕘花

原文：氣味苦寒有毒；主治傷寒溫瘧，下十二水，破積聚大堅癥瘕，蕩滌胸中留癖，飲食寒熱，邪氣，利水道。

(一)苦寒：因有殺菌作用，故曰苦。因有利水作用，故曰寒。

(二)傷寒：凡有咳嗽，氣促，痰多，肋痛而發熱者，可用之。

(二)溫瘧，熱多寒少者可用之。

(三)下十二水：此藥有利水之作用。

(四)破積聚大堅癥瘕：能消散因瘧而變大之脾。

(五)蕩滌胸中，留癖飲食寒熱邪氣：因能通利大便；若因胃腸不清而寒熱者，可用之。

(六)利水道：能去水腫，不但能由大便而利水，亦能由尿道而利水。

劑量　八分至一錢五分

禁忌　(1)大小便過於通利者。(2)慢性氣管支炎。

(注意)蕘花與芫花功用相似在傷寒論中用之。近今醫家罕用。

▲芫花

原文：氣味辛溫有小毒，主治欬逆上氣，喉鳴喘，咽腫短氣；蠱毒鬼瘧，疝瘕癰腫，殺蟲魚。

此藥有發散性，其主要之作用爲利水；若氣管因水腫而欬逆上氣，喉鳴喘，咽腫短氣，可用之，能化痰平氣。

其他病症罕用之。

其劑量與禁忌，與蕘花同。

▲萹蓄

原文：氣味苦平無毒；主治浸淫疥瘙，疽痔殺三虫。

此藥之主要作用，爲利水殺菌。內服治急性淋病甚效；疥瘡疽痔等，皆屬外用

劑量　一錢五分至三錢

禁忌　(1)小便利者(2)腹瀉者

▲商陸根

原文：氣味辛平有毒；主治水腫；疝瘕痺；熨除癰腫，殺鬼精物。

(一)此藥之主要作用，爲利水；凡患水腫症，不但能使水份，由大便而排泄之，亦能由尿道而排泄之。

(二)疝瘕痺者，概指積水之症，或因積水而疼痛者。

(三)熨除癰腫：此藥炒熱，熨於癰腫上而有消散之作用。

(四)殺鬼精物：指因癰腫或水腫而精神不安者，可用之。

劑量　六分至一錢五分

禁忌　(1)大小便通利者(2)虛弱者

▲藜蘆

原文：氣味辛寒有毒；主治蠱毒，欬逆洩痢，腸澼，頭瘍疥瘙，殺諸蟲毒，去死肌。

此藥除外科用作殺虫劑外，近今醫家，罕有用之以內服者。

▲旋覆花

原文：氣味鹹溫有小毒；主治結氣，脇下滿，驚悸，治水；去五藏間寒熱；補中下氣。

此藥常用以治咳，肋痛，氣促，乃有化痰平氣之作用；罕有用之以治其他疾病者。感冒風寒以及寒熱，亦用之。近人不作補中用。

劑量　一錢五分至三錢

禁忌　(1)腹瀉者。(2)虛弱性氣促。(3)外感性熱高汗多者。

▲青葙(又名草決明)

原文：氣味苦微寒無毒；主治邪氣，皮膚中熱，風瘙身癢，殺三虫。

子氣味同，主治唇口青。

此藥近今常用治眼病；如眼紅腫者，以及眼紅腫而頭痛者，可作內服劑。

亦能退皮膚炎，凡風疹一類之病，可內服有消炎止癢之作用。

劑量　一錢至三錢

禁忌　胃腸虛弱而腹瀉者。

▲貫衆

原文：氣味苦微寒有毒；主治腹中邪熱氣諸毒，殺虫。

近今此藥常用之以治『充血性便血症』；亦可在瘟疫流行時，用之以解水中之瘟毒。

有醫家用之以殺『腸寄生虫』。

劑量　一錢五分至三錢

禁忌　(1)有虛弱性腹瀉者。(2)體温低者。(3)衰弱性之便血症。

▲蛇含草

原文：氣味苦微寒無毒：主治驚癇，寒熱邪氣，除熱●金瘡疽痔，鼠瘻惡瘡頭瘍。

此藥能解蛇毒；凡捉蛇者，常備之。敷於蛇咬傷部而能解蛇毒，近今藥店罕有此藥，而近今醫家，亦罕有用之，以內服者。

劑量　一錢至三錢

▲狼毒根

原文：氣味辛平有大毒；主治欬逆上氣，破積聚飲食，寒熱水氣，惡瘡鼠瘻，疽蝕鬼精虫毒，殺飛鳥走獸。

此藥與附子乾薑，製成丸劑，以治胃腸疼痛之病頗效；此外除外用，以治疥癬外，罕有用之內服，以治其他疾病者也。

▲狼牙根

原文：氣味苦寒有毒；主治邪氣熱氣；疥瘙惡瘍瘡痔，去白蟲。

外用殺菌頗效，煎水作洗藥；近今醫家罕有用之以內服者。

▲羊蹄根

原文：氣味苦寒無毒；主治頭禿疥瘙除熱，女子陰蝕。

此藥近今罕用之。

▲羊躑躅花(即鬧羊花)

原文：氣味辛温有大毒；主治賊風在皮膚中淫淫痛；温瘧；惡毒諸痺。

此藥對於羅痲質斯，有止痛之作用；亦有用之以治牙齒疼痛者，可作痲醉劑。

劑量　八分至一錢五分；若是三錢以上，即欲發生發狂之現狀也。

▲瓜蒂(甜瓜之蒂)

原文：氣味苦寒有毒；主治大水，身面四肢浮腫，下水殺虫毒；欬逆上氣；及食諸果，病在胸腹中皆吐下之。

仲景用瓜蒂散作吐劑；近今醫家亦常用其散劑作吐藥，每次服二至五錢：尋常用七粒。亦有獨用二或三兩，以消水腫者，並有發汗之作用。

禁忌　（1）汗多者。（2）虛弱者。

注意　本草綱目上，記載此藥能治黃疸與水腫。

▲莨菪子（又名天仙子）

原文：氣味苦寒有毒；主治齒痛，出齒，肉痺，拘急；久服輕身，使人健行，走及奔馬，強志益力，通神見鬼，多食令人狂走。

此藥近今醫家罕用之。

讀本草綱目，可知此藥乃有鎮靜大腦精神部之作用　故於治療『癲狂方』中用之，然不獨用；並有止痛與鎮咳之作用。

炒者：內服可止痢，止瀉止便血；外用可治脫肛

劑量　一錢五分至三錢

禁忌　（1）胃腸虛弱者。（2）腹瀉者。

▲夏枯草

原文：氣味苦辛寒無毒；主治寒熱，瘰癧鼠瘻；頭瘡；破癥；散癭結氣；脚腫，濕痺；輕身。

（一）苦辛寒：因有殺菌作用，故曰苦；因有消炎作用，故曰辛；因有鎮靜神經與消炎作用，故曰寒。

（二）主治寒熱：寒熱，指神經不安之現狀，或指因頸淋巴腺病而熱多寒少之寒熱。

（三）瘰癧鼠瘻：指頸淋巴腺結核病；近今此藥常用以治頸淋巴腺結核病；然宜於脈速，舌紅或黃，同時易怒者。

（四）破癥散癭結氣：指此藥能消散變大之淋巴腺，及鎮靜神經。

（五）脚腫濕痺：略有利尿之作用。

劑量　一錢五分至二兩

禁忌　（1）腹瀉者。（2）胃腸虛弱消化不良者（3）體溫較低者。

▲蚤休根（又名紫河車）

原文：氣味苦微寒有毒；主治驚癇，搖頭弄舌，熱氣在腹。

此藥常用以治驚風，能鎮靜神經，然近今罕用之。尋常多用為外科副藥。

時珍曰，虫蛇之毒，得此治之卽休，故有蚤休，螫休諸名。恭曰，摩醋，傅癰腫蛇毒，甚有效。

劑量　一錢五分至五錢

禁忌　(1)外科色不紅者。(2)腹瀉者。

▲白芨根

原文：氣味苦平無毒；主治癰腫，惡瘡，敗疽；傷陰，死肌；胃中邪氣；賊風，鬼擊；痱緩不收。

恭曰，山野人患手足皸瘃者，嚼以塗之有效，為其性黏也；今醫家治金瘡不瘥，及癰疽方，多用之。

永類方，治打跌骨折，酒調白芨末三錢服，其功不減自然銅，古銖錢也。

濟急方，治刀斧傷損，白芨石膏煅等分，為末摻之，亦可收口；又手足皸裂，白芨末水調塞之，勿犯水。

趙眞人方，治湯火傷灼白芨末油調傅之。

經驗方，治鼻衄不止津調白芨末，塗山根上，仍以水服一錢，立止。

(一)苦平：近今醫家，多用之以治肺勞，不但能止血，止咳，化痰，亦有殺菌之作用。故曰苦。因能止血，止咳故曰平，

(二)癰腫惡瘡，敗疽，傷陰死肌：指外用，有殺菌消炎作用。

(三)胃中邪氣：概指胃虛弱者之不安現狀；若舌苔厚膩，消化不良者不相宜。此藥之特效，為止血，吐胃血者，可內服。

(四)賊風，鬼擊，痱緩不收：痱緩不收者，指四肢風癱之現狀。賊風鬼擊，痱緩不收者，概指因腦出血而現癱瘓之狀者，可用之，概因其有止血之効故也。

劑量　粉劑，每次可服八分；若作煎藥用，每次可用一錢五分至三錢。

禁忌　(1)外感寒熱，傷風咳嗆者。(2)急慢性氣管炎。

注意　近今醫家，多用之以治肺勞甚效，不但能止血，亦能止咳化痰：更能塡補肺因潰爛而成之空洞。

按洪邁夷堅志云：台州獄吏憫一大囚，因感之，因言吾七次犯死罪，遭訊拷，肺皆損傷，至於嘔血；人傳一方，只用白芨為末，米飲日服，其効如神；後因因凌遲，劊者剖其胸，見肺間竅穴數十處，皆白芨塡補，是納不變也。

洪貫之聞其說，赴任洋州，一卒忽患咯血甚危，用白芨救之，一日卽止也。

▲白歛根

原文：氣味苦平無毒；主治癰腫疽瘡，散結氣止痛，除熱目中赤；小兒驚癎溫瘧；女子陰中腫痛，帶下赤白。

此藥除治療外科病外，近今醫家，罕有用之以內服者；然金匱中，有用以治咳喻，乃有化痰止咳之效。

劑量　一錢五分至三錢

禁忌　(1)初起之外感寒熱。(2)胃腸之有消化不良者。

▲鬼臼根(又名獨脚蓮)

原文：氣味辛溫有毒；主治殺蠱毒鬼疰精物；辟惡氣不祥；逐邪解百毒。

此藥近今醫家罕用之。

▲梓白皮

原文：氣味苦寒無毒；主治熱毒三虫。

此藥用以治『奔豚症』外，近今醫家，罕有用之以治其他病症者。

劑量　三錢至五錢

禁忌　胃腸虛弱而腹瀉者。

▲柳

柳花　患發疹一類之病症，內服能有透發之作用，似乎有解除血中毒質之作用。

若與桃花相合，作擦面劑，使皮色紅白，故可作美容藥。

劑量　三分至五分

柳葉、柳枝……外用煎湯，洗疥疥頗效。

▲郁李仁

原文：氣味酸平無毒；主治大腹水腫，面目四肢浮腫，利小便水道。

此藥之主要作用有二：(1)通利大便甚效。(2)利水，以治水腫。

劑量　三錢至一兩

禁忌　腹瀉。

▲巴豆

原文：氣味辛溫有毒；主治傷寒溫瘧，寒熱；破癥瘕結聚堅積，留飲痰癖，大腹，蕩練五藏六府，開通閉塞；利水穀道，去惡肉，除鬼毒虫：邪物；殺虫魚

近今醫家，常用『陳巴豆霜』，每次五厘至五分，以通利大便而治寒積；非如大黃之通利大便而治熱積也。

注意　熱積者指胃腸有充血發炎狀之便閉症；寒積者指胃腸無充血發炎狀之便閉症也。

禁忌　(1)熱積之便閉症；(2)心煩口渴；脈速舌黃者。

▲雷丸

原文氣味苦寒有小毒；主殺三蟲，逐毒氣，胃中熱；利丈夫，

不利女子。主要之作用，爲殺腸寄生蟲；有煩渴狀而脈速者可用之，故曰清胃中熱。

劑量　小孩一錢至三錢

禁忌　(1)女子忌服，因能阻止卵巢發育之作用●(2)胃腸虛弱而腹瀉者。

▲代赭石

原文：氣味苦寒無毒：主治鬼疰，賊風蠱毒，殺精物惡鬼，腹中毒，邪氣，女子赤沃漏下。

近今醫家多用之，以作鎮靜劑與收斂劑。

(一)鎮靜劑(甲)能平氣逆：如心臟病氣逆症可用之；慢性氣管炎之氣逆症，亦可用之。(乙)能平呃逆與噯氣。(丙)能鎮靜大腦精神部，故曰主治鬼疰與殺精物惡鬼。

(二)收斂劑；可治胃潰瘍，胃出血；慢性子宮粘膜炎而有赤白帶下者可用之。

劑量　臨床多用『煆代赭石』；每次可用三錢至一兩；然亦有用生者。

禁忌　(1)有外感寒熱者。(2)急性氣管炎。(3)熱病初起時。

▲鉛丹

原文：氣味辛微寒無毒；主治吐逆反胃，驚癇癲疾，除熱下氣，爍化還成九光，久服通神明。

內服是鎮靜劑：製成丸劑，能治氣促，平胃；古方製成丸劑，以治癲狂症，與反胃氣促諸症也。

然近今醫家，罕有用之以內服者；常用於外科。其外用或煎成膏，有消炎退膿之作用。

劑量　五厘至一分；煎劑罕用。

禁忌　同代赭石。

▲鉛粉

原文：氣味辛寒無毒；主治伏尸毒螫，殺三蟲。內服製成丸劑，作殺蟲藥，罕有用之於煎劑中者；外用調成軟膏，以治皮膚病。

劑量　每服三厘至一分。

禁忌　同鉛丹

▲戎鹽

原文：氣味鹹寒無毒；主明目目痛，益氣，堅肌骨，去毒蟲。尋常外用，可治牙痛；用〇●五%液劑洗眼，有殺菌消炎之作用。

劑量　內服時，每次可用一分至五分。

▲石灰

原文：氣味辛温有毒；主治疽瘍疥…，熱氣惡瘡，癩疾死肌，墮眉殺痔蟲，去黑子息肉。

內服：石灰水內服，可治蟲癥腹痛，能平胃殺蟲，止慢性腹瀉。

外用：石灰水外用，有殺蟲之作用，可治皮膚病。陳石灰可以止血；若與糯米及醸調合，可除黑痣瘜肉。

劑量　三分至一錢五分，用水攪勻，澄清代水用。

本社第二十二次討論會記事

本社第二十二次討論會，于六月十五日午後三時在頭髮巷程賓範寓舉行。到者有陳鼎丞周子敘程賓範施稷香王一仁阮其煜董志仁諸君，玆將討論情形錄下，

一、中醫藥前途之預測，（現代中醫社）

答、以中醫藥之業務言。已大受西醫藥之打擊。猶幸西醫藥，並非萬能。且因西醫方面，不免以鹵莽滅裂之故。失去社會一部份信仰。中醫藥之勉可倖存。亦由于此。若加緊推進學術。前途自可光明。凡事難逃因果律。貴在能種善因而已。

二、本草經之研究，（十五）　本社同人

▲天鼠屎（又名夜明沙，即蝙蝠之屎也）

原文：氣味辛寒無毒；主治面癰腫，皮膚洗洗時痛，腹中血氣，破寒熱積聚，除驚悸。

近今醫家，多用之以治眼病，有消炎作用；內服除驚悸有效。

劑量　包煎，三錢至五錢

禁忌　(1)腹瀉者。(2)胃弱而消化不良者。

▲蝦　蟇

原文：氣味辛寒有毒；主治邪氣，破癥堅血，癰腫陰瘡，服之不患熱病。

蝦蟇有解血毒之作用，故患熱病或肺炎者，可剖其腹而外敷於病人之胸部。

內服亦可殺腸寄生虫。

患癰腫者，剖腹外敷有效。其眼與韭菜荸薺服可治吞針。

劑量　內服用『乾蟾皮』，一錢五分至三錢。或用一隻，剖腹去其肚雜，納入砂仁，線縫好，外裹黃泥，煅存性，內服一錢至三錢

▲蜈　蚣

原文：氣味辛温有毒；主治鬼疰蠱毒，噉諸蛇蟲魚毒；殺鬼物

老精温瘧；去三蟲。　近今醫家，常用之，以鎮靜運動神經；亦能鎮靜大腦精神部。對於神經有解毒作用；外用治疔解毒。

劑量　五分至一錢；常入丸劑。或一條煅存性。

禁忌　(1)貧血者。(2)體虛者。(3)口燥渴者。

△蚯　蚓　(又名地龍)

原文：氣味鹹寒無毒；主治蛇瘕；去三蟲伏尸，鬼疰蠱毒；殺長蟲。

主要作用：(1)鎮靜運動神經；(2)能消神經炎，有解毒殺菌之作用。(3)能治羅麻質斯。

弘景曰，乾蚓熬作屑，去蚘蟲甚有效。

時珍曰，性寒故能解諸熱毒；性寒而下行，故能利小便。

劑量　三分至三錢

禁忌　(1)腹瀉者。(2)遺精者。

△蛇　蛻　(即蛇殼)

原文：氣味鹹甘平無毒；主治小兒百二十種驚癇；蛇癇瘈疾；瘈瘲，弄舌搖頭；寒熱腸痔蠱毒。

主要作用：能消散神經炎，鎮靜運動神經，故可治腦膜炎。患中風者，可用之。

劑量　三分至八分。尋常用酒洗炙燥研末，入丸劑。或酒浸全用，尋常用一條。

△班　蝥

原文：氣味辛寒有毒；主治寒熱，鬼疰蠱毒，鼠瘻惡瘡，疽蝕死肌；破石癃。

主要作用：外用起泡吊炎；腐蝕肉芽。內服近今罕用

△蜣　螂

原文：氣味鹹寒有毒；主治小兒驚癇瘈瘲；腹脹寒熱；大人癲疾狂陽

蜣螂又名推糞虫；總微論言，古方治小兒驚癇，蜣螂爲第一

主要作用：(1)鎮靜運動神經，故能解抽。(2)能通利大小便，可治大便不通之發熱(3)外用，可治疔毒惡瘡，有消炎殺菌之作用。

劑量　一對；或一錢至三錢

禁忌　腹瀉者

△鼠婦(又名地虱)

原文：氣味酸溫無毒；主治氣癃不得小便；婦人月閉血瘕；癇痓寒熱；利水道墮胎。

其主要作用，爲通經，利尿。

劑量 三分至一錢常入丸劑、湯劑罕用、

禁忌 (1)體虛者。(2)有孕者。

▲水蛭(螞蝗)

原文：氣味鹹苦平有毒；主逐惡血，血瘀，月閉；破血癥積聚無子；利水道。

成無己曰，能通肝經聚血，概指能解神經系中之毒質，能治神經系因中毒而成之疾病。

此藥能通經，亦能治漏血不止，與產後血暈，可知此藥不但不使子宮粘膜現充血，反能止血，而能增加子宮之收縮力。

此藥爲劇烈之通經藥；概因其能增加不隨意肌之收縮，故能通經，亦能通利大小便。

在傷科中，對於跌撲損傷，墜跌打擊，杖瘡腫痛，均可用之，可表示此藥有消散作用，能退炎止痛。

▲雀 甕

原文：氣味甘平無毒；主治寒熱結氣；蠱毒鬼疰；小兒驚癇。近今醫家罕有用之者。

▲螢 火

原文：氣味辛微溫無毒；主治明目。近今醫家，罕有用之者。

▲衣 魚

原文：氣味鹹溫無毒；主治婦人疝瘕；小便不利；小兒中風；項強，背起摩之。

近今醫家，罕有用之者。

三、醫方之研究， (本社同人)

六味地黃丸

地黃砂仁酒拌九蒸九晒八兩 山茱肉酒潤四兩 山藥四兩 茯苓乳拌三兩 丹皮三兩 澤瀉三兩

本方主治神經衰弱，結核病潮熱；肺結核亦可用之。方中之地黃爲滋養神經之主藥；山茱肉，山藥爲地黃之副藥，澤瀉以去地黃之滯；丹皮以去茱肉之滯，茯苓以去山藥之滯。

按原文有「心虛火盛者可用丹皮」，表示丹皮有鎮靜神經與鎮靜性慾之作用，茯苓不但有利尿之作用，亦有鎮靜之作用；

澤瀉有利尿之作用；而可防尿性過酸而現遺精之弊。

（禁忌）1.有外感者，2.消化不良者，3.舌苔白膩大便溏泄胸口氣悶者，

（附註）按原文有「氣虛頭暈；血虛頭暈均可用之」頭暈爲心臟病之主要病狀。血虛頭暈者：指出血過多，心臟之收縮，失其調節能力，以致腦部缺少血液而有之頭暈也。氣虛頭暈者：指心臟自有之虛弱而致之頭暈也。此可知地黃，不但對於神經有強壯之作用；即對於心臟，亦有強壯之作用也。

原文又有對於「陰虧」有特效之說：「陰虧」不但是指神經虛弱，亦指生殖腺內分泌不足之症也。是山茱肉，山藥等，不但是滋養品；亦有強壯生殖腺內分泌之作用。

（甲）桂附八味丸

六味地黃丸，加附子肉桂各一兩，名桂附八味丸。原文主治相火不足，虛羸少氣；即王冰所謂益火之原，以消陰翳也。

按附子肉桂兩藥，對於病之患虛脫現狀時，乃有起死回生之效。不但能興奮心臟；亦能興奮生殖腺，甲狀腺，神經系統，故曰『益火之原』。所謂相火不足者：概指關乎人體生活之內分泌不足之症也。

（乙）知柏地黃丸

六味地黃丸，加黃柏，知母各二兩，名知柏地黃丸。原文主治陰虛火動；或腎有火邪，強陽不痿等證，可以暫用。

考知柏八味丸，雖有強壯神經之作用；而因有知母黃柏能平性慾之功效，故神經虛弱者服之，不致有興慾過盛之弊也。

（丙）七味地黃丸

六味地黃丸加桂一兩，名七味地黃丸。原文云：『本方引無根之火，降而歸元』。

按此丸與桂附八味丸之功用相近似，引無根之火降而歸元者，即所謂引火歸原也。惟其與奮強壯之作用，不如八味丸之劇烈。

（丁）都氣丸

六味地黃丸加五味三兩，名都氣丸。原文云：『主治勞嗽，益肺之源，以生腎水』。

按五味子對於氣管之剌激，有鎮靜之作用，故能止咳。六味地黃丸，對於結核性之虛弱，本有特效，今再加以五味：故可治癆嗽，並能療治慢性氣管炎之氣喘有效。

（戊）八仙長壽丸

六味地黃丸，加五味二兩，麥冬三兩，名八仙長壽丸。再加紫河車一具，並治虛損癆熱。

虛損癆熱，指結核性之潮熱，其中之六味地黃丸，對於結核性之虛弱有效；再加以止咳之五味子，及止渴退熱之麥冬，故能去上病而益壽；然紫河車是人胞也。倘所取得之人胞，是患梅毒或結核性之病人者，用之反而有害，不如不用為佳。

（庚）六味加杜仲牛膝丸

六味地黃丸，加杜仲（姜炒）牛膝（酒洗）各二兩，原文云：治腎虛腰膝之酸痛。

按腎虛，指神精虛弱，生殖腺內分泌缺乏之症也。杜仲有主治腰痛之作用，牛膝能鎮靜肌肉痙攣性之疼痛，合六味地黃丸，故能治腎虛腰膝酸痛。

（辛）六味去澤加益智仁丸

六味地黃丸，去澤瀉加益智仁三兩（鹽酒炒）。原文云治小便頻數。

按小便頻數者，指小便次數多，而量不足；或有時覺如遺尿狀也。此丸去澤瀉，因其利尿作用過強，對於結核性小便頻數之症不宜；故加以含有鎮靜膀胱刺激之益智仁也。

（壬）腎氣丸

桂附八味丸，加車前牛膝名金匱腎氣丸。治蠱脹。

按此丸尋常可用以治腎臟病之喘息，因有利水作用。原文云：用治蠱脹者，即指治慢性腎臟炎水腫也。

（用量）六味地黃丸或六味加劑之各丸，其用量均屬每日一次，每次於早晨用淡鹽湯送下三錢。

（注意）凡用上列丸劑治療結核病者，在早期均不甚相宜。宜參禁忌條下而注意之。

贈書誌謝

皇漢醫報　第六十五期　臺灣漢醫藥研究室
中國醫學院月刊　上海老靶子路五七二號
診療醫報　第九期　上海霞飛路一〇六號
中國出版月刊二卷七期　杭州鼓樓浙江流通圖書館
醫界春秋　八十九期　上海白克路西祥康里
國醫雜誌　九期　上海西門內石皮弄
醫學雜誌　七十六期　山西省城精營東二道街北首
現代中醫　第五期　上海西門石皮弄亦仁里一號
安徽大學月刊第六期　安徽大學出版組

本社代售

中國醫藥問題　每冊一角二分
三衢治驗錄　每冊一角二分
中國時令病學　每冊二角五分
國醫雜誌　每期一角五分
山西醫學雜誌　每期一角五分
中國急性傳染病學　每冊七角
中醫新論彙編　每部四元

本刊第一年彙訂一大厚册價洋八角郵費不加

中華民國二十三年七月一日出版
醫藥衛生月刊第(二十三)(二十四)合刊
本冊售洋一角二分
杭州東坡路湖濱七弄
主編者　王一仁
杭州東坡路湖濱七弄
發行者　中國醫藥學社

月刊定價表

另售每冊六分	(郵費) 國內日本一分；國外及香港澳門六分
預定全年十二期七角二分郵費在內	
國外預定全年一元五角郵費在內	

本刊寄售處

本市　古今圖書店(保佑坊)　維新書局(湖濱)
上海　國醫學會(西門內石皮弄)　中醫書局(山東路)　千頃堂(三馬路)
蘇州　國醫書局(吳趨坊)
衢州　聚秀堂(下街頭)
山西　中醫改進研究會(太原精營東二道街)

醫藥衛生月刊第二年刊誤表

期數	頁數	行數	誤	正
十二	上十二	十	溼	濕
十二	上十四	十八	內	肉
十二	下十四	十一	概	蓋
十二	上十六	廿	枯	括
十三	上三	七	禮	體
十三	下三	十一	瀆	漏
十三	下三	十二	漏	瀆
十三	上四	十	殫	彈
十三	下四	七	勒	靭
十三	下四	十四	勒	靭
十三	上五	一	殆	貽
十三	上六	三	故則	自能
十三	上九	八	草本	本草
十三	下十	十五	顧	顏
十三	上十二	十三	鍥	鍥
十三	下十二	十八	日	曰
十三	上十三	五	模	模
十三	上十三	八	貪	貧
十三	下十三	十	間	簡
十三	上十五	九	具	臭
十三	上十六	七	與	興奮
十三	上十六	十三	操	躁
十三	上十七	五	概	蓋
十三	上十七	九	概	蓋
十三	上十七	十九	概	蓋
十三	上十八	十三	概	蓋
十三	上廿一	十一	苦	苦
十三	下二十一	二	癥熱	癥瘕
十三	下二十一	七	瘕熱	癥瘕
十三	上二十三	二	拆	折
十四十五	下四	十四	無	非
仝前	上八	十三	有	似
仝前	下八	十	腦	惱
仝前	上十二	十九	金雞納……	五號字
仝前	下十六	九	尾	古
仝前	下十六	十	古	尾
仝前	下二十四	二十	驅	軀
仝前	下二十九	五	洒	酒
十六十七	上八	四	治	治法
仝前	下五	六	紋	絞
仝前	下五	十二	若	苦
仝前	下五	十三	豁	豁痰

醫藥衛生月刊第二年彙訂刊誤表

全前	下六	六	警	察
十八九二十	封面	學說	盒	盦
全前	下二	十七	面	而
全前	上四	五	德	近
全前	上五	十六	言	方言
全前	上六	三	互	夃
全前	上六	四	盲	肓
全前	上六	八	有種	各定
全前	上八	十七	主	圭
全前	上十一	五	青	者
全前	上十二	二	箋	醆
全前	下十三	五	結	罐
全前	上二十六	十七	帶	滯
全前	下二十七	八	臼	白
全前	下二十八	十九	磺	礦
全前	下二十八	十九	概	蓋
全前	上二十九	二	氣	毒
全前	上二十九	五	氣	毒
全前	下二十九	十九	概	蓋
全前	上三十五	四	巻	卷
全前	下三十七	六	蘖	蘗
全前	全前	十三	概	蓋
全前	上三十八	七	洒	酒
全前	上三十八	八	炎	杳皮
全前	下三十八	十八	概	蓋
全前	上三十九	八	是	故
全前	全前	全前	故	其
全前	上四十	七汙	汙	汗
廿一廿二	上三	十八	維	經
全前	上四	十九	裏	裹
全前	下四	十六	噪	躁
全前	上五	五	數	至圊
全前	下五	一	廬	虛
全前	全前	八	不	之
全前	上六	九	湯	渴
全前	下六	二	退	退脈
全前	下六	十	蓍	耆
全前	上七	十二	約	藥
全前	上七	十三	面	西
全前	上七	十九	台	治
全前	下八	十五	難	雖
全前	下八	十七	數	藪
全前	下九	七	藪	升
全前	下十二	十一	於	有
全前	下十五	一	滴	溢
全前	下十五	十三	發	熱
全前	下十六	二	爲	熱
全前	上十八	四	足	不足
全前	上十八	十八	緩	瘀
全前	下二十七	一	其	有

投稿簡則

一、本刊內容分學說筆記衛生藥物雜俎餘興等欄以稿件贏缺為增刪標準

二、投稿不拘文言白話論究中西醫藥衛生學說以有含義者為歸繕寫務希清晰以免訛謬或捌棄

三、投寄之稿本社有酌量增刪之權

四、稿末請註明姓名住址以便通信地址如有更動亦請隨時通知揭載時之署名可聽投稿者自定

五、投寄之稿經本社揭載後當于每年統計投寄最踴躍及最精警者稍備文具奉酬以示敬意

六、投寄之稿請寄杭州東坡路湖濱七弄三號本社

中華民國二十三年七月三十日出版

醫藥衛生月刊第二年彙訂

精裝全一冊價洋七角二分

主編者 王一仁 杭州東坡路湖濱七弄

發行者 中國醫藥學社 杭州東坡路湖濱七弄

月刊定價表

另售每冊六分	（郵費）國內日本 一分
	國外及香港澳門 六分
預定全年十二冊七角二分郵費在內	
國外預定全年一元五角郵費在內	

本刊寄售處

本市 古今圖書店（保佑坊） 維新書局（湖濱）

上海 國醫學會（西門內石皮弄） 中醫書局（山東路） 千頃堂（三馬路）

蘇州 國醫書局（吳趨坊）

衢州 聚秀堂（下街頭）

山西 中醫改進研究會（太原精營東二道街）

王一仁主編

醫藥衛生月刋第一年彙訂本出版

內容有學說。筆記。方劑。藥物。雜俎。雜錄。衛生。討論等都數十萬言。以中國醫藥立場。闡發學理經驗。精深透闢。可以爲愼疾愼藥之鑑。又可爲修習醫學途徑。破名詞之爭執。爲眞理之闡揚。上載總目。既便檢查。後附刋誤。尤易尋勘。精裝一大厚册。實價大洋七角二分。並第一年彙訂同購者。一元五角。郵費在內。再本社自第三年起。另定出版計劃。月刊力求簡潔充實。二十五期起定閱

中国近现代中医药期刊续编·第二辑

天津新国医月编

内容提要

【期刊名称】天津新国医月编。

【创　　刊】不详（据内容推测当为20世纪30年代末或40年代初创刊）。

【刊　　期】不详（从刊物本身至图书馆收录，均无日期可考）。

【发 行 地】天津英租界32号（路义庆里8号）。

【刊物性质】为天津国医函授学院各地学员课外读物（非卖品）。

【现有期刊】12期（每期8版）。

该期刊又名“国医月报”，内容无分类，宗旨是促进函授学生的学习，开阔学生眼界，坚定其继承、发展中医的决心。该期刊内容丰富,其中“言论”方面的文章有《研究国医学的意义和方法》《研究中国医药几个信条》《论中医科学化之途径》《怎样是改革中国医学的正轨》《中医改进之原则》等，这些文章具有一定的启发性和引导性。关于学习方法，该期刊针对不同学科，也刊载了一些切合实际的文章，其中关于学习经典的方法的文章有《〈内经〉生理之科学性》《〈内经〉所言之天癸究为何物？试根据近世生理学详细研究之》《伤寒温病平议》《〈伤寒论〉概说》等。该期刊也刊载了一些就中医基础理论进行讨论的文章，如《阴阳五行的认识及其在医学上的地位》等。另外，该期刊还刊载了一些就中西医汇通进行讨论的文章，如《中西医药理之同途》《中西医于热之诊断》《中西用药之不同》《中西临症比较》等，这些文章可以起到开阔初学者眼界的作用。该期刊在药物、方剂方面的代表性文章有《国药之炮制》《国药之科学研究》《用药之学理与习惯》《国药讨论》《药学讨论》《汉方学大意》《经验处方集》等。该期刊刊载了《小儿贫血症》《流行性感冒》《脑出血之新诊断》《感冒与肺炎》《糖尿病之研究》等关于临床疾病诊断与治疗方面的文章，并连载了施今墨医案。该期刊还刊载了《国医补习科讲义》，该讲义有助于函授教学。

王咪咪

中国中医科学院中国医史文献研究所

（天津國醫函授學院各地學員課外讀物）

天津新國醫月編

（非賣品）

（原名國醫月報）

第一期

天津國醫函授學院編輯

地址 天津英租界川[illegible]號路義慶里六號

全年十二期對本院學員不另收費校外生訂購收費二元五角

六淫與細菌

張世柏

比年以來，國人崇拜西洋物質文明之心理，牢不可破，凡百事物，以爲來自西洋者，必較中國固有者爲高尙，彼爲業務競爭之商人，亦利用國人心理之弱點，莫不以洋貨號召；彼機器店之主人曰：「本號全是德國貨，價廉物精。」開設衣舖之主人曰：「本號所辦之衣料，選擇歐美優等之出品，衣服之形式，皆效紐約巴黎之時髦。」如此而宣傳者，以恕道批評之，實爲可笑，而又可悲！然商人智識淺薄，惟利是圖，情或可原！今乃自稱有高等智識之西醫，亦竟專以銷西洋藥物爲能事；對固有之國醫，國藥，不惜鼓其如簧之舌，大施攻擊，冀達消滅中醫之目的，不亦可恥而又可笑乎，夫西醫之所自詡者，爲彼能據細菌學以治病也，其所藉口以攻擊中醫者，卜醫之六淫氣化，渺茫無據也。實則中醫之以六氣爲病因，乃由經驗而產生之心得之言，決非對於中醫毫無研究之西醫所能明其奧竅。余固非專持氣化之說，以否認細菌者流。然亦確認六淫爲細菌之母，而細菌非絕對之病原。茲請說明其理焉；夫六淫者，風，寒，暑，濕，燥，火是也，細菌者，極細微而非目所視之各類病菌是也，六淫與細菌，於病理上有相因之勢，無相離之理，六淫由空氣變化而產生，或隨天時而轉移，細菌得六氣而繁殖，隨空氣而飛揚，寄居於飲食，附着於器皿，人若起居不謹愼，飲食不留意，則細菌乘機而入，潛伏人體，一旦感受風，寒，暑，濕等氣，則身體驟然衰弱，體內之抗毒素亦因之減退，不但易感受外來之細菌，卽體內所潛伏之細菌，亦必乘機繁殖，大肆猖獗，而使人體起病理之變化焉。儻人體不受六氣之侵襲，無不適之感覺，則細胞活潑，抗毒之能力旺盛，雖或有細菌之存在，亦必能溶解其毒勢，阻止其蔓延，漸至撲滅其活力，決不能發揮其作用，而致吾人于死命也。是故治病之道，首重六氣，驅其風，寒，淸其濕熱，或降其火，或潤其燥，使人體復生理之常態，細胞具抗毒之作用，則細菌豈足爲害哉！若徒以細菌爲絕對之病原，認殺菌爲治病之要訣，不據六氣以治病，則千萬種類之細菌，安得如許之特效藥，一一而撲滅之乎？吾知其必不能也。歐醫沛氏之三因鼎立說：一，爲細菌襲入人之身體，二，爲氣候不適于人類之生活，而適于病菌之發育，三，爲人體不能抵禦疾病，凡此三者，成爲鼎立，缺一不能成病也，沛氏之言，與中醫之專據六氣以治療疾病之主張，可謂不謀而合也。吾國專以攻擊中國醫學爲能事之西醫，曷不三復斯言？

治肺癆宜注意脾胃說

吳明之

癆之爲義不一，五臟皆有，惟肺癆一症，患之者衆，善治者鮮，其毒極狠，其禍極酷，乘人於不備刼人於非命，誠人類之憾事也。肺癆之原因；或由於思想過甚，或由於縱慾無度，漸至精力憔悴，體工無由抵敵，授癆菌侵襲之機所致，此固詳載於方書，毋庸子之繁贅矣。惟倘有不能已於言者：肺癆本非絕對不治之症，而多數患者之不能得救者，實半由自己調養方法之失當，半由醫者危詞之駭人，及藥不對症所致也。明每觀時醫處方，於癆病未成，僅見咳嗆痰血等症，其方未必書損怯之症，治頗棘手。若稍涉喘汗煩熱等虛象，則必疾首蹙額曰：「病入膏肓，治療已晚，勉擬一方，以盡人事。」嗚呼，病者見之，其不因憂懼終日，而增劇其病勢者幾稀矣！且若輩所處之方，類皆頭痛醫頭，脚痛醫脚，舍本逐末之法，非用前胡，半夏，祛風化痰，卽用沙參，阿膠補肺滋陰。殊不知用滋膩之藥，足以礙其胃，用化痰之藥，適以竭其津，因之而胃口不佳，營養缺乏，體漸羸弱，而陷于不救者，比比皆是也。至於西醫之治癆，亦專用魚肝油，帕勃托等，滋膩腥臭之品，或偏重鈣劑（石灰質）療法。以謂肝油滋補體素，能增加抗毒力，鈣在肺中，能包圍細菌，不致蔓延。但肝油不宜於脾胃虛弱之患者，鈣質久服，易致咳嗆不爽，新陳代謝遲鈍，與中醫之專用宣化滋養之法，有同樣之弊也。卽彼之打針，及照太陽燈，及氣胸術等，在治療上亦無極大功效，不過聊爲塞責而已。然則，合理之治療，果何如乎？余可一言以蔽之曰：「治肺癆首當注重脾胃爲要也。」蓋脾胃爲後天之本，脾胃健全則胃液中之鹽酸及酵素充足，能消化蛋白質爲配布頓，復入小腸，經腸液之分解，而爲亞明酸，以浸潤組織，營養百骸。而脾臟則爲製造白血球之機關，白血球能別離血管，巡遊各組織，如某部感受創傷，病菌因此侵入，白血球感受刺激，卽別離血管，逕至病竈，呑食細菌，使其不足爲患，又赤血球缺乏時，白血球有生赤血球之能力，故先培補脾胃，强健其消化機能，然後再投以滋補之劑，則人體營養佳良，血液中之白血球增多，身體之抗毒力强，自能戰勝一切細菌，以恢復其健康。先哲云：「土爲萬物之母，土强則生氣勃勃矣。」殆此之謂歟！若夫病久之人，癆菌蔓延，致成便溏，食減之腸結核症，（卽肺病傳脾）則調理脾胃，尤爲重要。蓋脾胃一損，則營養之來源斷絕，細胞對於細菌之抵抗力日漸減退，患者之生命，鮮有不爲細菌所吞滅者。故曰：「土旺則金生，勿拘拘於保肺。」內經謂：「陰陽形氣俱不足者，調以甘藥。」學者苟能融貫此意，不難撥雲霧而重見天日也，至於具體之方法，明嘗檢閱方書，以補肺而不礙胃，祛痰而不傷津者，莫如山藥，苡仁，白朮，茯苓，甘草之類也。而金匱中之薯蕷丸，小建中湯，尤屬可法。蓋一則以薯蕷爲君，一則以甘藥建中，薯蕷味甘性平，內含多量之蛋白質，及澱粉，謨新等成分，補而不膩，不礙消化，有助腸胃四週吸收管之作用。而建中則以飴糖爲君，飴糖甘溫，有增加血中之糖質，補充血液，誠爲健脾補血之良方也。夫脾胃既能營其消化作用，則體內養分不致缺乏，細胞能發揮抗毒之力量，雖頑固之肺癆症，亦不患無治癒之希望矣！

研究國醫學的意義和方法

王東英

一　研究中國醫學的意義

自從民國十八年衛生會議通過廢止中醫案，以及同年三月十七日全國中醫大團結，力爭保存中醫後，迄今對於中醫之存廢問題，頗爲國人注意，上至要人，下至黎庶，莫不以口頭或文字發表其個人之意見，綜合數年來報章雜誌所載，大抵不外二種見解；主張廢止的人說『舊醫的理論，以陰陽五行生尅爲根據，全屬荒謬不稽，現在是提倡科學的時代，此種玄虛之學說，根本無存在之餘地；惟有科學的西醫，才能負起保衛人類生命的責任，才值得國人去研究。』主張保存的人說：『中醫有四千四百餘年之歷史，靈素難經爲萬世不易之名論；且中西風土不同，人之體質亦因之而異；中醫適合國人之體質習慣，故治病之效能超過西醫，不惟不宜廢止，且應保護之發皇之。」我以爲一味保存舊說，固爲時代潮流所不容，但如因其舊而不去加以研究，率爾廢棄之，亦未免淺看偏激；蓋中國醫藥之發明，係先有經驗，而後始有學理，經驗由治病之實效而得，學理乃由後人推想臆造而成。章太炎先生嘗謂：『問藥於中西大醫，不如問之鈴醫爲審。』故五行生尅，陰陽六氣之理論，固無吾人一顧之價值，但數千年來之藥物經驗，實未可一概抹殺；況近代科學的西醫，對於頑固性的肺癆，腎臟炎及原因不明的痲疹諸病，均無根本治療之方法。章太炎先生曰：『有時求之今人而窮，莫如退而反古。』吾人果能對於固有醫術，加以刻苦之鑽研，則中國醫學未始不能放其光芒於世界；即不能達此奢望，當茲西藥暢銷，金錢外溢之時。能改進國藥之效用對於國計民生，總不無小補。因此我們研究中國醫學的意義，絕對不是主存主廢那樣的偏狹，茲略述之如下：

A整理固有學術：中國醫學有數千年之歷史，其以能歷久存在，不被時代潮流所淘汰，自有牠不可磨滅的眞價值存在；頑固的舊醫們把靈素難經誇爲萬世不易之理論；偏激的西醫，把古代醫書一脚踢出於研究室外，對於固有醫術的摧殘和蹧蹋，可說是異途同歸。我們所要研究的，是用科學的方法，去鑑別其何者爲荒唐無稽，應毅然廢棄之；何者爲價值眞確，應努力提倡之。這樣方不致蹈舊醫們高唱保存國粹而不知何爲國粹的覆轍。

B闡揚國醫文化：一切有價值的新學術，都是建設在舊學術的基礎上，從舊學術裏蛻變出來的，決不是從所謂千古卓絕的天才者，憑空臆造而成是試觀西洋醫學之進步。當紀元前三百年時，著名的哲學家兼科學家亞里士多德也把人體認爲由地，水，火，風，四種元素所合成，對於疾病，則認爲是這四種元素不調和的現象；何嘗不和中醫的以陰陽五行來解釋病理相同？厥後，由希坡克拉忒斯的液體病理學，阿克勒拔亞德斯的固體病理學，經摩爾甘尼的臟器病理學時代轉而爲費爾孝的細胞病理學，成爲近代完美的病理解剖學和病理組織學的基礎，其間不知經過多少次的蛻變，耗費多少學者的心血。中國醫藥學術，經過數千年之治病實驗，已經有了很好的基礎，我們如果能用科學的方法，去研究牠的學理，發明牠的價值，則在西洋醫學未臻完美的今日，未始不能補救西洋醫學的缺點，實現化中醫爲世界醫之理想。我親愛之青年同志！整理固有的學術思想，闡揚優美的醫學文化，是我輩應負的責任，盍不於中醫學術加之意乎！

二 研究國醫學的精神

曾見許多的人，目見中醫能夠治好西醫所束手的疾病的事實，很頌讚中國醫學的效力，便去翻閱古今醫書，刻意鑽研，但結果，有的因其學說之玄奧費解，知難而退，有的索性迷信陰陽五行的玄說，做了古人的奴隸，對於中國醫學的眞價值，仍然毫無發明；這並不是中醫學術太艱深，也不是研究者的不努力，純粹是因爲研究方法不確當的緣故？我以爲研究舊醫藥學術，至少須具有下面幾種精神：

A科學的精神：中國醫書，自神農黃帝以來，不下數千百種，其學說十分龐雜，眞，僞，優，劣，難以判擇，若只隨便拿些古書來讀，非食而不化，即知難而退，要想改進醫學，難如登天。所以我們要研究中國醫學，第一應該用科學的方法，去把牠們整理出一個系統來，用科學的眼光，去鑑別牠們的是非眞僞，屏棄牠們的糟粕，吸取牠們的精華，纔能把中國古老的學術，提到摩登的科學的境域裏來。

B疑古的精神：試讀中國醫學史，歷代醫家都把靈素難經奉爲金科玉律，從來沒有人敢加以批評或懷疑，他們所著的書，無非替古人做點註解，或剿襲古人的陳言；據我所知道的，除日本的東洞吉益，和田啓十郎，湯本求眞，山田珍氏等之外，在中國祇有清朝的王清任和近世陸淵雷……尙能抱疑古的態度去研究醫學。這無怪中國醫學永遠沉淪在陰陽五行的迷網裏，沒有和科學接觸之機了。此後，我們如果要使中國醫學脫去玄虛的衣裳，受科學的洗禮，那麼我們在讀古書的時候，不論是對於正文，對於注解，都應該處處抱着懷疑的態度；甯可錯疑，不可錯信。

C實驗的精神：我國的舊醫書，對於一切的疾病，都用玄之又玄的五行生尅的理論來說明，所以診斷治療也都不重實驗，而以空論和假說爲標準；但是醫學的使命，是治療疾病，不是空談理論，或徒看書本所能完事的。我們要明瞭某種疾病的原因，及其治療的方法，或想明瞭某種藥物的成分，及其所治的病症，切忌根據抽象的理論來從事思索，應該以十分虛心和忠實的態度，去精密地實驗：如用理化的實驗不可靠，則繼之以生物學的實驗，然後再繼之以臨床實驗，直到斷定其確有眞正的效力之後，纔正式用以治病。尤其是中國藥物，因爲本草所載大都誇大其辭，不合事實，亟待吾人用實驗的方法，來確定牠們的眞價值。

談談營衛

楊醉梅

營衛兩個名稱，我們中醫向來沒有確切的解釋，有人以謂營衛就是指氣血的作用而言；還有人以謂「非氣非血，另有其物。」然而我們參考西醫學說的結果，可以證明營衛就是白血球同體溫。何以呢？讓我慢慢的說明在下面，請讀者加以指教。

（1）營底說明

攷白血球爲脾所製造：按脾的位置，在人身的中部，和內經裏說「營出於中焦」的道理，互相暗合的。又考中醫所說的脈，就是西醫所說的血管；西醫說白血球在血管中，和內經裏說，「營在脈中」的道理，又是互相暗合的，並且中醫名牠「營」字的本意，就是說牠像兵家的營壘嚴守着，不許盜賊來侵犯，即西醫所說白血球能夠消滅細菌的意思。上面已經說明中醫的營和西醫的白血球，就是一樣的東西。現在我來說明牠底形狀及作用：

白血球有核，表面有突起物甚多，如桑葚，能伸縮運動，如阿米巴。平時附在血管壁，循行血液中，一旦遇着細菌侵犯時，立即由脾臟製造許多白血球出來，隨着血液流行赶至病所，把侵入身體的害菌，包圍而吞食；抵禦在前的，都犧牲而變成膿，抵禦在後的，能把病毒驅除出外，又能夠產生一種殺菌精來殲滅病菌。

（2）衛底說明

更考體溫，係人身體上的熱度，是一種無形的東西，由內裏蒸發出來，至外面皮毛間，和內經裏「衛在脉外」的學說相同，又能夠使肌肉溫和，皮膚因溫和而潤澤，腠理因溫和而暢利，汗腺和而容易開閉，故內經裏說「衛氣者所以溫分肉，充皮膚，肥腠理，司開闔者也。」並且衛字的本意，等於兵家的護衛，即體溫蒸發不許外面寒冷來襲擊的意思。可見得衛和體溫的稱謂，是名異實同的，現在我再說明牠底產生和作用：

食物消化後，變成榮養物質，遇着血液中的氧分而起輕微的燃燒，這是產生體溫的第一原因；肌肉運動時，關節磨擦很劇，心臟搏動增速，這是產生體溫的第二原因；血液流行時磨擦血管壁，這是產生體溫的第三原因。多食脂肪質的肉類，這是產生體溫的第四原因。（按肥豬肉每磅含有三千五百五十五羅里底熱價）

人體的平常溫度，爲攝氏寒暑表三十七度，即華氏寒暑表九十八度六。既然一方面造溫機能日夜沒有停止，同時熱氣由身體各部散出體外，也就一樣地沒有停止。放散熱度最重要的機關，就是皮膚底傳導地發散，其他像汗腺的分泌、呼吸的蒸發，二便及涕涎的排泄，也能夠帶出體內的熱度。

然所以能夠保持着平常溫度，不會得過分升高，及過分降低，還靠着人身體溫的自然調節。像運動劇烈的時候，血行增快，體溫也增高；同時一方面增加汗腺分泌，則體溫能夠放散。又像嚴冬寒冷的時候，血行遲慢，體溫減低；同時一方面收縮皮毛孔減少汗腺分泌，使體溫不易放散，所以內經裏說牠「司開闔」，我認爲一些兒也不差。

牠又能夠保護人的周身，不許外界寒氣來侵犯，一旦被寒氣逼迫，即起强烈的反射作用，增高體溫去抵抗病毒；所以傷寒證的發熱，就是這個道理，倘使身體衰弱，體溫不足，就可以直中三陰的。

照上面種種說來，可以得到一個結論，所謂「營即是白血球」「衛即是體溫」，惜乎，內經的文義太簡單而深奧了，以致後來的醫家，越纏越不清楚，越弄越不明白；醫學大辭典裏也說「營即人體發血管中之血」，亦稱動脈血：「衛即人體迴血管中之血」，亦稱靜脈血；這句話我看了以後，險些兒把飯都噴出來，讀者是明眼人，這裏不必我再來囉嗦了。

內經生理之科學觀

徐觀濤

宇宙之間，森羅萬象，幾如變化之無窮，然總括之，悉可納諸物質與勢力之二大原則；昔之學者，以自然物質爲科學之對象，而對於比較複雜之社會現象，則以爲無一定之體系，素被擯棄於科學之門外，如發明國家學，政治學之柏拉圖，Plato人不以科學家稱之，咸稱其爲哲學家，即其明證也。迨至後世，因科學本身之進步，而社會現象，遂亦被納之於科學之範圍矣。

夫人一身小宇宙也，雖身體之結構，錯綜複雜；機能之變化，靈妙幽玄，然試以科學之方法歸納之，亦不外乎物質——肉體之構造，與勢力——機能之活動的二大體系而已。肉體藉機能以維持其存在，機能藉肉體以發揮其作用，二者實有不可分離之關係；吾人欲防疾病於未發，及施藥石於已病，則對於人體生活之本能，不得不先了然於胸中；所謂生活之本能者何？即肉體之構造與機能之活動是也。西洋醫學自十六世紀初葉與解剖人體以來，對於肉體構造之說明，可謂詳且盡矣，惟闡明機能活動之生理學，則爲科學程度所限，尚未能盡愜人意也。近觀中國醫學：「肺只五葉，以爲六葉，肝實居右，以爲居左，」解剖學之不及人，固無可自諱，且亦不必自諱——自諱反足阻害進步，但對於說明機能活動之生理學，實較西醫學說爲確切且合理也。試觀內經藏象諸篇，其能以形體說明者則逕直就其形體說明之；其幽微玄妙之處，不能以形體說明者，則假陰陽以別之，別之以陰陽猶未能達其說明之目的，則更代之以五行，假之以生尅，可謂盡其說明人體幽微玄妙之作用之能事也。由此觀之，中醫之生理說明，固未嘗不合科學。但國人之業西醫者，不知研究固有之學術，妄斥中醫生理學說爲不合科學，而奉內經爲圭臬之中醫，亦硬把內經學說拉入哲學之範圍中；遂致中國生理學與當時之社會學遭同樣之命運——被去出於科學之領域。嗚呼！是誠不思之甚矣！余不禁爲中國醫學前途悲也！余以爲保存國粹，首當整理國醫，其虛玄荒誕者，不妨嚴詞以闢之，使其不爲害羣之病馬，其言之成理，論據有證者，則宜發揚之光大之，使其爲科學國中之座上賓；然後以吾固有之生理，參以西洋之解剖，形成一握有權威之新的醫學組織，則中國醫學庶不致被時代狂流所淹沒也。中醫內經，爲中國生理學之最先著作，雖其玄虛之處不可勝計，但其中亦不乏具有較西醫生理學價值更高之學說在焉。

國藥之炮製

鄒雲翔

國藥炮製之法，名目繁多，所謂炮製者，謂以種種方法。煆煉藥品，變更其形狀或性質也，今將吾人所習見而略知者，以舉其大概，著者限於時間，言之不能詳盡，請讀者曲原焉。

製法

1. 水製 卽藥物之用水製煉者，有洗泡製二法。

a. 洗 藥物之生於土中者，非洗去泥沙不可。

b. 泡 暫置藥品於水中，以解其烈性也。

2. 火製 卽藥物之用火製煉者，有煆，炮，炙，炒，焙，煉，燒煆八種。

a. 煆 置藥物於火上，燒令通紅也，藥品中之石類介類用之。

b. 炮 置藥物於火上，以煙起爲度也。

c. 炒 置藥物於火上使之黃而不焦也。

d. 炒黑 卽藥物之炒至黑色者，能入血分，以和血止血，如蒲黃，銀花，藕炭等是。

e. 焙 置藥於火上，使之燥而不黃也。

f. 煉 卽藥石之用火久熬者也。

g. 燒灰存性 植物藥品之應燒者，而煆之如炭，使之枯而不碎，蓋以瓦鉢，使熱氣不外泄而自冷，則性質存而不散，若過用火力，使之散粹而成瓦灰，則無用矣。

h. 煨 以藥物置火炭中，煨之生熱也。

3. 水火製 此爲製藥之水火并用者，卽蒸煮二法。

4. 土製 凡藥品之和中健脾者，宜以東壁土炒之。

5. 酒製 卽藥物之用酒製者，或取其流行氣血，或取其監製苦寒，或取其上行頭目，其中有炒洗浸調之別。

a. 酒炒 使酒性滲入藥內，力量較洗者爲多，凡病在頭面，及手指皮膚，須用芩連知柏等苦寒藥者，則用此法。

b. 酒洗 但洗藥之表面，使之略得酒性，凡病在咽下臍上，須用芩連知柏等苦寒藥者，則用此法。

c. 酒浸 浸則時間最久，滲透最深，力量最重，漬酒卽酒浸也。

d. 酒調 以酒調藥敷貼也，凡外症之屬於陰寒者宜之。

6. 童便製 卽藥物之經童便製者，能除劣性而下降，與鹽製之效用相近。

7. 鹽製 卽藥物之經鹽水製者，如鹽水炒，鹽水浸，鹽水洗之類是，可使走腎而軟堅，下行而不燥。

8. 蜜製 藥品之燥者，可以蜜製法潤之，且可藉其甘緩，助益元氣。

9. 酥製 藥品之欲其脆者，則以酥炙之，酥者，牛羊乳所熬之油也。

10 乳汁製 卽藥品之經人乳汁製者，可以潤枯而養血。

11 薑汁製 卽藥物之經薑汁製者，使溫散而不滯。

12 麯製 卽藥物之經麯製者，能抑酷性，使之勿傷上膈。

13 醋製 卽藥物之經醋製者，俾走肝而收斂。

14 米泔製 卽藥物之經米泔水製者，有去燥和中之功効。

15 漬 水治法之一，久置藥品於水中，取其氣味兼盡也。

16 淬 煆煉刀劍以水滅火曰淬，引申爲藥物煆紅投水中曰淬，如酒淬醋淬之類。

17 飛 研藥爲細末，置水中，以漂去其浮於水面之粗屑也，石類之藥多用之。

18 麵煨 卽藥物之以麵糊裹煨者，能抑酷性，使之勿傷上膈。

19 麸炒 藥品之須穀氣者，則以麥麸炒微黃色用之。

20 鎊 刨也，凡木類之堅硬者，則刨之成屑，如沉香是。

21煉蜜丸　以食熬煉之蜜作丸，取其遲化而可氣透經絡也・製法先以蜜炖熟，將藥末和入，置臼中搗千百杵使之軟熟，再作條捻丸。

22麵糊丸　以麥粉爲糊以和丸也・稀麵糊丸・取其易化・稠麵糊丸，取其遲化，直至下焦也。

23醋泛丸　以醋泛丸，取其收斂之意，經絡病之虛者宜之。

24湯泡蒸餅丸　以小麥於臘月或寒食日製餅蒸熟，至皮裂去皮，略加糟類，使之發酵，懸之風乾，至造丸時，取陳年者，以水浸脹・擂爛濾過和丸，稱爲湯泡，凡脾胃三焦藥多用之，取其易化，蒸麵已陳年過性，不助濕熱，且能通利水道也。

25酒泛丸　以酒泛丸，取其疎散之義，經絡病之實者用宜之。

26水泛丸　以水和藥末爲丸，入口稍遲便化，治上焦病宜之，所謂滴水丸，即水泛之丸粒，入腹最易化。

27煮　置水中烹之也，如牽牛南星之屬，非煮過實毒力太甚，不可入藥。

國藥之炮製方法，雖屬多端，似有近乎畫蛇添足，減低藥効・且我國中醫界，對於藥性，往往有知其然而不知其所以然者，問其麻黃何以能治喘，當歸何以能養血，則有瞠目結舌而不能答者・國藥之研究，誠爲當今之要務也。

國藥之科學研究

（前人）

藥物研究，當有一定之方法，與其步驟，不可漫無標的，近人葉橘泉先生云：我國藥物經驗宏博，物產豐富，所以用之得當・治療的功效非常可靠・因此各國的學者，轉移其尖銳之目光，注意於此，紛紛的搜集中國所產的原料，並翻譯本草綱目等藥物書，作參考資料・在化驗室孳孳的矻矻研究。

我們研究中國醫學・在目下「醫」「藥」未能分科研究的時候，醫和藥不得不同時研究・據鄙人的意見，尤其是藥物的研究・較佔重大的地位・因爲國醫學術上最有研究價值的，是國產藥物・國醫治療具有特長的也是方藥的經驗。

研究藥物的方法，主張人各不同・有主張裒集古來本草共治一爐者，有主張推翻舊說採取外人化驗成分之說者，亦有主張新舊對照者，然以鄙人年來對於藥物考究之經過，覺有三種方法和二個步驟，茲特介紹於下：

（一）「統計的方法」對於諸家本草記載藥物的功效，某藥主治某種症候，旁治某種症候，以及傷寒金匱千金外臺等書的處方主治，某種症候，多用某種藥物來組成，仿照日本的東洞吉益之藥徵及余雲岫氏之國藥文獻研究等方法。統計其主要的功用，比較最爲可靠，至於其他嚕嚕囌囌的空洞理論，可以擱置不顧。

（二）「留意民間的療法」古老相傳的單方，尤其如民間使用的草藥，我覺得大有研究的價值，且此種草藥，在民間往往稱什麼吐血草，毒蛇草，瘰癧草…………等名目，一般患者，試用之下，非常有效，詢諸醫藥界，因其名稱不同，每致瞠目不能答，其實，凡被民間所賞用之草藥，本草綱目及本草拾遺差不多均有所記載，據鄙人研究所知，民間認識之功效，多與本草所載不同。歙處鄉間有一種吐血草，幾已家諭戶曉，一般好善之家，盆栽送人，驗之於咳血多量之患者，確有良好之效果，此爲親見之事實，後來根據植物學上之形態種類，多方考証，知是景天科植物之一種，但景天之功效，本草書上並無治吐血之記載，民間的經驗非常準確而可靠，又有一種土名，瘰癧草者，煎服治瘰癧有特效，考證之下，方知其是臭藤（見綱目拾遺）至於毒蛇草，則種類繁多，什麼馬牙半枝，鼠牙半枝，犬牙半枝等，其實都是馬齒莧科的植物，我有一個朋友，他住在江蘇張堰，有一次特地寫信來報告我一則有趣的治療例，要我解釋其所以然，收入合理的民間單方中，據說，有一個中蝮蛇咬毒的患者，已經氣息喘急，目昏不見人，他偶然見到千金方的記載，用大量新鮮馬齒莧搗汁灌服二三杯，居然治愈，我雖然不能解釋其所以然，却被我明白了藥用植物的醫療作用，原說是有同類的共同的通性，因爲民間常用的毒蛇草藥，鼠牙半枝馬牙半枝等，同是肉質多汁的馬齒藥科植物故也。

（三）「依據近世藥學的考證法」，知苦味藥之於健胃，（黃連龍胆草等）芳香藥之刺激神經（陳皮佛手等）焦炭之具吸着止瀉作用，（山查炭神曲等）粘滑藥之有保護粘膜，而減刺激（滑石甘草等）收斂藥之收斂粘膜血管，而奏止血止瀉之功，（五倍子沒貝子等）臟器藥之含有內分泌抗體等，（胎衣臍帶海狗腎等）。

依上述三種方法研究藥物，尚須分兩個步驟。

（一）「覆準其生藥學的種類」植物類的藥材，因爲種類繁多，藥物搜集，操諸藥農，藥商收買販運，整理發售等人，大都無生藥學的知識，以誤傳誤，在所難免，如前胡之誤爲白前，相思子之誤作赤小豆，大茴香之混有鉤吻，以及人參與黨參之完全不同科屬（前者有健胃强心之功，後者爲補脾生血之藥）蝦蟆與蟾蜍之不可混同（前者爲解毒之品，後者爲强心之劑，蟾蜍之皮脂腺含有蟾酥）等類，舉不勝舉，若一一考明其種類，則研究之際，可免錯誤。

（二）「歸納藥物作用的通性」如黃連黃芩龍胆草等均爲苦味健胃之消炎解熱藥，菖蒲干姜細辛等均爲芳香性興奮神經藥，皂角遠志桔梗等均爲祛痰藥，荊芥薄荷葛根等皆爲清凉性解表解熱藥，羌獨活秦艽白芷防風等悉屬神經藥，有鎮靜鎮痙鎮痛之功，古稱去風濕者，蓋卽此也，天虫，全蝎，蜈蚣，蘄蛇等，亦爲神經系統之鎮藥痙，第其間不過程度有深淺，功用分强弱而已，諸如此類，不勝枚舉。

我們能根據這三種方法，及兩個步驟，把各種藥物整理起來，做到這個地步，則藥物之性狀既明，藥理的作用亦可因之而顯，臨床之際，謀擇應用，庶有標準可循，設敎講學，方無各是其是之弊，自是而後，學者有階梯可進，追蹤科學，或庶幾近歟。

葉君之三項主張，頗足供研究之價值，故錄之以供同人之參考。

近人葉舟先生主張改良國藥，其言曰，中藥營業之凋敝，其故在於不肯改大餅爲麵包，以迎合人之口味，與夫世界潮流，而關於中藥之發達不發達也。如山西大黃，卽所稱錦紋大黃，歐美醫學各國不用，惟中醫切片，外國研末，而中藥營業者，皆以倚賴中醫爲其推銷員之故，遂不肯改片爲末，甚至今日內地各藥房之大黃，皆採自舶來，若我中藥營業團體，有心思以中國大黃推銷至內地醫院，外國市場，則一改片爲末之勞，便聲價十倍，葉君並將中西藥品關於生理上應用類同之點，列表以明之，錄之以供參考，且云歐美醫學所賞用之藥也。

生理分類　西藥　中藥　列後：（學者舉隅反三可也）

（緩和藥）（西）甘扁桃沙列布根膠質粘滑液（中）山藥　甘草　無花果　蜀葵根　（緩下劑）（西）加兒斯泉鹽舍利　鹽參那蓖麻子油　（中）大黃　大棗　芒硝　天門冬　（興奮藥）（西）安母尼亞甘硝石精白蘭地葡萄酒咖啡珂珂實　（中）白芷　茴香　茶　烟草　樟腦　麝香　（加答兒藥）（西）炭酸鹽類　（中）明礬　（六衣馬替斯藥）（西）楊曹薩羅兒安替披林　（中）防風　瑞香皮　決明子　（骨成形藥）（西）燐酸鹽類中燕麥　（袪痰藥）（西）海葱安息香酸吐根　（中）良姜　茴香　遠志　貝母　款冬　五味子　香附子　麥門冬　（治疣藥）（西）沙吡那　（中）續隨子　薏苡仁　（墮胎藥）（西）沙吡那麥甬　（中）麝香　（吐劑）（西）吐根硫酸銅　（中）瓜蒂　桔梗　（完）

（第一版）

（天津國醫函授學院各地學員課外讀物）

天津國醫月編

（非賣品）（原名國醫月報）

第二期

天津國醫函授學院出版

地址　天津英租界卅二號路義慶里八號

全年十二期只向學員收回紙料油墨費及郵寄費共國幣　圓　角

用藥之學理與習慣

（章次公）

有此病則用此方，有此證則用此藥，此仲景學派所持者，我人用藥，祇求其無忤學理已足，夫何必顧及習慣？雖然，中醫尙未能至統一無間之今日，人自爲政，派別紛歧，一派之藥方，自別派視之，目爲不然，甚則痛下批評，病家爲之猶疑莫決，或拒服此藥，病卒未愈，我人爲適應起見，不得不顧及習慣；融洽輿情，嚴格言之，此亦一種江湖法術而已！求學理習慣兩者無所悖，則吾人藥方，以崇奉陰陽五行者觀之，固甚當，以現代學理論之彌足珍是也。欲達到此學理與習慣兩適當之境，必精通新舊諸學說而後可，試舉數藥之例於下：

（1）遠志－古人言遠志入心，且顧藥名，而思其義，似亦屬對心志有幾何作用者，而今人謂之祛痰，在慣爲調和之說者，可曰痰迷心竅，祛痰卽所以入心，此自學理觀之，自爾荒謬可笑，譬如中風－腦出血－痰聲曳鋸之際，過去用遠志菖蒲，合胆星竹瀝，此遠志自以開心竅爲目的，我人祗須心知其用，以排除氣管內容物爲目的，其治病之奏效相同，不必拘拘於說理之間。

（2）清水豆卷－腸窒扶斯初起或一候時，市上醫生多用清水豆卷，以清透退熱，我人知腸熱初起，非退熱可效，彼以爲清透之藥，如豆卷眞正功用，在於利尿與維持營養而已，利尿可以排除毒素，維持營養可增抗病之機，治療腸熱要的凡三：1維持心臟，2撲滅桿菌，3維持營養，－苡米豆卷－以及得維他命C，（維他命C

缺乏易成腸出血）我人用豆卷治病之目的，不外上述，則病症得治即可，不必堅決反對清透之說。

（3）何首烏—濕溫症至舌苔紫絳如豬肝，爲毒素盛，如舌絳而乾。過去以爲邪入營分，氣陰兩傷之候，治須西洋參，習慣以爲生津潤燥，我人心知其爲營養與强心兩作用而已。又濕溫症便祕已久，易於自家中毒，若至舌乾傷陰，須用元參，何首烏，養陰增液，使便通則陰液乃回。如吳又可增液承氣之類，其實首烏中含與大黃相同之成分，功在通便，而不在養陰，我人若不顧習慣而用大黃，靡不視爲怪誕，若用何首烏，將認爲善用後世方，行且引爲同道也。

（4）犀角—犀角之應用於一切熱病見神經症時，如神昏搐搦之類，彼以爲用在入心宣通神明，曰：犀角神獸也。而我人用之，以强心止血，凡熱病之發熱愈高，則心臟負担日增，愈易衰弱。中醫術語曰：陽極入陰，犀角之動物試驗，已有增加心力之證據，又袁淑範謂動物角類皆有黏性而能止血，故我用之以强心，防制其腸出血等，即減少神智昏迷之證。獲效相同，理可弗問。

（5）牛黃—日本頃以兎試驗牛黃之功用，濕溫之發熱至四十度者，得此可減退熱度至三十七度，於眞性赤痢菌，亦有殺滅之功效，譽爲熱性病之退熱妙劑，牛黃爲牛膽汁，病變所凝結，推其功效，則仲景用豬膽汁通便，殊含有解熱殺菌之企圖，又可想見牛黃清心丸之饒有至理，溫熱派如葉天士輩，於整個醫學，雖無所供獻，而用犀羚紫雪至寶丹等强心解熱，洵可補仲景所不及，爲後來開法門，此功未可沒也。

（6）紅花—又如紅花：古人用以祛瘀，產後惡露不盡之兒枕痛，崩漏之久久不愈者，所謂「暴崩宜止久崩宜攻」者，用之，皆曰祛瘀好。自今日觀之，本能收縮子宮，收縮血管，子宮血管收縮，則留瘀可去，枕痛可安，出血可止，崩漏乃治，與習慣不相悖謬。昔人有以紅花治肺病吐血，謂可祛瘀生新，今乃知不過收縮血管以止出血耳！他若川芎之試娠妊，亦收縮子宮之效，桃仁與紅花功效彷彿，然二者於妊娠，則在禁忌之列。

（7）桃仁杏仁—桃仁杏仁皆油類，滋潤鎮痛鎮痙制止分泌之藥，且有相當之麻醉作用。以治咳血，二者固可同用。以桃仁有止咳作用，若治痢下，則杏仁不若蔞仁，蔞仁雖不如杏仁之能兼鎮痛，然習慣則自以杏仁爲突兀也。間嘗謂處方之與病情習慣，務須純粹一貫，而不雜還，例如目前之論吸着劑，同一吸着爲目的，若治腸熱症，寧用黃芩炭銀花炭，而不取禹餘糧赤石脂，在遵從古人經驗，順治習慣與情也。

（8）苦味藥—苦能堅腸，黃連黃柏黃芩苦參之成分全則同，我人若以止瀉爲目的，甯取黃連，則合理中湯爲連理湯，若在下痢，則以黃柏較優矣！

（9）動物藥—動物藥如蠍尾，地龍，蛇，皆有治僂麻質斯，恢復麻痺，振奮官能之功用。然回天再造丸活絡丹用蠍尾，不用地龍。又如老人癃閉溲難，爲膀胱麻痺，用螻蛄通溲有效，余嘗試以蠍尾亦效，推之蛇及地龍，諒皆應有相當功用，以其皆能興奮官能，恢復麻痺也。據最近報告，地龍退熱極效，勝於「匹辣米同」，惟多用之易起心臟衰弱，則其他動物藥於退熱，當亦有效也。

（10）升麻：補中益氣湯用升麻，相傳用以升提清氣，今知實取其營養解熱二作用。與升麻相同功者，爲常山柴胡，我人宜顧重習慣上之使用，倘于補中益氣湯用常山即有扞格之感，又有以升麻止瀉，亦謂其能升提，此在年老者，腸之吸收減少，小便不多，水分趨向大腸時，自以升麻之營養價值可助腸以吸收水分，而治愈其泄瀉，若腸炎初起，不當用之。我人當顧及學理，毅然排除此不當之習慣。又如荷葉，不論新久，皆治泄瀉。古人云以其一莖直上，可以升提，不知其含單寧酸也，桔梗用於痢疾，前人謂其性升提，可爲諸藥舟楫，又謂能開鬱悶，其實桔梗同愛美丁之成分，治阿米巴痢有效，多服則刺激胃粘膜，氣管有蓄痰者，往往致吐也。

（11）葛根—又如葛根；古人謂能生津，以其中含澱粉，如以之治腸炎初起之泄瀉爲目的；瀉止而津液自存者，意自不謬，以澱粉能庇護粘膜故，若久瀉用之，便爾少效。治嘔吐者，亦屬澱粉庇護胃粘膜故，若取其退熱，謂升散鬱火，宣發陽氣者，葛根殊無此效，溫熱初起兼泄瀉者，用柴葛解肌湯。則葛根有營養價值，且澱粉能治泄瀉，故尙堪應用也。

（12）黨參—傷寒漸愈而見心下痞者，爲胃機能虛弱失常，黨參能健胃，而黃連苦味，亦能健胃，習慣上，用參者絕少，謂參之補性，能使人滿。其實黨參之滿，在於製參之糖分，能制止消化液之分泌，俗謂參怕萊菔子，以萊菔子有消化素也。今若利用此消化素，使黨參萊菔子同用，則糖分消化，胃機强健，而痞滿可除。熱性病甫愈時，有胃炎症之痞滿，所謂「胃火未淨」者，用黃連少許內服，可以健胃，所謂「苦寒清火」也。然多服能敗胃者，以刺激過度，而胃粘膜發炎，亦所謂「久而增氣」也。故有以芳香性健胃劑，如王桂等同用者，取交泰丸意，所謂「胃不和則臥不安」，執病甫愈，而不得寐者，用交泰丸，又所謂「引火歸元」也。若左金丸，則苦味與辛辣性健胃藥同用。然產婦惡阻不能用，因吳萸有下胎能力，曾有人合川楝小茴吳萸。治妊婦腹痛，取其鎭靜止痛，而胎兒忽墮，故嘔吐在妊婦，左金丸當有所顧忌。

（13）民間丹方—治吐血用童便，曰「水中金」，取壯男便壺中者，謂能降火，又以治哮喘，驗之學理，取壯男尿者，恐有內分泌作用，而新陳代謝亦較盛故，治神經性喘息者，以尿中鈣鹽之作用也。

又婦女月事經久不調，服植物性劑，亦難得效者，丹方用紫河車最驗，古云：紫河車大補先天元氣，其實亦內分泌之刺激卵巢作用，河車大造丸用之取治亦好。

是故用藥欲合於學理習慣，必須商量權衡而後可，因得下列之結論曰：（A）主症之一藥品，於學說習慣，均無衝突者，爲最善。（B）藥之功用相同者，若同時有數味可用，則觀察方劑之主意。無忤純粹之條件以用之。（C）如一藥在學理上如此，惟與習慣相衝突者，寧去習慣而從學理。（D）一藥在習慣無所忤格，而與學理不合者，亦寧放棄習慣。

食物相尅問題

葉勁秋

論醫而不論藥，是爲失者，論藥而祇向故紙堆中找生活，而欲免其失實難矣，不諳藥理化學而侈談成分，更易流于妄誕，龜尿治中風不語，醫籍所載，取龜尿，法用鏡照，事實當須證明，葛花枳椇子，人皆謂其解酒，予嘗試驗，僅失其氣而已，諸如此類，皆中醫界所當深究以證其眞僞，是其分內事也，食物相尅，民間頗多傳說，然其究竟，則舍實驗無他法，中國科學社生物研究所生理化學室鄭集先生，曾以科學方法實驗相尅食物中毒之問題，並以身嘗試，此種精神深堪欽佩，玆特錄其實驗之經過及結果一文于次，用備中醫界之參攷焉。

吾國食物相尅（卽某二種食物同食有毒）之說，由來已久，始于上古，盛於唐宋，見諸藥草典籍者，約一百八十餘種，流傳於民間而無記載者，凡四種。是項典籍之記載，皆基於昔人之雜記，醫方及稗官小說，細究其說之來源，又皆基於無稽之傳聞及似是而非之事實，毫無實驗根據，民間對於此等傳說，以其流傳已久，多不置疑，往往有因他故而致疾病或死亡者，輒歸咎於食物之相尅，1935年夏，京城蕉芋同食中毒問題發生後，作者曾親加實驗，證明無毒，繼復嚮於所謂「相尅食物」與民間日常生活關係至切，應加以科學實驗，定其是非，以釋國人之疑惑，乃於已查出之一百八十餘組所謂「相尅食物」中，擇其流傳最廣，而民間同食之機會較多之十四組，用動物及人類以作實驗，各組之名稱及其「相尅」說之由來，簡列如下：

「相尅食物」	「相尅」說之起源
(1)香蕉與芋艿	香蕉之爲物，本草無記載，清趙學敏著本草拾遺及最近陳存仁中國藥學大辭典乃略有記載。於芋之記載，自古有之，梁，陶宏景謂芋生則有毒但皆無香蕉芋艿同食有毒之記載，唯民間則有是傳說。
(2)花生與黃瓜	劉啓堂謂花生不可與黃瓜同食，食則立死，逢原氏曾否認是說。
(3)葱與蜜	葱蜜同食有毒之說，始見於本草孫思邈亦謂葱同蜜食，壅氣殺人，明李士材著本草圖解亦有葱蜜同食殺人之說。
(4)烘青豆與飴糖	此係民間傳聞，藥草典籍無記錄可稽。
(5)鱉與莧菜	梁陶宏景唐張鼎清黃宮繡，王士雄均謂鱉莧不可同食。
(6)鱉與馬齒莧	鱉忌馬齒莧，中國藥學大辭典有此記載。
(7)蟹與柿	明李時珍謂蟹不可與柿同食，食則發霍亂，動風。
(8)蟹與石榴	見增定本草綱目之飲食禁忌。
(9)蟹與五加皮酒	民間流傳，無籍可稽。
(10)蟹與荆芥	見飲食禁忌及中國藥學大辭典。
(11)魚與荆芥	見中國藥學大辭典。
(12)鯽與甘草	民間流傳。典籍無記載。
(13)牛肉與栗	見增定本草綱目。
(14)皮蛋與糖	無記載可稽。

實驗方法及結果討論

本實驗所用之動物如白鼠及猴，犬，皆本所自養，身體健全者，食物經家常方法烹調後，用以飼白鼠，犬或猴，其中五、六、七、八、九、十、十二、十三、十四、各組猴不食之動物性食物，則以犬代之，其第一、二、三、四、五、十三、十四、各組食物最後復用人試食二日，在食後廿四小時內，所有被試動物及人員之表情，行爲，體溫及糞便之次數及顏色等，皆曾詳細觀察，結果均屬正常，無可察知之中毒象徵，茲將各該組食物之詳細烹調方法及實驗情形與結果，分述於後：

(1)香蕉與芋艿——將京市面所售之芋艿一千克洗滌，截碎，煮軟，冷之，再與等量之生香蕉(去皮)攪和，飼八枚白鼠二日，每日所給食物約20—30克，均被食盡，同時每次以煮熟之芋500克，與生香蕉五大枚喂猴，繼續二日，均無中毒象徵，最后作者與同事各試食熟芋及香蕉數枚亦未受任何影響。

(2)花生與黃瓜——將生黃瓜及炒花生米去皮截碎，以花生一份黃瓜半份之比例拌和，飼白鼠十枚(每鼠每日約食30克)及猴(每次黃瓜200克，花生100)二日均未中毒，人試食之，生理狀態，亦無反常現象。

(3)生葱與蜜——取小葱約30克洗淨截碎拌入250克之蜂蜜，飼八枚白鼠二日，(外加喂其他食物)無毒，同樣喂猴二日，亦無中毒現象，人試食亦無中毒反應。

(4)烘青豆與飴糖——將青豆用火炒熟，磨碎加入飴糖內(一與一之比)飼法及結果與第三組同，無毒象。

(5)鱉與莧菜——大鱉魚一隻(約600克)去其頭及內臟，洗淨，加水用火炖熟，並加少許酒及鹽調味，再用一千克新鮮莧菜(

一次爲紅莧，一次爲白莧）去根，洗淨，煑熟，二十分鐘二者混合飼白鼠五枚二日，無毒。同樣喂犬二日無毒。二人各試食一次亦無毒。

（附註）凡生理現象如表情，體溫，動作反常者，卽謂之爲中毒象徵。

（6）鼈與馬齒莧——烹調及實驗法如第（5）條，均無毒。

（7）蟹與柿——先將蟹去腸胃，洗淨，加鹽、煑熟，再與等量之柿（去皮）相拌和，飼白鼠八枚及犬二日，均無毒象。

（8）蟹與石榴——烹調與（7）節同，飼鼠八枚與犬各二日，均無中毒現象。

（9）蟹與五加皮酒——蟹之烹法與(7)(8)兩節同，煑熟後加五十立方糎之五加皮酒，飼白鼠八枚二日，繼又每次將五十立方糎之五加皮酒强迫喂犬，到以煑熟之蟹四枚喂之，皆被食去，連試二日無毒。

（10）蟹與荆芥——先用水二百立方糎泡乾荆芥40克，煑沸二十分鐘，翌晨取其汁與煑熟之蟹相拌和，再煑十數分鐘，冷之，以飼白鼠及犬各二日，皆平安無恙。

（11）魚與荆芥——烹法，飼法及其結果同(10)條。

（12）魚與甘草——用甘草40克，烹法及飼法同(10)條，飼白鼠與犬各二日，無毒。

（13）牛肉與栗——將牛肉一千克洗淨與栗仁（卽去殼之栗子）250克加水同炖，至軟爲度，食時加鹽，作者家中屢次如此炖食，均毫無毒性。

（14）皮蛋與糖——將由市面購得之皮蛋去殼截碎加白糖，飼白鼠及犬各二日，無毒，家人試食亦無毒。

討論

以上各組實驗，每日所給食物之量，以能供各該動物一日之用爲度，平均每鼠每日約食二十克至三十克。

上述各節，已顯然證明凡經實驗之十四組食物，對於白鼠，犬或猴及人均無毒性，故通常所稱因『相尅食物』中毒之說，必另有原因，非由於某二種惡物之同食也。

關於食物中毒之可能原因，作者曾略論及，約別之，有下列數種：

（1）個體對於某種食物之特殊反應（Food Allergy or Food sensifization）——事實上久已證明，食物中常有一般人食之泰然，而他人食之則致疾病者，例如草莓爲食用之佳品，但有人食後皮膚發紅癢或他種反常病象者，卽母親之奶，亦有使有嬰兒食後生病者，此類現象之眞正原因，吾人尙不能十分洞悉，但均認爲係某個體對於某食物所起之特殊『病狀反應』其原因爲該個體，對於特種食物中所含之蛋白質起過敏感覺，初非因該食物之不潔，亦非因某二物之同食也。

（2）食物本身有毒——某種特殊動植物之組織中，常含有於人有毒之物質，已成爲無疑之事實，雖然可以使人誤食中毒之動植物爲數不多，但亦未常無因食此類食物而中毒者，如食蘆筍（Rhubarb）而中草酸（oxalic acid）毒及食蜂蜜中毒者，均或有之。至于因食動物性食物而中毒者，爲數亦少，動物本身有毒者，如竹筴魚（Corang），河豚（Globefish）狐肝及海蚌（Mussel）是也。動物本身之毒性，隨產地及季候而異，產於熱帶之河豚，多有毒，而海蚌，箭猪及河豚，據調査報告，唯在產卵時期，乃有毒性，他如某種鯉魚（Barbus fluvirtilis）之卵，確爲該動物含毒質之唯一器官。

（3）由于不當之防腐劑，着色劑及殺蟲劑而中毒——自園事業發達及食物製造大量產生以來，一般菓樹園藝家，常用殺蟲劑以防菓蟲，而食物製造廠家，更多用着色劑及防腐劑，以保存食物之外觀與性質，故舶來品之菓實上，常帶有殺蟲劑，大量產生之食物，常含有防腐劑或着色劑、如硫酸銅，人皆知其於人有毒，但罐筒食物製造家，多用以增加豌豆及他種荳類之綠色，硼酸，安息香酸（Benzcic acid）及硫酸鈉三者均為常用之防腐劑，前二者多食可以使人腎臟生病，後者可以妨碍體內新陳代謝作用。此類食物，如偶爾少食，自不會使人有顯著中毒情事，但如食之次數過多，則亦可使人中毒也。據 Kallet 及Schlink 所述美國出口之蘋菓皮上，常含有砷及鉛，因彼等用砷酸鉛（Lead arsenate）以殺菓蟲也。砷與鉛皆為可怕之毒物，美國政府，雖曾加以法定限制（一磅蘋菓皮上，不能含有[illegible]釐（Grain）以上之砷及不准含絲毫之鉛），但事實上美國蘋菓皮上常含有超過法定數量之砷與鉛也。

（4）由於食物含有病原細菌或寄生蟲而中毒——許多疾病，往往由于食物有病原細菌或寄生蟲，此類細菌及寄生蟲之來源，或由於厨師侍者之傳染，或由於食物本身之不潔，自動物性食物言之，常有許多肉類，其自身即有細菌寄生蟲，更經污穢之屠宰行，及毫無衞生常識之販賣者，到用戶手時，已不知有若干病菌黏附於上也。蔬菜亦然，農人用糞便以作肥料，自不免有若干病菌或寄生蟲卵，傳染於菜上，為普通洗滌方法所不能去掉者，因蔬菜不潔而得傷寒病之記載，往往有之。食物到家中後，更經傭人不潔之處理（如用有病菌之井水，及污穢之厨房等）及不適當之烹調等，皆可使人致病，此外如食已被蚊蠅黏污之食物，及市面所售不潔之瓜果糖食，其易使人中毒，當更不成問題。民間有因食蟹中毒者，或亦因蟹體上有可怕之細菌使然也。

（5）因食腐爛食物而中毒——因食腐爛食物而中毒之情形當較多，因吾國冷藏法不發達，食物腐爛之機會特多故也，一種食物，往往其本身，並無毒質，但一經細菌或黴作用後所生之產物，即有毒性，此例甚多，不必細舉。

（6）因烹調不當而中毒——不當之烹調，亦可使人中毒，吾人深知，食物中常有生食則毒，熟食無毒者，芋艿其一也。如食火候未到之芋艿，輕則使人口內起特殊之感覺、重則可使人致病，此外有數種動物之某種器官特別有毒，如狐之肝，及鯉魚之卵（Roe of barbel）皆有毒質，必先去後，乃可烹食，否則必使人食後中毒無疑。

（7）由於誤食毒物而中毒——報端上載某某小孩因誤食安眠藥片或消毒劑中毒之記載。吾人已熟聞之矣，此外最佳之例，則莫如食蕈中毒之故事，蕈類中有蠅蕈（fly Amonita）及皇蕈（Royal Amonita）二種，前者為毒物（因其含有毒素 Mascarin $C_3H_{15}NO_3$），後者無毒，但二者之外形頗相似，故常有誤食蠅蕈而致死者。

根據上述實驗及討論，吾人可作一結論曰：所有因食物中毒之一切原因，皆可納諸於上述七因之內；民間所傳因食『相尅食物』中毒之事實，其中毒原因亦必由於上述七因之任何一種或數種，而非由於某二種食物本身之同食也。

漢方學大意

郭若定

現今一般藥物療法中，以對症藥占大多數；而人體因疾病所起之各種變化，則極複雜而非單純，故醫者每不能徒執獨味單方以應多般變化，必配合數種同類作用或異類作用之藥物使成複合之方劑，以施之於治療，其奏效自較單味藥物為捷。此乃醫者技術上之一大進步也。漢醫處方，多屬複劑，視配合如何，有種種複雜的作用，能超乎單純藥治學之範圍，例如：四逆湯附子乾薑並用，能使與奮作用增强。承氣湯大黃芒硝並用，能使通下作用增强。所謂協同作用是也。半夏製以薑礬，能令刺戟性減殺。大黃製以酒蒸，能令通下性減殺。所謂拮抗作用是也。此種單純之協同或拮抗作用，徵之現代藥理學，其理原無二致。至如凉膈散，解熱劑與通下劑並用，治充血便秘之急性熱。藿香正氣散，發汗劑與調整胃腸劑並用，治冒寒之神經性下痢。又如黃龍湯，於通下劑中加人參之强心，藉救急下於垂危。桃仁承氣湯，於攻血劑中加大黃之瀉下，能使病血之速去。諸如此類，不一而足，此乃複雜之藥理作用，能使醫療效力，充分發揮者也。茲將漢方學中主要各項，分述如左：

（一）處方箋及程式　處方箋俗名藥方，由醫師授之病人，病人取以向藥劑師，使之據箋以配藥調劑者也。漢醫處方箋之程式，其順序如下：一、患者姓名、年齡、職業、住址。二、既往症、現在症、診斷、治法。三、藥物之名稱及用量。四、藥物之劑形，如煎劑、散劑、丸劑之類。五、藥物之用法。

處方程式舉例

患者　王某，五十餘歲，勞工，住×××。

既往症　先患寒熱咳嗽喉癢，已有三日。

現在症　體溫攝氏三十八度，脈搏百至，舌苔白膩，咳嗽不爽，咯痰無力，痰黃色稠厚，呼吸略促，胸部引痛，聽診上得聞水泡性囉音，心音微弱。

診斷　急性氣管支炎。心臟衰弱。

治法　安臥，溫包。與以驅痰劑合興奮劑。

處方　牛蒡子二錢　冬桑葉二錢　苦桔梗錢半
嫩前胡錢半　象貝母三錢　光杏仁三錢
遠志肉錢半　款冬花三錢　括蔞皮錢半
生甘草錢半　批杷葉三片去毛

右藥加水適宜爲煎劑，一日三回，食遠分服。

另取精製樟腦〇．六分作三包，服藥時送下一包。

（二）藥方之組成　凡數種藥物合成一方，區別之可得下列四種：（一）主藥：爲一方中主要之有效藥物，通常以一味爲多，如麻黃湯之麻黃，白虎湯之石膏，四逆湯之附子，皆一方中之主藥也。然亦有一方之主藥在二味以上者，如大青龍湯之麻黃石膏，柴胡桂枝湯之柴胡桂枝，即其例也。（二）佐藥：所以輔佐主藥之效力者：如麻黃湯之佐以桂枝，白虎湯之佐以知母，四逆湯之佐以乾薑等是。又或主藥有不良之刺戟性及副作用，而以此防閑之者：如桂枝湯之佐以芍藥，小青龍湯之佐以五味子，十棗湯之佐以大棗等是。此外又有加入另一作用之藥物以佐之者：如小柴胡湯之解熱藥中，佐以半夏之鎮吐藥；麻黃湯之發汗藥中，佐以杏仁之鎮咳藥；補中益氣湯之補益藥中，佐以升麻柴胡之發散藥等皆是也。（三）矯味藥：主藥佐藥有不佳臭味者，以此矯正之。凡有佳香佳味之品，如方中配以甘草，蜜糖，生薑，橘皮之屬，皆有矯味矯臭之意焉。（四）賦形藥：此爲藥劑受形之基礎，或爲煎劑，或爲丸劑散劑。賦形藥之最普通者爲水，即所以使諸藥混合，成水劑也。

（三）藥味之排列　凡處方時藥味之排列，宜主藥居首，佐藥居次，矯味及賦形藥爲殿，蓋非如此，則各佐主藥顛倒零亂，不易使人瞭解立方之義也。

（四）用量與體質　凡漢藥應用，如欲其奏效，必須達一定分量。如失之過少，藥物學上謂之無效量。達一定分量，始得見功效者，謂之藥用量。藥用量之最大分量，不發生危險者，謂之極量。普通之人，均不能超此極量。如增至一定之量，發生中毒症狀者，謂之中毒量。用量更多，危及生命者，謂之致死量。漢藥多爲生藥，形質龐大，成分複雜而不精純，其藥用量與中毒量之差距，較西藥爲長，故堪以應用多量而危險較少。漢方多係複劑，其每藥之用量只須單味藥用量二分之一或三分之一已可。並依近人臨床之證明：

同一作用之藥物複用二種以上時，僅須各用每藥之半量或三分之一量而其效力與用該二藥中任何一藥之全量等。且二種同作用之藥配合後，因每藥之用量少，其副作用亦可免除。例如催眠劑之適當配合異種而成者，假定甲種催眠藥之有效量爲一克，乙種催眠劑之有效量爲半克，則配合後只各用其半量而已較單用甲種之一克或乙種之半克所現之效力爲强。故由單用甲種或乙種催眠藥所現之效力與甲乙兩種催眠藥配合後所現之效力比較之，則用配合者時僅二分之一量已足矣。又解熱劑配伍二種以上應用時，其用量之減少一如上述之催眠劑，而其解熱作用因共同動作而增强，副作用則各別而不相通，因此其副作用之弊減少而不致相重也。又發熱病人心臟衰弱時，用解熱劑與强心劑配合，則只用其各半量而己可各別奏顯著之效，且可免除虛脫之副作用也。由是論之，則複劑漢方之藥用量，僅屬每藥有効量之半量或三分之一量而已；故用單方獨味時，其用量須增至二倍乃至三四倍以上始有效驗，否則量少力薄，不能奏效也。又藥量與個人體質亦有密切關係，須隨宜增減。又藥劑之種類與用量之多寡亦宜斟酌，作酒浸劑比作水劑者其效分易於溶解，故用量可較水劑酌減。作丸劑散劑係連渣服用，胃腸能溶解水液所不能溶解之成分，其用量亦可較水劑減少倘先製成膏，精，粉，露等品而應用者，其用量仍以飲片折合推算可也。

(五)配合與禁忌　漢藥之配合，大多利用其協同作用：如麻黃配桂枝，附子配乾薑，大黃配枳實等等，皆能使藥效增强者也。亦有利用其拮抗作用者，如弛緩子宮之當歸，恆配以收縮子宮之芎藭。辛熱之乾薑，每配以苦寒之黃連。凡此等例，二藥皆能互相抑制其副作用，因而矯正其治療功效也。惟配合拮抗作用之藥物，須其性質不至過分變化，以不變爲無效或變爲劇毒者爲限；否則配合上皆宜禁忌，不可同時並用。漢方配合上須禁忌之藥(反藥)甚多，吾人現在雖尚不能明瞭其所以然，要不外乎化學上之變化，是可斷言。故古人相傳各種禁忌配合之藥物，吾人雖有一部分懷疑之點，但在化學作用未得證明以前，醫者處方，宜完全遵守之。

腹診

腹診始唱於日人吉益東洞。以腹爲有生之本，百病之根，是以診病必候其腹。湯本求眞曰於古醫學診斷之標的，主在腹症，脈證次之，舌候及其他之各種的症狀又次之。故初學者，先宜就學腹證，尤不可忽略視之。案其法使患者身體取自然之狀態，先察其硬軟平滿之狀態，及壓痛之有無。並分別其爲上爲下之部分。次及腹水之有無及其程度，與腹筋攣急之弱。以手壓而診其抵抗力。亦有痞鞕症於心下者。由此等硬度，形狀，疼痛之有無，以及腹部動脈之靜盛等之不同。而異其投藥焉

（天津國醫函授學院各地學員課外讀物）

天津國醫月編

（非賣品）　（原名國醫月報）

第三期

天津國醫函授學院出版

地址　天津英租界并主號路義慶里八號

全年十二期只向學員收回紙料油墨費及郵寄費共國幣　圓　角

中醫內科之特效療法與對證療法

徐名山

在未講本題之先，我們應該把幾個横在當前的先決問題來解決一下；否則，似乎不容易找出論點，根本不知從何說起才好哩！現在我們第一要明白的，就是何謂治療？關於這問題，自來的學者，都沒有下過確切定義，比較難以肯定地說明。不過從許多學者的斷片的記載中，我們也未始絕對沒有線索可尋。醫聖歇普克拉私（Hippocrates）氏說：「自然卽醫；」又說：「醫乃自然之僕；」又說：「自然療能爲第一流醫家；」故羅馬名醫伽倫氏說：「自然乃疾病之醫，敗于自然之病人必死，不敗于自然之病人必生存；」德國大醫斐爾歇Virchoue氏在說明其細胞病理學的主張時，亦大意地說明：「人體中之細胞，個個能爲獨立之生活，諸細胞支配於全身統一力之下，乃爲一大活物，凡有效於生活者取之，有害者棄之，遂成營養繁殖活動等玄妙之作用，若有侵害之者，隨時起反應作用以抵抗之，此反應作用，卽發熱，咯痰，嘔吐，下痢，膿潰，下血等，是卽所謂疾病，亦卽人體自然療能之作用也；」孔哈乙廉Cohnheim氏說：「急性傳染病之體溫上升者，天然化細菌爲無能力之作用也；」列倍兒氏曰：「細胞產出抗毒素，有使細菌死滅，病症減退之作用」又據史記扁鵲傳記載，扁鵲治虢太子尸蹶病，天下皆嘆扁鵲能生死人而肉白骨，但扁鵲自己則謂：「自生者，我起之，」縱上各家所言，我們可以得到一個概念：組成人體的細胞，對於病魔的侵襲，具有自然的抵抗作用：這種作用，超過病魔的勢力，就不需借助外力，疾病自然痊愈，這就是所謂自然療能。由上所說，我們有了疾病，似乎用不到治療，那末世界上終日埋頭研究治療技術的科學家，和專門從事治療的醫生，豈不是都失去了他們的工作的意義了嗎？那也不然，因爲自然治療的經過，時間較長，往往有使患者呻吟床第，淹纏困頓之苦痛，且有時細胞與病毒經過長時期的抗戰，竟至爲病毒所征服，使患者不免轉歸於死亡；這就是說，自然療能雖也能愈病，但也不得不借助外力。醫師對於病人的治療，就是用種種方法，一面督促細胞加緊抗毒的工作，增加細胞抗毒的力量，竭力使疾病的經過縮短；一面減輕患者的痛苦，避免或除去患者的危機。我們對於前者可名之督促作用，對於後者可名之曰矯正作用，這二種外力的作用，都不外使疾病趨向自愈之途我們治療之原則和意義，亦惟督促和矯正而已。或者有人要問我：照你這樣說來，西醫用六〇六治梅毒，用金雞納霜治瘧疾，並不是因爲這二種藥有直接撲滅細菌的可能，不過帮助或促進細胞抗禦病菌的工作而已。我的回答是誠然，良以愈病是身體自己幹的事，治療不過督促和矯正而已。

那末同一督促和矯正，何以有特效療法和對證療法的區別呢？這也是我們所應該解決的問題。不過這問題，自來的學者，也沒有明白地說明過。據我個人的見解，凡某種療法，帮助身體克服某種病菌特別有力量時，它便是某病的特效療法。原來治療的基礎是診斷，西醫治病，必先診斷出某種疾病的病原菌，然後再發明出各種各樣的方法來，冀圖撲滅此類細菌，先施諸動物試驗，然後移用於人體，等到此種方法被普遍地採用，而且大家都認爲用此種方法可治某種病菌所釀成的疾病，牠確有十二分準確的效力，爲任何一切療法所不能及，於是此種療法，便無形中被全世界所公認爲某種疾病的特效療法了；如像六〇六與九一四，經過六百零六次和九百十四次的試驗，才得成功爲梅毒特效藥，這就是特效藥產生的最好例子。不過因爲特效藥的產生是非常的艱難，所以西醫對於診斷方面，雖然已臻登峯造極之境，但對於特效療法，仍不過寥寥數種而已。如遇某種疾病，病原菌尚未發現或雖已發現尚無特效療法，則惟有用消極的頭痛救頭，脚痛救脚的方法，見症治症；如遇病人熱度高吃點退熱劑，痛得者利害，吃點鎮靜劑，便閉吃點下劑，心臟衰弱吃點强心劑之類，藉以減少病的苦痛，維持病者的精神，徐待細胞自身漸次克服病菌，這可稱之曰：對症療法。

以上是指西醫的特效療法和對證療法而言，現在要講到本題——中醫的特效療法和對證療法；我們中醫的治療法，簡直多得恆河沙數，舉例來說，如內服法當中有汗法（如麻黃湯等，能感動汗腺之排泄；）吐法（如瓜蒂散等，能刺激胃腑之神經；）下法（如承氣湯等、能增進大腸之蠕動；）利法（如五苓湯等，能恢復腎臟之分泌；）消法（如保和丸等，能輔助消化之機能；）化法（如二陳湯等，能稀薄分泌之液體；）和法（如小柴胡湯等能和解複雜之病機；）通法（如通痺散等，能疏通循環之流行；）清法（如白虎湯等，能抑制體溫之亢進；）溫法（如四逆湯等，能興奮神經之沉滯；）潤法（如麻仁丸等，能滑利大腸之排泄；）燥法（如平胃散等，能增進淋巴之吸收；）麻醉法（如麻沸散等，能麻醉神經之機能；）開竅法（如至寶丹等，能開發神經之機能；）鎮靜法（如龍齒丹等，能鎮靜神經之興奮；）殺菌法（如烏梅丸等，能殺滅寄生之蟲類；）補法（如八珍湯等，能補充榮養之缺乏；）濇法（如固腸丸等，能止濇大腸之滑泄）……等分別；外治法當中有針法（如用九針以刺經絡；）灸法（用艾火中灸腧穴；）灌法（如用冷水以療熱病；）漬法（用湯漬以取汗出；）薰法（如用藥氣以薰患處；）齅法（如用藥煙以齅鼻竅也；）嚏法（用藥末以取噴嚏也；）吹法（用藥末以吹咽喉也；）敷法（用藥末以敷腫瘍也；）膏法（用藥膏以貼諸患處也；）摩法（用推拿以舒筋脈也；）擦法（用燒酒以擦拘攣也；）箭法（用箭針以洩腫脹也；）角法（用火筒以吸瘀血也：）吸法（用水蛭以吸癰腫也；）弔法（用全蝎以弔水泡也；）導法（用蜜煎以導大便也；）通法（用葱管以通尿道也；）……之別，如欲一一說明何者為特效，何者為對證，實為不可能之事，不得已只好縮小其範圍，以內科為限。內科所包含的治療法，又是種類甚多，一時無從說起，不得已只好更縮小其範圍，就中醫應用最普遍的內服法為標準。

我在前面已經說過，療法是產生在診斷的基礎之上的，西醫的特效療法，是先有細菌的發現，而後才產生的；但中醫沒有細菌檢查，似乎特效療法，根本無從產生，所以有人說，中醫只有對證療法，沒有特效療法，這話固然也是不錯，但見仁見智，各有理由，我的見解又和一般人有些兩樣，我認為中西醫，因為診斷法的不同，建築在診斷基礎上的治療方法，也自然不得不分道揚鑣了。西醫診斷器械精良，診斷手續繁細，利於分析診斷，不利於集合診斷，但人體是一個整個的大集合，局部的病菌往往牽涉到全身，西醫偏於局部的治療，而不注意全身的病變，故診斷雖然精確，而治療却少特效；中醫善用集體診斷的方法，從疾病的症候羣中去搜捕他的主證，確定了表裏寒熱虛實之後，仍舊用「集體用藥」的方法去治療，只要他的集體觀察是正確的話，那末根據古人所昭示的標準治療，幾乎無不藥到病除。茲舉例來說如太陽病有頭痛、惡寒、自汗、脈浮緩……等證者，投以桂枝湯無不有效；有頭痛惡寒無汗脈浮緊者，投以麻黃湯也無不立愈；陽明病有日晡潮熱，手足濈然汗出，或獨語如見鬼狀，循衣摸床……等證者大承氣湯可安；有譫語遺尿、面垢、腹滿、身重或難以轉側、口不仁、自汗出……等證者、投以白虎湯，亦無不有立竿見影之效……推之全部傷寒論中之治法，對於療病的效能，實在不下於西醫六〇六，金雞納霜丸……等特效藥，有時或較他們的那些特效藥更有把握。因此我以為傷寒論全部的療法，可稱為都是特效療法。不過西醫的特效療法從分析診斷法的細菌檢查中產生，而中醫的特效療法，從集體診斷的症候羣中的主證裏面產生出來；產生的根據點雖然不同，但有特別的效力，却是異途同歸。或者有人要問這明明是見症治症的對證療法，而你何以偏要說是特效療法呢？那末試問桂枝症、麻黃症、承氣症、白虎症、都有頭痛，中醫何不用一味麻黃（假定麻黃能治頭痛）或一味桂枝（假定桂枝能治頭痛）來統治這四種病的頭痛，而偏偏要組織各種性質功效絕對不相同的方劑來治療呢？即此一點可以證明傷寒論的全部治療，都是從集體診斷的基礎上產生出來的特效療法，絕對不能說他是頭痛救頭，脚痛救脚的對症療法了。

耳之構造及其衛生

（蘇儀貞）

外耳　吾人之聽器，在解剖學上可分為外耳，中耳，內耳三部份。外耳由耳翼（即俗稱為「耳」之部份）與外聽道（即通入內方之管）而成，外聽道之終點，有一薄膜，呈灰白色而具彈性，是名曰鼓膜。鼓膜將外聽道與鼓室隔絕，適成為外耳與中耳之境界。

中耳　中耳位於外聽道及內耳之間，即鼓膜裏面之空洞，是名曰鼓室，鼓室之中有小聽骨三個，即槌骨耳骨及馬蹬骨。此等小骨有關節互相連接，一方面與鼓膜相接觸，他方面則連接於內耳外異傳來之音響，振動鼓膜，即能傳達於內耳、鼓室與咽腔之間有一小管，名曰「歐氏管」。鼓室內之空氣常由此管與咽腔交通。凡聽器健全者，其鼓室內常有新鮮空氣，流通其中。

內耳　鼓室之深部即為內耳，此部有堅固之骨為之保護。內耳內部之構造，非常複雜而微妙，有感受及鑑別外來音響之機關，又有保持身體平衡之裝置，內耳若有破壞，則不特失卻感受音響之能力，卽步行站立亦有障礙，並能發生强度之眩暈，使全身有飄搖旋轉之感，且發嘔吐等症。故吾人之聽器除感受音響外。尙帶有其他之重要作用也。

上述解剖上三部之職務，總括言之，則外耳爲傳達音響之裝置，鼓膜及中耳有傳送音響於內耳之作用，內耳則能感受中耳所送達之音響，再由神經而傳導於腦髓，三部各有專職，互相聯接以完成聽覺官能。倘其中任何一部發生疾病，則聽力必生障礙；而內耳若蒙損害，則並步行起立亦不可能矣。

注意疾病　聽器中最重要之內耳，因在顳顬骨內之深部，故遭遇外來之危害尙少。至於耳翼，外聽道及鼓膜等，則常易受種種之外傷。並易爲疾病所侵襲。鼓室及歐氏管亦往往有病毒由鼻腔或口腔侵入其中。例如鼻粘膜，咽粘膜等之炎症，及流行性感冒，痲疹，猩紅熱，傷寒等傳染性疾病，卽常易誘起鼓室之炎症而成所謂中耳炎。其中尤以傳染病經過中所發生之中耳炎爲最難治。不可不注意也。

注意寒氣　寒氣劇烈或朔風凜冽溫度變化無定之時，最宜注意感冒。此時最好用消毒脫脂棉花，閉塞耳孔，又洗頭後宜用乾毛巾或乾布拭乾，勿使液體流入耳內。爲小兒沐浴時，更須注意此點。初生小兒皮膚薄弱，極易糜爛，如有水流入外聽道，經數日後，外聽道皮膚糜爛，卽易惹起濕疹或其他疾病。

注意異物侵入　小兒遊戲之時，常有小豆，花生，鉛筆，石子，散彈等小物體嵌入耳內之事，爲父母者宜隨時注意監察或禁止之。卽大人亦有用鉛筆尖，小牙簽等物挖耳致折入耳內深部者。此等異物若損傷耳內之皮膚，則細菌卽從損傷之處侵入而引起炎症化膿。故挖耳雖細事，亦不可不愼也。

注意耳垢　耳內蓄積耳垢，往往致外聽道閉塞，而起耳鳴，耳癢，甚或引致頭痛眩暈。此際不宜妄自挖取，以免損傷外聽道及鼓膜，致使深部發生變化，凡蓄積耳垢，其程度至於閉塞耳內者，有時係一種病的現象，不必盡由耳內不潔所致。若妄用油類等物點耳，反足促進病機，實無益而有害，不可不戒也。

連接中耳與咽腔之歐氏管，於鼻腔發生粘膜炎，或扁桃腺發炎之際，亦易受其影響而起炎症，致有耳鳴，聽力障礙等症。如歐氏管炎症延及鼓室，則誘起中耳炎。故平時欲保護聽器，首宜注意勿使鼻腔咽腔患病，是爲至要。

高音之注意　對於非常强度之音響宜加防護。如放射大砲之時，宜先緊塞兩耳以保護之。若急遽不及掩護。卽宜儘量張大口腔，俾聲浪送入口腔，經歐氏管而傳達於鼓膜，使其不致受傷。否則鼓膜往往因强烈之音響易致破裂也。音響若一面由外聽道一面由歐氏管同時達於鼓膜，則內外振動平均可保無恙。凡在高度音響中服務之機械工程師及鐵工等，平時均宜用棉球塞耳，以保護聽器。

聾啞之注意　聾啞有先天性及後天性兩種，先天性者多出於遺傳或見於血族結婚者及精神病者之子女。後天性者再多因幼時所得之耳病，或猩紅熱，流行性腦膜炎等熱性急性傳染病所致。蓋聾啞與此等疾病，甚有密切之關係也。若小兒在七歲以前失却聽力，則通常不能言語，其結果遂成聾啞。故小兒之耳病，務須及早施行適當之治療爲要。

對於初生兒之注意，初生兒因聽器之機能尙未充分完備而無聽覺。其後隨全身之發育，乃漸次發達，至生後四星期通常卽能聽取音響，且其反應亦頗銳敏，五星期後卽易爲各種雜音所驚醒，七八星期則聞高音而吃驚，三四個月卽能將頭轉向聲音所在之方面，至五六個月則已能辨識聲音矣。

對於哺乳兒不可用强力搖動之，或故意使聞高聲。蓋幼兒之耳非常銳敏，雖極輕微之音，亦能感覺，如受强烈之音響，則神經爲所刺戟而易致疾病。尤不可在初生兒或哺乳兒之耳邊發高聲或玩弄聲音甚大之玩具等。

哺乳之際。小兒往往為母乳所哽而咳嗽或吐乳。此時乳汁較易由歐氏管竄入中耳而誘起中耳炎，為母者不可不注意也。通常鼓膜健全者，水分不能由外聽道侵入中耳，反之，乳汁却多由口腔竄入中耳而誘起中耳炎焉。哺乳兒如患咽，喉，血管等部之疾病，屢發噴嚏或咳嗽，則鼻涕乳汁等多有竄入中耳之機會，故應及早將原病治愈以豫防之。

初生兒外聽道之皮膚，極易損傷。故耳內雖有不潔之物，亦不可亂用耳挖等物插入外聽道以鉤取之。又沐浴時亦須注意浴湯或肥皂等流入耳內，萬一流入，須用精製棉花撚成細條，將其仔細拭乾也。

鼻之構造及其衛生

（前人）

鼻之解剖

鼻腔　鼻居顏面之中央，從前方貫通後方，成為空洞，是名曰鼻腔。此空洞中有一骨板名曰鼻中隔，將鼻腔縱分為左右兩部。鼻腔周圍有鼻骨圍繞之。離鼻尖係皮膚及軟骨所構成，甚為柔軟。

鼻甲介　鼻腔內部，有突出之部份，名曰上甲介，中甲介及下甲介。故鼻腔之構造頗為複雜。此外尚有掌管嗅覺之部份。又有一路可與副鼻腔相交通。

副鼻腔　鼻腔周圍有名副鼻腔之空洞，為四種骨質所構成。其在鼻腔兩側者曰上頜竇，在鼻腔上部眉毛附近者曰前額竇，在深部者曰篩骨蜂窩及蝴蝶骨竇。此等副鼻腔內，若有膿汁蓄積即成為蓄膿症，例如上頜竇蓄膿症即其一種也。

前庭　鼻腔之入口，名曰前庭。生多數之鼻毛。自前庭進至內部，均有粘膜被覆表面，呈淡紅色。其粘膜有特別之構造，一部份富於血管網，故因血液之聚散，其容積常生變化，性如海綿，能縮能漲．此血管網特名曰海綿層，腦充血時鼻常閉塞，長時間俯首工作亦然，凡此皆因此等血管網充血膨脹鼻腔狹窄所致。又鼻腔粘膜．常分泌粘液．故其表面常濕潤焉。

鼻之生理的機能

鼻腔司嗅覺兼司呼吸。此外尚與言語之構成有密切之關係。

嗅覺作用　嗅覺作用，在於辨別各種物質之香臭，如魚肉之腐臭，花果之芬香．均由嗅覺而識別者也。又遇有毒性氣體，危險性氣體，刺戟性氣體等時，皆因有嗅覺而後始能知之，加以防阻，勿使侵入呼吸道之深部。故鼻腔實為呼吸道之門衛。此外物之腐敗與否，多由嗅覺可以知之。又由嗅覺可預知火災之危險，並能感覺芬香使心神愉快。其尤重要者即嗅覺與味覺之密切關係。飲食之際若無嗅覺作用，則食物之味，必大減少，視食物之種類如何，甚或完全不知有味，以致食慾大減，營養亦大受影響。由以上之事實觀之，如果鼻腔閉塞，或因疾病之故而失却嗅覺，則吾人生活上實有甚大之危險，同時亦可知鼻腔在吾人生活上實為重要之器官也。

呼吸作用　鼻腔本為呼吸之通路，若用口腔呼吸，即為不自然之呼吸。設由外界有充滿塵埃之空氣侵入鼻腔，則塵埃第一先為簇生於前庭部之鼻毛所截留，其性質已較清淨，其後空氣更進至鼻腔內部，即與濕潤之粘膜面相接觸，其時空氣中之微細塵埃及病菌等均附着於粘膜面，而空氣乃更清潔，同時又通過構造複雜之鼻腔，既得增加溫度，又得一定之濕度，然後始送入肺部。吾人吸入此種提淨之空氣，始能保持健康。若鼻腔有疾，即不能營鼻腔呼吸，而以口腔呼吸代之，。如此空氣既未提淨，又未增加溫濕，於是混雜塵埃病菌之乾燥空氣，勢必直入咽喉，氣管，而誘起咽喉粘膜炎，及氣管粘膜炎，肺炎，肺結核等症，固必然之理也。吾人在嚴寒酷暑之時，呼吸作用仍無間斷，而比較的不易患呼吸器之疾病者，皆此鼻腔內巧妙之構造及其生理的特殊機能之賜也。

鼻之衛生

勿剃鼻毛　鼻毛能截留空氣中之塵埃。又能防禦昆蟲等之侵入，故務宜善爲保存。世人理髮之時，往往好將鼻毛剃去，此殊不合衛生原理。因剃去鼻毛，則空氣中之塵埃將直接與鼻腔粘膜接觸而附着於其表面，致引起諸種疾病。

簇生鼻毛之部份即鼻腔之前庭。若常用指頭或指甲挖鼻，則種種病菌將由此侵入皮膚而發生疾病，甚至有傳染梅毒，結核等可怖之疾病者。不可不注意也。

創傷之注意　用指頭或指甲挖鼻，若傷及鼻中隔之粘膜，即最易出血。蓋該部爲血管集合之處。雖輕微之損傷亦必出血也。該部又往往有結痂之事。若强將痂皮剝脫，則不特出血，且往往傷及軟骨焉。

鼻腔吸入不潔之空氣，或刺戟性之氣體，則粘膜充血，噴嚏流涕，終至引起鼻粘膜炎。故對於此等氣體，務須隨時注意爲要。

對於哺乳兒之注意　初生兒及哺乳兒全用鼻腔呼吸，一旦鼻塞，即覺呼吸非常困難，不能哺乳，不能安睡，終至高度衰弱，而陷於危險狀態。故對於幼兒之鼻最宜注意，勿使發生障礙，尤須留意勿使與寒氣相接觸，並須注意勿使不潔物侵入鼻腔，以免感染鼻粘膜炎，或白喉等病，是爲至要。

小兒貧血症

（姚昶緒）

貧血有二種，一係全身之血量減少，一係血液稀薄，吾人之血量，普通約占體重十三分之一。例如體重百斤者，血液約有十三斤。其分配於全身之比例，心臟，肺臟及血管中占四分之一，肌肉中有四分之一，肝臟中有四分之一，尙餘四分之一，散在此外之各部分。若由某種原因，致血量減少，即現貧血之症狀。

血液中有赤血球，白血球等種種重要之物質，若由某種原因，將此等物質減少時，則血液稀薄，亦現貧血之症狀。

貧血之原因甚多，例如受傷而出血多量，傳染病，腸中寄生蟲，及營養不良等，皆能使小兒貧血。用牛乳養育之小兒，殆皆貧血，其身體雖肥，而皮色必蒼白，是即貧血之徵也。其故因牛乳中少鐵質，（血色素之基礎）致血色素減少。

貧血之主要症狀，爲皮膚呈蒼白色，眼瞼嘴唇等本現紅色者，亦變淡紅色或白色，易與健康之小兒區別。

貧血症之豫防法及治療法中最重要者，爲多受日光之直照，試觀生於蔭處之植物，其葉之色不鮮綠，不易長大：人身亦然，若少受日光，無活潑之精神，易致貧血。故小兒宜常至室外空氣清潔日光透射之處，行適宜之游戲運動。其次多食含鐵質之食物。牛乳缺少鐵質，不必多飮。蔬菜，果實等，概富鐵質，（胡蘿蔔，覆盆子等最多，）宜擇其易消化者，常與以適宜之量。

成人患貧血症時，須服含鐵質之補血藥，小兒則不必。實行上記之衛生法後，大概可漸漸治愈。如貧血之程度高，或實行上述之法，仍無効者，須服中藥四君子湯或四物湯或十全大補湯。

（第七版）

西醫病名　中醫解釋

（腸窒扶斯）中國稱傷寒，瘟疹，內傷外感，及熱病等。

（百斯篤）又稱鼠疫，黑死病，及核子瘟等。

（巴拉窒扶斯）與腸窒扶斯相同；但症狀較輕耳。

（赤痢）即痢疾。中國稱為毒痢，冷痢，熱痢，瘴痢，，風痢，噤口痢等。

（亞細亞虎列拉）俗稱霍亂，或稱瘟毒痢，瓜瓤瘟，番痧，痧病，暴瀉等。

（歐羅巴虎列拉）與亞細亞者相同。

（流行性感冒）即傷風時症，或稱瘴氣，及天行中風，與痒等。

（痲拉里亞）即瘧疾，瘧病。又稱瘟瘧，風瘧，寒瘧，濕瘧等。

（發疹窒扶斯）與瘟疫論所謂之瘟疹等相類。

（再歸熱）為一種傳染病，亦差後勞復之類。

（破傷風）俗名破皮風，口禁，驚風，牙關緊閉等。

（恐水病）即狂犬瘋，瘋犬咬傷等。

（痲疹）即赤瘄，痲子熱，糠疹等。

（風疹）即風氣紅疹等。

（猩紅熱）古稱隱疹，赤疹，丹疹等。俗稱發疹子，瘟毒痧等。

（流行性耳下腺炎）俗稱痄腮，又稱蝦蟆瘟，或時毒。

（水痘）即風痘，紅斑痘等。

（百日咳）即疫咳，痙咳，頓咳等。

（痘瘡）即天花，天然痘，天行痘，眞痘。

（實扶的里）即白喉，鎖喉風，爛喉痧，馬脾風等類。

（丹毒）即大頭瘟，赤遊風，赤丹，火丹。

（脾脫疽）即壞疽，紫泡，黑泡，疔毒等。

（馬鼻疽）即馬疫，馬病；古名：內勞。

（甲狀腺腫）俗稱山癭，又稱癭帶。

（癩病）與吾國痲瘋，癘瘋，大痲瘋相同。

（淋病）即白濁，色淋，及五淋，白帶等。

（軟性下疳）即下疳瘡，陰疳，陰頭瘡，恥瘡。

（梅毒）俗稱楊梅，髒病等。

（安魏那）此即急性咽頭加答兒之別稱，古時以喉風，脾風之類汎稱之。

（盧度烏氏安魏那）此即口腔基底面發生蜂窩織炎。

（溫商氏安魏那）此即扁桃腺膜發生壞爛。

（扁桃腺炎）與吾國喉蛾，乳蛾相同。

（鵝口瘡）俗稱口瘡，鵝口，及白球子等。

（亞布答）與鵝口瘡相同；但發於三歲小兒。

（水癌）即走馬牙疳之類。

（加答兒性口內炎）即口糜之類，「按加答兒，原為流出之意。凡身體各部黏膜，發生炎症；（即赤腫疼痛）且有分泌物（即水液流出）者是」。

（潰瘍性口內炎）即馬牙瘡等。

（舌炎）即舌脹，舌腫，及木舌之類等。

（懸壅垂炎）即懸癰，及懸壅腫痛等。

（顎骨潰瘍）俗稱骨槽風等。

（齒齦炎）即牙齦腫痛等。

（齒齦潰瘍）即牙癰風，牙痶風，角架風，之類。

（齒牙加里愛斯）即牙痛，齲齒等。

（齒齦出血）即齒衄，牙槽流血等。

（鼻腔出血）即鼻衄，鼻孔流血，鼻紅等。

（惡臭鼻）即鼻衄，及腦漏等。

（急性鼻加答兒）俗稱傷風感冒等。

（慢性鼻加答兒）即頭風，鼻齆等。

(格魯布性喉頭炎) 即馬脾風等。「雖同爲白喉菌之原因，如侵入咽頭，而發炎時謂之實扶的里性咽頭炎；如侵入喉頭而發炎時，謂之格魯布性喉頭炎」。

(咽頭加答兒) 即脾風，喉風之類。「因其症候不同，而更分爲急性及慢性，之咽頭加答兒」。

(喉頭加答兒) 即喉頭焮腫。「爲喉頭黏膜發炎之類亦有急性及慢性之稱也」。

(聲門痲痺) 與失聲相同。

(流行性腦脊髓膜炎) 俗稱痙瘟等。

(急性氣管枝炎) 俗稱傷風咳嗽等。

(慢性氣管枝炎) 即久咳之類。

(氣管枝出血) 即咳血等之類。

(氣管枝擴張) 即氣管膨大等症；爲老人痰咳等，最多發生之。

(氣管枝狹窄) 即氣管窄小等症。

(氣管枝喘息) 與吾國喘息，喘促，喘急，及痰喘等相同。

(纖維素性氣管枝炎) 即格魯布性氣管枝炎也；與吾國咯膿等相同。

(肺出血) 即咯血等。

(肺氣腫) 俗稱肺脹，胸脹等。

(肺水腫) 即金匱之肺水也。

(肺結核) 俗稱肺癆，勞瘵；而婦女雜疾病等亦多屬之。

(加答兒性肺炎) 即肺痰，肺熱等。

(格魯布性肺炎) 即膿咳等。

(肺充血) 即心胸痛，或胸脇苦悶等症。

(肺膿瘍) 即肺癰之類。

(肺壞疽) 亦肺癰之類；但較劇烈耳。

(肺臟膨脹不全) 即肺萎縮等。

(肺二口虫病) 爲一種寄生虫之疾病，日本最多發生，且爲其特有。

(肺　癌) 即肺疽之類。

(肋膜炎) 與吾國脇痛等相同。

(胸氣腫) 俗稱氣胸，胸風，及肺胞氣脹等。

(胸膿腫) 即胸痛，胸癰等。

(胸水腫) 爲吾國飲蓄之類。

(食道狹窄) 即噎膈，廢食等。

(急性胃加答兒) 吾國稱爲傷食等。

(慢性胃加答兒) 即古書所謂痰飲，癖囊之類。

(胃衰弱症) 與吾國脾胃虛衰相同。

(胃擴張症) 即胃大之症。

(胃圓形潰瘍) 即胃脘癰等。

(胃出血) 即吐血也。

(胃　癌) 亦胃癰之一種，古稱脾氣擴泄，或稱飲癖等。

(胃下垂) 即胃變位等。

(神經性胃痛) 即胃脘痛，胃氣痛，癥瘕，心下絞痛等。

(神經性噯氣) 即常發噫氣等。

(神經性嘔吐) 即嘔逆，吐逆等。

(神經性消化不良) 亦胃虛，脾虛之類。

(急性腸加答兒) 與吾國泄瀉相同。

(慢性腸加答兒) 即久泄瀉也。

(盲腸炎及虫様垂炎) 即腸癰之類。

(S狀部結腸及周圍炎) 同前。

(腸潰瘍) 同前。

(腸　癌) 同前；但較爲劇烈耳。

(腸結核) 即腸癆類。吾國俗稱脾腎瀉，五更瀉，鷄鳴瀉等。

(常習性便秘) 即大便秘結，及大便不通等。

(下　痢) 俗稱便瀉，或泄瀉，或大便自利，大便失禁等。

(未完)

（天津國醫函授學院各地學員課外讀物）

天津新國醫月編

（非賣品）　（原名國醫月報）

第四期

天津國醫函授學院編輯

地址　天津英租界[illegible]號路義慶里八號

全年十二期只向學員收回紙料油墨費及郵寄費共國幣

病理學講

葉橘泉

病理這個名詞，中國醫書向來是沒有的，內經上有一篇、名「病能」，亦不專屬于病理範圍，似乎連症狀，病因等都包括在內，金匱第二首，「夫人稟五常，因風氣而生長，風氣雖能生萬物，亦能害萬物，如水能浮舟，亦能覆舟，若五臟元眞通暢，人卽安和，客氣邪風，中人多死，千般災難，不越三條，一者經絡受邪，入藏腑爲內所因也，二者四肢九竅，血脈相傳，壅塞不通，爲外皮膚所中也，三者房室金刃蟲獸所傷，以此詳之，病由都盡，若人能愼養，不使邪風干忤經絡，適中經絡，未流傳臟腑，卽醫治之，四肢纔覺重滯，卽導引吐納，鍼灸膏摩，勿令九竅閉塞，更能無犯王法，禽獸災傷，房室勿令竭乏，服食節其冷熱，苦酸辛甘，不遺形體有衰，病則無由入其腠理，腠者是三焦通會元眞之處，理者是皮膚臟腑之文理也。」這一段開首幾句，似乎有些觀察到眞正的病理，因於生理的違常，於後幾句，連抗病，免疫，衛生等，都討論在內，可惜古人當時沒有科學的方法可宗，縱有精密觀察的認識，亦無分科研究，惟有籠統譬喻，說明其經驗而已，其實「風氣雖能生萬物，亦能害萬物」二語，對外界氣候，每能影響生體，且惹起防禦反射等作用而言，「若五臟元眞通暢，人卽安和。」此所謂「元眞通暢者」，蓋顯然是生理上調節機能抗毒免疫……等功能，得以發揮其固有的本能之謂也。「千般災難，不越三條」云者，是幼稚的粗淺而假定的「三因」病理，後來的陳無擇恣論其三因病，內因、外因，不內外因者，蓋脫胎於此也，西人欵樸克拉司氏稱，凡病之成立，須三因鼎立者，「（一）病原微生物之存在，（二）人體之抵抗力衰弱或缺陷，（三）氣候不適於細菌之繁殖。」謂一病之成因，三者同時成合，非若前說之截然分立也，事實上雖有外傷性原因，如器械的，理學的傷害，然亦藉非外因的細菌，及毒素之乘機侵犯，內因的防禦反射逞其作用，則疾病之徵候不能成立，至於房室所傷的眞正病理，除所謂花柳病，傳染性的淋濁梅毒等之外，若古人認爲「房勞傷腎」的病理，鄙人曾經多方的考查，研究過一番，並且根據臨床的經驗，和友朋的討論，得到的結果，以爲患結核病的人，性慾容易衝動，對於房事確有害於病體，然亦是本病（結核）爲主因，而房勞不過促進疲勞，及喪失抗病能力而已，若強壯無病之人，行正當之房事，即使事較頻繁，亦未有因此而成疾病者，蓋寒之與衣，饑之與食，性慾之與男女，爲天賦本能上的要求，古時爲舊禮教束縛，諱言女界性慾，每致矯揉造作，遂以爲房勞足以傷腎，誤認虛勞結核病原，因於房事過度而來，其實大謬不然，近於房事致病之病理雖有之，惟類於手淫等違反自然的，非法出精而成之性神經病，陽痿遺精等事也，然亦非耗精傷腎之故，而實係損害局部機能之官能性疾患耳。

內經通評虛實論曰，「邪氣盛則實，精氣奪則虛。」虛實二義，爲國醫治療之準繩，亦即病理機變之不同，其所謂「邪氣盛則實」者，不僅病毒重，而生理上之抗毒能力亦强盛，故所顯之證狀甚壯實，可用汗吐下等法相機以助身體內之抗能而排除病毒，如麻桂承氣及探吐法等是，精氣奪則虛者，縱有病毒，而反射功能衰減，抗病能不克儘量發揮其作用，故所顯證狀多衰沉，此時用藥須强壯其機能，增進其抗力，舊稱回陽補氣，如參附復脈之類是，又調經論，帝曰，陽虛則外寒，陰虛則內熱，陽盛則外熱，陰盛則內寒，不知其何由然也，岐伯曰，陽受氣於上焦，以溫皮膚分肉之間，今寒氣在外，則上焦不通，上焦不通，則寒氣獨留於外，故寒慄：帝曰，陰虛內生內熱奈何，岐伯曰，有所勞倦，形氣衰少，元氣不盛，上焦不行，下脘不通，胃氣熱，熱氣薰胸中，故內熱，帝曰，陽盛則外熱奈何，岐伯曰，上焦不通則皮膚緻密，腠理閉塞，玄府不通，衛氣不得泄越，故外熱，帝曰，陰盛生內寒奈何，岐伯曰，厥氣上逆，寒氣積於胸中而不瀉，不瀉則溫氣去，寒獨留，則血凝泣，凝則脈不通，其脈盛大以濇，故中寒，玉機眞藏論曰，脈盛，皮熱，腹脹，前後不通，悶瞀，此謂五實，脈細，皮寒，氣少，泄利前後，飲食不入，此謂五虛，漿粥入胃泄注止，則虛者活，身汗得後利則實者治。」此節論陰陽，虛實，寒熱，內外，雖無當於病理之實際，然亦是古人由觀察所得的結論，病變的形態，大半是生理上反射作用的過當，（病理）「陽虛則外寒」，是寒冒之第一步，近世稱爲前驅期，因皮膚，感寒，末稍神經受刺激，表層毛細血管收縮，膚溫退却，而顯惡寒畏冷等是，「陽盛則外熱」是外感性熱病之第二步，因皮膚感寒，全身體溫起反射作用，挾血液而奔集表層以事抵抗，其時汗孔因初步之寒感而緊縮，任體溫增高於表層而不能出汗以放散，所謂「皮膚緻密，腠理閉塞，玄府不通，衛氣不得泄越，故外熱者誠見理明白之言也，「陰虛生內熱」是衰弱之」神經現虛性興奮，以及熱病末傳，病毒侵害筋肉臟器，致使新陳代謝機酸化亢進而來，「陰盛生內寒」，是心臟衰弱，以及腸胃消化吸收等，機能頹廢而顯所謂「洞泄寒中」，及「血脈凝泣」（霍亂脫水期）等是，「始受熱中末傳寒中」爲病理機轉多數之定律，蓋凡病初起，生理上的反射抗病機能呈顯其作用，故多發熱而爲急性經過，後來反射機能漸漸衰懈而轉爲慢性症狀，慢性病往往無熱度者，蓋即此也，「脈盛皮熱腹脹前後不通悶瞀」包括表裏內外壯實性諸病症，「脈細皮寒氣少泄利前後飲食不能入」，顯然是貧血心弱，及胃腸機能衰懈而發諸症候，衰弱者宜壯補，充實者可汗下，以上所論，爲古醫書中之最有價值者，細覈之，仍不過一種概論而已，用以作綜合治療的依據則可，若欲明瞭病理上之詳細情形，殊非此項書籍所能勝任。病理一科，在此過渡時代，我認為中醫舊書中除出「表裏陰陽虛實寒熱」八個字，暫時可以引用之外，其他無須採用，只能以近世科學之病理為課本，或者以為有數典忘祖之嫌，殊不知中醫之眞正價值，在積久觀察者的認識，和經驗的藥物治療，其值得寶貴之處，在症候學，和治療學，而對于病理的眞相，可說完全弄錯，就中國為誤認五行生理為病理，乃連帶而誤解色相氣味為藥理，致使合理有效之療法不見信于近世之學術界者，此無他，學術不合于科學故也。

科學的病理，根據人類的生理而來，生理之機轉，違反其常軌。是之謂病理，至於因何而致生理之違反常軌，則又謂之疾病原因學，病原之中，又分細菌學，物理學……等卽是科學的治學方法，嚴格的說起來，病理的範圍，專限于解剖上的所見，威爾曉氏謂之細胞病理學，如傷寒之腸淋巴發炎腫脹，生瘡潰爛。胆石黃疸之胆道梗阻，胆汁混入血液，循毛細管而達皮膚，致遍身發黃……等是也，古人對于腸傷寒雖不明其病原及病理，亦能根據其症候而設健胃消腸炎强心解熱等對症之方劑，其對肝胆病之黃疸，能用疏胆消炎瀉下利尿等藥物，作原因之療法，惟其所缺點者，無解剖上之認識，而誤認五行六氣之病理，及五色氣味之藥理，把治傷寒腸窒扶斯之方藥，叫做苦溫化濕（健胃消腸炎）芳香化濁，（强心解熱）治黃疸之方藥，稱為苦寒瀉火，（苦味激胆消炎瀉下）淡滲利濕（利尿）等，竟兜了統大的圈子，我們在今日之下研究中國醫學，既有現成的世界公認的科學病理，可以遵循，豈可跟了前人，死守氣化，像凍蠅攢紙似的幹這笨工作嗎，此路既然不通，惟有向左轉，直搗科學的大道，現在中國醫藥科學化的口號，已經通國一致，中醫界無論上下老小，亦衆口一詞，因而報張雜誌，及醫藥著作，幾如雨後春筍，其所揭示，僉以科學改進為自任，但一研究其內容，和改進之途徑，非僅步伐不能一致，而日爭訟紛紛，各做其所謂國醫科學化之文章，雖有少數徹底覺悟，而採取純科學的生理病理，以為依據者，然尚有多數妄以氣化哲學自負，而大唱其保存國粹者，致使一般青年之治醫者徘徊歧途，進退維谷，而莫知所從也，鄙人向來治學的途徑，我以為依據證候，用國藥方劑來治病，純以科學來說理，這一條路比較可以得通，好在國醫方藥治病的根據，全在所顯的證候，而不在玄學的病理，（五行六氣）和藥理（五色氣味），見其發熱惡寒無汗而喘者，不管其是傷寒溫病，用麻黃湯治之而愈，見其汗出壯熱煩渴脈洪大者不問其是陽明經病腑病，用白虎湯治之而愈，其實前者是生理上放溫機能失職，體溫反射亢進，故無須辨其傷寒與溫病，用麻黃湯以促其發汗則病愈，後者是造溫與散溫同時亢進，用白虎湯以鎮靜解熱，使病理機轉回復其生理之常軌，那麼縱有病毒，入體內自然抗病能力亦足以從容對付而有餘，我們須知「藥物之治一切傳染病，決非直接的消毒及滅菌之功，卽如現代醫學著名之傳染病特要藥「白喉血清」「六〇六」「金雞納」等，向來稱為內消毒之聖品，據現在一般學者所研究，都以為偉大的作用，確非直接消毒所致，凡一病之愈，皆為身體內自然療能抗毒之結果，而藥物之作用，不過援助抗毒的進行，未有自身儘抱消極主義，而專賴外援以收抗毒之效者。」（以上為西醫沈雲扉君論皮膚病中語）鄙人嘗謂國醫藥向來不知病理之眞相，而國藥治病，全憑證候而施與，雖不知細菌為何物，却能治療一切傳染病者，得前說則益可證明余說之非謬也。

至於病理的眞正原因，和機變，在上古時期都不免在暗中摸索，蓋醫學無論中西，其最初莫不導源於鬼魔的想像，而專重宗教的祈禱，如孔子有病，子路請禱，晉平公之疾，卜人以實沈臺駘，祟，鄭子產曰，「昔高辛氏有二子，伯曰閼伯，季曰實沈，……實沈參神也，昔金天氏有裔子，曰昧，為玄冥師，生允格臺駘——臺駘汾神也，抑此二者，不及君身，山川之神，則水旱疫癘之災，於是乎榮之，日月星辰之神，則雪霜風雨之不時，於是乎榮之，設壇祭，除去凶災，若君身則亦出入飲食哀樂之事也，山川星辰之神，又何為也，僑聞之君子有四時，朝以德政，晝以訪問，夕以修令，夜以安身，於是節宣其氣，勿使有所壅閉湫底，以露其體，茲心不爽，而昏亂百度，今無乃壹之，則生疾矣。僑又聞之，內官不及同姓，其生不殖，美先盡矣則相生疾，君子是以惡之，故志曰，買妾不知其姓，則卜之，違此二者，古之所慎也，男女辨姓，禮之大司也，今君內實有四姬焉，其無乃是也乎，……晉侯聞子產之言，曰博物君子也，……觀上歷史上記載文字，可知古人對於疾病之來源，都不免疑為鬼神所祟。鄭子產確可稱為一個博物學大家，彼之論病雖不敢承認為絕無鬼神作祟，而却以「出入飲食哀樂」以及「節宣其氣勿使有所壅閉湫底」，為致疾之原因，見解已殊超越時人，至於五行六氣等玄學，在外國古時亦不能逃越此種過程，如四元液病理等是，第西方醫學由玄學而趨於科學，故有長足之進步，而中國則迄今尚盤旋於五行氣化等玄學之中，烏可不急起直追，趕上科學之大道乎。

× × × ×

腦出血之新診斷

傅仙坊

查本證在我國古代，原名為厥証，而所載證候，却為後世所稱之中風，金元以降，又復沓覺其中風之誤，殫心研究，惜其時腦經之理不明，雖知非風作祟，究亦莫知誰屬，於是以非驢非馬之類中風名之，名不正，則言不順，此歷代學者之所以終於夢夢也，謹本諸中外醫籍，考緣其記載如左。

素問通評虛實論曰，仆擊偏枯，肥貴人高粱之疾也，玉機真藏論曰，春脈如弦，其氣來實而強，此為太過，則令人善忘，忽忽眩冒而顛疾，生氣通天論曰，陽氣者，煩勞則張，精絕，辟積於夏，使人煎厥，目盲不可以視，耳閉不可以聽，潰潰乎若壞都，汩汩乎不可止，又曰，陽氣者，大怒則氣絕，而血菀於上，使人薄厥，調經論曰，血之與氣，並走於上，則為大厥，厥則暴死，氣復反則生，不反則死，脈要精微論曰，厥成為顛疾，又曰，浮散為眴仆，脈解篇曰，太陽所至，甚則狂顛疾者，陽盡在上，而陰氣從下，下虛上實，故顛疾也，厥論曰，巨陽之厥，發為眴仆，陽明之厥，則顛疾，方盛衰論曰，有餘者厥，又曰，氣上不下，頭疼顛疾，著至教論曰，太陽者，至陽也，病起急風，至如礔礰，九竅皆塞，陽氣滂溢，咽乾喉塞，準此諸條之浮陽陡動，天翻地覆，或為暴仆，或為偏枯，或為眩暈昏厥，或為目冥耳聾，或更瞤動瘈瘲，強直暴死，無一非近世腦出血症應有之病態，惟歷代學者，不克承荷古聖薪傳，捉風掠影，莫所依歸，一經甲乙金匱，誤是症為善行數變之邪風猝中，遂致千古長夜，永永混淆，愈風續命之下，枉死不知幾何，降至金元，河間謂將息失宜，心火暴盛，東垣本氣自病，非關外風，丹溪謂濕痰生熱熱生風，景岳倡非風之說，仲醇以陰虛立論，徐靈胎謂宜用金石重墜，以潛鎮攝納，幾經辨駁，類中風之含糊名稱，得以成立，然終以不能握得病理之真，臨床實驗，乃鮮良效，西醫由解剖驗得腦中死血積水，斷為血沖腦經為病，一經道破，舉疑皆釋，回想內經厥症諸條，何一之非為此症說法，惟西醫偏重物質，略於氣化，詳其已然之跡，昧其所以之理，此其治療結果，猶多遺憾，謹將其研究成績，概列於後。

（原因）嘗參考西醫所列腦出血之原因，極其複雜，而血管壁脆弱，為第一要件，據其最近之研究報告，謂普通所稱為腦出血者，大抵皆由於血管變性而起，血管壁之發生變化，有如磁器之已有裂痕，偶經震盪，則內容物易於流出，至於影響血管，引起變化，致成出血之要素，左列諸項，統有密切之關係。

甲：遺傳之關係，——舉凡一切腦病，皆與遺傳有密切之關係，腦出血症亦然，試就腦出血患者之家系調查之，有延及數代，相續因腦出血而死者。

乙：年齡之關係，——血管隨年齡而自然硬化，故高年人，易患此症，尤以生理的環境的種種關係，四五十歲之間，患者最多。

丙：性之關係——本症患者，普通男多於女。

丁：體質關係——體胖身短，顏面潮紅之人，最易患此。

戊：飲酒之關係，——飲酒直接或間接爲腦出血之最大原因，固無可疑，蓋酒毒直接害及血管，且同時攝飲多量水分，使血管負担增重之故。

己：梅毒之關係，——梅毒與腦出血症，有重大之關係。

血管受以上種種之影響，由變化而逐漸虛弱，一旦血壓過高，血管不勝其衝動，遂至於破裂。而致出血。此西醫記述腦出血原因之大略也。

（証候）腦出血症發作，每有極明顯之先驅証候，如頭疼，眩暈，眼花，耳鳴，不眠，言語滯澀，精神興奮，或麻鈍等是，既已發作，每突然失神，陷於昏迷狀態，運動反射，及知覺機能全部廢絕，除呼吸與心臟搏動外，幾與死人無異，昏睡中，呼吸深長，鼻發鼾聲，顏面潮紅，脈搏強實，瞳孔散大，或反縮小，對於光線，常缺反應，患者頭部及眼球，傾向痲痺之反對側，恰如睨視其出血之部位，昏睡之持續時間，自半小時，至四小時，漸漸輕減者有之，然亦有漸次增惡，呼吸急迫，時有絕續，或放喘鳴，脈速，顏色蒼白，體溫下降，後復上升，遂至死亡者，大抵昏睡繼續至二十四小時以上者，爲不良之朕兆，尤其咽喉間有痰，發喘鳴不絕者，殆近於死期，以上所述，要爲重篤之症候，亦有初發極輕，漸次加重，卒至陷於昏睡死亡。又有先起強度眩暈，漸至四肢痲痺，繼以不救者。

（病理）運動及知覺障害，由於腦出血者，每多偏發半身不遂，蓋以腦病隨其廣狹，分爲二種，全腦及其大半受傷者，曰汎病，如腦膜炎，腦皮質炎，進行性痲痺，精神病等是，腦之一部受害者，曰灶病，如出血，軟化，膿瘍、腫瘍等是出血症，如屬於灶病，則多數不能侵及全腦，故其發病，亦每視其所傷部位，而爲上下左右一偏之不遂。

（診斷及治法）証候既如上述，診斷自屬容易，腦充血多發於老人，蓋有血管硬化症，及腦動脈發生慢性膜內炎，而成紡錘狀、或囊狀、粟粒動脈瘤，此瘤因身體劇動興奮、暴飲努力、熱浴、咳嗽等之誘因而破裂，卒中之證候乃成，至若腦軟化症，其症狀雖亦發於卒然，與腦出血相似，而原因則多在梅毒，即血管壁因梅毒而發生變化所致，無論壯年老年，均可發生，又患心臟病之人，其所發生之血拴，往往竄入腦髓，引起軟化，腦出血與此等症之區別，須隨時詳細診斷，而決定之，各病之證狀，當各有其不同之特異點，欲預防腦出血之發生，須先調查其遺傳之關係若何，此非由其祖先之疾病，與結婚之系統，著手調查，則不易設法預防，倘其人確有腦出血之遺傳性，則務須加意預防，第一宜禁止飲酒，勿使血管發生變化，此外身體過勞，或患腎臟病，糖尿病等，亦易引起腦出血，統宜注意及之，而其治療方法，則於卒然發作時，患者身體，嚴禁動搖，不可搬運，頭宜高舉，任其所向側方，患者神識，即使存在，亦不可將其手足，隨便轉動，患者衣服宜解鬆，頭部用冰器，病室內要安靜，不可張皇，同時心臟，亦宜置冰囊，以鎮靜之，或用灌腸，以排宿便，近來又有用水蛭貼於頂部、及乳部、嘴部、而下則於腿腓腸部。足之蹠部，貼芥子泥，患側顳顬部，貼置冰囊，以醋灌腸，或用下劑以通便，體位禁轉換，絕對安靜，此又西醫診斷及治療之大法也。

張氏神效鎮肝熄風湯，治內中風證，（亦名類中風，即西醫所謂腦充血證，）其脈弦長有力，（即西醫所謂血壓過高，）或上盛下虛，頭目時常眩暈，或腦中時常作疼發熱，或目脹耳鳴，或心中煩熱，或時常噫氣，或肢體漸覺不利，或口眼漸形歪斜，或面色如醉，甚或眩暈至於跌仆，昏不知人，移時始醒，或醒後不能復原，精神短少、或肢體痿廢及偏枯。

懷牛夕一兩，生赭石一兩軋細，生龍骨五錢打碎，元參五錢，生龜板五錢打碎，生杭芍五錢，川楝子二錢打碎，茵陳二錢，生麥芽二錢，生牡蠣五錢打碎，天門冬五錢，甘草錢半。

心中熱甚者，加生石膏一兩，痰多者，加胆星二錢，尺脈重按虛者，加熟地黃八錢，淨萸肉五錢，大便不實者去龜板赭石，加赤石脂一兩。

建瓴湯　主治同前

生懷山藥一兩，懷牛夕一兩，生赭石八錢搗細，生懷地黃六錢，生杭芍四錢，柏子仁四錢炒打，生龍骨六錢搗細，生牡蠣六錢搗細。

磨取鐵鏽濃水，以之煎藥。方中赭石，必一面點點有凹，一面點點有凸，生軋細末，用之方效，若大便不實者，去赭石，加建蓮子（去心）三錢，若畏涼者，以熟地易生地。

腦神經衰弱及肺結核之精神療法

董德隆

腦神經衰弱，現在雖有許多藥物，然其實際有效者，似尚未見。肺結核之原因雖為結核菌，然欲得一有效之殺菌藥，使患者倚唯藥療法，即能康復，亦為難能事。故以上二病，於自然療法之食養等療法外，精神療法，有注意之必要。吾所述之精神療法，與他人之見解，或有異同，故可目為一偏之見，然比之說明藥物之效力，則為輕易，所以不妨隨便談談。

腦神經衰弱之原因，多為用腦過度，其病理現象，則似為持續的慢性腦充血。今之世，生活困難，事業繁多，清靜恬淡，固不合時，欲望奢大，反成過當，故神經衰弱，流為通病，神經衰弱，不但不能任事，更可短壽。

肺結核之原因，為結核菌，然造成肺結核之誘因，似較原因為更重要。語云物必先腐也，而後蟲生之，可為本病之註解。吾所指之誘因。除種種不合衛生之事，足以損害身體之抵抗力者外，尤以持續的肺充血為第一誘因。思慮家，憂鬱者，因精神之持續的興奮而發腦充血，同時則肺部亦充血，而四肢則發生貧血，於是全身血流失其平衡狀態，而肺結核之機會造成矣。小兒無憂思之患，何以亦發肺結核？則病的肺充血，為其最大誘因，如麻疹後之易發肺癆是也。以上二病，吾人既持此見解，則精神療法，自然必要。精神療法之目的，在使腦海平靜，欲使腦海平靜，以恬淡寡欲為第一要義，恬淡寡欲，並非虛無無為，古人多有言之，如淡泊以明志，寧靜以致遠，即此意也。腦海既能平靜則呼吸深靜，血流暢和，肺及腦之充血自然消除，如是而精神清明，四肢輕爽，飲食知味。睡眠舒適，行之既久，而疾病愈矣。語云：天君泰然，百體從命，此之謂也。

以上尚是理論，更有行之之法，名之曰觀法，即於平時，務使精神平靜，不使興奮，於思索一問題時，若感精神不佳，立時可將問題放下。但此時每苦放之不下，要在改變注意之目標，如觀天上星月雲彩，觀山之峯巒起伏，觀水之流，觀魚之泳，觀草木之文理，觀虫物之蠕動，如是則苦思之問題，因目標之突變，立時可以放下，精神立時可以清靜矣。又法行者靜立或仰臥或盤坐，靜立或仰臥時，精神注意兩踵，盤坐時注意臍腹，此時放下一切欲念，使意想中惟有兩踵或臍腹，其餘一切皆令遺忘，但當呼吸深靜，不可用力，此法日行二三次，每次二三十分鐘，則一日之精神，可得情明。

行法理由：吾人之身體，使用某部，則某部充血，又精神注意某部，某通亦充血，今將精神注意腹與踵，則可誘導上部之充血，使之平均，同時又可使精神得休息也，故以上行法可以有效。

西醫病名　中醫解釋

（續上期）

（腸閉塞及腸狹窄症）即吐糞，或吐屎等病中常見之。

（腸重叠症）同前。

（腸神經痛）即疝氣，疝痛等。

（腸出血）即便血，或下血等。

（腸欹爾尼亞）與中國小腸疝氣等相同。

（直腸脫）即脫肛也。

（痔　疾）即痔瘡之類。

（直腸瘻）即痔漏也。

（直腸癌）即腸癰之類。

（肛門皸裂）即肛門裂瘡等。

（蟯　虫）即寸白虫之病。

（蛔　虫）即蚘虫，長虫，食虫，圓虫等。

（蟯　虫）即白坐虫，小白虫，短虫，線虫，蛲虫等。

（十二指腸虫）亦腸中之寄生虫病。

（鬱血肝）即肝血鬱滯等。

（充血肝）即肝積血，肝血多證等類。

（加答兒性黃疸）俗稱黃病者是。

（急性傳染性黃疸）同前，而新醫所稱之懷伊爾氏病，亦係此病。

（小兒加答兒性黃疸）即胎黃之類。

（肝臟膿瘍）即肝癰之類。

（肝　癌）亦肝癰之類，但較劇耳。

（肝臟二口虫病）此爲肝臟中之寄生虫病。

（肝臟包虫腫）同前。

（膽石病）黃病類中包含之。

（脾臟充血）即疝痛症之類。

（脾臟肥大）即瘧母，脾癖，脾積，塊癖等。

（腹　水）俗稱水鼓症，古名脹滿。

（急性腹膜炎）即衝疝，或卒疝之類。

（慢性腹膜炎）同前。

（腹膜癌）爲水鼓之重症；但多續發胃腸癌。

（急性心臟內膜炎）即心痛，胸痛，熱心痛等皆屬之。

（慢性心臟內膜炎）同前。

（心臟肥大）中國胸痺症包含之。

（心臟擴張）即心膨大症。

（心臟肉質炎）亦胸痛，熱心痛中，包混之。

（心臟破裂）中國眞心痛類包含之。

（心囊炎）亦心痛，或熱心痛等包含之。

（心囊水腫）中國胸水症中包含之。

（心囊氣腫）即心包氣腫，心衣氣等。

（神經性心悸亢進）即心跳，心松等。

（狹心症）即眞心痛，或痃癖，卒痛等。

（動脈硬化）中國以血瘤概稱之。

（大動脈瘤）同前。

（貧　血）即血虛，或血乏之等。

（萎黃病）俗稱乾血癆等。古名黃胖，綠病，食勞黃疸等。

（進行性惡性貧血）亦血虛之種；但較爲劇烈耳。

（白血病）即脾疳之類，爲白血球增多之病。

（壞血病）即牙疳，牙宣，及牙縫出血之類。

（敗血病）同前。

（血友病）古名易衄病；亦稱血證等。

（紫斑病）此爲皮膚及胃腸膜有點狀之溢血，或出血；但不侵犯齒齦。

（白乘氏病）此爲血虛脾大之症。

（糖尿病）即消渴之類。

（第八版）

（脂肪過多症）即肥胖病，或色肥，及閃朒等症。
（尿酸性關節炎）俗頭痛風者是。
（腺　病）即瘰癧等，而通俗亦稱老鼠瘡等。
（尿圓壔）即尿濁病。
（浮　腫）即水氣病，或水膨等。
（尿毒症）此即尿毒入血之病。
（急性腎臟炎）中國腎消之一種：而新醫所稱武害篤氏病，亦係此病。
（慢性腎臟炎）同前。
（腎　痛）腎石症等包含之。
（腎盂炎）多尿症中包含之。
（腎臟包蟲腫）此即腎臟寄生虫病。
（腎臟水腫）與中國腎虛等相似。
（腎臟結石症）腎石症，及石淋等包含之。
（膀胱加答兒）即便濁等。
（膀胱痛）即膀胱毒癰之類。
（膀胱結石）同前。
（遺尿症）即遺溺，或夜尿失禁等。

（膀胱痙攣）五淋症中，亦包含之。
（膀胱麻痺）即小便不通等。
（安實將氏病）此為青銅色皮病。吾國消渴之類，亦包含之。
（遺　精）即失精，夢遺等。
（陰　痿）為陰莖勃起不能，或勃起缺之。
（三叉神經痛）即頭痛，牙痛，眼痛等多包含之。
（坐骨神經痛）俗稱腰痛等。
（頭　痛）即受風頭痛等。
（腦腫瘍）即腦內生瘤等。
（腦膿瘍）即腦內癰等。
（腦貧血）即血虛頭眩等。
（腦充血）即頭痛，或逆上等之類。
（腦出血）即卒中風，卒中，及中風之類。
（腦膜炎）即真頭痛，及熱病譫妄等。
（腦水腫）即解顱之類。
（腦梅毒）俗稱楊梅開窗等。
（日射病）即中熱，中暑，中暍等。

（脊髓炎）即背脊痛等。
（脊髓充血）即裸腿風，酒膵腿症之類。
（脊髓出血）即髓竭病，瘦軟，背脊痛等。
（脊髓癆）即裸腿風。及中風類包含之。
（半身麻痺）即偏枯，偏癱，半身不遂等。
（橫截麻痺）即截癱，瘦軟，脚軟等。
（神經衰弱）即健忘，易怒等症。
（歇私的里）即婦人臟躁等。
（依卜昆垤里）即心風，心思病。（神經過敏者，最易罹之）
（帝答尼）即手抽筋等。
（排在獨氏病）古時所謂肝脹，蟹睛，即兩眼球突出之症。
（舞蹈病）即顫振，中國亦包含癎症之類。
（癲　癎）俗稱羊角瘋，羊癎瘋等。
（幼兒急癎）即急驚風等。

（未完）

（天津國醫函授學院各地學員課外讀物）

天津國醫月編

（非賣品）

（原名國醫月報）

第五期

天津國醫函授學院出版

地址　天津英租界卅二號路義慶里八號

全年十二期只向學員收回紙料油墨費及郵寄費共國幣　圓　角

糖尿病之研究

孫西園

據陳著內科診療醫典，本病患者含水炭素之燃燒機能減退，血液中含糖量增加，尿中亦可證明有糖，以多尿，善渴善飢爲三主症，體質日漸瘦弱，重症者往往現糖尿病昏睡以致於死。療法則以因蘇林(Insulin)注射爲主；惟過量則引起血糖過少，須同時與以含水炭素。如已發生昏睡者，雖注射大量，亦難挽救。次如食餌療法，輕症者禁食糖類點心等類與含有大量含水炭素之食物，中等度及重症者，須限制含水炭素及蛋白質，如血液含糖量增至百分之三以上，須行青菜日飢餓日每週一次。更考丁譯臨床病理學，糖尿病與膵臟萎縮頗有密接關係。故以死於糖尿之屍體解剖之，每見膵臟硬化，膵質萎縮消耗等。又以動物之膵臟取去之，則發糖尿病，蓋膵臟不僅分泌消化液，注入腸管，且分泌特殊釀酵素輸入血液，以分解身體中之糖分。若膵質萎縮，機能障礙，則不能分泌釀酵素，不能酸化身體之糖分，即糖尿病之所由起也。

縱上所述，則糖尿病必由於膵臟萎縮，消耗，或硬化，殆無異義，（無論其爲萎縮，消耗，或硬化，機能障礙則一也）蓋不能分泌「分解糖分之特殊釀酵素」，則血液中原有糖分不能分解，而新生之糖分，更源源而來，故血中糖量增加。雖增加而無以爲用，故由腎臟排泄而現糖尿。糖質之排泄需多量之水溶解之，故尿多善渴。糖質既不能分解，則人身工作精力之原料，必取給於蛋白脂肪，蛋白脂肪之消耗過甚，則攝食以爲補償故善飢，然補償有限而糖質之排泄及蛋白脂肪之消耗無度，故雖多食尤日漸瘦弱。是知西醫以食餌療法施於輕症而能收效者，殆亦症狀之一時緩解而已，恐難根本治愈也。因蘇林(Insulin)注射之藥理，不敢妄解，惟觀其以減糖之目的注射之，更以增糖之目的而與以含水炭素，矛盾之處置，實不敢苟同。吾師運用科學醫之臟器療法，以直接補助膵質興奮機能爲原則，用豬，雞，鴨膵爲主藥根治之，誠開古今中西治療糖尿之新紀錄也。雞，鴨，豬膵，固非中藥或中醫所得而專用者，敬望科學醫稍捐門戶之見，加以研究，公之世界，使糖尿患者，得一救星，又豈僅中西醫界之幸哉！

茲錄師醫案一則

葛右　年五十八歲

診斷　糖尿病

原因．素喜甜味前數年不甚重，因去一次西北則病加重由是證明精神興奮和身體過勞皆能使症增劇。

病狀　精神不佳，日見消瘦，消渴善飲善飢，視力障礙，皮膚作癢，尿量增多，睡眠不佳。

處方　瓜蔞根四錢　空沙參二錢　川雅連一錢　薏苡仁四錢　焦內金三錢　大綠豆三錢　白杏仁二錢　厚朴花一錢五分　鮮石斛四錢　玫瑰花一錢五分　廣寄生六錢　青連翹三錢　砂仁一錢　大生地二錢　同打豬雞鴨胰子各一條　用以煎湯代水煮藥

二診

服藥經過——前方服兩劑，尿量雖未減而次數較少，大便燥食不多胸覺悶。瓜蔞仁四錢　鮮石斛四錢　鹽元參四錢　米沙參三錢　大生熟地六錢　砂仁一錢五分同打　米丹參二錢　炙白前一錢五分　炙紫菀二錢　白杏仁二錢　金狗脊五錢　廣寄生六錢　焦薏仁四錢　焦內金三錢　綠豆二錢　干枸杞四錢　川杜仲三錢　川續斷三錢　豬雞鴨胰子各一條　煎湯代水煮藥

三診

服藥經過——二診方連服兩劑，口渴見減，而腰部作痛，咳嗽有白色痰，排出之尿變為淺黃色。

鮮生地鮮茅根各五錢　炒杜仲一錢　炒川斷三錢　鹽元參四錢　炙前胡一錢五分　炙紫菀二錢　天門冬四錢　麥門冬四錢　白杏仁二錢　薏苡仁四錢　瓜蔞根四錢　金狗脊五錢　山萸肉四錢　綠豆三錢　鮮石斛四錢　北沙參三錢　雞金炭三錢　廣寄生六錢。

西醫病名　中醫解釋（續上期）

（振顫痲痺）即癱瘓振動等。

（亞台篤設）即手足每起連續動作之病。

（痲痺狂）亦癱瘓之類，即每說謊言，或講大話之神經病。

（倍里倍里）即脚氣病。

（神經痲痺）即痲木，不仁等。

（顏面神經痲痺）口眼喎斜等包含之，中風中亦有之。

（眼筋神經痲痺）即眼珠不動症。

（嗅神經痲痺）即失齅等。

（味神經痲痺）即風舌強，及謇吃等。

（顏面筋痙攣）即口眼痙斜，面喎，喎斜等。

（橫膈膜痙攣）即吃逆，逆呃，噦噫等。

（指端痙攣）即指痺，及書痙等。

（筋肉局部痙攣）即轉筋等。

（急性關節僂痲質斯）即白虎風痛。白虎歷節風等。

（慢性關節僂痲質斯）即風溼，中溼，溼痺，及遊走痛，歷節風等

（筋肉僂痲質斯）即肉痺，筋痺，及肉痛，筋痛等。

（佝僂病）即龜胸，龜背等，而新醫又稱莫吉利斯病，亦為此病。

（骨質軟化症）即骨軟畸形樣之類。

（創傷）即挫，刺，割，銃之外傷。

（瘭疽）即指頭焮腫等。

（熱性膿瘍）即無名腫毒，及腫瘍之類。

（寒性膿瘍）即流注等。

（瘲瘍）即瘲瘡，瘲腫等，如臂癰之類。

（潰瘍）即潰瘡，及潰爛瘡面之稱。

（狼瘡）即皮膚結核病。

（癰疽）即發背，頸癰等。

（癌腫）即翻花瘡等包含之。

（淋巴管炎）即紅絲瘡等。

（淋巴腺炎）隨其部位，而定名稱，如鼠蹊淋巴腺發炎，即俗稱橫痃者是，如耳下淋巴腺發炎，即俗稱痄腮者是。

（皮下蜂窩織炎）即皮下膿滲潤之症。

（筋肉炎）即筋腫，筋痛等包含。

（靜脈炎）即紅絲疔類。

（靜脈瘤）即筋瘤之類。

（動脈炎）亦稱筋瘤等。

（動脈瘤）即血瘤等包含之。

(第　三　版)

(黏液囊炎)即腫瘤之類。
(關節炎)即鶴膝風等之類。
(骨炎)卽骨痛，風溼，中溼等包含之。
(骨膜炎)同前。
(骨髓炎)亦腑髓病，骨痛等包含之。
(骨壞疽)卽附骨疽等。
(膿泡疹)卽膿瘡，臁瘡等。
(濕疹)卽膿泡，水泡等。
(汗泡疹)俗稱痱子，痱瘡等。
(水泡疹)卽黃水瘡等。
(疥癬)俗稱疥瘡等。
(頭虱)即髮內牛虱等。
(衣虱)即衣被生虱等。
(毛虱)卽陰虱，八脚虫等。
(頑癬)卽鱗甲瘡之類。
(鱗屑癬)卽乾癬，牛皮癬等，如發生手掌，又稱鵝掌風等。
(頭部鱗屑癬)卽白禿風等。
(頭部匐行疹)卽禿瘡等。
(陰部匐行疹)卽腎囊風，俗稱繡球風等。
(帶狀匐行疹)即火帶瘡，纏腰丹等。
(寄生性匐行疹)亦癬瘡之類。
(蕁麻疹)卽癮疹類包含之。
(薔薇疹)同前。
(糠粃疹)卽蛇皮癬等。
(丘疹)卽尖頭疹等。
(瘙疹)卽風癬，瘙瘡等。
(痤瘡)卽粉刺，榖嘴瘡等。

(酒皶鼻)卽酒糟鼻等。
(凍傷)俗稱凍瘡等。
(火傷)卽燙瘡等。
(紅色苔癬)亦蛇皮癬之類。
(癜風)卽白癜風等。
(漆毒疹)卽漆瘡等。
(羅斯)卽丹毒，火流，火丹等。
(紫斑病)則肌衄，膚血，汗血，黑斑等。
(面皰)俗稱粉刺。
(夏日斑)俗稱汗斑等。
(多汗症)卽自汗，手汗，足汗等。
(腋臭)卽狐臭等。
(皸裂)卽手足破裂，及裂紋等。
(疣贅)卽膚疣，肌疣，水疣等。
(力士耳)此卽耳翼軟骨膜之發炎也。
(外聽道炎)卽耳瘡，耳痔等。
(外聽道出血)卽耳炎也。
(中耳炎)卽耳漏，耳痛等。
(內耳炎)同前。
(鼓膜炎)通當稱爲耳痛等，又稱腦裏虛瘍。
(聽覺神經亡失)卽耳聾也。
(歐氏管狹窄)卽耳氣不通。
(眼瞼濕疹)即眼皮瘡之類。
(眼瞼潰瘍)同前。
(眼瞼浮腫)即眼胞腫等。
(眼瞼痙攣)卽風牽喎僻等。
(眼瞼麻痺)卽雕風，倭風，眼胞餘皮等。

(瞼緣充血)卽眼邊流血等。

(眼瞼緣炎)卽爛絃風等。

(睫毛亂生症)卽眼毛亂生或倒插等。

(麥粒腫)卽眼丹，針眼等。

(淚腺炎)俗稱迎風流淚等。

(淚囊炎)卽淚漏大眦漏等。

(結膜充血)卽眼睛紅眼等。

(加答兒性結膜炎)卽暴發火眼，及風熱眼之類。

(篤拉仿謨)卽沙眼之類，俗稱瞼生風粟者是，而新醫又稱顆粒性結膜炎也。

(結膜翼狀贅片)卽努肉攀睛等。

(膿漏性結膜炎)卽膿漏眼，淋眼等。

(角膜炎)卽深根釘翳等。

(角膜盤奴斯)卽星翳等。

(鞏膜炎)卽白睛炊衝等。

(虹彩炎)亦白眼痛之類。

(毛樣體炎)同前。

(全眼球炎)卽睛腫暴發眼之類。

(脉絡膜炎)卽白眼痛之類。

(網膜炎)同前。

(網膜充血)卽血灌瞳人之症。

(夜盲症)俗稱雀目眼等。

(晝盲症)同前。但發於晝間。

(黑內障)卽失明之類。

(色盲)卽不能視色之症。

(硝子體溷濁)卽眼見飛蚊之類。

研究中國醫藥幾個信條

時逸人

「1.小引」余浮沉醫界，已二十餘年，不敢藏拙，將研究所知者，隨時付印問世，承醫界同人僉以研究中醫之方法見詢，玆擧所知，略述於左，是否有當，還望各地醫家，研究與批評。

「2.中醫學之源流及其優點」上古時代，醫食同源，皆爲人類本能所發現，如饑之思食，渴之思飲，寒之思熱，熱之思寒等，後世醫家：擴充此項本能之感覺，以寒熱虛實等，爲判斷病証之方針，『經五千餘年之考察，卓然爲經驗學派之中堅，』由藥物發現，乃成立單方，由治療實效，乃積成醫學，藥學在醫學之先，此本經所以首創於遠古也，內經中，取大自然現象，仰觀俯察，遠証諸物，近譬諸身，歸本於四時『生長收藏』升降浮沉之妙用，探究疾病之起因，確定治療之原則，仲景廣湯液爲傷寒論，症候治法，於焉大備，後世雖各家蔚起，立說互異，要不能出其範圍，典籍具在，代有傳人，經驗之淵深，病情之精確，治療之週到，方藥之豐富，冠於全球，以價值論，精微奧妙，非淺學所能窺，以歷史論，發明之早，實爲世界醫學之先導，獨惜後世，醫官失司，淪爲方技，人自爲師，家自爲敎，遂致品流雜厠，異說紛紜，然其特長之經驗，並不因學說之紊亂而消失，是在後世學者之整理光大者矣。

「3.醫學自然之趨勢」中醫以人體自然之機能爲主，西醫以解剖病灶之實質爲主，此中西醫之根本不同處，蓋中醫論病，偏於機能上，西醫論病，偏於物質上，今試以物質論，科學家嘗言，物質不生不滅，恒常不變，然自幅射能之研究發明以來，將光熱電磁波，及萬有引力動波等項，認爲和物質一樣，都有具有質量的，此科學由質的進於能的之趨勢，自然科學之對象，爲宇宙無生命之事，尙不能拘於物質，況醫學，以有生命之人體爲對象，其不可拘於物質，不待言矣，故近來西醫方面，已知機能不可偏廢，寒熱燥溼之氣候，虛實之體質，一切綜合概念，皆在研究之列，民間治療，單方秘法，亦認爲注意之價值，徵之於內分泌不可以分析，微生物無法以檢驗，皆足以改換過去思想之舊基，啓發研究之新徑，由形質而漸趨於機能之先肇也。

「4.中醫與科學」西醫嘗以不合科學，爲排斥中國醫學之工具，不知科學定義，在遵重事實，遵重證據，以有經驗之記載爲前提，將謂中醫治病，不以疾病之症候爲主，不研究病機之轉變，病情之好惡，不選用適宜之療法，經驗之處方，而可以草率從事乎，其誣妄甚矣，且中醫以表裏寒熱虛實邪正，憑八綱以辨症，每一病症，在病灶上，有在表在裏屬寒屬熱之不同，在病情上，有虛性實性進行性退行性之各異，辨症清晰，然後運用汗吐下和清消溫補諸方法，自能病無遁倩，而投劑獲效，過去醫籍，對於生理病理診斷諸科目，雖無明確之規定，然診察，以八綱爲主體，治療以恢復生理機能的目的，有原理則可尋，邑之暗合科學可也，譬之造醬油，製豆腐，小技也，工科專門，所製造之成品，尚不及一鄉村工人所製成之適口，可知實用之事。經驗優於學理，經驗既已確定，皆有科學原理，存乎其間，妄者，故作異說，以攻詆之，充其量惑世誣民則可。若謂可以根本摧殘中醫，亦未過甚其說矣。

「5.經驗之討論」（一）中醫固完全建於經驗，即西醫治療方藥，受賜於經驗者甚多，血清發明，雖有賴於學理，而起始仍淵源經驗，他如奎寧之治瘧，伊打之作迷朦劑等，皆爲經驗之運用，胡獨於中醫之經驗而疑之（二）經驗發現，自然而無限定，多年從無意中來，非如學理必從艱苦之境。與一定之人，乃有良效可期，（三）經驗深隱複雜，前人既層累叠積，以傳流於世，後人若不切實試驗，多難得其實際。（四）經驗宜求究竟，中醫虛實寒熱之理，爲西醫所無，識淺者，無法推測生理上變化之所以然，遂以氣化目之，是不知醫學之實際，而妄生異說者。（五）中藥經驗，須注重配合，例麻黃治咳喘，中西醫所見相同，然中醫佐干姜以治寒，（小青龍湯），佐石羔以清熱，（麻杏石甘湯越婢湯，）其功效每較獨用爲優，又麻黃所治之喘咳，以屬於感冒性者爲適宜，西醫不能分別，概用爲本病之特效藥，且有利未見而害隨之矣。

「6.在陰陽五行運六氣之外眞中醫究竟在那裏」眞中醫的學說，究竟在那裏，這句話很難答復，因爲學說是不能離開環境而獨立，上古以卦文支配一切，故醫學上便利用陰陽之學說，中古文學，崇尚典麗，故醫學爲文學之觀念較重，宋代大倡理學，佛道等學說，亦加入醫學之中，近代西醫學術輸入，生理解剖物理診斷動物試驗細胞免疫等學說，風行一時，學說以不違背時代爲原則，欲脫離環境，事實上所不可能，如欲將環境上點綴品之學說，完全剝離，則道家之清淨，易家之陰陽，河圖洛書先天八卦後天八卦，秦漢時代六經六氣風雨晦明等，皆非醫學上應有之學說也，且五行之說，嘗倡於鄒衍，至東漢有天人合一之理論，其說始盛，細繹之，與醫學尤無關係，是則中醫學說，經分析與洗煉而後，所餘無幾矣，然則眞中醫之學說何在。以余所知者分列於下。（1）本草經，上品各藥，有久服不饑輕身延年等說，揆之上古時代醫食同源。在稻粱菽麥黍稷未發明之先，生物皆視爲食物，植物蔓生原野間，尤爲充飢上品，所謂輕身延年者，即賴以充飢時之食物也，古代以一日爲一年，現在民智進化，已決無再以藥物爲食品者矣，然此項微言大意，尚存古代醫食同源之精義，（2）內經一書，包羅豐富，醫學家言，祇佔一部份，爲針灸經穴臟腑功用診斷治法等，（3）傷寒論，內經專言病機病情病原等，而略於症候，傷寒專言症候，間亦言病情者。（如喜寒喜熱等），其中有部份，注重在症候之探討，確爲上古醫家之眞傳，合之內經本經等，各爲一部份醫學見地，可稱爲中醫學說上之結晶品，至於宋元以後之醫書，非空談生尅，即糾纏運氣，或妄造臆說以欺人，或故作誇此以惑世。或剿竊西醫之說，以資途附，或濫抄古書陳語，以自詡著作，妄災棗梨，失之遠矣。

「7.不可做古人代表亦不可攻擊古人」研究醫學者，其結果往往有二種趨勢，(1)爲古人代表，昔時有羣言淆亂衷於聖之主張，學說惟古，取法乎上，爲當時一般自命學者之口頭禪，閱書不多，或自以爲是者，每以作古人之代表自豪，如竇材自命命爲三生扁鵲，陳修園以長沙後身自負，即其例也，由是可知，彼之醫學，非現代之醫學，乃古人之代表，執古人陳法，以統治萬病，實非計之得也，蓋學說隨時代而推進，以不違背時代爲原則，昔日之時代與今之時代不同，在人事上，古代簡單而今複雜，在交通上，古代困難而今便利，故古代未發現之病症及藥品等，近代發現甚多，此不能默守古說，又甚明顯。而矯枉過正者，以爲中國醫學，所以不能進步之最大原因，在迷信古人，古醫書，爲醫學說上之偶像，進化之障礙。一日不打倒，醫學一日不能自由發展，彼不知中醫現代所有學術經驗無非從昔時醫學中銳化而來昔時醫家之微言大意，保護之尚恐不暇，專心攻擊，謂非別有作用，其誰信之，況在昔時交通之工具未備，印刷之方法不充，每成一書，歷十餘年或數十年。犧牲光陰及金錢，無法統計，與現代利用剪刀漿糊廣告預約者，其困難與便利，眞不可以道里計，研究醫學之進化與過程，尤當採爲參考，不容忽略，善讀書者，書爲我用，而我不爲書所愚，以我之經驗與心得爲主，書中所有者，僅足備諮詢攷證之用而已，世有盲從固執之人，入生出好，自以爲是，皆不善讀書之害也。但是中醫書籍之優點安在，有人說惟驗案驗方藥物三項，有研究之價值，又有人說，中醫惟經方派，尚傳古醫之精義，究其實，每一部醫書，皆有精神獨到之處，惜精粹不多耳。

「8.中醫書籍之缺點」中醫書籍，缺點有七，古代醫家，研究醫學之方法，假大自然現象，以說明病症之起原，如五行運氣司天在泉天符歲會及星辰等，在現今科學之方法研究之，則覺假借名詞之不適用，此屬缺點者一，專門名詞，如六經三焦營衞氣血升降浮沉等，使一般人無法瞭解，此屬缺點者二，文學色彩太重，醫家著書，多有以醫學爲文學之觀念，近世白話文通行，文學漸行退化，青年學中醫者，對於文學深感頭痛，此屬缺點者三，又昔時交通之工具不充，每一地方，著名之醫家，所診治病人，不出百里之外，限於環境之風土與氣候，或偏用寒涼，或偏用溫燥，以個人耳目見聞之所及，便以爲天下事無不如是，此種推測，實係錯誤，此屬缺點者四，又因交通不便，書籍郵寄爲難，參考之材料不多，故或自是，或盲從，不可避免，此屬缺點者五，個人之知識有限，事理之研究無窮，以個人知識，欲包括全部經驗，非但爲事實所不許，亦且爲事實上所不可能，（昔時醫家，陷此弊者甚多，如景岳全書，即其例也）此屬缺點者六，編輯醫書之體例，多用門面裝飾語，每一病證，先列內難成語若干條，繼列傷寒金匱千金外台或方若干條，後列宋元明清各家醫書之治法若干條，因羅列諸說，意見紛歧，故必殿以結論，方可塞責，乃詳列多歧式之原因。附以襯彩式之治法，考其所引證者，不過爲醫家治病原則之一部份，此屬缺點者七，有此缺憾，使初學者，浪費多數之時間與精神，無庸諱言者，故欲中醫之改進，必須以整理醫書爲前提。

「9.不以地方性一時性認爲普遍性」病症之中，有一種地方性病，往往以一地方爲代表，如山地多風燥，海濱多卑濕，又有一時性者，如冬多呼吸器病，夏多消化器病，此項常識，現代醫家多有之，惟古人對於此點，有將地方性一時性，認爲普遍性者，是當分晰而明辯之，方不致誤。

「10不以臆造之語以欺人」每一醫家，皆一部分之經驗，或一部分之心得，奈醫者每多自誇淵博爲能，勢必無經驗，冒充有經驗，無心得，冒充有心得，亂抄雜湊，此等醫書，非特讀者，不易研究，即作者自身，恐亦不知所云，此皆自誇淵博。冒充作僞之害，在醫學上，有相當貢獻者，不在大部類書，而在簡單之醫書，如六科準繩，景岳全書等，此項類書，成之匪易，後學得益之處尠，蓋因編者之經驗不充，雜湊成篇，毫無選擇之故耳，故余以為無經驗之醫者，絕對不可妄編醫書，其他事項，可以嘗試，獨編醫書不可嘗試，因動關病人之生命也。

「11醫學進化之障礙」醫學上之障礙有二種。(甲)迷信古人，非經方不用，非軒岐仲景之言，便認為離經叛道，一步一趨，以古人代表自命，此種見解，實係錯誤，(乙)迷信西醫，某氏將中醫之經驗，完全抹殺。高掘打倒中醫之旗幟，中醫界同人，知識淺薄之徒，竟有附和其說者，眞有可怪，觀其立言大旨，(1)因自己學中醫，無法得其門徑，因從而摧殘之，毀謗之，以遂其私意，(2)即使中醫有研究價值，必須如伊輩外國之博士，方有研究之資格，將中國所有家傳世傳師傳之中醫，必須一掃而空之。方為徹底，伊自己本無法研究中醫，又要說中醫非他研究不可，此中矛盾，不言可知，(3)將中國所有之單方驗方秘方等，禁止中醫施用，必須完全貢獻於如伊輩之大博士前。以供試驗，中醫驗方，係過去醫家，以病人生命試驗，為不道德，必須用動物試驗，方有道德如是說法，勢必將中國所有之驗方，完全廢除，專待國外醫學博士，繼續動物試驗，證明確效後，然後再用以施治，現在所有患病之病人。必須待數十年或數百年後，方有治療之藥劑，他如視人體如機械，視氣候為無稽，盡誣蔑謬忘幼稚顢頇之能事，余意將其全部學識整理後，再作一整個之批評，以就正於全體同人之前，茲述其大要，說明其障礙如左。

12「古今病症之不同」古時所有之病症，如狐惑百合病等，為現在所無法推測者，現在所有之病，如猩紅熱，白喉痲疹，痘瘡之類，皆古時所未有，宗古家，每以經方為萬能，遇古無今有之病，是必仍傷寒方法一概混用，以希冀萬一之徼倖，將後世經驗的方法，完全廢去，實非計之得也。

「13古今藥物及權量之不同」經方家，喜用古方，加重藥量，減少藥味，不知此種觀念，實係錯誤，古時人口少，生活競爭之方法少，故慾亦簡單，所產藥物，多半為原野自生植物，人工種植者較少：現在人民慾望重，營謀之方法亦多，所用藥物，多半為人工製造，譬如人參一味，本經載其味甘苦微寒，但現在之參。種者，惟恐其生長之不快，用硫黃馬糞自培植之肥料，若欲求其性質微寒，為滋陰降火之用，豈可得哉，據此一項，其餘可以類推，又權衡制度，我國昔時，至不統一，古方用量。言人人殊，莫衷一是，古方藥量，一兩，有謂今之三錢，有謂今之一錢，有謂今之七分，又有謂之六錢，衆說紛歧，莫衷一是，各地方之權量，亦不一致，雖有考古之士，且有無從考證之苦，各家解釋，類多以意為之，古今藥物，性質不同，種植方法不同，權衡重量不同，強謂古方可治今病，其不誤人幾希。

「14對於改進中醫的意見」提倡中醫之名義，自民元以來，風起雲湧，盛極一時，自中醫條例公佈，及中醫加入教育系統而後，中醫地位，已至極盛時代，改進聲浪，尤為振耳欲聾，綜合現代各家意見，(1)出版刊物，(2)辦醫院，(3)辦醫校，(4)出版醫書，余意以為出版刊物，發揮研究之方法，聯合同志，以策勵進行，如認為改進之道，即在於是，殊屬不然，醫院之目的有三。一為發展營業，一為救濟貧民，一為考證實驗，惟第三項，尚有研究義意，醫校雖足為改進青年研究中醫之思想，然無適當之書本，濫用古書，仍然誤人，與昔日師傳之弊無二，什或且有過之，出版醫書，當發揮一己之心得，衷中參西，共治一爐，綜合各家之學術與經驗，示人以正軌可遵，不致生歧途之惑，斯為上乘，縱觀現今醫界出版物，符合此項，尚不多覯，倘或濫抄古書，或忘造異說，使醫學上更多一層魔障，則多讀一書，反不如少讀一書之為愈矣。

「15病症及方藥當求生理上所發生之功效」病症之經過，昔時醫家認爲病原客居體中之作用。現在認爲除傳染病及中毒症外，多因生理機能發生障礙，不能維持自然之常態而起，藥物治療，昔時認爲藥物有直接除去病原之能力，殊不知藥物經消化吸收分配後，其獨具之特性，隨血液循環，在生理一部份之機能上，發生刺激或增進作用，輔助自然療能所不及，如發汗利小便通大便促進血液，減少分泌等作用皆是，至於補益之劑，或輔助消化，或催進吸收，或增加營養，或興奮組織，以及舒暢神經安神鎭靜等功效，捨生理作用而外，無其他之病症與藥效也。

「16編書之體例」編輯醫書，體例章節，本無劃一之規定，視編輯者，國文程度之淺深，研究醫學方法主張之不同，而異其旨趣，現代醫書通行之體例，(1)陳列式，詳述各家之學說，分別羅列，可以得見原著之意見，其缺點使初學者，有無所適從之苦，有將中西醫之學說，各別詳列者，尤足使人有多歧之惑，(2)著作式，以發揮個人之主張，若列證各家學說，其失也隘，故余之主張，凡編成一種書籍。必須先有其一貫之思想，爲其中堅，而後再參考各家之學說，以論證其所欲建設之理論，方爲正當，又醫藥關乎生命，必須切合實用，若詳列各家學說，編者自誇博識，用之於文學則可，醫學上不甚適宜，現代醫書，是項體例甚多，讀者當知其選擇，方不致誤，此外或濫抄古書，或繁列西說，吾無取焉。

「17研究醫學以辨別病症爲主體」中醫注重兼症，西醫注重本症，中醫對於每一病症，如兼風兼寒，兼熱兼燥，夾痰飲，夾氣鬱，夾血滯，夾食積等，分別非常詳細，故稱病之變化無方，不可拘執，而對於本病，應當發現之整個經過多略而不詳，必須以多數書籍，混合參考，且有需要西醫書籍以補充者，方能得一確實之症候，在症候上，須分別孰爲主症，孰爲副發症，孰爲變症，並須規定主症之治法，副發症之治法，變症之治法，尤須分別先後緩急之適宜次序，倘專重兼症，忽略本症，方法雖多，間有以藥試病之弊，或專求本症，忽略兼症，必有頭痛救頭，脚痛救脚之弊，故滙通參考，方爲研究醫學之正當途徑。

「18古方今用之方法」薛子瞻云，藥雖進於醫手，方多傳自古人，蓋古代醫家，知病情隱伏，且有兼症夾症等，單用一二味藥物，不足以盡其治，能使藥各全其性，以奏其獨特之功能，亦能使藥混合其性，而以方劑之功能爲代表，取捨之間，有精深之法度，此立方之妙義也，徐洄溪云，按病用藥，雖云切合，而立方無法，謂之有藥無方，或寫一方以治病，方雖良善，而其藥有一二味與病情不合，謂之有方無藥，故善醫者，所用之方藥，分觀之，無藥不合於病情，合觀之，無方不本於古法，是誠善用古方者，又病情有虛實寒熱之殊，病變有表裏陰陽之異，以及體質習慣等，各有所偏，拘執古方，必難合拍，古人卽有加減之法，其病大端相同，而所現之症，略有不同，則不必另立一方，加減之卽可，如桂枝加大黃湯，麻黃加朮湯等，皆其例也，李士材云，用古方療今病，譬之拆舊料造新屋，不再經匠人之手，必不合用，唐容川云，仲景凡用古方，皆有加減出入，世人必謂經方不可加減，皆讀書未化之故也。

「19結語」綜上所述，可知中醫之特長，在運用虛實寒熱等，爲辯症之方針，選用歷古相傳之經驗良方、尤注意於人體自然之機能，以及風土氣候之變遷，方藥之配合加減等，成一卓立經驗學派之醫學，爲各國醫學家之崇拜鑽研，尚未能得其究竟者，現今世界醫學，既有由形質而漸進於機能之趨勢，則吾國固有注重人體機能之醫學，實有整理改進發揮光大之必要矣。

余研究醫學之主張與方法，不拘泥陳迹，不盲從異說，不謬託玄虛，不妄標意見，切切實實，發揮設身處地之經驗，借助於科學方法，以整理之，希能樹立中國本位之醫學，以供獻於世界醫學之林，是下走所懸爲目標者也，惟祈醫林賢達，進而敎之。（完）

（天津國醫函授學院各地學員課外讀物）

天津新國醫月編

（非賣品）　（原名國醫月報）

第六期

天津國醫函授學院編輯

地址　天津英租界廿二號路義慶里八號

全年十二期只向學員收回紙料油墨費及郵寄費共國幣　圓　角

國藥討論

葉勁秋

（一）中國藥物之範圍

我國藥物之範圍，漫無限制，豈僅牛溲馬勃，盡是藥籠中物，凡天之所覆，地之所載，四海之內，六合之外，無論有毒無毒，糞便塵垢，涕唾汗血，信手拈來，都成妙品，於是修本草者，竟有無從下筆之勢，爲求整理中國藥物起見，應屏棄一切瑣細雜品，先將普通而易於羅致之動植礦之類，加以研究，有效之雜品，則列於單方門中，升降丹，驢皮膠等，則入藥物學門中，品類自須分別，範圍尤宜限制，乃究心中國藥物者之首宜注意者也。

（二）研研中國藥物之步驟

中國所用之藥，「物」而已矣，以前所有本草，不過博記各藥物天然之本能，對於人體發生不同樣之變化，認識其效驗，猶如通常常識，原不足以稱爲藥學，現在按照治學方法例，應以藥物功能之強弱，對於生理作用，因引起種種之變化，以治一病，或減輕某項痛苦者，謂之藥力學，以一藥物之治療範圍，並求其所以治病之理者，謂之藥理學，我國醫藥之幼稚，自己無可再爲諱飾，今治中藥學者，求之以前各本草書，能合於以上兩條件者，殊不多觀，設或完全採用西醫方法，則又非語於中醫藥者矣，以中醫爲立場，整理中藥，其應取之步驟，祇不過四法。

1攷正名物　2確定質味　3攷查產地　4博識性能

中醫所用之藥，天然植物居多，天然植物，雖各有科別之不同，然疑似相像之間，植物學家間有難識，似是而非，在所皆有，自來本草學家，率皆從事文字工夫，每不注意實地攷察，因常有名實兩爽，妄生議論，無啻癡人夢囈，滿紙荒唐，如眞欲治中醫藥者，應攷正名實，爲着手第一步工作。

名實既正，然後可以確定質味，各藥既各有不同之性能，自亦各有不同之質味，辛甘發散，酸苦涌泄，揆之實驗，自有良然，惟性能隱晦，非經躬親嘗試，每不能明顯其效用，而質味之甘苦，要非味覺之反常，自然易於辨認，然而本草上常有一作味甘，一作味苦之矛盾文字，中醫之受人譏議詬病，有由來矣。

橘踰變枳，遷地勿食，原夫一植物之生長，必藉土中之養分，而土有高卑燥隰之殊，則其所吸之原質，自然不一，其因既不同，其果有不變者乎，中藥類皆生藥，故藥鋪必以道地兩字相標榜，然而惟利是視之商人，能語以道地者，有幾人耶，是以產地之所以不能不急待攷查也。

必也名物不爽，質味正確，出品道地，於是乎可以語其性能，性能之學，先人不少記載，大都失於龐雜，未嘗扼要，或者故神其說，或者牽強附會，（至久服延年，長生不老之說，係指無毒質而富滋養料者而言）其失在無深切之研求，以一時之偶效而推崇，以一時之偶敗而抹煞，且中藥方皆混合劑，欲於混合劑中決定某一藥之性能，不能正確，自在意中，如有謂薄荷性凉，有謂體溫而用凉，諸如此類之矛盾而又奇異之學說，不遑枚舉，故今後研究中藥者，必須詳細的加以久長與衆多之統計，然後將本草加以嚴密之糾正，循此以往，中國藥物，其有光明之日乎。

普通應用各藥物之性能既明，治我國藥物者，方可告一段落，亦中醫界應有之責而不容放棄者也，以後一方研究各藥物之配合，卽所謂處方學者是，一方應研究泡製與提煉，追隨西法，以納入世界醫之一途，中西醫之界限，不泯自泯，而眞正完美醫學，將於以產生矣。

（三）中國藥物之分類法

先前編纂本草者，每以草、木、果、實、金、石、等分類，我人爲求適應醫者治藥之目的，祇在明瞭藥物之效用，非比博物學家之必須分以動植與礦，乃如此分類，殊不相宜，因徐之才所以有宣、通、補、泄、輕、重、滑、澁、燥濕、之十類分法，其爲有見，惟此中不無可議處，爲特正之，通之輕者卽是宣，宣之重者卽爲通，泄卽是瀉，濕亦滑意，濕滑皆潤貌，故濕滑二劑應合一潤劑較當，通劑可删，繆氏嘗陶氏續寒熱二劑爲背謬，因去寒熱而增升降，殊不知續寒熱增升降，其謬相等，蓋每一天產藥物之性，同具寒熱升降各不同之良能，故寒熱升降四字，足可綱領全部藥物，未足以類别藥物，輕重二字，似非藥物已病之功能，應删，因此分六類足矣。

宣劑　凡疎散、理氣、等品屬之。

潤劑　凡潤澤、滑利、等品屬之。

補劑　凡補益、强壯、等品屬之。

瀉劑　凡消導、利水、疎氣、祛瘀、清熱、湧吐、殺蟲、等品屬之。

燥劑　凡性味辛燥、去寒、逐濕、等品屬之。

澁劑　凡性味酸澁、固攝、收斂、等品屬之。

（四）藥物學上的藥物用法

1 煎劑　煎劑者、我國最通行之湯液法者是，俗稱煎藥，藥物學上謂之煎劑，按新法須以藥物切成匀適之粗末，入磁罐，加適當之水，時時攪盪之，在重湯煎上（俗謂隔湯燉）煎三十分鐘，趁熱濾過，用其濾液。

2 浸劑　浸劑者、卽爲熱湯浸出之藥液也，以藥物製成均等之粗末，入溫湯，熱於重湯煎上五分鐘，濾過，取其濾液，冲以沸湯，卽可供飲，大概藥物氣味之易於揮發者，宜於浸劑

3 酒浸劑　酒浸劑者、爲用酒類浸出藥物有效成分之質汁也，將藥物浸入燒酒或陳酒，一二日或七八日卽成，取服殊便。

4 粉劑　粉劑者、（或稱散劑）卽以藥物製成粉末，以便應用，法以藥物搗入臼或乳鉢，碎爲細粉，用熱水調服。

5 丸劑　丸劑者、先以藥物爲粉末，和蜂蜜或麵糊，或清水或米飯等，製成一定大小之圓粒，便於應用。

6 膏劑　膏劑者、卽將多量藥物浸水，用火煎取質汁，和以粘膩性之膠屬，熬以成膏，臨服沸湯冲。

（五）治藥者應自嘗

惑理論曰，神農嘗草，殆死者最十，帝王世紀曰，黃帝使岐伯嘗味草木，典療醫疾，今經方本草之書咸出焉，是可知昔之言藥者，躬親實驗，並不有背科學精神，以是今之有心中國藥物者，應毋忽於自嘗，方能保守國粹中之固有智能，而又合於古訓是式之微旨，然而觀於徐氏靈胎詭誕篇，則知自嘗之旨寢失已久，傷哉，徐氏曰。

醫藥爲人命所關，較他事尤宜謹愼，今乃炫奇立異，竟視爲兒戲矣，其創始之人，不過欲駭愚人之耳目，繼而互相效尤，竟以爲行道之捷徑，而病家則以爲名醫異人之處在此，將古人精思妙法，反全然不攷，其弊何所底止，今略舉數端於左。

人中黃、是糞汁灌人、而倒其胃矣、人中白、是以溺汁灌人矣，蜈蚣、螃蟺、蝎子、胡蜂、皆極毒之物，用者多死，間有不死者倖耳。………醋炒半夏，醋煅赭石，蔴油炒半夏，皆能傷肺，令人聲啞而死，橘白，橘內筋，荷葉邊，枇杷核，杏核，扁頭㲉，皆方書所棄，偏取之以示異，更有宜炒者反用生，宜切者反用囫圇，此類不可枚舉，以上各種，其性之和平者，服之雖無大害，亦有小損，至諸不常用，及腥毒之物，病家不能炮製，必至臭穢惡劣，試使立方之人，取而自嘗之，亦必伸舌攢眉，嘔吐嚱逆，入腹之後，必至脹痛瞀亂，求死不得，然後深悔從前服我藥之人，不知如何能耐此苦楚，恨嘗之不早，枉令人受此荼毒也，抑思人之求治，不過欲全其命耳，若以從未經驗之方，任意試之，服後又不考其人之生死，而屢用之，則終身無改悔之日矣，嗟乎，死者已矣，孰知其父母妻子之悲號慘戚，有令人不忍見者乎，念及此，能不讀書考古，以求萬穩萬全之法者，非人情也，以上所指，皆近時之弊，若後世此風漸改，必不信此間有如此醫法，反以我言為太過者，豈知並無一言虛妄者乎，又有疑我為專用寒涼攻伐者，不知此乃為誤用溫補者戒，非謂溫補概不可用也，願世之為醫者，眞誠敬慎，勿為非法之方法，世之求治者，明察知幾，勿服怪誕之藥，則兩得之矣。

（六）醫須識藥

藥物者，醫生用以為治病之工具，以起人之疾病者也，故醫之與藥，不啻手之使臂，每相須以為用，然而今之業藥者不知醫，治醫者不問藥，縱或知之，莫辨眞偽，更遑論乎泡製之法，故有製方無錯而投藥無效者，或反增劇者，致使病者怨醫，醫者憾理，業藥者惑於什伯之利，自然不惜昧喪天良，百端作弊，於是影戤者有之，替冒者有之，嘗聞人言，有以蔴筋代蔴黃者，亦有以牛角充羚羊者，此雖過甚其辭，要亦不為無因，又有所謂花粉十八，前胡十八者，乃謂花粉一味，可為十八種偽藥，前胡亦如之，既妨人命，尤礙醫理，而醫司人命，生死所繫，乃竟不顧切膚之痛，置若罔聞，一任若曹之玩弄，深滋痛心，中醫衰落，於茲為烈，有心人急欲昌明者，非先作普通藥物之認識，然後從事於臨診上之實驗不為功。

（七）藥物上之發明與證明

西洋文明是科學精神，征服自然，其一切設施，當然奔集於人事創造之途，而事事日有發明，東洋文明則自有其保守與好古之天性，乃事事不免苟安因襲，苟安因襲則勢必落後，今雖大夢初覺，奮發自雄，盡量步武歐西，舉凡以科學化我固有，則在醫言醫，現在我中醫界之藥物學，殊不當亦步其趨與歐西藥物學家之日圖發明同轍，祇將數千年來賢哲所體驗得來之古籍，加以逐項之証明，如本草經之甘草，謂主臟府寒熱邪氣，堅筋骨，壯肌肉，倍氣力，治金瘡腫，解毒，久服輕身延年等，如其然也則然之，如其不然也則不然之，然後再用西醫科學之法，說明其所以然所以不然之故，則事既半而功自倍之，証明之功竟，然後徐圖發明，乃學者必然之步驟，亦現在中醫藥界應有而未許讓人之工作，否則空言改進，與徒唱發明，未具科學上之基礎，試將用何法以並駕西藥耶，且舍此證明工夫而一躍入於發明之境域，則自失中醫之立場，忘本之舉也。

（八）野生藥物之告竭

西醫之精神，在創造，故其藥日新月異，中醫之基點，在習故，故其藥數千年來祇恃天產，天產者乘其自然，故產自陳年遠代，深山大澤者為貴，而亘古曠野，絕壁危崖者尤貴，得之愈難，其品愈珍，年代愈遠，其效愈雄，中藥之重野生而薄種植者以此，然久而久之，終有竭絕之一日，一則其品愈名貴，卽贋偽之法愈工細，亦勢所必然也，今之提是項問題者，雖難免神經過敏之譏，殊不知人無遠慮，必有近憂，我人設於藥物場中作深切之檢查，亦當知予言之迫切，是故治中藥者，應急注意下列兩點。

(1)多多採掘，保留種子。

(2)攷究土性，廣爲移植。

(九)藥價之貴賤

無論一切貨品價格之貴賤之標準，總不外乎下列三條件。

1.出產之多寡

2.運輸之艱利

3.銷路之暢滯

此三條件固爲一般貨品價格之標準，然而我國藥材則不在此例，似另有三條件。

1.色澤 1.零整 3.大小

一般人之普通思想，概以藥材之大者，整者，色澤美觀者，其力妥善而多功，其價亦貴，其小者，零者，色澤欠美者，則其效緩而力薄，其價亦賤，殊不知此種心理，謬誤實甚，營藥材業者，即利用此種謬誤心理，以遂其謀利之目的，於是乎種種作弊方法，應運而生。如——1.冒充 2.贋鼎 3.霉腐 4.薰硫 5.浸洗 6.火焦……

夫藥之爲用，在於療病，療病之功，在於藥性，藥性者是其質，而非其形，大小零整色澤，皆形色問題，而非藥性問題，買者惟形色之是求，則賣者勢必至於惟形色之是尚，藥而不講其性，則又無須乎藥，又烏足以論功用，安望其能已痛苦，形色愈研求，即作僞之心思愈技巧，而去藥性亦愈遠，謬因謬果，積非成是，愚矣。

一藥有一藥之性，根莖葉上中下有三部不同之性，生發時有生發時之性，枯謝時有枯謝時之性，此卽中醫神妙之哲理藥性論誰敢非之，然而今則不然，祇求觀瞻，不問藥性，則藥之所以爲藥，意義蕩然矣。

所貴乎藥者，既在於藥之性，則藥値之貴賤何足論，藥之賤値者未必不能已大病，藥之貴値者，未必必能起沉疴，原藥價之所以有貴賤者，與尋常一般貨物同，今人率以價値之貴賤，以評定藥物之優劣，因書此以明之。

(十)藥量

藥物者，得天地之偏氣，寒熱之性過甚者也，人身氣血不和，須以偏勝之物，酌盈劑虛，性愈猛者，收效亦愈速，故毒物者皆藥物也。無毒之品，曷足以治病，顧藥物之毒力，强弱不等，故用藥者又須測準各個藥物之用量，惟疾病有重輕，藥用有多寡，是以各藥又須明定普通量、極量、中毒量、致死量，欲明中毒量與致死量者，須先明普通量之標準，普通常用之分量，而至於極量，是吾人用以治病之準則也，若夫超越極量以至於中毒，逾中毒量而至於至死者，皆非治療疾病之法則，西醫各藥，皆已明白規定量用，行之久矣，而我中藥，迄今尚未規律定式之用量，所以較有毒性之藥物，醫者不敢下筆，病者聞之驚駭，因此不死不生之藥方，風行全國，根本學術於以日退，甚至附子、大黃、石膏、麻黃、等品，輒多視爲毒劑，或經采用，偶生反應，人都誹議之，不知純粹毒藥，未逾極量，斷不致發生重大變化，未逾致死量，要亦致畢命，中毒量者即過於極量，其所起之變化，每有發生心窩苦悶、嘔吐、泄瀉、頭目暈眩，或腹痛脹、便祕、眼瞳閃爍、利尿變常、知覺運動障礙等種種之症狀，是在所受中毒分量之多寡，以爲中毒藥品之差異，故其所發之症狀，亦各有不一定之特徵，不能以一概論之也，致死量者，卽超越中毒之大量，故其所起之症狀，有非常劇烈之變化，有傷害神經臟器血液，與週身要害之生機，終至百體功用靜止，以致於死亡，則因用此藥劑過大分量而致死，故曰致死量，再不論何藥，其分量至某定數以下，卽不及用量，便無作用，其量愈增，作用愈大，爲治療疾病鄭重生命計，其分量不可過多，茲將我中藥之已經東鄰標定用量，通行該國者，錄述如下。

澤漆　普通用三分——一錢，能利大小腸，治水腫。

斑猫　普通用二毫六絲——一釐三毫。

馬錢子　一回極量二釐六毫，爲神經興奮藥。

芥子末　一回極量一錢——二錢，作吐劑解阿片，若治胃不消化者每用三分。

商陸越幾斯　一日用量，一分——一分八厘。

商陸丁幾　一日極量，一錢——二錢一分。

蓖麻子油　普通用一——二食匙，（爲下劑用）治赤痢便秘，急性腸胃發炎。

巴豆油　普通用八分之一——二分之一滴，用白糖和之，爲丸劑，一回極量，爲〇·〇五，一日極量，爲〇·一五，（〇·〇五與一滴相當，〇·一與二滴相當。）此爲下劑，用者須審慎。

巴豆　普通用每服一釐五毫半——五釐，治膨症，宜加白樹膠漿，糖，汽水，和服，或用香油調服亦可。（此爲下劑劇藥，用者注意。）

續隨子　普通用，一回七分——二錢，本品與甘逐，大戟，同爲下劑，又治疥癬。

甘遂　普通用，一回五分——一錢半。治水腫之主藥。

大戟　普通用五分——錢半，下泄，治痰涎，通經消癰腫，然能礙胎，用者慎之。

藤黃　極量爲一分三厘，峻下劑，用於縧虫及水腫等。

雄黃　用量三分——一錢，忌鐵與火，治蛇咬傷用五錢，五靈脂一兩，兩味共研末，每服二錢，用好酒調服外再用此調敷患處，良久，再進一服，不可頻服。

藜蘆　普通用二釐——六釐，爲催吐劑。外用又爲殺虫藥。

瓜蒂　普通用二分——六分，爲催吐劑，合赤小豆爲瓜蒂散，治氣上沖喉不得息，欲吐不吐者。

膽礬　作吐劑每用三釐——五釐，治垂危之喉閉症，用眞膽礬調醋灌之，大吐膠痰而愈神驗，本品有收斂性，眼科劑亦用之。

（十一）藥力

藥量之重要，前論已詳言之，其有與藥量同樣之重要且互有關係者，即每藥藥性之賡續力是，申言之，即每藥須經若干時刻方消釋其所有之質味而不發生藥力之問題也，此在藥理學名之曰「蓄積作用」，藥性作用强烈者，其賡續力亦强，藥性作用薄弱者，其賡續力亦弱，一切取氣不取味之藥，其所起作用不久即消，故不耐久煎，以其功用在於升散，欲其藥力常存則不可不反覆投與，庶於首次所用之藥，其力尙未消失之際，繼續投之，則舊者未去，新者復來，使藥力平衡賡續，永保其性，以達去病之目的，此義也古人早已知之，用藥常煎一大劑，分數次服下，病愈不必盡劑，停後服，祇惜今人不講久矣，設或不問病情，續續投與，雖每次分量不越常規，然前者未消，後者續至，前後重疊，其力倍增，蓄積作用於是乎起，其結果與用量過度相同，往往陷入危險而現中毒狀態，故不問藥量之多寡，藥力之强弱，貿然品定藥方之是非者，我未見其可也。

（十二）動植礦藥物本質之差別

所謂乎藥者，初不問其屬動屬植與屬礦，祇利用其本質之物性，以矯正人體病理之偏傾是也，我國藥物，習用植物爲多，飛潛與金石次之，三者作用各殊，惟其本質有具體之不同，日人和田氏之說，堪資參考，其言曰。

動物物性藥，性溫而濃，有粘性，富與奮陽浮之作用，且有直接補給身體上動物質不足之效，故能使病毒之沉伏未發者，發散而昇騰之，兼有補養之功。

礦物性藥物，性冷而淡，無粘性富鎮靜沉降之作用，有直接補給身體上礦物質不足之效，故能使病毒之發揚過盛者，沉降而收斂之。

植物性藥物，在兩者之中間，其作用亦溫和而中性，不偏於發揚，亦不過於沉伏，最宜攻伐中性經過之疾病，亦有補給植物性不足成分之效，一病毒之過分沉伏與發揚者，十中無一二，沉伏者爲陰症，發揚者爲症陽，其原因不外食物生活狀態氣候習慣等，大抵爲中性經過。

（十三）藥作用與藥物學

醫藥之學，一而二，亦二而一也，有醫無藥，則終不能已病，有藥無醫，則亦莫識其已病之由，不能已病，等於無醫，不知已病之由，勢必謬妄，所以世未有醫學精進而藥學不隨之精進者，亦未有藥學超卓醫學窳陋者。

凡物必有性，有性必有能，地帶縱有寒溫之別，土質雖有肥瘠之殊，秉性不同，亦各有用，天生萬物，原無棄材，我國國勢雖弱，要其出產之動植，仍然繁庶，未嘗失性，物未失性，豈無治病之功能，生藥之功能，本乎天成，學理之明晦，在於人爲，凡加人力者得謂之學，其未加人力而天成者，皆不得謂之學，所謂西藥者，大概指修治或精製，或提煉後之藥而言也，所謂中藥者，係指天然塊然之物而言也，其已經修治者，如各種泡製是，精製者如各種膏丸是，至於提煉則含升降二法外，未易言也，提煉之藥，世已通用，國人亦知其重要，惟提煉之藥，對於治療功能上，是否最爲妥善，將來治藥學者，是否以提煉法爲終極標準，此皆另一問題，當作別論，茲卽據現勢而言，正未可以執天然生產品而揚言於衆曰，是皆中國產也，中國天產卽中國之所能也，要知中國所產之藥之治病功能，決不就是中國所治藥學之成績，藥物之作用，與藥物之學理，豈可混爲一談，嘗有沾沾自喜，以爲鎮咳祛痰之愛泛特寧，就由國藥廠貴中提煉所得，療治風濕痛之喜那美仁，就由國藥防已中提煉而成，誠不知作是語者之自慰乎，自豪乎，抑自欺乎，要亦視乎其人學問知識之不同而別也，我國除半公開之泡製法，精製之阿膠等，提煉除升降等少數外，簡直可曰無藥物學，或曰桂附下咽覺熱，膏黃入腹生涼，參朮補虛，硝黃瀉實，非中國之藥物學而何，不知此皆人類自然知識之經驗，絕不可以語以學也，非然者，火焚水溺，飢食渴飲類之普通常識，亦皆謂之學乎。

（十四）單純之藥質與混合之藥性

西醫治藥，偏重物質，專講成分，卽如人參一物，我國醫藥家以爲救世回生聖品，而西醫持成分論者，以爲毫無補益，故日本新醫學初行時，人參一藥，幾置高閣，不足稱道，嗣又經多方之研究經驗，仍斷定爲有效藥品，今依然鋪張揚厲，保其高價也，蓋持成分論，但足以論單純之質，而不足以論混合之性也，彼專論藥質成分者，而其結果則曰，『黃連能助消化，而以爲苦寒敗胃，石膏不堪入藥，而以爲能治傷寒中風牙痛等，人參但能平胃，而以爲有治虛癆內傷中暑中風通血脈補肺氣等種種利益，此古書中所述之藥性，說多不確者也』孰爲不確，但須一問此道之有經驗者。

日人龜田貞曰，夫一般之洋藥，係化學的合成藥，故在肉食人之歐美人，似可稱爲無不適當之萬能藥品，然於我米食人之東洋人，則難斷言其必適當也，且本草生藥之效用有非化學藥之所能並肩齊驅者，蓋化學的洋藥，乃成自單一之成分藥理，而本草生藥，乃成自多數之成分者，故其藥效，有霄壤之隔也。

（十五）藥性與精神氣血

藥物療治之功能，不外草木金石之性，刺惹人之精神氣血而已，所謂精神氣血者，不外細胞作用之顯在而已，精神振，血氣運，則病邪自却，故藥物之治病也，當因人而施，以人體精神氣血不盡同也，今觀於朱氏仰高之論，益信予言之有證。

我人所用之各種藥品，其藥力大部是間接的，而不是直接的，……牠是要靠身體細胞來發揚牠的作用。這樣看來，吾們的性藥觀察，不應該從單方面着想，（指對病菌等）而必須雙方面研究，尤其是身體細胞方面的工作，吾們應該大大的注意。

化學藥品的情形如此，卽生物藥品亦是如此，並且更其是要注意養身體細胞之反應力。

所以我們對於由細胞組成的病人，施用藥品的時候，當然不能將病人當作玻璃管一樣看待，我們更不應該把玻璃管或動物試驗所得的成績，就算與人體同樣的，動物是動物，人是人，不可一概而言之，在人身上時常作怪的練形球菌，却不能在猫狗身上發現同樣作用，在家兎身上，我們可用霍亂預防苗得到凝結素，究竟是否效力的表示，一個霍亂病人血清中，可含有大的凝結素，而終歸之於盡，此理何從說起，所以全觀此類藥品之成績，須觀察其人身的細胞力量如何，這是一件一定不易的事情，但却是一件實事求是的事情。

藥品的力量，是不一定的，看牠何種情形下之細胞，發現何種的力量，所以我人用藥，須分病人與健人，因爲病人的細胞反應力，却與健人的迥然不同。

（十六）體質之特異與藥性之習慣

圓頂方踵，同此人也，形態雖類，而各人之體功要不能盡同，晏臥晏起，起居之不同也，勞心勞力，職業不同也，藜霍膏粱，食飲之不同也，人事不同，病變斯異，烟霞之客，毒劑亦能忍受，（嘗有以紅砒赤燐代雅片者）豪飲之徒，不醉無歡，一則天生異稟，一則習慣使然。其有對於某食物始終深惡痛疾，强之卽生或吐、或瀉、或發熱、等症，或授以麻醉藥而反興奮，（例如有服烟酒振神，有服烟酒昏睡）或與以解熱劑而反發熱之類，此名之曰『特異體質』，以其體質之不類常人也，其有服用過久一定之藥物與食品，則體中必起代償機能，以謀其對抗，使之平衡，故藥力不能揮發其性而行使其作用，此之謂『習慣作用』其至飲啖藥品一如平常食物，絕其供給，則全身機能反起種種障礙，而現不快狀態者，烟酒是其顯例也，故凡究心藥物者，於此尤當注意之。

（十七）中國藥物與氣味

氣味兩字，爲我國歷來研究藥物之基礎條件，然試觀每一藥物之下，而所註氣味，漫無界說，當混沌其辭曰氣味苦寒。或辛溫，究竟孰爲氣孰爲味，從未有明切之分解，夫氣爲無形無質之物體，常從某一有形物體而產生，至其所產生之氣而辨別之，爲香爲臭，則全在嗅覺器官之功能，爲臭氣香氣之本質，種類之衆多，迄今心理學家猶無一定之分類法，無從加以明晰之解說，僅不過假物質之名而名之曰花香藥香酒香等等而已，我國先醫學家，以直接感受氣體之刺激，嘗分腥、羶，焦、臭、香、腐等類，所惜本草上不多明載，深爲引憾，味之辨別，全在味覺器官之功能，而味覺器官之感覺，又以其部位不同而分銳鈍，如感甘及鹹，以舌尖最爲敏銳，舌根則利於感苦，舌緣則利於感酸，我人病感冒時，食物每覺變味者，乃味覺常與嗅覺冷覺，互有關係，準此，可知人身是整個之軀體，其生理作用，輒各牽制與互助，必不可以過事分析偏重局所療法，理亦明甚，然而治方法則舍分析法外，其學必不能精進，有斷然者矣，茲我所欲言者，在治學，在治藥學，非所語於治療，治療是一事，治學是又一事，故當分氣別味，再從氣味上以明其功能，其惟一之目的，祇在於確定物品，使後者易於尋認，不致迷惑，中國藥物之所以必欲明氣味者，一以確定名實，以免貌似之弊，一以氣味之激刺，在在與生理病理，有不少之關係，然藥物獨具之良能，恆有出於氣味之外者，是學者又未可以過泥也。

（十八）中國藥物與用量標準

顧氏亭林曰，『藥有君臣，人有强弱，有君臣與用有多少，有强弱則劑有半倍，多則專，專則效速，倍則厚，厚則力深』，惟藥有君臣，人有强弱，故我國藥物之用量，頗不易言其標準，嘗有用石膏十四斤以透瘢者，——見筆花醫鏡——用麻黄二兩以治腫脹者——見吳鞠通醫案——附子毒烈，有習用生熟兩外未曾僨事者，當歸爲一切婦女病之聖藥，然有自爲產後禁條者，淸燥救肺湯之用人參，僅不過七分，獨參湯中則必以兩計，用量多寡踰恆之方案，記載殊多，頗不難於撿閱，雖曰中藥植物爲多，類皆整個生物，成分駁雜不純，非比西藥精製品之猛烈，自不妨增益其用量，然而植物品之含有毒質者亦夥，殺人亦烈，自非斲輪老手，何敢輕於一試，而超軼常規之法，終不可以爲訓則，我國今後醫藥，如不欲躋於世界醫之一途，則亦已矣，否則自當有以設法規定之，以便後學者之研求，而藥物之精進，自不難日趨於無窮之境域矣。

（十九）老少用藥不同之標準

人體有强弱大小之不同，藥效每因年齡性情而差異，我國藥物、從未有用量之規定，因施治長幼不同之體，漫無標準，此亦頗爲重要，不得不借鑑於西法，西法以壯年男子爲標準，老年男女當用其五分之四，乃至三分之二，二十五歲——十四歲，用三分之二，——十四歲——十歲，用二分之一，七歲——四歲，用三分之一，四歲——三歲，用四分之一、三歲——二歲，用六分之一，二歲——一歲，用八分之一，十二月——六月，用十二分之一，六月——三月，用二十四分之一。二月以下——用四十八分之一。

（二十）論藥不當拘泥寒熱溫涼之迹

中醫之論藥物也，率以寒熱溫涼定準則味者拘泥，輒以某藥性寒宜此病，某藥性熱宜彼病，而從不問病之屬虛屬實，藥之應寒應熱，致開譏藥不議病之世界，喻氏譏之、西醫非之亦宜矣，殊不知病有虛熱，藥當導火，寒有勝極，藥當從治，必不可拘泥於寒熱溫涼之迹者，此理惟昔賢尤氏在涇、李氏東垣、深明之，尤氏曰。

古人制方用藥，一本升降浮沉之理，不拘寒熱涼瀉之迹者，宋元以來，東垣一人而已，處四時之氣，春升夏浮，秋降冬沉，而人身之氣，莫不由之，然升降浮沉者氣也，其所以升降浮沉者，而人之中猶天之樞也。今人飢飽勞役，損傷中氣，於是當升者不得升，當降者不得降，而發熱困倦、喘促、痞塞，等症見矣，夫內傷之熱，非寒可淸，氣陷之痞，非攻可去，惟陰陽一通，寒熱自已，上下而交，而痞都損，此東垣之學，所以能爲舉其大槪。

（竊擬於寒熱溫涼四者之中，作一說明，如氣雄味烈，能興奮精神者，謂之「熱」，味苦通便者，謂之「寒」，惟細細推敲，矛盾頗多，未能自圓，姑誌於此。尙望同志共研之。）

（廿一）藥物入藏入府說之修正

內服藥之作用，以意度之，不外改變血之質汁。或促進與迂緩其流行，氣血之總紐，原有一定，藏府之功用，各有天賦不同之工作，藥物之入於口腔也，至胃腸而溶解，其有部分，則由各營養細管吸攝以去，無用之渣滓，則循大小腸以下泄，西法以內服藥功效之遲緩，而又藥及無辜之胃府，乃改變方法，注射法於以大行，僅數十秒鐘可以環行周身，使藥液直接注入血脈或腺管，以免消化系之吸收與排泄之二層無謂歷程，我國先前本草，莫不滿載某藥入脾，某藥入肺之說，最爲附會之至，至如以肺補肺，以脾補脾，同氣相感，物聚其類，自亦有理，設謂每藥各有所入，恐未必然，究草木之氣味，終與血肉之軀有異，以是今後應加以相當之修正，庶藥學易趨於光明之途，此義也，古人已先我言之，茲節其說如下，語頗警切、深堪玩味。（書名已忘）

藥有載明入何藏府及何經絡者，不知其所主何病，卽知其藥力能至何處，究之服藥後，藥隨氣血流行，無處不到，後世之詳爲分疏其藏府經絡者，似貽後學以拘虛之弊也。

（未完）

（天津國醫函授學院各地學員課外讀物）

天津新國醫月編

（非賣品）（原名國醫月報）

第七期

天津國醫函授學院編輯

地址　天津舊英租界極管區卅二號路義慶里八號

全年十二期只向學員收回紙料油墨費及郵寄費共國幣　圓　角

國藥討論（續）

葉勁秋

（廿二）先前論藥之空泛失當

我國醫學，曾被文學僭奪，早失獨立之根基，徒憑想象中之空斷，放棄事實上之體認，如曰湯者盪也，丸者緩也，猶不妨事，而於茯苓之下，亦曰苓者令也，深非治藥之道，又如桂枝湯之註解曰，桂枝辛溫，辛能發散，溫通衛陽，然則凡辛溫之品，皆有通陽發散之能，是又何必需乎桂枝矣，各家本草，犯累贅而無綱領之弊者實多，如石膏主治，則曰中風寒熱，心下逆氣，驚喘不能息，腹中堅痛，除邪鬼，然則不問邪之寒熱虛實，但見中風寒熱，心下逆氣，而概可投以石膏乎，石膏之功能於善解陽明之熱，則凡屬陽明症疾，或與陽明確有關係者，投以石膏可矣，否則我再將充其辭曰，石膏又可以止汗出，已狂妄，在不善讀書者，一見汗出，或狂妄，便投以石膏，明知悞與，猶可强辯，猶可徵引，此張氏伯龍之所以有諸家本草，揚厲鋪張，幾於一藥能治百病，及遵用之，卒不能治一病者，註失之泛也，又或極意求精，失於穿鑿，故托高遠，難獲實效之說也。

再如本草上之蟬衣，各家註釋，莫不曰『吸風飲露，其氣清虛，其味甘寒，故除風熱，其體輕浮，故發瘟疹，其聲清亮，故治中風失音，晝鳴夜息，故止小兒夜啼。』然而一考蟬之生活，則反是，當未成蟬時，深伏於地下，約有二年之久，然後破地而出，初出地面，即下一蛻，此蛻不下，則不能飛鳴，蛻即蟬衣也，至其食料則樹脂，並非風露，我人取蛻細審之，即當知其所以，縱或吸風飲露，亦決不在此蛻未下時也。

編者按藥物之與人生，關係至大，應注重實驗，立一標準之功效說明，簡單明瞭，不涉泛辭，不撰文章，使學醫者當一種實際技術究研之，不可當一篇古文文章吟詠之，如此則中國藥物之眞價值，使能彰明於現代世界中。

注射療法淺說

張崇熙

近世醫藥進步，一日千里，曩昔藥物，大都應用內服法，今則漸進而爲非經口的應用，即各種注射療法是也，此等注射法可以避免胃腸障害，又可使藥物容易吸收，奏效迅速，誠非他法所比，惟注射手術之巧拙，爲臨床上極重要問題，老練醫師固不足介意，手術未經純熟之輩，稍不經心，即易使病家增加痛苦，甚至發生危險，故初學對於此門，又不可不注意也，注射法有種種，最通用者不外四種，即皮下注射法，肌肉注射法，靜脈注射法，以及腰椎注射法，治療時視藥液之名稱，成分，效用，而選用一種，亦有皮下肌肉靜脈均可注射者，大抵藥液有使刺戟肌膚發炎性質者，只可靜脈注射，例如六〇六，脫呂帕弗拉文，誤打皮下或肌肉，必致潰爛痛苦，至於腰椎注射，祇限用於特種血清或腰椎半身痲醉，例如注射腦膜炎血清，武羅怕科卡音，實際上比較應用甚少。

吾人欲行注射，必須備各種注射器械，此種注射器械，卽所謂注射針，注射針最通用者爲德國利考特氏注射器，或法國竇勒比氏注射器，又有日本出品之牧野式梅津式，東亞醫界，應用頗多，而西洋醫界大都用德法出品兩種，注射器有大小多種，器上針頭亦有粗細長短之別。藥液多量時，須用大注射器，（十西西或廿西西，霍亂注射食鹽水時，另用特製食鹽水注射器），藥液少量時，用一西西或兩西西，注射器已足，再皮下注射，針頭宜短，肌肉或腰椎注射，針頭須長，稀薄藥液應用細針，濃厚藥液，必須粗針，例如注射樟腦油類劑等，不用粗大之針管，必致不易射出。是以吾人注射器之選擇，最緊要者，針頭須擇尖銳，針頭與針管接合之處，須密接不可漏水。（先用普通水抽入射出，試驗便知）

應用注射針時，須注意（1）針尖是否銳利，鈍則注射時必痛。（2）針腔是否開通，閉塞則藥液不能射出。（3）針頭與針筒是否密接，不密接則注射時藥液必漏出，注射器用畢後，用水洗清，針頭極易生銹，宜速以棉花拭乾，薄塗凡士林，針腔插入銅絲，以防閉塞。針管清潔後，安放原處，以防破碎。

大凡應用注射器時，消毒尤爲要件，消毒用一種消毒器，將注射器拆開放入，加水煮沸，五分至十分鐘，取出然後應用，如是則附着在注射器上細菌，可殺滅而無傳染危險，通常因皮下注射無甚危險，爲使用便利起見，只用酒精消毒，其法卽將注射器裝好，先抽酒精一管射去，再抽清潔之蒸溜水同樣射去，卽可將藥液抽入，實行注射，例如注射防疫血清，清血針以及一切皮下注射均可，其他注射，不能適用此項簡便消毒。不可輕試。

皮下注射法

皮下結締組織，非常疏鬆，故可容受大量之注射液，因其富小血管及淋巴間隙，故易吸收注射液而使藥液迅速發揮，且其施術極易，故應用極廣，例如霍亂預防針，補血針，樟腦强心針，賜保命等，均應用此種注射。

第一節　皮下注射之器械

通常皮下注射之藥液，大都一西西或兩西西，故皮下注射器大都用一或兩西西。

第二節　皮下注射之部位

皮下注射之部位，有一定通例，其適宜處有四（1）血管神經較少之處（2）皮下結締織較多之處（3）注射便利之處（4）痛覺較鈍之處，例如上膊外側，胸部側方，腹部側方，大腿外側，現時最普通注射之處，係在上膊部。

第三節　皮下注射之術式

皮下注射手術異常簡單，先將注射器煮沸消毒裝好，倘不煮沸，改用酒精蒸溜水洗滌清潔亦可，一面將預備注射之藥液用鋰刀鋰開（市上各種注射藥液，均裝好在玻管，盒內附有小鋰刀，臨用將鋰刀沿注射藥液玻管之頸部鋰開）以注射器針頭插入管中，徐徐吸出藥液，使盡入其中，然後將注射針朝空輕輕推出氣泡，至氣泡逐盡藥水泛出爲度，此時患者之打針處（部位上膊外側爲宜）．用棉花蘸酒精清拭，次將該部皮膚，用手指捏住提起，卽以針頭並行刺入（卽橫行刺入），深入空處，漸漸壓進藥液，然後拔出針頭，以橡皮膏一小方貼於針孔上，輕輕按摩便可。

〇〇〇〇

傷寒溫病平議

陳半痴

傷寒與溫病，究有異乎？曰：無以異也。所謂傷寒，乃指仲景傷寒論所論之證候方藥也：所謂溫病，乃指溫病條辨等溫熱書所論之證候方藥也。此二書所論，俱為各種急性熱病之證候療法，見是證即用是藥，故曰：無以異也。然則有清一代之醫家，何呶呶於溫病傷寒之爭，二百年來而尚未解決耶？觀其「爭辯二百年而未決」則其所爭者為無謂之爭，所辯者為無謂之辯也！傷寒論一書，乃仲景採集漢以前各醫家之方藥療法，不但可治各種急性熱病，即雜病而見某種證候時，亦可借用某方治之，仲景但教人憑證用藥，故書中每言柴胡證桂枝證……等，而不言柴胡病桂枝病也。至其所分之六經，不過為便利計，將急性熱病，分為六個階段，——亦可謂六個證候羣——姑名之為太陽少陽等等，本非疾病之本名，乃證候羣之名也。至云六經之相傳，仲景書中並無明文，亦是後人之附會。急性熱病之經過中，變症甚多，既變何證，即用何藥，仲景書活潑潑地，教人憑症用藥，何嘗鑿說某經必傳某經耶？乃葉天士吳鞠通輩，臆創溫熱學說，信口開河，妄謂傷寒由皮膚而入，病勢分六層（六經），由表而裏：溫病由口鼻入，病勢分三焦，由上而下，創「溫邪上受，首先犯肺，逆傳心包，」之臆說。又謂北方氣候寒，故北人所病多傷寒；南方氣候溫，故南人所病多溫病。謂仲景北方人，其方祇能治北方之傷寒病。不能治南方之溫病，著臨證指南，溫病條辨等書，妄欲與仲景分庭抗禮，不知仲景為南陽人，官為長沙太守，南陽長沙，俱非北地，其語眞成笑話。至口鼻皮膚，本為病菌侵入之通路，傷寒與溫病，既包括多數急性熱病之證候而言，何能妄指傷寒必由皮膚而入，溫病必由口鼻而入耶？至以由表而裏，由上而下之說，尤其說不通，他們竟視人身為六重城壘，或三層樓，風邪入了一重又一重，下了一層又一層，滋可笑也。其所創「溫邪上受，首先犯肺，逆傳心包」之溫病提綱，只有急性呼吸器病與此相合，以急性呼吸器病之證候，作為多數熱病之提綱，葉吳之荒謬，可謂極矣！抑葉吳輩所標榜與傷寒不同之溫病證候，不過以病初起時，有發熱，汗出，不惡寒，（非不惡寒乃惡寒時期甚暫，人多忽略耳。）口渴，舌乾絳等熱象顯著之症為溫病；以有惡寒、發熱，汗不出，口不渴，舌胎白等熱象不甚顯著之證為傷寒耳，此等溫病，即是傷寒論中麻杏甘石湯，白虎湯，葛根芩連湯等所治之證，葉吳之菊桑銀翹等果子藥，其效力豈能超越於仲景之麻石芩連哉？徒見其以清淡藥延誤病機而已！然則溫熱諸書，將悉為全無價值之著作乎？是又不然！溫熱家之學說，完全不能成立，以其不知生理病理，妄造臆說故也。至其所立之方劑，用藥之法則，亦多有可取者，讀者苟能先熟讀大論，然後再讀此書，取其精華，棄其糟粕，亦未始不無裨益，若以此書為入門之捷徑，將仲景書束之高閣，一切悉聽信溫熱家之謬說，則其害正不堪設想也。吾故曰：溫熱家之學說不可信，其方劑藥法，亦間有可取者。至傷寒與溫病，既非病名，二書所講，俱包括多數急性熱病之證候，憑證而用藥，安用此無謂之紛爭耶？有清一代之醫家，聚訟紛紛而不能已，皆坐不知生理，不識病理之故。說破了，不禁啞然一笑。

關於國醫所用科學醫療器械之芻言

章詩賓

學術大同，尤其是對於醫藥，更無所謂中西國界之分，祇須學理眞確，治效卓著，自然可得到全世界醫學家的信仰，否則，縱然竭力鼓吹，百般宣傳，結果還是絲毫不能成功。因為處此二十世紀，一切的一切，都在不絕進步的時代，惟有合乎科學原理的事事物物，方能顛撲不破，若違反科學，雖或能行於一時，遲早終有歸於淘汰的一日，所以我人日常生活，也須以科學爲依歸，方能適合環境，如果再默守舊法，一成不變，非但爲時代的落伍者，並且要被潮流所淘汰了。

我國因爲開化最早，對於醫與藥的問題，也就比較世界各國發明獨先，稽諸典籍，在太古洪荒之時，已有黃帝神農，研究醫藥，以救治人民的疾病，而迨上古時代，即設官以專司其責。依揣測，應該早早發達，爲全世界之冠，而爲東西各國所推崇取法了，豈知事實竟大謬不然。此因降及後世，偏重哲理，不求實際；一方面更因競相守秘，以致失傳者不知凡幾，殆爲最大之原因。

自從海禁開放以來，科學的醫與藥，也隨而傳入我國，於是便有了所謂中醫與西醫之分，各樹一幟，互相排斥，揚已之長，攻人之短，完全與學術大同之原則背道而馳。而目光短淺之輩，智識低弱之流，在中醫則謂，我國醫術數千年相傳，國粹務當保存，斷不容西醫之流入；在西醫則謂中醫無科學智識，五行六氣，都是空中樓閣，中藥尤污穢不潔，焉能治病，各構壁壘，攻擊不已，致學術之進步，遂均阻滯於排斥攻擊之中。要之中醫能相傳四五千年之久而未被淘汰，自有其流傳之眞價值，惜業中醫者之無人探求耳，西醫世界各國皆相一致者，以根據科學，因能顚撲不破，且以不絕研究，當然風靡全球。所以不佞之意，以爲不論中醫西醫，都不在自詡其長謗人之短，全靠自己的脚踏實地努力前進，不必他求自可立於永遠不敗之地位。

取人之長，矯己之短，不論研究何種學術，均當如此、尤以在醫藥方面，每有昨日尚以爲新穎者，而今日已覺其陳舊、愈研而愈精，愈改而愈良，方能博得全世界人所賞用，斷非粗率淺陋之品，而可以倖致盛名者。例如科學醫方面，日常所最應用之醫療器械，逮今已有被中醫所採用而深信不疑者矣，閱者疑我言乎，則請閱下文：

第一現在中醫什九使用者，爲檢溫器。按檢溫器爲檢病者體溫之上昇正常或低降所用，其補助診斷及治療之功極大。而使用檢溫器，以先知其形狀，種類及使用上之注意點爲最要。其形狀有三角棒狀的，有扁圓形的，種類有以攝氏度數表示的，有以華氏度數表示的，更有兩側一刻攝氏一刻華氏度數對照表示的，而檢溫所須之時間，有半分鐘即能感應的，有一分鐘感應的，亦有須三分或五分鐘方能感應的，此都須於購買時，先一一辨別清楚，方不至於臨用之時，或有差誤。

購一支檢溫器，價値極廉，次貨不到一元，即較高之貨，亦不過四元餘，但購買後最重要之手續，爲先當試驗其昇降之是否準確，此須先有一準確之檢溫器，就健康人及病人行對照試驗，以觀其昇降之度察是否一致，如果昇降相同，方可使用，否則昇降不準，不但等於無用，而且直接倘可影響於病人之診斷及治療也。

其次使用檢溫器時所最應注意者，爲消毒問題，按消毒歷來中醫都不講求，傳染病與非傳染病，毫無分別，近一二十年來，漸漸爲中醫所稱道，然亦只知皮毛，聊以敷衍而已。至於檢溫器之消毒，普通均用酒精溶液，而酒精溶液，以百分之七十者，（即酒精七十分加水三十分）消毒力爲最大，過濃過淡，即漸漸殺菌力減弱，此當爲使用酒精溶液消毒時所熟知，亦即爲中醫使用檢溫器所應有之常識。最好用一小玻瓶或杯，內盛百分之七十的酒精溶液，檢溫器用畢後即浸於溶液中，下次用時祗須取出以消毒棉花揩乾即可。此在門診室，每用是法較爲便利，若對出診，即不適用矣。又將檢溫器於檢溫前，必須先强用之，使水銀柱降至攝氏三十五度以下，華氏九十度以下，方可用以檢溫，不然即有不準確之危險。檢畢後檢視溫度之昇降，在扁圓形的一看即明，在三角棒狀的，須持其末端徐徐向內旋轉，方能明視，檢溫之部位，普通均在口腔內舌下，或腋窩下使臂緊貼胸壁。

此外尙有一種肛門檢溫器，亦有一述之必要，此種檢溫器，其頭端（卽有水銀之一端）爲球形如赤豆大，在患病之小兒或病人之有牙關緊閉及痙攣，而不能用普通的檢溫器者適用之。卽將此檢溫器插入於肛門內，時間都爲半分或一分鐘，對於小兒之每有抵抗者，或大人之不能在口腔內或腋下檢者，頗爲便利，惟檢溫後應注意者，肛門內之溫度，較口腔內或腋下約高攝氏半度，華氏一度餘。至檢視溫度之昇降，與上述者相同不贅。而檢溫後之消毒，則務須較口腔內或腋下檢者更爲嚴密，以防病毒之傳染耳。

第二現在中醫每有使用者，卽以治療爲目的之注射器。此雖較用檢溫器者爲遙少，但以中西醫兼擅標榜之醫生，甚或江湖之流，往往用之，此外滑頭之專醫花柳病者，竟爲病人靜脈注射九一四等藥劑，亦隨處可見。要之注射固是小技，一學卽會，而對於注射器之消毒，務宜有深切之認識及注意，苟稍有疏忽，往往可以因此釀成大患。茲將注射器在消毒方面之要點，撮舉如后：

普通注射器當於未使用前，預爲消毒，以待臨時應用，切不可到臨用時方行消毒。（卽於每晨開診以前，將針筒針頭完全消毒好，備隨時應用，故非多購置數具不可。）其消毒方法，大概都行煮沸消毒，卽先於煮沸消毒器內盛相當之冷水，（水內若稍加重碳酸鈉更佳。）將注射器之筒及針（針頭可放入筒內。）每具用紗布包好，（不可數具合包一包，因至臨用時如取其一具，而將未用者仍包好待用，卽有不潔物或細菌竄入附着於注射器之危險也。）逐一輕放入器內，然後以火煮之，俟器內之水煮沸，約經五分鐘，乃可滅去其火，用鑷子逐一取出，放入盤內待用。（不可於水方煮沸時卽取出，因尙恐消毒不完全也。）如是則消毒手續完備，注射後不致發生意外的不幸事件矣。

但是我們時常可以看到一般隨便的醫生，在行注射之前，卽將針筒針頭在酒精溶液中吸入射出一次後，便算消毒完畢，就抽吸要注射的藥液，爲病家注射，此種簡捷方法，殊覺不甚妥當，如果酒精溶液係百分之七十的，雖消毒力較大，但對於針筒內及針頭外，究屬消毒尙欠完全，况上一次使用時爲何種病人，亦大有關係，如上次用以吸取炎性滲出物若膿液等，則更爲危險，縱使以前所注射的人，毫無傳染之可能，然在法律上講，究爲應注意能注意而不注意，醫生應當絕對負責的，所以不可因細小之處而遂疏忽不留意也。况且有少數之注射藥品，其注射液不能遇到酒精溶液，如果遇到卽生變化，如注射血淸時（每見中醫爲病人注射白喉血淸者頗多。）有酒精，則血淸卽起粘着作用，將針筒膠住卽注射過後，如將針筒針頭，用酒精溶液消毒，若不一一取出揩淸放置，經數小時後，卽粘着而不能拔出矣此外如腦下垂體製劑（卽俗稱催生針）溶液，如遇酒精，注射於產婦後，卽發生不快之副作用，不知者每歸咎於藥劑之不佳，其實則因消毒之不當所致，凡此種種，均爲使用注射器前所當深切注意者也。

至於甘油灌腸器，則用過後必須吸入酒精溶液，並且要强力震盪，使甘油溶解，然後放置之，於下次使用前再行煮沸消毒。

除上述檢溫器及注射器兩種之外，其他如鑷子，壓舌器，卷棉子等，中醫之使用者，亦日見其多，此等器械，最好於每晨開診前，與注射器等共放入煮沸消毒器內，一仝消毒，最爲便捷。消毒畢後，用鑷子一一取出，放入盤內，（盤內可先傾酒精少許，點火燒之以消毒）上面再覆以紗布，則於診病時，可任意取出應用，既極便利對時間亦頗經濟。惟鑷子，舌壓子等用過之後。須卽放入盛有百分之七十酒精溶液的玻璃杯中，則下次應用時，卽可取出用消毒棉花拭乾後用之。若舌壓子，卷棉子等已用於傳染病人，如白喉，猩紅熱等劇烈傳染病者後，則仍當行煮沸消毒後再用，較爲妥善。否則萬一疏忽，恐後用之病人，或因此而有被傳染之危險也。

總之醫不論中西，術不論新舊，如果有確實效力者，自能博得大多數醫者之信仰，存僥倖之心理，決非可以恃久之道。若自標門戶，專炫己長，似反足以表示其學識之尚未臻廣博矣質諸國內醫家，其亦不以爲否乎。

診小兒胸腹之要訣

何廉臣

內經謂胸腹者，臟腑之郭也，考其部位層次，胸上屬肺，胸膺之間屬心，其下有一橫膈繞肋骨一週，膈下屬胃，大腹與臍屬脾，臍四位又屬小腸，臍下兩腰屬腎，兩腎之旁及臍下，又屬大腸，膀胱亦當臍下，故臍下又屬膀胱，血室乃肝所司，血室大於膀胱，故小腹兩旁，謂之少腹，乃血室之邊際，屬肝，少腹上連季脅，亦屬肝，季脅上連肋骨，屬胆，胸與腹可分三停，上停名胸，在膈上，心肺包絡居之，即上焦也，膈下爲胃，橫曲如袋，胃下爲小腸，爲大腸，兩旁右爲肝膽，左爲脾，是爲中停，即中焦也，臍以下爲下停，有膀胱，有衝任，有直腸，男有外腎，女有子宮，即下焦也，故胸腹爲五臟六腑之宮城，陰陽氣血之發源，若欲知其臟腑如何，莫如按其胸腹，名曰腹診，腹診之法，詳見於難經四十九難，楊玄操丁德用註，此醫家四診之外，不可缺之事也，但歷代醫書，未見有詳論者，張志聰傷寒論集註云，中胃按之而痛，世醫便謂有食，夫胃爲水穀之海，又爲倉廩之官，胃果有食，按必不痛，試將飽食之人，按之痛否，惟邪氣內結，正氣不能從膈出入，按之則痛，又胃無穀神，藏氣虛而外浮，按之亦痛，若不審邪正虛實，概謂有食，傷人必多，又按者必須輕虛平按，若按不得法，加以手力，未有不痛者，又患腫脹腹滿之症者，視其腹之形色，按其腹堅軟，再或幼科童稚，未免傷於食者，故亦按之，此輓近診腹之一法也，乃近世專門兒科，獨望問聞三診，而不按胸腹，亦未免草率之甚矣，凡按胸腹，醫必先溫其手，否則病兒受驚，腹壁變硬，不能達診斷之目的，尤宜按數次，或輕或重，或擊或抑，以察胸腹之堅軟，拒按與否，併胸腹之冷熱灼手與否，以定其病之寒熱虛實，又如輕手循撫，自胸上而臍下，知皮膚之潤燥，可以辨病之寒熱，中手尋揣，問其痛不痛，以察邪氣之有無，重手推按，察其硬否，更問其痛否，以辨臟腑之虛實，沉積之何如，即診脈中浮中沉之法也，雖然，胸腹部之臟器甚多，一臟器有視診，觸診，打診，聽診，及檢查內容物等區別，故欲一一述之，非數十章不可，今試以最簡單最簡要之學說，略述一二於次，一，小兒胸廓診法，胸廓爲心肺二臟所居之宮殿，其形狀如何，急宜注意，年齡加長後，見其宮殿此處曲屈，彼處窪下，則難乎爲治矣，然在幼稚之小兒，當可急用醫藥法以矯正之，其次胸廓膨大如桶，或如鼓，名曰膨胸，呼吸時胸廓縮張甚少者，爲肺氣腫，反之鎖骨上下凹入，肋骨根露出外方，肩胛骨張離若翼者，名曰縮胸，爲肺勞質，有結核素因之人，乃若是也，又有一側鼓脹者，爲一側之氣腫，或有一側縮小者，肋膜炎之病後也。二。腹部診法，宜使小兒裸體仰臥，集合其兩足於一處爲要，然無暖室之家，則易罹感冒，不得已任小兒着衣服，以手由股間伸入而檢查之，若腹部鼓脹且硬者，大約爲便通不足，或胃擴張，或腸胃病等，若其脹法甚强，手所感之抵抗力，非常大者，是或爲鼓脹腹水腹膜炎等，如果爲鼓脹，則手撫之如壓氣枕也，如果爲腹水，則當有液體之波動，如果爲腹膜炎，則雖觸之其痛甚烈者也，其次爲下腹之右方，有大痛，手上覺有塊物或瘤樣者，是可斷之爲盲腸炎，又小兒啼泣不止，似其腹部甚痛，以手壓之，則覺其痛漸緩者，概爲胃痛腹痛，較不足恐懼者也，但是等感覺，非熟練之結果，不能辨別之，讀者幸勿爲輕率之判斷也，至若虛里在左乳三寸下，脈之宗氣也。即左心房尖與總脈管口啣接之處，以手按之，可察心機之强弱，及其心房之痳痺，故按胸之後，必按虛里，按之微動而不虛者。宗氣內虛，按之躍動而應衣者，宗氣外泄，按之應手而不緊緩而不急者，宗氣積於膻中也，是爲常，按之彈手洪大而搏，或絕而不虛者，皆心胃氣絕也，病不治，虛里無動脈者，必死，即虛里搏動而高者，亦得惡候，魏柳州云，凡治小兒不論諸證，宜先按虛里穴，若跳動甚者，不可攻伐，以其先天不足也，幼科能遵吾言，造福無涯，此千古未洩之秘也，珍之貴之，多紀茝庭曰，痘疹發熱疑似者，診虛里，其動亢盛及缺盆者，痘也，此動無者，他病也，余得此訣於小川檉齋，而驗之果然，南陽曰，脈候有熱，而腹候無熱者，是表熱而其熱易去也，按腹而熱如燒手掌者，是伏熱而其熱不易去也，小兒暴熱，其輕重難以脈辨，而診腹可以決定矣，若心下動而其熱烙手者，尤不可忽，玄祜曰，小兒蚘病，診腹有三候，腹有凝結，如筋而硬者，以指久按，其硬移他處，又就所移者按之，其硬又移他處，或大腹，或臍旁，或小腹，無定處，是一候也，右手輕輕按腹，為時稍久，潛心候之，有物如蚯蚓蠢然應手，甚至腹底微鳴，是二候也，高低凸凹，如畎畝狀，熱按之起伏聚散，上下往來，浮沉出沒，是三候也，合而觀之，腹診之重要如此，宜乎東洞吉益曰，腹為有生之本，百病之根，故診病必按其腹，富氏川氏曰，聽診打診等診斷法未備之時，腹診實為唯一之診斷法，和田啓十郎云，此言以聽打二診，與腹診同一視之，稍有差誤，其實聽打只於呼吸器血行器病有效，餘皆不見其用，獨腹診為診定病之發於腹內諸器，彭響於身體各部者之最大要法，而疾病中十之七八，悉由其腹部所生，故東洞先生之言，為不誣也。

慎軒按，小兒有疾，口不能宣，全賴醫家之診察精細，而於腹診一端，尤宜注意，不可忽也。

中西醫於熱之診斷

楊煥文

熱為診斷之要點，中西醫所同也，中醫論發熱之原因有二，一為外因，內經所謂熱病者，皆傷寒之類也，一為內因，內經所謂陰虛則發熱是也，外因病傷寒之類，若風、暑、濕、濕熱、風濕、溫病、熱病、風溫、瘴瘧、腳氣、諸病、皆有發熱之候，內經病自陰虛之外，如勞倦、內傷、陰盛格陽、氣虛、血虛、火鬱、停食、酒傷、伏痰、積飲、瘀血、瘡瘍之類，頭緒更繁，得其因又當分其經，而十二經之外，又有奇經，如陽維之為病發寒熱，則非可以瘧治，此臨證貴乎細辨也，古來辨証，又分發熱、發熱惡寒、潮熱、寒熱煩熱、身熱諸種，怫怫然發于皮膚之間，熇熇然散而成熱者，名曰發熱，隨寒隨熱，常常發熱，常常惡寒，名曰發熱惡寒，熱如潮水，來去不失其時，一日一發，熱有定時，名曰潮熱，寒熱來去分明，寒時不熱，熱時不寒，名曰寒熱，因煩而熱，為熱所煩，熱無歇時，名曰煩熱，全身皆熱，熱不惡寒，亦不煩者，名曰身熱，而發熱又有表裏之分，翕翕發熱，熱在皮毛，表也，蒸蒸發發，熱在肌肉，裏也，其辨也，可謂詳矣。

西醫自檢溫器發明以後，診斷上更有一定之規律，溫得里氏 *Wanderlich* 遂制定熱度標準如左：

(一)常溫　三七、〇——三七、四度。(攝氏表以下同)

(二)亞熱性溫　三七、五——三八、〇度。

(三)熱性溫　更分四種

(甲)輕熱　三八、〇——三八、四度。

(乙)中熱　早三八、五——三九、〇晚三九、五。

(丙)著明熱　早三九、五晚四〇、五度。

(丁)高熱　早三九、五以上、晚四〇、五度以上，——若熱度昇騰異常，達四十二度者，名曰過熱，當發熱期經過中，一日之最高溫及最低溫之間，有一定相差之數，名曰日差，日差甚少者，謂之稽留熱，若日差甚大，就其相差之度，名曰弛張熱，及間歇熱。

(一)稽留熱　日差不越一度，大抵為最高熱，主要見於傷寒及格魯佈性肺炎，偶亦見于發疹傷寒，又丹毒急性粟粒結核症，亦或

見之，故重症熱性病診斷不明者，倘數日之間，呈稽留熱，則常爲傷寒症，（有時爲急性粟粒結核）

（二）弛張熱　其日差在一度半之間，於傷寒第三期膿毒症、敗血膿毒症、及結核症見之，其最高點在高度者，常兼惡寒及盜汗，弛張熱之日差至三度或四度，或較比更甚者，名曰消耗熱，獨于肺結核見之，惟經久之化膿症，亦有此熱型，是名膿熱。

（三）間歇熱　熱之發作，亘數小時之久，其最高點雖甚高，但在間歇時，體溫與健體無異，病人較爲爽快，此其特徵，當熱作之際，大抵驟然寒栗，體溫暴騰，下降亦迅速，往往發汗，而間歇時則長短不定，此型多見諸瘧疾。

上述三種熱，於一切病均可見，尚有一種回歸熱，即回歸傷寒特有之熱型，其症狀多惡寒戰慄，體溫驟升，稽留數日，旋即發汗，復降至常溫上下，其次即退熱，數日又復發作如初，但後來之發作，常較輕于前。

綜此以觀，中醫於熱，大別爲六，西醫分別爲三，中醫所謂發熱煩熱身熱，即西醫所謂稽留熱也，發熱惡寒，則弛張熱也，潮熱寒熱，則間歇熱也，惟西醫有表可測，有圖可稽，較中醫之以手掌貼體而查檢者，其巧拙相距遠甚，然病固有輕按不熱，重按熱甚，及僅五心煩熱者，觸診之法，亦不可廢也，參合中西，爲精密之診斷，斯病情無所遁矣。

中西用藥之不同

惲鐵樵

中醫用藥，汗吐下溫涼和補凡七法，尚有在七法之外者，如千金方中尋常不甚經見之方，約略言之，爲弛緩神經劑、爲消毒劑、爲增加組織彈力劑，共得十法，後三法舊籍所未言，乃吾從經驗悟得者，凡此十法，與西醫異趣，有可得而言者，藥物入口，病人所顯之症狀，各藥不同，就其不同爲之類別，凡發熱口渴得藥而解者，謂之涼，形寒肢冷得藥而熱者，謂之溫，此就病軀反應所見言之也，得麻黃則肌表出汗，他不與焉，得大黃則胃腸泄瀉，他不與焉，升麻柴胡效力專在身半以上，懷膝威靈仙效力專在身半以下，則藥效有地位之辨焉，川連瀉心，得吳萸則因拂逆而膈痞者以解，得木香則腸炎腹痛即除，得豬桂則躁煩不得寐者立愈，於是藥效之地位，可以副藥左右，有聽吾人驅使之妙焉，凡此種種，一言以蔽之曰，是建基礎於人身之上，於物理學醫化學顯微鏡無干也，西國醫藥則不然，血中含有相當成分之鐵質則血紅，否則血色素不足，則提練礦物之含有鐵質者以補之，剛柔不問也，肌肉瘦削，審其爲缺蛋白質，則用肉類之富有蛋白質者補之，於發熱宜否不問也，脈搏不勻，多思慮，不易寐，審其爲神經衰弱，則用砒素興奮之。溫涼不問也，脈搏起落不寬，知爲心房衰弱，則用强心劑刺戟之，熱度太高，腦受熏炙，神昏譫語，則用冰退熱，用麻醉劑安腦，虛實不問也，最近二十年來，由細胞而知微菌，由微菌而發明血清，血清之治法爲最新，彼中所謂根治，如治痢疾腦脊髓膜炎喉症其著者，然結果都不甚良，其腦脊髓炎治法，似尚未能與鄙人發見者較一日短長，吾有相識西醫留學德國而歸者，患痢，自注射愛梅丁至百數十針，幾死，其後聽其自然，半年乃愈，喉症則十五年前，吾大兒即斷送於某醫院者，凡此種種，一言以蔽之，曰建基礎於科學之上，與體工疾病之形能無與也，惟其與形能無與，而又執着於病竈，故治甲病與乙丙之聯帶關係，則不甚注意，是以竭蹶奔赴，常在病之馬後，有焦頭爛額之功，無曲突徙薪之事，又惟其建基礎於科學之上，凡熱度表所能量，顯微鏡所不能見，則置而不講，故藥性無溫涼，藥效無定位，因而藥方無君臣佐使，有效藥，無效方，科學非即事實，含試驗則無從得特效藥，故所重者在試驗，體工之爲物極神秘，其病狀可以隨所投藥而呈變相，無有窮時，不講形能，則照例常追隨於病後，則其試驗亦無有窮時，故由西藥之道，可以終身在試驗之中，此則西藥之眞相也。

（天津國醫函授學院各地學員課外讀物）

天津新國醫月編

（非賣品）（原名國醫月報）

第八期

天津國醫函授學院編輯

地址　天津極管區卅二號路義慶里八號

全年十二期只向學員收回紙料油墨費及郵寄費共國幣　圓

中西臨症比較

周子叙

西醫因解剖，組織，生理，病理，等之基礎醫學，及理化學等自然科學發達之關係，殊長於局部的療法，及器械的療法。然難免有一利，則必有一害，有一長，則必有一短之處，累及於此進步的基礎醫學，科學之臨床醫學頗甚。其臨床醫學，宜於全身的觀察之下，講究全身的療法，然對於各項病證，猶頗偏倚於局部的療法。至中醫則原無基礎醫學，無器械，缺乏局部的智識，雖欲偏於局部的療法，其道無由，故不得不專注力於綜合的診斷療法之研究，以之促進診腹診脈法之進步，與藥劑組織之發達。今舉一二例於下，以說明之。現今醫家對於胃擴張證，多施以胃洗滌，欲胃內蓄水之排除，此或於胃內蓄水之局部的所見，爲近視眼的治法，而不中其肯綮，無論如何反覆行之，亦不能愈。反之中醫對此證之胃內蓄水，知其一由於胃筋衰弱，收縮運動不全之故。一由於利尿機能障礙，在此見解之下，於衰弱之胃腸筋，用助以緊張力之藥物，而配以利尿藥，故於一方漸次恢復胃腸筋之收縮力，同時對於他方面，其停滯之水毒，由泌尿器排泄之，以兩兩相待，奏效頗速，不難根治矣。又於下痢證，中醫亦非不若西醫之用收斂藥，然其原因若不在腸管，而認爲在於他臟器組織時，則或用發汗劑，或用利尿劑治之。例如仲景師曰，太陽與陽明合病者，必自下利，葛根湯主之。是以發汗劑治下痢也。又師曰，此利在下焦，赤石脂禹餘糧湯主之，復利不止者，當利其小便。其後半爲以利尿劑治下痢之機會也。此爲中醫綜合的診斷療法之左證，與治下痢徒執腸管，信賴流動物，收斂藥之外，不知其他之局部的療法異撰矣。

論中醫之鎮痛療法爲原因療法

凡疼痛之自覺證狀，由於某種病毒，刺戟知覺神經之末梢所發之現象也。病毒當然爲本，即原因，而疼痛爲末，即結果也。然觀西醫之鎮痛療法，概主用嗎啡（*Morphin*）等之痲醉劑，銳意鎮壓痛覺，有不問其病毒原因之傾向。而中醫則以病毒之撲滅爲主，而以鎮痛療法爲客，苟除去原因之病毒，則僅爲結果之疼痛自愈矣。例如對於急性，多發性，關節僂痲質斯（*Rheumatismus articulorum*）之劇痛，所以用痲黃杏仁薏苡甘草湯者，方中之痲黃杏仁，發表水毒，薏苡仁由利尿以排除水毒，并以驅逐其血毒，甘草和諸藥，逞其緩和之作用，故隨病毒之消盡，而自能鎮痛也。又如以劇痛發病之急性盲腸炎，盲腸部有瘀血凝滯之遠因，兼挾種種近因而發炎，用大黃牡丹皮加薏苡仁湯以應之。方中之桃仁，牡丹皮，冬瓜子，薏苡仁者，所以助大黃芒硝以瀉下其瘀血，冬瓜子，薏苡仁之用意，由泌尿器以排除炎性滲出液，故病毒隨之消滅，而其疼痛可不治而自然若失矣。是以知中醫之鎮痛療法，爲原因療法也。

論中醫方劑爲期待複合作用之發顯

中醫之方劑，非如西醫處方之由於單味藥，以期奏效者也，皆配合二味以上之同效異質藥物，故無一味藥過用中毒之虞，而效力反倍蓰也。例如發表劑之葛根湯，成自解熱藥之葛根，麻黃，桂枝。解熱利尿劑之越婢加朮湯，成自解熱藥之麻黃，石膏，與利尿藥之石膏，朮。又如桃核承氣湯，調胃承氣湯，大承氣湯等，成自瀉下藥之大黃，芒硝。其他諸方，不然者甚少。是以中醫藥方，多數由緩和無害之藥物所組成，所以能奏奇偉之效也。

論中醫方劑能於一方中發揮多數之能力

西醫方中，以不得於一劑內，而望多數之效果，故有兼用水劑，散劑，或丸劑，有時且更兼施頓服藥，含嗽藥，塗佈藥，濕布藥，皮下注射，靜脈內注射，吸入，灌腸等之方法，以圖各個證狀之輕減。如此治法，不惟失之煩雜，且於各個之療法間，不能連絡統一，而生不能適當鼓舞自然良能作用之缺陷。反之中醫方劑、於一方中有多數之能力，若有病證較單純者，以一方能治其各個證狀。雖複雜者，亦可合數方治之。若猶感不足，則此合方兼用丸散劑以應之。此合方中之藥物個數雖頗多，而在方劑却極簡易，有統一，有連絡，其效果實偉大也。例如葛根湯，由葛根，麻黃，大棗，生姜，桂枝，芍藥，甘草，之七味而成，其藥物之個數雖不少，决非烏合之衆，何莫非百練之精兵，而葛根統御之，如驅使手足，故精銳無比，所向無不風靡也。是乃以主藥葛根證之項背筋的强直性痙攣爲目的，而用此方，凡感冒，腸窒扶斯，腸膜炎，破傷風，僂麻質斯(*Rheumatism*)喘息，熱性下痢病，眼疾，耳疾，上顎竇蓄膿證，皮膚病，以及其他病證，悉能治之。又小柴胡湯，由柴胡，黃芩，人參，甘草，大棗，生姜，半夏，七味而成。是亦有節度，有訓練之軍隊也。主將爲柴胡，其證以胸脇苦滿爲目標而用之。凡氣管支炎，百日咳，肺結核，肋膜炎，腸窒扶斯，瘧疾，(*Malaria*)胃腸加答兒，肝臟病，腎臟腎盂炎證，婦人病等，悉能治之。又如桂枝茯苓丸。由桂枝，茯苓，芍藥，桃仁，牡丹皮，五味而成，因臍下部之瘀血塊，左直腹筋之攣急爲目標而用之之方也。以此爲目標，而用此方，則因於瘀血之血管，血液，諸病，悉能治之。又如黃解丸，由山梔子，黃連，黃芩，大黃，四味而成。其目標爲心煩，心下痞，上逆，便秘而用之之劑也。則以此爲目標而用此方，則因血管，血液之炎性機轉諸病，悉能治之。如此以一方而能發揮多數之能力，若不複雜之病證，以上一方之應用而已足，更無不足之患也。又假令甚複雜者，例如有葛根湯，小柴胡湯，桂枝茯苓丸，黃解丸之諸證併發時，則合前三方之葛根，麻黃，大棗，生姜，桂枝，芍藥，甘草，柴胡，黃芩，人參，半夏，茯苓，桃仁，，牡丹皮，等爲一方，再兼用後面之一方以應之，亦毫無遺憾。而此合方，雖其包容藥物頗多，非漫然聚集，乃爲節制之師，雖似繁而實簡，有似堂堂之陣，正正之旗。其兼用之方，如遊擊軍，以奇兵直摩敵軍之壘，無論如何頑强之病敵，終不得不敗走也。古語所謂以簡御繁，精神合致者，此中醫之獨到處也。

論中醫方劑之藥物配合法極巧妙之能事

西醫於藥方，雖不無藥物配合法，然除配合禁忌外，殆由醫者之任意，各人各樣，無規矩準繩之見。反之中醫方，有自數千年相傳之經驗，歸納而成之，確乎不拔之法則，故藥物配合法，極其巧妙。例如中醫自古以來所慣用，而西醫因感於鎭吐藥之不備，近來亦頗賞用之半夏，若單味咀嚼之，則其辛烈酷辣，不耐嚥下。然配之以生姜，或甘草，大棗，蜂蜜等，經過煎炙，則不惟辛辣之性自然消失，且得生姜時，其鎭吐鎭咳之作用，反益確。佀之以甘草，大棗，蜜蜂等之緩和藥，其鎭痛作用，反益增。是以用半夏者，必於此等諸藥中，擇其適當者配之也。又大建中湯，由川椒，人參，乾姜，飴糖，五味，而成之劑也。方中之川椒，其性味甚辛辣，而有刺戟，亢奮，殺蟲之作用。刺戟弛緩之胃腸筋，使恢復其緊張力之外，有驅逐蛔蟲之作用。然其性已辛辣，而乾姜亦頗似之，更以人參之苦味，故飲服頗難也。是以加以有甘味之飴糖，而矯正其惡吐，同時於他方面由其緩和作用，緩解疼痛，及其他之急迫證狀。又以其滋養强壯性，付與胃腸筋，而資其恢復緊張力也。

大黃雖爲瀉下藥，然對於燥結之宿便結塊，難以奏效。故欲達此目的，不得不配用兼有瀉下，溶解，二作用之芒硝。此其所以桃核承氣湯，大黃牡丹皮湯，大承氣湯，併用此二藥也。雖然，僅用此二藥時，瀉下作用，過於峻烈，不適於衰弱病者。則復加用甘草，此以摧二藥之銳氣，使緩慢其作用之法也。例如腸窒扶斯證之末期，或如再發時之熱病的衰弱者，用自大黃，芒硝，甘草，三味而成之調胃承氣湯，頗能達其目的，且不至於脫力，豈非因其配合之妙耶。

國醫補習科講義

丁福保

呼吸詳論

呼吸

凡是活人無晝無夜，皆必須呼吸。呼吸雖可以人意使之停止片時，但欲斷絕呼吸至十分間，却非易事。潛水夫欲入河底海底工作，必須有人從地上或水上送致空氣，或者備有空氣或氧氣入水。此等人比較能停止呼吸較久。

一切生活於空氣中之動物，皆有呼吸。卽下等動物，亦非吸空氣中之氧氣，不能生活。

生活於水中之動物，其高等者，亦以鰓吸取水中之氧氣。鯨魚雖棲於水，却無鰓而有肺，故時時浮上水面以吸空氣。捕鯨人卽乘此時以鏢投射而捕之。

（呼吸器官）人有肺臟，用以呼吸，將空氣吸入氣管，氣管枝，肺，而吸取空氣中之氧氣。肺臟宛如含有血液之海綿，其中之血液將吸入此海綿中之空氣中之氧氣吸取，而放出炭酸氣，是以呼氣較吸氣多含炭酸氣。凡物燃燒，非有氧氣不可。人之體內，不絕有物燃燒，故亦需要痒氣。含有物質燃燒所生多量炭酸氣之靜脈血，流至肺中，卽在此處與空氣互與其痒氣與炭酸氣，於是本來作紫黑色之靜脈血，又變成鮮紅色之動脈血，流回心臟，而再由心臟流至體內各部。

（大氣中痒氣之調解）生息於地球上之動物，爲數至多，其中如人類之呼吸空氣，吸取痒氣，而吐出炭酸氣之動物又多。自有生物之初，至於今日，卽如此生息，照地球上之痒氣，豈不日漸缺少。而炭酸氣日漸增多。然造物主却極有手腕，既創造動物，又另創造植物，植物皆晝間吸收炭酸氣而吐出痒氣，尤以含有葉綠素之青葉植物爲然。因此空氣中之炭酸氣，不致過多。

城市專居人類及貓犬，且又日夜燃燒煤炭汽油，專製造炭酸氣，吸炭酸氣吐痒氣之青綠樹木又少，空氣當然較郊外之空氣，多炭酸氣，養生上郊外生活較佳，其理之一部分，卽在此點。

（呼吸之生理）所謂呼吸，究係何種事？人類每一分間約有十六次至十八次，由呼吸筋之收縮於不自覺之間，將胸廓提高，同時向前後左右擴張。又界於腹部胸境部界之橫隔膜，亦向下降，於是胸部擴大，胸內之壓力減低，此時空氣卽經鼻腔而吸入咽頭，喉頭，氣管，氣管枝，入至肺中。約略與肺中之血液肺中之空氣已互易其氣體後（卽痒氣與炭酸氣互易，）橫隔膜之緊張已弛，而橫隔膜上昇，又胸廓周圍筋肉之緊張亦漸弛，胸廓由自己之重量而下降，同時胸廓筋肉亦收縮，於是胸廓縮小。此時胸內之空氣，因胸內之壓力昇高，故又經氣管枝氣管，從鼻呼出，此卽所謂呼吸也。

（呼吸數）每一分間之呼吸次數，小孩約近三十次，較成人爲多，成人普通爲十六次至十八次。

（呼吸困難）普通人之呼吸，極亦安靜，在不經意之間爲之，故在常時，吾人概不注意其呼吸。然若有某病爲之原因，則呼吸之次數，有減少或增加者。呼吸次數減少，實屬少見，次數增多，則為病時所常見。呼吸次數增多而自感覺痛苦，謂之呼吸困難。

（鼻呼吸）呼吸以鼻，乃合生理，觀初生小兒，如鼻孔壅塞，必極痛苦，少有用口呼吸者。

用鼻呼吸，較用口呼吸，有種種利益。從鼻吸入，因鼻道甚長，故在寒季，寒冷之外氣，可先在鼻道得到相當暖氣，而後入肺。鼻塞之人，易損傷咽喉。易患風邪，蓋因從口呼吸，吸入寒冷空氣所致，且鼻有鼻毛，鼻腔較口腔小而繁複彎曲，故大氣中之塵埃，被阻於鼻，不致吸入肺中。吾人自火車下車後，試排出鼻涕觀之，必能知有幾多塵埃，吸進吾人鼻腔。鼻涕幾蓋為煤烟烟塵染黑。張口呼吸，不但狀如獃子，而且有種種不利之事發生。

（計呼吸數法）計呼吸次數。法極簡單，祇須將隻手輕安於其人之胸，隻手持錶計之即可，呼吸次數非特別減少，或特別加多，不甚引人注意。非入院患者，普通不計算呼吸次數。

（知有無呼吸法）時常有不知有無呼吸之事。例如溺死之人，雖有極淺呼吸，而有時按其胸，却不知究竟有無呼吸，在此種時，可取一鏡，置於其鼻孔前，如有呼吸，必有水蒸氣，鏡面忽翳忽顯，或取細毛，置其鼻孔上面視其毛動否，自可明瞭。

（呼吸之變態）有數種動作，可算入呼吸之中，應視為呼吸之變態。如呵欠，噴嚏，咳嗽，等是。呵欠為長吸氣後之長呼氣，噴嚏為長吸氣後，閉什聲帶，突然作短而强力之呼氣，咳嗽為短而又隔短時間之呼氣，通常連續發生。又吃逆為突然發作之短而發力之吸氣。如不能了解此說明者，請自己體驗，自能了解。

（男女之呼吸方式）男子一般係作腹式呼吸，即縮動其橫隔膜而呼吸。女子極係胸廓呼吸，即用肩呼吸。女人懷孕，因腹部有子宮漲大，將腹腔塞滿，故平常已不甚縮動之橫隔膜，至此而更加不多縮動。此懷孕三月四月之際，屁股凸起，倘不難遮遮掩掩，一過五月，因用肩呼吸，已遮掩不住，人人皆知其懷孕也。

呼吸之調節

上面已敘述呼吸之生理作用，今再言呼吸一事，究係以何理，而能日夜恰當為之。

（呼吸中樞）人之腦中，有調節呼吸之中樞，血液中之炭酸氣增加時，此血液流至呼吸中樞，呼吸中樞即命令胸部筋肉及橫隔膜吸氣，於是橫隔膜一縮。向下降下，胸廓擴大，大氣遂被吸入肺中，此中樞之興奮既過，橫隔膜力弛，自然浮上，胸廓則由自己重量下垂而縮小。

（發生呼吸困難時）如血液中之炭酸氣異常增加，例如心臟衰弱，致血液不能十分流入肺中，血液增多炭酸氣時，則呼吸中樞，異常興奮，呼吸次數增多。是為發生呼吸困難狀態，此時除上述之呼吸筋外，倘有從軀幹伸附於頸，胸，肩等之筋肉，亦皆加入相幫呼吸。患者因氣欲斷而感苦惱。

有時血液中之炭酸氣，並未增加，仍係普通狀態，而因有腦病，呼吸中樞異常興奮，亦使呼吸次數增加。

總之，不問其原因如何。呼吸中樞興奮，則呼吸次數增加。惟其呼吸，普通甚淺。故發呼吸困難時，呼吸淺而次數多，平常每一分間祇有十六次至十八次呼吸，竟有增至四十次之多，或在四十次以外者。

（特別之呼吸方式）呼吸之調節中其特異者，為咳嗽，呵欠，噴嚏。

（咳嗽）咳嗽為呼吸之一種變態，係由於咽頭喉頭附近至氣管氣管枝附近，發生炎衝，此一帶之神經末梢，受其刺戟，反射刺戟腦中之咳嗽中樞，而發生名曰咳嗽之特短而强力呼氣。在發此特短之呼氣之先，聲帶緊閉，故肺中之空氣壓力增高。及聲帶突然一啓，壓力極高之空氣遂從鼻口衝出，在其中途之痰塊等，亦自然衝出。

肋膜之神經，受刺戟時，亦發生咳嗽。亦由反射刺戟咳嗽中樞而起。

（呵欠）在勉做無聊厭倦工作等時，或者由於血液中之炭酸氣稍形增加，刺戟及呵欠中樞（或者有此中樞）而發生呵欠。

（噴嚏）係由於某一種原因，刺戟鼻粘膜之神經而起。如有飯粒進入鼻中，或鼻中堆積鼻糞，或太陽光線射進鼻內，鼻內乾燥刺戟神經，則起噴嚏。

呼吸困難

（呼吸困難）連續呼吸淺而次數增多，則患者感覺痛苦。一切可帮助胸廓擴大之筋肉，皆極力縮動，鼻翼亦在吸氣時縮動，以張大其鼻孔。

呼吸困難，普通係欲盡力多得吸氣，然有時則為不能呼氣，遂造成此象。

（呼吸困難之原因）呼吸困難之原因，如上面所言，以血液中之炭酸氣增多，為第一原因。故凡血液中炭酸氣增加之病，皆可發生呼吸困難。

凡呼吸道狹隘，則入肺之空氣少。肺內血液之炭酸氣增加，如喉頭氣管等處，生有瘡瘤，又如有物生於喉頭或氣管外部，從外部將喉頭氣管壓迫，又如小氣管枝等有病，粘膜分泌增加，將氣管枝塞住，例如患氣管枝加答兒時，又如患肺炎等，肺之一部分，不但被炎衡所生分泌物，將氣管枝塞住，並進而將氣胞填滿，又如有肋膜炎，肋膜腔內生水，將其內側之肺壓迫，使肺之一部分，成為無空氣狀態等時，皆致發生呼吸困難。

（肺氣腫）老人及喘息患者等，有患肺氣腫而肺之氣胞減少者。肺之一物，狀態恰如海綿，肺中有許多氣胞，其狀如泡，中含空氣。在此氣泡周圍，有多數毛細血管，流於此毛細血管中之血液。與氣胞中之空氣，互易其痒氣及炭酸氣。（血液以其炭酸氣易空氣中之痒氣。）

若狀如小水泡之多數氣胞，失去其境界之壁，成為比較大氣胞者，自然血液與空氣之接觸表面，亦比較減少。是以肺氣腫因痒氣與炭酸氣不能充分互易而致發生呼吸困難。

（肺水腫）又如肺雖無病，而有心臟病或腎臟病時，肺之血液循環不充分，血液中之水分，（即血漿）滲出氣胞及小氣管枝，或者如皮膚之發浮腫，肺中瀦積水分，氣胞為水所充塞，是為肺水腫，此時亦發生呼吸困難。

（心臟病）肺及呼吸，雖全然未有病變，而有心臟病，循環至肺之血液，自時間上言，較為減少時，則血液之炭酸氣，比較不能充分放散，因而血液中炭酸氣增加，遂發生呼吸困難。

喘息（哮喘）小氣管之周圍，尙有筋肉。此筋肉乃不隨意筋，不能以人意使之收縮者。假如今此筋肉收縮，縮小肺全體之小氣管枝，則此時呼吸道全體變成狹隘，自可發生上面所述之呼吸困難，而尤不便於將氣呼出。在呼氣時胸廓雖然縮小，氣胞中之空氣，却不易如常狀迅速從氣管枝呼出，成為呼氣困難，出口既狹隘，胸廓又縮小，氣胞中之空氣，苦無出路，自然氣胞破裂，五六氣胞，裂成一大空洞，而發生肺氣腫。此呼氣困難，是為喘息。

所謂喘息，即時愈時發之呼氣困難。患者每坐起，兩手前撑如蛙，一心欲將空氣呼出。此即氣管枝喘息，世人所常視為喘息之連續咳嗽，並非喘息。

發生呼吸困難之病症

發生呼吸困難之病症頗多，已讀過上文者，必能大體理會。

（有熱之呼吸困難）請先言有熱之呼吸困難，急激發熱，患者多係健康青年，胸部某處，痛如針刺，同時發生呼吸困難，乃急性肺炎。如兼有鐵銹色痰或痰中有血，尤為急性肺炎無疑，亦呼格魯布性肺炎。

肺結核之進行者，亦有熱及呼吸困難。患此者概係慢性，患者多為瘦弱之人。

同屬結核性之病症，有乾酪性肺病。如某處有結核性病巢。突然破裂，散出無數結核菌，經空氣道，在肺之一相當廣汎部分擴大時，則急激發熱咳嗽發生呼吸困難，此症較急性肺炎為少見。

有肺腐爛之病，曰肺壞疽。倉皇吃物，誤嗆入氣管，發生腐敗，而發此症，或本有肺結核，其病巢之腐敗菌，助紂為虐，而發此症。或用麻醉藥麻醉，施行手術時，從口鼻等處，有種種液體及血液，流入氣管入肺，如運氣不佳，有腐敗菌在肺中蕃殖，即發此症。此時患者體發熱，又由其擴大而發生呼吸困難。患者咯出之痰及呼氣，發出如魚爛之惡臭。大都踏入病室，已聞到此種氣味

體工調和血液之自然良能

李克惠

天下事理，貴得其平，偏盛偏衰，即異乎常態而起變化焉，內經所謂揆度奇恆，道在于一，蓋亦示人就生理之常，以測病理之變，一本萬殊，交互錯綜，初非專指何者為陰，何者為陽，攢名指稱，以為刻記於舟，而尋墮劍者流說法耳，狂風怒號，空氣厚薄不勻也，滾水沸騰，上下冷熱不均也，（壺底水近火則熱而上衝）一失平衡，遂異常態，於人情何獨不然哉，嘗考體工自然良能之妙，器官配置之巧，益歎造化之奧竅，殆莫可思議已，足須豎立，則配以方趾，臀須踞坐，則墊以肥肌，便溺堪憎，竅則匿於隱處，腦髓寶貴，質則藏諸骨腔，以言良能之妙機，細菌之竄入血液也，白血輪必起而撲滅之，吞食之，或環甲執兵，或呼朋引類，必殲此有害生理之小醜而後已，其戰爭之現象，即反乎生理常態的病理機轉者是，咳嗽，吶喊助威者也，耳鳴，鳴鑼告急者也，體工各部之官能，又各有其自衛之方法，抑非僅限於血液為然也，爰草斯篇，以供同道商榷焉。

體工調和血液之現象，有全體與局部之分，全體與局部，又分生理的病理的，今就全體與局部類別述之如左。

（全體）

吾人於晨起睡醒時，每每伸手舉踵，擠眉揉眼，此蓋因長時間睡眠休息後，血液循還呆滯，故舒手伸足，令經脈興奮，暢運血行以灌溉周身爾。

聽人談論，厭不欲聞，必頻作呵欠，昏昏思睡，呵欠者，體工吸收多量之空氣，欲促進血液之流行，以救濟腦神經之疲倦也，呆坐過久，足必麻痺，有如針刺芒集，此因下肢血管被壓，循環阻滯，足部驟感貧血，神經乃興奮以營引導血液下行之工作也。

傷寒論，眞武湯條，「太陽病，發汗，汗出不解，其人仍發熱，心下悸，頭眩，身瞤動，振振欲擘地者，」按發汗過多，或誤汗，每傷津液，血虛液虧，遂起虛性興奮現象，故汗出而熱仍不解，心下悸者，心臟大張大弛，以冀噴射多量之血液，以為救濟也，頭眩身瞤動，肌肉求血液之動作也。

傷寒論，承氣湯條，「上略獨語如見鬼狀，若劇者，發則不識人，循衣摸床，惕而不安」，腸有燥屎，乃大承氣應用之一證，腸而至於燥則腸部充血可知也，腸部既充血，則其他部份又必有貧血缺液之感，於是乎手足為求血液而運動，筋肉為求血液而戰惕矣，獨話如見鬼狀者，神經為求血液而興奮之幻覺也。

傷寒論，桃核承氣湯條，「熱結膀胱，其人如狂」，血液結滯，則鬱而化熱，血既結於膀胱，則其他部份亦必有貧血之感，影響遂波及神經系統矣。

傷寒霍亂篇，四逆湯，及通脈四逆湯條之「四肢厥冷，，拘急，脈微欲絕，」按手足厥冷，脈微欲絕，乃亡陽重篤證候，此四肢拘急，乃求血自救之表現。

內經，「病甚則棄衣而走，登高而歌，或至不食數日，踰垣上屋，所上之處，皆非其素所能也，」按血虛而液不虧，少陰病，脈微細，但欲寐似之，設血虛液虧，而復陽盛者，則體工必起救濟作用，以調劑之，遂有不由意識命令與制止之動作表徵焉，棄衣而走，登高而歌，運動神經爲求血液而興奮也，罵詈不避親疏，音帶爲求血液而興奮也。

（局部）

（耳鳴）耳鳴，有血虛與液虧兩種，而皆係神經興奮之見端，陽證充血而鳴，鳴在求液，陰證貧血而鳴，鳴在求血。

（目眩）少陽液結胸脅，則眩而求血求液，陽明目赤，則痛而祛血求液也。

（鼻塞）傷風鼻塞，噴嚏不已。爲併驅血液法。

（音帶）秋燥咳嗽，爲求液而起，肺炎咳嗽，爲祛液而起，登高而歌，罵詈不避親疏，則併求血液而興奮也。

觀右列各條，則體工調和血液之法，在肌肉則瞤動，在筋脈則戰惕，在手則舞，在足則蹈，眼眩耳鳴，罵詈寧避親疏，則全屬大腦與神經興奮之變也。現象雖各不同，而爲求血液調和，以躋於平之目的則一。

內經所言之天癸究爲何物試根據近世生理學詳細研究之

吳少九

天癸之名詞，人皆知之，然往往以天癸專屬於女子生理方面事，雖內經言天癸，男女並舉，而後人乃有若是錯誤觀念者，此固由昔賢釋天癸爲月經，積習相傳，先入爲主之故，然亦可見後人讀書之不求甚解矣，註內經者，不下十餘家，如高士宗張隱菴而下，知月經之說不可通，或以精血爲解，或云元陰，或曰眞陰，或謂天一所生之癸水，於是羣言淆亂，莫衷一是，喻指爲月，既虛渺莫憑，指鹿爲馬，益謬妄之甚，凡此種種，咸與我輩頭腦絲毫不合，特此非本文所欲言，本文所欲言者，古人言必有物，欲一探索內經所言之天癸究爲何物耳。

經言女子「二七而天癸至，任脈通，太衝脈盛，月事以時下，故有子，……七七任脈虛，太衝脈衰少，天癸竭，地道不通，故形壞而無子也，」又言男子「二八腎氣盛，天癸至，精氣溢瀉，陰陽和，故能有子，……八八則齒髮去，腎者主水，受五藏六府之精而藏之，故五藏盛乃能瀉，今五藏皆衰，筋骨解墮，天癸盡矣，故髮鬢白，身體重，行步不正而無子耳，」此爲內經論男女生殖生理之文，其言衝任，（子宮）言月事，（月經）言腎氣，（腎冠腺）言精氣，（精子）皆與近世生理合，獨天癸之謂何，與生殖有若何關係，吾嘗潛思冥索，乃知此事涉及內分泌學說之範圍，內分泌者，無管腺之分泌物，爲近世生理學最矜貴之發現，而內經實已於千百年前心知其意也，內經所言之天癸，在內分泌中，屬於何種，則性腺是也。

按性腺有男女或雌雄之別，故經言天癸，男女並舉，男性腺在體腔外陽袋之內，共有兩枚，名曰睪丸，女性腺在腹腔內，腎藏下邊，亦有兩個，謂之卵巢，此二者之重要作用，在於產生精蟲與卵，以營生殖之用，然則生殖之在於精蟲與卵，精蟲之產生由於睪丸，——男性腺，卵之產生由於卵巢，——女性腺，而內經則謂人之有子，在於精氣與月事，精氣之溢瀉也，由於男子之天癸至，月事之時下也，由於女子之天癸至，是男子之天癸，睪丸是也，女子之天癸，卵巢是也，經文所言，乃與近世生理若合符節焉，而天癸之爲性腺，豈復有絲毫假借者，詳所以名爲天癸者，天者與生俱來，古人以癸屬之水，腺爲泌體故也。

人類發情期，亦謂發身期，與發情期關係最密者，厥爲性腺，此時性腺成熟，在男子則開始輸精，在女子則開始排卵，近世生理學，人類發情期爲由十三歲至十六歲之間，（熱帶較早，寒帶較遲）據此，則內經所謂天癸至，即性腺成熟之謂也，其言女子以二七，男子以二八，爲天癸至之時期，與上述人類發情期亦合，註內經者，皆不詳天癸何以不生而即至，既爲元陰或眞陰，又何必待乎二七，二八之年，宜其以虛玄之辭，愈說愈晦矣，斯亦時代限人之故也。

茲更有一事可以爲天癸即性腺之佐證者，據生理學云，男性腺內，有一定之上皮類細胞，名爲間細胞，睪丸與男子之性狀發達有關，即因此類細胞，其最顯著者，則爲面上生毛，……然則人之有鬚，爲有男性腺之故，此在內經，則可從反面推勘而得，其言曰「其有天宦者，未嘗被傷，不脫於血，然鬚不生者，此天之所不足也，」天之所不足何，非天癸之不足耶。宦者之無鬚，因無天癸，天癸之爲性腺也，益明矣。

內經爲醫籍中之最古者，亦醫籍中之最難讀者，然往往不可解處，證之今日新生理，多半可以渙然冰釋，內經之可貴者在此，惜予時間不多，不能廣徵博引，然即此戔戔者，若問古人何以知此，其價值又若何，此則最耐吾人之尋味，而中國二千年前有此醫學，亦誠足以自豪矣。

傷寒論概說

陳遜齋

仲景傷寒論與卒病論從前本合爲一書，名傷寒卒病論，後人幾加刪改，乃分而爲二，迄于今日，所謂傷寒雜病論共十六卷者，已無法恢復其系統矣。

現在通行之傷寒論，即王叔和所編次，宋臣林億等所校刊之書也，叔和爲晉太醫令，去漢未遠，無論其所編次者，有無妄加意見，然仲景遺書，終不能舍此而他求，蓋叔和編次，本求于原和書有所發明，非別有憾于仲景，則合仲景叔和爲一人，合仲景叔和書爲一書，亦何不可之有。

論名傷寒，實包括一切急性熱病而言，故傷寒範圍，最少亦含有難經風寒濕溫熱五種，今人稱濕溫爲傷寒，西醫則稱窒扶斯爲傷寒，其界限未免混淆，濕溫與腸窒扶斯，皆不過五種中之一，謂爲傷寒中之一症則可，謂爲即是傷寒則不可也，傷寒病乃千變萬化錯雜無定之病，仲景爲之提綱挈領，劃爲太陽陽明少陽太陰少陰厥陰六經以範圍之，然六經之眞義，仲景並未說出，註家自成無已以下百數十人，均無一能闡明其理由者，有之，則不外根據內經以六經分屬六臟六腑六氣而已，太陽主寒氣，屬小腸膀胱，陽明主燥氣，屬大腸胃，少陽主火氣，屬三焦胆，太陰主濕氣，屬脾肺，少陰主熱氣，屬心腎，厥陰主風氣，屬胞絡肝，此種配屬，顯然與傷寒論六經不類，內經之六經，指脈絡言，故六經之上，皆有手足二字，以明脈絡之上行者繞手，下行者繞足也，傷寒論之六經，指病症言，故六經之上，不冠手足字樣，不符者一，內經以太陽主寒，厥陰主風，傷寒論則太陽篇開宗明義第一方，即治風之桂枝湯，是太陽主寒，又主風也，太陽主風，厥陰亦主風，是六經有兩風也，不符者二。

傷寒六經者，陰陽寒熱虛實表裏之代名詞也，太陽陽明少陽皆爲陽病，太陰少陰厥陰，皆爲陰病，太陽陽明少陽，皆爲熱病，太陰少陰厥陰，皆爲寒病，太陽陽明少陽，皆爲實病，太陰少陰厥陰，皆爲虛病，陰陽寒熱虛實之中，又有在表在裏，與在半表半裏之不同，太陽爲表，少陰亦爲表，太陽之表爲熱爲實，少陰之表爲寒爲虛，陽明爲裏，太陰亦爲裏，陽明之裏，爲熱爲實，太陰之裏，爲寒爲虛，少陽爲半表半裏，厥陰亦爲半表半裏，少陽之半表半裏，爲熱爲實，厥陰之半表半裏，爲寒爲虛。

太陽少陰，皆爲表，太陽之表，爲發熱惡寒，少陰之表，爲無熱惡寒，陽明太陰皆爲裏，陽明之裏爲胃實，太陰之裏爲自利，少陽厥陰皆爲半表半裏，少陽之半表半裏，爲寒熱往來，厥陰之半表半裏，爲厥熱進退，太陽少陰皆爲表，太陽之表可汗，少陰之表不可汗，陽明太陰皆爲裏，陽明之裏可下，太陰之裏不可下，少陽厥陰皆爲半表半裏，少陽之半表半裏可清解，厥陰之半表半裏，不可清解。（未完）

（天津國醫函授學院各地學員課外讀物）

天津新國醫月編

（非賣品）　（原名國醫月報）

第九期

天津國醫函授學院編輯

地址　天津特管區卅三號路義慶里八號

全年十二期只向學員收回紙料油墨費及郵寄費共國幣圓

傷寒論概說（續）

陳遜齋

得病之初，身體之正氣，起而反抗，發熱惡寒，卽正邪交爭之表示也，頭痛項强體痛，卽正邪交爭時所發生之充血作用也，此時因皮膚開合，汗腺通塞之故，又發生有汗爲中風，無汗爲傷寒之兩大症候，傷寒爲散溫機能衰弱，故以麻黃湯發其表，中風爲散溫機能亢進，故以桂枝湯解其肌，凡此傷寒中風，可由發汗解肌而愈者，皆稱爲表病，又稱爲太陽病。

正氣抵抗邪氣，在太陽病期內，無法戰勝，因而妨礙三焦水道之流行，由此而引起寒熱往來胸脇滿嘔口苦咽乾各症，概稱爲少陽病，內經謂三焦爲決瀆之官，生理學則不稱三焦，而稱淋巴，其理由相同，三焦在臟腑之外，皮膚之內，故謂半表半裏，小柴胡一方，爲本病之主劑。

正邪交爭愈久，水分愈加蒸散，內部粘膜，愈加乾燥，及在太陽少陽期內，發汗利尿過多，則腸胃間之水津，乃愈涸竭，由是發生煩渴譫語不大便但惡熱不惡寒之陽明裏實症，輕則用白虎湯，重則用承氣湯。

若腸胃之抵抗力不足，失去消化水穀之能力，則爲太陰病，水穀不化，則水分過剩，因而上吐下利，此與陽明病正成反比，陽明熱而太陰寒，陽明實而太陰虛也，理中湯溫中去濕，故爲太陰病之專劑。

若造溫機能衰減，體溫爲之降低者，則爲少陰病，中醫謂爲陽虛，因心臟衰弱，故少陰病之脈必微細也，因神經不振，故少陰病之症但欲寐也，因體溫不能分布，故少陰病之四肢必厥逆也，此與太陽病正成反比，太陽必發熱而惡寒，少陰必惡寒而不發熱，四逆湯强心生溫，實爲少陰病之主劑焉。

若夫厥陰病者，實抵抗力消長進退之重要關頭也，其病狀爲厥熱互爲來復，熱多于厥，則抵抗力有恢復之希望，故主病退，厥多于熱，則抵抗力愈趨愈下，故主病進，若但厥無熱，則抵抗力完全失敗，病主不治，此與少陽病正成反比，少陽之寒熱往來不過三焦不和血管伸縮之作用，可以和解了事，厥陰之厥熱來復，則出生入死，關係至大，厥陰之主劑，亦不離四逆輩，蓋非生溫無以退厥也。

總觀六經之變化，三陽病惟恐其熱，三陰病惟恐其寒，三陽病惟恐其實，三陰病惟恐其虛，三陽病則抵抗力均未衰弱，故三陽病無死症，三陰病則抵抗均感不足，故三陰病多死症，一部傷寒論，蓋如是而已。

病原論

吳漢仙

中國醫學，能戰勝於地球上，爭燦爛光華之特色者，惟風寒暑濕燥火六氣而已，西醫謂疾病之生，大半由於細菌者，不離此六氣，卽物理學與化學之刺戟，亦包賅在此六氣之內，何者，中國之醫學，注重在氣化，西國之醫學，注重在物質，故中國言風，西國言空氣之流動，中國言寒暑，西國言溫度之昇降，中國言燥濕，西國言水蒸氣之收放、中國言火，西國言養化之燃燒，是有物質，即有氣化，西國之物理學不外是，氣能成質，質還化氣，西國之化學亦不外是，中西醫學，何患其不能溝通哉。

今人趨重歐化，專意取消六氣，則中國無醫學之可言已，茲特闡發六氣之原理，使學者深切而研究之，庶六氣之原理既明，而西國之所謂酸素，所謂養氣，所謂微生物，與細菌，及寄生蟲等等名義，無論風土之各殊，氣候之不同，萬不能出此六氣之範圍也，久之西國之病理學，亦必與同之化矣。

雖然，吾身生理上之起變化而致疾病者，風寒暑濕燥火，既爲外界物之刺戟，而七情六慾五勞七傷，則當爲內界物之刺戟，雖與西國先天素因，後天素因，通性素因，出入進退，不免參差，然神而明之，化而裁之，抑亦可以溝通矣。

六氣致病之原理

風者，空氣流動之所生也，冷空氣濃，熱空氣稀，冷空氣，向熱空氣流來，則空氣流動之方向風，爲風之趨向，四時氣候上之寒暑燥濕，都混合於空氣中，雖風之性質，爲其所移，究無論溫，即風濕，風暑，風燥火，總不失寒冷空氣之本質，冬月之惡風，夏月之喜風可知也，夏月揮扇招風，其性屬寒冷更可知也，柯韻伯曰，風寒本屬一體，每相因而少相離，醫宗金鑑曰，有寒不皆無風，有風不皆無寒，是風之本質，含有寒冷性，固在足徵已，故治外風者，不外辛溫辛凉辛苦辛寒之劑，蓋以辛藥主散，能解寒冷空氣也。

前中衛部余雲岫，以今日之中風感冒，係細菌所致，實非風之爲病，試問西北剛風，尖銳射入，海洋颶風，冷刺骨髓，猶不得爲病者乎，況冬月朔風，不避則病，夏月貪凉，過受亦病，是風之能爲人病，不可拘泥細菌也明矣，時逸人以風指空氣，豈知寒暑燥濕，混合空氣以爲病，而風爲空氣流動之所生，何獨不能爲病耶，又謂風字從虫，指微生物之表示，而古文風字從日，得非太陽之所表示乎，抑太拘矣，是皆未深究乎風之爲病者也。

夫風之爲病，以其本性言，則含有寒冷空氣，故仲景太陽篇，以有汗爲麻黃湯症，無汗爲桂枝湯症，初未嘗以風之異於寒也，非特太陽爲然，而其論少陽柴胡症，則曰傷寒中風，有柴胡症，但見一症便是，不必悉具，又曰，傷寒五六日，中風往來寒熱，予意仲景書，皆是互文見意，隨症立方，六經當作如是觀，若執桂枝湯治風，與麻黃湯治寒之不同，則太陽固有桂枝麻黃湯之分矣。而陽明中風之口苦咽乾，少陽中風之耳聾目赤，太陰中風之四肢煩疼，以及少陰中風，則其脈陽微陰浮而愈，厥陰中風，則其脈微浮爲欲愈，不浮爲未愈，何其混同立論，而不與傷寒分道揚鑣耶，成無已謂桂枝湯治風傷衛，麻黃湯治寒傷營，垂千餘載，無人反對，不意清季唐容川起而攻倒其說，謂桂枝湯治風傷營，麻黃湯治寒傷衛，是無汗而以麻黃湯發之，有汗而以桂枝湯收之，較之成氏，似爲得當，但謂風傷營，則專以營爲風之淵藪，寒傷衛，則專以衛爲寒之淵藪矣，豈知生理上營衛氣血之功用，凡百疾病，皆可傷之，（餘詳另篇營衛氣血之徵象）況風之本性，含有寒冷空氣，去寒不遠，有何咫尺千里之辨哉。

苦言其變性，則從體溫化熱，是爲風溫耳，仲景著傷寒，亦嘗論及風溫矣，若曰太陽病發熱而渴不惡寒者爲溫病，則是不惡寒而渴之溫病，辨其與傷寒有異，非爲溫病敍狀也，若曰發汗已，身灼熱者，名曰風溫，則是灼熱因於發汗，辨其誤作寒治而變溫也，惟曰風溫爲病，其脈陰陽俱浮，自汗出，身重，多眠睡，息必鼾，語言難出，此則論風溫者矣，然仲景凡稱太陽病，則是邪從毛竅入，以太陽主周身之毫毛，故風之從毛竅入者，隨體溫化熱，無有不干涉陽明者，夫陽明之病，以身熱口渴汗出，爲其主症，既已身熱口渴汗出矣，其風溫傳入陽明無疑，仲景所稱風溫之身重，即陽明病之不惡寒，反發熱，身重是也，所稱風溫之多眠睡，即陽明病之中風，脈浮大，嗜臥是也，所稱風溫之息鼾，語言難出，即陽明病之鼻乾，與口不仁是也，孫思邈亦發明風溫，謂其脈陰陽俱浮，與仲景同，其症汗出身重，亦與仲景同，其息必喘，即仲景息鼾之變文，其嘿嘿欲寐，即仲景多眠睡之變文，惟形狀不仁，則仲景所稱語言難出，而祇爲口不仁者，此乃病勢進步，而至周身不仁矣，所立前後七方治臟腑溫病，皆用石膏至八 之多，以清陽明之熱，而協麻黃升麻葱白淡豉諸藥，俾風還從毛竅出，則與仲景之麻杏甘石湯，白虎加桂枝湯無不同也，迨至晉宋元明，類皆知有風溫而少發明，惟前清陳祖恭，特著專論十二條，以身熱煩渴咳嗽，爲風溫之主症，言之非不詳盡，但謂春月風邪用事，冬月氣暖多風，以風溫限定冬春兩季，而不以爲四時常病，未免疏漏，葉天士雖知爲四時常病，而謂風之不能獨自爲病，則以風爲溫所挾，與濕爲溫所挾者並論，是不知風之變性者也，喻嘉言吳鞠通治風溫用桂枝湯，舉世非之，莫以爲是，豈知桂枝湯祇可治風之本性，而不可治風之變性者哉。

考內經風爲百病之長，以寒暑燥濕，皆混合於空氣中，而風爲之總綱也，又風者善行而數變，以風之抽象主動也，故空氣之流動爲外風，而肝臟之煽動則爲內風矣，佛家地水火風之風字，指動言，與易經風以動之之風字同，與內經風勝則動之風字更同，又內陰（厥陰之上，風氣主之，風氣通於肝，肝在體爲筋），蓋筋貫注於分肉之間，謂之筋肉，肉以筋爲綱，筋以肉爲鞘，肉無筋不強，筋無肉不觳，互相聯絡，互相輔助，乃始發生運動能力，西醫解剖生理學，從此隨意筋與不隨意筋兩種，故手足肌肉，及各官能，由不隨意筋之命令而動者，謂之風，有反隨意筋之命令而不動者，亦謂之風，故頸項強，背反張，爲驚風之角弓反張，頭搖手顫，爲驚風之抽掣，卒口噤，脚攣急，爲驚風之搐搦，此強而有力之風症，則違反不隨意筋而動者，口眼喎斜，半身不遂，肌膚不仁，癱瘓痿軟，此弱而無力之風症，則違反隨意筋而不動者，此二症候，外風有之，內風亦有之，而寒暑燥溫，歷據臨床實驗，往往混合於其間，要皆爲風之所挾也。

然則肝風胡爲而煽動耶，蓋由於內臟積熱，熱極生風，亦猶外界之冷空氣，向熱空氣流來生風，同一例也，故古籍中，所謂肝胆之熱，化作冷風而出者，其在他病症候中，有冷風自覺從咽喉出者，有冷風自覺從陰戶吹者，有冷風自覺周身淅淅，擁被圍爐而不解者，若夫昏瞀猝仆，西人所謂腦充血者，今人認作內風，則爲蘊隆之火風，與古人認作外風，則爲凜冽之寒風，一內一外，一寒一熱，絕對不容相混耳。

內經論偏枯風痱風懿風痺，皆指外風，而昏瞀猝仆，內經不謂之風，而謂之厥矣，漢唐分析不清，貽誤匪淺，故金匱論中風，分中絡中經中府中臟，皆以外風爲主，而甲乙經，千金方，外臺祕要，巢氏病源，不加深考，依樣葫蘆，即千金方之地黃煎，外臺祕要之徐嗣伯，許仁則，間有方藥論及內熱生風者，亦係外風由外入內化熱，非肝臟自行煽動之風也。

自漢唐迄金元，始生疑竇，乃有所謂類中風者，雖知病屬內因，而於肝風內動之旨，尚隔一間未達，故劉河間主火，謂將息失宜，心火暴盛，李東垣主氣，謂本氣自病，非關外來風邪，朱丹溪主痰，謂濕痰生熱，熱生風，究之火之升，氣之逆，痰之壅，皆肝風有以載之上浮，是肝風爲病之本，而火氣痰三者，皆其標象也。

迨金元洎明清，有張景岳其人者，乃始倡非中風之說，謂內經諸風，皆指表邪，而神魂昏憒，痰壅僵仆，直揭破爲非中風，已隱隱射到肝風內動發爲厥症地點，繆仲醇謂眞陰亡而內風生，而肝風內動之昏瞀猝仆，至此乃大白於天下矣，葉天士臨症指南中風門內，柔潤熄風諸法，大率宗此，徐靈胎批評指南，謂眩暈宜清火養肝，固爲正治，但肝陽上升，至身體不能自主，此非浮火可比，必用古人金石重墜之品，以爲潛鎭攝納者，其說又暗暗射到西人腦充血症地點，此洄溪老人勝人一等處也。

今之西醫腦充血病，分腦充血，腦積血，腦出血，腦經痲痺四種，據其解剖所見，以是死者，必有死血與積水，然死血積水，何故而上充入腦，以致血管破裂，其原理叩之西醫茫然不知也，山東張伯龍，引素問調經論之大厥以證明之，（調經論血之與氣，並走於上，則爲大厥，氣復返則生，不返則死，）夫厥者，昏厥眩仆之謂也，其氣上升之極，故腦有積水，血上升之極，故腦有死血，若氣返血隨以下則生，氣不返直上而不下，則腦中血管破裂而死，此所以卒中暴死之人，往往口鼻湧出血涎也。

蘭谿張山雷，復引素問生氣通天論之薄厥以證明之，（生氣通天論血菀於上，使人薄厥，）菀讀爲鬱，詩彼都人士，我心菀結，菀猶積也，結也，薄讀爲迫，左傳薄諸河，楚師薄諸險，皆逼迫之意，此症又與西醫所謂腦積血者相合，是血之鬱結於腦，而逼迫其人昏瞀猝仆也。

天津張錫純復引史記扁鵲傳所載太子尸厥以證明之，當未見太子，知其必耳鳴鼻張，（張讀爲漲）蓋預料其腦部充血之極，其排擠之力，可使耳中作鳴，鼻形作漲，及見太子，則謂其上有絕陽之絡，下有破陰之紐，此蓋言人之陰陽，互相維繫，偶因陰紐破壞，不能維繫其陰中之眞陽，脫而上奔，更挾氣血以上充腦部，其充塞之極，幾至腦中之絡，破裂斷絕，故曰上有絕陽之絡也。

然則腦充血之症，吾國不獨發明於靈素，而亦發明於名醫列傳中矣，由此以推，中國之醫學，何曾纛步於西人哉。

論中醫科學化之途徑

鄧逸民

中醫不科學之說，出諸智識階級之口者，已十餘年，然而社會人士，信仰中醫如故，此無他，其中必有相當之理由在焉，試就常人眼光觀之，其因有二、（一）中醫普及。（二）中藥價廉，其實具此二因，不過中醫有存在之理由，尙非醫學之眞價値，蓋中醫治病而愈，必有其合於科學之原理在，中藥服之而效，必有其主要之成分在，惟以五行學說，附會事實，故未能說明其所以然耳。

痲黃服之而汗，瓜蔕服之而吐，芒硝服之而瀉，可知藥物之功用，本無科學不科學之分，若以五行學說說明其功用，則藥物玄學化，若以化學成分說明其功用，則藥物科學化，同是此藥，初未因提煉與否，而增損其汗吐下之功用也明矣，由此推之，所謂中藥不科學者，換言之，卽中藥未經提煉是也，然而功效不殊，則提煉與否，固無關宏旨者也。

嘗考科學之意義，不過分科之學，具有理論，實驗，證明，應用，四端而已，中醫治病而愈，中藥服之而效，是實驗證明應用三者已備，惟其理論夾雜，知所當然，而不能說明其所以然，是以智識階級，認爲玄學，由此可知，所謂中醫不科學者，換言之，卽中醫理論夾雜玄學是也。

推原其夾雜玄學之故，約有二大原因：（一）解剖失傳。（二）醫籍錯簡，考靈樞素問書中，對於骨骼名稱，內臟官能，論列頗詳，設未經實地解剖，僅憑紙上空談，當不能若是詳備，由此推知，我國古代，未嘗不講求解剖生理諸學，祇以後世禮教興起，養生送死，葬之以禮，謂爲孝道，於是解剖之機會難得矣，再考史籍，五胡亂華，晋室東遷，因此古籍散佚不全，迄宋印刷之術盛行，英宗詔命儒臣，校正醫書，由國子監印刷頒布，我國古代醫籍，雖獲保存，然而錯簡遺佚，在所難免，有此二因，後世醫家，知其當然，而不知其所以然，於是援引五行學說而爲之曲解矣。

中醫不科學之原因，既在理論之夾雜，故整理其理論，使之合於科學，斯則中醫科學化之途徑也，至於整理方法，當自編纂教材入手，擬以删去不合科學者，增入合於科學者，爲原則，所謂取人所長，補我所短是已，夫取長補短，本爲整理必經之階，東西各國醫家，已先我從事，彼等感覺藥物不敷應用，對於我國本草綱目，特別注意，認為無盡寶藏，並譯成日英文字，以廣研討，此無他，彼之所短者，藥物耳，亦猶我之所短在理論也，故刪去醫書中之五行學說，增入解剖，生理，病理，診斷，諸學，以相印證，俾中醫理論，適合科學，斯不僅證明我國醫學之價值，且可樹發揚光大之基礎焉。

我國醫籍，浩如湮海，學者望洋興嘆，是以編纂教材，宜分二期工作。擬先將習醫必讀之書，從事整理，茲就鄙人所知者言之，醫家必讀之基本醫書，約有十種，分述於後。

（一）神農本草　此書著作最古，為我國藥物學之祖，其中並無一句五行學說，祇有久服輕身，不老神仙二語，可以刪去，再以藥物成分補充之，以證明其功效。

（二）靈樞素問　此二書本為黃帝與岐伯諸臣所著，故名黃帝內經，一校於唐之王冰，攙入五行學說頗多，再校於宋之林億等，錯簡亦所難免，但其中包羅萬有，確係我國醫學之根源，內容極為豐富，除天文，地理，以及五行學說，擬刪除外，可別為攝生，解剖，生理，病理，診斷，脈學，證治學，針術，八大類，故編纂此書，最需時日，倘由數人分工合作，或可收效較速，惟其中哲理甚深，如有西說不易印證處，寧可暫缺，不必勉强附會。

（三）難經　此書以內經之難解者，設於問難以明之，足以羽翼內經，且診脈獨取寸口，以決死生吉兇，則自難經始，故擬併入內經，彙同整理。

（四）傷寒金匱　此二書當宋以前，本合為一，乃我國方書之祖，辨脈審證，極為詳明，處方用藥，有條不紊，其中並無五行學說，可刪改者，亦不過數句，再取西籍以相印證，必可發揚光大。

（五）本草從新　此用藥味較多，應用亦較廣，五行之說刪去後，補充以藥物成分，證明其功效，則更切實用。

（六）溫疫論溫病條辨溫熱經緯　此三種為我國專治傳染病及流行性感冒之書，除少許五行學說擬刪除外，內容尚欠完備，須加以補充，俟增訂之後，再以西說相印證，俾世人知我中醫，治療傳染病之成績，且確有相當之經驗也。

初步工作編纂既竣，再進而整理分科教材，如婦科，兒科，內科，外科，傷科，眼科，以及針灸等科，俱有專著，可供參考，祇需選擇善本，愼其去留，再取西籍分科各書，以相印證，則中醫學術不難成為有系統之科學也，惟事關醫學教育，要非一二人之學識，所可勝此重任，茲幸本國醫學院，現正從事編纂課本，數年之後當可蔚為大觀，用不自揣謭陋，略述愚見，以備商榷，尚祈海內賢達，匡所不逮，更希羣策羣力，互相合作，各述所見，努力整理，則中醫科學化之時期，或可早日實現也歟。

流行性感冒

薛潤珊

（一）何謂流行性感冒

流行性感冒，俗稱傷風。其最初發源地為西班牙，故亦名「西班牙感冒」。出春秋冬三季流行最甚。傳播極廣，殆遍寰宇。無關于年事及性別，其症狀減退後，在一二星期之間；此菌於分泌物中，依然存在，因而更增加其傳染之能力。本病之原因，為一八九二年 *Pfeiffer* 氏所發見之流行性感冒菌(*Inflnenzabacillis*)而起。該菌其形甚小，殆與結核菌同長，一個孤立，或二個連結，常存鼻液及氣管枝分泌物中（痰）。故于本病流行時，應嚴加預防。往往與患者對而談話。由呼吸之間，亦能傳染。嘗見罹患者，多至全家。

（二）症狀

既經感染本病後，其潛伏期，僅為二三日。突惡寒發熱，若以體溫計檢之，其熱度，每在三十八至四十度之間（攝氏）。此時患者，卽感頭痛，週身倦怠，食慾不振，四肢腰脊等部疼痛，以此病富有傳染性，亦可直發氣管枝喉頭及鼻腔之加答兒。多發汗。亦有間或發現「匐行疹」者。大別之，可分三種。

甲，氣管枝炎性流行性感冒，氣管枝炎性流行感冒，一名卡他型流感。起鼻炎（鼻腔壅塞），清涕分泌增多，刺癢，灼熱，噴嚏。前額竇加答兒（眉間脹痛）。結膜炎（淚液分泌增多，羞明）。歐氏管加答兒（耳鳴重聽）。咽頭炎（扁桃腺紅腫疼痛）。喉頭炎（聲音嘶啞）氣管及氣管枝炎（咳嗽，有痰，或無痰）。至甚併發流行性感冒肺炎，或肋膜炎，屢爲肺結核之誘因。語云：「傷風不治轉成癆」！良有因也。

乙，胃腸性流行性感冒感食慾不振（不思飲食）口臭、少數更發黃疸舌苔汚白或膩垢，嘔吐，下痢，腹痛，腸疝痛，腫脾，在婦人，甚或生殖器出血。孕婦流產等。

丙，神經性流行性感冒　雖爲氣管枝炎性流行感冒之併發症，但發神經症狀有輕重，如頭痛、眩暈，重聽，背痛，腰痛，四肢關節痛，嘔吐，譫妄等，有時見項與背部強直，宛如腦膜炎；故又名腦膜性流行感冒。唯尠見耳。

（三）流行性感冒之預防及治療

本病之合併症，多爲官能性神經性疾患，如神經痛（三叉神經痛，坐骨神經痛）。脊髓炎，腦膜炎等。若合并肺炎時，在老年人及幼兒衰弱若，預後多不良，素有心臟病，及肺疾患者，預後亦多不良。其經過，多數在一週之內，倘存在氣管枝加答兒。亦有恢復期至旬者，是爲重症。故須隔離病人，使患者安臥，再以對症治療之劑，如治背骨頭痛，四肢疼痛之用楊鈉（*Natr Salicylic*）保溫發汗之用鉍（*Aspirin*）退熱之用鈸（*Antipyrin*）。咳嗽之用杏仁水（*Ac.Laurocerasi*）等。我國醫治本疾，處方用藥，配合巧妙。一方能發揮數多之能力。不佞於臨症之經驗，輕型者，一二劑卽痊，茲述之如次：

流行性感冒之通用方

鮮葦根一尺　鮮茅根五錢　霜桑葉二錢　薄荷梗錢半
淡豆豉四錢　山梔衣錢半　赤芍藥二錢　荊芥穗錢半
青連翹三錢　淡竹葉二錢

1.氣管枝炎性者；如咳嗽，加炙前胡二錢，杏仁二錢，鼻塞，加桔梗錢半。眉間脹痛，加菊花二錢，白芷一錢。羞明畏光，加草決明三錢，穀精草三錢。耳鳴重聽，加蟬退衣錢半。扁桃腺紅腫疼痛，加蒲公英三錢，板藍根三錢．甘中黃錢半。聲音嘶啞，加鳳凰衣二錢，錦燈籠錢半。其有肺炎之趨向者，酌加麻黃，桂枝，葶藶子。生石膏等。

2.胃腸性者；如不思飲食，加佩蘭葉二錢，薤白錢半。口臭，加花粉二錢。舌苔膩垢，加雞金炭三錢，焦三仙五錢。嘔吐，加竹茹二錢，半夏曲二錢，下痢，加扁豆衣三錢，五穀虫三錢。腹痛，加土炒杭芍三錢，香附炭二錢。腸疝痛，多因便秘所致，宜加瓜蔞五錢。

3.神經性者；如頭痛，加蔓荊子錢半。眩暈，加白薇錢半。背痛及四肢疼痛，加桑枝六錢，桂枝木五分，杭白芍三錢。

以上藥味，爲成年人之標準分量。十五歲以下，十歲以上，用全量之二分之一。十歲以下，五歲以上，用全量之三分之一。水煎，分兩次服之。

經驗處方集

同青

緒言

我國醫學，貴在對症療法。苟能方藥對症。痛苦無不立除。惟古代醫學家對疾病確實原因及藥物成分，未能十分明瞭，是以診斷難趨一致，治法尤無定則，往往同一病症，而用藥有主寒冷溫熱之差異，然中藥因經此數千年代無數醫家之臨床試用，自有不少發明，如地黃之補血，麻黃之鎮喘，半夏之鎮叶，當歸之通經，防已之利尿，大黃之瀉下，海藻之變質等。皆不可滅之事實也。

本文依據施師今墨先生實際經驗，復參照古今醫學書籍，將治病用藥法則，分解熱劑等若干章，每章處方，少則一二，多則十餘。每方藥品，皆以治主症爲本（成藥例外）。他如有合併症、兼症者，自可參閱應用配合項下及他類處方。驟閱之，似感呆板，而不足應用，然如能活用之，則其變化當無窮盡矣。本文編著倉卒而成，故文內遺缺處，牽强處，不解處：自所難免。尙望高明予以斧正之。

解熱劑

解熱劑者，當體溫異常上昇時，用以退熱之熱劑。卽本草所謂**發表**，宣散，解熱，清熱，瀉火之藥也。

解熱劑之應用　第一方：流行感冒，頭痛，神經痛，及天花，麻疹，猩紅熱等發疹傳染病之前驅期。第二方：各種熱性病及熱性傳染病，發熱稽留於攝氏三十九度以上者。第三方：肺結核之消耗熱及慢性虛熱病。　四方：瘧疾，回歸熱，及其他間歇性發熱。第五方：天花化膿期，麻疹，白喉，猩紅熱等所致咽喉腫痛糜爛，遍身紫斑。丹毒敗血症，中耳炎，鼻蓄膿症，潰瘍性口內炎等。第六方：熱性傳染病稽留性或弛張性高熱。第七方與第六方略同，第八方：鼲翔性發熱，及月經閉止期一切痛苦。

第一方　鮮茅根五錢　鮮葦根一尺　霜桑葉三錢　霜桑枝六錢

山梔衣錢半　薄荷葉錢半　荊芥穗錢半　淡豆豉四錢

主治　感冒，身熱，無汗，頭痛，眩暈，身痛，四肢倦怠，及痘疹之未出或未透出時。

作用　此方有發汗，解熱，鎮痛等作用。

應用配合　食慾不振加佩蘭葉，生麥芽，雞內金等。消化不良加炒枳壳，焦三仙等。瀉泄者加葛根等。無汗加麻黃。有汗身痛加白芍藥，桂枝等。喉痛加苦桔梗，牛蒡子等。咳嗽者參閱鎮咳祛痰劑第一方。其他解熱藥如黃菊花，浮萍，白殭蠶，忍冬花，忍冬藤，連翹，防風，羌活，獨活，皆可隨症參用。

第二方　鮮生地一兩　鮮茅根一兩　生石膏五錢　肥知母三錢

青連翹二錢　粉丹皮二錢　淡竹葉三錢　赤芍藥二錢

主治　高熱有汗，口喝，甚則神昏譫語者。

作用　此方卽白虎湯合犀角地黃湯加減也。有解熱清涼等作用。

應用配合　前方不應，酌加犀角，如四肢搐搦，神識不清，加羚羊角，菖蒲等。防心臟衰弱加西洋參。此外解熱藥如黃芩，黃連，梔子，元參，天花粉，玉竹等　皆可參用。

第三方　嫩青蒿錢半　生鱉甲五錢　地骨皮二錢　條黃芩三錢

生地黃五錢　東白薇錢半　粉丹皮二錢　赤芍藥二錢

主治　日晡潮熱，癆熱，虛熱。

作用　此方卽青蒿鱉甲湯加減也。有解熱强壯等作用。

應用配合　咳嗽者，參閱鎮咳祛痰劑第三方。心悸亢進、氣短者，參閱强心興奮劑第二方。本方可參用丹參、龜甲，知母、桂枝等藥。

第四方　常山錢半　草果仁錢半　銀柴胡錢半　條黃芩三錢

清半夏三錢　桂枝木五分　白芍藥三錢　生石膏四錢

主治　瘧疾，先寒後熱，頭痛，口喝，依時發作，汗出而解者。

作用　此方即達原飲小柴胡湯兩加減也。有解熱清涼及撲滅瘧疾原蟲等作用。常山爲治瘧疾有效藥。

應用配合　食慾不振，胸悶，嘔吐加六神曲，佩蘭葉，陳皮，生穀芽，生麥芽，炒枳殼等，久病不愈，身體衰弱者，加入參白朮等。此外本方可參用鱉甲，知母，檳榔，青蒿，厚樸，青皮等。

第五方　紫地丁三錢　紫草茸錢半　忍冬花二錢　青連翹三錢　黑元參四錢　甘中黃錢半　赤芍藥二錢　粉丹皮二錢

主治　傳染病用毒亢進時，咽喉腫痛糜爛，及一切化膿性疾患。

作用　此方有解熱，解毒，消炎等作用。

應用配合　痘疹未出透者，參閱第一方。發高熱及出斑者加鮮生地，白茅根，天竺黃，生石膏，大青葉，犀角，羚羊等。喉痛甚加牛蒡子，川浙貝，青黛，馬勃，板藍根，射干，苦桔梗，甘草等。便祕加大黃枳實等。

第六方　犀角，羚羊，石膏，丁香，木香，沉香，麝香，朴硝，硝石，瓷石，寒水石，滑石，升麻，甘草．（紫雪丹）

主治　高熱，神識不清，譫語，煩燥，驚癇不眠等症。

作用　此方有解熱，強心，鎮靜，鎮痙等作用。

用量　作解熱用一回量五分至一錢。作催眠用一回量三分至五分。

第七方　犀角，生玳瑁，琥珀，硃砂，雄黃，牛黃，麝香，安息香，金銀箔，（局方至寶丹）

主治　高熱，神昏，譫語，搐搦，驚癇等症。

作用　此方意與紫雪丹略同。惟解熱鎮靜作用次於紫雪丹。

用量　成人每次服一丸。

第八方　柴胡，當歸，白芍，白朮，茯苓，甘草，丹皮，梔子，（加味消遙丸）

主治　月經將斷時發熱（鬨翔性）。顏面潮紅，發汗，感覺過敏，易於煩惱，耳鳴，心悸，氣短，惡心，嘔吐，食慾不振，四肢倦怠，精神不安等。

作用　此方配合，極爲巧妙。方內當歸有補血止痛作用。柴胡用以退鬨翔性發熱。白芍有鎮痙鎮痛作用。白朮有止汗利尿健胃作用。茯苓爲健胃利尿藥。兼有鎮靜作用。甘草鎮痛及緩和作用。丹皮有補血解熱作用。梔子爲解熱消炎藥，常用以治上部之充血。

用量　一回量二錢至四錢。

醫案

蕭山今墨施氏醫案

醫　夫

心臟病

郝左　年四十一歲。

診斷　心臟衰弱，兼血壓高症。

原因　思慮過度，素好飲酒。

症狀　失眠已二夜，心跳如打鼓，頭暈，大便燥小便少，食而無味，至圖因暈卒然倒地，人事不知，當是時，給以十滴水，始清醒，仍覺頭暈，顏面紅脹。

脈象　沉弱

處方　擬以強心臟降血壓之劑：雙鈎籐三錢，首烏籐五錢，松柏子仁各三錢，白蒺藜三錢、磁石八錢，懷牛夕三錢，鮮生地茅根各六錢，焦遠志一錢五，杭菊花三錢，桑葉二錢。

腎臟病

單左　年二十七歲。

診斷　急性腎臟炎症。

原因　由重感冒誘起。

症狀　精神疲勞，腎部脹，皮膚浮腫，尿量減少，每於排尿時則含有少量血液，兩腿部腫尤甚，舌苔厚，食慾減退，大便燥小便短赤。

脈象　洪大。

處方　消炎利尿：炒韭菜子三錢血餘炭三錢同布包，旱蓮草車前草各三錢，桃杏仁各二錢，土茯苓八錢，皂角刺四錢，銀花六錢，苦梗二錢，山甲四錢，牛膝三錢，大小薊炭三錢，益元散二錢，海金炒三錢同布包，烏藥一錢五，薏米六錢，杜仲三錢，眞琥珀一錢，水煎服服三劑。

（未完）

（天津國醫函授學院各地學員課外讀物）

天津新國醫月編

（非賣品）

（原名國醫月報）

第十期

天津國醫函授學院編輯

地址 天津市一極管區 卅二號路義慶里卅八號

全年十二期只向學員收回紙料油墨費及郵寄費共國幣 圓 角

怎樣是改革中國醫學的正軌？

潘澄濂

在這個潮流滂渤的二十世紀，稍具科學智識的人，誰不感到神農黃帝所遺傳下來的中國醫學，有改革的必要。所以改革中國的醫學，是今日全國朝野都所公認，都所贊成的。易大傳曰：「天下一致而百慮，同歸而殊塗」。固然不錯。但根據現在海內，對於改革的步驟，各有各的主張，各有各的意見，未趨一致。發言盈庭，無所適從。依我個人的觀察，大別可分兩派：一派是積極的，另一派是消極的。在積極派裏，又可分爲幾種：一種是主張把「陰陽五行」，「五運六氣」等，陳腐的學術，完全廢去，來研究科學的解剖，生理，病理……。還有一種是主張五行可廢，陰陽不可廢。五運可廢，六氣不可廢。那種消極派，他們不僅不把陰陽五行去廢止，並且還在維護它，提倡它。口頭上，雖然也唱「改革」，「整理」的高調，實際上是在那裏開倒車啊！

積極派的兩種主張，究竟孰是孰非，可暫時不要去批評它。先把整個的醫學，略說一說。以過去或現在，學習醫學的徑路而言。黃帝的素問，靈樞。是一部開宗明義的要書，奉爲金柯玉律。後世學者有違背它的規訓，就有悖經之罪。這種事實，在我們醫學的書籍裏面，時有看到。足見吾國素來，只有固步自封，墨守舊規。所以自秦漢以降，未有絲毫的進步，良堪浩歎！

以內經這部書的內容分述起來，雖也有生理，病理……。但是都從那種道術化的陰陽五行裏面，產生出來。並且又是亂雜無章。假使沒有醫學智識的人，初次去研究它，不但一無所得，必定會弄得頭腦昏花，如墜五里霧中。晚近經余君雲岫的靈素商兌揭露以來，引起學者的懷疑，由懷疑而起攻擊，由攻擊而生眞理，陸九淵曰：「爲學患無疑，疑者有進」。故近來認識這部無上的至寶，爲歷史上的陳蹟，已不適用於今日。最可笑的，就是一般自號爲最高的中醫學府，現在仍採用這種神秘的東西，來充教材。迷惑靑年學子。明知固犯，令人痛心。

陰陽五行，五運六氣，非僅是內經裏的拿手好戲。可以說：是中國醫學中的重心，抑即爲中國醫學，不能迎頭趕上科學軌道的障礙物。經曰：「生之本，本於陰陽」。又曰：「陰陽者，天地之道也……」。是皆認陰陽爲天地間一種不可思議的東西。宇宙中的一切，似乎都由它裏面而造成，什麼「陽中之陰」啦！「陰中之陽」啦！長篇大論，茫無歸宿。其實「陰」「陽」，並不是實質有形的東西，不過也是代表區別同種局的物質的性質而已。與男女，雌雄，牝牡，……的意義，沒有分別。

「五行」是繼出於陰陽之後，在古時以爲進步，今已落伍。如尙書洪範中，以水，火，木，金，土，五行，爲施行政治的根據。所以有「水不潤木」，「火不炎上」，「木不曲直」，……等的記載，皆大談五行的淵藪。故當時的醫學，也取這「金，木，水，火，土」，來作吾人臟腑的形象和性質，如「東方甲乙木」，「南方丙丁火」……之類，因循而生。把吾們各臟器的組織，卽歸納到五行裏面去。並且又有「金生水」。「木尅土」……無稽玄語，來支配一般的生理，病理，慌謬絕倫。

金，木，水，火，土，五種；以現代的自然科學言之，也不外於爲動植礦三界之物。以吾人體質的原素而言，在生理方面，有輕，養，淡，炭，鈉，燐，硫，鉀，……等二十餘種，化合而成。斷不如是的簡陋，如是的抽象。

人類的智識，愈演愈高。而科學的根據和理論，也愈趨愈明。故古人的智識，未必優秀於今人。以這樣推想來，那麽古時候所盛行的陰陽五行，必不適用於今日，當歸自然淘汰。於是足見積極派裏，所主張將「陰陽五行」，「五運六氣」等，完全廢止，去研究科學的解剖，生理，……確是一個卓見。

中國醫學，所以然有四千餘年悠久的歷史，全恃有適宜國人體質的自然生藥，及有精密的處方。至於理論方面，除一般實地臨床記載外，餘皆空中樓閣。故今日欲改革中國醫學，如設立醫學校啦！設立病院啦！這都非當務之急。最緊要的，就是解決整個醫學，究竟要怎樣？以後再進而建設，始臻美善。假使對於學術上的去取，未經確定以前，卽使有大規模的醫學校設立，其課程未必卽能適合眞理。卽有編輯敎材的委員會組織，所編成的敎材，也仍逃不出，榮衞氣血，六經三焦的圈子。我們欲希望中國醫學，能迎頭趕上科學的正軌，惟有捨「陰陽五行」，「五運六氣」等陳腐的學說，借助他山，而習科學的生理，病理……治療方面，除暫守古法外，尤須時時加以科學的研究，以正古人之錯謬，這就是唯一的宗旨了。不佞言辭過激，不免有膚淺之見，海內宏達，希有以敎我，幸甚！

陰陽五行的認識及其在醫學上的地位

蘭 分

陰陽的用途在表示相對性

五行在國醫學上僅符號比喩的地位

陰陽絕不神秘 五行儘可廢除

假定要看國醫的書籍，肝陽胃陰肺金脾土的說法定要晃着你的眼簾，難道陰陽五行可以代表中醫學術？只是因爲牠—陰陽五行—在國醫書籍裏混來混去糾纏不清，反影響了國醫學術的進展，要促進國醫學術的進步，就不得不先將陰陽五行加以認識而估定其在國醫學術上的價値，否則，雲濃霧靆高深莫測，馬馬虎虎自欺相欺，國醫學術的發揚光大又誰能信？

素問陰陽應象大論曰：陰陽者天地之道也，萬物之綱紀變化之父母，生殺之本始，神明之府，治病必求其本，又曰：夫言人之陰陽，則外爲陽，內爲陰，言人身之陰陽，則背爲陽腹爲陰，言人身之臟腑中陰陽，則臟者爲陰，腑者爲陽，此乃以陰陽二元宇宙觀作一種比喩，主要的意思在使人明白治病必求其本，非頭痛醫頭，脚痛醫脚之爲法，古人說明人體生理病理常以天地宇宙作比喩，並且進一步說明，陰陽非實有其物質，不過以此抽象的名詞比喩人體生理病理以及藥物治法，陰陽二字日人和田氏謂：在醫語上用之最廣，背爲陽，腹爲陰，腰以上爲陽，腰以下爲陰，表爲陽，裏爲陰，男爲陽女爲陰，概言之：卽積極消極之意義，如風邪症，有發陰性症狀者，有發陽性症狀者，其症狀不同，治法亦異，例如風邪之爲陰性者，悉爲消極的徵候，脈沉伏惡寒發熱，頭痛在中心，不在外表，皮膚汚穢蒼白，氣鬱懶動，好蟄居於一室，宜以陽性（興奮性）壯熱劑振動之，若陽性症狀，則反是，悉爲積極的，脈浮大，不惡寒而惡熱，煩渴好飲，面色潮紅，肌膚滑潤，頭痛在外表，精神明爽，好出遊，愛眺望風景，觀人畜活動，宜以陰性（鎮靜性沉降性）解熱劑降壓之，是故一病必具二面，對陽性患者，誤用熱劑溫罨法艾灸等，對於陰性患者，誤用冷劑冰囊冷水浴等，則治法與病勢不相應，名曰逆治，則生變症或非命而死。所以陰陽于診斷上亦很重要。

日本醫學博士渡邊氏謂：漢醫方：乃一種原理所成實驗的產物，中國先代醫術及軍事航海文化發達之跡，實以陰陽相對性理論爲基礎，陰陽兩字雖數之可千，推之可萬，並非神妙莫測，應該在講明學理時以爲歸納綜合其性質時應用，濫用則失之籠統，空談陰陽更屬無聊。所謂陰陽，即動態超過靜態爲陽，靜態超過動態爲陰，並不神秘。

五行在國醫學術上，不過如代數符號，以前醫家比喻生理病理時提來一用，並不估重要位置，如五行肺爲金，胃爲土，言六氣則太陰爲溼土，陽明爲燥金，可見比喻時既可變動，五行絕不是一般人所揣想着在中醫籍裏如何底重要洪範，所謂五行，重在物質方面並非如後世之專主生尅，重氣化方面，故謂水潤下，火炎上，木曲直，金從革，土稼穡，潤下炎上曲直從革以言其性，稼穡以言其功用，鹹苦酸辛甘言五物的味，古代之所謂五行即五種物質爲人類生活必需之品，非荒誕不稽的災祥讖諱之說，大禹以金木水火土穀爲六府（府即聚之意）所以利用厚生，如左傳稱天生五材民并用之，廢一不可，五行意在指物形的要素，但後世感覺到五件東西不能盡宇宙間的物質，將具體的五件東西，推演成抽象的五個意思，引用到醫學上便弄的烏煙瘴氣撲朔迷離了，阻礙學術的進展，以此爲甚，研究醫學應該力求眞實化，不能不着實際扯談五行生尅，盡在這裏頭轉圈子，正是醫學進步的不幸，應該運用科學方法以檢討過去開創未來，何必一定要留戀着五行作繭自縛呢!?

再論目爲肝竅

季勤

吾人既知古人於人體內部之組織及其功用，無精審之考察，每多錯誤，明明腦與神經之病，輙謂爲肝病，然則用藥，豈不亦隨之而誤，但古人醫療之成績，且往往駕諸科學醫之上，此其故何哉。

今以目病而論：目病之特效藥爲青相子，石決明，杭菊花，白蒺藜等。……古人於此等藥則以爲平肝火，祛肝風。目爲肝之竅，目既有病，平肝家之火，祛肝家之風，則目病亦隨之而愈，吾人研究此項藥物之藥理作用，大抵爲消炎，解熱，平腦安和神經之品，由此言之古人雖昧於人體內部之組織及其功用，然用藥固自不誤也。

或難之曰：「敬聞教矣，然陽明腑病，往往見戴眼岐視之症，不用平腦及安和神經之劑，獨取乎大承氣之攻下，抑又何也。」答曰：「唯唯，因陽明腑病燥屎滿結於大腸，糞毒壓迫直腸之神經，上迫於腦，故腦症狀之戴眼岐視，遂不覺發現也。故用大黃芒硝枳實厚朴之大承氣下其燥屎腦神經不受壓迫，則戴眼岐視之腦症外狀，亦隨之而治，古人既誤以腦與神經爲肝。見腦神經之病變，波及與眼，遂治以平肝火祛肝風之藥。（其實仍是平腦及安和神經之藥）而眼病竟以愈；故想像目爲肝之竅也」。

吾人根據科學讀古醫書。當爲之抓疏溝通，不爲古人所誤，亦不當吹毛於古人，吾故曰：肝開竅於目之說，較爲近是也。

國醫所謂之腎

王景賢

國醫所謂之腎，非西醫所謂之腎，西醫名曰 Kidney。在腹腔之背，左右對列，共有兩枚，主分泌溺液，而濾清血液者也，而國醫書籍上所稱之腎，非單指分泌溺液之腎，及包括性腺、副腎、交感神經，及分泌溺液之腎也。茲考證如下。

（一）國醫所謂之腎，有指性腺而言者。
甲、內經曰，腎者，主蟄，封藏之本，精之處也。
乙、內經曰，腎藏精。
丙、內經曰，有其年已老而有子者，此其天壽過度，氣脈常通，而腎氣有餘也。
（二）國醫所謂之腎，有指副腎而言者。
甲、內經曰，腎氣虛則厥。
乙、難經曰，諸精神之所舍，原氣之所繫。
丙、傷寒論曰，溲便遺失，狂言、目反、直視者，此腎絕也
（三）國醫所謂之腎，有指腦神經而言者。
甲、內經曰，腎者、作强之官，伎巧出焉。
乙、內經曰，腎藏志。
丙、內經曰，腎盛怒不止，則傷志，志傷則喜忘其前言。
（四）國醫所謂之腎，有指泌溺之腎而言者。
甲、內經曰，腎合膀胱，膀胱者，津液之府也。
乙、內經曰，腎者、胃之關也，關門不利，故聚水而從其類也，上下溢于皮膚，故爲胕腫，胕腫者，聚水而生病也
丙、難經曰，腎有兩枚。

內分泌病學

仲祜

緒言

古人固未有內分泌 Innere Sekretion 之智識，但已有類乎此之思想矣，考希臘文明之全盛時代，有歐撲克拉斯氏 Hippocrates（西曆紀元前四六〇——三七七）者，治頭痛使義食鳥或梟之腦。治肝臟疾患，使食驢鼩鳩狼等之肝臟。治腎臟疾患，使食兎之腎臟，治脾臟疾患，即將活犬之脾臟摘出，使患者生食，或將牛之脾臟燒煮與食，治振顫使食兎之腦，治呼吸困難使食狐之肺，治眼疾使食牛之眼球。又以驢或牡鹿之睪丸，用作催淫藥。以雌兎之生殖器，使女人食之，用作姙娠藥等。皆見於記錄，此即希臘醫聖歐撲克拉斯氏之臟器療法也。

歐洲古有食胎兒心臟之迷信，以爲可得超人之力量，因此屢有虐殺孕婦之事。昔羅馬時代有將牝馬之胎盤曬乾，研爲粉末，用作媚藥者。又有迷信飲被殺劍客之血，以爲可治癒癲癇。今之西人，尙有此種迷信，以爲人之血液，有治癲癇痛風等之效能，並爲返老還少之靈藥，以罪人之血爲尤效，甫從身體噴出之熱血，亦較已冷之血爲尤勝云。泰西之中世紀頃，逢有處死刑者，即羣趨刑場，以碗或巾，承取死犯頸上迸出之血，立即飲下。法國革命之際，法王路易十六世，上斷頭臺就戮時，四周兵士，競以銃劍及巾，浸漬其血。德國至近代，尙對於處死刑者之血，有用巾浸漬者，一巾可售十馬克，又熱血每盎司可售五十馬克。考歐洲自十六世紀至十八世紀，已知將動物或人之血液及尿胆汁胎盤毛髮脂肪臟器，或臟器之壓榨液等，應用於治療上。又當時之有名學者，已懷有類似現今之內分泌學說矣。

吾國對於一切獸類之舌心腸肝胃腎脾臟膽腦髓尾頭血喉鼻唇骨乳蹄胞衣，以及誕尿糞睪丸陰莖，或以供食，或以作藥，全體幾無一可棄之物，又古來迷信飲人生血，以爲可增長氣力，即在今日，尙有此種信念。故每逢執行死刑時，常有觀者攜饅頭往蘸其熱血，攜之以歸。蓋迷信染血之饅頭，爲萬病之良藥也。又吾國自數千年來即將牝鹿之陰莖，從根割下，晒乾，名爲鹿鞭，珍爲益壽補陽之靈藥，又以膃狗牛野馬孤狸山獺等之陰莖，用作補精强壯藥。又以山獺蛙山羊鷄等之陰莖睪丸等，用作不老回春藥。尙有以處女之最初之月經，製成紅鉛。以產兒之胞衣，製成紫河車者。又有以麋角（一名鹿角鹿茸血片）之粉末，爲不老强精之祕藥者。彭祖曰，使人强而不老，房室不勞，氣力不損，顏色不衰者，無過於麋角，又

有將雄蛾之尙未接雌蛾者，晒乾，製爲藥丸而服之者。又有將狗胆（卽狗之胆晒乾者）混和蜀椒細辛肉蓯蓉，謂極有强精之效能者。隋書載琉球國婦人產兒則食子衣，不知今是否尙有此俗。又日本之倦遊錄，載獠人產兒，則以五味煎調胞衣，以食近親之來會者。五代史趙思綰傳云，思綰殺人食之，每犨宴，殺數百，其烹調法，與羊豚無異，思綰一一取其胆，以酒飲下，言日食胆至千個，則其勇可無敵云。

日本古來卽有所謂漢方醫之祕藥，採用動物或人類之臟器血液排泄物等，民間亦有傳說或迷信，有類乎此之思想，散見於多數之稗史小說演劇等。今奈良之正倉院醫藥品中，尙貯存牛膽一藥。

南洋之土人。有一種迷信，謂殺其人，食其肉，吸其血，可使被殺者之身體及精神，成爲自己之物。又新西蘭島之土人，爲增强自己之視力，而食敵人之目，又達廠答族，爲增加自己之勇氣，而食敵人之心臟。又加廠司托拉 Kama Sutre 之奧義篇，有「用牛乳煑羊或野羊之睪丸，加糖飲之，可增男子之精力」之紀事。夫加廠司托拉者，爲西曆一世紀頃之著作，乃有名之印度古典也。又南洋之有名媚藥，相傳係用胞衣蜂蜜柳葉及其他某種之毒物製成云。

凡此種種，不問事之古今，地之東西，自太古以來，冥冥中似已流傳有類乎內分泌學之思想，而爲其濫觴矣。但其眞帶有學術之色彩者，則在十九世紀之後半以後。一八四九年，德國開丁元大學敎授柏爾托爾杜氏 A. A. Berthord(Arch f. Anat u. Physiol, 42, 1849)將雄雞雞之睪丸，摘出體外，完全割斷其與自體之神經連絡，再將睪丸移植於他處體部，其後日益長大，其宏亮之鳴聲，雄偉之雞冠，對於異性之熾烈性慾，對於同性之猛烈鬥爭等，一切與正常之雄雞無殊。因爲總括之結論曰「自體與睪丸之神經連絡，雖已完全割斷，而該雄雞仍能有完全之男性的發育，可以想像其睪丸必產有一種之內分泌物，流入血中，循環全身，而現出微妙之作用」。夫將雞去勢，從學術上考察其結果，開今日內分泌學說之先河者，雖爲柏氏，但雞之去勢術，在吾國古代，早已發明，謂之閹雞，每用以蒸食云。又一八五五年，有法之生理學大家柏爾那爾氏，Claude Bernard論「肝臟營外分泌，分泌膽汁，營內分泌，從肝糖造成葡萄糖，輸送之於血中。」柏爾那爾氏，又將其研究之所得者，如肝臟之生成肝糖作用，膵液之消化蛋白作用，血管運動神經之作用等公布於世，因得拿破崙三世之知遇，給以規模宏大之研究室，並列上院議員。可爲內分泌學術史上最光榮之待遇矣。

其後越三十餘年，法國又有生理學大家塞加爾氏：Brown Sequard於一八八九年已七十有二歲矣。在巴黎之生物學會，報告一奇特之實驗。謂渠將犬之睪丸摘出製成睪丸之壓榨液，就自己之身體，行皮下注射，卽見食慾亢進，腸之機能調整，筋力加增，精神之能力敏活，尤以性慾異常增高，元氣蓬勃，有回復青春之感，欲以此證明睪丸之內分泌作用。氏之報告，從今日之學理及實驗觀察之，似不免由自己之暗示，稍失於誇大。然其當時能使學界震駭，因而促進後來內分泌學之研究，其功亦甚偉矣。夫塞加爾氏爲行睪丸越幾斯之注射實驗最有名之學者，此外尙有割除副腎之試驗等多數有益之成績，公佈於世。

感冒與肺炎

陳鐵成

感冒之爲病，大別之有三：一爲菌性感冒（有流行性）；二爲氣候感冒；三爲內傷感冒（一稱疲勞感冒）。無論何種感冒，概可引發肺炎，余雲岫六氣論中有感冒爲肺炎之誘因一節，文云：「如肺炎之雙球菌，健康肺中亦嘗有之，然不爲禍害，若一罹感冒，則乘主人之隙，發爲肺炎者，往往而見。」故感冒本身之病，並不危險，其危險者，在肺炎也。尤以小兒爲甚，故每屬之於小兒科。感冒與肺炎併發時，通常有以下症狀：

1 陡發壯熱，困憊殊甚；

2 頭痛，四肢痛，項腰痛，或嗜眠；

3 咳嗽，氣管枝炎，肺脹；

4 呼吸時氣急喘促，胸部高低極着；

5 鼻翼扇動，呼聲如猫鳴；

6 指甲發青紫色，口唇及鼻之週圍，發青黑色；

7 痰稠如糊，而色淺黃，咯痰甚難；

8 精神昏呆，或起微搐。

凡患感冒者，必防其引發肺炎，若卽發肺炎，則須絕對安靜，禁止固體食餌，嚴防冷風，避免强光。藥物治療，則當重用牛黃犀角，茲舉方劑如下：

用於熱未退，而肺炎型全備者。

眞犀角　眞牛黃　桔梗　生地　蜜麻黃　杏仁

甘草　竹茹　石膏

併用阿篤列那林（腎上腺素），地麦他林（毛地黃素），與斯篤洛仿斯酒吐根酒等之濕合水劑，切不可亂用安知必林，别納密同等退熱藥。

日本三共藥廠製之里密林，Bemijin 可用，但止許加甘草粉之賦形藥，不可亂摻他味。美國派德廠出品之肺炎非那可勸，Pnemmonia Phylacogen可以注射，每一歲〇、二西西足矣。德之奥拍拖淸Optochin亦可用，惟味甚苦，應用其單寧製劑 Oplochin Tarnan 則味較甘，而易於小兒服用也。

肺炎已成，切忌解熱藥亂服，至傷體力，若在小兒，尤須力戒。（實則凡小兒熱性病，總以忌用解熱藥，而以探得病源，因病下藥爲佳）。蓋此症末期，常因心臟衰弱而死也。

犀角牛黃，爲本品之特效藥。因牛黃能强心，鎭咳，解血中熱毒，（牛黃卽牛膽石，爲肝之精華）；犀角能淸血熱，肺熱，稀薄氣管枝黏液，而使咯痰容易也。

胸部操佈，可用芥子泥。近世則多用高林士製劑消炎膏之熱敷，收效亦殊不惡。美之安福消腫膏，吾國之三福膏，余氏所創製之止痛消腫膏等，皆此類藥也。

若因心臟衰弱而注射樟腦食鹽水劑，雖暫時獲效，然藥力逾時卽逝，無濟於事，祇增患兒痛苦耳。根本辦法，當以減去其血毒爲先，强心劑不過於十分必要時，一爲之耳。若按每數小時一次而不斷的强心注射，則必有早期死亡之悲慘也。

藥學討論

葉勁秋

一、題前之文

吾國藥物之繁庶，頗足以自豪，而藥物治療之功績，莫不有顚仆不破之事實，資爲佐證，事實之最爲明顯並可立能咨詢者，田桐先生之中華民族醫藥廢興論中語爲翔實而有據，——

……余弱冠負笈海外，卽信西藥，中藥不入口者二十餘年，好食瀉丸，年少能支，無大害，及民國二年，復走日本，以過食糕團，腹痛而瀉，入胃腸病院，瀉後復結，醫者以皮管貫腸，豁然而通，通後復結，結後復貫，終成腹痛之病，民國五年，到北京開會，冬日左脚漸冷，年甚一年，至十四年而劇，十五年同漢，兩足俱麻而木，臥不能起，倩中醫金針家魏廷蘭治之，兼旬膝下較熱而起，然未能健也，十六年來滬，遇王秀峯，大食附子而身輕能步履，至太原復以此法治之，今則步履如壯年矣，不但余爲然也，老友曾錫三五十五六時，卽患麻木，至癱臥年餘，厥後單食附子一味，每服自五錢至二餘兩，至今已能步履矣，且西醫不治之症，華醫能治者亦多多也，吾友蕭萱字秋紉，娶日婦林氏，當民國七八年間，在滬舉一女後，生乳癰，乳房紅腫而硬，旁有小孔流膿，赴日醫篠崎醫院，日醫曰，非速割不可，林氏難之，紉秋閲傅青主產後篇瓜蔞散古方，方開瓜蔞一個連皮搗，生甘草五分，當歸三錢，乳香五分燈心炒，沒藥五分燈心炒，金銀花三錢，白芷一錢，青皮一錢，二服而愈，而乳漿復源源來也，篠崎以爲奇事，林氏遂變中國無醫之觀念，而轉信華醫也，緊記此方，次年舉一男，復紅腫作痛，林氏以原方購服一劑而愈，以後皆如之，余家小兒乳母，十五年亦患此症，舍弟不信中醫，送往申江醫院劉之綱治之，不愈，余告之曰，非余治不可，當以醒消丸五錢，分二次用熱酒服，參以瓜蔞散治之而愈，此後凡遇癰疽之症，余以醒消丸及仙方活命飲參服，三年以來，無不効者，民國十一年余自廣州回滬時，神州女學校長張默君之母患腹痛遍延西國各醫治之，皆曰此盲腸炎也，非速割不過三日矣，母難之，有舉中華新報小說家譚善吾治之，善吾至，母已手足俱冰，惟心中向有餘熱，投以中藥而愈，工部局索方化驗，終無所得，又見多年不愈之淋症，西醫治之罔効，服山西太谷縣北洸村吳會龍之龜齡集一兩而全癒，癒後元氣亦復，此藥並治頭暈，家母年老頭暈，服之甚効，西醫不善治糖尿症，華醫陸仲安重用黃耆而愈，美國人襲其法，製黃耆精，口外黃耆近年因以大貴，中醫以冰片治痛，冰片之中，重用樟腦，以其善散也，西人亦襲此法，故其止痛諸藥，無不如此。

中藥之功効有如此者，所以近頃中藥爲多數人注意亦宜矣，各大學之化學系亦相率從事於中藥之化驗，科學雜誌等曾屢有關於中藥之論載，並特刊專號以喚起研究者之興趣，頃承濟民先生以作者曾有中藥問題一書之發行，因以討論一欄見委，於情於理，未便固辭，惟既云討論，難免有所褒貶，而作者又未敢輕於武斷，故下所述者，僅採錄各家之論斷，用爲比觀，以求中藥之新認識而已。

二、一般論斷

中國藥物，乃中國醫資爲唯一的療病工具，數千年來，一貫承襲原無問題，惟近百年來以西醫之輸入，更有中藥與西藥之區分，然則中西藥究有如何之不同，請觀下文：

國醫館館長焦先生曰：『我國用藥，大抵多以十數味，或數十味，治爲一爐，此固含有複雜之化學作用也，未始不宜，然以其純用原產粗品，煎熬製劑，不但服者望而生畏，而於携帶亦多不便，西藥則完全提精擷華，爲量雖微，效用則大，豈祗携帶方便，而在用時，無論注射內服，病者亦感輕快而不畏難，西藥之所以日蒸發達，良有以也，此後吾人對於中國藥物，應當特別加以研究，採用化學方式，以爲之分析製造，使吾國藥品，在科學的方法之下改良製造包裝貯藏及樣式，以與歐西各國並駕齊驅者也。』——敬告全國藥醫界同人書（見國醫公報第三期）

國醫館代理事長彭養光先生曰：『無論草木金石，中西攷其性，決無少異，不過製法不同，西製也細，中製也粗，西製也華，中製也樸，西多取其精，中則用其質，西製易服，中製難飲，非藥性之殊也，乃製法之不同也，不同則更宜融會而歸於同。』——中國醫宜融會說（見國醫第四期公報）

中藥可議之處，固何在乎，下文最爲扼要。

前國醫館館長葉古紅先生曰：『吾國考求藥性，向無科學方法，所憑惟經驗及理想，故多枝蔓膚廓之談，如黃連遠志丁香等，自經西法化驗，頗能發見新義，補吾國本經之闕失，惟吾國天然品，未經提鍊，其特殊之效能，亦有非西醫所能盡識者，即如石膏滑石，不起化學作用，西醫謂其不堪入藥，然每遇時行溫熱病如濕溫症，彼云腸窒扶斯，如爛喉痧，彼云猩紅熱症，投以大劑石膏，十愈六七，滑石合辰砂清暑熱，取效亦甚快捷，可知中藥妙用，全從經驗得來，歷五千年悠久時期，成今日之結晶，其神妙與化裁，當然有現代科學家所未能完全理解者，惟吾人欲於藥學上，有所努力，仍當採用西醫，論藥方式，考其所涵質素，具何性格，所治諸疾，是何關係，有規矩而後有神明，舍梯航無由入山海，以理解古書之奧義爲的，以運用科學之新智築基，庶日進光明之域矣。』

又曰：『同一藥品，檢甲乙兩本草查之，寒熱溫平，論性各別，病家則無所適從，學者且盲如墮霧。』——中華醫藥革命論（見國醫公報第五期）

前馮大總統國璋氏曰：『古之名醫，多自採藥，後漢韓康賣藥長安市中，所謂賣藥者，卽爲人治病，前清乾隆中葉，吳門葉天士薛生白，猶自市藥，今世藥品取諸一闤之市，審別不確，炮製失宜，方是藥非，悞人尤甚，』——紹興醫藥學報序。

（未完）

醫案

蕭山今墨施氏醫案（續）

醫夫

（二診）服藥經過　皮膚浮腫見退，尿量亦增仍帶血。

鹿膠三錢，土茯苓八錢，炒韭菜子三錢血餘炭三錢同布包，皂角刺四錢，銀花四錢，蛤粉炒阿膠三錢，車前旱蓮草各三錢，鮮生地茅根各六錢，天水散四錢左金丸二錢同布包，苦梗一錢五，牛膝三錢，沙苑子三錢，焦遠志一錢五，眞珀琥一錢，烏藥二錢，薏米四錢，大小薊炭三錢，水煎服三四劑。

腎臟病

王左年三十二歲。

診斷　慢性腎臟炎症。

原因　由急性腎臟炎症之治療不良而成，其病原體爲連鎖狀球菌，和肺炎球菌，患本症之誘因爲感冒。

症狀　四肢浮腫眼部尤甚，精神不振身體疲乏，尿量減少而色黃，腰部酸脹不能久坐，立起時須徐徐向上，否則痛甚。頭重而昏，心悸亢進，視力不佳，時覺目昏。

脈象　弦數。

（處方）桂枝木七分杭白芍五錢同炒，川杜仲續斷各三錢，旱蓮草車前各三錢，金狗脊五錢，枸杞子五錢，淡大云五錢，山萸肉四錢，大生地大熟地六錢，細辛三分同打，巴戟天二錢，當歸身二錢，炒韭菜子血餘炭各三錢同布包，旱防已三錢，炒元胡二錢，炙甘草二錢，水煎服三四劑。

（二診）服藥經過：浮腫未消，精神仍未振，腰痛甚，再擬以原方加減：

生龍齒生牡蠣各五錢同布包，砂仁一錢五分大生地大熟地各三錢同打，炒韭菜子血餘炭各三錢同布包，車前草旱蓮草各三錢，川杜仲川續斷各三錢，甘草梢一錢，酒當歸三錢，旱防已五錢，炒澤瀉四錢，白通草一錢五，桂枝木一錢杭白芍三錢同炒，薄荷梗一錢，雲苓四錢，金狗脊五錢，水煎服四五劑。

（案解）泌尿器官，是使血液中之殘料廢物變成尿而將其排泄於體外也，猶宅中之陰溝，若此器發生障碍，則體內之血液中蓄積有害之毒質，而惹起生命上之危險，玆述其組織及作用於下，此系爲腎臟輸尿管膀胱尿道而成，腎臟之作用在使體內之新陳代謝亢進排除代謝物質，而維持血液滲透壓之平均，以防其變化，並保持血液中一定之鹹性，內經雖然謂腎爲作强之官技巧出焉一語，而其所指爲內外二腎及生殖器是也，但此所云腎臟乃腰子耳，輸尿管乃尿由腎臟注於膀胱而由膀胱經尿道之路也專司輸尿。假使腎臟實質發炎後，其組織必因炎症而成膨大，妨害其排尿機能，致引起各種病變及痛苦，大率致病之因多由急性傳染病或皮膚病所誘起，其重要之症候爲皮膚浮腫，尿量減少，至於治療則以排尿安靜要義（未完）

天津新國醫月編

（天津國醫函授學院各地學員課外讀物）

（非賣品）

（原名國醫月報）

第十一期

天津國醫函授學院編輯

地址　天津特管區卅五號路義慶里八號

全年十二期只向學員收回紙料油墨費及郵寄費共國幣　圓

藥學討論（續）

葉勁秋

下所列者，卽其佐証是也。

靈學會蔡雲程宣言：『竊聞古之醫士，藥皆自選，深山窮谷，日事搜尋，以備囊中之用，其遠道不能得者，率皆互易以求其備，臨證則自嘗咀配合，故收效如神，李唐以後，醫與藥分，雖野產漸稀，而功效猶昔，良以種植之區，不離原處，地氣未異，性味猶存，洎乎趙宋，始設藥局，去古漸遠，飾僞萌生，醫者惟據圖經，究其使用之法，藥局但校名是，不問種植之宜，然猶揀其參生上黨，苓產雲南，耆出隴西，朮來於潛者，蓋以貌似，終不若眞者之神全也，殆及今世，商戰之說盛興，詐僞之情蠭起，藥商自不能例外，於是以花草子僞沙苑蒺藜，香櫞僞枳實枳殼，獸角僞犀角，種朮僞野朮，其更進者，祇求美觀，而不顧其氣性之變換，如色稍帶黃，則以硫黃薰之使白，形稍欠美，則以劣貨飾之使麗，於是貝母不以川，而以雲南矣，當醫師立方之頃，固未嘗不竭精殫慮，以除所苦，然以藥性既殊，服之鮮效，或更變生他疾者。（如以硫黃薰之貝母治肺疾則硫黃侵入肺經其疾更甚）是果誰之咎歟，然病家類無藥石之經試，不咎醫將更誰咎，是醫師無故蒙其咎，藥商反逍遙事外，國藥將如之何而不敗也，雖然，古今遙隔，時世懸殊。產區或遭陵谷之變遷，產量或歸天演之淘汰，神農本經所載，已不見於今時，時珍綱目所尊，亦泯迹於斯世，雲程謹考古今之載籍，搜求道地之所宜，不厭精詳，不畏艱阻，務期有益於病情，無負於夙願，故特將名同功異之品，形似質殊之材，或因產地之差，而價值天淵，或因泡製之別，而薰製兩異，標明特點，列出眉目，以資展覽，而供研究，俾知魚目不至混珠，而眞藥難以雜僞。』

國醫張鳳之：『李時珍曰，硫黃稟純陽火石之精氣而結成，性質通硫，色賦中黃，故名硫黃，含有猛毒，爲七十二石之將，故藥品中號爲將軍，外家謂之陽候，別錄載硫黃大熱有毒，陶宏景曰，石灰性至烈，人以度酒飲之，則腹痛下利，綜上二說，則硫黃石灰二物之毒烈，彰彰明矣，是以載在古方，除用以爲外治殺蟲之劑外，純少以二物爲服食者，卽或有之，硫黃則需以他物同製，滅其臭氣，消其火毒，去其黑漿，蒸製數伐，經過若干時日，制服其性，然後入藥，石灰則須過千載以上之長時期，否則不能用也，人以其泡製之維艱，時間久暫之難確定，雖知能建殊勳，寧棄置而不用，而市儈竟利用其毒之猛、性之烈，以貽人羣之害，可謂全無心肝者矣，或曰藥商之害人，其初原非本意，第以藥物之甘香者，易招蠹食，儲蓄爲難，遂利用硫黃之善於殺蟲，薰之以避蛀耳，殊不知藥物表面之蛀蝕，雖暫可避免，而藥本物性之功能，亦同時消失，且不特消失其功能已也，硫黃熱毒，浸淫其中，凡爲硫黃所薰之藥，醫家選用一種，則病者感其一分之毒，選用數種，則感其數分之毒，選藥本所以治病，不知病未去而其毒已於不知不覺中，深入臟腑矣，譬之醫者立方之際，擬用硫黃石灰若干於中，病者能無礙乎，醫者立方之後，病者擬加硫黃石灰若干於內，醫者能許之乎，市儈薰之由，避蛀故爲一端，而以石灰漂之，假其熱烈之性，臨成嫩白，其爲致美觀以營厚利，飾贋鼎以售奸詐，實無疑義，故一人創之，衆人效之，一行爲之，同業隨之，雖明知有害於人，而積重難返，逞其私欲，遂其所謀，人生壽夭之權，藥商竟攘竊而爲私產矣，夫越貨殺人，理法所不容者，爲人盡知其能害人耳，今也，市儈之薰染行爲，更有甚於越貨殺人，而竟逍遙於法網之外，我國醫界，能無爲之惆心，故敢大聲疾呼，俾病家已受其毒者，不至再受，未受其毒者，知所警戒，而尤望於經營是業者，有則改之，無則加勉焉耳。」——申言　黃薰石灰漂之害

甘盛德：『中華醫學之日趨日下，縱由於醫生之不學無術，而藥業之舞弊，亦不得辭其咎；二者能互相爲助，或恐無今日之遭遇也，余於藥物學，素無研究，但常耳藥業有他藥代入，或以洋貨亂眞之舉，以至誤人，殊不爲尠，深可浩嘆，而未敢完全信之，意謂生命所繫，決不爲此喪心事也，（閱東台醫報，有劉君瞻雲一文，關於藥物之秘幕，揭出暴露，特節其大要，以證前言之不虛，而戒病家之鄭重，更爲藥業者棒喝也，其言曰，犀角出自暹羅，用交趾角代之，雖無大害，而病不克見瘳已暗受其害，其最甚者，以天麻角代之，大約出於雲貴者，大不相同，其羚羊角大支有稜節者，僞造較難，若小支血尖，往往用山羊角，或云魚角僞造，性不同矣，他如諸膠均係釘鞋鋪中剪下皮頭皮角，雜皮煎熬而成，即有虎骨、鹿角、驢皮、龜板等名目，亦以一膠而代其餘，又如川貝用象貝坪貝、雲苓以山藥敲碎代之，尙無大害，甚則用牛夏漂淨，用圓口小刀雕挖而成，或者用新產名光菇者，貌似川貝，倘用於陰虧久嗽之症，未有不增嗽咯血者幾希，觀乎此文，藥業之罪爲何如哉，我願操藥業者，有則改之，弗以牟利爲專務，而將人命爲芻狗也，幸甚。』——藥物燃犀記見醫醫醫之病集

王一仁：「盡購杭市所售之藥，一一遍嘗之，考其形色性味，功能分量，用法禁忌，……因發現前人藥籍所傳，轉輾相襲，不盡可信，即藥肆標號，亦有所悞，茲就其最重者言之，如白芷皆謂辛溫，其實兼見苦潤，青灰細梗之淨麻黃，以中有硃紅粉者爲佳，其見灰黑色者，乃至無性味，又如石綠之悞爲銅綠，白螺絲壳之悞爲紫貝齒，諸如此類者，不一而足。……」——飲片新參序

朱堯臣：『前在鄉間設一小藥肆，進貨之事，惟經理人主之，經理人嘗告僕曰，以厚朴貴，洋朴可用也，西洋參貴，副光可用也，京川子貴，光姑可用也，諸如此類，不可枚舉，一日有欲購黃連二兩者，肆中僅有八九錢，欲與同業中商借，路隔十餘里，急不能待，經理人曰，不妨以胡黃連與之，有欲購犀角者，肆中無此貨，經理人曰，不妨以作帳鈎牛角與之，僕曰，得毋悞人性命乎，經理人曰，我爲先生肆中經理，凡有利於肆中者，我則爲之，他人性命，我不顧也，僕曰，噫是何言歟，我爲醫生，當救人性命，如我獲利，而人喪生，非義之財，不願取也，當將藥肆停閉，經理辭退，……如洋參無油，以米炒之，當歸變色，以酒炒之，類此作僞者，未可更僕數也。』——神州醫藥學報第二年第三册

陶隱居別保：『上黨人參，世不復售，華陰細辛，棄之如遺。』

又：『鐘乳醋煮令白，細辛水漬使直，黃耆蜜蒸爲甜，當歸酒洒取潤，螵蛸膠著桑枝，蜈蚣朱足令赤，諸有此等，皆非事實，使用既久，轉爲成法。』

孔志約撰唐本草序，議隱居別錄之失曰：『重建平之防已，棄槐里之半夏，謬粱米之黃白，混荆子之牡蔓，異繁蔞於雞腸，合由跋於鳶尾，防葵狼毒，妄曰同根，鈎吻黃精，引爲連類。』

蘇頌本草圖經序：『五方物產，風氣異宜，名類既多，贋僞難別。以虺床當蘼蕪，以薺苨亂人參，古人猶且患之，况今醫師所用，皆出于市賈，市賈所得，蓋自山野之人，隨時採獲，無復究其所從來，以此爲療，欲其中病，不亦遠乎。』

徐春甫古今醫統：『以西木爲木香，指玄參爲續斷，明松脂滴作乳香，五靈脂搗充沒藥，山梔染黑作砂仁，半夏煮黃爲胡索，牛蹄坐爲犀角，虎脛假以驢骱，棉花梗形似藿香，土當歸樣同獨活，川芎雜以藁本，馬蘭揉于澤蘭，末五靈攙入麝香，槌樟腦僞充冰片，石灰和麪，作成大附子，紫皮調土，捏作小丁香，巧僞百般，不能枚舉，精細詳察，存乎其人。』

中藥之精神，全在於整個的囫圇的效用上，梁漱溟先生有如下之論：

中國藥品總是自然界之原物，人參白朮當歸紅花，……那一樣藥的性質怎樣，作用怎樣，都很難辨認，很難剖說，像是奥祕不測爲用無盡的樣子，因爲他看它是整個的囫圇的一個東西，那性質效用，都在那整個的藥上，不認他是什麼化學成分成功的東西，而去分析有效成分來用，所以性質就難分明，作用就不簡單了，西藥便多是把天然物分析檢定來用，與此恰相反。——中西文化及哲學

最近民生醫藥刊有橋下客君一文，其於中藥之見解，更具精深之認識，大意說中醫之精神在於集體觀察，中藥之精彩在於「合」的效用，其言曰：

西醫對於生藥，務欲從中分出每種成份，一一考其作用，而以最顯著之作用，爲該項成份之藥效，那麼該項成份的不顯著的作用，與最顯著的作用合起來，成功一種什麼作用呢，此項成份與彼項成份合起來，藥效是否可以依著最顯著的作用推測呢。一種生藥兼有數種成份，有沒有抑制副作用之可能呢，凡此種種，都是合的問題。——學學江湖第二十三期。

天生吾材必有用，天下本無廢物可言，所以凡爲一種物質，必有其特殊之物性，喻西昌曰，「藥者所以勝病者也，」故吾人論藥，即據其物性足能治病而獲得之功效而言也，當其功效之發現，嘗起於自然者爲多，且據章氏太炎之說爲證。

藥物者本於自然，自蛇鹿各有其治金創之藥，而况於人，其始得之，猶人食五穀，麋鹿食荐，適以果腹則止矣，豈嘗討論然後用之哉，其次鈴醫用之，十愈其九，則遂以爲行藥，漸有本艸別錄集之，其次大醫和齊數味，以爲大方，然或上病下取，或下病上取，藥必不與病相應，而效捷於桴鼓，此不可以其方論藥也。——中國藥物辭典序

章氏謂自蛇鹿各有其治金創之藥，而况於人，佐證如下：

苗人善放蠱，亦苗人能治蠱，苗人善製毒箭，亦苗人能治毒箭，不但野蠻人有科學，獸類亦有之，鹿性好淫，當春夏之交，牡鹿尤縱慾，因之奄奄欲斃，牡鹿含艸藥以療之，見人奪之則自吞，不但獸類有科學，虫類亦有之，恆見蜘蛛張網於屋角，蜂過則羅捕之，迨蜂反抗，蛛亦受傷，徐徐而退，至於屋頂，尋嚙瓦松以自療，人以瓦松治蜂傷亦效。——田氏中華民族醫藥廢興論

禽虫皆有智慧，如虎中藥箭而食青泥，野猪中藥箭食薺苨，雉被鷹傷貼地黃葉，鼠中礬毒飲泥汁，蛛被蜂螫，以蚯蚓糞掩其傷，又知嚙芋根以擦之，鸛之卵破以漏蘆纏之，方書所載，不可勝數。今人不辨藥味，一遇疾病，授命於庸醫之手，輕者重

，重者致死，亦可哀已。——冷廬醫話

顧安中廣德軍人，久患腳氣，筋急腿腫，行履不得，因至湖州附船，船中有一袋物，爲腿酸痛，遂將腿擱袋上，微覺不痛，及筋寬而不急，乃問船人，袋中何物，應曰宣木瓜，自此腳氣頓愈。——名醫錄

四明顧氏女，十餘歲尪羸骨立，百治不瘥，奄奄待斃，偶端午家人調雄黃酒，女竊飲之，不覺大醉嘔噦狼藉，視之中有物如鼈，蠕蠕動，色純紅，兩眼碧，家人驚怪，以足蹋之，頸伸甚長，以鉗夾之，掉頭嚙之，格格有聲，箠之不死，敢搗槌至爛，埋之土中，明日發視，僅血塊耳，自後女益長成無恙。——新按方懋記

商州有人患大風，家人患之，山中爲起茅舍，有烏蛇墜酒罌中，病人不知，飲酒漸瘥，罌底見蛇骨，方知其由。——名醫類案

昔有一木匠趙與鐵匠杜，行次乞宿，其家有病人不納，杜紿曰，此趙君，世醫家也，蒙上司見召，失路至此，必病者之當愈也，主人遂延入，診之曰，一藥可愈，潛出，得牛糞一塊作三十粒，下以溫水，胸中頓覺如虫行，一湧而出小蜣蜋狀者二三升，病如脫，越宿禮餞而去。——名醫驗案

喻西昌曰：「識病則千百藥中，任伱一二種，用之且通神，不識病則歧多而用眩，凡藥皆可傷人，況於性最偏駁者乎。」又曰：「病千變，藥亦千變，且勿論造化生心之妙，即某病之以某藥爲良，某藥爲刦者，至是始有定名，若不論病，則藥之良毒善惡，何從定之哉，可見藥性所謂良毒善惡，與病體所謂良毒善惡不同也，而不知者必欲執藥性爲去取，何其陋耶。」所以用得其當，雖鴆砒亦足生人，用違其度，卽參苓而禍不旋踵。

昔汴人有得中消病者，日食米一二斗，腹日以膨亨，而日以黃瘦，而身日以饑憊，人無能救藥者，聞某縣有名醫，往就之診，醫開一方，僅砒霜四兩，別無他物，且戒之曰，汝忍饑不食兩日，然後食之，食必盡，否則不救，衆無不駭且怪者，又以其名醫也，姑減半食之，則嗷然大穀，吐出白虫數十枚，其長六七寸不等，皆死矣，于是腹稍饑小，稍瘥而尚未霍然也，復詣名醫請診，醫喟曰，汝必食藥未盡也，凡汝之一食卽消者，皆此虫爲之，今僅殺其半耳，予不能救矣，問再食之可乎，醫曰不可，夫虫旣食人之食，亦有知識，吾之開砒霜四兩者，乃酌量虫數而投之，虫慣食人之食，故于久饑之後，一見卽食，彼已見前虫之死，肯再食乎，虫旣不食，則砒毒汝自當之，今汝食之，則以砒而死，不食則以蟲而死，均之死也，復何言，病者不聽，食之果死。——薛福成庸盦筆記

陶節庵治一人患病，因食羊肉，涉水結於胸中，門人請曰，此病下之不能，吐之不得出，當用何法治之，陶曰，宜食砒一錢，門人未之信也，乃以他藥試之，百計不效，卒依陶語一服而吐遂愈，門人問曰，砒性殺人，何能治病，陶曰，羊血大凉，大能解砒毒，羊肉得砒而吐，而砒得羊肉，則不能殺人，是以知其可愈。——杭州府志

人參殺人之事，前年上海各大報，皆有記載。朱某素性躁急，以四十元代價買得人參一枝，期得速效，分作兩次服，第二次服後就寢，次晨不見起身，發覺病變，已施救不及云云。

又余氏診餘集，有服參悞事數案，錄之如下：

有一廣東鄭姓，任申營業，將上好人參二兩，用老鴨一只，洗淨，以人參二兩納鴨腹中，煮而食之，五日後，覺目光模糊，十日後，卽兩目靑盲，不能視物，就診費伯雄先生，述其緣因，曰五臟六府之精，上輸於目，因食參太多，氣機過塞，淸氣

不能上蒸，精氣不能上注，故盲也，內經云，益者損之，時正在仲秋，孟城青皮梨甚多，伯庸先生曰，不須服藥，每日服梨汁一碗，使大便每日利二三次，服十餘日，兩目見物，至一月兩目復元，能察秋毫矣，治法雖極平淡，非伯庸先生做不到，余後治常熟北鄉某年約十六七，體本豐盈，父母恐其讀書辛苦，兌人參兩餘，服後其童忽變痴狀，所讀之書，俱不能記憶，余診之，脈弦實而滑，問其言但微笑而已，面白體肥，不知何病，其父細述服參情由，余曰，能容各物者，其氣必虛，其體本實，再充而益之，氣有餘即是火，煎熬津液爲痰，清竅充塞不靈，即用清熱化痰之品，以損其氣，而其補自消，進以羚羊川貝竹黃竹瀝，胆星山梔菖蒲遠志連翹左金丸之類，再飲以蔗漿梨汁等，服數十劑，神氣日清，讀書亦能記憶，然神情應對，總不若未服參前之玲瓏也，又顧吉卿子自小在李軍門長樂處，亦多服補藥，至十六七歲，知識尚未大開，亦多服補劑之害也，又一人久瘧，脾虛足腫，服高麗參一兩，當夜即斃，此脾弱不勝補也，又一女子發瘧，口渴索飲，適有桂元參湯，即取半碗與飲，明日即斃，此皆補藥之害也，故藥能中病，大黃爲聖劑，藥不中病，人參亦鴆毒，服藥者可不愼乎。

章氏太炎又曰，「故余以爲問藥於中西大醫，不如問之鈴醫爲審，雖古之增益本草者，豈醫師孟浪而言之，與強以理定之哉，其大半亦出於鈴醫也」又曰，「使求藥者，不惑於眞僞，不諳於土宜，不誤於處方大齊，如是足矣，有時求之今人而窮，宜莫如退而反古，反古者，非謂宗師桐雷，以重其言，則訪諸鈴醫是矣。」（見中國藥學大辭典序）此即四庫提要所謂「古所謂專門禁方，用之則神驗，至求其理，則和扁有所不能解」之遺意也。

（完）

中醫改進之原則

伍律寧

或問于予曰：中醫果何由而得進步也，應之曰：其惟科學化乎。夫中醫之在今日，勿論爲國家人民計，抑爲中醫自身計，中醫藥之必須科學化，萬無因循觀望之理。以科學爲手段，中藥爲材料，即根據科學原理，盡量適用中藥，此則深望讀者注意並了解之也。象山先生之言曰：「東方有聖人，西方有聖人，人同此心，心同此理一。可見人類相同，智能相去不遠。彼亦醫也，我亦醫也，彼能進於科學，我亦可能進于科學也。吾人一讀西方醫史，古者醫事操於僧侶，與我國巫醫同源相對。附會以風火地水磁力五者以釋醫理，又與我國五行生尅相對。以生氣說以釋生命現象，又正與我國氣化學說近似也。然彼輩三百年來，科學家輩出，層層實驗，幾經艱苦，今日始以實證之解剖生理釋病理病症，以化學物理釋藥物，日進光明。今日雖未十分完善，然進步方殷，前途正未可限量也。詩曰：「他山之石可以攻錯，他山之石可以攻玉」，借鏡之機會至矣，吾又何用其自餒，何用其灰心！況他人披荆棘，闢草萊，以有今日，規矩準繩，成爲天下之公器，吾人取而用之可矣。能有決心，敢信中醫藥將來之進步，必出西醫一籌也。

言未既，有笑于列者曰：先生欺予哉！夫科學者，西醫之母也，天地大氣化者，中醫之母也，今先生教我舍己之母，而稱人之母，既自躋於螟蛉之列，尙何人格可言，尙何自立可言？……西醫重形式，中醫尙實功，以實功兼形式則可，至如以科學化，則中醫將無形打銷矣，不知慮此，而反教人爲！曰：子來前，夫世界學術，本有三途，神學，哲學，科學是矣。神學以範圍人心，屬於人靈方面者也；哲學以啓發理智，引導理想者也，此兩者多屬玄學範圍，于此姑勿深論。至于科學，乃實證理想者也。人生需用之最廣者也，天下之公器也，人人可得而用之，非西醫之專利品也，非西醫所藉以打銷中醫之御用爪牙也。子未讀科學典籍乎，何見之不廣而胸襟之狹也。子嘗考之，科學一語，非中國固有名詞，三數十年來，由西歐輸入，其意義蓋即英文 Science 或德文 Wissenschaft之意譯耳，英德兩文，則由拉丁 Scire 而來，意謂「知」也。是故，英哲斯賓塞下科學之義為「一種綜合之智識」，赫胥黎則謂之「組織之常識」矣。從來下科學定義者，無慮千百，然綜合而言，蓋謂根據自然現象。依理論方法之研究，發現其關係法則之有系統的智識也。科學既是有系統之智識，故人類進化史上片段之發現，如我國火藥南針，雖可目為科學智識，然不能即謂之科學也，科學為依照一定之研究方法而得之結果，故偶然之發現，如人類始知用火冶金，其發見雖極重要，然亦不得謂為科學也，科學乃根據自然現象而發見其關係法則者。設所根據為空想，為玄談，或古人之言語（如先聖經籍遺訓等等），而所用之方法，復不在發明其關係法則，則其整理，雖如何條理，組織如何，仍不得謂為科學也今持此義與醫學相印證，按馮德氏分類，醫學當在實質的自然科學之應用門也。何也？以其研究之象為人體也，人體，亦自然現象之一也。是故解決此（人身入病態之自然現象）對象，是否為發見其關係之法則乎！欲發現此法則，宜根據自然現象以研究乎，抑單獨迷信古人之傳說以自足乎！其研究整理，宜從一定方法乎，抑隨私意以左右增損杜撰之乎！從一定方法以研究者為可信乎，抑隨私見者為可信乎！凡此數問，取決其從違，則所獲之智識，應否為有系統之智識，可迎刃而解矣。

且夫西醫之治病，其目的與中醫同耳。其手段理法，形式上容有不符，但精神則十九同耳。以目的手段理法幾盡相同之中醫西醫，則其學術基礎本當相同，何一方則與科學互相結合，一方則與科學分家離宗，一方則絕對利用科學，一方則絕對反背科學，有如此之甚！同是解除生民疾苦之醫術，一何背馳乃爾哉！毋乃為智識所囿，所見不廣，乃如是耶？鄙人性好研究，於科學大義，粗涉藩籬，敢信科學為今世文明之母，苟人之不自絕於文明生活，則不能與科學須臾離也。科學亦為中西醫之母，苟中西醫欲圖進步，亦不能與科學須臾離也。子未之學乃發此幼稚論調，不辨其醫學之母，誤認粗疏簡陋的哲學為其母，顛倒黑白，混亂是非，貽笑大方，曾不自省，如此顢頇，可笑亦復可憐矣。羣居終日，言不及義，飽食終日，無所用心，及受西醫之排擠，蒙「非科學」之攻擊，始臨渴掘井，研究科學，希圖借敵之矛，攻敵之盾，豈知研究無素，領略不易，當此之時，亦為難矣。然自顧營旅，素無守備，臨時上陣，于是倉皇失措，神經錯亂，頓喪聰明，竟連科學亦加攻擊，摒除不要矣。凡事不加深思研辨，徒為意氣之爭，每至自紊其陣容，嗟嗟！每念古人博學明辨，格物致知之旨，未嘗不為今日之淺人痛息也，由吾子之問，深悉吾子之程度矣，其不知以民族民命之前途為大體，不知以學術之進退為大體者，無足怪矣。

廻憶民國十有八年，予在廣州與林德仁，趙卓賢，余進卿諸君子，創辦廣州醫藥月報，揭櫫科學化之旨，各方贊成擁護者，大不乏人，而不明進化之道。懷疑反對者，亦復不少，有劉琴仙先生者，懷疑科學與反對中醫科學化之代表也，其來書云：

「……中國醫藥之為人嫉忌，為人詬病，為人摧殘也久矣。近讀貴報醫潮特刊……有主張辦醫校醫院，以為改進者，有主張科學化，平民化，以為改進者，是則改進改進，異口同聲，似乎不改進，有難立足之勢……藎籌碩畫，各有見地，吾人亦屬中醫一份，也不能不附和一句，條陳數則改進方法，以貢獻於我同業，借資研究，其法維何：（一）設醫校以養育人才；（二）設醫院以留醫病者；（三）設藥物研究所，以辨藥之優劣，以明藥之製造，吾人所認之數則者，已見諸各函電及議案中，盡量發揮，似無庸拾人牙慧，再贅一詞為應改進者。

（第　七　版）

（甲）取締庸醫。我國醫生，向來自由懸壺，品流複雜，往往涉獵幾種寒熱溫平藥性，即居然操司命之權，可以臟腑功用，方劑支配，懵然不知。此等庸醫，亟應淘汰，但淘汰之權，須由衛生當局負責，先行嚴格試驗，確有醫學根底，及經驗有素者，方准行醫，此係初步辦法。一面督促各地醫校成立，俟醫校普設後，非醫學畢業生，萬不許其問世，此從根本上改進中醫之要着也。

（乙）取締藥商。我國藥商，往往貪圖厚利，以劣藥騙人，嘗見有方本對症，因劣藥無靈，服不見效，醫生以為方誤，頻易其方，以致愈治愈錯，因此誤人生命者，何堪指數，衛生當局，尤應懸為厲禁，有犯之者，治以殺人之罪，此從治療上改進之急務也。

（丙）購用器械。改良藥劑，西醫之炫人耳目者，無非器械精良，藥物簡便，易於服食，中醫則藥物重滯，不易攜帶，倘遇急症，煎炙艱難，此誠中醫之弱點，凡屬藥商，亟宜購備磨藥機，做丸機等等，將藥磨成粉末，以玻璃罇分裝。又可久貯，形式上亦美觀，此從實用上改進之必要也。

（丁）醫與藥須合併。凡醫生出診，必宜攜備各重要藥品，以免山僻之地，購藥艱難，又可免劣藥誤人之弊，然必有前條之改良，方可行此條之設備，即如醫生隨軍，若非預製膏丹丸散，則必窮于應付，何能日診百數十人？此又醫藥上應宜改進者也。

總之，西醫重形式，中醫重實功，以實功而兼形式則可，至如以科學化，則中醫將無形打銷矣。簡言之，科學為西醫之母，而中醫之母，則天地大氣化者也，舍自己之母，而稱他人母，既自儕于螟蛉之列……他人攻我，以陰陽五行六氣，為最得意之語，讀杏林報中醫學校宣言，陰陽五行六氣，果足為中醫詬病乎！敬告諸君，其毋自慚形穢，而亦主張科學化，甘作中醫之門外漢也。……

琴仙先生之為儒醫，為迂儒，可概見矣。當時敝報立即詳加辯論，奉答一札，其文如次：

「……先生老成持重，國學精深，屢讀鴻文，曷勝欽仰。今者先生遠處翁源，不以淺陋見棄，遙賜南針，欣喜無似。惟先生「中醫不該科學化」之偉論，同仁則不敢苟同。蓋科學為產生現代文明之基礎，吾國之老大而不進步者，亦為缺少科學之故，中醫之落後，何獨不然！同人等學識雖然淺陋，然希望中國醫學早日趕上科學軌道之心願，無時少懈，並願盡其所能，以促進之，故本報出版之初，已立鼓吹中醫科學化之決心，并登載科學論等篇，以希冀中醫界有志之士。對於科學減少懷疑。

吾人深信以科學化中醫一事，對於中醫本身，絕無危險，先生以為中醫若一旦科學化，則將無形打銷，則未免失之過慮矣。吾人以為中醫若能科學化，則不但不怕消滅，而且可以發揚光大，可以取信於國人，取信於世界也，謂余不信，請將大作內段以言之，先生以為「西醫之炫人耳目者，無非器械精良，藥物簡便，易於服食，中醫則藥物重滯，不易攜帶，倘遇急症，煎炙艱難，此誠中醫之弱點，凡屬藥商，亟宜購備磨藥機做丸機各等，將藥磨成粉末，以玻璃罇分裝，又可久貯，形式上亦美觀，此從實際上改進之必要也」。此論不無見地；然改良中藥，非如此簡單，即能濟事者，必深具藥學化學智識，方能為之，即研究一藥，費數月數十月數十年方能成功，亦未可知，其定性分析，定量分析，猶非讓具普通科學智識之人，所能辦到，就令退一步言，專用磨藥機，做丸機等等，可能濟事，而機器之購造，運用機器之原理，已不知需要幾許科學矣。是先生說中醫不該科學化之語，已屬十分矛盾，根本搖動之至，況藥物之應否製成粉末。及藥物製成粉末之後。其成分有無散失等等。尤須具化學眼光為之判別者乎！

先生徒見西醫之器械精良，炫人耳目，而不知他人炫人耳目之精良器具，已不知絞了幾許科學家之腦汁，和費盡幾許科學家之心血矣。

且中醫須科學化之一語，不獨爲同人等所承認，全國有識之士，均公認之，吾中醫界不自爲之，彼將來之西醫界，必取而代庖矣。先生不見現在之西醫界，亦自知其單純學外國醫學歸來，與販賣外國藥品之非計，而知中國醫藥之亦有可取者乎！……」

琴仙先生之矛盾顢頇，醫藥月報之眞理卓識，孰得孰失，一覽了然矣。士生今日，不研究科學，視藥物之化驗，與日常烹飪，等量脩觀，以爲購個磨粉機，製丸機與玻璃罇，能事已畢，寧不可笑乎！不明科學之內容，不知醫學亦應用自然科學之一，乃貿然排斥，貿然主張，承認空疏無當所謂「天地大氣化」者，爲中醫基礎，寧不可笑乎！雖然，吾知之矣，李石岑之言曰：「中國人過重日常飲食起居，其視線自不容易超越飲食起居範圍之外，由是中國人雖愛自然，然不能超自然，轉爲自然所縛，………中國人想像力之不發達，此亦一大原因」也。是故孔子之言性與天道，不可得而聞，怪力亂神，不可得而語，死生問題，而不深加研究矣，人體構造，藥物功用性能，亦不深加探討矣，如此局面，尚何精深偉大玄學哲學之可言！新儒家顏元李塨之徒，更以談玄相戒，一變儒哲生活，以汲水打掃爲其「習齋」之課程，當此之時，中國文化，固已完全走入實用一途矣，以局促於日常飲食起居粗淺現實生活缺乏想像力之國人，上之不能創造偉大的玄學，支配世界的理想，下之不能深入形下物理，創造自然科學，支配物質，補益民生，乃囂囂然不自量度，以「重形式」三字輕人，「尙實功」三字自尊，乃囂囂然不自量度，以「重形質」而非人，「長氣化」以自是，李石岑氏又言曰：「一個民族之文明，未有純粹物質的或精神的也，顧所形成之文明，亦未有純粹物質的或精神的也，東西文化，均由物質精神，兩元素所構成，只有量差，而無質別。至論東西兩文化與科玄之關係，此則我等東方人，東方之中國人，眞當愧死矣，既無科學功績，又乏玄學素養，中國今日之老大不長進者，坐此故耳　倘敢自誇爲東方文明古國富有玄學文化者哉！」

醫案

蕭山今墨施氏醫案（續）

醫夫

單案之腎臟炎已合併膀胱炎，故於一診內則以土茯苓爲主，餘則以排尿消炎之品故服三劑而腿腫見消，尿中帶血乃其膀胱部之細血管有破裂者，於二診內則加以鹿阿二膠促進血液之凝固力增强，而排出異物，大小薊琥珀之用以止其帶血也。

王案之治法則與單案不同，因王案本是慢性並無合併症故其治法則以助腎消炎爲目的，所謂助腎者乃促進其機能之增强也，而佐以利尿之防已旱蓮車前白通等草引尿由原路而出也，因本症之患者體質很弱，故用養正以袪邪之法，經云急則治標緩則治本，雖本在腎而不完全治腎，中醫之特長在斯焉，後之學者宜深思之。

腎臟病

劉左　年三十九歲。

診斷：腎臟結石症

原因：本症多發生在三十以上六十歲以下之男子，往往爲遺傳的素因，或由於食後不運動，及濫用肉類及酒類或因膀胱輸尿管等各病合併而來至於本案之原因不明。

症狀：腎部疼痛，小腹部引痛，腰酸脹，常盜汗及自汗發熱惡寒，小便短少而頻數色黃赤，每於排尿時覺尿道內刺痛，大便秘結，精神不振，食慾減退。

脈象：六脈沉而兼數

處方：破堅消炎利尿

鹽橘核，鷗茘核各三錢，皂角刺二錢，花梹榔四錢，金狗脊五錢，浮小麥八錢，炒車前子三錢血餘炭二錢同布包，白通草一錢五，白蒺藜三錢，黑豆五錢，生谷芽，生麥芽各三錢，生蛤粉三錢，龍骨六錢同布包，川錦紋二錢，鹽澤瀉三錢，海金砂三錢布包，黃花魚腦骨一兩，水煎服四五劑。（未完）

（第一版）

（天津國醫函授學院各地學員課外讀物）

天津新國醫月編

（非賣品）

（原名國醫月報）

第十二期

天津國醫函授學院編輯

地址　天津市極常廬　卅二號路義慶里五號

全年十二期只向學員收回紙料油墨費及郵寄費共國幣　圓　角

中西醫藥理之同途

鄒雲翔

作者深知中西醫學與藥學，原無界限之分，實有互相溝通之必要，以個人之意見，中西醫理與藥理，有脗合之處，茲據管見所及，中西藥劑方式上之同途各點，約略陳之如下。

1.丸劑　中醫凡治久病之癥瘕積聚，必用丸藥緩治之，或如梧子，或如小豆，或如胡麻，如仲景治瘧母之鱉甲煎圓，如惠民局方治痢之香連丸，如沈應鰲治痞塊之妙應丸等，此外治病之丸藥，歷代賢哲發明，何啻千百，而西醫亦有丸劑者，如治瘧之用鹽酸規寧一、〇龍胆膏〇一、一結和爲丸，於發汗前服之者，治胆石症之用坡朵菲林Podo Phyllin〇、三，莨菪膏Fxtra- ctum Scopolix〇、二五菖蒲根末Pul V. Badix Calami 龍胆膏Fxtracum gentiance Scabrx爲丸等此其一例，爲西醫相同於中藥之鐵證一。

2.錠劑　用幾種藥物混合，加蜜和勻，杵搗扁平，每錠潮重一錢左右，如中醫用之紫金錠是，而西醫亦以粉末狀藥物，和以白糖乳糖曲科拉忒Chokolate中立之性藥物或加少量亞拉伯樹膠末，用器械壓成圓扁形藥塊，一錠之重量，大約一克，如治殺蟲之山道年〇、二五白糖一〇、〇作十個錠劑者是，此爲西醫相同於中藥之鐵證二。

3.散劑　中藥研碎成末內服或外敷者，統謂之散劑，內服如錢乙治肺氣鬱熱之瀉白散，丹溪治下體濕熱之二妙散，如證治準繩治下血不止之十灰散，外敷如醫宗金鑑治風濕諸瘡之二味拔毒散，證治準繩治小兒聤耳之白龍散等，而西醫內服外敷多用散劑者，內服如治流行性感冒之用安替疋林 Antip Vrinum，外敷如治潰瘍多用黃碘Jodoformum之粉末撒布於創面，西醫每用於軟性下疳及結核性潰瘍等症，此爲西醫相同於中藥之鐵證三。

4.膠劑　中藥內服之膏滋藥，用許多藥物煎煮和以蜜或冰屑等，凝合成膏，開水沖服，作爲補品，而西醫之所謂乳劑，則以亞拉伯樹膠、罐頭牛乳、卵黃等物，混和的薄荷水蓖麻子油中而服之者，又每用橙皮糖漿和於各種浸劑煎劑之藥液中者，其用法，實與中醫之膏滋藥無異，又如中藥外科用之生肌玉紅膏，專治癰疽發背棒瘡潰爛，而西醫之用凡士林和以各種殺菌藥物爲防腐柔潤之要品，實與中藥之玉紅膏無異，此爲西醫相同於中藥之鐵證四。

近人路登雲先生云，今日社會上，有中醫西醫兩種學派，實則中西醫學，法雖不同而其理則一，試取西醫藥物學細研究之，其所言之性質與主治，同中藥相符合者，殆占十之八九，例如大黃爲下劑，於中藥有生大黃，酒大黃醋大黃等，而西藥中則製爲大黃末 Rapit Rhfl，大黃丁Linfura Rhei大黃舍Yswkus Ievci等，形狀雖殊，用之以爲下劑則一也，甘草爲和緩劑，于中藥中有生甘草炙甘草等，而西藥中則製爲甘草越Ldtro Rtwdii LiaF甘草水，Agncfi PinivtiaF甘草膏，Swcus BgiitiF等，治病則一，製法精粗之異而已，諸如此類，不可勝計，茲特略敘一二，藉供諸藥學家之檢討。

西藥中之碘化鉀，Kallum IodaLvm 主治淋巴腺睪丸，甲狀腺腫等尊爲不可缺少之藥品，其所製之碘 Lxoqlneo，卽從海藻煉出，海藻昆布性質大略相同，而中醫則早用海藻昆布，以治瘿瘤，瘰瀝諸疾，確有卓效。

西藥中之血炭粉，（卽動物血液煉成炭質爲粉末）藥物學云，有極大消毒力，能殺一切細菌，又善與一切毒質及細菌結合，使之失其毒性，故可用爲腸胃疾藥，及解毒劑，凡霍亂赤痢與夫誤服砒燐昇汞阿片等毒藥，皆可以是藥治之，每服一、〇，日服三四次，而中醫之用羊血，主治產後血暈悶絕，生飲一杯卽醒，凡中砒、硇、金、銀、丹、石、硫黃、鐘乳、礬石之毒者，生飲一杯卽解，西藥中之胃液素，RekiN係動物胃中一種特別之酵素，能消化食物，近代醫藥家用特殊之方法，從猪牛等胃中採取之，製或藥粉，以補充人體消化液之作用，而中醫則用雞肫皮，治胃不消化症，與用胃酸治病無異，惟一係天然之物質，一則係用人工製成之物質也。

西藥中之蘆薈丸，BuiniFaIF 其製法以蘆薈末，藥用石鹼各五、〇加水研和，爲丸百粒，每丸重量〇、一，含量〇、〇五，爲瀉下藥，用於常習性便秘，每服五粒乃至十粒，而中醫古方中，則有更衣丸，其製法以硃砂（卽硫化汞）五錢，研如飛麪，蘆薈七錢研細，滴酒和丸，每服二錢，好酒送下，用治常習性便秘有效。

中藥中之柳樹皮，爲收斂之健胃藥，兼有退熱之効，其所以能退熱之故，卽因皮中所含之水楊酸 Aclqum allcg llcÜm 服後吸收於血液，與血中所含之鹽質變化成爲酸鈉，呈血壓沉降之作用，故能使體溫減退，近時科學昌明，則有水楊酸鈉之出品，故西醫不再用柳樹皮，茲爲提倡國貨起見，多用一分國貨，卽減輕一分漏巵，姑特論之。

中藥中之熟地黃，近經化學家研究，知熟地黃成份中含有鐵質，足徵其補血功不虛，據化學家研究，人體之赤血球中，本含有鐵質甚多，人若氣血不足，則面頰口唇均不甚鮮紅，恆作白色，是爲血液中缺乏鐵質之證，西醫恆用鐵酒，鐵丸等補之，功効立見，卽近日市上出售之自來血等藥品，亦不過用一種含鐵質之藥製成，意忘却價廉物美國產良藥之熟地黃也。

中藥中流汞散，其製法以硫黃七錢，水銀三錢，研至無聲爲度，主治噎食，（卽食道狹窄）每服二厘，溫水送下，糞下如羊矢，連服六七日，其病卽愈，此方爲緩下劑，與西藥甘汞Calom- Ela水銀丸LIIUIVF dgqRORgg RIIUORFÜm 等，効力相等，其用量亦與西藥彷彿。

中藥中之龍馬自來丹，（見醫林改錯）其方以馬前子（卽番木鼈）爲主藥，地龍爲佐藥，用治癇顛，與西法暗合，但炮製過度，則奏効不確，揆其用意，不過去盡其毒質，殊不知其所含之毒質，卽有之成分，愈炮製則効力愈弱也，改良之法，不如依照西藥木鼈散Gwlw Tbyehivi乾燥番木鼈越Xtrov Twych 一二〇、〇地龍末九〇、〇研和之，每服〇、〇一至〇、〇五，一日數次，自無危險之虞。

如上所述，中西醫藥之比較，尙不止此，以見中西之學理，毫無差異，所以高明之中醫，間用西藥，精深之西藥，亦將中藥融爲西式，原屬同一民族，安有中西之可別，吾故主張，無所謂中醫，亦無所謂西醫，融會而貫通之，實事求是，以發展眞正之學理，增進社會安寧，人類幸福，實醫者重大之使命，本以西醫之儀器完備，手術精良，而不能凌駕乎我中醫之上，反之我中醫界執持一向之落伍狀態，墨守舊章，尙未至於淘汰者，實以中藥有特殊之宏効故也。

近人譚次仲先生云，西藥雖如何優良改善，仍未足以壓倒中藥之全部者，揆之優勝劣敗之理，中藥誠有表章之必要矣，譚君亦極主張中西醫理有溝通之必要，其又言曰，中西雖殊，而爲用多統於一而已，再四思維，彌縫闕失，惟有西醫國藥化之一途，故欲西醫國藥化，則必自西醫能應用國藥始，欲西醫能應用國藥，則必自中醫能將國藥作有科學理解與實據的宣傳始，夫眞理以探討而益明，藥效以相較而愈顯，有固然矣，國藥之有効而性粗略可知者，如解熱劑，如瀉下劑，湧吐劑，健胃劑，排痰劑，利尿劑，强壯劑等，較之西藥，大抵相同，其効力雖未必較西藥爲優，安得不可代用耶，考西醫應用中藥者，余所知有滬濱余雲岫，及佛山梁心二人，蓋余君與梁君研究中藥甚多，故於中藥在科學上之理解及性用，能知之深而用之當，可見西醫對於應用國藥，不患不行，特患不知云，此言中西醫用藥，並無爾我之見，在闡明學術之所當歸，實事求是而已，最爲和平中正，余雲岫不云乎，國產藥物之功用，求之古人，經驗每甚可靠，楊泉物理論曰，大黃去實，當歸止痛，自今觀之，信不誣也，又曰，麻黃之爲藥，我國古方用以發汗，用以治喘，越婢青龍之法，彰彰可考，而今日西藥之阿飛特靈，實爲麻黃中所含之植物鹼，乃治哮喘之新藥，風行於全世界，始發明其物質者，實在我國北京協和醫校之中國人，其後證明其作用者，多屬歐美及日本，然當日本明治十八年，爲西歷一千八百八十五年，（距今已有四十餘年）日本長井長義氏曾託高橋順一郎三浦謹之助等諸大家試驗藥効，祇知其有散瞳作用而已，未甚重視也，近年以來，始由協和諸子，始知其有治哮喘等種種功用，極爲醫上所輸，於是聲價日高，東至日本，西至歐美，盛行乎全球矣，苟日本長井當時，試驗藥効，能參攷我國醫書，於治喘發汗等方面實行檢查，則此藥功用，早當顯揚，何至歷三十餘年之久而始明，於此可見研究藥物，於古人經驗，決不能輕視，往往於此得知其確實之性用，余氏之言如此，其以西醫界之驕兒，而確信中藥之古方經効可靠，以麻黃而論，昔日賞用於我中醫界，而今風行全球，則安知以外中藥未嘗試効者甚多，一經開發，我中藥業不能成爲世界藥者，吾不信也。

譚君又證明中西醫理滙通之可能，茲據其所著中西藥性類異同論略中末節一例，傷寒論少陰篇云，少陰病二三日，反發熱，脈沈者，麻黃附子細辛湯主之，蓋以麻黃解熱附子壯心者也，因本節有熱發，故用麻黃以解之，因本節有脈沈，故用附子以興奮之，此合劑之例一也，又如太陽篇云，太陽病下之後，脈促胸滿者，桂枝去芍藥湯主之，若脈（此脈字係陳修園加入雖非仲景原文亦決非余所杜撰者）微惡寒者，桂枝去芍藥方中加附子湯主之，此節之處置，亦以桂枝解熱，以治太陽病，（蓋太陽二字爲發熱頭痛惡寒等之代名詞也）而以附子壯心，與麻黃附子細辛一節之處置相同，此合劑之例二也。由此觀之，則中醫對流行發熱病之處置，不出解熱壯心兩途，因病狀之緩急繁簡，有時解熱爲先，有時壯心爲急，有時解熱當壯心二者合併而用之，上所引各節皆其例也，此豈非與西醫對熱性病之用藥完全相同者耶，雖有善辯者，又誰能否認之也，不特此也，西醫與壯心劑合用之解熱劑，必取其無壓抑心力等副作用爲合格，故舍棄一切安知必林屬藥品，如（Adtipgsin. Thenaeeip. Tgramiden）之方而用建年，有時亦用水楊酸屬，如建年合咖啡精，水楊酸合樟腦之屬是也，中醫之處置更屬相同，蓋中藥之合壯心劑者，祇取麻桂合附子，未聞用石膏枝子柴胡合附子者，此仲景之心法，亦與科學相一致者也，但更有應討論之點，即仲景治病用藥，從原則上確與科學相同，無可譏評，但在藥物之選擇言，則大有商榷之餘地者也，蓋仲景解熱劑之桂枝，與壯心劑之附子乾姜等，皆有副作用，即中醫所謂偏性太過者也，故其解熱壯心之功効，非不偉大，但未得爲中醫界一般所樂用者，即因桂枝姜附三味藥，副作用頗多故也，雖附子不合乾姜，性甚和平，但其效則又遠遜，若合乾姜則非一般熱性病之心臟衰弱所甚適宜，余對於熱性病之解熱劑多用柴胡銀花地骨皮羌活防風之屬以代桂枝，而壯心劑則用麝香以代姜附，若吳鞠通溫病條辯有紫雪丹局方至寶丹清宮牛黃丸等，皆用麝香爲溫病通竅之用，夫溫病卽流行性發熱病也，溫病閉竅，卽高熱而脈搏沉弱甚則沉伏之謂，古人不知由高熱而致心臟衰弱，以爲是熱邪之閉塞脈管，故謂之閉竅耳，此時麝香用之至佳，至純然虛脫而熱度不高之時，姜附劑亦非無適用者焉，譚君此論，深合日人湯本求眞之說，湯氏曰，心臟脈力衰弱之原因，頗爲多端，决非單一者可比，蓋有因食毒者，有因水毒者，有因血毒者，或有因二毒乃至三毒之合併者，又有因是等病毒上更添近因者，果能洞查其原因之所在而除去之，則不治心臟脈力之衰弱，亦自能恢復矣，又云，若樟腦製劑果有效，亦不過如線香火花式一霎時之效而已，斷不能永續者也，若有永續之效果，則非樟腦製劑之力，乃併用他藥之功，湯氏且謂中醫亦有熊胆麝香等强心藥，然不過暫時應用於突發的急性證而已，所謂急性症者，卽譚君上述之熱性病，非純虛脫時，不用姜附，與東人之說，不謀而合者也。

醫案

蕭山今墨施氏醫案

（續）

醫夫

（二診）服藥經過：腰痛尤甚，小便仍少，精神未復，食慾不佳。

黃花魚腦骨一兩，炒杜仲炒續斷各三錢，炒元胡三錢，巴豆三粒同打。川練子三錢，金狗脊五錢，皂角刺二錢，花檳榔四錢，炒韭菜子三錢血餘炭二錢同布包，白蒺藜三錢，車前子海金砂各三錢同布包，鹽澤瀉三錢，全當歸三錢，山甲珠四錢，炒薏仁四錢，白通草錢半。

（三診）服藥經過：小便量見多，大便已下，惟腰部仍酸脹。

炒杜仲炒續斷各三錢，炒元胡三錢，花檳榔五錢，金狗脊五錢，皂角刺三錢，黃花魚腦骨一兩，山甲珠三錢，全當歸三錢，白蒺藜三錢，炒韭菜子三錢血餘炭二錢同布包，炒車前子三錢海金砂二錢同布包，巴豆三粒同打去淨，炒薏仁四錢，鹽橘核鹽茘核各三錢，白通草一錢五分。水煎服四五劑，後改丸方以善其後。

（案解）腎臟結石一症，多發生在老年人或小兒，其原因則不外少於運動，或濫用肉類酒類等，其初起在腎盂部發生如砂大小之石塊，漸漸長大，常起疼痛之感，因石之刺戟而引起炎症，甚則化膿，其石之來源則爲尿酸鹽結石，或爲燐酸鹽炭酸鹽等之結石所起，在初起時加以良善之治療，用藥物尚可將石軟化如石已成形式如粟大，則藥不能爲力矣。應施用手術摘除之，以免發生性命危險。

本案之症爲腎臟結石初起症，前曾在協和醫院診療認爲是結石症，後又用X光照射謂右腎盂部已有石灰沉着，將欲成結石症，應施用手術摘除，本患者因畏手術故改醫中醫，經施君今墨先生，診治三次雖未全愈而痛苦已去其泰半也，全案所用之藥品雖然平凡，但其佐使適到妙處，黃花魚腦骨一味本草不載，而其功效作用一般罕有知者，姚君季英謂本品之特效作用，則在能消化石灰性物質，故對本症之作用以此爲主也，其次則爲檳榔雖然爲殺菌之品而於軟堅尤有特長，統觀全案之治法則爲軟堅化石消炎利尿，及對症療法而已。

韓右　年三十八歲。

診斷：腎臟衰弱兼貧血症。

原因：因生育過多。

症狀：腰酸而痛有時作脹，腿疼而腫，心跳，月經自去歲產後今已數月未見，小便黃赤，大便燥。

脈象：沉緩而弱。

（處方）炒杜仲川斷各三錢，蛤粉炒阿膠三錢，砂仁錢半同打，大生地三錢，大熟地三錢，枸杞子五錢，山萸肉四錢，沙苑子四錢，栢子仁三錢，松子仁三錢，旱連草三錢，全當歸三錢，淡從蓉六錢，炒韭菜子二錢，血餘炭二錢，草稍一錢，焦遠志五錢，水煎服三四劑。

（二診）服藥經過：腰痛微減，精神尚未復元，大便仍燥。

松子仁三錢，栢子仁三錢，砂仁錢半同打，大生地三錢，大熟地三錢，炒杜仲三錢，炒川斷三錢，赤白芍二錢，白茅根四錢，焦遠志五錢，淡從蓉六錢，車前草三錢，旱連草三錢，山萸肉四錢，生谷芽四錢，全當歸三錢，枸杞子五錢，火麻仁四錢，蛤粉炒阿膠四錢，生內金三錢，水煎服三四劑。

（三診）服藥經過：大便燥而少每三四日一次，腰仍作痛，唯酸過於痛，前日在醫院檢查尿內無蛋白質。

炒杜仲三錢，炒川斷三錢，砂仁一錢五分同打，大生地三錢，大熟地三錢，蛤粉炒陳阿膠三錢，鹿角膠三錢，宣木瓜三錢，蓁艽一錢五分。淡蓯蓉六錢，火麻仁四錢，油當歸四錢，枸杞子五錢，山萸肉四錢，桂枝木炒透杭白芍四錢，去毛金狗脊五錢，黑豆衣三錢，炙草一錢。

李左　年四十二歲。

診斷：腎臟性水腫。

原因：本症之原因甚多，簡括來分別有二種，一爲腎臟機能障礙，一爲膀胱疾患，而本案之原因恐與腎臟結石有關係。

症狀：腰部痛甚右側尤覺脹甚，腿部痛微腫，腎臟部腫大，所排之尿量雖然不少，但多呈溷濁，精神不佳，大便秘結。

脈象：六脈皆現弦數象。

（處方）車前草三錢，旱蓮草三錢，黛蛤散四錢同布包，血餘炭二錢，海浮石，海金砂各三錢同布包，山查核三錢，去毛金狗脊五錢，枸杞子三錢。鹽澤瀉二錢，細木通五錢，皂角刺二錢，花檳榔三錢，炒杜仲三錢，炒川斷二錢，當歸尾三錢，水煎服三四劑。

（二診）服藥經過，服藥後腿腫痛見減，但腰痛仍甚，尿時覺尿道內刺痛而熱，尿色仍呈溷濁。

冬瓜子三錢，冬葵子三錢，炒韭菜子三錢，血餘炭二錢同布包，車前子三錢同布包，海金沙二錢，天水散三錢海浮石三錢同布包，去毛金狗脊五錢，當歸尾三錢，赤芍藥二錢，赤茯苓三錢，細木通二錢，白通草錢半，皂角刺二錢，山查核三錢。

馬左　年二十八歲（膀胱病）。

診斷：急性膀胱炎症。

原因：本症之主要原因，爲淋菌侵入於膀胱，或爲其他之黴菌所傳而得，據馬君自述，前曾患淋症，經西長安街某醫院，施行後尿道洗滌後，症雖愈但常覺下腹部脹痛，並且於排尿時其色多呈溷濁樣。

症狀：小腹部墜痛，尿量少而頻數，每於排尿時小腹及尿道脹痛尤甚，尿色呈溷濁，常於尿後代血，尿經過膀胱開口處覺熱，精神因之疲倦，大便亦爲之燥。

脈象：弦數右脈微沉。

處方：殺菌消炎利尿通便。

車前草旱蓮草各三錢，鮮茅根鮮生地各六錢，晚蠶砂血餘炭同布包各三錢，冬瓜子冬葵子各三錢，郁李仁二錢，懷牛膝三錢，炒皂角子二錢，益元散五錢同布包，台烏藥一錢，炒只壳一錢五分。干薤白二錢。苦桔梗一錢五，細木通一錢五，土茯苓八錢，水煎服二三劑。

（二診）服藥經過：小便增多，小腹部及恥骨縫合上部痛亦減，大便已見。

鹽澤瀉三錢，炒車前子三錢同布包，血餘炭四錢，炒皂角子二錢同布包，晚蠶砂三錢，冬瓜子冬葵子各三錢，懷牛膝三錢，土茯苓八錢，白通草一錢五，細木通二錢，全瓜蔞六錢，干薤白二錢，台烏藥一錢五，荔枝核二錢，當歸尾三錢，益元散四錢，水煎服四五劑。

李左　年二十七歲

診斷：膀胱結石症（砂淋）。

原因：因膀胱內之尿成分附着于粘膜所成恐與纖維性之凝固物亦無關。

病狀，會陰部痛甚腰部亦覺酸痛，每于排尿時忽爾停止其痛尤甚有數次之代血。

（處方）車前草二錢，旱蓮草三錢，左金丸二錢，血餘炭三錢同布包，花檳榔二錢，鹽澤瀉三錢，白通草一錢五分，懷牛膝四錢，猪苓三錢，淡竹葉二錢，海浮石海金沙同布包各三錢，當歸尾三錢，台烏藥一錢五分，冬瓜子三錢，冬葵子三錢，細木通二錢，水煎服三四劑。

（二診）服藥經過：尿時仍覺痛尿出很少砂粒，尿仍不暢。

天水散四錢，血餘炭三錢同布包，旱蓮草三錢，車前草三錢，鹽澤瀉三錢，細木通二錢，腎金子三錢，大小薊炭三錢，赤芍三錢，赤苓三錢，海浮石海金沙同布包各三錢，當歸尾三錢，花檳榔三錢，白丑子一錢五分，猪苓三錢，懷牛膝三錢，水煎服三四劑。

趙左　年二十四歲

診斷：膀胱麻痺症（遺溺症）。

原因：由房事過度以致神經衰弱自罹此症。

病狀：時時遺溺覺下腹部急迫欲尿則尿不出非用熱物將小腹部熨始能溺出如在澡堂池內則覺好。

脈象：弦數

處方：猪苓三錢，鹽澤瀉三錢，赤茯苓三錢，桂枝二錢同炒杭白芍三錢，細木通二錢，炙升麻五分，益智仁二錢，酒條芩二錢，炒車前子三錢，血餘炭二錢同布包，川萸肉一錢五分，五味子一錢，小茴香二錢，白通草一錢，水煎服二三劑。

（二診）服藥經過：尿已多仍不暢有時覺下腹脹痛。

車前草三錢，旱蓮草三錢，鹽澤瀉二錢，赤茯苓三錢，赤芍二錢，淡竹葉一錢五分，嫩桂枝二錢，杭白芍三錢同炒，細木通二錢，山萸肉二錢，炙升麻五分，小茴香二錢，天水散四錢，血餘炭二錢同布包，灸附片一錢五分，炒只壳一錢五分，懷牛膝二錢，水煎服三四劑。

（三診）服藥經過：尿雖通但不時仍遺尿。

代蛤散四錢，血餘炭二錢同布包，嫩桂枝二錢，杭白芍三錢同炒，鹽澤瀉三錢，淡竹葉一錢五分，小茴香三錢，炙附片一錢五分，炙首烏三錢，山萸肉二錢，益智仁二錢，白通草一錢，懷山藥八錢，車前草三錢，旱蓮草三錢，懷牛膝三錢，山查核二錢，水煎服三四劑。

（案解）膀胱位于小骨盆內，在恥骨之後，直腸之前，爲膜狀之囊，依男女之關係，而其位置稍有不同，其尿由腎臟經輸尿管，不停的輸入膀胱，爲貯存一定量之蓄尿器，若至定量時，便發尿的感覺，是膀胱縮小，壓迫增大乃排出，在膀胱出口部，及尿道之間，有內外兩括約肌，內括約機反射作用弛緩，將尿排出，外括約肌可隨意志而調節，當便緊急時，尤能忍耐者，即此肌之作用也。

膀胱之病變，多起於其他之臟器給與激刺所起，如膀胱炎之原因，大多數爲淋菌，或其他之化膿菌所引起，故其治法以殺菌消炎利尿爲主目的排便止痛爲副目的，而慢性的治法，仍本急性之義，而所異者，只有頭暈咳嗽而已，故藥味稍加更動，結石一症，本石沙之一類症也，例如家中用常燒水的鐵壺，經過相當時日，則蓄有很多水鹼，膀胱雖然不能比作鐵壺，但是其亦爲蓄水之器也，尿中所含雜質甚多，如體弱兩膀胱排尿機減退，則易罹此症，故其案之治法，以利尿止痛消瘀爲法意，測本案之症倘屬于初起之輕度，否則藥物不能爲力，因其凝物質體大輸尿管不能通過。則應以膀胱切開術取去之，此國醫該退避三舍矣，至于遺尿一症國醫謂爲心腎氣虛，陽氣衰冷，致令膀胱傳送失度，則必有遺尿失禁之患，內經謂膀胱不利爲癃，不約爲遺尿，應清心寡慾，治宜溫補，據鄙人之經驗，遺是有尿不能排出，排尿機之痲痺也，括約肌之痙攣也，遺尿者，乃外括約肌之痲痺也，故有時時遺尿，而本案之遺尿，則屬于排尿肌之痲痺也，故有尿不易排出，故治法以附片茴香溫中回陽，兼以利尿之品，而升麻一味用的特好，如同開水壺欲向外倒水而流不暢，如用手將壺蓋稍向上提，則水流甚暢，此用升麻亦其義也。

米左　年三十歲

診斷：喉頭炎

原因：由流行性感冒而誘起。

症狀：喉部發乾音啞咳嗽咯痰微發熱頭痛體倦飯食不佳。

脈象：浮數。

（處方）　鮮茅根一兩，桑葉六錢，桑枝三錢，蔓荆子二錢，淡豆豉四錢，牛蒡子二錢，防風一錢五分，佩蘭葉三錢，山梔衣二錢，苦梗一錢五分，菊花三錢，薄荷梗一錢五分，忍冬藤三錢，炒只殼二錢，水煎服，病愈止服。

王右　年二十三歲。

診斷：喉頭氣管炎。

原因：肺有鬱熱外受風寒。

症狀：發熱惡寒頭痛咳嗽喉痛無痰飲食不佳。

脈象：六脈浮數右脈無力。

（處方）　鮮葦根一尺，鮮茅根六錢，炙前胡一錢五分，炙白前一錢五分，杏仁三錢，公英三錢，蔓荆子一錢五分，苦桔梗一錢五分，連翹三錢，大力子二錢，杭菊二錢，紫菀二錢，蘇子一錢五分，佩蘭葉三錢，淡豆　四錢。山梔衣二錢，薄荷梗一錢五分，桑葉二錢桑枝六錢水煎服兩劑。

（二診）服藥經過：風寒已解餘熱未清大便燥結。

前胡一錢五分，白前一錢五分，鮮葦根一尺，鮮茅根五錢，杏仁三錢，公英三錢，黃芩二錢，知母二錢，苦梗二錢五分，金銀藤三錢，連翹三錢，瓜蔞八錢，只殼二錢。薤白二錢，竹葉二錢，薄荷梗二錢，桑葉二錢，水煎服，服二劑。

（案解）　喉頭是肺臟呼吸空氣所必由之路，故爲肺臟之關門，平素吾人對於咽喉及口腔應時時要清潔，以防病菌毒素之侵略，致于本案之米王二案同是喉頭氣管炎，而所用之藥則大同小異，同是因感冒所得，萌症雖異，實因各人之體質不同也。

王案則爲清表解毒消炎止嗽，，故與二診內加瓜蔞薤白，只殼等以促進腸之蠕動增加液以便于排便，故于二診病體全愈矣，米案和王案大致雖同，惟用牛蒡子甚好，因有頭痛而用蔓荆菊花。

錢左　年四十二歲。

診斷：毛細氣管炎。

原因：前曾患感冒咳嗽故知爲氣管炎蔓延侵入肺部毛細管以致發生炎症。

症狀：有劇烈之咳嗽聲啞有白色痰嗽時胸部覺痛飲食不佳大便燥，小便短赤。

脈象：浮緩

（處方）　細辛二分五味子五分同打，炙前胡炙白前各一錢五分、葶藶子五分，大紅棗五枚去核同搗，半夏曲二錢，炙麻黃五分，炙紫菀二錢，花旗參原皮八分，苦桔梗二錢，生石膏四錢，杏仁去皮尖二錢，炙陳皮二錢，海浮石三錢，蛤粉四錢，青黛一錢同布包，炙草五分，水煎服服二三劑。

（二診）　服藥經過：咳嗽見佳，痰量亦減少，惟食慾不佳，大便尙燥：

半夏曲二錢，葶藶子五分，大紅棗五枚去核搗，炙前胡白前各一錢五分，海浮石二錢旋覆花一錢五分同布包，炒枳殼一錢五分，炙百部一錢五分，炙紫菀一錢五分，炙陳皮一錢五分，苦桔梗一錢五分，干薤白二錢，全瓜蔞六錢，佩蘭葉二錢，白茅根五錢，生內金二錢，水煎服二三劑。

（三診）服藥經過：前方服三劑咳嗽已止聲啞已復，大便已下惟仍覺喘：

炙前胡白前各一錢五分，海浮石一錢五分旋覆花三錢同布包，葶藶子五分，大紅棗五枚去核同搗，苦梗一錢五分，蘇子青黛各一錢，半夏曲三錢同布包，炙陳皮五錢，生內金三錢，杏仁二錢，枳殼二錢，水煎服。

樂右　年五十六歲

診斷：久性氣管炎。

原因：因感冒誘起從前年年復發一次。

症狀：前曾患感冒自愈後，飲食減少，微喘。相延一月，咳嗽較甚。有黃白色痰，有時成泡沫樣痰：

脈象：左脈現數兩尺則弱。

（處方）炙前胡白前各一錢五分，杏仁去皮尖二錢，訶子肉生煨各錢半，苦梗二錢半，薤白二錢，炒只壳一錢五分，海浮石三錢布包，桑葉二錢，紫菀一錢五分，百部一錢五分，陳皮一錢五分，南北沙參二錢，旋覆花一錢五分。

（二診）服藥經過：前方連服，三劑咳嗽略止，仍有白色及沫樣痰，口乾飲食不佳，今作一丸藥方常服：

沙參五錢，花粉五錢，訶子肉五錢，旋覆花五錢，礞砂三錢，蛤粉八錢，苦梗四錢，生地五錢，青黛三錢，杏仁五錢，花旗參三錢，蟬衣三錢，桑葉四錢，條芩五錢，鳳凰衣三錢，板藍根四錢，連翹五錢，石斛三錢，薄荷梗三錢，生草四錢，大力子五錢，共爲細末煉蜜爲丸一錢重每早含化一丸。

灌腸洗腸

大便閉結或雖有大便而未能十分排泄，有時用灌腸以使大便，將宿糞出清。

坐藥　糞不甚堅，尙無須灌腸者，可用甘油坐藥一個，塞入肛門深處，亦可由其刺戟而大便，嬰兒等用此法亦可。

冷水灌腸　灌腸係欲刺戟近肛門之粘膜，並使堅硬之宿糞變軟，以利排泄，故有時單用冷水三十瓦或五十瓦灌腸，已可使之排泄，如用甘油冷水各半，合計用三十瓦或五十瓦灌腸，大都可使排泄，在腸灌後，應忍住五分間或十分間，否則每祇流出灌腸液，宿糞依然不下。

肥皂灌腸　如便祕甚劇，用上法，糞仍不肯下時，須用肥皂水三百瓦或五百瓦灌腸，法用鉀肥皂粉十瓦左右，加水三百瓦或五百瓦溶化，用以灌腸，用此量灌腸，大都可使排泄。

灌腸亦易成爲習慣，余每日行之已廿五年矣，故一切胃腸病者可不發，此外爲最好之習慣。此宜多吃蔬菜，及水果，用飲食方法，亦可養成每日出清積糞之習慣。

洗腸　類乎灌腸者，尙有洗腸一事，腸中留有有害之物，使病遷延不愈，或使病加重時，可用食鹽水（〇．八五%食鹽水）五百瓦或更多，灌入肛門洗腸，小孩之消化障礙，可屢行之。

滋養灌腸　灌腸之中，又有滋養灌腸一種，在病人不能進飲食，而必需供給病人滋養時行之，法先用甘油灌腸，排出糞便後，用卵黃一個或二個，牛乳一合左右，細加拌和，加鹽少許，從肛門灌入，有時尙加入藥品，以制止腸之蠕動，從肛門灌入之滋養物逆流入腸而消化吸收，常然此祇係濟一時之急，未能有充分之滋養，然病人却可由此而增加元氣。

又口全然不能吞下物時，亦可從肛門灌入食鹽水或其他藥品，例如患子癎等時，可從肛門灌入鎭靜劑。